AMLS : Advanced Medical Life Support

AN ASSESSMENT-BASED APPROACH

지음 **NAEMT** 옮김 **김진우**

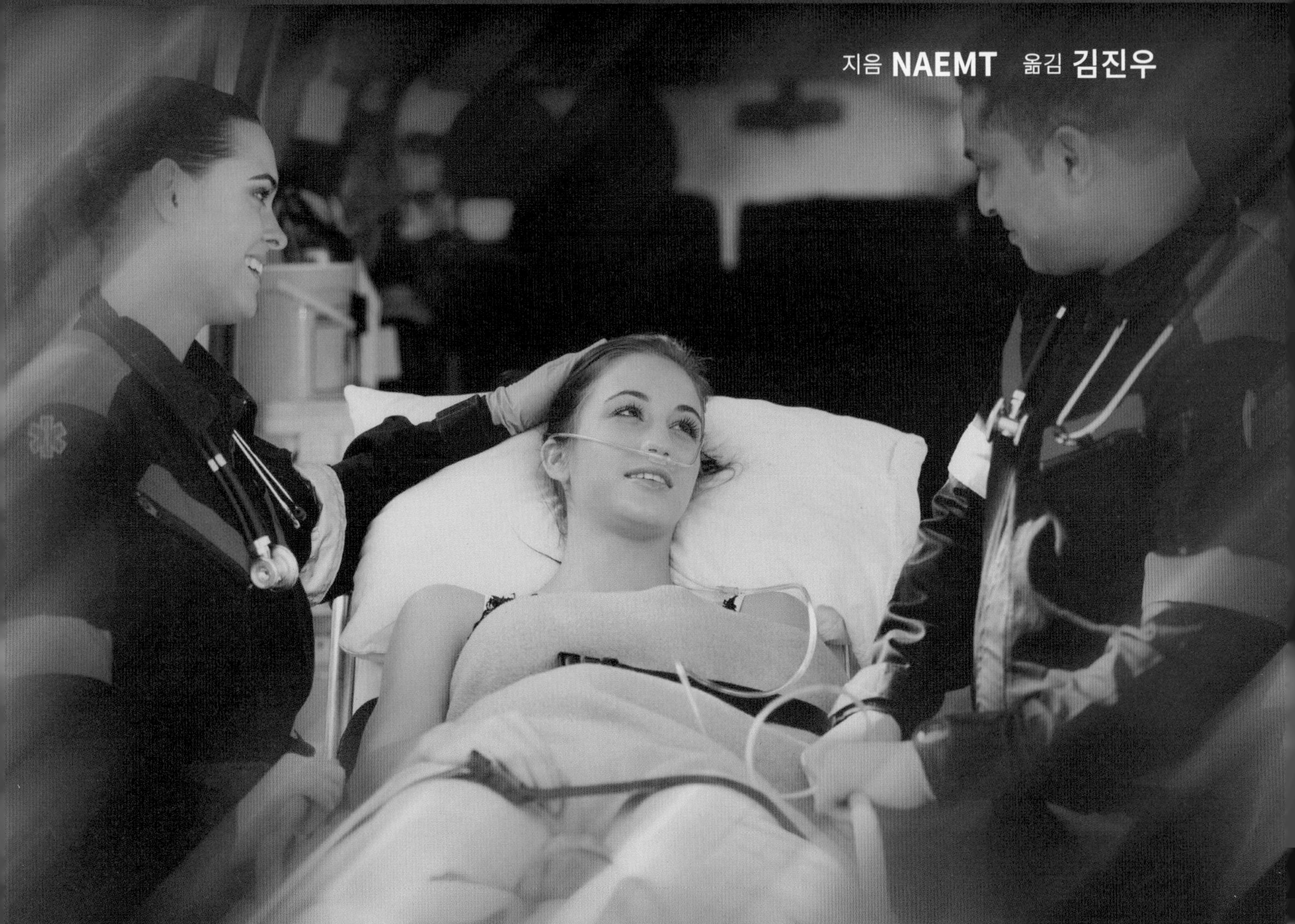

군자출판사

THIRD EDITION

내과 전문 응급처치

AMLS : Advanced Medical Life Support

AN ASSESSMENT-BASED APPROACH

지음 NAEMT 옮김 김진우

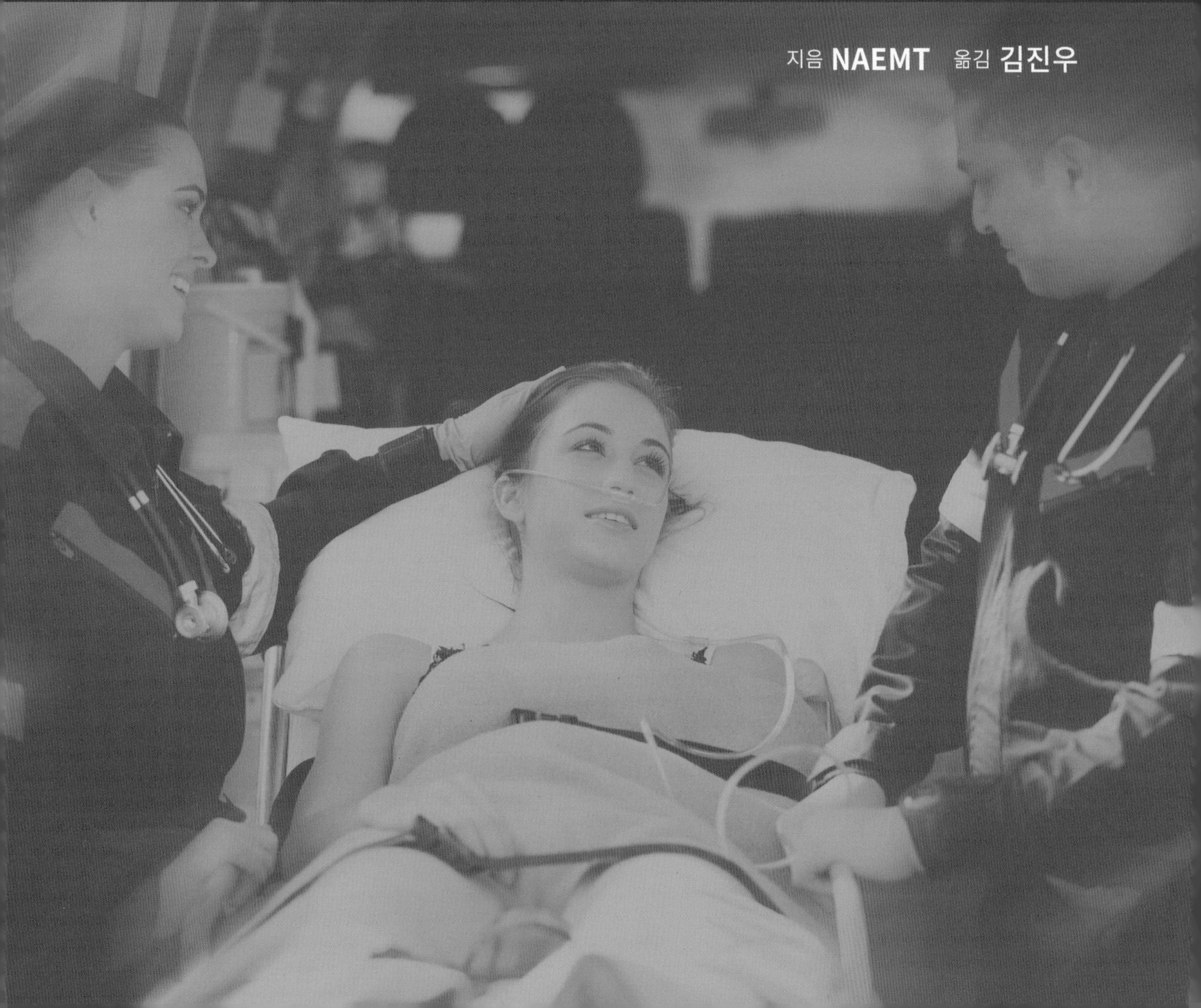

내과 전문 응급처치3판

Advanced Medical LIfe Support

셋째판 1쇄 인쇄 | 2022년 11월 7일
셋째판 1쇄 발행 | 2022년 11월 18일

지 은 이 National Association of Emergency Medical Treatment (NAEMT)
옮 긴 이 김진우 외
발 행 인 장주연
출 판 기 획 최준호
책 임 편 집 이다영
편집디자인 최정미
표지디자인 김재욱
발 행 처 군자출판사(주)
등록 제4-139호(1991. 6. 24)
본사 (10881) **파주출판단지** 경기도 파주시 회동길 338(서패동 474-1)
전화 (031) 943-1888 팩스 (031) 955-9545
홈페이지 | www.koonja.co.kr

ORIGINAL ENGLISH LANGUAGE EDITION PUBLISHED BY
Jones & Bartlett Learning, LLC
5 Wall Street
Burlington, MA 01803 USA

ISBN 979-11-5955-940-2
정가 54,000원

차례 요약

차례

Chapter 5 신경계 질환................189

Chapter 6 복부 질환..................239

Chapter 7 내분비 및 대사 장애 281

Chapter 8 감염병 315

Chapter 12 패혈증 497

Acknowledgments

The NAEMT Advanced Medical Life Support Committee offers its gratitude to the many individuals who devoted countless hours of their time in the development of the third edition of *Advanced Medical Life Support* (AMLS). An exemplary group of subject matter experts comprised of physicians, clinicians, and educators served as chapter editors, authors, and reviewers. This collaboration has resulted in a textbook that reflects the diversity of thought leadership in prehospital medicine and is consistent with NAEMT's education mission and philosophy.

The National Association of EMS Physicians (NAEMSP) has supported the participation of its members: Dr. Vincent Mosesso, AMLS Medical Director and Dr. Angus Jameson, AMLS Associate Medical Director. We deeply appreciate the medical oversight that Drs. Mosesso and Jameson provided to ensure that AMLS is medically sound and reflects the latest evidence and research. Our gratitude is extended to NAEMSP for its ongoing support for this important prehospital program.

We also extend our appreciation to the many AMLS instructors and students who provided their feedback and suggestions for improvement to the third edition of AMLS. Their ideas have been incorporated into this third edition in the form of new textbook chapters on sepsis, pharmacology, and behavioral emergencies, as well as new AMLS pathway case studies and patient simulations in the course.

It has been my great pleasure and a true honor to work with everyone involved in bringing the *Third Edition* to publication. It is our hope this latest edition continues to make AMLS the premiere source of education for assessing and treating the prehospital medical patient.

Craig Manifold, DO, FACEP, FAAEM, FAEMS
Medical Editor, AMLS

Contributors

Medical Editor

Craig Manifold, DO, FACEP, FAAEM, FAEMS
Medical Director, NAEMT
Associate Professor, UT Health
EMS Medical Director
San Antonio, Texas

Medical Directors

Vincent N. Mosesso, Jr., MD, FACEP, FAEMS
Medical Director, AMLS
Professor of Emergency Medicine
Associate Chief, Division of EMS
Medical Director, Prehospital Care Department
University of Pittsburgh Medical Center
Department of Emergency Medicine
University of Pittsburgh School of Medicine
Pittsburgh, Pennsylvania

Angus M. Jameson, MD, MPH, FACEP, FAEMS
Associate Medical Director, AMLS
Medical Director
Pinellas County EMS
Affiliate Associate Professor
Morsani College of Medicine
USF Health
Largo, Florida

Medical Reviewer

Jeffrey L. Jarvis, MD, MS, EMT-P, FACEP, FAEMS
EMS Medical Director
The Williamson County EMS System
Marble Falls Area EMS
Georgetown, Texas

Contributors

Les R. Becker, PhD, MS, MEdL, NRP, CHSE
Vice Chair, AMLS Committee
Senior Evaluation Scientist
Simulation Training & Education Lab
MedStar Health
Washington, District of Columbia

E. Stein Bronsky, MD
Chief Medical Director, Colorado Springs Fire Department
Chief Medical Director, American Medical Response
Medical Director, El Paso-Teller County 911 Authority
El Paso County, Colorado
Emergency Department Physician
Penrose-St. Francis Hospitals
Colorado Springs, Colorado

Glenn A. Burket III, DO
EMS Fellow
Department of Emergency Medicine
University of North Carolina
Chapel Hill, North Carolina

Erica Carney, MD, FAEMS
Medical Director
Kansas City Fire Department
Central Jackson County Fire Protection District
UMKC EMS Education System
Region A
Kansas City, Missouri

Mallory B. DeLuca, BS, NRP
Training Chief, Office of Professional Development
Wake County Department of Emergency Medical Services
Raleigh, North Carolina

Rommie L. Duckworth, BS, LP
Director
New England Center for Rescue and Emergency Medicine
Captain
Ridgefield Fire Department
Ridgefield, Connecticut

Dr. B. Craig Ellis, MBChB, Dip IMC (RCSEd), FACEM
Medical Director
St John, New Zealand

Bryan Everitt, MD, NRP
Emergency Medicine Resident
Department of Emergency Medicine
University of Texas Health San Antonio
San Antonio, Texas

Raymond L. Fowler, MD, FACEP, FAEMS
Professor and Chief, Division of Emergency Medical Services
James M. Atkins MD Professor of Emergency Medical Services
Department of Emergency Medicine
University of Texas Southwestern Medical Center
Dallas, Texas

David M. French, MD, FACEP, FAEMS
Medical Director
Charleston County EMS
Charleston, South Carolina

William S. Gilmore, MD, EMT-P, FACEP, FAEMS
Medical Director
St. Louis Fire Department
St. Louis, Missouri

Leslie Hernandez, EdD, LP, FP-C, CCP-C, CP-C
Program Director–Civilian Paramedic
Emergency Health Sciences
UT Health San Antonio
San Antonio, Texas

Robert P. Holman, MD
Medical Director
DC FEMS
Washington, District of Columbia

Erin Humphrey, NRP
Paramedic Captain
DC Fire and EMS
Washington, District of Columbia

Michael Kaduce, MPS, NRP
EMT Program Director
UCLA Center for Prehospital Care
Los Angeles, California

Dustin P. LeBlanc, MD
Assistant Professor of Emergency Medicine
Medical University of South Carolina
Charleston, South Carolina

Michael Levy, MD, FAEMS, FACEP, FACP
Medical Director for Anchorage Fire Department and Areawide EMS
Medical Director for EMS Kenai Peninsula Borough Alaska
Medical Director for Emergency Programs State of Alaska
Affiliate Associate Professor
College of Health
University of Alaska–Anchorage
Anchorage, Alaska

Hannah MacLeod, BSc, BHSc (Paramedicine)
Clinical Innovation and Learning Manager
St John, New Zealand

Della Manifold-Stolle, RN, EMT-B
Connally Memorial Medical Center
Floresville, Texas

Michelle Mayer, BA, NRP
Chief
Union Ambulance District
Union, Missouri

Gregory W. Miller, BS, NRP
Training Chief, Office of Professional Development
Wake County Department of Emergency Medical Services
Raleigh, North Carolina

Karin H. Molander MD, FACEP
Emergency Medicine/Mills Peninsula Medical Center
Burlingame, California
Board of Directors/Sepsis Alliance
San Diego, California

Stephen J. Rahm, NRP
Chief, Office of Clinical Direction
Centre for Emergency Health Sciences
Spring Branch, Texas

Michelle Shearer, NRP, RN, BSN
Paramedic Assistant to the EMS Medical Director
Kansas City, Missouri Fire Department
Kansas City, Missouri

Amy Swank, PharmD, BCPS
Clinical Pharmacist, Emergency Medicine
UCHealth Memorial Hospital Central
Colorado Springs, Colorado

Christopher Touzeau, MS, FNP-C, NRP
Montgomery County, Maryland

Shawn M. Varney, MD, FACEP, FAACT, FACMT
Professor
Department of Emergency Medicine
University of Texas Health – San Antonio
Medical Director
South Texas Poison Center
San Antonio, Texas

Mark Warth, BHS, NRP
Medical Program Coordinator
Colorado Springs Fire Department
Colorado Springs, Colorado

Jefferson G. Williams, MD, MPH, FAEMS, FACEP
Deputy Medical Director
Wake County Department of Emergency Medical Services
Clinical Assistant Professor
Department of Emergency Medicine
University of North Carolina
Raleigh, North Carolina

Lauren Young, LCSW
Medical Social Work Coordinator
Palm Beach County Fire Rescue
West Palm Beach, Florida

Reviewers

J. Adam Alford, NRP
Piedmont Virginia Community College
Charlottesville, Virginia

Ryan Batenhorst, MEd, NRP, EMSI
Southeast Community College
Lincoln, Nebraska

Dana Baumgartner, NRP BS
Nicolet College
Eagle River, Wisconsin

Mark A. Boisclair, MPA, NRP USA (ret)
Chattahoochee Valley Community College
Phenix City, Alabama

John C. Cook, EdD, MBA, NRP, NCEE
Jefferson College of Health Sciences
Roanoke, Virginia

Mark Cromer, PhD, MS, MBA, NRP
Carilion Clinic
Salem, Virginia

Kevin Curry, AS,NRP, CCEMTP
United Training Center
Lewiston, ME

William Faust, MPA, NRP
Western Carolina University
Cullowhee, North Carolina

Darrell W. Fixler Jr., RRT, NRP, FP-C
Parris Island Fire & Rescue
Beaufort, South Carolina

Lori Gallian BS, EMT-P
Summit Sciences
Citrus Heights California

Scott A. Gano, BS, NRP, FP-C, CCEMT-P
Columbus State Community College
Columbus, Ohio

Kevin M. Gurney, MS, CCEMT-P, I/C
Delta Ambulance
Waterville, Maine

Bradley R. Hughes, AAS, CP-C, NRP, NCEE
Putnam County EMS
Winfield, West Virginia

Sandra Hultz, NRP
Holmes Community College
Ridgeland, Mississippi

Joseph Hurlburt, BS, NRP
North Flight EMS
Manton, Michigan

Jared Kimball, NRP
Tulane Trauma Education
New Orleans, Louisiana

Timothy M. Kimble, BA, AAS, CEM, NRP
Craig County Office of Emergency Services
New Castle, Virginia

Blake E. Klingle, MS, RN, CCEMT-P
Waukesha County Technical College
Pewaukee, Wisconsin

Keri Wydner Krause
Lakeshore Technical College
Cleveland, Wisconsin

Michael K. Matheny, BS, NRP, NCEE, PI
Community Health Network, EMS Education
Indianapolis, Indiana

Nicholas Montelauro, BS, NRP, FP-C, NCEE, CHSE
Indianapolis, Indiana

Gregory S. Neiman, MS, NRP, NCEE
EMS Community Liaison, VCU Health
Richmond, Virginia

Jim O'Connor, Paramedic
Ohio Fire Academy
Logan Ohio

Keito Ortiz, Paramedic, NAEMSE II
Jamaica Hospital Medical Center
Jamaica, New York

Matthew Ozanich, MHHS, NRP
Trumbull Regional Medical Center
Warren, Ohio

Debbie Petty
St Charles County Ambulance District
St Peter's, Missouri

Tim Petreit, MBA, NRP
Montgomery Fire/Rescue
Montgomery, Alabama

Deborah Richeal, NRP
MedAire
Phoenix, Arizona

Captain Bruce J. Stark, NRP
Fairfax County Fire and Rescue Department
Fairfax Virginia

Josh Steele, MBA-HA, BS, AAS, NRP, FP-C, CMTE
Hospital Wing Memphis
Memphis, Tennessee

Nerina J. Stepanovsky, PhD, MSN, CTRN, Paramedic
Caduceus Educational Consulting LLC
Parrish, Florida

Richard Stump, NRP
Central Carolina Community College
Sanford, North Carolina

William Torres Jr., NRP
Marcus Daly Memorial Hospital
Hamilton, Montana

Gary S. Walter, MS, BA, NRP
Eugene, Oregon

Rekeisha A Watson-Love, AAS, NRP
Paramedic/Instructor Coordinator
Las Vegas, Nevada

AMLS Committee

Les R. Becker, PhD, MS MEdL, NRP, CHSE
Vice Chair, AMLS Committee
Senior Evaluation Scientist
Simulation Training & Education Lab
MedStar Health
Assistant Professor of Emergency Medicine on the Biomedical Educator Track
Georgetown University School of Medicine
Associate Editor Medical Education Online
Washington, District of Columbia

Ann Bellows, RN, NRP, EdD
AMLS Committee Member
Program Director – Assistant Professor
Emergency Medical Services
Doña Ana Community College
Las Cruces, New Mexico

Bengt Eriksson, MD
AMLS Committee Member
Medical Director Prehospital Care
Landstinget Dalarna
National CMD PHTLS & AMLS Sweden NAEMT
Consultant Anesthetist/ICU Anesthesiology Department
Mora Lasarett Hospital
Dalecarlia, Sweden

Angus Jameson, MD, MPH, FACEP, FAEMS
AMLS Committee Associate Medical Director
Medical Director
Pinellas County EMS
Affiliate Associate Professor
Morsani College of Medicine
USF Health
Largo, Florida

Craig Manifold, DO, FACEP, FAAEM, FAEMS
AMLS Committee Medical Editor NAEMT
Associate Professor
UT Health
EMS Medical Director
San Antonio, Texas

Jeff J. Messerole, EMT-P
AMLS Committee Chair
Clinical Instructor
AHA Training Center Coordinator
Spencer Hospital
Spencer, Iowa

Vincent N. Mosesso, Jr, MD, FACEP, FAEMS
AMLS Committee Medical Director
Professor of Emergency Medicine
Associate Chief, Division of EMS
Department of Emergency Medicine
University of Pittsburgh School of Medicine
Medical Director, Prehospital Care Department
University of Pittsburgh Medical Center Pittsburgh, Pennsylvania

Daniel Talbert, MHS, EMT-P, FP-C
AMLS Committee Member
Critical Care Flight Paramedic
TraumaOne/UF Health
Jacksonville, Florida

National Association of Emergency Medical Technicians 2019 Board of Directors Officers

Matt Zavadsky, President
Bruce Evans, President-elect
Troy Tuke, Secretary
Terry L. David, Treasurer
Dennis Rowe, Immediate Past President

NAEMT Board of Directors
Sean J. Britton, Director Region I
Robert Luckritz, Director Region I
Susan Bailey, Director Region II
Cory S. Richter, Director Region II
Chris Way, Director Region III
Jason Scheiderer, Director Region III
William "Bill" Justice, Director Region IV
Karen Larsen, Director Region IV
Charlene Cobb, At-Large Director
Jonathan Washko, At-Large Director
Craig A. Manifold, Medical Director

Foreword

Emergency medical care in the prehospital environment is constantly evolving. New research, novel technology, and proposed innovations can be very exciting and give us hope for advances in the care that we provide to our patients. However, they still require our constant vigilance to ensure that we have responsibly evaluated those practices to confirm that we are delivering the highest level of quality care to our patients. We have also learned that medical care is complex and that the value of a particular intervention is not simply whether it's good or bad to use, but knowing how and when we should use it. This often means that we get mixed signals with conflicting results from different studies. This can be confusing for practitioners and can lead to seemingly incessant changes in our protocols and approach to patients. Such challenges will continue to evolve and change accordingly.

Nevertheless, one challenge remains constant, and that's the timeless task of conscientious patient assessment. As most prehospital practitioners will tell you, one of their most difficult tasks is the urgent assessment of their medically ill patients. These patients comprise the greatest number of complex cases encountered and pose some of the greatest challenges to healthcare practitioners regardless of the environment and the individual responder's level of training.

Effective assessment should always involve thoughtful and overall observation of the patient and surrounding environment, as well as a focused listening to the patient, family, friends, coworkers, and bystanders to obtain the critical multidimensional information needed to make an accurate diagnosis. It requires the use of all our senses to detect and decipher the oftentimes subtle clues of our patient's condition, even though our assessments usually need to be done as efficiently as possible for a myriad of typical time-sensitive conditions.

Patient assessment may take place in public places with peripheral noise, visual distractions, and patient movement confounding the situation, and with scenarios often compounded by bystanders hovering over and injecting opinions, questions, and anxious exclamations. Or, conversely, the assessment may occur in austere, environmentally extreme, and even violent settings. Compared to your doctor's office or even an emergency department patient bay, all of these factors pose unique challenges for practitioners in their efforts to rapidly and accurately assess their patient to best determine his or her management.

Advanced Medical Life Support (AMLS) was created to help better address these challenges to the assessment process. The purpose of the AMLS course is to strengthen and refine the prehospital practitioner's acquired knowledge and critical thinking skills in terms of urgently and accurately diagnosing their patients with significant medical illness under such circumstances. Armed with these skills and assessment strategies, the EMS practitioner can more effectively choose and execute the most appropriate therapeutic interventions that will rapidly improve the situation and eventual patient outcomes. The knowledge and skills imparted through this course can be considered a true requisite for being able to provide the most effective prehospital care for those we serve.

This third edition of the *Advanced Medical Life Support* (AMLS) textbook constitutes a fundamental component of a comprehensive course that offers a unique "think outside the box" learning process designed to improve the assessment and diagnostic skills of paramedics, advanced EMTs, EMTs, and other prehospital practitioners. The *Third Edition* authors and editors have incorporated the latest research and best available evidence into this textbook to provide students with the most up-to-date information for optimizing the care of the emergently ill medical patient.

Prehospital practitioners provide a critical role in the continuum of emergency care for all patients. They have a direct impact on the state of the patient through the transition of care to the hospital emergency department and beyond. Actions taken in the prehospital environment can profoundly affect treatment decisions made in the emergency department and inpatient hospital care settings. At the same time, across the United States and many other countries worldwide, healthcare systems are recognizing that not all emergency calls for medical assistance require transport of the medical patient to a hospital emergency department. Many of these healthcare systems have already transformed their approach to responding to calls for help through a combination of careful triage of patients at the point of contact along with identification of alternative transport destinations, including urgent care centers, behavioral health centers, primary care clinics, or alternative disposition, such as hospice referral or relay to mental health management teams. But this also infers the need for additional training of prehospital practitioners that will allow them to better navigate patients with medical illness or mental health issues to the right care at the right place. This healthcare transformation reinforces the need for prehospital practitioners to be able to even more accurately assess their patients rapidly and precisely. AMLS is constructed to better ensure that prehospital practitioners possess the critical thinking skills needed to best participate in this transformation.

It is extremely gratifying to see how the National Association of Emergency Medical Technicians (NAEMT) has taken the initiative to recognize and value the pivotal medical oversight role of EMS physicians. The incorporation of the Metropolitan EMS Medical Directors ("Eagles") Consortium and other EMS physicians affiliated with the National Association of EMS Physicians (NAEMSP) into this project has better assured the presence of competent physician involvement and oversight, not only for this great educational training endeavor, but also on a day-to-day basis.

In turn, the authors, editors, and reviewers of the third edition of *Advanced Medical Life Support* are to be congratulated and deeply appreciated for this labor of love. In turn, I encourage all prehospital, out-of-hospital, and in-hospital counterparts to include AMLS as part of their continuing education. My hope is that with successful completion of this course, each of you will enhance your ability to provide the most compassionate, competent medical care and overall public service to your patients and their families for future generations to come.

Paul E. Pepe, MD, MPH, MCCM, FAEMS

Preface

First published in 1999, *Advanced Medical Life Support* (AMLS) was the first EMS education program that fully addressed how to best manage patients in medical crises. AMLS is now globally recognized as the leading course for the assessment and treatment of medical conditions in the prehospital and out-of-hospital environments.

This latest edition of the AMLS textbook serves as the medical foundation of the AMLS third edition course and as a key reference for paramedics and other prehospital practitioners around the world. AMLS serves an expanding audience of practitioners who seek high-quality, evidence-based education focusing on critical thinking, history taking, and a physical exam to develop a list of potential differential diagnoses in the emergent medical patient. The AMLS Assessment Pathway, one of the core features of the AMLS course and upon which the course lessons are built, has been demonstrated to be a highly reliable tool to assist prehospital practitioners in identifying a differential diagnosis that will guide patient treatment.

The third edition of the AMLS course remains true to the AMLS philosophy of using critical thinking when assessing patients and formulating treatment plans. The case-based lecture presentations provide students with the opportunity for interactive discussion with both faculty and peers. Patient simulations throughout the course challenge students to apply their knowledge to a variety of realistic situations, including both high- and low-acuity patients; some may require emergent transport, while others may benefit from alternate destination transport or additional patient navigation.

Endorsed by the National Association of EMS Physicians (NAEMSP), the AMLS course emphasizes early identification of a patient's cardinal presentation or chief complaint. In addition to the assessment pathway, AMLS provides (1) a foundation of anatomy, physiology, and pathophysiology; and (2) an efficient and thorough evaluation of historical, physical exam, and diagnostic findings, which enhances students' ability to narrow the patient's differential diagnoses. All prehospital and out-of-hospital practitioners—whether paramedics, advanced EMTs, EMTs, nurses, and other practitioners—require expertise in clinical reasoning and decision making to accurately determine diagnoses and initiate treatment. All aspects of AMLS are focused on an assessment-based approach to reduce morbidity and mortality and improve positive outcomes in medical patients.

Although the AMLS course is written with advanced practitioners in mind, all prehospital and out-of-hospital practitioners should take AMLS; a version of the course specifically for EMTs, AMLS *Basics*, is also available. Personally, I feel this is one of the foundational courses to prepare and enhance the prehospital provider's ability to care for the majority of our patients.

Features such as Rapid Recall Boxes, tables, and graphs are included throughout the textbook, lessons, and course manual to serve as learning tools. Scenarios and Chapter Review Questions assist in testing the student's knowledge.

New Features

- New print chapters on Sepsis and Pharmacology
- New digital chapter on Behavioral Emergencies
- A new AMLS course manual
- New or updated case-based lecture presentations
- New patient simulations in a revised template for more intuitive flow of the scenario.

The AMLS Committee and NAEMT hope you find that the information contained in the third edition AMLS textbook, lessons, and course manual enhances your knowledge about the variety of medical emergencies to which you are called on to respond, better preparing you to serve your patients and communities.

Craig Manifold, DO, FACEP, FAAEM, FAEMS
Medical Director, NAEMT
EMS Medical Director
San Antonio, Texas

역자 소개

김진우 대전보건대학교 응급구조(학)과
강효영 명지병원 응급구조사
김광석 충북보건과학대학교 응급구조과
김용석 건양대학교 응급구조학과
최성수 호원대학교 응급구조학과
문성모 청암대학교 응급구조과
김수일 선린대학교 응급구조과
박정희 건양대학교 응급구조학과
윤병길 건양대학교 응급구조학과
박재성 동주대학교 응급구조과
송효숙 대전보건대학교 응급구조과
김경용 한국교통대학교 응급구조학과
이상민 경북도립대학교 응급구조과
유창환 한국 병원 전 외상소생협회
유은지 주한미군부대의무사령부
이다은 주한미군부대의무사령부
정수연 주한미군부대의무사령부
홍성엽 카톨릭대학교 대전성모병원 응급의학과
양희범 의정부을지대학병원 응급의학교
박세훈 국군수도병원 응급의학과
최명재 서울대학교병원 권역응급의료센터
백승일 강원소방본부 원주소방서
이석원 대전소방본부 119시민체험센터
이남진 대전소방본부 동부소방서
강신우 경기도소방재난본부
황성훈 삼성전자주식회사 소방방재팀
신지원 연세대학교 박사과정
한승태 특수전사령부 특수전학교
정필중 소방청 중앙119구급상황관리센터

역자 서문

병원 전 단계에서의 응급의료는 끊임없이 진화하고 있습니다. 새로운 연구 및 기술은 매우 흥미롭고 환자에게 제공하는 의료의 발전에 대한 희망을 가질 수 있게 합니다. 그러나 환자에게 높은 수준의 양질의 처치를 제공하고 있음을 확인하기 위해 우리는 자신을 지속해서 평가해야 합니다. 우리는 또한 우리가 시행하는 처치가 단순히 좋고 나쁨을 구분하는 것에 국한하는 것이 아니라 그것을 언제 어떻게 사용해야 하는지 알아야 합니다.

효과적인 환자 평가를 위해서는 항상 환자와 주변 환경에 대한 전체적인 관찰과 정확한 진단을 내리는 데 필요한 다양한 정보를 환자, 가족, 친구, 동료 및 목격자로부터 얻어야 합니다. 시간에 민감한 환자의 상태에 대해 병원 전 처치제공자의 평가가 효율적으로 수행되어야 하며 환자의 상태에 대한 미묘한 단서를 감지하고 해독하기 위해 우리의 모든 감각을 사용해야 합니다.

응급실 혹은 진료실과 달리 병원 전 단계에서의 환자 평가는 주변 소음, 주의 산만, 목격자들의 방해 등 환자를 평가하는 과정을 혼란스럽게 하는 공공장소에서 수행될 수 있으며 이와 반대로 매우 제한적이고 환경적으로 극단적이며 폭력적인 환경에서 수행될 수도 있습니다. 이러한 모든 요인은 고품질의 처치를 제공하기 위해 신속하고 정확하게 환자를 평가하려는 병원 전 처치 제공자들에게 또 다른 도전 과제입니다.

전문내과소생술(AMLS)은 평가 과정에서 발생하는 이러한 과제를 더욱 효과적으로 해결하기 위해 만들어졌습니다. AMLS 과정의 목적은 이러한 상황에서 중대한 의학적 질환을 가진 환자를 긴급하고 정확하게 진단한다는 측면에서 병원 전 처치 제공자의 지식과 비판적 사고력을 강화하고 다듬기 위함입니다.

병원 전 처치 제공자들은 응급 처치의 연속성에 중요한 역할을 하며 병원 전 단계에서 시행한 처치는 병원 단계에서 이루어지는 치료 결정에 큰 영향을 미칠 수 있습니다. 이는 곧 환자를 적절한 장소에서 적절한 치료를 받을 수 있도록 병원 전 처치 제공자들의 추가 교육이 필요하다는 것을 시사합니다. AMLS는 병원 전 처치 제공자들이 이를 위해 필요한 비판적 사고 능력을 기를 수 있도록 교육을 제공하고 있습니다.

내과 환자에 대한 표준지침과 교육과정이 확립되지 않은 병원 전 환경에서 AMLS 프로그램은 병원 전 응급의료 서비스를 한 층 더 발전시킬 수 있습니다. 이 과정을 통해 현재뿐만 아니라 앞으로도 병원 전 처치 제공자들이 환자와 보호자에게 유능한 병원 전 의료 및 전반적인 공공 서비스를 제공할 수 있는 능력을 향상하는 데 많은 도움이 되리라 생각합니다.

역자 대표

김진우

CHAPTER 1

내과 환자를 위한 전문 내과 소생술 평가

이 장에서 의료제공자는 자신의 해부학, 생리학, 병태생리학 및 역학 등에 관한 지식을 포괄적이고 효율적인 AMLS 평가 과정에 적용하여 임상적 추론을 통해 다양한 응급의료 상황에 대한 감별 진단 목록을 만들고 처치 계획을 세운다.

학습 목표

이 장을 마치면 다음을 수행할 수 있다.

- 병원 전과 병원 내 상황에서 의료제공자와 환자의 안전을 위협하는 안전 문제를 확인할 수 있다.
- AMLS 평가 과정을 이해하여 응급, 비응급, 잠재적 또는 치명적인 환자를 찾아낼 수 있다.
- 다양한 응급의료 상황에 부닥친 환자에 대한 첫인상의 구성 요소와 일차평가의 구성 요소를 확인할 수 있다.
- 환자의 초기 상태, 평가와 진단 검사 결과를 기반으로 감별 진단을 배제하거나 배제하기 위해 AMLS 평가 과정을 적용한다.
- 환자의 병력(OPQRST 와 SAMPLER), 통증 평가 및 신체검사 및 진단 결과를 종합하여 추정 진단과 치료방법을 결정한다.
- 다양한 응급 의료 상황에 대해 기초에서 전문에 이르는 적절한 진단 평가 도구를 선택한다.
- 다양한 응급 및 비응급 잠재적 진단을 평가하기 위해 환자의 주 호소에 따른 증상을 적절한 신체 계통과 연관시킨다.
- 문화적 인식이 평가 과정을 방해할 수 있는 무의식적 편견에 대처하는데 어떻게 도움이 되는지 논의한다.
- 임상 의사 결정 및 임상 추론의 평가 개념을 비교하고 대조한다.
- 임상 의사 결정에 대한 인지적 편향이 잠재적으로 미칠 수 있는 영향을 이해한다.
- 기본소생술(BLS) 평가와 치료 및 전문소생술(ALS) 평가 및 치료를 결합하여 환자 치료에 대한 종합적인 팀 접근 방식을 지원하는 방법을 이해한다.

시나리오

86세 환자가 앉았다 일어설 때 피로감을 느끼고 쓰러질 것 같다는 신고를 받고 주택가로 출동했다. 환자는 지난주에 이미 유사한 증상으로 의료기관으로 두 번 이송되었던 기록이 있다. 평가 결과 환자는 언어 자극에 반응하고 비정상적인 피곤함과 초조함을 호소하며 며칠이 지나도 상태가 나아지지 않는다고 호소한다. 환자는 의자에 앉아 있고 의자 옆에는 보행기가 있다. 환자는 병원 전 처치 제공자의 질문에 천천히 적절한 대답을 하지만, 오늘 약을 먹었는지에 관한 질문에는 기억나지 않는다고 답했다. 환자의 보호자는 환자가 고혈압과 변비약 그리고 "불규칙한 심장 박동 때문에 혈액을 맑게 해주는 약"을 먹고 있다고 진술한다. 환자의 활력징후는 다음과 같다. 호흡수

(계속)

시나리오 (계속)

는 규칙적이고 분당 22회, 혈압 110/84mmHg, 맥박수는 불규칙적이고 분당 126회이다. 평가 결과에 기반하여 병원 전 처치제공자는 감별진단을 결정하고 집중 평가를 시작한다.

- 의료제공자의 종합 평가가 환자의 나이에 따라 어떻게 달라지는가?
- 일차평가 결과를 바탕으로 어떤 상태가 의심되는가?
- 이 환자의 주요호소증상과 병력을 토대로 어떤 추가 평가를 수행할 것인가?
- 환자의 나이 때문에 의료제공자가 직면할 수 있는 우려 사항은 무엇인가?

이 장에서는 모든 단계의 의료제공자들에게 해부학, 생리학, 병태생리학 및 역학에 대해 자신이 알고 있는 지식을 AMLS 평가 방법에 어떻게 적용할 것인가에 대한 지침을 제공한다. 정확한 환자 평가는 의료제공자의 기본 지식과 경험뿐만 아니라 치료적 의사소통 기술, 임상 추론 및 임상 의사 결정 기술 등에 의존한다.

환자의 초기 증상, 병력, 신체검사 결과 및 진단 검사 결과는 조직적이고 체계적인 분석이 필수이다. 이 결과는 환자의 중증도, 추정 진단 및 치료 계획을 결정하는 데 도움이 된다. 의료제공자의 효과적인 의사소통과 임상 추론의 능력은 제공자가 현재 증상과 관련된 모든 가능한 병인을 고려할 수 있도록 한다. 철저한 환자 평가는 적절한 중재와 더 나은 결과를 가져온다.

AMLS 평가 과정의 기초는 효과적인 치료적 의사소통 기술, 예리한 임상 추론 능력 및 전문적인 임상 의사 결정을 기반으로 한다는 것을 이해하는 것이 중요하다. BLS와 ALS 제공자는 팀으로써 효율적으로 협력하여 환자의 치료 시기 적절성과 치료의 질을 향상한다.

치료적 의사소통

치료적 의사소통은 다양한 언어적 및 비언어적 의사소통 기술과 방법을 사용하여 환자가 자신의 증상을 표현할 수 있도록 격려하고 긍정적이며 공감적인 관계를 형성할 수 있도록 한다. 포괄적으로 병력을 확보하고 정확한 신체검사를 수행할 수 있는 것은 좋은 치료적 의사소통 기술에 달려 있다. 환자 상태에 대한 중요한 정보를 얻으려면 BLS와 ALS 제공자는 환자, 가족, 목격자 등을 비롯해 의료팀 전체와 효과적으로 의사소통해야 한다. 이렇게 얻은 정보는 특정 손상을 확인하거나 특정 진단을 내리는 데 도움이 되는 단서를 제공한다.

효과적인 언어적 및 비언어적 의사소통

효과적인 언어적 의사소통은 역동적 과정이다. 바이어 보건 의사소통 연구소에 따르면 EMS 제공자는 4가지 Es[참여(engagement), 공감(empathy), 교육(education), 협력(enlistment)]에 해당하는 네 가지 주요 소통 업무를 수행한다고 한다.

- 참여는 환자와 의료제공자 사이의 연결이다. 환자를 안정시키고 더 완전하고 정확한 병력을 얻으려면 환자와 편안한 관계를 형성한다. 의료제공자의 말과 행동은 진정한 관심을 전달한다. 자기소개도 없이 공격적 질문을 하거나 환자의 말을 끊는 행동은 환자와 의료제공자 사이의 공감대를 훼손하고 환자의 참여를 떨어뜨린다. 상황이 허락한다면 환자 및 보호자와 만날 때 본인을 소개한다. 환자와 관계를 형성하는 것은 의료제공자에 대한 믿음을 주고 열린 소통이 가능하게 한다. 긍정적 첫인상을 남긴다.
- 공감이란 환자의 불안, 고통, 두려움, 공황 또는 상실감을 진심으로 동일시하는 것을 의미한다. 공감은 환자가 겪고 있는 것에 대한 연민에 뿌리를 둔다. 환자가 제공한 정보를 요약하거나 다시 반복해 환자의 말을 듣고 이해하고 있다는 것을 보여준다. 도움 요청 상황과 관계없이 환자가 당신에게 말하는 것을 들어준다. 공감은 자살 시도, 우발적인 약물과다 복용, 가정 폭력과 같은 상황에서 특히 중요하다. 이는 의료제공자의 경력을 통해 성숙하고 개선되어야 하는 기술이다.

- 교육은 무슨 일이 일어나고 있고 의료제공자가 무엇을 하고 있는지 환자에게 알려줌으로써 유대감을 강화할 수 있다. 환자가 이미 알고 있는 것부터 묻는 것으로 시작해서 필요한 모든 정보를 얻을 때까지 질문을 계속한다. 출동한 내내 환자에게 정보를 제공한다. 환자의 불안을 최소화하는 데 도움이 될 수 있는 간단하고 쉬운 용어를 사용해 평가와 처치를 설명한다.
- 협력은 환자가 자신의 처치 및 치료 결정에 참여하도록 권장하는 것이다. 환자에게 치료에 대한 동의를 받을 때 시행할 처치와 관련된 모든 가능한 부작용과 잠재적인 위험을 충분히 설명한다. 예를 들어, 환자에게 나이트로글리세린을 투여하기 전에 약물 또는 처치의 목적과 자주 발생하는 부작용이 두통이라는 것을 설명한다. 환자에게 처치의 이점이 위험보다 더 크다는 것을 설명한다.

표정, 몸짓 및 눈 맞춤을 포함한 비언어적 의사소통은 강력한 형태의 의사소통 방법이다. 자신의 신체 언어와 환자의 신체 언어를 이해하는 것이 중요하다. 환자에 대한 당신의 몸짓, 눈의 움직임, 태도는 환자와 그 가족의 신뢰를 얻는 데 매우 중요하다. 환자가 편한지를 알 수 있는 표정 및 자세 같은 비언어적 행동을 확인한다. 이러한 것들이 불편함, 통증 또는 두려움 정도를 나타내는 주요 지표가 될 수 있다. 환자는 평가를 복잡하게 하고 적절한 치료 계획의 수행을 지연시키는 동반된 합병증을 나타낼 수 있다는 것을 명심한다. 복잡한 평가를 하는 경우 인내심이 필요하다.

치료적 의사소통은 시간이 지남에 따라 발달한 기술이다. 이러한 기술을 개발하는 데 도움이 되도록 다음과 같은 언어 및 비언어적 의사소통 기법이 있다.

- 환자와 대화 중에 환자의 눈높이에서 시선을 맞추고 이야기한다. 특히 두려워하거나 청력이 저하된 환자나 노인에게 특히 중요하다.
- 천천히 분명하게 말한다. 청력 장애 환자의 경우 환자가 큰 목소리를 요청할 때만 크게 말한다.
- 인터뷰 중 개방적이고 집중하는 자세를 유지한다. 짜증을 내거나 재촉하지 않는다.
- 환자의 말에 끄덕이거나 다른 말로 표현하여 환자의 말을 이해하고 있음을 표현한다.
- 환자가 이야기하는 동안 받아 쓰거나, 물건을 두드리거나 볼펜을 클릭하거나, 주머니에 있는 열쇠나 동전으로 산만한 소리를 내는 등의 방해되는 행동을 자제한다.
- 의료제공자의 비언어 의사소통을 통해 환자를 도우러 왔다는 것을 확신시켜야 한다.
- 환자에게 의료제공자가 무엇을 왜 하고 있는지 알려준다. 그들이 어디로 이송되고 있고 도착하면 어떻게 될지를 알려준다.
- 비난으로 들릴 수 있는 "왜" 보다 "무엇"으로 질문을 한다.
- 환자의 고통, 고민, 분노와 기타 감정을 인정하면서 공감을 표시한다. 불안과 두려움을 줄이는 데 도울 수 있게 환자의 질문에 대답한다.
- 공감과 배려하는 행동에 반응하고 강화한다.
- 현장이나 의료시설과 같은 공개 또는 반공개적 환경에서 가능한 한 목소리를 낮추어 환자의 비밀 유지 권리를 존중한다.
- 신체검사 중에 가능한 한 환자를 덮어주고 환자의 존엄을 지킬 수 있게 보호한다. 그렇게 하면 환자는 의료제공자의 치료에 대한 신뢰 수준이 높아져 자신과 관련된 건강 정보를 더 제공할 것이다.
- 환자가 폭력적일 것으로 의심되면 평온하고 안심할 방법으로 환자와 상호 작용하며 추가 지원을 요청한다. 폭력적인 환자는 혼자서 다루지 않는다.

특수한 상황에서의 의사소통

난청 환자에게 수화가 필요한 경우와 같은 특수한 상황에서는 의사소통 방법을 조정하거나 도움을 요청할 수 있다. 일반적으로 환자의 지식과 이해력에 알맞은 용어를 사용하여 의사소통한다. 예를 들어, 심근경색의 과거력에 관해 묻는 것보다 환자에게 심장 질환의 과거력에 관해 물어보는 것이 더 적절할 수 있다.

문화 및 언어적 차이

모든 의료제공자는 민족, 인종, 종교 또는 성적 취향을 포함한 다양한 문화적 배경을 가진 환자를 만난다. 예를 들어, 일부 문화는 사람들이 자신의 감정을 표현하도록 장려하는 반면 다른 문화에서는 이를 나약함의 표시로 본다. 근접성은 수용과 친근함을 나타낼 수 있지만, 다른 것들은 불쾌하거나 겁을 먹을 수 있다. 일부 의료제공자는 자신의 가치가 더 낫다고 믿기 때문에 의식적 또는 무의식적으로 자신의 문화적 가치를 환자에게 강요할 수 있다. 이런 태도는 치료에 대한 접근 방식을 편향시킬 수 있으며 환자 및 가족과의 관계 형성을 저해하여 비효율적인 의사소통을 일으키거나 심지어 잘못된 의사소통 및 부적절한 처치를 초래할 수 있다.

많은 지역, 특히 대도시 중심가에 있는 인구의 대부분이 영어를 구사하지 못 할 수 있다. 사용하는 언어에서 몇 가지 일반적인 단어와 구문을 배우는 것이 도움이 될 것이다. 이중 언어를 구사하는 가족이나 옆에 있는 사람들이 도움을 주고 통역을 제공할 수 있다.

청력 장애 환자

청력 장애가 있는 사람들은 수화, 몸짓, 쓰기 또는 입술 읽기를 통해 의사소통을 할 수 있다. 이 중 일부 또는 모두는 아프거나 다쳤을 때 하기 어려울 수 있다. 일부 난청이 있는 사람 중 부분적으로 말을 하거나 부분적으로 들을 수 있는 사람도 있다. 가능한 한 효과적으로 의사소통할 수 있는 환자의 능력이 무엇인지 확인한다.

환자의 가족이나 친구가 도움을 줄 수 있다. 또한, 수화로 몇 가지 기본적인 질문을 하고 답변을 해석하는 방법을 배우는 것이 도움이 될 수 있다. 환자와 서면으로 질문과 답변을 교환할 수도 있다.

임상적 추론

대부분 의료제공자는 숙련된 기술만으로 양질의 처치를 보장할 수 없다는 데 동의한다. 임상적 추론 능력도 필수적이다. 임상적 추론은 환자의 증상에 대한 직접적인 질문에 대한 임상 경험을 바탕으로 한 해부학, 생리학 및 병태생리학에 대한 지식과 결합한 올바른 판단을 포함한다. 특히 환자의 징후와 증상이 명백한 원인을 나타내지 않는 경우 인간 질병 과정의 역학에 대한 이해는 조기 진단에 필수적이다. 임상적 추론에 기여하는 요소는 다음과 같다.

- 의학적 지식
- 자료 수집 및 구성 능력
- 특정 데이터와 여러 데이터에 집중할 수 있는 능력
- 의학적 모호성을 확인할 수 있는 능력
- 관련성이 있거나 없는 데이터를 이해하는 능력
- 상황을 분석하고 비교하는 능력
- 추론을 설명할 수 있는 능력

환자가 질문에 대답하면 기본 의학 지식을 기반으로 대답을 분석하기 시작한다. 주요호소 증상, 병력, 과거력 및 신체검사가 완료되면 문제의 본질에 대한 가설인 감별 진단을 수립하기 시작할 수 있다. 병력 정보, 평가 결과 및 검사 결과가 평가됨에 따라 여러 가지 질병이나 상태를 배제할 수 있다. 따라서 감별 진단은 의료제공자가 환자 상태를 추정한 원인에 대한 실제 진단을 공식화할 때까지 좁혀진다. 추정 진단은 일반적으로 의료기관에서 수행하는 추가적 진단 검사에 의해 확인될 때까지 최종 진단이 된다.

임상적 추론의 범위

머릿속으로 감별 진단 목록을 작성하는 것은 정적인 과정이 아니다. 활력징후, 폐음, 신경학적 검사 소견, 산소포화도, 처치에 대한 반응, 진단과 영상 검사 결과 및 기타 정보는 잠재적 진단을 평가하는 데 사용된다. 감별 진단을 할 때는 광범위한 가능성, 즉 어떤 신체 계통이 환자 증상에 기여할 수 있는지부터 시작한다. 예를 들어, 흉통은 심장, 호흡계 또는 위장관계와 관련될 수 있다. 이 접근 방법은 모든 가능성을 고려하기 전에 처음부터 한 가지 진단에 빠져드는 것으로 정의되는 터널 시야를 방지하는 데 도움이 된다. 흉통은 여러 기관이 관련될 수 있으므로 의료제공자가 진단을 결정하기 위해 가능한 모든 진단을 고려하고 각 진단을 체계적으로 배제하는 것이 중요하다.

환자의 주요호소 증상을 고려하는 것부터 시작한다. 주요호소 증상을 결정하는 것만으로 상당수의 질병이나 손상을 신속하게 배제할 수 있다. 예를 들어, 환자가 흉통을 호소한다고 가정한다면, 처치 제공자의 지식은 흉통을 유발할 수 있는 잠재적인 문제에 대한 통찰력을 제공한다. 감별 진단에는 심장마비, 위식도역류, 폐색전증, 대동맥박리 등을 포함할 수 있다. 흉통이 있는 환자가 위장관 출혈이 있을 가능성은 없다. 따라서 주요호소 증상을 사용하여 즉시 진단 범위를 좁힐 수 있다. 주요호소 증상 외에도 병력과 함께 관련된 징후 및 증상은 가능한 원인을 더 좁혀준다.

신체검사(이 장의 뒷부분에서 자세히 설명)는 임상적 추론의 또 다른 중요한 부분이다. 특정 해부학적 위치를 가리키는 압통이나 다른 구체적인 검사 결과는 진단 가능성을 개선하는 데 도움이 될 수 있다. 관련된 기관 계통이 확인되면 병태생리학

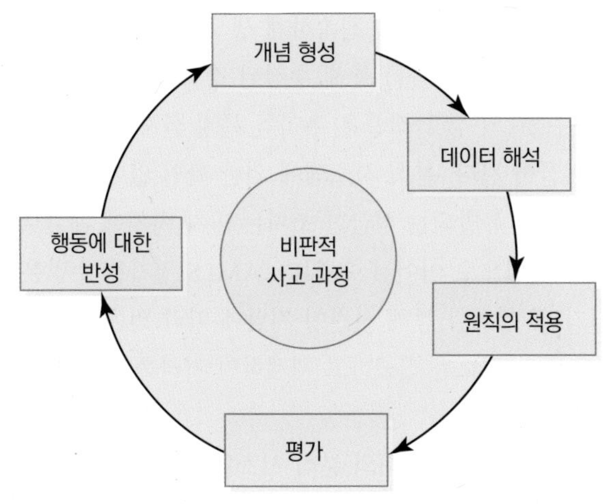

그림 1-1. 비판적 사고 과정

Reproduced from Sanders MJ: *Mosby's paramedic textbook, revised reprint*, ed 3, St. Louis, 2007, Mosby.

적 지식을 이용하여 가장 가능성 있는 진단을 결정할 수 있다.

물론 임상적 추론은 정확한 과학이 아니다. 그러나 과학자처럼 의료제공자는 감별 진단이 정확한지 아닌지를 테스트하여 결정할 수 있다. 이는 추가 평가 및 검사를 통해 수행된다. 환자의 대답에 따라 다양한 질문을 받으면서 발전한다. 포도당 검사 또는 12-리드 심전도와 다양한 검사를 통해 이러한 이론을 증명할 수 있다. 추가 정보는 기존 지식과 결합하며 감별 진단을 확인하거나 수정할 수 있다.

환자에게 최상의 치료를 제공하기 위해서는 모든 의료제공자가 자신의 교육 수준에 필요한 핵심 지식을 갖추어야 한다(그림 1-1). 이 지식은 신뢰할 수 있는 임상적 추론 기술을 개발하기 위해 경험과 상식을 통해 향상되어야 한다. 의료제공자는 극한의 상황에서도 환자 치료 프로토콜이나 정해진 지시 사항을 기반으로 정확한 진단 및 치료 계획을 결정하기 위해 비판적 추론을 사용하여 신속하고 효과적으로 생각하고 수행할 수 있어야 한다.

임상적 의사 결정

임상적 의사 결정은 환자의 건강 문제에 관한 결정을 내리고 환자의 예후를 개선하기 위해 적절한 치료 중재를 고려하고 실행하는 과정이다. 임상적 추론과 마찬가지로 임상적 의사 결정은 감별 진단 형성 단계부터 시작하여 모든 치료 단계에 적용되는 지속적인 과정이다. 둘 다 해부학, 생리학 및 병태생리학에 대한 충분한 지식이 필요하며 특정 평가 기술을 수행할 수 있는 능력 그리고 광범위한 응급의료 상황에 복잡한 진단 도구를 적용할 수 있는 임기응변의 재능이 있어야 한다. 우리가 항상 그 과정을 의식하는 것은 아니지만, 임상적 의사 결정 방법에는 다음과 같은 것이 포함된다.

- **패턴 인식**(Pattern Recognition): 과거의 지식과 경험을 바탕으로 데이터(패턴)를 인식하고 분류하는 과정이다. 제공자는 환자 상태를 이전에 접했던 유사한 환자의 상태와 비교한다. 유사한 진단과 어떤 치료 전략이 효과적이었고 어떤 전략이 비효과적이었는지 분석하는 것은 임상적 의사 결정에 유용한 기초가 된다.
- **가설 설정**(Hypothesis generation): 과학적 방법을 활용하여 환자의 주요호소 증상으로 시작하여 가능한 가설을 설정하고 정보를 수집 및 종합하여 궁극적으로 하나 이상의 가설을 수용하거나 거부함으로써 과학적 방법을 사용하는 것으로 설명할 수 있다.
- **가능성 및 확률 추정치**(Likelihood and probability estimates): 우리가 환자를 평가하는 과정에서 수집한 정보의 처리에 영향을 미친다. 예를 들어, 환자가 해외여행을 하지 않았거나 해외여행을 다녀온 사람과 접촉한 적이 없다고 자신 있게 판단할 수 있다면 주요호소 증상에 따른 원인에서 열대성 질병을 배제할 수 있다.
- **감별진단**(Differential diagnoses): 이것은 AMLS 평가 과정의 순차적 적용에 필수적이다. 초기 감별 진단을 하는 것으로 시작한다. 감별은 환자의 상태에 대한 잠재적인 원인의 목록이다. 가장 가능성 있는 원인을 목록의 맨 위에 둔다. 그런 다음 환자의 병력, 신체검사 및 진단 검사에서 추가 정보를 얻음에 따라 감별 검사 결과가 개선되거나 재구성된다. 우리가 감별 진단을 단 하나의 진단으로 완전히 정제할 수 없지만, 만들고 수정하고 정제하는 과정은 임상적 의사 결정에 매우 도움이 되며 진단 가능성을 간과하는 것을 방지하는 데 도움이 된다.

잘 다듬어진 치료적 의사소통 기술, 패턴을 인식하는 능력, 가설로서의 가능한 감별 진단 생성, 특정 진단의 가능성에 대한 평가 및 신뢰할 수 있는 임상적 추론 기술의 조합은 제공자가 환자의 질병이나 손상의 심각성을 파악하고 시기적절한 중재를 시작할 수 있도록 신중한 임상적 의사 결정을 가능하게 한다. 임상적 의사 결정 기술은 경험을 통해 점점 더 신뢰할 수 있게 된다. 그러나 다른 과정이 임상적 의사 결정을 방해할 수 있다.

인지적 편향

특정 원인이나 진단에 대해 "얽매이지 마라"라고 하는 말을 들어본 적이 있는가? 소위 터널 시야는 잘 알려진 고정 편향, 확증 편향 및 조기 폐쇄의 잘 알려진 인지 편향 구조에 기인할 수 있다(표 1-1). 인지 과학자들은 인간이 정보를 처리하는 2가지 시스템을 직관적인 시스템과 분석적인 시스템으로 정의했다. 이 두 가지 정보처리 시스템의 상호 작용은 인지 편향을 초래할 수 있다. 우리의 직관적인 시스템은 사실, 감정 및 관찰을 연결하고 통합하며 종종 무의식적으로 있지만, 반드시 또는 항상 객관적으로 올바른 결론을 끌어내는 것은 아니다. 직감을 신뢰하는 것은 이 직관적인 시스템에 의존하고 있으며 그 결과는 놀라운 정확성이나 실망스러운 오류가 될 수 있다. 우리의 느린 분석 시스템은 일반적으로 의식적이고 신중하며 저장된 사실을 처리한다. AMLS 맥락에서 직관적인 시스템은 실제 정확도에 대한 초기 진단을 신속하게 생성하고 분석 시스템은 환자 평가 및 진단 검사를 통해 수집된 정보를 체계적으로 처리한다. 시스템의 상호 작용은 우리를 특정 환자에 대한 처지 경로로 이끌어 간다. 분석 시스템에 의한 확인 없이 직관적인 시스템에 의해 유발되는 성급한 조치는 환자 처치에 대한 부적합한 접근 방법으로 이어질 수 있다. AMLS 평가는 수많은 환자의 평가 및 치료를 통해 시간이 지남에 따라 얻은 통찰력을 바탕으로 환자 정보를 신중하고 체계적인 처리를 위한 틀을 제공한다.

인지 과학은 또한 우리의 분석 시스템이 압력을 받으면 흔들릴 수 있다는 개념을 검증했다. 6개의 R을 사용하면 공급자가 모든 것을 통합하고 압력을 받는 상황에서 더 나은 판단을 내리는 데 도움이 될 수 있다(신속한 리콜 박스). AMLS 평가 과정은 환자를 효과적으로 관리하기 위한 임상적 추론 및 임상적 의사 결정 기술을 적용하는 효율적인 과정을 제공한다.

표 1-1. 일반적인 인지 오류

인지 편향 유형	설명
고정 편향	진단 과정에서 너무 일찍 환자의 초기 평가에서 특징에 인지적으로 고정되고 이후 정보에 비추어 이 초기 평가를 조정하지 못하는 경향
확증 편향	후자가 더 설득력 있고 결정적임에도 불구하고 진단을 반박하기 위해 확인 증거를 찾는 것보다 진단을 뒷받침하기 위해 확인 증거를 찾는 경향
성급한 결론 (Premature Closure)	의사 결정 과정에 조기 결론을 적용하고 진단이 완전히 검증되기 전에 수용하는 경향

Modified from Saposnik, G., Redelmeier, D., Ruff, C. C., & Tobler, P. N. (2016). Cognitive biases associated with medical decisions: a systematic review. *BMC Med Inform Decis Mak*, 16(1), 138. doi:10.1186/s12911-016-0377-1

빠른 암기법

6Rs

1. 현장 파악(Read the scene): 환경 조건, 위험 요소 및 손상 기전을 확인한다.
2. 환자 파악(Read the patient): 환자의 상태를 평가하고 활력징후를 측정하며 생명을 위협하는 손상을 처치하고 주요호소 증상을 검토한 후 전반적인 인상을 기록한다.
3. 반응(React): 생명을 위협하는 문제를 발견하면 ABC 순서대로 처치하고 환자 평가를 바탕으로 처치한다.
4. 재평가(Reevaluate): 활력징후와 환자의 초기 처치를 재평가한다.
5. 치료 계획 검토(Revise management plan): 재평가 및 추가 병력 정보, 신체검사 결과, 진단 검사 결과 그리고 조기 중재에 대한 환자의 반응을 기반으로 환자의 새로운 임상 양상에 맞게 치료 계획을 수정한다.
6. 성과 검토(Review performance): 출동 상황 또는 환자를 대면한 상황에 대한 비판적 검토를 통해 더욱 전문적인 기술 또는 더 전문적인 지식이 필요한 분야와 임상적 의사 결정에 대해 숙고할 기회를 제공한다.

AMLS 환자 평가 과정 ▶▶▶▶▶

전문내과소생술(AMLS) 평가 과정은 광범위한 의학적 응급 상황을 조기에 확인하고 효과적으로 처치하여 환자의 이환율과 사망률을 줄이는 신뢰할 수 있는 과정이다. 정확한 현장 또는 병원 내 진단의 결정과 시기적절하고 효과적인 치료 계획의 시작은 신뢰할 수 있는 환자 평가 과정에 달려 있다.

AMLS의 성공 여부는 BLS 환자 평가 및 중재의 통합과 ALS 평가 및 중재의 조기 통합에 달려 있다. 환자의 초기 증상, 병력, 주요호소 증상, 신체검사 소견 및 진단 결과를 종합하면 가능한 한 진단을 제시하기 시작한다. 예를 들어, 만약 주요호소 증상이 요통인 경우 의료제공자는 환자에게 다음과 같은 후속 질문을 함으로써 이를 추구한다.

- 최근에 손상을 입은 적이 있습니까?
- 팔다리나 서혜부에 쇠약이나 무감하고 힘이 빠지거나 마비가 있습니까?
- 혹시 장이나 방광 기능 장애가 있습니까?
- 열이 났습니까?
- 통증이 여기저기에서 발생하거나 방사되는 것 같습니까?
- 어떻게 하면 통증이 덜하거나 더합니까?
- 통증이 지속적입니까? 아니면 약해졌다 심해졌다 합니까?
- 이전에 이런 증상을 경험한 적이 있습니까?

초기 상태와 관련된 징후와 증상의 존재 여부도 똑같이 중요하다. 환자의 답변에서 얻은 정보는 제공자가 임상적 의사 결정 기술을 사용하여 다양한 감별 진단의 우선순위를 결정하는 데 도움이 된다. 의료제공자가 질병 상태가 어떤지 반복적으로 보았을 때 경험을 기반으로 거의 즉시 과거 사례와 유사성을 확인할 수 있다. 적극적인 경청, 감별 진단, 특징적인 징후와 증상 확인, 과거의 특정 성공적인 처치를 상기시키는 것은 현재 환자의 상태를 평가하는 데 사용할 수 있는 기초 지식을 제공한다. 의료제공자의 병태생리학에 대한 지식과 환자 치료 경험에서 얻은 지식은 이러한 임상적 의사 결정의 접근 방법의 효율성을 향상한다.

의료제공자가 환자에게 병력을 얻고 신체검사를 시행하여 치명적인 상황이거나 비치명적인 문제를 찾고 의료 프로토콜 및 지침을 준수하고 처치 범위 내에서 처치한다. 또한, 환자의 상태에 대한 일반적인 추정 진단을 한다. 물론 모든 발견 사항을 철저히 문서화하고 환자를 이송할 의료기관에 명확하게 전달한다.

AMLS 평가는 평가 기반 환자 처치를 지원한다. 이 과정은 암기한 수행 기술에 의해 주도되지 않는다. 대신, AMLS 평가 과정(그림 1-2)의 모든 구성 요소가 환자 치료에 중요하지만, 환자의 고유한 상태를 기반으로 수행된다는 것을 인식한다. 예를 들어, 환자가 손상을 입었다고 의심되는 지표가 높은 경우 과거 병력을 얻는 것보다 빠른 신체검사를 수행하는 것이 더 중요할 수 있다. 그렇다고 병력을 생략하는 것은 아니지만, 평가 과정에서 더 낮은 우선순위가 부여될 뿐이며 그 반대로 마찬가지다. 내과 질환일 경우 환자의 현재 병력과 과거력을 즉시 확인하고 신체검사는 의료기관으로 이송 중에 수행하는 것이 더 적절할 수 있다. 신체검사와 현재 병력 및 과거력은 별개의 항목이 아니라 일반적으로 동시에 평가한다.

이차평가에서 의료제공자는 환자 평가 과정에 대해 역동적이고 유연한 접근 방식을 적용한다. 이 과정은 체계적이어야 하지만 더 많은 결과가 나오고 환자의 치료 반응이 관찰됨에 따라 진단을 확정하거나 배제하려면 역동적이고 적용할 수 있어야 한다.

AMLS 평가 과정은 환자의 병력과 신체검사에 대한 특정 세부 사항을 언제 얻을 수 있는지 결정할 수 있는 유연성을 제공하지만, 일차평가를 시행하기 전에 현장이 안전한지 확인하기 위해 현장에서 일차평가를 시행하는 치명적인 상황은 아니다. 다음 AMLS 평가 과정에 대한 논의는 그림 1-2의 알고리즘을 반영한다.

▼ 초기 관찰

현장 안전 고려 사항

병원 전 처치 제공자는 환자에게 도착하기 전에 현장이나 상황에 직면한다. 병원 전 처치 제공자의 경우 응급의료상황관리자가 말한 내용과 현장을 신중하게 평가한 내용을 통합할 수 있다. 현장과 안전의 위험 또는 위협의 가능성은 환자를 의료기관으로 이송을 시작할 때까지 지속해서 평가한다(그림 1-3). 병원 내 환경에서도 의식이 떨어지는 환자 침대의 사이드 레일이 내려져 있는 경우와 같이 위험한 상황에 환자가 노출될 수도 있다.

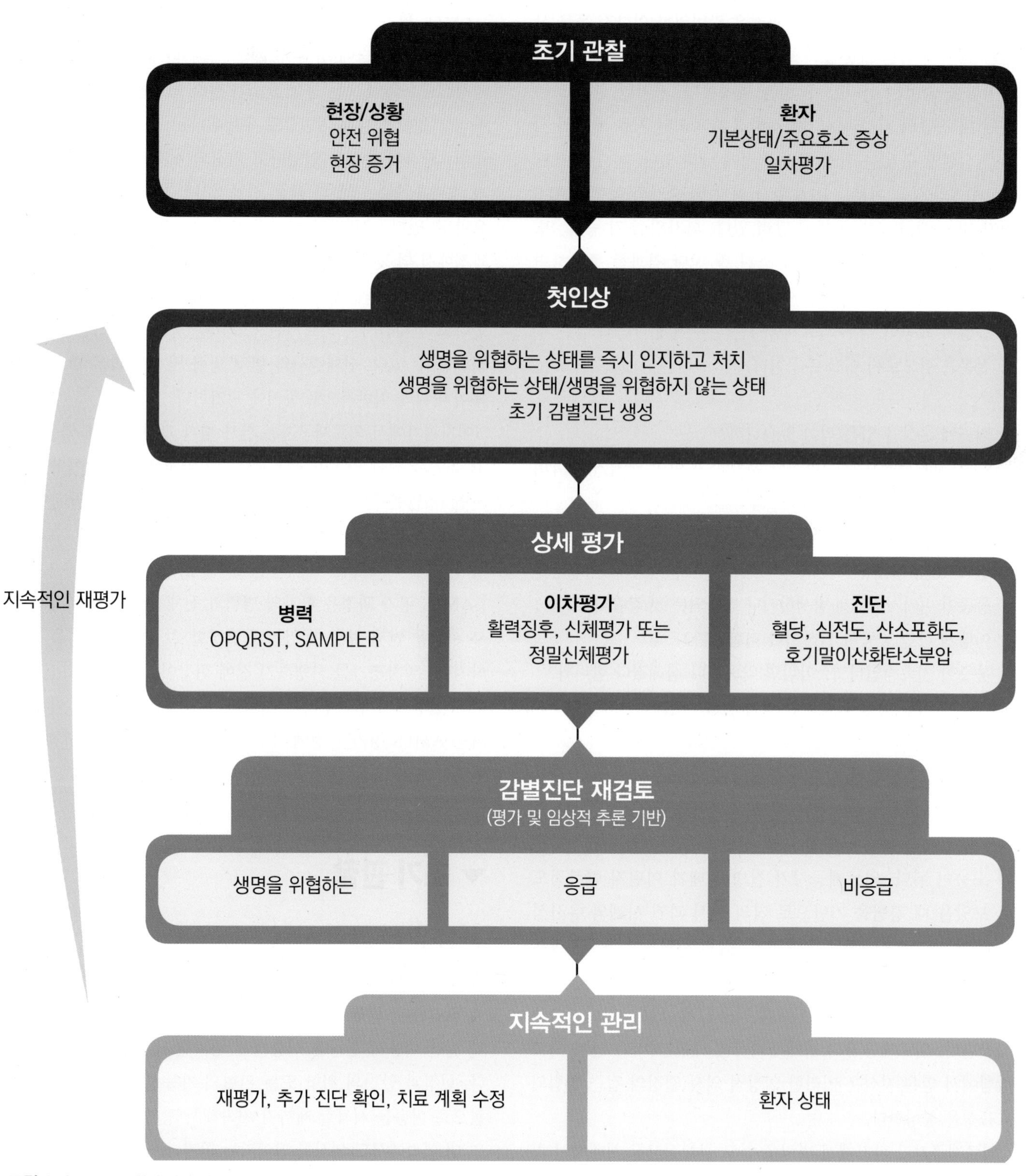

그림 1-2. AMLS 환자 평가 알고리즘.

그림 1-3. 작은 카펫은 위험요소가 될 수 있으며 환자 거주지의 안전을 평가하는 것이 중요하다.

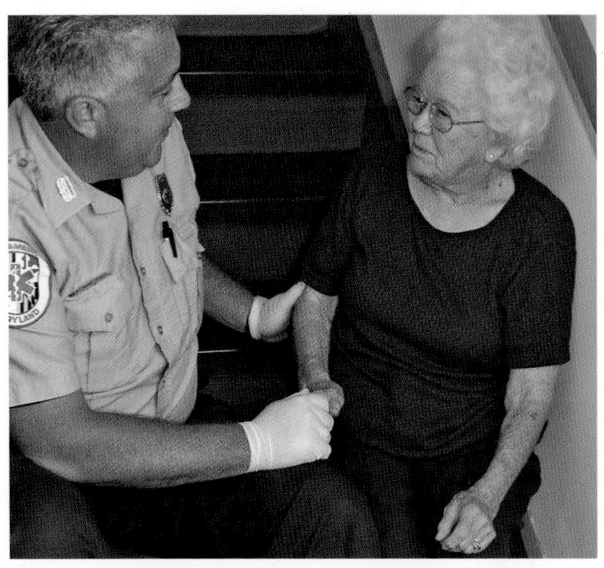

그림 1-4. 범죄 가능성이 있는 현장에서는 한 명이 환자를 평가하고 처치를 제공하고 다른 제공자는 발생한 문제에 대해 경계를 한다.

병원 전 처치 제공자는 집, 사무실 또는 차량 등 환자의 환경에 들어간다. 외상이나 폭행과 같은 스트레스가 많은 사건이 발생하면 분노나 불안은 그 환경의 일부일 수 있다. EMS, 경찰관 또는 소방관이 있는 것만으로 폭력적인 사람은 위협을 느낄 수 있다. 경고적 행동이 분노 폭발이나 폭행으로 이어질 수 있다. 현장에 보안 요원이 있더라도 잠재적 또는 실제적인 폭력 위협에 대해 경계를 유지하는 것은 모든 의료기관에서 똑같이 중요하다. 모든 의료 관계자는 감정이 점점 격해지는 것이나 위험한 상황의 확대를 나타내는 걸음걸이, 몸짓 및 적대적인 단어 사용과 같은 행동 단서에 대해 알고 있어야 한다.

환자에게 접근하기 전에 주위 환경과 환자의 정서 상태를 확인한다. 이러한 경계는 병원 전과 병원 내 상황에서 필수적이다. 환자 수, 가족 또는 목격자를 파악하고 구급차, 경찰관과 소방관 또는 유해 물질 대응팀과 같은 추가 지원이 필요한지 아닌지를 결정한다. 무기, 술 또는 마약 관련 도구는 상황이 안전하지 않고 경찰관의 지원이 필요하다는 조기 지표가 될 수 있다. 관류 상태가 좋지 않을 가능성이 있는 만성적인 상태를 나타내는 지팡이, 휠체어 및 산소 발생기와 같은 보조 장치의 사용 유무를 확인한다. 병원 전 환경에서 사람들이 말다툼하는 것과 같은 불길한 소음은 현장에서 도움을 주기 위해 경찰관에게 도움을 요청할 수 있는 충분한 이유가 된다. 텔레비전과 같은 덜 위협적인 산만한 소리는 끄거나 줄인다.

범죄 현장을 온전하게 보호하고 관련 증거의 보존은 물론 피해자의 안전을 보호하는 것이 중요하다. 동료와 협력하여 현장을 안전하게 유지한다. 한 사람이 환자와 접촉할 수 있도록 지정하고 다른 사람은 문제가 발생한 상황을 경계하게 하는 것이 관행이다(그림 1-4). 항상 통신 장비를 휴대하고 다닌다. 과다복용, 폭력 범죄 또는 잠재적인 위험 물질 노출과 관련된 현장으로 출동하는 경우 적절하게 거리를 유지하고 경찰관이 현장이 안전하다고 이야기할 때까지 기다린다. 당신의 본능에 귀를 기울이고 현장 상황이 위험하다고 느껴지면 현장을 떠나 도움을 요청한다. 이러한 상황에 대해서는 언제나 지역 또는 기관의 규정을 준수한다. 시기적절하고 상황을 정확하게 반영했는지 문서를 확인한다.

모든 대원은 모든 현장과 환자 상황을 안전에 대한 잠재적인 위협으로 평가한다. 비언어적 행동과 가족과의 의사소통을 자세히 관찰하면 불안정한 환경에 대한 단서를 찾을 수 있다.

표준 예방 조치

표준 예방 조치 및 개인보호장비(PPE)는 당면한 업무에 맞게 고려하고 조정한다. 개인보호장비에는 장갑, 보호안경, 가운, 얼굴마스크 및 호흡기(HEPA 및 N-95)가 포함된다(그림 1-5). 대량 살상 무기가 사용되었거나 기타 위험 물질이 분산된 경우 잠재적으로 치명적인 물질에 의한 오염을 방지할 수 있는 더 높은 수준의 개인보호장비가 필요할 수 있다.

질병통제예방센터(CDC)는 B형 간염과 C형 간염, 사람면역결핍바이러스(HIV), 수막염, 폐렴, 볼거리, 결핵, 수두, 백일해, 포도알균 감염[메타실린내성황색포도구균(MRSA)포함]과

그림 1-5. 혈액이나 기타 체액에 노출될 수도 있는 현장으로 출동하는 경우 적절한 개인보호장비가 매우 중요하다.

Reprinted with permission from Crosby LA, Lewallen DG (eds): *Emergency Care and Transportation of the Sick and Injured*, ed 6. Rosemont, IL, American Academy of Orthopaedic Surgeons, 1995.

같은 감염병의 전염을 예방하기 위해 표준 예방 조치를 권고하고 있다. 이러한 예방 조치는 환자가 감염된 것으로 확인되었거나 감염이 의심되는 경우와 관계없이 모든 의료 환경의 모든 환자에게 적용된다. 표준 예방 조치에는 다음이 포함된다.

- 환자와 접촉하기 전후, 장비를 소독한 후 장갑을 벗고 손 씻기를 포함하여 적절한 손 위생 기술 사용
- 예상되는 노출에 따라 장갑, 가운, 마스크, 보호안경 또는 얼굴 보호 장치를 사용
- 안전한 주사와 폐기 방법
- 환자의 감염된 체액으로 오염되었을 가능성이 있는 환경에 노출된 장비와 물품을 적절하게 소독하고 폐기

표준 예방 조치는 의료제공자뿐만 아니라 의료 종사자가 환자로부터 치료 중에 감염 물질을 손에 묻혀 다른 환자에게 전염시키거나 치료 중에 사용한 장비를 통해 전염시키는 것을 방지함으로써 환자를 보호한다(그림 1-6). 혈액 접촉이나 호흡기 분비물, 공기 중 비말 또는 타액의 흡입이나 섭취를 통해 노출

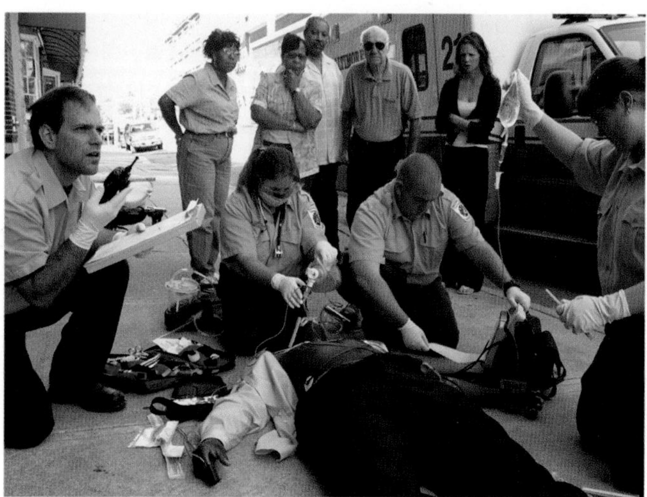

그림 1-6. 표준 예방 조치는 모든 의료 종사자가 감염 물질을 손에 묻혀 다른 환자에게 전염시키지 않도록 요구하고 있으며 장갑은 필수이다.

빠른 암기법

개인보호장비의 수준

개인보호장비는 제공하는 보호 수준에 따라 환경 보호국(EPA)에서 분류한다. Level A, B, C는 사용하기 전에 전문 교육이 필요하다. 부식성 물질과 같은 피부 손상 물질이 있거나 존재할 수 있는 경우 Level D보다 높은 수준을 선택한다. 가스나 증기의 방출은 또한 더 높은 수준의 보호가 필요하다.

위험 물질과 더 밀접하게 접촉하는 동일한 현장에서 다른 작업을 수행하기 시작하면 개인보호장비를 그에 따라 교체한다. 하지만 불필요하다고 판단하면 그럴 필요는 없다. 낮은 수준의 보호 기능을 사용하는 것이 불안하다면 요청해서 더 안전한 장비를 사용한다.

Level A: 최고 수준의 피부, 눈, 호흡기 및 점막을 보호하는 기능을 제공한다

Level B: 높은 수준의 호흡기 보호 기능을 제공하지만, 피부와 눈 보호 기능은 떨어진다. 신뢰할 수 있는 현장 분석이 완료될 때까지 최소한 이 수준의 보호복을 선택한다.

Level C: 미립자 물질의 종류와 농도를 알 때 사용하고 공기 정화 호흡기 사용 기준이 충족되었으며 피부와 눈에 노출될 가능성이 낮을 때 사용한다.

Level D: 오염 물질이나 위험으로부터 특별한 보호가 필요하지 않을 때 사용된다. 이것은 기본적으로 작업복과 안전화 또는 부츠로 구성된 유니폼이다. 호흡기나 피부 위험으로부터 보호할 수 없다.

될 수 있다. 직업안전보건청(OSHA) 규정은 교육 의무 사항, 필수 예방 접종, 노출 통제 계획 및 개인보호장비가 명시되어 있다. 빠른 암기법 박스는 개인보호장비 수준을 상기시켜준다.

기타 위험 요소

노출된 전력선, 화재, 임박한 구조적 붕괴 및 유해 물질의 존재와 같은 다른 위험 요소에 대한 현장을 평가한다(그림 1-7). 동물이 있는 곳에 들어가기 전에 안전이 확보되어야 한다. 만

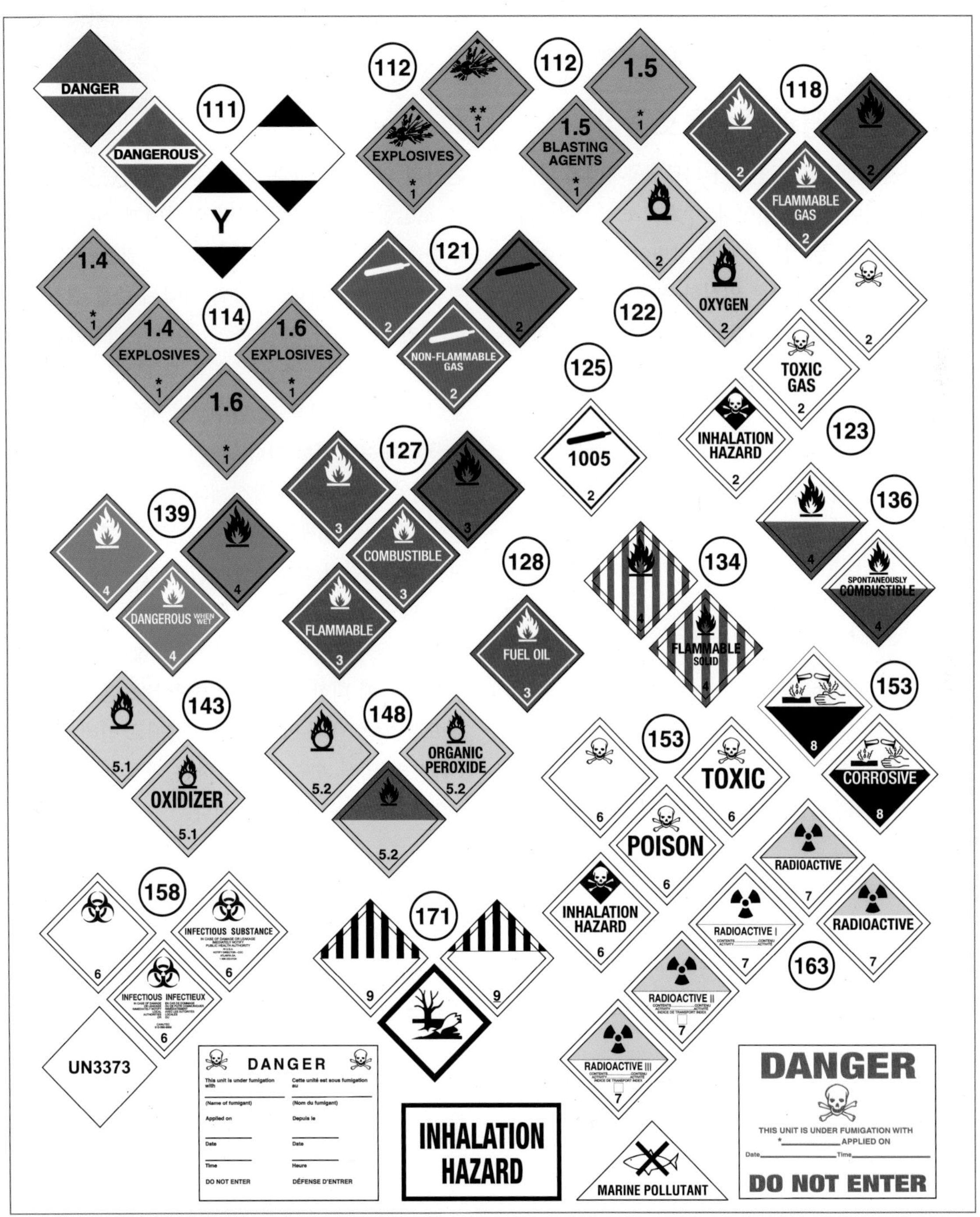

그림 1-7. 교통부는 라벨, 플래카드 및 표시를 사용하여 특정 컨테이너 또는 화물 탱크 내부의 위험에 대한 일반적인 정보를 제공한다.

Courtesy of US Department of Transportation.

약 동물에게 물린 경우 관련 기관에 연락하여 동물을 격리하고 질병 검사를 받을 수 있도록 한다. 독성 물질이 존재하거나 가능성이 있는 경우 유해 물질 관리팀에 연락한다. 안전한 거리를 유지할 수 있는 경우 물질 안전 보건 자료(MSDS)에서 독성 물질의 이름을 찾아보거나 컨테이너의 플래카드 번호를 확인한다. 국립 의학 도서관의 구조대원을 위한 무선 정보 시스템(WISER)과 같이 네트워크에서 존재하는 위험의 종류에 따라 중독증후군과 처치에 대한 정보와 대피 정보를 제공한다.

환자의 기본적인 설명과 주요호소증상

주요호소 증상은 환자, 가족 또는 친구가 의료제공자에게 환자에 대한 주요 문제를 이야기하는 것이다. 주요호소 증상은 "왜 도움을 요청하셨습니까?"라는 질문에 대한 답변이다. 주요호소 증상은 의료제공자가 주요 관심사로 인식하는 조건과 불만 사항이다. 일반적으로 이는 주요호소 증상을 기반으로 하지만, 때로는 평가할 가장 중요한 조건이 무엇인지에 대한 의료제공자의 인식을 반영한다.

적절한 반응을 보이는 환자의 경우 먼저 주요호소 증상을 확인한다. 대부분은 일부 유형의 통증, 불편감 또는 신체 기능 장애로 도움을 요청한다. 어떤 경우에는 주요호소 증상이 모호할 수 있다.

일차평가

일차평가에서 치명적인 증상을 확인하고 즉각적인 처치 계획을 수립한다. 이 평가를 수행하고 환자의 상태에 대한 초기 인상을 계속 공식화하려면 환자의 상태가 응급(즉각적인 처치가 필요한 상태)인지 또는 비응급(즉각적인 처치가 필요하지 않은 상태)인지를 결정한다.

환자의 상태를 확인하기 위해 제공자는 환자의 의식 수준(LOC)을 평가하고 기도, 호흡 또는 순환 문제를 확인한다. 치명적인 상태를 확인하면 추가 평가를 시행하기 전에 즉각적인 처치를 시작한다. 나머지 병력 청취 및 신체검사는 의료기관으로 이송하는 중에 수행할 수 있다.

그런 다음 병원 전 처치팀은 이송 결정을 내려야 한다. 환자를 지상 또는 항공으로 이송할 것인가? 두 가지 이송 수단이 미치는 영향은 무엇인가? 가장 가깝고 가장 적절한 의료센터는 어디인가?

평가 결과 즉각적으로 생명을 위협하는 상태를 찾지 못한 경우 중증인지, 응급 환자인지 평가한다. 응급 환자는 전반적인 인상이 좋지 않거나 의식 수준이 감소하고 반응이 없으며 쇼크의 증상과 징후를 보이고 심한 통증 호소, 다발성 손상, 호흡곤란, 수축기 혈압이 100mmHg 미만이면서 흉통 호소, 지혈되지 않는 출혈을 보인다.

평가 과정의 이 시점에서 의료제공자는 추정 진단을 정확히 찾아내지 못할 수 있지만, 감별 진단을 공식화하기 시작한다. 추가 평가 정보가 제공되고 해석됨에 따라 환자의 증상과 징후를 만들어낸 여러 가지 가능한 원인을 염두에 둔다.

의식 수준

환자의 의식상태 또는 의식 수준 평가는 뇌 기능에 대한 평가를 포함한다. 의료제공자가 환자에게 접근할 때 환자의 의식 수준을 주의 깊게 관찰하여 생명을 위협할 수 있는 잠재적 상황을 즉시 결정한다. 환자의 의식 수준을 관찰하는 것은 중요한 평가 도구이다. 예를 들어, 환자가 의식이 있는 경우 환자의 반응을 관찰한다. 주의 집중을 못 하거나 공상을 하는 것처럼 보이는 환자는 저혈당, 탈수, 심혈관 손상, 뇌졸중 또는 머리 손상에 대해 평가를 한다.

의식 수준은 그물체활성계(RAS)와 대뇌 반구의 기능과 관련이 있다. 그물체활성계는 뇌줄기 상부에 위치하며 의식 유지, 특히 사람의 각성 수준을 담당한다. 대뇌 반구는 인식과 이해를 담당한다. 환경에 반응하는 것은 대뇌 반구를 통해 일어난다. 그물체활성계가 대뇌 반구에 알려 감정이나 신체 반응과 같은 자극에 대한 반응을 활성화한다. 혼수상태는 그물체활성계 또는 양쪽 대뇌 반구의 기능 장애로 인해 발생할 수 있다.

환자의 의식 수준을 평가하는 가장 빠르고 간단한 방법은 AVPU 과정을 사용하는 것이다.

- A(alert): 사람, 장소와 날짜를 인식
- V(verbal): 언어 자극에 반응
- P(pain): 통증 자극에 반응
- U(unresponsive): 무반응

자극에 대한 반응을 분류할 때 유도할 수 있는 최상의 반응에 따라 환자의 등급을 매긴다. 예를 들어, 거리에 의식 없이 쓰러져 있는 환자가 처치 제공자의 외치는 큰 소리에 반응하면 AVPU 척도에서 V로 기록하고, 손발톱을 누르는 것과 같은 촉각 자극에 대한 반응은 P, 언어 자극 또는 촉각 자극에 반응이 없으면 U로 분류하고 기록한다. 표 1-2는 AVPU 과정에 대한

표 1-2. 의식상태와 AVPU

AVPU Level	평가 결과	
A(Alert)	자발적으로 반응하여 의식상태를 추가로 정의	
	각성과 지남력 × 3	사람, 장소, 시간
	각성과 지남력 × 2	사람, 장소
	각성과 지남력 × 1	사람
V(Verbal)	언어 자극에 반응 함	
P(Pain)	통증 자극에 반응 함	
U(Unresponsive)	자극에 반응 없음	

자세한 설명이다.

인식은 높은 수준의 신경학적 기능이며 사람, 장소 및 시간에 대한 반응을 보여준다. 이것은 더 일반적으로 각성과 지남력 × 3 또는 AO × 3이라고 한다. AO × 3이 아닌 환자는 졸림, 혼동 또는 지남력 장애로 설명할 수 있다. 즉, 환자는 깨어있지만, 지남력은 감소할 수 있으며(인식하지 못함), 그물체활성계 기능은 있지만, 대뇌 반구 기능 장애를 나타낸다.

외상이나 중증의 질병이 있는 환자를 평가하는 데 사용되는 글래스고혼수척도(GCS)는 신경 기능을 평가하는 효과적인 도구이며 환자의 의식 수준의 기준을 설정하는 데 특히 중요하다(표 1-3). 이 혼수척도는 의식상태의 변화가 있는 환자에 대한 추가 정보를 제공하는 데 도움이 된다. 신경학적 기능이 감소하는 것을 나타내는 글래스고혼수척도의 변화는 병원 내 진단 검사 및 입원 환자의 병실을 결정한다.

글래스고혼수척도는 환자가 눈의 반응, 언어에 대한 반응 그리고 운동 반응에 대한 환자의 반응을 평가한다. 각 반응에 대한 점수를 기록한다(예를 들면, 글래스고혼수척도가 11점의

빠른 암기법

글래스고혼수척도(GCS)

글래스고혼수척도는 원래 외상 환자에 대한 신뢰할 수 있는 의사소통을 제공하기 위해 검증되었다. 일관된 정보 교환과 결과 예측이 가능하다. 현재 많은 변형/수정이 존재하며 대부분 운동 구성요소가 외상 환자의 결과를 결정하는 데 적절하고 신뢰할 수 있다고 생각한다. 머리 손상 환자에게 사용하도록 설계된 도구이다.

수년에 걸쳐 글래스고혼수척도는 의식 수준을 설명하기 위해 환자 평가에 포함된 보편적인 척도로 변형되었다. 이 도구는 검증되지 않았으므로 결과를 예측하는 데 안정적으로 사용할 수 있다. 원래의 형태에서 머리 손상을 입었고 글래스고혼수척도가 5점인 환자는 장기적으로 예후가 좋지 않으리라고 예측할 수 있다. 그러나 약물 과다 복용한 환자는 글래스고혼수척도가 5점일 수 있으며 날록손과 같은 적절한 처치를 받으면 완전히 회복할 수 있다.

현재 글래스고혼수척도의 사용은 원래의 의도에서 확장되어 잘못 사용되었다. 병원 전 분야에서 보편적으로 활용되며 일반적인 검사 질문이지만, 내과 환자에게서의 유용성은 알려지지 않았다.

표 1-3. 글래스고혼수척도(GCS)

눈뜨기 반응	점수	언어 반응	점수	운동 반응	점수
자발적	4	지남력있는 대화	5	명령을 따름	6
언어에 반응	3	혼란스러운 대화	4	통증을 국소화	5
통증에 반응	2	부적절한 대화	3	정상 굴곡	4
반응 없음	1	신음, 알아들을 수 없는 소리	2	비정상 굴곡	3
		반응 없음	1	대뇌제거자세	2
				반응 없음	1

점수:
15점: 신경학적 장애가 없음을 나타냄
13~14점: 경미한 기능 장애
9~12점: 중등도에서 중증 기능 장애
8점 이하: 중증의 기능 장애(가장 낮은 점수는 3점)

경우 E=3, V=4, M=4). 8점 이하의 점수는 종종 적극적인 기도 관리가 필요함을 나타낸다. 15점이 가장 높은 점수이지만, 이것은 환자가 완전하게 의식이 있는 상태라는 것을 의미하는 것은 아니다. 최종 처치는 글래스고혼수척도 결과만을 기반으로 해서는 안 되며 얻은 다른 진단과 과거 병력과 함께 사용해야 한다. 글래스고혼수척도 평가 시 환자에게 투여한 약물을 고려하는 것도 중요하다. 예를 들어, 케타민 투여 시 글래스고혼수척도가 3점이 될 수 있지만, 케타민을 투여하지 않았을 때 글래스고혼수척도 3점인 것과는 전혀 다른 의미가 있다.

의식 수준 평가는 환자의 신경학적 및 관류 상태가 안정적인지 아닌지를 결정하는 데 도움이 되며 생명을 위협하는 상태를 조기에 확인하고 처치할 수 있다. 의식 수준에 문제가 있는 환자는 완전한 신경학적 검사를 받아야 한다.

환자가 반응이 없고 생명의 징후가 없는 이완되면 즉시 맥박이 있는지 확인한다. 10초 이내에 맥박을 감지할 수 없거나 불확실한 경우 즉시 가슴 압박을 시작하고 심폐소생술을 시행한다.

기도와 호흡

의식 수준을 평가하고 환자의 맥박을 확인한 후 환자의 기도 상태를 신속하게 평가한다. 기도를 개방하고 유지한다. 개방된 기도는 좋은 공기 흐름을 유지하고 공기 흐름을 방해하는 액체, 분비물, 치아 및 기타 유형의 이물질(예: 음식 또는 틀니)이 없어야 한다. 환자가 기도 개방을 유지할 수 없다는 것은 생명을 위협하는 응급 상황이며 응급 처치와 적절한 의료기관으로 즉각적인 이송이 필요하다. 환자의 기도 평가는 환자의 연령과 관계없이 동일한 방식으로 시행한다. 모든 연령대의 반응이 있는 환자의 경우 말하거나 우는 것은 기도 개방의 적절성에 대한 단서를 제공한다. 의식이 없는 모든 환자의 경우 반응을 확인하고 호흡을 평가한다. 기도를 개방하고 입과 상기도를 통한 공기 흐름을 관찰한다. 머리, 목 또는 척추 손상 가능성이 있는 외상 환자에게 턱밀어올리기를 시행하는 것이 적절하다. 외상이 의심되는 경우 환자를 중립적 자세로 위치시켜 목뼈가 움직이지 않도록 도수 고정을 시행한다. 얼굴 외상과 같은 상기도 문제의 증거를 찾고 구토와 출혈이 있는지 확인한다.

환자의 기도를 평가하는 동안 BLS와 ALS 제공자는 함께 협력하여 환자의 위치나 자세를 관찰하여 어떤 처치가 가장 적절한지 결정하는 데 도움이 되는 단서를 수집한다. 환자가 바닥이나 침대에 부자연스러운 자세로 누워 있는가? 환자가 직립 자세나 삼각 자세를 선호하는가? 특정 자세는 공기의 흐름을 최대화하고 호흡 노력의 증가, 호흡 피로, 호흡 곤란 및 임박한 호흡 부전을 나타낸다.

> **빠른 암기법**
>
> **블라인드 기관내삽관 장비(BIAD)**
>
> 블라인드 기관내삽관 장비(BIAD)는 성문을 눈으로 확인하지 않고 삽관할 수 있는 장비이다. 병원 전 단계에서 이 장비를 사용할 경우 흡인의 위험이 더 높아질 수 있다. 성문위기도기는 후두마스크기도기 또는 콤비튜브와 같은 기관내삽관 장비의 대체로 사용할 수 있는 제품을 말한다.

기도가 손상되면 이물질을 흡인하거나 제거한다. 음식물과 같은 이물질을 제거하기 위한 BLS 절차는 장비가 필요 없으며 신속하게 시행할 수 있다. 그러나 기도를 깨끗하게 하기 위해 흡인이 필요할 수 있다. 흡인은 장비를 설치하고 사용해야 하므로 더 오래 걸리고 환기를 개선하기 위해 환자를 위치시키는 것보다 더 복잡한 절차이다. 환자를 너무 오래 흡인하면 미주신경 자극으로 저산소증 및 서맥과 같은 새로운 문제가 발생할 수 있다.

기도를 개방하고 유지하기 위해 기계적 방법이 필요한 경우 보조기도기를 선택한다. 입인두기도기 또는 코인두기도기를 사용하기로 한 경우 환자에게 적절한 크기의 기도기를 올바르게 삽입한다. 환자가 자신의 기도를 유지할 수 없고 다른 방법으로도 기도를 유지할 수 없다고 판단되면 기관내삽관과 같은 더 침습적인 방법을 사용한다. BLS 및 ALS 기도기에는 다음이 포함된다.

- 기본소생술 보조기
  - 흡인
  - 도수 조작
  - 입인두기도기, 코인두기도기
  - 성문위기도기(콤비튜브, 후두마스크기도기, 후두튜브기도기)
- 전문소생술 보조기
  - 삽관(입, 코)
  - 가슴 감압
  - 바늘 또는 외과적 반지갑상연골절개

초기 BLS 처치를 시행할 수 있으며 적절한 경우 최종 ALS

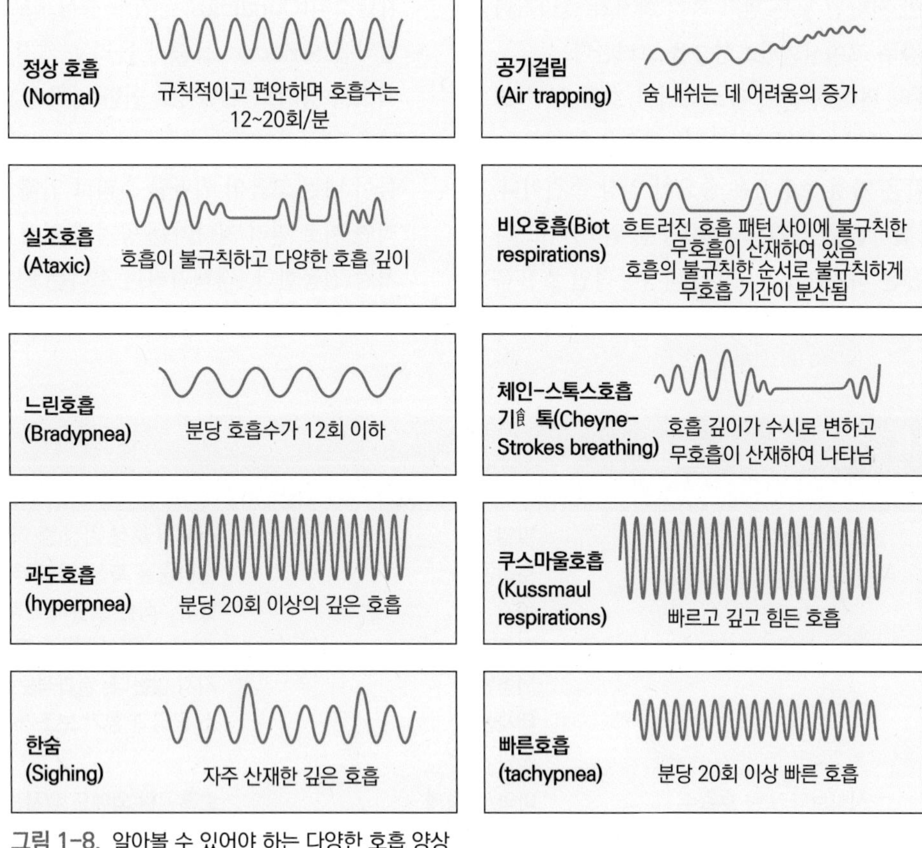

그림 1-8. 알아볼 수 있어야 하는 다양한 호흡 양상

Mosby's Guide to Physical Examination, Seidel HM, Ball JW, Dains JE, et al., Copyright Elsevier (Mosby) 1999.

처치를 시행한다. 철저한 평가를 통해 기도 관리의 긴급성을 결정하고 어떤 장비가 가장 효과적일지 제안한다.

사람의 호흡 상태는 기도 개방의 적절성과 직접적인 관련이 있다. 호흡수, 리듬 및 호흡 노력은 일차평가에서 평가한다. 정상 호흡수는 성인의 경우 분당 12~20회로 다양하고 소아는 분당 15~30회로 더 빠른 속도로 호흡한다. 처치 제공자는 환자의 호흡 속도를 평가한다. 연습을 통해 호흡수와 호흡이 너무 빠르거나 느린지를 결정할 수 있다. 호흡곤란이 관찰되면 일차평가에서 폐음을 청진할 수 있다. 부적절한 호흡수 또는 불규칙한 호흡 패턴은 추가 보조 산소를 공급할 수 있는 장치가 필요할 수 있다. 환자의 호흡 리듬은 쉽고 규칙적이며 통증이 없어야 한다. 고통스럽거나 불규칙한 호흡은 내과 또는 외상과 관련된 응급 상황을 나타낼 수 있으며 비정상적인 호흡 패턴의 원인을 결정하기 위해 추가로 평가한다(그림 1-8). 가슴 손상의 대칭적 팽창과 보조 근육의 사용을 관찰한다. 콧구멍 확장, 초조, 호흡을 멈추지 않고 두세 단어만 말할 수 있는 것은 호흡곤란과 공기 교환 손상의 징후이다(표 1-4).

환자의 호흡 능력을 손상시켜 생명을 위협하는 상태 및 손상에는 양측 기흉, 긴장기흉, 동요가슴, 심장눌림증, 폐색전증과 일호흡량 및 분당 호흡량을 감소시키고 호흡과 호흡 노력을 증가시키는 기타 모든 상태가 포함된다.

호흡 곤란은 신체 조직에 공급되는 산소가 너무 적은 상태인 저산소증으로 인해 발생할 수 있다. 저산소증은 앞에서 언급한 질환이나 천식, 만성폐쇄폐질환(COPD), 기도 폐쇄, 폐렴, 폐부종 또는 비정상적인 점액 분비와 같이 폐포에서 정상적인 가스 교환을 제한하는 모든 상태에 의해 발생할 수 있다.

환자의 주요호소 증상이 호흡 곤란일 때 또 다른 가능한 증후군은 호흡알칼리증으로 이어질 수 있는 과다환기이다. 과다환기는 대사성 산증, 불안, 공포, 또는 중추신경계 손상을 보상할 수 있다. 감별 진단에는 뇌졸중 및 당뇨병 케토산증과 같은 가능한 원인이 포함될 수 있다.

저환기로 인한 혈액 내 이산화탄소의 증가한 것을 고이산화탄소혈증이라고 한다. 고이산화탄소혈증은 신체가 이산화탄소를 제거할 수 없을 때 발생하여 혈액에 축적되어 호흡 부전을 일으킨다. 의식 수준이 저하된 모든 환자 특히 환자가 졸리거나 매우 피로해 보이는 경우 고이산화탄소혈증을 고려한다.

일차평가에서 환자의 의식 수준이 감소하거나 호흡 곤란 또는 관류가 불량한 경우 중간겨드랑 부위에서 폐음을 청진한다. 쌕쌕거리는 소리와 같은 가청 호흡음은 중요한 임상 소견이다. 목을 울리는 소리와 협착음은 상기도 소리(용골 위쪽)이고 다른 비정상적인 호흡음은 하기도 소리이다. 비정상적인 호흡음은 다음과 같다.

- 가글소리(Gurgling): 상기도 증상으로 속이 빈 거품 소리
- 협착음(Stridor): 들숨시 들리는 거칠고 고음의 소리, 일반적으로 상기도의 부기로 인한 협착을 나타낸다.
- 쌕쌕거림(천명음)(Wheezing): 공기가 좁은 기도를 통해 만들어 내는 고음의 휘파람 소리로 인해 악기의 진동판처럼 울리면 서로 밀려 지나가는 공기에 의해 기도가 악기의 진동판처럼 진동한다. 쌕쌕거리는 소리는 기관지가 부풀어 오르고 수축하였음을 시사한다(예: 천식 및 이물질 폐쇄 환자).

표 1-4. 불규칙한 호흡 양상

양상	설명	원인	Comment*
빠른호흡 (Tachypnea)	호흡수 증가	발열 호흡곤란 독소 관류저하 뇌병변 대사산증 불안	신체의 보상 기전 중 하나이지만, 호흡성 알칼리증을 촉진하여 유해한 영향을 미칠 수 있다. 빠른 호흡속도 때문에 신체는 폐로에서 산소/이산화탄소 교환이 완전하게 이루어지지 않는다. 결과적으로 환자는 산소와 산소 공급과 환기 보조가 모두 필요할 수 있다.
느린호흡 (Bradypnea)	정상보다 느린 호흡수	마약/진정제 알코올 대사장애 관류저하 피로 뇌 손상	호흡곤란 외에도 환자는 무호흡 증상이 있을 수 있다. 환자는 산소와 호흡 보조가 모두 필요할 수 있다.
체인-스톡스 호흡 (Cheyne-stokes respiration)	짧은 기간의 무호흡과 함께 비율과 깊이가 증가하거나 감소하는 주기가 교대로 나타나는 호흡 양상	두개내압상승 울혈심부전 신부전 독소 산증	반복되는 유형으로 척추 손상을 의미할 수 있다.
비오호흡 (biot respirations)	체인-스톡스 호흡과 유사하지만, 반복되는 호흡 양상 대신 불규칙한 호흡 양상	수막염 두개내압상승 신경학적 응급	호흡계통의 심방세동과 유사하다고 볼 수 있음 (비정기적으로 불규칙)
쿠스마울호흡 (Kussmaul respiration)	무호흡 기간이 없는 깊고 빠른 호흡	대사성 산증 신부전 당뇨병케토산증	심한 산증을 의미하는 힘든 호흡
지속들숨 (Apneustic)	길고 가쁜 들숨에 이은 짧은 날숨(제대로 숨을 내쉬지 못함). 가슴 과다 팽창 발생	뇌 병변	심한 저산소혈증을 일으킴
중추신경성과다환기 (Central neurogenic hyperventilation)	매우 깊고 빠른 호흡(분당 25회 초과)	뇌간에 직접적인 손상을 유발하는 뇌간의 종양 또는 병변으로 증가한 두개내압 뇌졸중	중추신경계 산증은 빠르고 깊은 호흡을 유발하여 전신성 알칼리증을 유발한다.

*주의: 환자의 기도 상태, 호흡, 리듬, 호흡음을 기록할 것

- 거품소리(Rales): 일반적으로 손가락 사이에서 머리카락이 굴러가는 소리로 설명된다.
- 건성수포음(Rhonchi): 더 큰 기도의 분비물로 인한 낮은음의 딱딱거리는 소리, 건성수포음은 만성폐쇄폐질환 또는 기관지염 및 폐렴과 같은 감염 과정의 징후일 수 있다.

호흡 보조 근육 사용과 뒤당김은 목아래패임과 갈비뼈 사이 및 아래에서 볼 수 있다. 호흡 노력이 향상하거나 호흡이 점차 어려워지면 호흡 곤란과 임박한 허탈에 대해 환자를 모니터링한다. 비정상적인 호흡음과 호흡 보조 근육 사용 또는 뒤당김이 같이 있으면 비정상적 호흡음만 있을 때보다 더 불길한 징후이다. 호흡을 평가할 때 다음과 같은 정보를 확보한다.

- 호흡수
- 리듬: 규칙적 또는 불규칙적
- 호흡의 질/특성
- 호흡의 깊이

환자의 호흡을 평가할 때 자신에게 다음과 같은 질문을 한다.

- 환자가 질식하는 것처럼 보이는가?
- 호흡의 호흡 속도가 너무 빠르거나 느린가?
- 환자의 호흡이 얕거나 깊은가?
- 환자에게 청색증이 있는가?
- 폐음을 청진할 때 비정상적인 호흡음이 들리는가?
- 공기가 양쪽 폐로 동일하게 잘 이동하는가?

환자가 대답할 수 있는 다른 중요한 질문은 다음과 같다.

- 호흡 곤란이 갑자기 나타나거나 아니면 며칠 동안 악화하였나요?
- 이 문제가 만성적입니까?
- 잦은 기침, 흉통 또는 발열과 같은 관련된 증상이 있습니까?
- 스스로 상태를 치료하려고 했습니까? 만약 그렇다면 어떻게 했습니까?

일차평가에서 호흡 패턴을 손상시키는 것을 확인하고 처치한다. 일차평가 후 환자가 호흡 곤란을 겪는 것처럼 보이면 기도를 즉시 재평가 한다. 공기 교환은 호흡 횟수가 아니라 중요한 문제라는 것을 기억한다.

순환/관류

혈액 순환을 평가하면 뇌, 폐, 심장, 신장 및 기타 신체 부위를 포함한 주요 기관으로 혈액이 얼마나 잘 순환하는지를 평가할 수 있다. 환자의 맥박수, 질 및 규칙성을 평가한다. 노동맥, 목동맥 또는 넓적다리동맥을 촉진하는 것이 필수적이다. 정점 맥박은 최대박동점(PMI)으로 알려진 다섯 번째 갈비뼈 사이 공간 근처의 심장끝에서 청진할 수 있지만, 맥박 강도를 평가할 수는 없다. 성인의 경우 안정 시 정상 맥박수는 분당 60~100회이며 노인 환자의 경우 분당 100회 정도 될 수 있고 소아 환자일수록 맥박이 빠르다.

맥박의 질은 결여, 약함, 가늘고 미미한, 뛰다 또는 강하다로 설명된다. 맥박이 약하면 관류 저하를 나타낼 수 있다. 뛰는 맥박은 대동맥 역류 또는 수축기 혈압 상승과 같은 증가한 맥박 압력을 나타낼 수 있다. 심근 수축력을 감소시키는 요인으로는 저산소증, 고칼륨혈증과 고이산화탄소혈증이 있다. 일차평가에서 불규칙, 약하거나 가늘고 미미한 맥박의 조기 발견은 관류가 좋지 않음을 나타내며 심전도의 신속한 검사와 해석이 필요할 수 있다.

맥박이 규칙적인지 불규칙적인지를 판단하기 위해 평가한다. 정상적인 리듬은 시계의 똑딱거리는 소리처럼 규칙적이다. 일부 맥이 일찍 또는 늦게 촉지되거나 건너뛰면 맥박이 불규칙한 것으로 간주한다. 불규칙한 심장 박동은 심장 또는 호흡기 원인이 있거나 약물과 같은 독성 물질에 의해 유발될 수 있다.

환자의 순환이 불충분하면 순환을 회복하거나 개선하고 심각한 출혈을 조절하며 조직으로의 산소 전달을 개선하기 위한 즉각적인 조처를 해야 한다. 이 시점에서 주요 외부 출혈을 확인하기 위해 빠르게 평가를 시행한다. 빠른 평가는 신체를 빠르고 철저하게 촉진하는 것이다. 약 60~90초 동안 환자의 신체를 신속하게 검사하여 즉시 처치하거나 보호해야 하는 손상을 확인한다. 이것은 이차평가 중에 수행하는 집중적인 신체검사에 비해 간결하게 시행하는 검사이다.

맥박수, 질, 규칙성이 평가되면 피부의 색, 온도, 습기 및 모세혈관 재충혈을 평가한다. 모세혈관 재충혈 시간은 종종 심혈관계 상태를 결정하기 위해 평가한다. 이 검사를 수행하기 위해 손톱 바닥이 흰색으로 변할 때까지 압력을 가한다. 그런 다음 처치 제공자는 정상적인 색상으로 돌아오는 데 걸리는 시간을 측정한다. 모세혈관 재충혈이 2초 이상 걸리는 경우 모세 혈류가 부적절하다는 지표로 간주한다. 이 검사는 여러 가지 이유로 성인 환자에서 신뢰할 수 없다. 노인들은 특히 많은 약물을 복용하거나 면역계 또는 신장질환이 있는 사람은 관류가 잘 안되는 경향이 있다. 주위 온도는 모세혈관 재충혈 검사의 정확도를 떨어뜨릴 수 있다. 주위가 추울수록 보상 기전으로 혈관 수축을 유발하고 관류 상태가 좋지 않다는 잘못된 인상을 줄 수 있다.

맥압은 수축기 혈압에서 확장기 혈압을 빼서 계산한다[예: 110mmHg(수축기)−70mmHg(이완기)=40(맥압). 정상 맥압은 30~40mmHg이다. 맥압이 낮을 경우(수축기 혈압의 25% 미만) 원인은 낮은 일회박출량 또는 증가한 말초혈관일 수 있다. 좁은 맥압은 쇼크 또는 심장눌림증으로 나타날 수 있다. 맥압의 변화는 두개내압의 상승을 확인하는 데 사용한다. 맥압이 넓어지고 고혈압, 서맥, 불규칙한 호흡 양상은 중요한 지표이며 이를 쿠싱 3 징후라고 한다.

상황실에서 제공한 정보, 초기 관찰 내용, 환자의 주요호소 증상, 기도 개방 상태 및 호흡, 순환 및 관류 상태가 잠재적인 기본 진단을 제시하고 이를 바탕으로 적절한 초치 처치를 시작한다. 환자 검사 및 처치는 현장으로 출동 중 계속 변화될 수 있다. 추가 환자 병력, 신체검사 결과 및 검사 결과가 확보되면 지속해서 재평가하고 수정한다. 처치에 대한 환자의 반응도 지속해서 재평가하고 수정한다.

▼ 첫인상

대부분은 환자의 초기 상태와 주요호소 증상을 토대로 환자의 첫인상을 형성한다. 현장에서의 시각, 후각 및 운동 감각적 관찰 내용은 환자 평가 과정에 중요한 정보를 제공하여 환자의 감별 진단을 결정하는 데 도움이 된다.

시각적 관찰

환자에 대한 첫인상은 시각적 평가로 생각한다(그림 1-9). 외적 단서에는 체위, 통증 표현, 비정상적인 호흡음이 포함될 수 있다. 성인의 경우 피질제거자세, 대뇌제거자세, 삼각자세 또는 태아 자세는 생명을 위협하는 상태의 징후일 수 있다. 환자가 자기 가슴이나 복부를 감싸고 있거나 흉통 환자가 가슴에 주먹(Levine 징후)을 대고 있는 심한 통증의 시각적 징후는 응급 상황을 나타낸다.

만성 질환을 시사하는 보조기구가 있는지 찾아본다. 예를 들면, 보행기, 지팡이, 휠체어, 산소 발생기, 휴대용 분무기 및 개인 주택의 병원용 침대(그림 1-10)가 있다. 치과 보철 또는 이동 장치는 만성 호흡기, 심혈관, 근골격 또는 신경학적 손상과 관련된 이동성 문제를 나타낸다.

피질제거자세는 대뇌피질의 기능 장애를 나타낸다. 이 강직된 자세에서 환자의 팔꿈치는 구부러지고 팔을 가슴 가까이에 위치하고 주먹을 움켜쥐게 된다. 발가락은 아래를 향하고 다리는 편 상태가 된다(그림 1-11). 피질제거자세가 대뇌제거자세로 진행이 되는 것은 심각한 뇌 손상을 나타내는 심각한 징후이고, 이 자세의 특징은 강직으로 환자의 팔과 다리는 펴지고 발가락은 아래를 향하고 머리와 목이 아치형으로 신전 된다(그림 1-12).

가정에서 산소는 압축가스나 액체 산소로 저장하거나 산소 발생기로 생성할 수 있다. 산소는 코삽입관, 산소마스크, 기관절개, 인공호흡기, 지속기도양압(CPAP) 또는 이중기도양압(BiPAP, 그림 1-13)으로 전달할 수 있다.

인공호흡기와 같은 기술에 의존하는 환자의 처치는 만성 질환과 낮은 관류 상태로 인해 복잡해질 수 있다. 일부 환자는 자동식 산소 소생기가 필요하다. 이런 인공호흡기는 도착 시 확인한다. 환자에게 지속적 양압 호흡을 제공하기 위해 이러한 인공호흡기를 사용한다. 처치의 질적 연속성을 보장하기 위해 병원 전 처치 제공자는 확인되는 즉시 기계 의존성 환자의 정보를 이송할 의료기관에 제공한다. 일반적으로 환자와 가족들은 이러한 장비에 잘 알고 있지만, 익숙하지 않으면 도움을 줄 수 있다.

그림 1-9. 각 환자는 자신의 현 상황에 대처하는 방법이 다르다. 어떤 환자는 자신의 감정에 대해 공개적으로 이야기하는 것으로 안심하는 경우도 있지만, 다른 사람은 사생활 보호나 극기심이 더 클 수 있다.

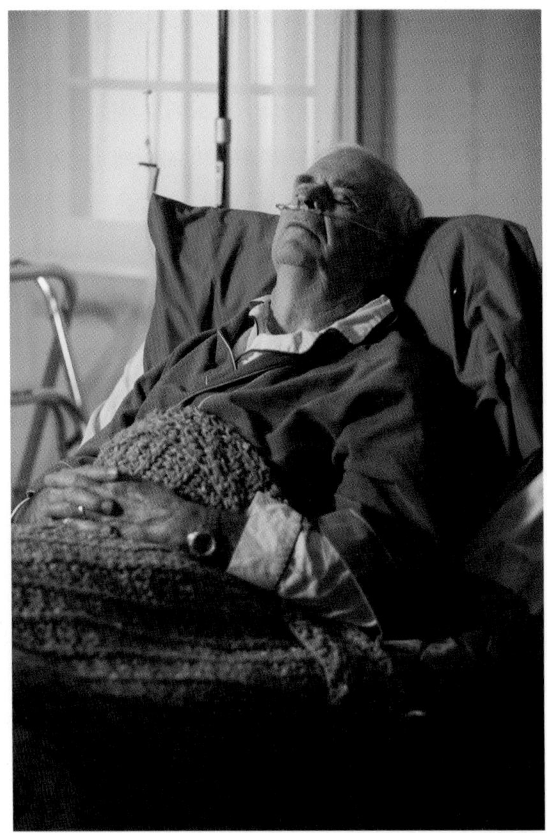

그림 1-10. 가정에서 산소 공급을 받는 노인 환자는 만성 질환이 있음을 의미한다.

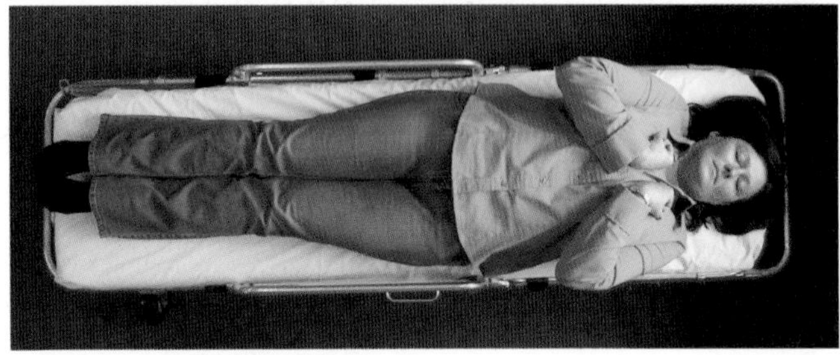

그림 1-11. 피질제거자세

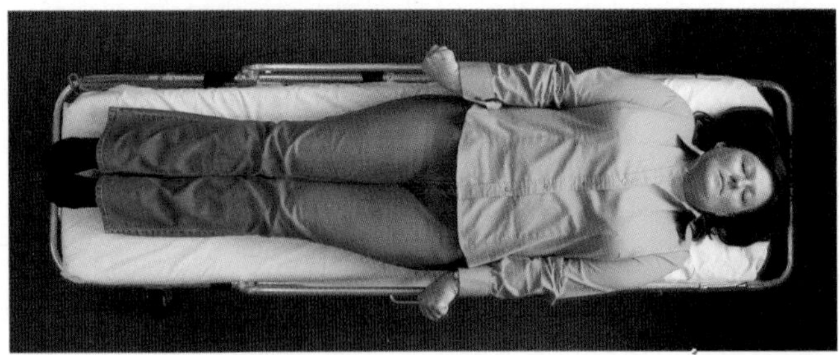

그림 1-12. 대뇌제거자세

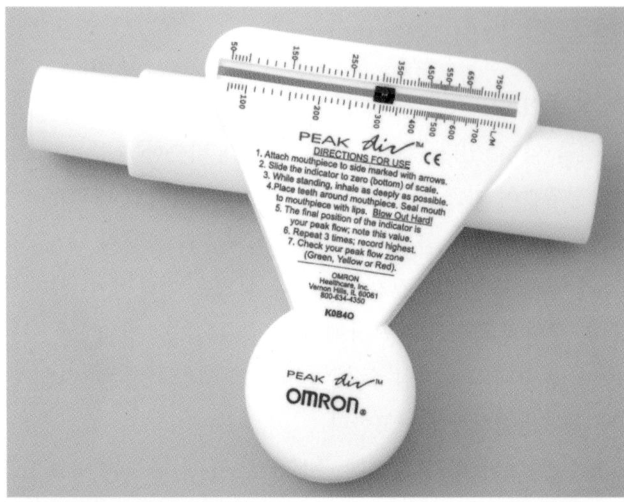

A

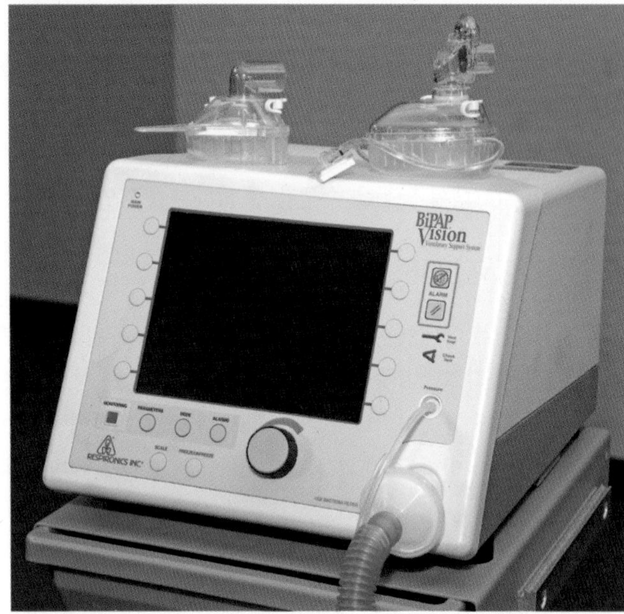

B

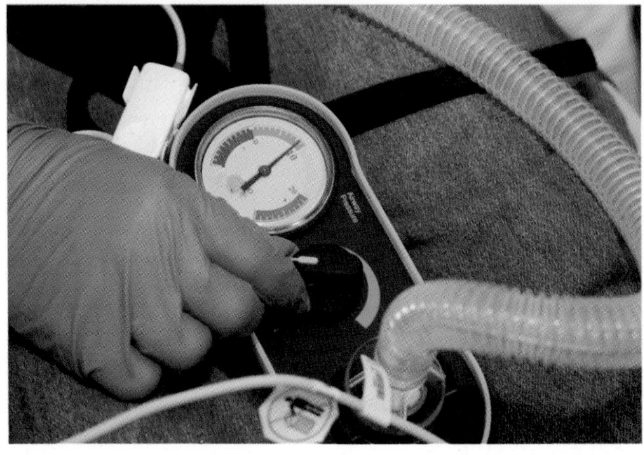

C

그림 1-13. A. 최대유량계, B. 이중기도양압(BiPAP) 장치, C. 지속기도양압(CPAP) 유량 발생기

후각적 관찰

냄새는 환자와 접촉하기 전에 위험한 환경에 대한 경고 신호 역할을 할 수 있다. 특히 다수의 환자가 비슷한 증상을 호소하는 경우같이 가스 유출 증거가 있으면 즉각적인 대피가 필요하다. 상한 음식, 곰팡이, 벌레나 설치류와 관련된 냄새는 환자와 가족 구성원의 건강에 해로운 환경을 나타낼 수 있다. 이러한 유형의 환경은 성장장애의 원인이 되거나 방치 또는 가정 폭력 및 학대의 증거일 수 있다. 이러한 관찰 내용은 지역 지침에 따라 관련기관에 보고한다.

또한 특이한 환자 냄새에 주목한다. 특정 냄새는 당뇨병 케토산증의 달콤한 아세톤 입 냄새와 같은 다양한 급성 또는 만성 질병 과정과 관련이 있다. 혈액, 구토물, 소변, 대변과 같은 환자의 배설물을 관찰하면 중추신경계의 기능 장애를 알 수 있다. 케케묵은 입 냄새와 같이 비정상적 냄새는 만성 간 기능 장애를 나타낼 수 있다. 심각한 체취와 지저분한 환자는 더 이상 도움 없이 일상생활 활동을 수행할 수 없다는 증거일 수 있다.

운동 감각적 관찰

촉각은 환자의 상태에 대한 단서를 제공한다. 환자의 피부가 시원하고, 차갑고, 따뜻하고, 뜨겁거나 땀이 나는 상태일 수 있다. 지나치게 따뜻하거나 뜨거운 피부는 중심 체온이 상승했음을 나타낼 수 있다. 습도가 높은 더운 날은 고열을 유발할 수 있다. 뜨거운 피부의 내재적 원인으로는 뇌졸중, 발열, 열사병 등이 있다.

마찬가지로 극도로 추운 환경은 저체온증을 유발할 수 있다. 그러나 노인 환자의 경우 따뜻한 환경에서도 저체온증이 발생할 수 있다. 부동 상태, 심혈관 및 신경학적 손상, 부적절한 옷, 약물 중독 및 동반 질환으로 관류가 나빠지고 보상 기전 감소를 유발한다. 차갑고 축축한 피부는 쇼크나 혈관 수축과 같은 보상 기전의 결과일 수도 있다.

축축하거나 젖은 피부는 일반적으로 열탈진, 운동 또는 약물 중독이 있는 환자에게서 발견된다. 심장의 혈관 손상으로 인해 관류가 저하된 환자도 축축한 피부 상태를 보이고 탈수 환자는 피부가 건조하다. 종종 나이가 들면서 갈증과 미각 기전이 저하되므로 노인 환자의 피부가 건조한 경우 탈수를 평가하는 것이 특히 중요하다.

촉진은 또한 환자의 맥박을 느끼고 속도(결여, 너무 빠름, 너무 느림, 약함, 뛰다, 강하다)를 결정할 수 있도록 하여 중요한 평가 정보를 제공한다. 촉진은 심혈관 손상을 나타낼 수 있는 불규칙한 맥박을 확인하는 데 도움이 될 수 있다.

초기 감각 관찰에서 정보를 얻는 것 외에도 처치 제공자는 환자가 도움을 요청한 이유를 확인한다. 환자에게 무엇이 불편한지(예: 통증 부위, 불편감 또는 이상함)와 같은 질문과 주요호소 증상 내용, 과거력 및 신체검사 정보를 얻기 위한 접근 방식의 우선순위를 결정하는 데 도움이 된다. 환자는 증상으로 흉통이나 호흡 곤란을 호소하거나 실신과 같은 관찰된 상황 설명할 수 있다. 치명적인 문제는 즉시 해결한다. 상황실에서 제공한 정보, 초기 관찰 및 환자의 주요호소증상을 바탕으로 처치 제공자는 일차평가에 집중하고 무슨 일이 일어났는지 결정한다.

▼ 상세 평가

병력 청취

내과적 응급 환자는 신체검사를 수행하기 전에 병력을 확인한다. 신체검사를 수행하기 전에 병력을 조사하는 순서를 바꾸는 것은 환자의 초기 상태에 따라 다르다. 많은 진단 평가는 환자와 면담 중에 얻은 추가 정보를 기반으로 한다. 효율적이고 체계적이며 포괄적인 면담을 통해 감별 진단을 배제 시키고 추정 진단을 내리고 처치를 결정하는 데 도움이 될 수 있다.

현재 질병의 과거 병력

현재 질병의 병력은 OPQRST도구를 사용하여 얻을 수 있다. 이 도구는 환자가 겪고 있는 증상에 대한 명확한 시간순으로 얻는 데 초점을 맞춰 환자의 주요호소 증상을 분석하는 데 도움을 준다.

발현

첫째, 통증이나 불편감이 언제 어디서 시작했는지 확인한다. 증상이 시작되었을 때 환자가 무엇을 하고 있었는지 확인한다. 전에도 비슷한 증상이 있었는지 질문한다. 다음 정보를 얻으면 감별 진단을 결정하는 데 도움이 된다.

- 증상이 시작될 때 환자가 무엇을 하고 있었는지, 운동 시 발생하는 통증이나 불편감은 휴식 때 발생하는 통증이나 불편감과는 원인이 다를 수 있다.

빠른 암기법

현재 질병의 과거 병력: OPQRST

환자의 부상이나 질환의 원인을 평가할 때 의료제공자는 원인이 무엇인지, 언제부터, 어디가, 얼마나 심하게 아픈지 알아야 한다. OPQRST 암기법은 환자로부터 가장 적절한 답변을 끌어내기 위해 어떤 질문을 해야 하는지 기억하는 데 도움이 된다.

- 발현(Onset): 통증이 시작됐을 때 무엇을 하고 있었나요? 통증이 갑자기 시작되었나요 아니면 일정 기간 지속되었나요?
- 완화/악화(Palliation/provocation): 통증이 완화되거나 혹은 더 악화하나요?
- 질(Quality): 통증을 설명해보세요(화끈거림, 날카로운, 둔한, 욱신거리는, 찌르는듯한).
- 부위/방사/연관통(Region/radiation/referral): 아픈 곳을 가리킬 수 있나요? 통증이 거기에만 있나요 아니면 다른 곳까지 퍼지고 있나요?
- 중증도(Severity): 통증의 강도를 1부터 10까지 정했을 때 가장 약한 통증을 1, 가장 강한 통증을 10이라고 했을 때 지금 느끼는 통증을 어떻게 평가하시겠습니까?
- 시간/ 지속시간(Time/duration): 통증이 얼마나 지속되었나요?

- 증상의 시작이 점진적인지 갑작스러운지 아닌지
- 문제의 중증도를 암시하고 여러 신체 계통이 관련되어 있음을 나타내는 다른 관련 증상이 있는지 확인하고, 관련된 중요 증상은 다음과 같다.
  - 호흡 곤란
  - 숨을 깊게 들이쉴 때의 통증
  - 흉통 또는 압박감
  - 두근거림
  - 구역 또는 구토
  - 실신(기절)
  - 무감각 또는 저림
  - 소화 불량(상복부 통증, 복통 또는 복부 팽만)
  - 혼동 또는 지남력장애
  - 질병에 대한 일반적인 느낌이나 이상함
- 목격자가 제공하는 모든 정보
- 환자가 이전에 비슷한 증상을 경험했는지 여부, 환자가 병원에서 진료를 받고 있는지, 언제 마지막으로 병원에 방문했는지를 물어본다. 처방된 약 및 기타 처치에 관해 물어본다.

완화/악화

완화는 환자의 증상이 개선되는 것, 악화는 더 나빠지는 요인을 말한다. 예를 들어, 어지러움을 주요호소증상으로 설명하는 환자는 증상이 누웠을 때 완화되고 갑자기 침대에서 일어나려고 하는 것과 같이 움직일 때 악화한다고 말할 수 있다.

질

통증이나 불편함의 질에 대한 환자의 인식은 중요한 진단 단서가 될 수 있다. 통증이나 불편함의 유형에 관해 설명을 요청한다. 일반적인 설명으로는 날카롭다, 둔하다, 찢어진다, 뜯어내다, 으스러진다, 부수다, 압박한다, 찌른다는 것과 같은 용어를 사용한다. 환자의 설명은 통증이 내장인지 또는 신체 기관인지를 암시할 수 있으며 이는 감별 진단을 결정하는 데 도움이 된다. 내장 통증은 내부 장기에서 발생하며 종종 모호하고 국소화하기 어렵지만, 몸통증은 정확한 위치를 알 수 있고 날카롭거나 찌르는 경향의 느낌이 있다. 불편함이 지속적인지 아니면 간헐적으로 생기는지 또는 특정 호흡 양상이나 움직임에 따라 발생하는지 평가하는 것은 관련된 신체 계통과 병인의 심각성을 나타내는 주요 지표가 될 수 있다. 완화 및 악화와 함께 환자가 통증이나 불편함의 질을 설명하는 방법은 영향을 받는 신체 계통을 나타낼 수도 있다. 따옴표를 이용해 환자가 자신의 증상을 어떻게 설명하는지 정확하게 기록한다.

부위/방사/연관통

부위, 방사 및 연관통은 모두 통증이나 불편함의 위치와 관련이 있다. 환자에게 통증이 있는 곳을 가리키거나 통증이 방사되는 것처럼 보이거나 다른 곳으로 움직이는지 가리켜 보라고 한다(표 1-5). 어깨 통증(Kehr 징후)과 복부 팽만과 같은 통증이 연관되어 있는지 확인한다.

중증도

처치 제공자가 보는 대부분 환자는 급성 또는 만성 통증 또는 불편감을 경험했다. 통증과 불편함은 감염, 염증 및 신경학적 기능 장애로 인해 발생할 수 있다. 근육과 골격계의 손상과 과용은 급성 또는 만성적인 통증을 유발할 수 있다. 모든 신체 장기는 통증과 불편함을 유발할 수 있다. 통증 섬유의 활성화는 급성 및 만성 통증의 근본 원인이다. 이 섬유가 자극되면 통증 충동은 신경 섬유 통해 척수로 전달되어 뇌로 이동한다.

통증이나 불편함은 노인과 마찬가지로 병력 확보가 어려운

표 1-5. 연관통

위치	기관
왼쪽 어깨 통증	가로막 자극(난소와 같은 다른 복부 기관의 파열로 인한 혈액 혹은 공기), 비장 파열, 심근경색
오른쪽 어깨 통증	간 자극, 담낭 통증, 가로막 자극
오른쪽 어깨뼈 통증	간, 담낭
명치	위, 폐, 심장
배꼽	소장, 충수
등	대동맥, 위, 췌장
서혜부 측면	신장, 요관
회음부	방광
두덩위(치골위)	방광, 결장

환자의 경우 매우 모호한 증상과 징후로 나타날 수 있다. 종종 환자는 일반의약품(OTC), 민간요법 또는 여러 가지 약물을 복용하고 있다. 약물이 일반의약품이든 처방된 약물이든 관계없이 그 약효가 통증의 질과 심각성을 가릴 수 있다. 통증에 관한 과거 병력은 환자의 문화적 배경과 종교적 신념에 따라 다르게 나타날 수 있으므로 평가 및 처치가 어려울 수 있다.

통증과 불편함에 대한 모든 호소를 심각하게 받아들여야 한다. 통증의 위치, 중증도 및 질을 결정할 때 인내심을 발휘한다. 통증에 대한 환자의 정확한 설명은 생명을 위협하는 응급상황과 관련된 통증을 덜 심각한 통증과 구별하고 적절한 통증 관리를 제공하는 데 도움이 될 수 있다.

환자에게 1에서 10까지의 척도로 통증이나 불편한 정도를 평가한다. 1은 통증이나 불편함이 가장 적은 것이고 10은 가장 높은 것이다. 이 숫자와 척도는 EMS와 병원 내 의료진 모두가 일반적으로 사용한다. 통증의 중증도에 대한 환자의 보고는 원인을 좁히는 데 도움이 될 뿐만 아니라 환자의 상태 개선과 악화 여부를 판단하는 데 유용한 기준을 설정할 수 있다. 얼굴 통증 등급(Wong-Baker FACES) 통증 척도는 언어로 의사소통할 수 없는 어린이나 환자에게 유용한 대안이다(그림 1-14).

다양한 통증 치료제를 접할 수 있다. 비마약성 진통제는 통증을 조절하거나 통증에 대한 인식을 감소시킨다. 환자가 복용하는 대표적인 일반의약품은 아세트아미노펜(타이레놀)과 이부프로펜(Motrin/Advil), 나프록센(Aleve)과 같은 비스테로이드 소염제(NSAIDs)이다. 모르핀, 하이드로코돈, 옥시코돈과 같은 마약성 진통제는 급성 및 만성 통증에 처방된다.

환자가 복용하고 있는 진통제와 해당 약물의 자가 투여가 최적인지 아닌지에 대해 가능한 한 많은 정보를 얻는다. 현 병력에서 수집된 추가 정보로 진단 및 처치가 평가되고 수정된다.

시간/지속시간

마지막으로 환자에게 통증이나 불편함이 얼마나 오래(시간/지속 기간) 지속되었는지 물어본다. 환자가 반응할 수 없거나 확신할 수 없는 경우 가족이나 목격자에게 환자가 마지막으로 언제 정상으로 느껴졌는지 구성원이나 목격자에게 정확히 말해달라고 요청한다. 불편함의 지속 시간을 아는 것은 뇌졸중 환자에게 섬유소용해제를 투여할지 또는 심근경색(MI)이 의심되는 환자에서 심장도관 검사를 시행할지 결정하는 것과 같은 특정 조건에서 올바른 의학적 결정을 내리는 데 중요할 수 있다.

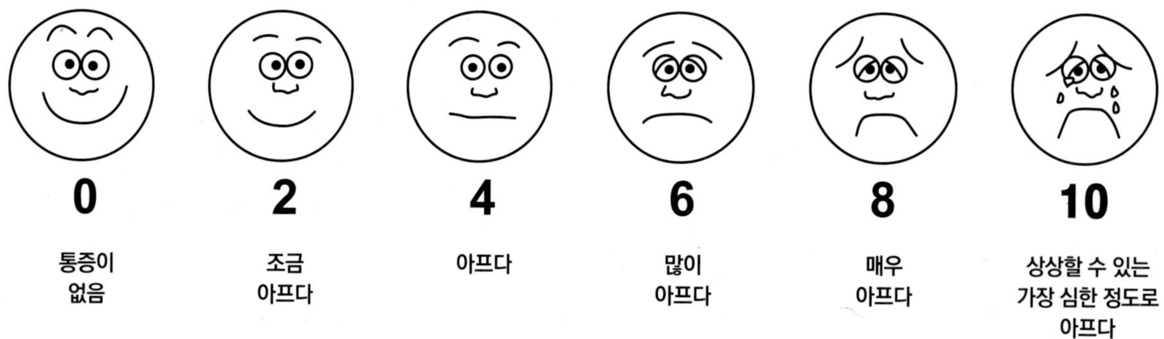

그림 1-14. Wong-Baker의 FACES 통증 척도. 이 척도를 사용하려면 각 얼굴을 가리키며 통증 강도를 설명하는 단어를 사용한다. 환자에게 자신의 현재 통증 정도를 가장 잘 나타내는 얼굴을 선택하게 하고 그 번호는 기록한다.

과거 병력

과거 병력을 통해 의료제공자는 환자가 가진 관련 질환이나 만성 기저질환을 알 기회를 제공한다. 과거 병력의 모든 측면이 현재로서는 중요해 보이지 않을 수도 있지만, 주의 깊고 철저한 병력 조사는 환자의 전반적인 건강 상태에 대한 명확한 그림을 그리는 데 도움이 된다. 빠른 암기법 박스에 요약된 SAMPLER 암기법은 문진 과정에서 유용할 수 있다.

증상 및 징후

증상이란 구역질과 같이 환자가 느끼는 것이나 반짝이는 불빛을 보는 것과 같은 경험의 주관적인 인식이다. 징후는 의료인이 관찰, 느낌, 보고, 듣고, 만지거나 냄새를 맡고 일반적으로 빈맥을 나타내는 맥박수와 같이 측정한 객관적인 데이터이다. 설사와 같이 환자가 호소하는 증상을 의료제공자가 관찰하면 징후가 된다. 모든 징후와 증상은 잘 기록한다(그림 1-15).

의식이 명료하고 깨어있는 환자는 자신이 어떤 느낌인지 개방형 질문을 하는 것이 적절하다. 이러한 환자는 질문을 알아듣고 대답할 수 있다. 언어, 청각 또는 인지 장애가 있는 환자는 예 또는 아니오 질문에 더 쉽게 반응할 수 있다. 종종 간단하게 고개를 끄덕이거나 흔드는 것으로 의사소통할 수 있다. 장애인과 노인 환자로부터 정보를 얻을 때는 인내심을 가진다. 환자가 질문에 대답할 충분한 시간을 주는 것이 종종 어려울 수 있다. 그러나 환자의 언어적 반응을 서두르면 관계가 저해되고 실망스럽거나 위협할 수 있으며 정보 공유를 방해할 수 있다. 적절한 치료적 의사소통 기술을 사용하여 환자로부터 정보를 얻는다.

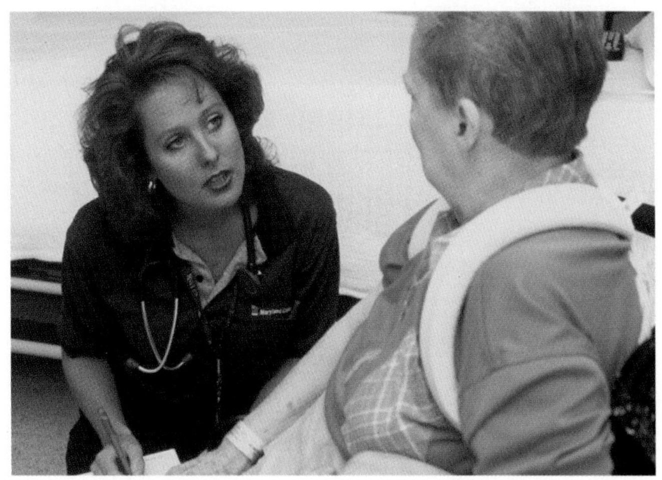

그림 1-15. 환자의 증상에 대한 정보를 얻을 때 특히 인내심을 가진다.

> **빠른 암기법**
>
> **과거병력 조사를 위한 SAMPLER 접근법**
>
> SAMPLER 약어는 환자의 의료병력에 대한 정보를 얻을 수 있는 실용적인 접근법이다.
>
> 증상/징후
> 알레르기
> 약물
> 관련된 과거 병력
> 마지막 경구 섭취(언제 그리고 무엇을)
> 현재 질환 또는 손상을 이전에 발생한 사고
> 위험요인

알레르기

많은 환자가 처방된 전문의약품이나 일반의약품, 동물 또는 음식에 알레르기가 있다. 알레르기 반응의 알려진 원인과 두드러기 또는 호흡곤란과 같은 일반적인 증상에 대해 환자에게 질문한다. 증상이 얼마나 빨리 나타나는지도 알아본다.

일부 증상은 다른 증상보다 더 걱정된다. 고양이 주위에 있을 때 약간의 발진이 생기는 환자는 특정 음식을 먹었을 때 협착음이 발생하는 환자보다 우려가 적다. 일부 부적절한 반응은 진정한 알레르기 반응이 아니라 부작용이다. 많은 환자가 음식, 동물 또는 약물에 대한 과민증을 알레르기로 오해할 수 있으므로 환자가 이야기한 알레르기 항원 또는 자극 물질과의 접촉에 어떻게 반응하는지 정확히 평가하는 것이 중요하다. 이 정보는 과민 반응을 알레르기나 아나필락시스 반응과 구별하는 데 도움이 된다.

투약

환자가 정기적으로 복용하는 모든 약물(일반의약품 및 처방받은 전문의약품)을 기록한다. 의료제공자는 환자의 주치의가 무엇을 처방했는지 알 수도 있고 모를 수도 있다. 약물 상호 작용과 부작용은 복용한 전체 약물을 고려한다.

일부 환자는 일반의약품 또는 약초 또는 대체 약물로도 알려진 식이 보조제를 복용한다. 대마초 합법화의 추세로 환자가 기분전환 또는 의약 용도로 대마초를 사용하는 것과 관련하여 추가 질문을 한다. 환자의 증상과 징후를 비정상적으로 유발할 수 있는 카페인, 비타민 또는 기타 성분이 많이 함유된 일반의약품 음료와 허브차에 대해서 질문하는 것을 기억한다. 덱스트로메토르판이나 구아이페네신 등 기침 억제제나 진해거담제 등 일반의약품을 모노아민산화효소억제제(MAOIs)나 선택적 세로토닌재흡수억제제(SSRIs)와 함께 복용하는 고혈압 환자는 혈압이 상승할 수 있다.

관련된 과거 병력

초기 주요호소증상과 관련된 병력을 확인한다. 예를 들어 흉통이 있는 환자가 최근에 스텐트를 삽입했다면 해당 정보는 적절하다. 2년 전에 발생한 넓적다리뼈 골절은 필수 정보가 아닐 가능성이 높다.

수술에 대한 과거력, 특히 최근 수술에 대한 설명은 중요한 과거 병력이다. 예를 들어, 환자가 최근에 제왕절개, 엉덩관절이나 무릎관절 치환술 또는 담석제거술을 받은 경우 색전증의 위험을 확인할 수 있다. 불안정한 활력징후나 발열, 구토, 변비 또는 설사를 동반한 위장 장애의 병력이 있는 환자의 경우 위우회로조성술을 확인한다.

마지막 경구 섭취

환자에게 언제, 무엇을 마지막으로 먹고 마셨는지 물어보고 대답을 기록한다. 최근에 음식을 먹거나 음료를 마신 환자는 의식이 없어져 구토를 하거나 응급 수술을 위해 마취를 시행해야 하는 경우 위 내용물이 폐로 흡인되어 마취 상태에서 구토할 수 있다.

현재 질환 또는 손상을 이전에 발생한 사고

구급차를 요청하거나 병원에 가기로 한 사건을 확인한다. 환자, 목격자 및 가족에게 다음과 같은 질문을 한다. 오늘 무슨 일이 있었나요? 왜 도움 요청을 하셨나요? 불편함이 완화되거나 악화된 이유는 무엇인가? 이 마지막 질문은 환자가 밤새 호흡곤란을 겪으면서도 증상이 악화하기 시작할 때까지 119에 도움을 요청하거나 진료를 받지 않는 경우와 같이 천천히 상황이 경과했을 때 적절하다.

위험 요인

환자의 주어진 상태에 대한 위험 요인은 환경적, 사회적, 심리적 또는 가족일 수 있다. 환자가 혼자 살고 있으며 낙상의 위험이 있는가? 거주지에는 낙상과 관련된 위험 요소가 있는가? 환자가 침상 생활로 식사와 간호를 위해 다른 사람에게 의존하고 있는가? 의학적 문제에 대한 다른 중요한 위험 요소로 최근 여행, 수술, 당뇨병, 고혈압, 성별, 인종, 나이, 흡연 및 비만 등이 있다.

환자가 처방받은 약물을 복용하는가? 환자가 약물을 확인하여 적절하게 복용할 수 있는가? 약물 목록이 있고 환자에게 투약 절차가 명확한가? 여러 약물을 복용하는 환자에게 종종 도움이 되는 제안은 전체 약물 목록을 작성하여 자신과 가족의 눈에 잘 띄는 곳에 게시하는 것이다. 그렇게 하면 약물 투약 오류의 가능성을 줄이고 약물 독성의 위험을 줄일 수 있다.

현재 건강 상태

환자의 전반적인 건강 이력과 관련된 개인 습관은 주요호소증상의 중증도를 결정하는 데 중요할 수 있다. 비슷한 증상으로 주치의나 응급의료센터를 자주 만성 질환에 대한 평가와 처치의 변화가 필요할 수 있다.

알코올, 약물 남용, 흡연

환자에게 약물(환자에게 처방되지 않은 다른 처방 약물의 사용을 포함하여 합법 또는 불법), 담배 제품 및 알코올 사용에 대해 질문하면 여러 근본적인 병인의 가능성에 대한 중요한 정보를 얻을 수 있다. 그러한 질문을 할 때 환자에게 비밀이 보장된다고 이야기한다. 빠른 암기법에 요약된 CAGE 질문지는 알코올 남용 행동 패턴을 확인하는 데 사용할 수 있다. 이러한 평가는 외상성 손상의 가능성이 있는 만성 또는 급성 질환을 나타낼 수 있다. 예를 들어, 만성 알코올 중독자는 술에 취한 상태에서 넘어져 넘어지기 때문에 경막밑출혈의 위험이 증가한다.

빠른 암기법

CAGE 질문지

C(Cut down): 자신이나 다른 사람의 음주에 대해 걱정한 적이 있는가? 음주를 줄여야 할 필요성을 느낀 적이 있는가?
A(Annoyed): 당신의 음주에 대한 비판 때문에 짜증을 낸 적이 있는가?
G(Guilty): 음주에 대해 죄책감을 느껴본 적이 있는가? 음주 상태에서 한 말이나 행동으로 인해 후회하거나 죄책감을 느낀 적이 있는가?
E(Eye-opener): 아침에 깨워줄 사람이 필요하다고 느껴본 적이 있는가?

Modified from Ewing JA: Detecting alcoholism: the CAGE questionnaire, JAMA 252:1905, 1984.

면역

최근 선별 검사 결과와 예방 접종 기록에 대한 정보는 전염병에 걸릴 위험이 있는 환자를 확인하는 데 도움이 된다. 최근 해외여행 기록이나 이민 신분도 감별 진단에 포함되어야 하는 상태를 확인하는 데 도움이 된다.

가족력

가족력은 감별 진단이 낫적혈구병과 같은 유전병이나 결핵과 같은 접촉 전염성 질환이 포함되는 경우 중요할 수 있다. 다음과 같은 질병이 있는 가족 구성원에 대해 질문하는 것은 환자의 고위험 요소를 확인하고 임상 추론을 돕고 보다 신속한 진단과 처치로 이어질 수 있다.

- 관절염
- 암
- 두통
- 고혈압
- 뇌졸중
- 폐 질환
- 결핵
- 전염성 또는 자가면역질환

처치 제공자는 환자의 가족과 친구를 찾아 환자를 지지하고 환자가 가정환경의 안전을 개선하도록 도울 수 있다. 환자에게 주어진 신체적 또는 심리적으로 힘든 응급 상황을 극복하는 데 필요한 것이 무엇인지 묻는 것은 환자 처치에 대한 공감적이고 동정심이 있는 접근 방식이다.

의료제공자와 관계를 발전시킬 수 있는 환자는 신뢰감을 느끼고 질문에 답하고 자신의 처치에 대한 결정을 더 잘 받아들인다. 개방적이고 긍정적인 환자 경험을 만드는 것은 질병이나 손상의 스트레스를 제한하고 제공자가 정확한 병력을 얻고, 추적 진단을 내리며 신속한 처치를 시작하는 것을 용이하게 할 것이다. 치료적 의사소통이 환자와의 관계를 형성하는 데 중요한 역할을 한다.

환자의 과거 병력을 얻으면 추가 선행 병인 및 진단을 수정하고 무시하거나 고려한다. 초기 처치에 대한 환자의 반응이 처치의 수정을 정당화하는가? 신체검사에서 얻을 수 있는 정보를 살펴본다.

이차평가

이차평가(신체검사라고도 함)는 전체 신체 기능을 측정하는 활력징후를 얻는 것과 특정 신체 기관의 기능을 확인하기 위해 머리끝부터 발끝까지 평가하는 두 가지 요소로 구성되어 있다. 이 평가는 머리부터 시작하여 발끝까지 순차적으로 진행하며 신체 기능의 모든 측면을 평가할 수 있도록 한다. 물론 병원 전 환경의 조건에 따라 이차평가를 어떻게 시행할지 결정한다. 때로는 압축해서 시행할 수 있다. 예를 들어, 반응이 없는 내과 환자나 심각한 손상 기전이 있는 외상 환자의 경우 신속한 신체검사를 수행할 시간만 있을 수 있다. 이 검사에서 소요된 시간과 자세하게 시행하는 정도는 의료제공자의 업무 범위, 환자의 상태 및 사용할 수 있는 진단 평가 도구(예: 반사 망치, 이경, 검안경)와 직접적인 관련이 있다.

내과 환자의 경우 신체검사를 수행하기 전에 활력징후를 측정하고 병력을 얻는 경우가 많다. 환자의 중증도, 의료 인력 및 적절한 의료기관까지의 예상 이송 시간에 따라 현장 또는 이송 중에 신체검사를 수행할 수 있다.

활력징후

의료는 환자가 병원에 도착하기 전에 제공되거나 환자가 병원 있을 때 제공되는 팀 노력이다. 따라서 여러 의료제공자가 환자 평가, 진단 정보 수집 그리고 환자 처치 제공에 동시에 함께 참여할 수 있다. 활력징후는 일반적으로 이차평가의 첫 번째 구성 요소이다. 활력징후는 전통적으로 맥박(맥박수, 맥박 규칙성과 맥박 질), 호흡(호흡수, 호흡 규칙성, 호흡 질), 혈압, 체온을 포함한다. 이러한 지표는 자주 지속해서 측정한다. 환자의 초기 상태가 즉각적인 생명의 위협을 시사하지 않더라도 환자의 상태는 악화할 수 있다. 기본 활력징후를 설정하고 모니터링 중에 변화에 집중하면 어떠한 불리한 변화도 조기에 확인하는 데 도움이 될 수 있다. 환자의 상태가 안정적이고 응급 상황이 아니더라도 안전한 의학적 의사 결정을 내리기 위해서는 활력징후가 필수적이다. 활력징후는 의료제공자가 특정 진단을 내리고 효과적인 처치 계획을 수립하는 데 도움이 된다.

맥박

응급 상황이 의심되는 환자는 중심 및 말초 맥박을 모두 평가한다. 앞에서 말한 것 같이 맥박수, 규칙성 및 질을 재평가한다. 이상 소견은 심전도 모니터링의 조기 적용으로 이어질 수

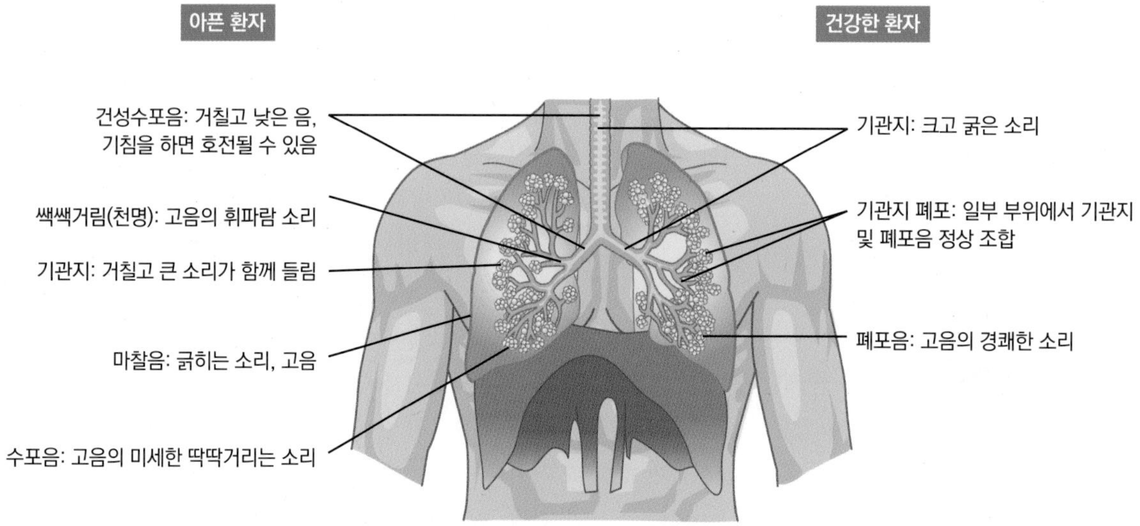

아픈 환자

건강한 환자

건성수포음: 거칠고 낮은 음,
기침을 하면 호전될 수 있음

쌕쌕거림(천명): 고음의 휘파람 소리

기관지: 거칠고 큰 소리가 함께 들림

마찰음: 긁히는 소리, 고음

수포음: 고음의 미세한 딱딱거리는 소리

기관지: 크고 굵은 소리

기관지 폐포: 일부 부위에서 기관지
및 폐포음 정상 조합

폐포음: 고음의 경쾌한 소리

그림 1-16. 아픈 환자(왼쪽)와 건강한 환자(오른쪽)의 폐음

있다.

호흡

호흡은 대칭성, 깊이, 속도 및 질에 대해 평가한다(그림 1-16). 호흡에 대한 자세한 내용은 이전 부분을 참조한다.

혈압

이 활력징후 평가는 환자의 관류 상태를 추정하고 모순 맥박과 맥압을 확인할 수 있다. 혈압은 혈액이 동맥벽에 가하는 분압이다. 혈압은 다음 방정식을 사용하여 계산한다.

혈압(BP) = 혈류 × 저항

혈류 또는 저항이 변하면 혈압이 증가하거나 감소한다. 혈관이 좁아지면 저항이 증가하고 압력이 증가하며 혈관이 팽창되면 저항이 감소하고 압력이 낮아지고 저항은 변한다.

심혈관 질환 또는 폐색전증이나 긴장기흉과 같은 생명을 위협하는 폐 질환이 있는 환자에서 모순 맥박(pulsus paradoxus)이 나타난다. 모순 맥박은 들숨 시 수축기 혈압이 10mmHg 이상 떨어질 때 발생하는 불규칙성이다. 이것은 심부전의 결과로 인해 혈액이 폐로 역류하는 것과 같이 호흡에 따라 가슴 내 압력의 차이로 인해 발생한다.

환자와 처음 접촉하는 동안 기준 혈압을 측정한다. 병원 전 환경에서 환자를 처치하면서 혈압을 최소 2회 측정한다. 이상적으로는 환자가 구급차 또는 기타 이송 수단에 탑승하고 고정되면 두 번째 혈압을 측정한다. 환자의 상태와 이송 시간에 따라 의료기관으로 이송 중 세 번째 혈압을 측정한다. 초기 혈압은 수동으로 측정하고 자동 장치를 사용하여 혈압을 재평가할 수 있다(그림 1-17). 일반적으로 안정된 상태의 환자에 대한 활력징후는 15분마다 재평가하고 불안정한 상태의 환자에 대한 활력징후는 5분마다 재평가한다.

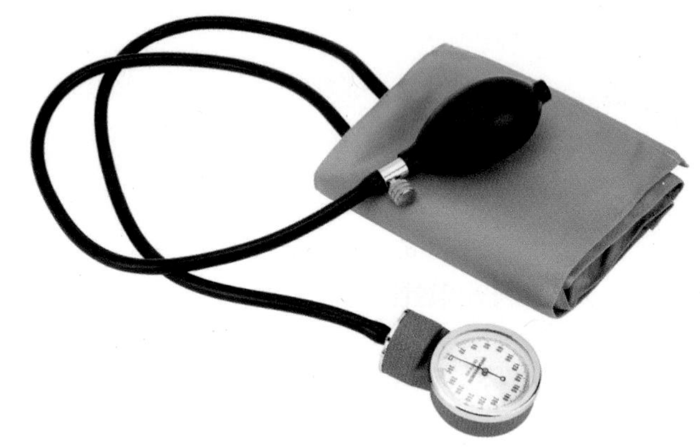

그림 1-17. 혈압계

체온

환자의 손상, 나이 및 의식 수준에 따라 구강, 직장, 고막 또는 겨드랑이에서 체온을 측정할 수 있다. 의식이 감소한 일부 환자는 구강에서 체온을 측정하기 어려울 수 있다. 얼굴이나 다른 손상으로 구강 체온계를 사용하지 못할 수도 있다. 체온을 평가하는 또 다른 방법은 간단히 피부를 만지는 것이다.

TIP

정확한 체온을 측정하는 것은 EMS 제공자에게 쉬운 일은 아니다. 피부에서 체온을 측정하거나 겨드랑이에서 측정한 체온은 체온 조절에 변화가 있는 환자를 확인하는 데 도움이 되지 않는다. 중심체온 측정은 아픈 환자에게 선호된다. 현장에서 정확한 체온을 측정할 수 있는 능력을 보장하기 위해 관련 기관과 협력한다.

발한이 있는지 피부를 평가하고 피부와 손톱 바닥의 색상을 평가한다. 피부는 만졌을 때 건조하고 차갑거나 뜨겁지 않아야 한다. 환자의 피부가 건조하고 분홍색이며 따뜻한 피부가 아니라면 관류 변화의 원인을 찾아야 한다.

고열은 패혈증(감염) 또는 항생제, 마약, 바르비투르산염 및 항히스타민제와 같은 약물로 인해 발생할 수 있다. 발열의 다른 원인으로는 심장마비, 뇌졸중, 열탈진, 열사병, 화상 등이 있다. 저체온증은 노출, 쇼크, 알코올, 기타 약물 사용 또는 갑상샘저하증으로 인해 발생할 수 있으며 심한 화상으로 인해 체온을 조절할 수 없는 환자에서 발생할 수 있다. 너무 덥거나 춥거나 습한 환경은 환자의 피부 온도에 영향을 줄 수 있으므로 피부 활력징후를 평가할 때 고려한다.

활력 징후는 환자의 건강 상태와 처치 필요성에 대해 더 상세한 심층적인 인상을 심어줄 수 있도록 중요한 정보를 제공한다. 의식 변화가 있는 환자는 활력징후를 평가할 때 동공반사와 약식 신경학적 검사를 수행한다. 운동 및 감각 기능, 말초맥박 및 모세 혈관 재충전을 평가하고 혈당 수치를 측정한다.

치명적인 상황, 응급 또는 비응급 상황의 존재 여부를 확인하거나 배제하는 것은 이송을 위해 고정하기 전에 현장에서 처치를 시작하기 위한 핵심 고려 사항이다. 새로운 처방법을 수정하거나 설정하는 것은 이차평가 중 계속 수집되는 정보를 기반으로 한다.

신체검사

병원 전 상황에서 환자의 신체검사는 의료제공자가 습득할 수 있는 가장 중요한 기술이다. 이 능력은 의료제공자를 위해 처음 개발되었으며 전문 의료제공자로 발전해야 한다. 이 검사는 머리부터 발끝까지 전신 검사 또는 집중 검사일 수 있다. 이 과정의 목표는 숨겨진 손상을 확인하거나 일차평가 중 60~90초 만에 수행한 빠른 검사 중에 발견하지 못한 원인을 확인하는 것이다. 의료제공자는 환자의 중증도에 가장 적합한 검사를 결정해야 한다. 대부분의 응급 상황에서 환자가 의식이 있으면 집중 검사가 적합하다. 의식이 없거나 의식 수준이 감소한 환자와 약물 남용 또는 중독 가능성이 있는 환자의 경우 전신 머리끝부터 발끝까지 검사가 필요하다. 상세한 신체검사는 병원에서 시행하는 것이 더 실용적이지만, 이송 시간이 허락한다면 병원 전 처치 제공자가 수행할 수 있다.

신체검사 결과는 이미 얻은 과거 병력 자료와 진단 평가 정보를 보완해서 특정 감별 진단을 수용하거나 배제한다. 정보를 수집하고 비판적으로 평가되면 적절한 처치 경로가 확인되고 시행된다.

청진기, 이경과 검안경은 신체검사를 수행할 때 중요한 정보를 수집하는 데 사용하는 일반적인 장비이지만, 검사자의 업무 범위와 관찰 기술에 의존한다. 따라서 시진, 청진, 촉진 및 타진은 평가 과정의 중요한 구성 요소다. 신체검사는 일차 또는 이차평가 중에 생명을 위협하는 상황을 확인하는 데 도움이 된다. 의식이 없는 환자의 경우 신체검사가 문제를 확인하기 위한 단서를 얻을 수 있는 유일한 방법일 수 있다.

많은 내과 환자에서 신체검사를 수행하기 전에 과거 병력 정보를 얻는다. 평가 구성 요소의 순서를 변경하는 것은 증상의 중증도, 환자 상태의 중증도 및 이 시점까지의 초기 증상에 따라 달라진다. 일차평가 중 신체검사는 병력을 얻기 전에 하거나 충분한 인원이 있는 경우 병력을 얻는 동시에 시행할 수 있다. 신체검사 결과를 통해 의료제공자가 병력을 얻는 중에 세운 감별 진단을 구성하는 조건을 수용하거나 배제할 수 있다. 외상성 손상의 경우 그 반대일 수 있다. 외상 환자의 경우 의료 정보를 얻기 전에 신속한 신체검사를 시행할 수 있다.

검사 기술

시진은 이상 유무를 찾기 위해 환자를 육안으로 평가하는 것이다. 초기 관찰 기간 환자의 상태에 대한 시각적 단서를 관찰하기 시작한다. 이 사전 검사는 병력을 청취하거나 신체검사를 수행하기 전에 환경의 영향과 환자 상태의 중증도를 밝힐 수 있다. 그 외 쉽게 명백하고 주목할 가치가 있는 다른 측면에는 복장, 위생, 표정, 전체 크기, 자세, 악취 및 전반적인 건강 상태가 포함된다.

시진 중에 심각한 손상을 확인한다. 타박상, 찰과상, 수술 흉터(특히 심장 수술이나 폐 절제와 같은 이전 수술의 증거, 호흡곤란) 및 발진을 확인하고 기록한다. 스토마(stoma)가 있는지 확인한다. 환자 인식표를 확인하고 기록한다.

기관은 정중선에서 관찰되고 촉진되어야 한다. 환자의 가슴 모양은 만성폐질환에 대한 첫 번째 단서를 제공할 수 있다. 술통가슴은 폐기종이나 만성 기관지염과 같은 기저 만성폐쇄폐질환을 나타낼 수 있다.

바로누운자세에서 목정맥이 평평한 환자는 저혈량증일 수 있다. 비정상 목 덩이, 목정맥 팽창(JVD)과 부기가 있는지 확인한다. 목정맥 팽창과 호흡이 감소하였거나 없는 경우 긴장기흉이나 심장눌림증을 나타낼 수 있다. 간 촉진(간목정맥역류)과 함께 목정맥 팽대가 증가하면 울혈심부전에서도 볼 수 있듯이 체액 과부하를 나타낼 수 있다.

화학 요법 또는 빈번한 혈액 샘플의 경우와 같이 만성 질환 과정을 나타내는 혈관 보조 장치(VAD) 및 영양 지원 또는 장기간 사용할 수 있도록 혈관 라인이 확보되어 있는지 환자를 평가한다.

기관당김과 갈비사이근 및 목 근육을 사용하는 것은 곤란의 징후이다. 비대칭, 그렁거림, 깊거나 얕은 호흡은 비정상적이다. 산소 공급과 환기를 개선하고 호흡 노력을 안정시키며 적절한 관류를 촉진하기 위해 즉각적으로 처치를 시작한다.

만성 신부전 환자 특히 투석 중인 환자의 경우 이식이나 샛길이 있을 수 있다. 떨림(높은 흐름에서 이식 위에 느껴지는 진동)을 느끼고 잡음(이식을 통한 높은 혈액 흐름의 소리)이 들리는지 평가한다. 집에서 복막 투석을 받는 환자는 복부 카테터가 있다. 또한 가정에서 위관을 사용하여 체액과 가스를 제거하거나 세척액이나 약물을 주입하거나 장내로 영양을 공급할 수 있다. 환자가 위의 내용물을 흡인했을 가능성에 주의하고 위관이 올바르게 작동하는지 확인한다.

예리한 관찰을 통해 의료제공자는 척주후만증(척추 굽이), 욕창궤양, 모반, 찰과상, 발진, 반상출혈 또는 혈종, 출혈, 바늘 자국, 변색을 알 수 있다.

청진은 청진기로 위팔동맥에서 혈액이 흐르는 소리와 같이 신체가 만드는 소리를 평가하기 위해 청진기나 귀를 사용하는 것이다. 이것이 혈압 청진이다. 폐음, 심음 및 장음 또한 청진으로 평가할 수 있다.

폐는 처음에 앞과 뒤 모두에서 위아래를 청진한다. 환자의 초기 증상이 호흡 곤란이라면 폐음은 중간겨드랑 부위에서 청진한다(**그림 1-18**). 평가 초기에 청진을 수행하면 급성 천식이나 폐부종으로 인한 생명을 위협하는 호흡기 손상을 확인할 수 있다.

폐음은 청진하는 위치와 비정상 상태의 존재 여부에 따라 다르다(**그림 1-15 참조**).

- 수포성 폐포음은 가슴의 앞부분과 뒷부분에 걸쳐 청진 된다. 일반적으로 이 소리는 건강한 폐 조직에서 들리는 부드럽고 낮은 소리이다.
- 기관지폐포음은 주기관지에서 청진 된다. 이 소리는 수포음보다 낮고 중간 음을 갖는다.
- 기관지음은 복장뼈자루 근처의 기관에서 들리며 일반적으로 고음이다.
- 사포 문지를 때 나는 소리는 내장과 벽가슴막이 함께 맞닿아 비벼대고 있다는 것을 나타낸다. 이 징후는 마찰이라고 하며 가슴막염과 같은 폐 질환과 관련이 있다.
- 비정상적인 폐음은 정상적이고 거의 들리지 않는 호흡음 위로 들리는 소리이다. 여기에는 수포음, 건성수포음, 천명음이 포함되며 이는 각각 하기도 질환에 대한 중요한 단서를 제공한다.

환자에게 심호흡하도록 요청한다. 급성 천식 발작이 있는 환자는 숨을 들이쉬는 것보다 내쉬는 데 더 어려움을 겪는 경향이 있다. 심호흡이 통증이나 불편감을 유발하는 경우 환자는 기저 가슴막염이나 폐색전증이 있을 수 있다. 몸통 부위에서 뼈 구조의 불안정성 여부, 가슴 부위에 피부밑기종이 있는지, 기관이 중간선에 있는지 촉진한다. 기관편위는 기흉의 후기 징후일 수 있다.

비정상적인 폐음은 심혈관계통 및 호흡기계통에 영향을 미치는 심혈관 손상으로 인해 발생할 수 있다. 거품소리의 경우 심실 심부전으로 인한 폐울혈을 나타낸다.

적절한 평가 도구를 사용하면 호흡기계통과 관련된 감별 진단을 확인하거나 제거하는 데 도움이 된다. 이러한 보충 평가 결과는 임상 추론에 도움이 될 것이고 의사 결정이 정확하도록 보장한다.

이 장의 앞부분에서 언급했듯이 이송하는 일부 환자는 병원 전 단계에서 사용할 수 있는 특수 이송용 환기 장치가 필요하다. 이들은 EMS 처치와 병원 전 처치에 상당한 영향을 주는 기존의 호흡기계 문제나 기관내삽관이 있을 수 있다.

심음은 강도(음량), 길이(지속시간), 음조(빈도) 및 심장 주기의 시간을 청진한다. 다섯 번째 갈비사이공간에서 들을 때 심장끝에서 들으면 S1과 S2의 정상적인 심장 소리를 들을 수 있다. 이 소리는 심장 판막이 닫히면서 발생하며 환자가 앞으로 기대거나, 앉거나, 왼쪽 옆누운자세(심지어 바로누운자세)에 있을 때 가장 잘 들린다. 심장이 왼쪽 앞 가슴벽에 더 가까

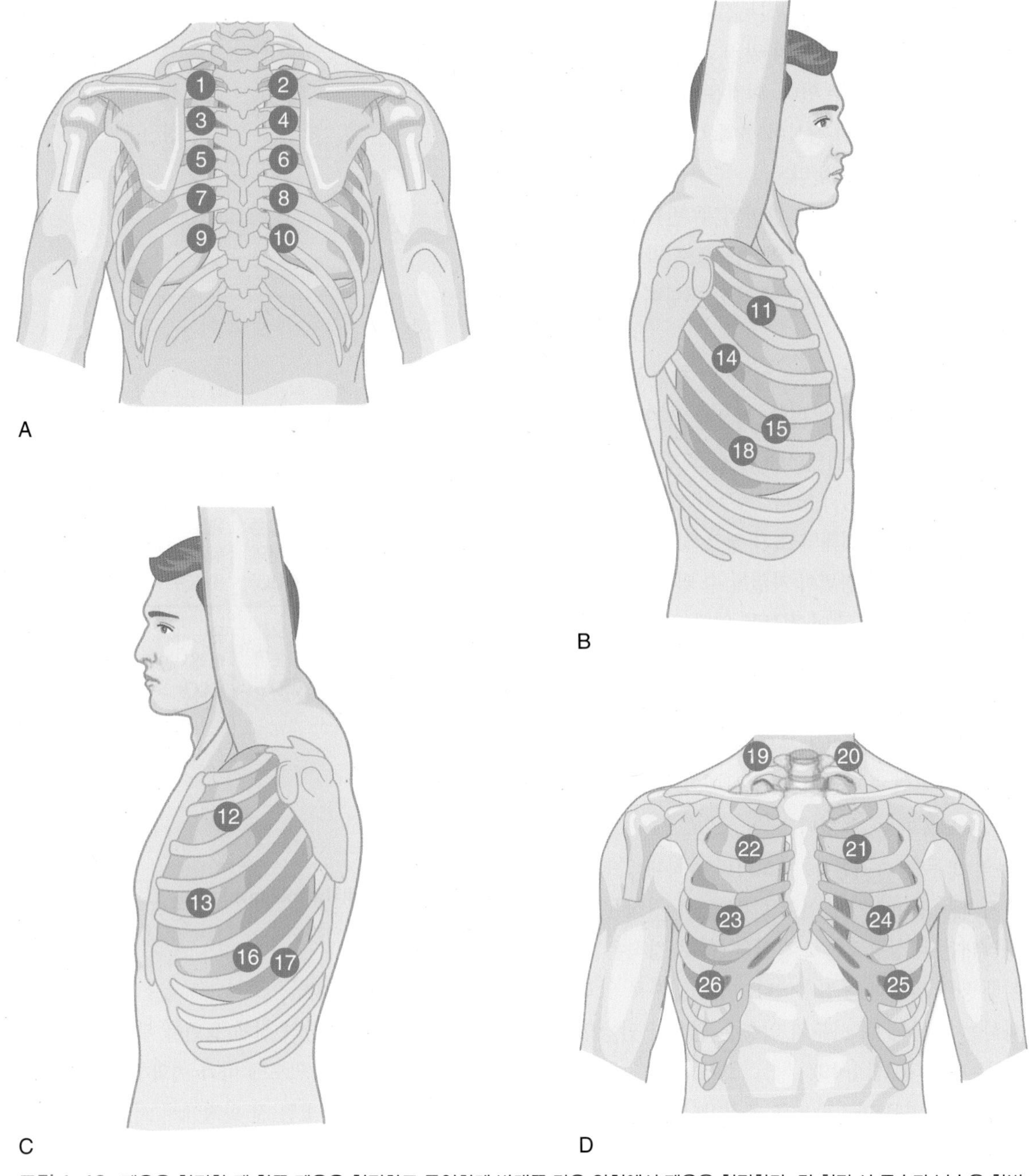

그림 1-18. 폐음을 청진할 때 한쪽 폐음을 청진하고 동일하게 반대쪽 같은 위치에서 폐음을 청진한다. 각 청진 시 들숨과 날숨을 한번씩 완전하게 청진한다. (A) 가슴 뒤쪽, (B) 우측 가슴면 (C) 좌측 가슴면, (D) 가슴 앞쪽

울 때 위치가 가장 좋다. S1을 더 잘 들으려면 환자에게 정상적으로 호흡하도록 요청한 다음 날숨 시 숨을 참으라고 한다. S2를 더 잘 들으려면 환자에게 정상적으로 호흡하도록 요청한 다음 들숨 시 숨을 참으라고 한다.

잡음 같은 비정상적인 심장 소리는 심장 안팎으로 흐르는 혈류에 문제가 있음을 나타낸다. 잡음은 목동맥을 청진할 때 들리는 비정상적인 소리이다. 이는 혈관의 혈류 장애를 나타내는 고음의 소리를 생성한다. 동맥류의 경우 막힘을 확인할 수 있는 미세한 떨림이나 진동이 느껴질 수 있다. 이것을 일반적으로 떨림이라고 한다. 잡음, 쉿소리, 떨림은 생명을 위협하는 경우일 수도 있지만, 위협하지 않을 수도 있다.

심부전의 병력이 있는 환자의 경우 추가적인 심음이 들릴 수 있다. 심실 질환이 있는 경우 추가 심음이 발생하며 종종 S3 및 S4로 확인된다. 이러한 소리를 말굽심음이라고 한다.

세 번째 심음으로 알려진 S3는 좌심실부전의 진단에 대한 조기 단서이다. 감지하기 어려우며 말의 말굽 소리와 비슷한 소리를 내는 말굽심음이라고 할 수 있다. 이것은 두 번째 심음 후 약 0.12~0.16초 후에 나타나며 심실이 혈액으로 채워질 때 심실의 급속한 확장으로 인해 발생한다.

S4 소리는 심방이 수축할 때 심실 충만의 두 번째 단계에서 발생한다. 이 소리는 판막 및 심실벽의 진동으로 발생하는 것으로 생각된다. 일반적으로 심실 충만에 대한 저항이 증가하면 들린다.

병원 전 평가 중에 자주 시행하지는 않지만, 장음 청진은 장 폐쇄를 확인하는 데 도움이 될 수 있다. 장음은 촉진하기 전에 30~60초 동안 청진한다. 정상적인 장음은 콸콸 흐르는 소리를 내고 각 사분역에서 같은 소리가 난다. 복부가 팽창된 상태에서 고음의 과민성 장음은 장 폐쇄의 조기 경고 징후일 수 있다. 폐쇄되거나 가스가 축적되면 장벽이 파열될 수 있다.

촉진은 맥박을 촉지할 때와 같이 정보를 얻기 위한 목적으로 신체를 만지는 것이다. 일부 환자는 촉진이 개인 공간을 침범하는 형태라고 느낄 수 있으므로 촉진을 시행하기 전에 환자에게 설명하고 동의를 얻는다. 촉진은 부드럽게 시행한다. 팔다리의 바깥쪽과 안쪽을 가볍게 만지면 감각 상태와 양측 근육 강도를 평가하는 데 도움이 될 수 있다.

복부는 사분역 모두를 촉지한다. 부드러워야 하며 압통, 긴장, 부기, 만져지는 덩어리가 없어야 한다. 근육 경직은 통증과 손상을 나타내는 비정상적인 소견이다. 복부 경직은 내부 출혈과 같은 생명을 위협하는 징후이다. 머피 징후로 알려진 들숨 시 악화하는 오른쪽 위 사분역 압통은 담석과 담낭염의 존재를 나타내는 것이다(그림 1-19).

불편함이 있는 사분역을 마지막으로 촉진한다. 촉진은 부드럽게 압력을 가할 때 발생하는 통증을 평가하기 위해 시행한다. 또한 압력을 제거했을 때 증가하는 통증으로 알려진 반동압통을 확인하는 수단이기도 하다. 이 징후는 복막염을 나타내는 적신호이다.

맥버니점(McBurney's point)은 복부의 오른쪽에 있는 부위의 이름으로 앞위엉덩뼈가시에서 배꼽까지 거리의 3분의 1지점이다. 이 부위의 국소 압통은 급성충수염의 징후이다. 로브싱 징후(Rovsing's sign)는 왼쪽 아래 사분역의 촉진으로 유발되는 오른쪽 아래 사분역의 통증도 충수염의 지표가 될 수 있다. 촉진으로 유발되지 않는 복통은 신장 결석이나 요도 감염으로 인해 발생할 수 있다. 옆구리와 허리 통증은 이 두 가지 진단에

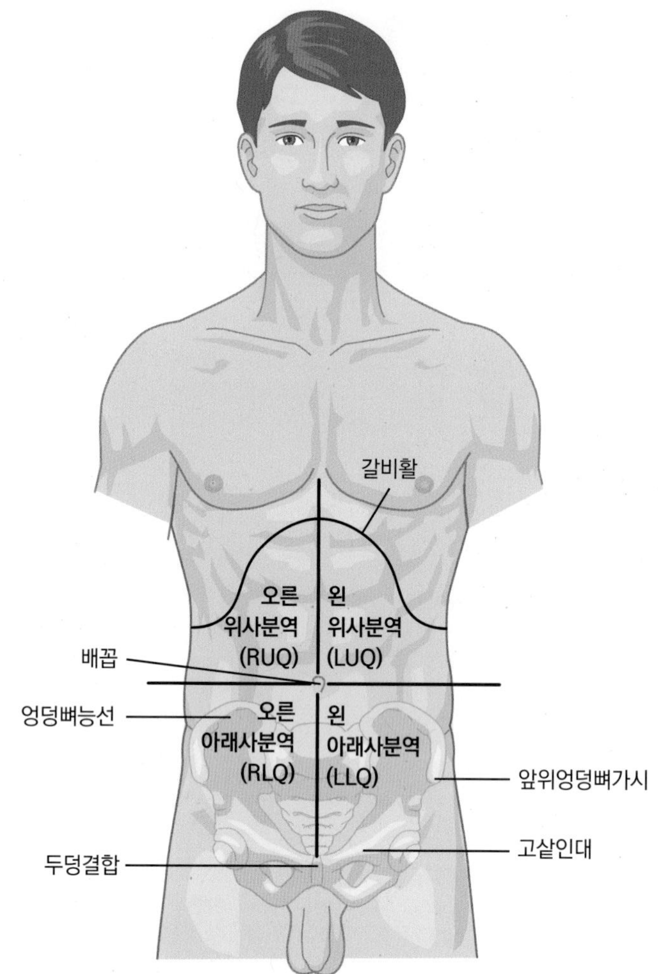

그림 1-19. 사분역(The four quadrants)

동반되는 경우가 많다.

타진은 다양한 체강의 신체 표면을 부드럽게 두드려 보는 것이다. 음파는 조직의 밀도에 따라 변화하는 타진음으로 들린다. 타진은 일반적으로 병원 전 환경에서 시행하지 않는다. 그러나 이 평가는 복강에 관한 중요한 정보를 제공한다. 타진시 둔탁음이 들리면 간부전에서 발생하는 것처럼 복부에 많은 양의 체액이 축적될 수 있다. 과다공명은 액체가 아닌 공기가 풍부하다는 것을 나타낸다(표 1-6).

전신 신체검사

전신 신체검사는 머리부터 발끝까지 신체검사이다. 빠른 평가와 마찬가지로 전신 신체검사도 적절하게 보고, 듣고, 촉진하는 것이 포함된다. 심각한 손상 기전, 반응이 없거나, 위험한 상태에 있는 모든 환자는 이러한 유형의 검사를 받아야 한다. 척추 손상이 의심되지 않는 환자의 신체검사를 수행하려면 다

표 1-6. 타진음 및 예시	
타진음	예시
기체팽만음(가장 큰 소리)	위 거품
과다공명	공기로 가득 찬 폐 (만성폐쇄폐질환, 기흉)
공명음	건강한 폐
둔탁음	간
낮은 음(가장 조용한 소리)	근육

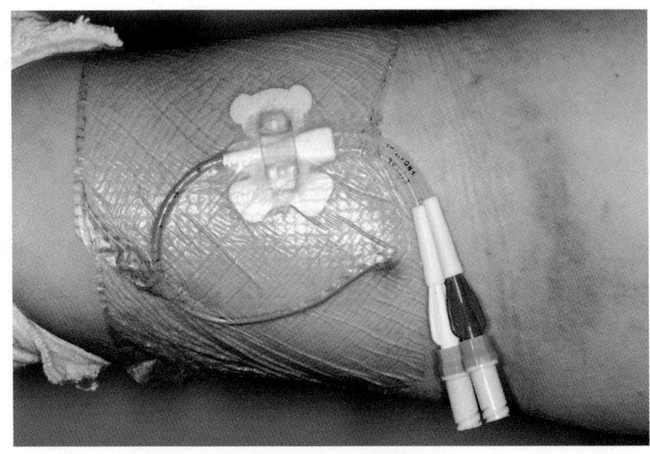

그림 1-20. 팔다리에 고정된 말초중심정맥관(PICC)

음과 같은 단계를 따른다.

1. 얼굴에 명백한 부기, 열상, 타박상, 액체 및 변형이 있는지 확인한다.
2. 눈과 눈꺼풀 주위를 검사한다.
3. 눈의 충혈, 콘택트렌즈, 공막이 황색 또는 적색인지 검사하고 펜 라이트를 사용하여 동공을 평가한다.
4. 환자의 귀 뒤에 멍이 있는지 확인한다(배틀 징후).
5. 펜 라이트를 사용하여 귀에서 뇌척수액이나 혈액이 흐르는지 확인한다.
6. 머리 타박상이나 열상이 있는지 확인하고 압통, 두개골 함몰, 변형이 있는지 촉진한다.
7. 광대뼈를 촉지해 압통, 대칭 및 불안정성을 확인한다.
8. 위턱뼈를 촉지해 안정성을 확인한다.
9. 코에서 혈액, 배액 또는 코 벌렁거림이 있는지 확인한다.
10. 아래턱뼈를 촉지해 안정성을 확인한다.
11. 입의 청색증, 이물질(느슨하거나 깨진 치아 또는 틀니 포함), 출혈, 열상 및 변형 등을 평가한다.
12. 환자의 호흡에서 이상한 냄새가 나는지 확인한다.
13. 목에 명백한 열상, 타박상, 변형이 있는지 확인하고 목정맥 팽대, 기관 편위, 갑상샘 비대가 있는지 평가한다.
14. 목의 앞쪽과 뒤쪽을 만져서 압통과 변형이 있는지 확인하고 관류가 손상된 경우 잡음이 들리는지 청진한다.
15. 촉진을 시작하기 전에 가슴에 명백한 손상 징후가 있는지 확인하고 가슴의 움직임을 호흡과 같이 관찰한다. 목걸이, 타박상, 이전에 수술한 흉터를 평가하고 말초중심정맥관(PICC)(그림 1-20) 또는 히크만(Hickman), 브로비악(Broviac), 그로숑(Groshong) 카테터와 같은 중심 카테터가 있는지 확인한다. 호흡 노력을 평가한다.
16. 갈비뼈 위를 부드럽게 촉진해서 압통이나 구조적 이상이 있는지 확인한다. 명백한 타박상 부위나 골절 부위는 촉진하지 않는다.
17. 중간겨드랑선과 빗장중간선에서 호흡음을 청진하고 가슴 앞쪽을 평가하는 경우 최소 4개 부위와 가슴 뒤쪽을 평가하는 경우 6개 부위에서 호흡음을 청진한다.
18. 폐 평가는 폐의 기저부와 끝이 포함되어야 한다. 이 시점에서 등의 압통과 변형도 평가하기 위해 통나무 굴리기법을 1회 시행한다. 척수 손상이 의심되는 경우 환자를 통나무굴리기를 시행할 때 척추 예방 조치를 시행한다.
19. 복부와 골반의 명백한 열상, 타박상, 변형이 있는지 확인하고 압통이나 반동압통이 있는지 복부를 부드럽게 촉진한다. 압통, 보호, 경축 및 박동이 느껴지는 덩이가 있는지 평가한다.
20. 골반과 엉덩뼈능선을 양쪽에서 부드럽게 압박하여 압통, 불안정성 및 비빔소리를 평가한다.
21. 모든 팔다리에 열상, 타박상, 부기, 변형, 포트 또는 눈물관, 환자 인식표가 있는지 확인한다. 또한 모든 팔다리의 원위부에서 맥박과 운동 및 감각 기능을 평가한다. 오른쪽과 왼쪽을 비교하여 세기와 쇠약을 비교한다.

집중 신체 평가

집중된 신체 평가는 일반적으로 심각하지 않은 손상 기전의 환자와 반응이 있는 내과적 환자에게 시행한다. 이런 유형의 평가는 기본 진술이나 주요호소증상을 바탕으로 한다. 예를 들어, 두통을 호소하는 환자의 경우 주의 깊게 체계적으로 머리와 신경계를 평가한다. 팔에 열상이 있는 환자는 팔만 평가 할 수도 있다. 집중 평가는 즉각적인 문제에 집중한다. 반응이 있는 내과적 환자의 가장 흔한 호소는 머리, 심장, 폐 또는 복부를 개별적 또는 조합하여 포함한다.

의식 수준

환자의 의식 수준에 대한 평가는 인지 기능(환자의 사고 능력)을 평가하는 것을 포함한다. 최소한 환자의 각성 정도를 평가한다. 일차평가 부분에서 설명한 AVPU를 사용하여 환자의 의식 수준을 확인할 수 있다. 환자가 사람, 장소, 요일, 사건 자체의 네 가지 영역(AOX4)에서 각성이 있고 지남력이 있는지를 고려하여 의식 수준을 추가로 평가할 수 있다. 의식 수준과 신경 기능을 평가하는 가장 신뢰할 수 있고 일관된 방법은 글래스고혼수척도(눈 뜨기, 언어 반응, 운동 반응)이다. 글래스고혼수척도 점수는 환자의 전반적인 신경 기능에 대한 질병 인식을 제공한다.

피부, 모발 및 손톱

인체에서 가장 큰 기관계인 피부는 체온을 조절하고 환경으로부터 뇌로 정보를 전달하며 환경으로부터 신체를 보호하는 세 가지 주요 기능을 수행한다. 피부 검사는 시진과 촉진을 포함한다. 피부색, 수분, 온도, 질감, 피부 긴장도 및 특이한 병변을 확인한다. 감소한 관류의 징후를 찾고 창백한지 아닌지와 청색증을 평가하며 발한 여부를 확인한다. 홍조는 일반적으로 열이 있는 환자에게 나타나며 알레르기 반응을 보이는 환자에게서 나타날 수 있다.

모발 검사는 시진과 촉진으로 시행한다. 이 평가에서 모발의 양, 분포 및 질감을 확인한다. 최근 모발의 성장 또는 손실의 변화는 당뇨병과 같은 근본적인 내분비 장애를 나타내거나 화학요법과 방사선 치료와 같은 처치로 인해 발생할 수 있다.

손톱과 발톱을 검사하면 미묘한 소견을 확인할 수 있다. 색깔, 모양, 질감 및 병변의 유무 등을 평가한다. 노화에 따른 손톱의 정상적인 변화에는 줄무늬의 발생과 체내 칼슘 감소와 관련된 색상의 변화(노란색)가 포함된다. 손톱이 지나치게 두껍거나 손가락과 평행한 선이 있는 손톱은 종종 곰팡이 감염을 암시한다.

머리, 눈, 귀, 코, 목

머리, 눈, 귀, 코, 목의 신체검사는 머리 및 관련 구조에 대한 종합적인 평가로 구성된다. 머리에는 뇌와 수많은 중요한 감각기관 그리고 상부 기도가 포함되어 있기 때문에 매우 중요하다. 눈은 운동 경로(눈꺼풀, 눈바깥근육, 동공 수축기, 각막 깜박임 반사)와 감각 경로를 모두 포함하는 신경계 구조이다. 귀는 청각과 균형 감각을 제공한다. 코는 후각과 미각이 관련된 감각기관이며 호흡을 돕는 데 중요한 역할을 한다. 목은 입과 후두가 연결된 모든 구조로 이루어져 있다. 이 복잡한 구조는 많은 운동과 감각 기능을 동시에 조정하는 동시에 호흡기와 소화기계의 초기 활동을 조정한다.

머리를 평가할 때는 촉진 및 시진으로 검사한다. 이 단계는 잠재적인 외상 환자와 의식 수준이 변화되었거나 반응이 없는 환자를 처치하는 데 중요하다. 머리뼈 전체를 촉진하여 골절된 뼛조각을 머리뼈 손상 부위나 뇌까지 밀어 넣지 않도록 주의하면서 변형이나 비대칭의 징후가 있는지 확인한다. 외부 출혈의 증거를 확인하면 머리카락을 손으로 분리하고 세척한다. 얼굴을 평가할 때는 피부색과 수분뿐만 아니라 얼굴 자체의 표정, 대칭, 윤곽 등을 확인한다. 얼굴의 비대칭은 뇌졸중이나 얼굴신경마비와 같은 근본적인 신경계 문제를 암시할 수 있다. 다음 단계에 따라 머리를 검사한다.

1. 명확한 변형, 타박상, 찰과상, 천공, 화상, 압통, 열상, 부기가 있는지 확인한다.
2. 머리의 위쪽과 뒤쪽을 촉지하여 이상이 있는지 확인하고 놓치는 부분 없이 확인할 수 있도록 앞에서 뒤로 체계적인 접근 방식으로 시행한다.
3. 모발을 여러 군데 나누어 두피 상태를 확인한다. 머리카락 밑에 병변이 있는지 확인한다.
4. 진행 과정 중에 환자의 통증이나 불편함을 확인하고 기록하며 이 검사를 시행하면서 환자에게 통증을 유발해선 안 된다.
5. 얼굴의 변형, 타박상, 찰과상, 천공, 화상, 압통, 열상, 부기를 확인하면서 얼굴 구조를 촉진한다.

눈은 엄청나게 복잡한 감각 기관이다. 뇌에 대한 빛 자극을 처리하여 뇌는 눈에 나타나는 빛 자극을 해독하고 시각적인 이미지를 형성할 수 있다. 눈은 중추신경계에 중요한 연결고리이다. 눈은 환자의 신경학적 상태에 대한 유용한 정보를 제공한다. 눈의 동향 주시에 대해 평가한다. 그러기 위해서는 환자가 먼 물체에 초점을 맞출 때 얼굴 측면에서 펜라이트를 눈에 비춰야 한다. 깨어 있고 의식이 있는 환자는 눈을 뜨고 두 눈이 같은 방향을 바라보고 동시에 움직여야 한다(그림 1-21).

적절하게 관류되는 동공은 양쪽 동일하고 둥글며 펜라이트로 자극에 활발하게 반응한다. 한 곳으로 고정된 동공은 아편제제의 남용이나 다리뇌 손상을 의미한다. 동공 확장은 중독이나 신경학적 기능의 저하를 나타낸다. 환자의 눈에 빛을 비추면 동공이 빠르게 수축해야 한다. 눈의 근육이 동시에 작용하여 동공이 동시에 수축하는지를 관찰하면서 양쪽 눈에서 이러한 반응을 평가한다. 의식이 없는 환자의 일방적인 확장은 뇌탈출의 징후일 수 있다. 일부 환자는 동공의 크기가 눈에 띄게 다른 상태인 동공부등을 나타낼 수 있다. 동공의 모양과 크기가 같지 않은 경우 녹내장을 암시할 수 있다. 눈을 검사하는 경우 다음과 같이 시행한다.

1. 눈의 바깥 부분을 검사하여 명백한 외상이나 변형이 있는지 확인한다.
2. 환자에게 통증, 시력 변화(흐릿함, 복시), 분비물 또는 빛에 대한 민감성에 대해 질문한다. 환자가 복시를 앓고 있다면, 그것이 수직(두 개의 물체가 서로 겹친 상태)인지 수평(두 개의 물체가 나란히 있는 상태)인지 확인한다.
3. 환자로부터 다양한 거리(보통 환자로부터 1.8m, 90cm, 30cm)에서 당신이 들고 있는 손가락 수를 세게 하여 시력을 측정한다. 환자가 사분역(위, 아래, 오른쪽, 왼쪽) 각각에서 움직이는 손가락을 볼 수 있는지 확인하여 시야 결함을 확인한다. 다른 쪽 눈을 가리고 한쪽 눈을 검사하여 다른 쪽 눈과 독립적으로 각 눈에 대해 이 검사를 수행한다.
4. 동공 크기, 모양 및 대칭성 등을 평가하고 동공의 크기는 양쪽 모두 동등해야 한다.
5. 빛에 대한 모의 환자의 반응을 테스트한다. 두 동공은 빛에 노출될 때 수축해야 하며 반응이 동일해야 한다.
6. 의식 수준 변화, 실신, 두통 및 뇌졸중을 나타내는 환자에 대해 12개 뇌 신경의 기능을 검사한다.

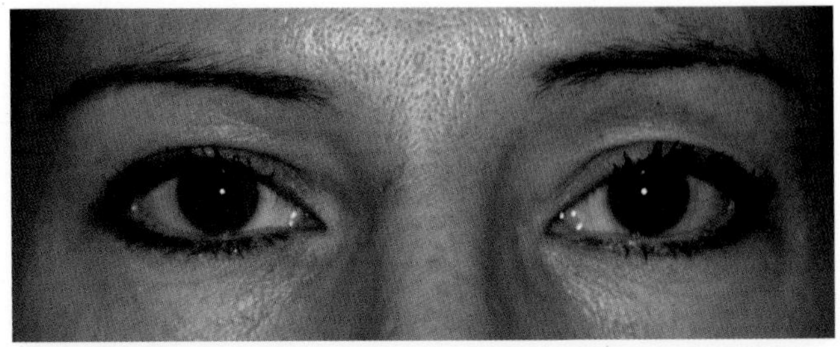

A

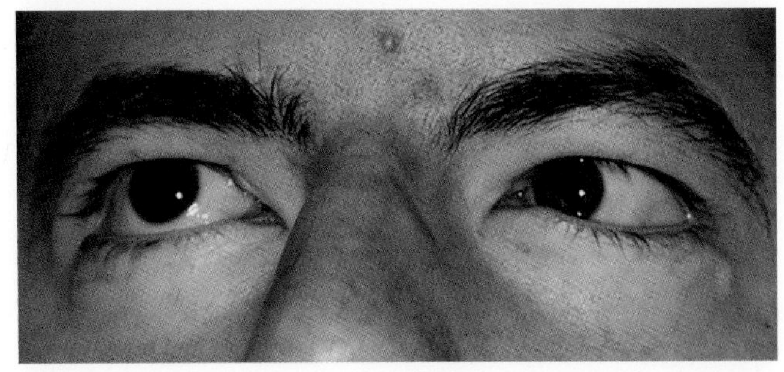

B

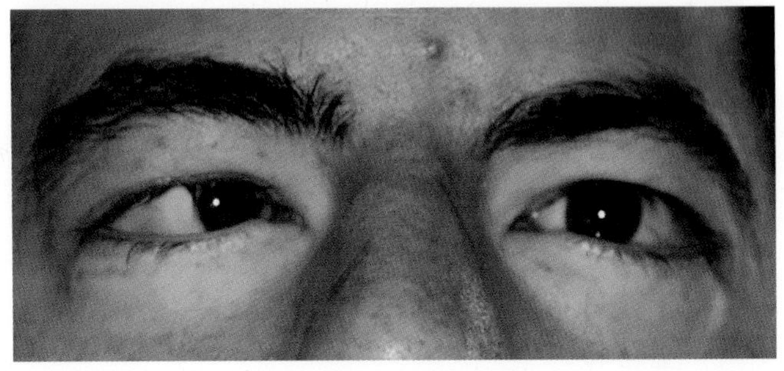

C

그림 1-21. A. 눈 및 눈꺼풀이 중앙의 기준선에 위치. B. 오른쪽 눈의 외전 장애가 있는 오른쪽 시선. C. 왼쪽 눈의 외전 장애가 있는 왼쪽 시선

Janet C. Rucker et al. Characterization of ocular motor deficits in congenital facial weakness: Moebius and related syndromes. *Brain*, April 2014, Vol. 137 (4), 1068–107. By permission of Oxford University Press.

7. 눈꺼풀, 속눈썹, 눈물관을 검사하여 외상, 이물질 또는 분비물이 있는지 검사한다.

귀를 평가하는 것은 기본적으로 청각 지각의 새로운 이상 여부를 확인하는 것과 상처, 부기 또는 배액(혈액, 고름, 뇌척수액)을 검사하고 촉진하는 것을 포함한다. 외이도 및 고막의 이상은 이경을 사용하여 관찰한다. 귀를 검사하는 경우 다음과 같이 시행한다.

1. 적절한 크기의 이경을 선택한다. 조명을 최대한 어둡게 한다.
2. 귀에 이물질이 없는지 확인한다.

3. 환자의 머리에 손을 단단히 대고 환자의 귓바퀴를 부드럽게 잡는다. 귀를 움직여 이도를 가장 잘 보일 수 있도록 한다. 일반적으로 성인 환자의 경우 위쪽과 뒤쪽으로 당긴다.
4. 귀 손상을 방지하기 위해 검사 중에 환자에게 움직이지 않도록 한다.
5. 이경을 켜고 벌리개를 귀에 삽입한다. 일반적으로 환자의 코 쪽으로 삽입하는 것이 가장 좋은 시야를 제공한다. 이경을 근관에 깊게 삽입하지 않는다.
6. 이관에 병변이나 분비물이 있는지 귀 안을 검사한다. 소량의 귀지는 정상이다.
7. 고막을 확인하고 문제없는지와 색상을 검사한다. 염증의 징후를 확인한다.

이경을 사용하는 것은 병원 전 환경에서 거의 사용하지 않지만, 모바일 통합 건강 의료진에게는 중요한 기술이 될 수 있다.

코를 검사할 때는 코의 앞쪽과 아래쪽을 모두 평가한다. 비대칭, 변형, 상처, 이물질, 분비물 또는 출혈, 압통의 증거를 확인한다. 코를 검사하려면 다음 단계와 같이 시행한다.

1. 코의 외부를 검사하여 색상 변화 및 구조적 이상을 확인한다.
2. 코 기둥이 얼굴의 정중선에 있는지 평가한다.
3. 중격이 정중선에서 벗어나거나 혈종이 있는지 평가한다.
4. 전체적인 비정상과 배액 또는 분비물을 확인한다. 소량의 점막 분비물은 정상이지만 다량의 점액과 혈액 또는 뇌척수액은 심각한 소견이다.

목 평가에는 입, 인두 때로는 목에 대한 평가가 포함되어야 한다. 목구멍은 호흡과 소화의 도관이며 수많은 중요한 신경혈관 구조에 근접해 있다. 전반적인 수분 상태 평가의 하나로 입술, 치아, 구강 점막 및 혀에 세심한 주의를 기울인다. 현저하게 변경된 의식 수준을 보이는 환자의 경우 상기도 상태를 신속하게 평가한다. 인후 및 상기도 구조에 대한 즉각적인 평가는 필수이다. 항상 수동 기술과 흡인을 시행하여 인두를 깨끗하게 유지한다. 인후를 검사하려면 다음과 같이 시행한다.

1. 외상이 의심되는 경우 목뼈를 보호하기 위한 예방 조치를 취한다.
2. 호흡 중 보조 근육을 사용하는지 평가한다.
3. 목을 촉진하여 구조적 이상이나 피부밑기종이 있는지 확인하고 기관이 정중선에 있는지 평가한다. 복장뼈위 파임에서 시작하여 머리 쪽으로 진행한다. 목동맥 부위에 압력을 가하면 미주신경 반응을 자극할 수 있으므로 주의한다.
4. 림프절을 평가하고 감염을 나타낼 수 있는 부기를 확인한다.
5. 목정맥 팽대를 평가하고 만약 목정맥이 팽대되었다면 이는 혈액이 심장으로 되돌아가는 데 문제가 있음을 나타낼 수 있다.

목뼈

목뼈는 척수가 뇌에서 몸통으로 나가는 통로로 척수 신경이 신체의 나머지 부분으로 발산되어 신경을 지배할 수 있도록 한다. 목뼈 손상은 다양한 방법으로 나타날 수 있으며 이러한 손상에 대한 평가는 신중하게 수행되어야 한다. 부상의 기전에 대해 환자를 평가한 다음 통증이 있는지 평가한다.

목뼈를 검사할 때 시진하고 촉진하여 압통과 변형의 징후를 확인한다. 통증은 척추 손상이나 척수 손상의 가장 신뢰할 수 있는 지표이다. 통증, 압통 또는 따끔거림을 유발하는 조작을 즉시 중단하고 척추고정을 시행해야 한다. 환자의 운동 범위에 대한 지속적인 평가는 심각한 손상의 가능성이 없는 경우에만 이루어져야 한다.

가슴

일반적으로 가슴 검사는 가슴벽 검사, 폐 평가, 심혈관 평가의 3단계로 진행한다. 호흡 곤란의 외부 단서를 찾기 위해서뿐만 아니라 가슴벽의 변형을 검사한다. 가슴을 노출한 다음 시진, 촉진, 청진 및 타진을 사용하여 평가를 시작한다. 가슴 뒤쪽의 검사는 가슴 앞쪽 검사와 동일하게 시행한다. 가슴을 평가하려면 다음과 같이 시행한다.

1. 환자의 사생활을 최대한 보호한다.
2. 가슴에 명백한 변형, 타박상, 찰과상, 찔린 상처, 화상, 압통, 열상 및 부기가 있는지 검사한다.
3. 개방된 상처를 발견하면 적절하게 드레싱을 시행한다.
4. 환자의 가슴 모양을 확인한다. 이는 폐기종과 같은 많

은 근본적인 의학적 상태에 대한 단서를 제공할 수 있다.

5. 이전의 심장 수술 및 만성 질환을 나타내는 수술 흉터 또는 카테터 포트를 찾는다.
6. 비정상적인 폐음이 있는지 확인하면서 청진한다.
7. 피부밑기종을 관찰하고 촉진한다.
8. 심음을 청진한다.
9. 가슴 뒤쪽 및 측면에 대해 적절한 부분을 반복해서 평가한다.

심혈관계

환자의 심혈관계를 평가할 때 원위부 맥박의 위치, 속도, 리듬 및 질에 주의하여 평가한다. 맥박이 빠르거나 느린가? 규칙적인가, 불규칙적인가? 맥박의 질이 약하고 희미한가? 아니면 강하고 확실한가? 정확한 혈압을 측정하고 환자의 혈역학적 안정성을 평가하기 위해 주기적으로 반복 시행한다. 환자에게 고혈압의 병력이 있는지 확인한다. 청진기의 벨로 목동맥을 청진하여 잡음이 있는지 평가한다. 가슴을 검사하고 촉진하면서 심장 소리를 들어본다. 가슴벽을 촉진하여 최대 박동 지점을 찾고 심장 꼭대기 박동을 확인한다.

심장 질환이 의심되는 경우 맥박의 규칙성과 강도를 평가하고 관류저하(창백함, 차고, 축축함) 또는 산소 불포화(청색증)의 징후가 있는지 피부를 검사한다. 맥박이 불규칙하게 느껴진다면 30초가 아닌 1분에 걸쳐 측정하여 더욱 정확한 맥박 속도를 확인한다. 호흡 소리를 들어본다. 심장 질환은 호흡 질환과 관련이 있다. 기준 활력 징후를 측정한다. 지속성 또는 진행성 빈맥을 동반한 심각한 저혈압은 심장성쇼크에서 자주 발생한다. 사망률이 80% 이상이므로 이 상태에 주의한다. 목정맥 팽대는 심부전, 심장눌림증 또는 기흉을 나타낼 수 있으므로 확인한다. 오른쪽 심부전으로 인해 발생할 수 있는 말초 부종의 징후가 있는지 팔다리를 검사한다.

복부

복통은 여러 가지 원인으로 인해 발생할 수 있고 종종 외부 징후가 거의 또는 전혀 나타나지 않기 때문에 현장 환경에서 평가하기 가장 어려운 것 중 하나는 복통이다. 항상 체계적인 방법으로 복부 평가를 진행하고 반복적으로 시진, 청진, 타진 및 촉진을 사분역별로 수행한다. 복부를 평가하려면 다음과 같이 시행한다.

1. 복부의 변형, 타박상, 찰과상, 천자, 화상, 압통, 열상 및 부기가 있는지 검사한다.
2. 수술 흉터는 기저 질환의 단서가 될 수 있으므로 주의한다.
3. 대칭 및 팽창의 유무를 확인한다.
4. 복부에서 장음이 들리는지 청진한다.
5. 타진한다.
6. 환자가 호소하는 통증 부위에서 가장 먼 사분역부터 시작하여 체계적인 접근 방식으로 복부의 사분역을 모두 촉진한다.
7. 부드러운지 단단한지 확인하고 중요한 정보를 얻을 수 있으므로 환자의 표정에 특별히 주의를 기울여 확인한다.

남성/여성 생식기 및 항문

일반적으로 여성 생식기의 평가는 제한적이고 신중한 방식으로 수행된다. 생식기를 검사하는 이유에는 생명을 위협하는 출혈이나 출산의 임박한 분만에 대한 우려(아기 머리가 보이는지 확인)가 포함된다. 복부를 평가하는 동안 여성 생식기의 평가를 수행할 수 있다. 양측 서혜부 부위와 하복부 부위를 모두 촉진한다. 생식기를 구체적으로 검사하기로 결정하면 검사를 시진으로만 제한한다. 이 통증의 임상적으로 중요한 원인에는 자궁 외 임신, 임신 3기의 합병증, 비임신 난소 문제 또는 골반 감염 등이 있다. 출혈이 있는지 확인한다. 의도적 외상과 관련된 손상의 경우 심각한 출혈이 발생할 수 있다. 일반적으로 생식기의 염증, 분비물, 부기 또는 병변뿐만 아니라 출혈의 양과 질을 확인한다.

남성 생식기를 검사할 때 검사가 제한적이고 신중한 방식으로 수행되도록 한다. 종종 생식기에서 하복부 문제로 이어질 수 있기 때문에 항상 전체 복부를 평가하고 관련 소견을 확인한다. 고환 염전 또는 서혜부 탈장의 상황은 때때로 하복부 통증을 호소하지만, 복부 압통은 미미하다. 외상 환자의 경우 심각한 생식기 출혈 및 손상 또는 기저 골절의 가능성을 평가한다.

항문은 주로 생식기와 동시에 평가한다. 제한된 일부의 상황에서만 검사를 실시한다. 엉치꼬리 및 회음부 부위를 검사하여 명백한 출혈, 외상, 덩어리, 궤양, 염증, 발진, 찰과상 또는 변실금의 증거를 확인한다.

생식기 및 항문 검사는 동료 또는 증인이 참석한 상태에서 수행한다. 이는 모든 현장에서 실용적이지 않을 수 있으며 지침에 따른다.

근골격계

골격과 관절을 검사할 때 구조와 기능을 평가한다. 관절과 관련된 팔다리가 어떻게 보이고 얼마나 잘 움직이는지 평가한다. 팔다리가 정상적으로 보이고 정상적인 가동 범위로 움직이는가? 특히 운동 범위의 제한, 운동 범위에 따른 통증 또는 뼈 마찰음 여부를 확인한다. 관절과 팔다리를 평가할 때 염증이나 부종, 압통, 발열, 발적, 반상출혈 또는 기능 저하와 같은 손상 여부를 확인한다. 또한 관절이나 팔다리의 명백한 변형, 근력 감소, 위축 또는 비대칭이 있는지 평가한다. 근골격계 검사를 진행하면서 환자에게 통증을 유발해서는 안 된다. 통증이 발생하면 비정상 소견으로 간주하고 근골격계 검사 시 다음과 같이 시행한다.

1. 팔부터 시작하여 근육, 뼈 및 관절 위에 있는 피부를 검사하여 연부조직 손상이 있는지 평가한다.
2. 변형이나 비정상적인 구조가 있는지 확인한다.
3. 각 팔다리에서 적절한 원위 맥박, 운동 및 감각을 평가한다.
4. 손과 손목을 검사하고 촉진하여 변형, 타박상, 찰과상, 천자, 화상, 압통, 열상 및 부기가 있는지 확인한다.
5. 환자에게 손가락, 손, 손목 관절을 구부리고 펴도록 하여 운동 범위에 이상이 있는지 확인하고 환자가 불편함을 느끼면 해당 부위의 검사를 중지한다.
6. 팔꿈치를 검사하고 촉진하여 이상이 있는지 확인하고 환자에게 팔꿈치를 구부리고 펴도록 하여 관절의 운동 범위를 확인한다.
7. 환자에게 손바닥이 아래로 향하게 하였다가 위로 향하게 하였다가 다시 뒤로 돌리게 하고 통증이나 이상이 없는지 확인한다.
8. 촉진으로 어깨를 검사하고 환자에게 어깨를 으쓱하고 두 팔을 들어 올리도록 한다.
9. 다리의 피부를 확인한다.
10. 환자에게 운동 범위를 확인하기 위해 발가락을 구부리도록 한다.
11. 환자에게 발목을 회전시키면서 통증이나 제한된 운동 범위가 있는지 확인한다.
12. 촉진으로 무릎 관절과 무릎뼈를 검사한 후 환자에게 양쪽 무릎을 구부리고 펴도록 해서 관절의 운동 범위를 확인한다.
13. 엉덩뼈능선에 가볍게 압력을 가하여 안쪽으로 모으고 위에서 아래쪽으로 가볍게 압력을 가해 골반에 구조적 문제가 없는지 확인한다.
14. 환자에게 엉덩이를 기준으로 다리를 안쪽과 바깥쪽으로 돌려 양쪽 다리를 들어 올리도록 요청한 후 이상이 있는지 확인한다.

말초혈관계

팔다리의 말초혈관계를 주의해서 평가한다. 급성 또는 만성 혈관 문제를 나타내는 징후가 있는지 확인한다. 만성 정맥 정체 및 림프부종에서 간헐적 절뚝거림(순환 불량 또는 낮은 칼륨 수치로 인한 다리의 경련성 통증) 및 급성 동맥 폐색에 이르기까지 광범위한 장애가 말초혈관계에 영향을 미칠 수 있다. 말초혈관 질환은 이상이 있는 혈관계 지점에 따라 다양한 형태로 나타날 수 있다. 예를 들어, 목동맥 질환은 뇌졸중으로 나타날 수 있지만, 장간막 혈관을 포함하는 동맥 색전증은 장 허혈과 괴사를 초래할 수 있다. 말초혈관계 검사 시 다음과 같이 시행한다.

1. 팔을 검사할 때 노맥박, 피부색 또는 상태에 이상이 있는지 확인하고 항상 한쪽 팔다리를 반대쪽 팔다리와 비교한다,
2. 말초 맥박에 이상이 있는 경우 근위부 맥박을 확인하고 기록한다.
3. 위팔의 부기나 압통을 확인하면서 림프계 위팔 결절을 촉진한다.
4. 다리의 크기와 대칭에 이상이 있는지 확인하면서 다리를 평가한다.
5. 비정상적인 정맥 유형이나 확장을 확인하면서 피부색과 피부 상태를 평가한다.
6. 말초 맥박을 확인하면서 이상 유무를 평가한다.
7. 서혜부 결절을 촉진하여 부기와 압통이 있는지 확인한다.
8. 신체의 나머지 부분 및 각 다리의 온도를 평가한다.
9. 다리와 발의 함몰 부종을 평가한다.

척추

목뼈 평가는 목과 인두 검사를 진행하면서 시행한다. 이 부분에는 척추 검사를 위한 전체 평가 단계를 나열한다.

1. 목뼈, 등뼈, 허리 만곡에 이상이 없는지 평가한다.
2. 어깨와 궁둥뼈능선의 높이를 평가한다. 양쪽 높이의 차이는 척추의 비정상적인 만곡을 의미할 수 있다.
3. 목뼈 뒤쪽 돌기 부분을 촉진하여 압통이나 변형이 있는지 확인한다.
4. 외상이 없는 환자에서 호소하는 통증이 없으면 환자에게 머리를 앞, 뒤, 좌우로 움직여 보도록 한다.
5. 척추를 따라 아래로 이동하면서 손가락으로 각 척추를 촉진하며 압통이나 불안정성을 확인한다.
6. 통증이나 외상이 없는 경우 환자에게 허리를 각 방향으로 구부리도록 하여 가동 범위를 확인한다.

신경계

신경계는 뇌와 척수로 구성된 중추신경계와 나머지 운동신경과 감각신경을 포함하는 말초신경계의 두 부분으로 구성되어 있다. 의식이 있든 의식이 없든 의식 수준이 변화된 모든 환자에서 운동 및 감각 기능을 평가한다. 환자가 의식이 있으면 손과 발을 부드럽게 만져서 만지는 것을 느끼는지 확인한다. 이는 원위부 관류가 적절하고 감각 신경이 제대로 기능하고 있음을 나타낸다. 촉진 시 팔다리 중 어디든 움츠린다면 통증이나 불편함이 있음을 나타낼 수 있다. 감각 평가는 후방 척주에서 구심성 감각 신경로의 기능을 결정한다. 신경계 검사는 신체검사에서 가장 시간이 오래 걸리는 요소 중 하나이다.

모든 수준의 처치 제공자는 신체검사 일부로 뇌신경 평가를 수행하는 데 능숙해야 한다. 뇌신경은 수의신경계와 자율신경계를 모두 포함하는 다양한 운동 및 감각 기능을 담당한다. 결과는 뇌신경 손상을 확인하고 환자의 신경학적 상태에 대한 정보를 적시에 제공한다. 뇌신경과 그 기능은 표 1-7에 요약되어 있다.

모든 팔다리의 운동 기능은 양쪽이 동일한지와 근력을 평가한다. 왼쪽과 오른쪽 팔다리의 반응이 같지 않으면 뇌졸중, 수막염, 뇌종양 또는 발작으로 인해 발생할 수 있는 반신불완전마비(일측성 마비) 또는 반신마비(일측성 쇠약)의 징후로 간주한다. 양측 팔 또는 다리의 쇠약은 척수 손상이 있는 것으로 고려한다.

소뇌 기능은 환자가 어떻게 서고 걷는지에 의해 평가할 수 있다. 운동실조(불안정한 보행)는 독성 물질이나 만성 신경학적 기능 장애로 인한 손상을 나타낼 수 있다. 비틀거리는 걸음걸이는 헌팅턴병이나 파킨슨병으로 인한 신경학적 손상을 나타낼 수 있다. 떨림, 근육 경직 및 반복적인 동작은 알츠하이머병이나 파킨슨병으로 인한 신경계 퇴화를 나타낼 수 있다.

다양한 심리적 또는 행동 장애를 가진 환자는 경련성 근육 운동이 부작용으로 나타날 수 있어 항정신병 약물을 복용할 수 있다. 이러한 약물은 팔다리의 뒤틀림 또는 안면 틱으로 표현되는 근육 긴장 이상을 유발할 수 있다.

반사는 대칭성과 반응의 강도를 확인하기 위해 평가한다. 반사는 무릎을 두드리거나 속눈썹을 쓰다듬는 것과 같은 특정 감각 자극에 대한 비자발적 운동 반응이다. 검사에는 심부힘줄 반사와 표면적 복부 반사를 포함한 표재 반사가 포함될 수 있다. 부적절한 반응은 해당 척추 분절 수준에서 신경 경로의 손상을 나타낼 수 있다. 모든 반응은 자세하게 기록한다.

심부힘줄 반사는 늘림 반사로 검사할 근육이 이완되고 힘줄이 부드럽게 늘어나도록 한다(표 1-8). 반사망치를 사용하여 손목을 편안하게 유지한 후 망치를 부드럽게 흔들어 힘줄을 두드린다. 사용하지 않는 손으로 검사할 관절이나 팔다리를 지지한다(그림 1-22). 뇌 또는 척수와 같은 상부 운동 뉴런 손상은 일반적으로 반사과다증을 유발하는 반면, 길랭-바레 증후군과 같은 말초 신경 손상은 반사 저하를 유발한다.

팔을 올리는 것(그림 1-23)은 뇌졸중이 의심되는 환자의 운동 및 감각 기능을 평가하는 데 사용된다. 환자는 눈을 감고 손바닥을 위를 향하게 하여 팔을 뻗도록 한다. 아래로 내리거나 또는 떨어뜨리거나 양쪽 팔이 안쪽으로 회전하는지 확인한다.

바빈스키 검사는 의식이 있는 환자와 의식 수준이 변화된 환자의 신경 기능을 확인하는 데 사용할 수 있다. 이 검사를 수행하려면 펜이나 이와 유사한 무딘 물건을 발바닥의 측면 길이를 따라 긋는다. 이 자극에 대한 정상적인 반응은 발가락이 아래쪽으로 움직이는 것으로 이를 발바닥 굴곡이라고 한다. 이 움직임은 검사 결과 음성을 나타내는 것이다. 바빈스키 검사에서 양성은 엄지발가락이 비정상적으로 신전되고 나머지 발가락이 부채꼴 모양으로 펴지는 것으로 나타나고 이를 등쪽굽힘이라고 한다. 이 움직임은 신경학적 기능 장애를 시사한다(그림 1-24). 통증, 불편함 및 호흡 곤란에 대한 질문에 대한 환자의 반응을 주기적으로 재평가하는 것은 처치 효과를 평가하는 데 중요하다.

표 1-7. 뇌 신경과 기능

신경 번호	이름	기능	평가
I	후각신경	후각	환자에게 눈을 감도록 한다. 코 밑에 암모니아 또는 알코올 솜을 위치시킨다. 환자가 냄새를 확인할 수 있어야 한다.
II	시신경	시각	Snellen 시력 검사표 또는 Rosenbaum 카드를 사용하여 시력을 평가한다. 환자에게 한쪽 눈을 가리고 몇 개의 손가락을 들고 있는지 말하게 한다. 그런 다음 반대쪽 눈을 평가한다.
III	눈돌림신경	동공의 크기, 대칭, 모양, 눈의 움직임	동일함, 반응성 및 둥글기를 평가하기 위해 빛에 대한 동공 반응을 검사한다. 동공에 빛을 비추면 수축하고 어둠 속에서는 확장해야 한다.
IV	도르래신경	하방주시	환자의 턱을 잡아 움직이지 않도록 한다. 환자에게 펜라이트나 물체를 "H" 패턴으로 따라가도록 하여 6개의 시야 범위를 추적하도록 한다.
V	삼차신경	볼, 턱 움직임 저작 운동, 얼굴 감각	환자에게 치아를 악물도록 하여 턱의 강도와 입을 다물 수 있는 능력을 확인한다. 환자는 양쪽이 가볍게 닿는 것을 느껴야 한다.
VI	외전신경	눈의 측면 운동	IV 신경과 동일
VII	얼굴신경	얼굴 근육의 힘, 미각, 침분비	쉬고 있을 때와 말할 때 얼굴을 검사하여 쇠약이나 비대칭을 평가한다. 환자에게 눈썹을 올리고 인상을 찡그리며 윗니와 아랫니를 보일 수 있도록 미소를 지으며 양 볼을 부풀리도록 한다.
VIII	청신경	청각, 균형	청력과 균형을 검사하기 위해 양쪽 귀를 각각 한 쪽씩 평가한다.
IX	혀인두신경	혀와 인두 감각, 미각, 삼키는 근육	환자에게 '아~' 소리를 내게하고 목젖과 연구개 반응을 관찰한다. 연구개는 위로 움직여야 하고 목젖은 정중선에 있어야 한다.
X	미주신경	인두 및 기도 감각, 미각, 목소리 내는 근육, 심박수	IX 신경과 동일
XI	척수더부신경	어깨 움직임과 고개 돌리는 능력	평가자가 환자 양쪽 어깨를 손으로 누르고 있을 때 어깨를 올리거나 내려보게 한다.
XII	혀밑신경	언어 표현 혀의 움직임	환자에게 혀를 내밀고 대칭으로 여러 방향으로 움직이게 한다.

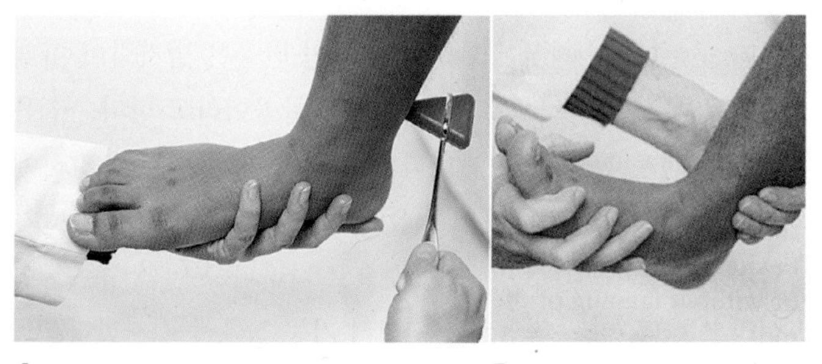

그림 1-22. 심부힘줄반사를 평가하는 술기에는 (A) 반사망치를 사용 및 (B) 평가하는 관절 또는 팔다리를 지지하면서 진행한다.

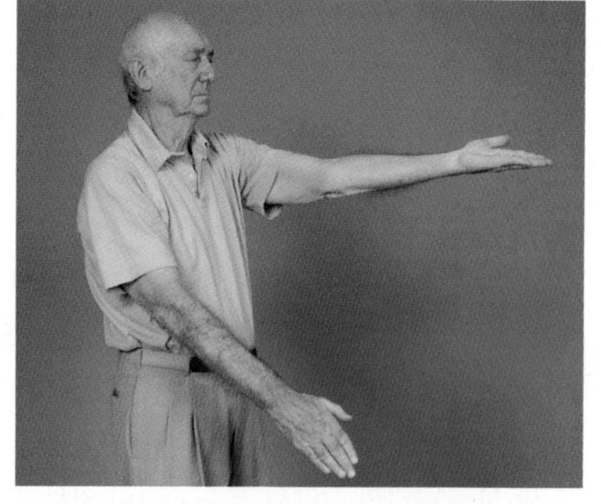

그림 1-23. 팔을 올리는 검사(미국 국립보건원 뇌졸중 척도)

표 1-8. 얕은 힘줄 반사 및 심부 힘줄 반사

반사	평가하는 척추 위치
얕은 힘줄 반사	
상복부	T7, T8, T9
하복부	T10, T11
고환	T12, L1, L2
발바닥	L4, L5, S1, S2
심부 힘줄 반사	
두갈래근	C5, C6
위팔노근	C5, C6
세갈래근	C6, C7, C8
무릎	L2, L3, L4
아킬레스힘줄	S1, S2
심부 힘줄 반사 점수	
점수	심부 힘줄 반사 반응
0	반응 없음
+1	느리거나 감소
+2	활성 또는 예상한 반응
+3	예상보다 활발하고 약간 과잉 반응
+4	활발한, 과민한, 간헐적이거나 일시적인 간대

Rudy EB: *Advanced Neurological and Neurosurgical Nursing*, St. Louis, 1984, Mosby.

환자의 신체검사는 통증 및 불편함, 출혈 및 부종이 감소하였는지 적절하게 재평가한다. 모세혈관 재충혈 시간, 원위부 맥박, 피부색, 체온 및 습도도 재평가되어야 한다. 중추신경계 기능은 글래스고우혼수척도 점수와 운동, 감각, 동공 반응의 개선 여부를 재평가한다. 신경계 검사 시 다음과 같이 시행한다.

1. AVPU 약자를 사용하여 환자의 의식 수준을 평가한다.
2. 환자의 자세를 확인한다.
3. 뇌신경 기능을 평가한다.
4. 저항에 대한 근력을 확인하여 환자의 신경근 상태를 평가한다.
5. 교대로 손을 사용하여 손가락 대 코 검사를 수행하여 환자의 조정을 평가한다.
6. 적절한 경우 환자가 발뒤꿈치에서 발끝까지 걷거나 발뒤꿈치에서 정강이 자세를 수행하여 환자의 보행 및 균형을 확인한다.
7. 팔 올리기 검사를 수행한다. 양쪽의 움직임에 차이가 없어야 한다.
8. 가벼운 접촉에 대한 반응을 확인하여 환자의 감각 기능을 평가한다.
9. 적절한 경우 심부힘줄 반사를 확인한다.

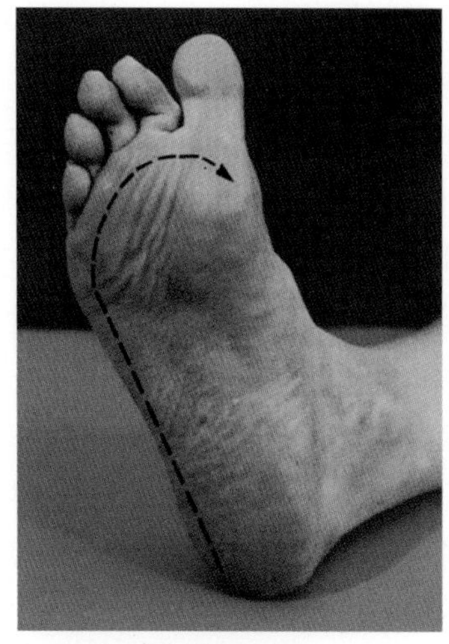
그림 1-24. 바빈스키 징후의 유무를 확인한다.

외상 환자

반응이 없거나 의식 수준이 변화된 모든 외상 환자는 고위험 우선순위 환자로 간주하여야 하며 외상 센터로 즉시 이송한다. 반응이 없는 환자는 외상성 뇌 손상, 뇌졸중, 저혈당 또는 알코올, 약물 중독이 있을 수 있다. 모두 심각하고 잠재적으로 치명적인 상태이다.

외상 환자에 대한 신속한 검사를 수행하여 환자의 손상에 대해 60~90초 이내에 첫인상과 빠른 평가를 시행한다. 외상 환자에 대한 추가 신체검사를 위한 시간이 항상 있는 것은 아니지만, 시간과 환자 상태가 허용하는 경우 시행한다. 가장 눈에 띄는 손상(예: 두피 열상) 또는 환자가 호소하는 가장 고통스러운 손상(예: 발목 골절)은 환자가 입은 가장 치명적인 손상(예: 파열된 비장)이 아닐 수 있다.

환자를 처음 만났을 때 확인했던 것을 기준으로 비교하여 환자의 현재 의식 수준을 신속하게 재평가한다. 마지막으로 이송 결정을 다시 검토한다. 환자가 즉각적인 이송이 필요하다고 판단되면 신속한 검사를 시행하고 더 철저한 검사를 시행하기 위해 이송을 지연시키지 않는다.

빠른 검사 외에 추가적인 신체검사를 시행하는 경우 신체의 각 부위를 평가한 후 장갑에 혈액이 묻었는지 확인한다. 이렇게 하면 출혈이 활발한 부위를 확인할 수 있다. 장갑을 자주 확인하지 않으면 출혈이 신체의 어느 부분에서 발생했는지 확실하지 않을 수 있으며 전체 과정을 다시 시행한다.

주요호소증상, 현재 상황 진행 과정, 과거 병력 및 환자의 현재 건강 상태에 대한 정보를 포함하여 환자에 대해 알고 있는 모든 정보를 종합해본다. 지식과 진단에서 얻은 정보와 함께 다양한 평가에서 다른 정보 및 통찰력과 결합하면 환자에게 적절한 임상 선택을 할 수 있는 충분한 정보가 될 수 있다. 외상 환자는 내과적 문제를 경험했을 수도 있고 내과 환자도 손상을 입을 수 있다는 것을 명심한다. 처치 제공자는 가장 시급한 주요호소 증상과 처치의 우선순위를 결정해야 한다. 일부 경우에는 내과적 문제와 외상을 모두 고려할 수 있다.

진단

병력 청취 및 이차평가 과정이 환자의 감별 진단을 내리는 가장 좋은 방법이며 실험실에서 검사를 시행하는 것 외에 특정 진단 및 모니터링 장비를 사용하는 것은 평가 과정에 도움이 된다. 이러한 장치는 처치 제공자가 환자를 진단하고 평가하는 데 도움이 되도록 설계되었다. 이러한 장치가 도움이 되기는 하지만, 정확한 병력 청취 및 이차평가를 대체할 수는 없다. 환자 병력 확인, 신체검사 및 진단 도구는 특정 신체 기관을 대상으로 할 수 있다. 각 신체 기관은 감별 진단을 배제하거나 배제하기 위한 일련의 고유한 평가 방법을 제공한다. 임상적 추론을 사용하여 처치 제공자는 현재 환자와 관련된 새로운 정보를 이전의 평가 및 처치 지식과 통합할 수 있다.

진단 도구는 광범위한 의학적 상태를 확인하는 데 도움이 될 수 있다. 병원 전 진단 도구는 귀중한 정보와 신속한 조기 인명구조 처치를 가능하게 한다.

실험실 검사

혈액에는 감별 진단을 결정하는 데 도움이 되는 다양한 요소가 있다. 혈청 빌리루빈, 혈청 알부민, 헤모글로빈, 적혈구용적률, 혈청요소질소 및 크레아티닌 수치를 측정하기 위해 실험실 검사를 시행할 수 있다. 의식 수준이 변화된 모든 환자의 혈당 수치를 측정하는 것은 EMS에서 필수이다. 혈액 손실, 대사성 산증, 신장 또는 간 질환, 탈수 및 흡수장애증후군에 대해 실험실 결과를 평가한다. 신장 결석, 궤양, 위장관, 비뇨생식기 및 생식계 폐색의 여부를 확인하기 위해 검사실 및 방사선 검사를 시행한다. 오늘날 EMS 시스템에서는 실험실 검사가 더 널리 사용되고 있다. 처치 제공자는 해석에 대해 숙련될 수 있도록 노력해야 한다.

뇌졸중 척도

연구에 따르면 뇌졸중 척도를 사용하면 환자가 뇌졸중을 앓았는지 여부를 판단하는 데 도움이 될 수 있다. 이러한 진단을 내리기 위해서는 다른 평가 데이터와 신체검사 결과가 필요하지만, 몇몇 지침에서는 뇌졸중이 발생할 가능성이 있는 빠른 결정을 내리기 위해 그러한 척도를 사용하는 것을 지지한다. 이 조기 확인은 환자의 처치와 이송을 먼저 고려할 것이다. 사용되는 일반적인 척도는 로스앤젤레스 뇌졸중 척도(LAPSS)와 신시내티 병원 전 뇌졸중 척도(CPSS)이다. 또한 많은 프로토콜은 평가 과정 초기에 지정된 뇌졸중 팀에게 환자 상태를 통지할 것을 원칙으로 한다(표 1-9 및 표 1-10).

뇌졸중 척도가 큰 혈관 폐색을 확인할 수 있는지에 대해 현재 논란이 있다. 이것은 교재가 출판된 이후에도 수정 보완 중이며 현재 어떤 척도 또는 점수 시스템이 이 목적에 가장 적합한지에 대한 합의는 없다. 평생 학습 과정을 지속하며 이러한 보조 도구의 연구 및 구현을 모니터링한다.

맥박산소측정기

맥박산소측정기는 빛을 흡수하는 헤모글로빈의 특성을 이용하므로 맥박산소측정기를 손가락이나 발가락(매니큐어 없는) 또는 귓불에 부착하면 산소포화도를 간접적으로 측정된다. 산소포화도는 혈액 내 헤모글로빈 결합 부위가 사용할 수 있는 수에 비해 얼마나 많은 산소 분자에 의해 포화되었는지를 나타낸다. 이 측정값은 백분율로 표시된다. 건강한 사람의 산소포화도는 97~99%이다. 헤모글로빈 수치가 정상인 환자에서 산소포화도는 최소 90%까지는 허용되지만, 호흡 곤란, 심부전의 징후, 쇼크 또는 산소포화도가 94% 미만인 환자에게는 산소를 투여한다.

이 도구는 자가면역 질환, 내분비 응급 상황, 약물 중독 또는 출혈로 인한 관류 불량 환자에게 최소한의 가치를 제공한다. 또한 일산화탄소 중독 환자, 흡연자, 말초혈관 질환이 진행된 당뇨병 환자의 경우 맥박산소측정기 측정값을 신뢰할 수 없을

표 1-9. 로스엔젤레스 병원 전 뇌졸중 척도(LAPSS)

항목	예	모름	아니오
1. 45세 이상이다.	□	□	□
2. 간질 또는 경련 발작이 과거력이 없다.	□	□	□
3. 임상 증상의 지속 시간이 24시간 미만이다.	□	□	□
4. 발병 전 일상생활이 가능하였다.	□	□	□
5. 혈당이 60~400mg/dL이다.	□	□	□
6. 다음 세 가지 검사에서 어느 한 가지라도 명백한 비대칭(좌우)이 있다.	□	□	□
	동일	**오른쪽 약함**	**왼쪽 약함**
웃을 때 얼굴/ 찡그릴 때 얼굴(얼굴 근육)	□	처짐 □	처짐 □
손의 잡는 힘	□	잡기 약함 □ 잡지 못 함 □	잡기 약함 □ 잡지 못 함 □
팔의 힘	□	아래로 처짐 □ 급격히 떨어짐 □	아래로 처짐 □ 급격히 떨어짐 □

해석: 1-6번 항목이 '예' 일 경우 뇌졸중 확률이 97%

표 1-10. 신시내티 병원 전 뇌졸중 척도(CPSS)

평가	정상	비정상
얼굴처짐(얼굴 마비 검사)		
환자에게 웃어보도록 하거나 치아를 보이도록 한다.	얼굴 양쪽이 동일하게 움직이는 경우	얼굴의 한쪽이 반대쪽과 비교하면 움직이지 않는 경우
팔 들기(팔다리 마비 검사)		
환자에게 눈을 감고 양쪽 팔을 10초간 앞으로 펴서 들고 있게 한다.	양쪽 팔을 똑같이 들고 있을 수 있거나 양쪽 모두 움직이지 못하는 경우	한쪽 팔만을 들지 못하거나 한쪽 팔이 다른쪽 팔보다 아래로 내려가는 경우
비정상적인 언어(언저 장애 검사)		
간단한 문장을 말해보도록 한다.	어눌함 없이 또렷하게 따라하는 경우	단어를 말할 때 어눌하거나 다른 단어를 말하는 경우, 환자가 말을 할 수 없는 경우

해석: 위 항목 중 비정상 소견이 있을 시 뇌졸중 확률은 72%이다.

수 있다.

산소포화도가 94% 미만인 환자는 코삽입관 또는 비재호흡 마스크로 보충 산소를 투여한다(그림 1-25). 투여하는 보충 산소의 비율은 평가 결과에 따라 달라진다. 산소포화도 결과는 보충 산소를 투여하기 전후에 평가한다.

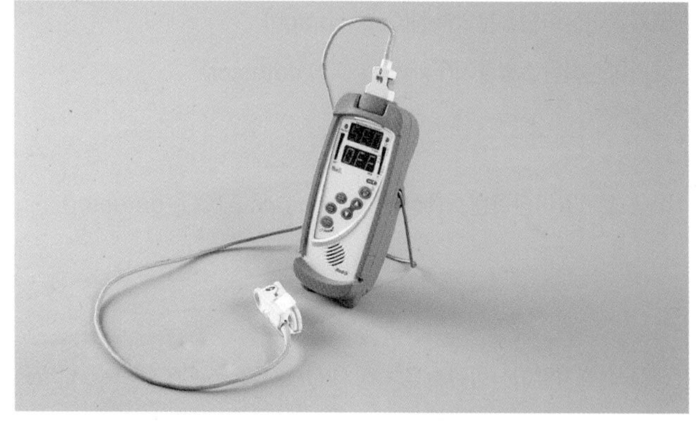

그림 1-25. 맥박산소측정기

최대유량계

최대유량계는 최대 호기 유량 또는 환자가 숨을 내쉴 수 있는 속도를 측정한다. 속도는 분당 리터(L/min)로 표시된다. 반응성 기도 질환이 있는 환자의 경우 호기 시 저항 증가로 인해 비율이 감소한다. 이 검사를 시행하려면 환자가 지시에 따라 심호흡하고 내쉴 수 있어야 한다(최대 들숨과 날숨, 그림 1-13A 참조).

호기말이산화탄소분압측정

호기말이산화탄소분압측정은 호기 가스 또는 호기말이산화탄소($ETCO_2$)의 이산화탄소 수준을 모니터링하는 데 사용된다. 이 진단 평가를 통해 환자의 환기 상태를 더 잘 확인할 수 있다. 호기말이산화탄소분압측정은 파형과 숫자로 표현된다. 혈액 내 호기말이산화탄소의 정상 수치는 32~43mmHg이다.

디지털 호기말이산화탄소분압측정은 호기된 이산화탄소의 정확한 양을 파형에서 측정할 수 있다. 또한 들숨과 날숨 시 공기의 움직임을 기록할 수 있다. 이 장치를 사용하면 지속해서 모니터링할 수 있다. 들숨 또는 날숨의 이상이 있을 시 파형의 패턴이 변한다.

호기말이산화탄소분압측정은 파형 없이 이산화탄소의 정량적 측정이다. 비색 호기말이산화탄소분압측은 반정량적 정보를 제공한다. pH에 따라 색이 변하는 리트머스 종이를 사용한 장치이다. 이 장치는 기도와 환기 장치 사이에 위치시킨다. 이산화탄소가 없는 날숨에는 종이 색깔이 바뀌지 않는다. 처음에는 짙은 보라색이며 이산화탄소 수치가 거의 정상이면 노란색으로 변한다. 리트머스 종이가 위 내용물에 노출되면 산성으로 인해 노란색으로 변한다. 색상은 환기마다 보라색에서 노란색 다시 보라색으로 바뀌어서 호기말이산화탄소분압측정기가 이산화탄소를 정확하게 감지하고 있음을 나타낸다.

저환기는 이산화탄소의 저류를 유발하여 호흡성 산증을 일으킨다. 보충 산소 공급을 증가시키고 적절한 기관 내관의 위치를 확인하며 백밸브마스크 장치로 환기를 보조하는 것이 필수적이다(표 1-11).

표 1-11. 호기말이산화탄소분압측정 관련 용어

용어	설명
호기말이산화탄소분압측정(Capnography)	호흡 기체에서 이산화탄소 농도의 지속적인 분석 및 기록 파형으로 표시 호흡 주기 동안 이산화탄소 농도 대 시간의 그래픽으로 표시 이산화탄소 농도는 또한 호기량에 대해 표시할 수 있음
호기말이산화탄소분압측정기(Capnometer)	호기가 끝날 때 이산화탄소 농도를 측정하는 데 사용되는 장치
호기말이산화탄소분압측정(Capnometry)	연속적인 기록이나 파형 없이 호기 이산화탄소 농도의 수치 판독 숫자로 표시 모니터에 이산화탄소 수치 표시
호기말이산화탄소분압측정(Capnograph)	호기 이산화탄소 농도의 수치 판독값과 파형을 제공하는 장치
호기이산화탄소검출기(Exhaled CO_2 detector)	폐포 환기, 폐에서 배출된 이산화탄소 농도 및 동맥 이산화탄소 함량의 비침습적 추정치를 제공하는 호기말이산화탄소분압측정, 호기말이산화탄소감지기라고도 함
비색 호기말이산화탄소측정기Colorimetric $ETCO_2$ detector)	측정기에 내장된 pH에 민감한 리트머스 종이에 화학반응을 통해 이산화탄소 판독값을 제공하는 장치 이산화탄소의 존재(비색 장치의 색상 변화로 입증)는 기관내관의 정상적 위치를 시사
정성적 호기말이산화탄소 감시장치(Qualitative $ETCO_2$ monitor)	호기말이산화탄소의 존재를 표시하기 위해 빛을 사용하는 장치

$ETCO_2$, End-tidal carbon dioxide
Modified from Aehlert BJ: Paramedic practice today: Above and beyond, St. Louis, MO, 2010, MosbyJems.

심전도 검사

심전도는 심장의 심방 및 심실 세포의 전기적 활동을 기록하고 이 활동을 특정 파형 및 복합체로 나타낸다. 심전도는 환자 피부에 흐르는 전기를 지속해서 감지하고 측정한다. 심전도 검사는 급성 심근 허혈을 감지하고 환자의 심박수를 모니터링하며 질병이나 손상이 심장 기능에 미치는 영향을 평가하고, 심박조율기 기능을 분석하여 약물에 대한 반응을 평가하는 데 사용된다. 심전도는 심장의 수축(기계적) 기능에 대한 정보를 제공하지 않는다.

3-리드, 12-리드, 15-리드 또는 18-리드 심전도를 사용하는지와 관계없이 심장의 전면, 수평축 및 좌심실의 다양한 영상을 검토하면 허혈 및 경색에 대한 주요 정보를 파악할 수 있다. 표준 12-리드 심전도는 정면 및 수평면에서 심장을 시각화하고 12개의 다른 각도에서 좌심실의 표면을 볼 수 있다. 심장을 여러 각도에서 볼 수 있을 때 다발갈래차단을 확인할 수 있고 허혈, 손상 또는 경색과 같은 ST 분절 변화를 확인할 수 있으며 약물과 관련된 심전도 변화의 분석이 가능하다. 15-리드 및 18-리드 장치와 같이 추가된 리드는 추가적인 전방 및 후방 모습까지 모니터링할 수 있다.

심전도 모니터링은 일반적으로 호흡 곤란이 있거나 가슴 또는 복부 불편함 또는 통증이 있는 환자, 특히 환자가 두 가지 증상을 모두 가지고 있는 경우에 수행된다. ST 분절 상승 심근경색(STEMI)은 급성 진행성 심근 괴사를 의미한다. 비 ST분절 상승 심근경색(NSTEMI)은 심전도에 ST분절 하향 및 T파 역전으로 나타날 수 있다. 12-리드 심전도를 검토할 때 좌각차단(LBBB) 및 심낭염을 포함하여 여러 패턴이 ST 상승과 유사할 수 있다.

초음파촬영, 기계식 인공호흡기(그림 1-26) 및 보상 예비 모니터와 같은 추가 장비가 병원 전 처치에서 점점 더 일반적으로 사용되고 있다. 이러한 장치는 중요한 피드백을 제공하고 신속한 환자 처치를 가능하게 한다. 일상적인 사용이 보편화함에 따라 이 교재에서 추가 세부 정보를 제공할 수 있다. 현재로서는 이 분야에 관심이 있는 사람들은 평생 학습 과정의 하나로 추가 지식을 터득해야 한다.

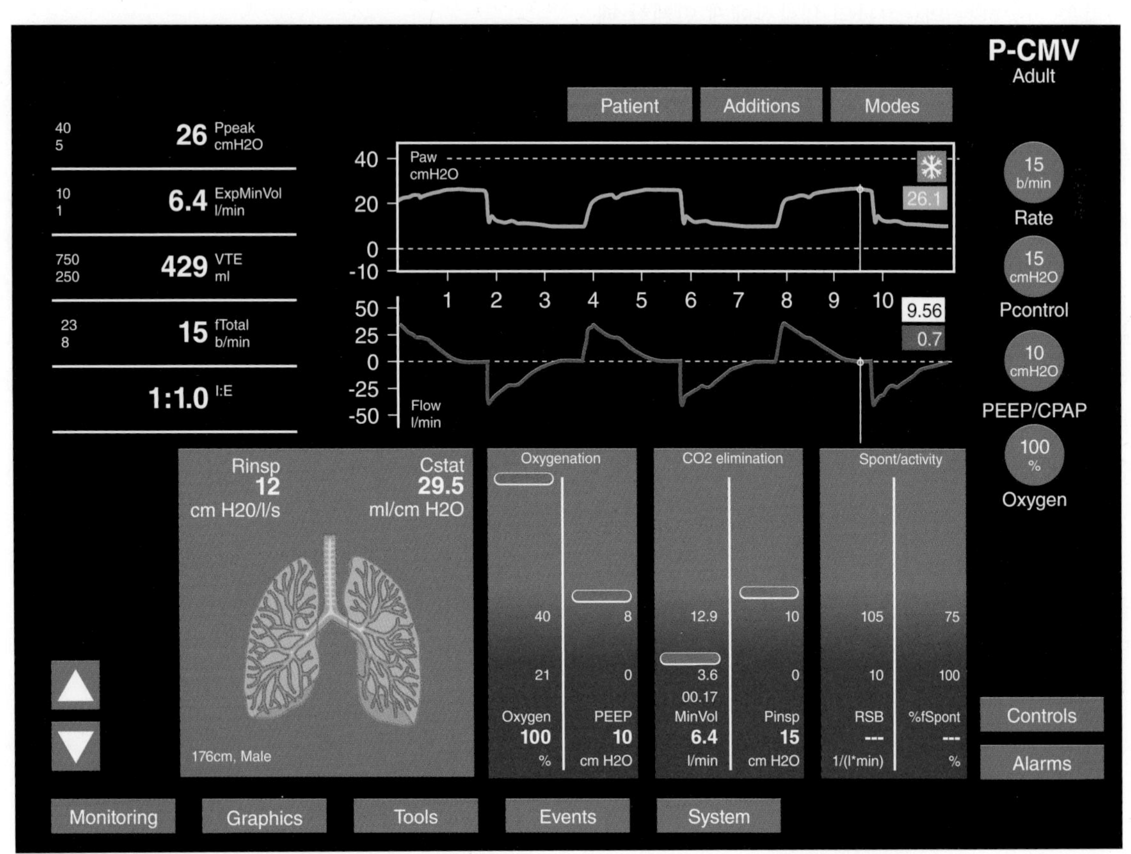

그림 1-26. 인공호흡기의 제어 화면

감별 진단 개선

평가 과정 전반에 걸쳐 처치 제공자는 축적된 데이터와 임상적 추론을 기반으로 어떤 질병인지 확인한다. 환자의 증상, 병력, 신체검사 및 진단 검사에서 얻은 단서는 가능한 진단을 좁히는 데 도움이 된다. 잠재적 진단을 제거하는 과정인 감별 진단을 구체화하면 결국 하나의 진단으로 이어진다.

또한 환자의 감별 진단은 환자의 상태가 치명적인지, 위험한 것인지 또는 비응급인지를 결정하는 데 도움이 된다. 언제든지 환자의 상태가 위험한 상태에서 치명적인 상태로 악화할 수 있으며 적절한 처치와 이송이 지체 없이 시작되어야 한다.

지속적인 관리

일차평가 후 재평가는 처치 제공자가 수행해야 하는 가장 중요한 과정 중 하나이다. 재평가를 수행할 때 환자의 기도, 호흡, 순환/관류(ABC)를 평가하고 주요호소증상을 적절하게 처리했는지 확인한다. 또 다른 활력징후를 평가하고 작은 상처를 드레싱한 후 얼음찜질하는 것과 같은 환자 처치를 마무리한다. 재평가는 환자를 이송하는 의료기관의 의료진에게 인계할 때까지 이송 전반에 걸쳐 수행되는 연속적이고 반복적인 과정을 나타낸다. 안정된 환자의 경우 15분마다 재평가하고 불안정한 환자의 경우 5분마다 재평가를 반복해서 시행하도록 노력한다.

환자 재평가

재평가는 일차평가의 반복, 활력징후 및 호흡음 재평가, 이차평가의 반복을 결합한 것이다. 재평가하는 동안 환자의 상태와 이미 시행한 모든 처치를 계속해서 평가하고 재평가한다. 환자의 현재 상태는 처치의 효과에 대한 단서를 제공한다. 활력징후를 비교한다. 처치로 인해 환자의 상태가 개선되었는가?

먼저 환자의 의식 수준을 초기 평가와 비교한다. 의식 수준이 변화되었는가? 둘째, 환자의 기도를 평가하고 개방되어 있는가? 항상 흡인할 준비를 하고 상기도에서 가글 소리가 들리면 지체하지 말고 흡인을 시행한다. 셋째, 호흡을 재평가한다. 환자의 호흡은 적절한가? 그렇지 않은 경우 원인을 파악하고 처치한다. 마지막으로 환자의 순환과 관류를 재평가한다. 심혈관 기능 및 혈역학적 상태의 초기 평가로 전반적인 피부색을 평가한다. 모든 출혈이 확인되고 조절되었는지 확인한다.

감별 진단 개선

재평가를 수행할 때 감별 진단에서 특정 상태를 포함하거나 배제할 수 있다. 환자 정보를 수집하고 새로운 결과에 따라 감별 진단을 수정할 때 모든 가능성을 열어둔다.

처치 수정

환자를 재평가한 후 현재 처치 계획에 대해 생각해본다. 생명을 위협하는 문제를 모두 해결했는가? 지금 알고 있는 것을 바탕으로 우선순위를 변경해야 하는가? 그렇다면 우선순위를 변경하고 환자 처치를 계속한다. 반대로 계획이 수행되고 환자의 주요호소 증상 대부분 또는 전부를 해결했다면 처치 계획을 수정할 필요가 없다.

환자 처치 우선순위를 재평가하는 동안 이송 계획도 재평가한다. 일반적인 이송이 우선되어야 하는가? 환자의 상태가 더 가까운 의료기관으로 변경을 고려할 정도로 악화하였는가? 헬기를 이용해 환자를 의료기관으로 이송해야 하는가? 환자의 상태가 개선되고 안정되면 우선순위가 낮아지면 환자를 안전하게 일반적인 방법으로 이송한다.

처치 반응 모니터링

환자 상태를 계속 모니터링한다. 또 다른 완전한 활력징후를 평가하고 처치의 예상 결과와 비교한다. 예를 들어, 위장 출혈이 있는 환자에게 생리식염수 500mL를 일시에 투여하면 일반적으로 혈압이 상승하고 맥박이 감소할 것으로 예상된다. 우선순위 환자의 경우 활력징후를 최소 3번 측정한다. 우선순위가 가장 높은 환자의 경우 4~5회 활력징후를 측정한다. 반복적으로 측정한 몇 번의 활력징후를 통해 환자 상태를 추가로 확인한다.

마지막으로 병력 청취 중에 기록했던 환자의 주요호소 증상을 다시 확인한다. 호소했던 사항이 개선되거나 해결되었는가? 어떤 상황이 해결되지 않은 채로 남아 있는가? 악화하는 상황은 보이지 않는 문제나 비효과적인 처치를 의미할 수 있어서 특히 우려된다. 이송 예정 의료기관에 아직 도착하지 않은 경우 재평가 절차를 다시 반복 시행한다. 처치 제공자의 기록이 정확하게 환자를 이송하는 의료기관에 전달될 수 있도록 재평가할 때마다 모든 특이사항을 정확하게 기록한다.

특별한 환자

노인 환자

미국 노인협회는 모든 EMS 출동의 3분의 1 이상이 노인 환자에 대한 출동이라고 추정했다. 많은 노인이 건강하고 활동적인 삶을 영위하지만 다른 사람들은 만성적인 건강 문제를 가지고 있다. 노인 환자의 평가는 다양한 이유로 젊은 성인보다 더 어렵다.

노인 환자는 적절한 보상 기전이 부족하기 때문에 상태가 불안정해지면 악화 징후를 보이지 않을 수 있다. 또한 이러한 환자 중 상당수는 기저 질환이 있거나 실제 평가 결과를 은폐하는 약물을 복용하고 있다. 감소한 압력수용기 기능으로 인한 기립성 저혈압은 신체검사를 하는 동안 문제가 될 수 있다. 고령 환자가 혈액량 변화에 더 적응할 수 있도록 천천히 움직이도록 주의한다.

약제

대부분의 노인은 3~5가지 처방한 약을 먹는 데 이를 다중약물요법이라고 한다. 약물의 흡수, 분포, 대사 및 배설과 같은 약동학은 젊은 환자와 비교했을 때 노인에게서는 차이가 있다. 결과적으로 노인은 특히 비처방 약물이나 약초 또는 건강 음료와 같은 식이 보조제를 함께 복용할 때 약물 부작용이 더 자주 발생하는 경향이 있다. 약물에 대한 가장 흔한 부작용은 혼란, 진정, 균형 상실, 메스꺼움 및 전해질 이상이다.

의사소통

환자가 청력이나 언어 장애가 있는 경우 의사소통이 어려울 수 있다. 그러나 대다수의 노인은 정상적으로 들을 수 있다. 환자에게 보청기가 있는 경우 적절한 크기로 설정되어 있는지 확인한다.

병력을 청취할 때는 인내가 중요하다. 노인들은 때때로 약물 이름이나 처방받은 상태를 기억하지 못한다. 또한 질문에 천천히 답하고 직접적으로 질문에 답변하기 전에 중요하다고 생각하는 모든 정보를 공유해야 한다고 느낄 수 있다. 이러한 추가 정보는 감별 진단을 시도할 때 도움이 될 수 있다.

호흡기계 변화

노인은 폐의 변화를 겪는다. 나이가 들면서 흔히 발생하는 등뼈의 후만증(만곡)은 폐 확장을 더 어렵게 만들 수 있다. 호흡기 근육이 약해져서 젊은 성인보다 일찍 호흡 피로와 호흡부전을 일으킨다. 이러한 감소는 아마도 평생 환경 오염 물질에 노출되거나 수년에 걸쳐 반복되는 폐 감염이 원인일 수 있다. 또한 폐와 가슴벽의 탄력은 나이가 들면서 감소하여 일회호흡량이 감소한다. 이러한 변화로 인해 호흡수는 일반적으로 적절하게 분당호흡량을 보상하고 유지하기 위해 증가한다.

환자가 저산소증의 징후나 증상을 보이면 94% 이상의 산소포화도를 유지할 수 있도록 산소를 투여한다. 호흡곤란이 있는 환자를 이송할 때 환자에게 똑바로 앉으라고 요청할 수 있다. 환자가 일반적으로 어떤 자세가 호흡을 더 쉽게 할 수 있는지 스스로 결정할 수 있기 때문에 환자가 취하고 있는 자세를 유지한다.

심혈관계 변화

노인 환자의 심혈관계에는 많은 변화가 일어난다. 큰 동맥은 탄력이 떨어지며 수축기 동안 동맥계에 더 많은 압력을 가한다. 이것은 수축기 혈압을 높여 맥압(수축기 혈압과 이완기 혈압의 차이)을 넓혀준다. 말초혈관저항(PVR)이 증가하고 이완기 혈압과 평균 동맥압이 상승하여 고혈압을 유발할 수 있다. 노인들 사이에서 흔한 심장 문제는 심근경색, 심부전, 부정맥, 동맥류 및 고혈압 등이 있다.

흉통이나 불편함을 호소하는 노인 환자의 병력을 청취할 때 심혈관 건강 상태를 확인한다. 정기적으로 신체 활동하는 노인들은 비교적 효율적인 심장 기능을 유지할 수 있다.

노인의 인지적 변화를 평가하는 것은 환자의 병력에 대해 질문할 수 있는 가족이나 친구가 없으면 어려울 수 있다. 가능하다면 환자의 기본 의식 수준을 파악한 다음 행동, 사고 과정 및 기분의 변화를 평가한다. 환자의 위생 및 음식을 조리하는 습관의 변화에 대해 가족이나 친구에게 물어본다.

말기 환자

호스피스 서비스에는 임종 시 환자와 그 가족을 위한 사회적, 정서적, 정신적 지원이 포함된다. 진행성 암이나 후천면역결핍증후군(AIDS) 환자와 같은 말기 환자는 종종 완화 치료(안락치료)를 받는다. 의학적 필요는 질병에 따라 다르지만, 주로 통증 조절에 중점을 둔다.

말기 환자는 사전 지침이나 소생술포기(DNR) 명령과 같은 의료 및 법적 문서를 가지고 있을 수 있다. 일부 주에는 특정 소생술포기 문서가 있으므로 처치 제공자는 해당 국가의 특정 정책, 절차 및 규정을 이해해야 한다. 많은 주에서 처치 제공자의 업무 범위는 병원 전 처치 제공자가 법적 소생술포기 사전 지시 또는 생존 유언을 준수할 수 있는지에 여부를 결정한다.

비만 환자

비만은 키보다 과도한 양의 체중이다. 과체중은 체질량 지수(BMI)가 25~29.9kg/m²로 정의된다. 미국 질병관리센터는 비만을 체질량 지수(신장/체중 비율)로 다음과 같이 정의한다.

체질량 지수(BMI) = 체중(kg) ÷ 키(m) × 키(m)

예를 들어, 키 170cm이고 체중 65kg인 사람의 체질량 지수는 22.5이며 이는 해당 키와 체중의 정상 범위에 해당한다. 같은 키에 체중이 90kg인 사람의 체질량 지수는 31이므로 정의상 비만이다. 체질량 지수는 어린이와 청소년의 정확한 키와 체중, 나이 및 성별을 고려하여 더욱 정확하게 계산할 수 있다. 체질량 지수가 39 이상이거나 키에 대한 권장 체중보다 45kg 이상이면 병적 비만으로 간주하며 이는 더 심각한 건강 위험을 동반한다.

비만은 만성 질환이며 미국에서 예방할 수 있는 사망의 두 번째 주요 원인이다(흡연 다음). 비만 환자는 당뇨병, 고혈압, 관상 동맥 심장 질환, 이상지질혈증, 뇌졸중, 간 질환, 담낭 질환, 수면 무호흡증, 호흡기 질환, 골관절염 및 특정 유형의 암이 발생할 위험이 증가한다. 비만 여성은 또한 불임의 위험이 증가한다. 병적으로 비만한 사람은 폐동맥 고혈압과 폐심장증으로 알려진 우측 심부전이 발생할 수 있다.

비만 환자 이송

비만 환자는 처치 제공자에게 추가 위험을 초래하고 인력과 장비를 추가할 필요가 있기 때문에 비만 환자를 옮기고 들어올리기 위한 방침이 있어야 한다. 특수 장비 및 추가 인력이 필요할 수 있으므로 현장 및 상황 평가가 특히 중요하다(**그림 1-27**). 환자의 체중을 물어보고 필요한 경우 리프트 지원을 요청한다.

특히 환자를 이동할 때 처치 제공자와 환자 모두 위험에 처해 있다. 처치 제공자는 무거운 무게를 들면서 손상을 입을 수 있다. 환자는 표준 크기의 긴척추고정판이나 들것과 같이 비만 환자를 이송할 수 있도록 설계되지 않은 장비에서 굴려 떨어질 수 있다. 들것보다는 측면 손잡이가 내장된 플라스틱으로 만든 대용량 운반 시트는 환자를 옮기는 데 좋은 대안이 될 수 있다.

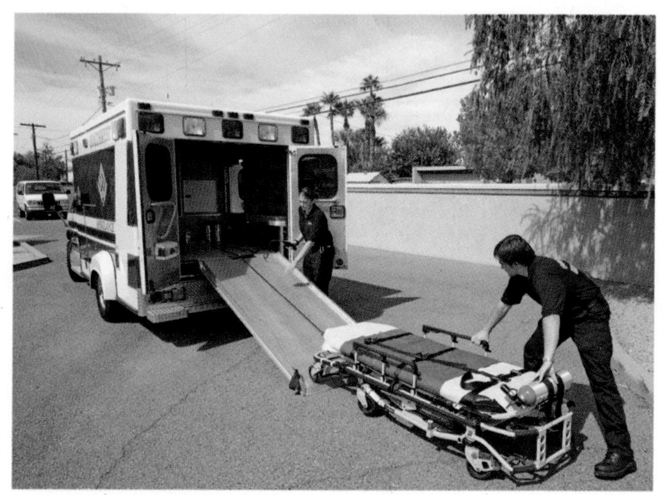

그림 1-27. 일부 EMS 체계에는 비만 환자를 이송할 수 있는 특수 장비와 구급차가 있다.

전문 의료기기와 용품 제공

모든 EMS 기관과 의료기관은 초대형 혈압 커프와 같이 비만 환자를 처치하는 데 필요한 적절한 장비와 용품을 갖추고 있어야 한다. 근육 주사 또는 바늘감압을 시행할 수 있는 긴 바늘, 목보호대, 긴 고정끈 및 테이핑 용품 그리고 큰 가운, 시트와 담요를 구비해야 한다.

산부인과 환자

임신 관련 응급 상황에는 자연 유산, 자궁외임신, 조산, 출혈, 혈전, 자간전증, 감염, 뇌졸중, 양수 색전증, 당뇨병 및 심장병 등이 있다. 환자의 피부색, 온도 및 피부 상태를 평가하는 것으로 시작한다. 임신부의 생리학적 변화는 임신 첫 3개월부터 시작된다. 심박수는 분당 10~15회 빨라진다. 비대해진 자궁이 가로막을 밀어 올리면서 호흡수도 증가하여 호흡이 더 빠르고 얕아진다. 탈수나 쇼크의 증거가 있는지 환자의 활력 징후를 평가한다.

임신 초기(보통 5~10주)에 복통, 질 출혈, 쇼크 징후가 자궁외임신을 나타낼 수 있습니다. 임신 5~10주 사이의 임신부는 임신성 고혈압과 임신성 당뇨병을 평가한다.

임신 말기에 복통과 짙은 색의 질 출혈을 호소하는 환자는 조기 박리 또는 태반이 자궁벽에서 분리되는 상황일 수 있다. 임신 말기에 통증이 없는 질 출혈은 태반에서 출혈이 있는 전치태반을 나타낼 수 있다. 두 조건 모두 생명을 위협하는 내과적 응급 상황이며 신속한 이송이 필요하다.

분만 후 병리학에는 출혈, 감염 및 폐색전증이 포함될 수 있다. 열과 심한 복통은 자궁내막염(자궁 감염)의 증상이며 매우 심각할 수 있다. 제왕절개로 분만하는 것을 포함하여 임신과 관련된 병력을 확보한다.

특별한 이송 고려 사항

항공 이송

병원의 근접성 및 전문 분야에 따라 일부 환자는 항공으로 이송된다. 지역에 있는 병원에서 화상 센터로의 이송과 같이한 의료기관에서 다른 의료기관으로의 이송은 항공으로 시행할 수 있다. 헬기와 고정익 항공기(그림 1-28)는 항공 이송이 시작된 이래 민간과 군 의료체계에서 환자 이송에 사용되었다.

중환자 및 의학적으로 불안정한 환자는 지상 이송이 지연되는 경우 최종 처치를 위해 헬기 이송을 고려할 수 있다. 항공 이송을 고려할 수 있는 환자 상태의 예는 다음과 같다.

- 박리성 대동맥류의 출혈 또는 임박한 파열
- 두개내출혈
- 급성(처치 시간이 중요한) 허혈성 뇌졸중
- 심한 저체온증 및 고열
- 즉각적인 처치가 필요한 심장 기능 장애
- 천식 상태
- 간질 발작 상태

각 EMS 제공자는 해당 지역의 지상 및 항공 이송 방법에 대해 잘 알고 있어야 한다. 항공으로 환자를 이송하기로 한 결정에는 몇 가지 장점과 몇 가지 단점이 있다(표 1-12). 항공 이송으로 필요한 경우 환자를 야생 지역에서 구조하여 신속하게 전문 센터로 이송할 수 있다. 또한 전문 인력이나 물품(예: 항뱀독소제, 혈액 제제)을 며칠이 아닌 몇 분 또는 몇 시간 만에 배송할 수 있다. 그러나 악천후에서는 비행이 제한되는 경우가 많으며 모든 항공기에는 한 번에 또는 애초에 이송할 수 있는 환자의 수와 무게를 제한하는 하중 제한이 있다. 항공기의 무

A

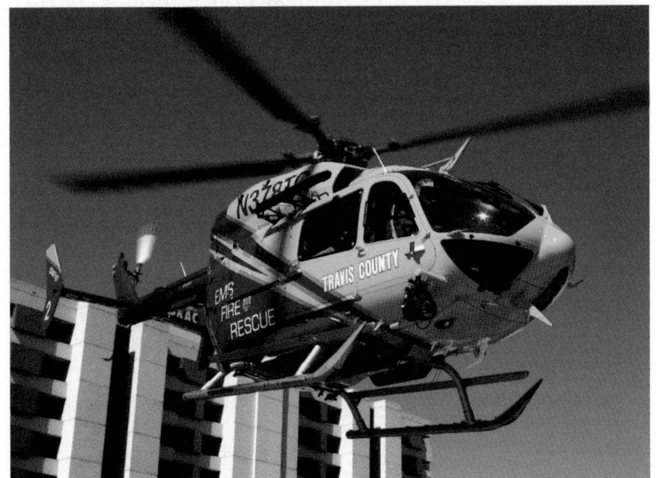

B

그림 1-28. A. 의료용 고정익 항공기 B. 의료용 헬기

A. © ChameleonsEye/Shutterstock; B. Courtesy of Travis County STARFlight.

표 1-12. 항공 이송의 장점과 단점
장점
▪ 신속한 이송 ▪ 원거리 지역의 접근성 향상 ▪ 신생아 집중 처치실 및 화상 센터와 같은 전문 병원 접근성 향상 ▪ 전문 분야의 의료진에 대한 접근성 향상 ▪ 전문 장비와 용품에 대한 접근 향상
단점
▪ 비행에 대한 날씨 및 환경 제한 ▪ 환자 체중 제한 ▪ 이송할 수 있는 환자 수 제한 ▪ 고도 제한 ▪ 속도 제한 ▪ 고비용 ▪ 제한된 접근과 환자 탑승 공간 크기 한계로 인해 환자 처치를 제공하는 데 어려움 ▪ 휴대할 수 있는 장비와 물품의 수량 제한

Modified from Aehlert BJ: *Paramedic practice today: above and beyond*, St. Louis, MO, 2009, Mosby.

그림 1-29. 헬기는 중환자를 신속하게 이송할 수 있다.

게가 적절하게 분배되어야 하므로 승객의 총수뿐만 아니라 승객의 무게 또한 중요하다. 각 항공기는 기종마다 다르다. 어떤 기종은 후미에 무거운 하중을 수용할 수 있지만 다른 항공기에서는 동일한 분배가 안전하지 않을 수 있다.

또한 특정 조건을 가진 환자는 높은 고도, 진동 및 기압의 급격한 변화를 쉽게 견딜 수 없다. 항공기가 비행하는 고도는 항공기 유형, 기상 조건, 특정 지역에서 엔진 소음을 줄이기 위해 조종사가 따라야 하는 소음 감소 절차, 아래 지형의 지리(명백한 이유로 항공기는 산악 지형 및 숲이 우거진 지역 위로는 더 높은 고도로 비행한다), 교통량이 많은 도시 비행 회랑의 고도 제한 및 기타 요인에 따라 다르다.

헬기 이송(그림 1-29)은 적절한 크기(최소 30 m×30 m)의 착륙장과 비교적 평평하고 견고한(환자 처치 구역의 바람이 부는 방향) 지역을 찾는 등 적절한 안전 절차를 준수한다. 전선, 나무, 기둥, 건물, 바위 등 위험한 장애물이 없어야 한다(표 1-13). 각 EMS 처치 제공자는 근무하는 지역의 헬기 안전 요구 사항 및 통신 절차에 대해 매년 업데이트한다.

항공 생리학

처치 제공자(주로 전문응급구조사)는 환자의 상태, 의료기관에서 제공되는 전문 치료, 환자를 이송하는 데 사용할 수 있는 가장 안전하고 효율적인 이송 수단에 따라 환자에게 가장 적합한 이송 방법을 선택한다. 마찬가지로 병원 내 제공자들은 항공 또는 지상으로 환자를 이송할지 결정하기 위해 유사한 기준을 사용한다.

항공 의료 이송이 환자에게 가장 좋은 임상적 이익이라고 판단되면 환자 이송을 준비한다. 이송 승무원은 비행 중 환자의 안전을 책임지지만, 적절한 비행 전 준비는 비행 중 환자에게 영향을 미치는 요소를 알고 있어야 하는 병원 전 또는 병원 내 의료제공자의 책임이다. 예를 들어, 현기증, 온도 및 기압의 변화, 중력, 공간 방향 감각 상실과 같은 요인이 환자에게 어떤 영향을 미칠 수 있는지 이해한다.

표 1-13. 착륙장 및 현장 주의 사항

착륙장
■ 착륙장이 최소 30m × 30m인지 확인한다. ■ 착륙장 주변에 장애물이 있는지 확인하고 표시한다 ■ GPS 좌표 또는 인근 주요 교차로로 착륙 지점을 확인한다. ■ 착륙장 표면과 경사면을 승무원에게 알린다. ■ 낮에 콘이나 기타 쉽게 볼 수 있는 물체로 착륙장의 모서리를 표시한다. 착륙장의 바람이 부는 쪽에 다섯 번째 표식을 놓는다. 표식이 날아가지 않을 정도로 고정되어 있는지 또는 충분하게 무거운지 확인한다. ■ 야간 운행의 경우 지상 섬광등, 고정 플레어 또는 조명이 켜진 차량으로 착륙장의 모서리를 표시한다. 착륙장의 바람이 부는 쪽에 다섯 번째 조명 표식을 놓는다.
현장 주의 사항
■ 구경꾼은 최소 60m 거리를 유지한다. ■ 개인 장비가 확보되었는지 확인한다. ■ 승무원 중 한 명이 신호를 보낼 때까지 헬기에 접근하지 않는다. ■ 항상 헬기의 뒤쪽에서 접근하지 말고 항상 앞쪽에서 접근한다. ■ 헬기에 접근할 때 절대 허리를 굽히지 않는다. 회전 날개는 지면에서 3 m 높이에 있으며 바닥을 내려다보면서 접근하면 넘어질 가능성이 더 크다. ■ 머리 위로 물건을 들지 않는다 ■ 모자를 쓰지 않는다.

Modified from Aehlert BJ: *Paramedic practice today: above and beyond*, St. Louis, MO, 2009, Mosby.

기압

만성폐쇄폐질환, 천식 또는 폐부종과 같은 기저 폐 질환이 있는 환자는 기압이 낮아지면 저산소증의 위험이 높다. 비행 중 기압이 감소하면 부분적으로 폐포의 산소분압(PaO_2)을 감소시켜 혈액 산소포화도를 감소시킨다. 비행 중 환자는 적절한 산소포화도를 유지하기 위해 보충 산소 또는 기관내삽관이 필요할 수 있다.

부비동 감염이 있는 환자는 비행 중 심한 부비동 압력이나 통증을 경험할 수 있으며 상승 중 부비동에 갇힌 가스가 팽창하여 코출혈(코피)이 발생할 수 있다. 이러한 환자의 경우 비행 전에 예방적으로 코안 혈관수축제를 투여할 수 있다.

헬기는 300m 이상을 비행하는 경우가 거의 없으므로 기압의 변화는 임상적으로 중요하지 않다. 그러나 고정익 항공기로 이송하는 경우 이를 고려한다.

습도

고도가 상승함에 따라 외부의 신선한 공기가 기내로 유입되어 항공기 내의 습도가 감소한다. 따라서 환자의 점막과 코안 건조를 방지하기 위해 가습된 산소를 투여한다.

온도

환자는 정상 체온을 유지하기 위해 바람과 추위로부터 적절히 보호되어야 한다. 이송 팀은 환자의 순환 상태 및 투여된 진정제와 같은 약물에 대해 통보한다. 하강 및 상승에 따른 객실 온도 변화는 수분이 부족하고 진정된 환자가 중심체온을 유지하는 능력을 방해할 수 있다.

기타 고려 사항

불안은 환자가 항공으로 이송될 때 고려할 정서적 요인이다. 의식이 있는 경우 환자는 비행 중에 경험하는 항공기 진동 및 소리의 유형과 예상 비행시간에 관해 설명한다. 아프거나 손상을 입은 환자는 난기류 또는 엔진 진동으로 인한 생리학적 징후 및 증상을 나타낼 수 있다. 환자는 멀미, 복통 또는 체온 유지에 문제가 있을 수 있다.

발작의 병력이 있거나 발작의 위험이 있는 환자는 항공기의 상승 및 하강 중에 볼 수 있는 깜박이는 표시등으로부터 시각적으로 보호한다.

고정익 또는 회전익 항공기 주변에 있을 때는 기본적인 안전 예방 조치를 한다. 회전하는 헬기의 회전날개 주변을 조심스럽게 지나간다. 항상 정면이나 측면에서 조종사나 승무원의 시야 내에서 헬기에 접근한다. 병원 전 처치 제공자이든 병원 내 처치 제공자이든 관계없이 환자를 태우거나 내릴 때 승무원의 지시에 유의한다.

특별한 환경 고려 사항

야생 조건

EMS 처치 제공자는 종종 평가 과정을 복잡하게 만드는 극한의 조건에 직면한다. 이러한 조건에서의 처치 제공을 종종 야생 의학이라고 한다. 광범위하게 정의한 야생 의학은 환경 고려 사항, 장시간의 구출 소요 시간 또는 제한된 자원 가용성으로 인해 처치가 제한되는 상황에서의 의료 관리이다. 국립공원과 같은 야생이나 도시나 교외에서 저체온증을 앓고 있거나 벼락을 맞은 환자를 처치할 때와 같은 상황이 발생할 수 있다. 도시에서 지진과 같은 친숙한 환경에서 일어나는 게 익숙하지 않은 상황에서 야생 의학 기술이 필요할 수 있다. 9장 환경 관련 장애, 환경 노출의 결과로 환자에게 발생할 수 있는 의학적 상태에 관해 설명한다.

야생 EMS는 전문 교육이 필요한 EMS 작업의 하위 분야이다. 처치 제공자는 계곡에서 방울뱀에 이르기까지 위협이 되는 예측할 수 없고 안전하지 않은 야외 환경에서 업무를 수행할 때 필요한 로프 구조 기술, 저체온증 예방 및 안전 예방 조치에 대한 교육이 필요하다. NAEMT는 다음을 포함하여 야생 EMS 활동에 영향을 미치는 변화하기 쉬운 목록을 작성했다.

- 현장 접근
- 날씨
- 일광
- 지형
- 특별 이송 및 이송 시간
- 접근 및 이송 시간
- 가용 인력
- 의사소통
- 의료 구조 장비 사용 가능
- 위험 요소 존재

야생 EMS 업무 범위는 종종 약물(예: 스테로이드, 항생제) 투여와 어깨 탈구시 정복 및 봉합과 같은 추가 처치를 포함하도록 확장된다. 야생 의학회에 따르면 이 전문 분야의 많은 프로그램이 개발되었으며 응급의학 및 전문응급구조사를 대상으로 하는 교육 프로그램에 참여할 수 있다. 프로그램은 현장에서 시행하며 미국 국립공원 관리사무소, 국립 스키순찰대, 산악구조협회, 다이버 안전 네트워크 및 기타 여러 조직에서 제공한다.

종합 정리

체계적이고 철저하며 효율적인 환자 평가 과정은 내과적 또는 외과적 응급 상황이 발생한 환자의 효과적인 처치의 핵심이다. AMLS 평가는 처치 제공자가 이미 평가 및 처치 과정을 보완하기 위해 인체 해부학, 생리학, 병태생리학 및 역학에 대해 광범위한 이해를 하고 있다는 가정을 기반으로 한다. 임상적 추론, 치료적 의사소통 및 임상적 의사 결정 기술은 모두 과거력, 신체검사 결과 및 진단 평가 결과를 통합하여 실제 진단에 도달하는 능력에 영향을 미친다. 적절한 처치를 시행하는 것은 이 평가 정보의 정확성에 달려 있다.

초기 환자 증상은 대부분 미묘하다. 신뢰할 수 있는 판단력은 시기적절하고 효과적인 처치의 핵심이다. 특히 응급 증상이 있는 환자의 경우 대부분의 평가 정보를 병력 청취 중에 얻는다. 환자가 병력을 설명하지 못할 때 처치 제공자는 자기 감각과 경험을 바탕으로 결정을 내린다.

초기 관찰은 출동 정보 또는 병원 전 무선 보고로 시작된다. 현장 또는 상황 평가를 통해 직접적인 상호 작용이 일어나기 전에도 환자의 상태를 미리 볼 수 있다. 병원 전이든 병원 내이든 모든 현장이나 상황에서 안전을 평가한다. 가정환경은 의료 기기, 환경 문제 및 만성 질환의 징후에 대해 평가한다. 해당 현장이 안전하다고 판단되면 처치 제공자는 환자의 감정과 신체 위치, 호흡음 및 호흡 패턴, 색, 냄새와 기타 신체적 특징에 주목한다. 치명적인 문제는 즉시 해결한다. 기도, 호흡, 순환 또는 관류와 관련된 생명을 위협하는 문제를 확인하고 처치하기 위해 일차평가를 진행한다. 이 평가는 몇 초 안에 끝나지만, 신속한 처치가 필요한 응급 상황을 확인할 수 있도록 체계적이고 철저하게 시행한다. 환자가 얼마나 아픈지, 악화할 가능성이 있는지를 포함하여 초기 인상을 결정한다. 상태 악화가 임박한 것으로 보이면 어떤 신체 기관이 영향을 받을 수 있는지 확인한다.

그런 다음 병력 청취를 시행한다. 과거력은 현재 질병(OPQRST) 및 과거 병력(SAMPLER)에 대한 정보를 요청하여 얻는다. 이차평가에서 처치 제공자는 환자의 초기 증상에 임상적 추론을 적용한다. 진단 정보는 맥박산소측정 장비, 혈당 측정기, 실험실 검사, 3-리드 또는 12-리드 ECG 모니터링, $ETCO_2$ 장비를 이용해 측정한 정보를 해석하여 추정 진단을 수정하거나 확인한다. 활력징후, 통증 평가 및 신체검사는 효과적인 진단을 결정하기 위해 감별 진단을 배제하거나 포함하는 데 도움이 된다.

관련 증상을 평가하여 최종 진단의 정확성을 향상하게 시키고 처치를 시행해야 기본 상태를 확인한다. 비응급 상태의 증상을 보이는 환자에게는 집중된 신체검사를 수행한다. 현장 상황 및 이송 시간이 허용되는 경우 최소 의식 수준이 있는 환자에 대해 전신(머리부터 발끝까지) 신체검사를 시행한다.

의사소통, 평가 및 처치의 장벽은 비만 환자, 노인 및 산과 환자와 같은 특별한 문제가 있는 환자에서 발생할 수 있다. 이송 결정은 환자의 상태를 고려하지만, 날씨, 최대 항공기 적재 용량, 이송할 의료기관의 특성 및 가장 적절한 의료기관까지의 거리와 같은 외적인 요소도 고려한다.

모든 수준과 범위의 처치 제공자는 팀으로 협력하여 전문 내과 소생술을 적용하여 내과적 응급 상황이 발생한 환자에 대한 종합적인 평가 및 처치를 제공할 수 있다. 전문 내과 소생술은 환자의 병력 및 현재 상태에 대한 추가 정보가 제공됨에 따라 결론이 지속해서 수정되는 역동적이고 지속적인 평가 과정이다. 이 과정은 현장에서 환자를 의료기관으로 이송하는 동안 효율적이고 정확한 환자 평가 및 처치를 위한 팀워크를 촉진한다.

AMLS 방법은 체크리스트인가?

이 장은 EMS와 공공 안전에서 매일 사용되는 안전장치인 이 기초적인 체크리스트에 대한 성찰로 마무리한다. 체크리스트에 차량에 대한 준비 상태 확인 단계가 포함되어 있든 의료 대응 키트의 내용이 포함되어 있는지에 관계없이 이러한 각 목적에 대한 체크리스트를 사용하는 목표는 동일하다. 즉 무엇이든 필요한 모든 조치를 시행했는지 확인하는 것이다. 국제적으로 유명한 외과의사, 작가, 공중 보건 리더인 아툴 가완디(Atul Gawande) 박사는 수술실에서 체크리스트 사용을 시작했다. 그의 유명한 저서인 Checklist Manifesto에서 가완디 박사는 수술실에서 체크리스트 사용을 승인하기 위한 자신의 연구에 관해 설명한다. 그가 체크리스트 디자인과 기능을 설명하면서 독자에게 두 가지 유형의 체크리스트인 DO-CONFIRM과 READ-DO를 소개한다.

응급 의료 서비스에서 우리는 READ-DO 체크리스트에 가장 익숙하다. 차량 유지 보수, 의료 장비, 출동 장비의 재고관리를 시행하는지 여부와 관계없이 사용자는 일련의 작업을 순차적으로 체크하면서 시행한다. 이 장에서는 전문 내과 소생술 과정이 환자를 평가하고 감별 및 최종 진단을 공식화하여 초기 및 지속적인 처치를 제공하고 환자를 재평가하기 위한 조직화한 반복적인 틀을 제공하는 방법을 자세히 설명했다. 그러나 전문 내과 소생술 과정은 또한 우리의 조치를 검토하고 필수 조치가 간과되지 않았는지 확인하는 도식을 제공한다. 따라서 전문 내과 소생술 과정은 초기 처치가 완료된 후 사용하기 편리한 DO-CONFIRM 체크리스트 역할을 한다. 매우 동일한 틀이 조직적이고 순차적인 처치 단계를 통해 우리를 확실히 이끌 수 있으며 처치가 완료되었는지 확인하기 위한 체크리스트로서 일관된 틀을 제공한다.

시나리오 해결책

- 여러 의사소통 장벽이 효율적인 평가를 방해할 수 있다. 피로와 좌절감으로 인해 청력 문제와 집중력 저하가 있을 수 있다. 이를 위해서는 처치 제공자는 폐쇄형 질문을 사용하고 환자와 딸의 상태를 적극적으로 경청한다. 보조 장치는 관류 결핍을 유발하는 상태임을 나타낼 수 있다. 이 환자는 정확한 병력을 설명하지 못할 수도 있다. 따라서 이 환자의 증상이 치명적인지 확인하려면 효율적이고 철저한 병력 및 신체 평가가 필요다. 현재 이 환자 상태는 잠재적으로 치명적인 것으로 보인다.
- 제공자는 울혈심부전, 장폐색, 뇌졸중, 탈수 및 영양 문제, 낙상이나 학대로 인한 머리 손상 또는 타박상, ST분절 상승 심근경색 또는 심장 리듬 변화를 조사해야 한다.
- 평가에는 현재 상태와 지난주 주요호소 증상 이후 변경 사항을 기록하기 위한 철저한 OPQRST 및 SAMPLER 검사와 운동/감각 및 동공 상태를 포함하는 신경학적 검사가 포함되어야 한다. 집중 신체검사는 폐 또는 전신 부종을 평가한다. 호흡, 심장 및 장음 청진을 수행한다. 혈당, 맥박산소측정, 심전도 및 파형 호기말이산화탄소측정의 진단 평가를 수행한다.
- 환자 상태가 안정적이거나 악화하는지를 판단하기 위해서는 의료기관으로 이송 중에 재평가가 필수이다.
- 처치 제공자는 환자의 상태가 급격히 악화하는 것을 고려하고 평가 및 관리에 대한 조직적이고 체계적인 접근이 필수적이다. 이 환자의 여러 기본 진단은 노인의 모든 신체 시스템의 효율성 감소로 인한 우려 사항이다. 대사율 변화, 혈관 탄력 감소, 골관절염, 느린 반사 및 감소한 신경 전달 물질 활동은 모두 노인의 신체 시스템의 효율성 감소로 이어진다. 호흡기, 심혈관 및 신경학적 평가는 감별 진단과 궁극적으로 실제 진단을 결정하는 데 중요하다. 전문 내과 소생술은 역동적이고 유연하지만, 어려운 증상이 있는 환자의 체계적이고 포괄적인 평가를 위한 도구를 제공할 수 있다.

요약

- 전문 내과 소생술 평가는 환자 결과 개선을 목표로 다양한 내과적 응급 상황을 조기에 인식하고 처치를 시행할 수 있는 구조이다.
- 환자의 병력, 신체검사, 위험인자, 주요호소 증상, 주요 소견은 감별 진단을 제시하는 데 도움이 된다.
- 치료적 의사소통 기술, 예리한 임상 추론 능력 및 전문적인 임상 의사 결정은 전문 내과 소생술 평가의 기초이다.
- 환자 평가 및 처치는 사회적, 언어적, 행동적 또는 심리적 장벽으로 인해 방해받을 수 있다.
- 효과적인 임상 추론을 위해서는 관련 과거 병력 및 진단 정보를 수집하고 구성하여 관련이 없거나 불필요한 정보를 필터링하고 유사한 경험을 반영하여 작업 진단 및 처치의 우선순위를 효율적으로 결정한다.
- 임상 추론은 과거 병력과 진단 검사 결과 사이의 다리 역할을 하므로 처치 제공자가 근본적인 병인에 대한 추론을 끌어내 감별 진단을 할 수 있다.
- 환자 증상의 효율적인 평가 및 처치를 시행할 때 어려움은 의료 지식과 경험 수준 및 처치 제공자의 진료 가능 범위와 관련이 있다.
- 임상 의사 결정은 진단 데이터 및 평가 결과를 경험과 근거 기반 권장 사항과 환자 결과를 개선할 수 있는 능력이다.
- 일차평가는 환자의 의식 수준, 기도, 호흡, 순환, 관류 상태와 관련된 치명적인 응급 상황을 확인하고 처치하는 것으로 구성된다.

요약 (계속)

- 응급 또는 위독한 환자는 혈 역학적으로 불안정하고 "아프고", 의식 수준이 감소하고 쇼크 징후 및 증상, 심한 통증 및 호흡 곤란이 있는 환자이다.
- 현장 관찰과 환자의 초기 증상에서 얻은 정보는 제공자의 감각을 추가해 구체화할 수 있다.
- 신체검사는 주요호소증상 또는 초기 증상과 관련된 집중 검사 또는 전신 머리부터 발끝까지 검사가 될 수 있다.
- 모든 처치 제공자는 환자를 위한 이송의 이점과 위험에 대해 잘 알고 있어야 한다.
- 야생 의학은 환경적 요인, 장시간 걸리는 구조 또는 제한된 자원으로 인해 처치가 제한되는 상황에서의 내과적 처치이다.

주요 용어

AMLS 평가 과정(Advanced Medical Life Support (AMLS) assessment pathway): 평가 기반 접근 방법을 사용하여 감별진단을 결정하고 광범위한 응급의료 상황을 효과적으로 관리함으로써 이환율 및 사망률 감소를 지원하는 신뢰할 수 있는 근거이다.

평가 기반 환자 관리(assessment-based patient management): 환자의 기본적인 설명, 병력, 진단 및 신체검사 결과 그리고 환자를 진단하고 치료하는 의료 전문가로서 자신의 비판적인 사고 능력

혈압(blood pressure): 혈액이 동맥벽에 가하는 압력이다.

임상적 의사 결정(clinical decision making): 평가 결과 및 테스트 데이터를 경험 및 증거 기반 권장 사항과 통합하여 가장 적절한 치료에 대한 결정을 내리는 능력

임상적 추론(clinical reasoning): 정확한 진단을 내리고 적절한 치료를 시작하기 위해 올바른 판단과 임상 경험을 결합하는 AMLS 평가 과정을 뒷받침하는 두 번째 개념적 구성 요소이다. 이 과정은 제공자가 임상 지식에 대한 강력한 기반을 가지고 있다고 가정한다.

감별진단(differential diagnosis): 환자가 기본적으로 설명 가능한 원인

초기 환자 설명(initial patient presentation): 환자의 주요 징후 또는 증상으로 종종 환자의 주요 불만이 동반되지만, 무의식 또는 질식과 같은 객관적인 소견일 수 있다.

패턴 인식(pattern recognition): 과거의 지식과 경험을 바탕으로 데이터를 인식하고 분류하는 과정이다.

약동학(pharmacokinetics): 약물의 흡수, 분포, 대사 및 배설

일차 평가(primary survey): 생명을 위협하는 상태를 식별, 관리하고 추가 평가, 치료 및 이송을 위한 우선순위를 정하기 위해 기도, 호흡, 순환 및 관류 상태를 초기에 평가하는 과정이다.

맥압(pulse pressure): 수축기 혈압과 확장기 혈압의 차이. 정상 맥박압은 30~40mmHg이다.

이차평가(secondary survey): 추가로 긴급 및 응급 상황을 확인하고 처치 계획을 수정하기 위해 사용되는 환자의 병력, 신체검사, 활력징후 및 진단 정보에 대한 심층적이고 체계적인 평가이다.

징후(signs): 의료 전문가가 관찰, 느낌, 보고, 듣고, 만지거나 냄새를 맡는 객관적인 증거이다.

증상(symptoms): SAMPLE; 환자가 느끼는 것, 예를 들면 메스꺼움과 같은 느낌이나 경험한 것을 나타내는 주관적인 인식

치료적 의사소통(therapeutic communication): 의료 제공자가 효과적인 의사소통 기술을 사용하여 환자와 환자의 상태에 대한 정보를 얻는 의사소통 과정이다. 여기에는 참여, 공감, 교육 및 기간이라는 네 가지 E의 사용이 포함된다.

추정 진단(working diagnosis): 환자의 상태에 대한 추정된 원인은 질병을 확실하게 진단하기 위해 추가 진단 검사를 수행하면서 지금까지 얻은 모든 평가 정보를 평가하여 도달할 수 있다.

참고 문헌

Aehlert B: *Paramedic practice today: above and beyond*. St. Louis, MO, 2009, Mosby.

American Academy of Orthopaedic Surgeons, American College of Emergency Physicians, University of Maryland, Baltimore County: *Critical care transport*, ed 2. Burlington, MA, 2018, Jones & Bartlett Learning.

American Academy of Orthopaedic Surgeons: *Emergency care and transportation of the sick and injured*, ed 11. Burlington, MA, 2017, Jones & Bartlett Learning.

American Academy of Orthopaedic Surgeons: *Nancy Caroline's emergency care in the streets*, ed 8. Burlington, MA, 2018, Jones & Bartlett Learning.

Centers for Disease Control and Prevention: *Guide to infection prevention for outpatient settings: minimum expectations for safe care*. www.cdc.gov/HAI/pdfs/guidelines/Outpatient-Care-Guide-with Checklist.pdf

Croskerry P: From mindless to mindful practice—cognitive bias and clinical decision making. *N Engl J Med. 368*(26): 2445–2448, 2013. doi:10.1056/NEJMp1303712

Donohue D: Medical triage for WMD incidents: An adaptation of daily triage. *JEMS*. 33(5), 2008. http://www.jems.com/article/major-incidents/medical-triage-wmd-incidents-i

Edgerly D: *Assessing your assessment*. www.jems.com/news_and_articles/columns/Edgerly/Assessing_Your_Assessment.html, January 23, 2008.

Gawande A: *The checklist manifest: How to get things right*. New York, NY, 2010, Metropolitan Books; Henry Holt and Company.

Gladwell M: *Blink: The power of thinking without thinking*. New York, NY, 2005, Little, Brown and Co.

Hamilton G, Sanders A, Strange G, et al: *Emergency medicine: An approach to clinical problem-solving*, ed 2. Philadelphia, PA, 2003, Saunders.

Kahneman D: *Thinking fast and slow*. New York, NY, 2011, Farrar, Straus and Giroux.

Marx J, Hockberger R, Walls R, Eds: *Rosen's emergency medicine: concepts and clinical practice*, ed 5. St. Louis, MO, 2002, Mosby.

Mock K: Effective clinician–patient communication. *Physician's News Digest*. 1–6, 2001.

National Highway Traffic Safety Administration: *Drug and human performance fact sheets*. https://one.nhtsa.gov/About-NHTSA/Traffic-Techs/current/Drugs-and-Human-Performance-Fact-Sheets. July 2005.

Occupational Safety and Health Administration: *General description and discussion of the levels of protection and protective gear*, Standard 1910.120, App B. https://www.osha.gov/laws-regs/regulations/standardnumber/1910/1910.120ApPB

Occupational Safety and Health Administration: *Toxic and hazardous substances: Bloodborne pathogens*, Standard 1910.1030. www.osha.gov/pls/oshaweb/owadisp.show_document?p_table=STANDARDS&p_id=10051

Ogden CL, Carroll MD, Kit BK, et al.: Prevalence of childhood and adult obesity in the United States, 2011–2012. *JAMA*. 311(8):806–814, 2014. doi: 10.1001/jama.2014.732.

Pagana K, Pagana T: *Mosby's diagnostic and laboratory test reference*. St. Louis, MO, 1997, Mosby.

Paramedic Association of Canada: *National occupational competency profile for paramedic practitioners*. Ottawa, Canada, 2001, The Association.

Saposnik G, Redelmeier D, Ruff CC, et al.: Cognitive biases associated with medical decisions: a systematic review. *BMC Med Inform Decis Mak*. 16(1):138, 2016. doi:10.1186/s12911-016-0377-1

Urden L: *Priorities in critical care nursing*, ed 2. St. Louis, MO, 1996, Mosby.

U.S. Department of Transportation National Highway Traffic Safety Administration: *EMT-paramedic national standard curriculum*. Washington, DC, 1998, The Department.

U.S. Department of Transportation National Highway Traffic Safety Administration: *National EMS education standards*, Draft 3.0. Washington, DC, 2008, The Department.

Woolever D: The art and science of clinical decision making. *Fam Prac Manag*, 15(5):31, 2008. Retrieved from https://www.aafp.org/fpm/2008/0500/p31.html

© Ralf Hiemisch/Getty Images

CHAPTER 2

호흡기 질환

이 장에서는 호흡계의 해부학적 구조와 기능에 관해 설명하고 호흡기 호소 증상을 유발하는 일반적인 질병과 상태에 관해 설명한다. 더 중요한 것은 처치 제공자가 자신의 지식을 환자 평가에 적용하고 병리학적 상태가 존재하는지 여부를 결정하며 몇 가지 그럴듯한 진단 중에 상태의 원인을 확인하고 환자에게 최선의 처치 계획을 선택하기 위해 임상적 추론을 적용할 것이다. 또한, 호흡하는 데 불편함을 호소하는 환자를 모니터링하고 처치하기 위한 몇 가지 중요한 절차를 검토한다.

학습 목표

이 장을 마치면 다음을 수행할 수 있다.

- 호흡기 질환을 동반하는 질병 및 상태의 해부학, 생리학, 병태생리학과 전형적인 임상 증상을 설명할 수 있다.
- 호흡기 증상이 있는 환자로부터 자세히 병력 청취하는 방법을 설명할 수 있다.
- 호흡기 증상이 있는 환자를 전문 내과 소생술을 이용하여 종합적인 신체검사를 할 수 있다.
- 초기 인상을 형성하고 환자의 병력과 증상 및 징후를 기반으로 가능한 감별 진단 목록을 작성할 수 있다.
- 적절한 진단 검사를 요청하거나 추천하고 그 결과를 진단에 적용할 수 있다 .
- 호흡기 응급 증상 및 징후를 호소하는 환자를 안정시키고 처치하는 데 필요한 중요한 절차를 확인할 수 있다.
- 각 상태의 전반적인 처치를 위해 증거 기반의 지침을 따른다.
- 환자에 대한 지속적인 평가를 제공하고 처치에 대한 환자의 반응을 토대로 임상적 진단과 처치 전략을 수정한다.

시나리오

57세 남자가 인후통을 호소증상으로 내원하였다. 당신이 그에게 인사할 때 그가 아파 보인다는 것을 알 수 있다. 그의 눈은 충혈되어 있고 그는 계속해서 가래를 내뱉는다. 그는 작은 목소리로 오늘부터 증상이 시작됐다고 이야기한다. 그는 아프고 오한이 있으며 귀와 아랫니에 통증이 있다고 한다. 그는 제 II 형 당뇨병과 고혈압 병력이 있다. 내원 시 초기 활력 징후는 혈압 104/72mmHg, 맥박수 124회/분, 호흡수 20회/분, 체온은 39.4℃이었다. 환자를 계속 평가하는 동안 그는 더 불안해하고 초조해진다. 그가 숨을 들이쉴 때 고음의 소음이 들린다.

- 현재 가지고 있는 정보를 바탕으로 당신은 지금 어떤 감별 진단을 고려하고 있는가?
- 감별 진단의 범위를 좁히려면 어떤 추가 정보가 필요한가?
- 환자 처치 계속할 때 초기 처치의 우선순위는 무엇인가?

호흡계의 기능은 체내에 산소를 공급하고 이산화탄소를 제거하는 것이다. 이 과정이 중단되면 신체의 중요한 기관이 제대로 기능하지 않는다. 처치 제공자는 기도 문제의 조기 발견, 신속하고 효과적인 처치, 기도 또는 호흡 장애가 있는 환자에 대한 지속적인 재평가의 중요성을 이해한다.

호흡계: 해부학

호흡계는 호흡을 통해 공기 교환을 쉽게 하는 구조로 구성되어 있다. 호흡의 두 가지 주요 기능은 혈액 세포의 산소 공급을 위한 공기 흡입과 이산화탄소 배출이다. 이 과정은 생명 유지에 매우 중요하며 들숨 동안 공기를 데우고 여과하며 가습시켜 폐로 전달한 다음 날숨 동안 빠르게 제거하도록 설계된 일련의 도관을 포함한다.

호흡계는 상기도와 하기도로 나눌 수 있다(**그림 2-1**). 상기도는 성대위의 모든 구조(코, 입, 턱, 입안 및 인두)를 포함하고 하기도는 성대 아래 구조물(외부적으로 네 번째 목뼈부터 칼돌기까지, 내부적으로 성문부터 폐모세혈관막까지)로 구성된다. 호흡계 구조의 대부분은 가슴안에 있으며 심혈관 및 위장관 구조와 공간을 공유한다. 흉통, 기침, 호흡곤란, 질식감 등을 호소하는 환자는 이러한 증상 중 하나를 경험할 수 있어 진단과 처치가 더욱 복잡해진다.

상기도

상기도의 주요 기능은 공기가 코와 입을 통해 신체로 들어갈 때 따뜻하게 하고 여과하며 가습하는 것이다. 가습은 공기가 기도의 연부조직에서 수분을 흡수할 때 이루어진다. 인두는 코와 입에서 식도와 기도로 이어지는 관이다. 입을 통해 후두를 통과하는 공기는 코안을 통과하는 공기만큼 습하지 않지만, 환기에 기여한다.

코안

코안은 다음과 같은 구조를 포함한다.

- 콧구멍
- 코선반을 포함(코안의 측면에서부터 연장된 곡선형 골판 또는 선반으로 코안 점막의 표면적을 증가시켜 흡인된 공기의 가온, 여과, 가습의 과정이 이루어진다.)
- 코인두는 얼굴뼈에 의해서 형성

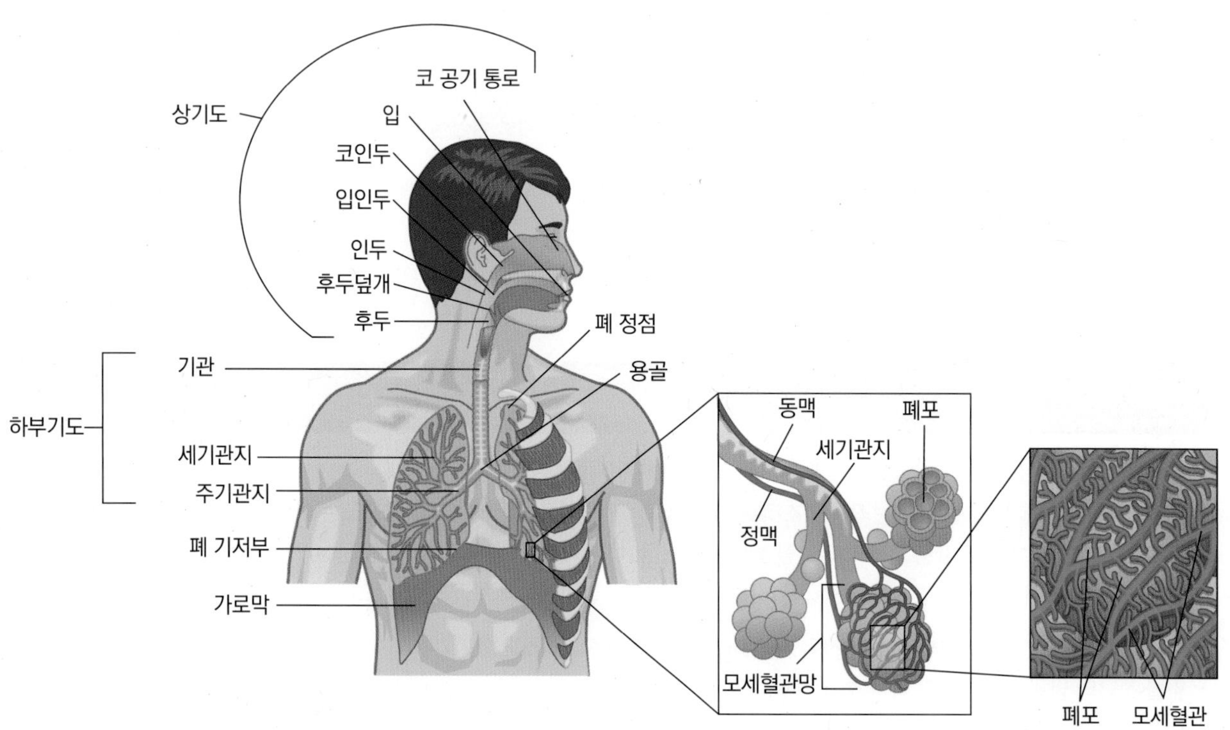

그림 2-1. 상기도와 하기도에는 호흡을 돕는 신체 구조가 있다.

코안은 몇 가지 중요한 역할을 한다. 흡인된 공기를 가습하고 가온하여 하부 점막을 보호한다. 점액을 생성하는 세포는 코인두를 둘러싸고 공기 중 큰 입자를 포착하여 하부기도 감염을 예방한다. 또한, 코인두는 공명실 역할을 하여 목소리에 음색과 음높이를 부여한다.

코안의 광범위한 혈관화와 코의 취약한 위치로 인해 코 출혈이 흔하게 발생한다. 충혈은 일반적으로 중격의 연골 부분을 덮고 있는 점막의 혈관을 포함한다. 코 출혈의 가능한 원인에는 외상, 건조, 감염, 알레르기 또는 응고 장애 등이 있다. 고혈압은 고유판의 작은 혈관을 파열시켜 코피를 유발할 수 있다.

인두와 입안

환기에만 관여하는 것은 아니지만, 입의 구조(입술, 치아, 잇몸, 혀, 침샘)는 저작 및 음성 생성 기능을 한다. 흡입된 공기는 입안을 통과하여 인두에 도달한 다음 혀의 기저부에 있는 하인두에 도달한다(그림 2-2). 이 부위에는 감염을 막아주는 편도, 림프조직으로 구성되어 있다. 하인두 바로 아래에는 후두개가 있으며 삼키는 동안 연골피판이 기관을 덮고 있다. 이 피판은 일반적으로 열려있다가 액체 또는 음식물 삼킬 때 무의식적으로 닫음으로써 흡인으로부터 기도를 보호한다. 의식이 없는 환자의 경우 이러한 반사작용이 종종 없어 흡인할 위험에 처하게 된다. 이러한 흡인은 위 내용물의 양과 산성도와 그에

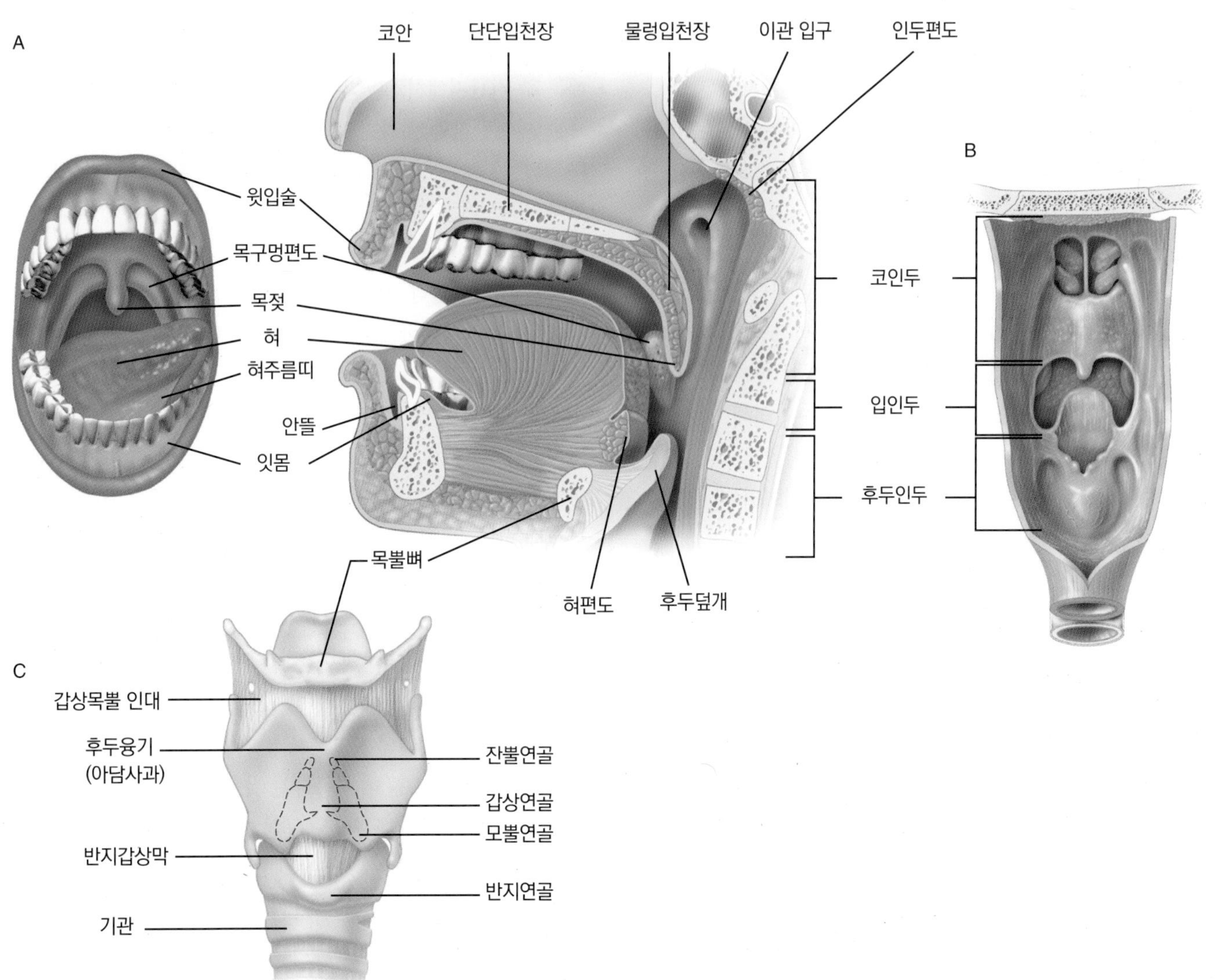

그림 2-2. A. 입안 B. 후두 C. 인두

따른 감염으로 인해 생명을 위협할 수 있다.

후두개 아래에는 3개의 성문 구조가 있다.

1. 갑상연골
2. 성대를 지지하는 데 도움이 되는 모뿔연골
3. 거짓성대와 진성대는 성문을 부분적으로 덮고 있는 움직이는 구조로 앞뒤로 움직여 기본 소리를 만들어 내고 인두와 코인두에 의해 조정된다. 거짓성대는 섬유질 결합 조직으로 구성되어 있으며 진성대에 부착되어 있고 진성대는 미세한 인대 조직으로 구성된다. 두 개의 진성대와 성인 기도의 가장 좁은 부분 사이의 공간을 성문이라고 한다.

하부기도

하기도의 기능은 산소와 이산화탄소를 교환하는 것이다. 공기가 하기도로 들어가면(그림 2-3) 기관과 기관지를 거쳐 폐로 들어가 세기관지를 지나 마지막으로 가스 교환이 일어나는 작은 주머니인 폐포에 도달한다.

기관

기관 또는 기도는 폐로 공기가 들어가는 도관이다. 기관은 일련의 C자 모양의 연골 고리로 지지가 되는 막 모양의 관이다. 기관은 원형의 연골 구조가 있는 유일한 고리인 반지연골 아래에서 시작된다. 반지연골 아래에는 작은 근육에 의해 후방으로 연결된 연속적인 고리가 있어 이완 및 수축 시 연골의 지름을 결정하는 데 도움이 된다. 이 구조는 심한 기침이나 기관지 수축으로 기관이 허탈되는 것을 방지한다.

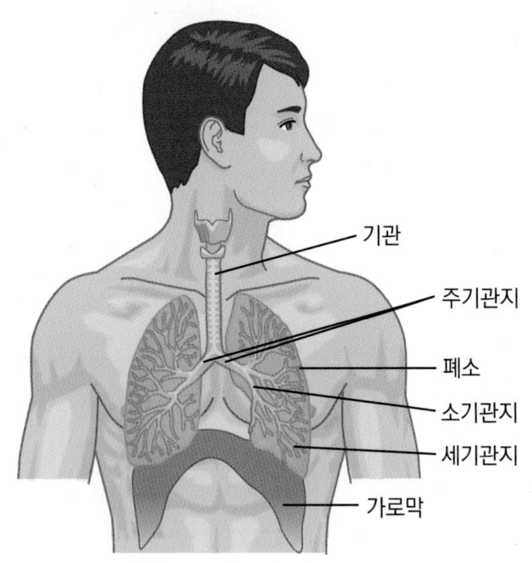

그림 2-3. 기관과 폐(하기도 구조)

기관은 용골 높이에서 오른쪽, 왼쪽 주기관지로 나뉜다. 기관지는 각 폐에 대한 유일한 환기원이다. 오른쪽 주기관지가 왼쪽보다 더 직선적이고 지름이 커서 흡인되거나 부적절하게 삽관될 가능성 높다. 따라서 기관내관을 너무 깊게 넣으면 종종 오른쪽 주기관지로 삽입된다. 이것은 왼쪽 폐가 호흡할 수 있는 능력을 심각하게 제한하고 용량을 감소시킨다. 이 기관지는 또한 작은 근육으로 뒤쪽에 연결된 C자 모양의 고리로 구성되어 있다. 기관과 주기관지는 원주상피가 줄지어 있어 가습을 제공하고 점액을 분비하여 해로운 입자로부터 하기도를 보호한다. 섬모라고 하는 미세한 털이 점액을 옮기는 데 도움을 주고 갇힌 입자를 호흡기로 이동시켜 기침과 가래로 배출되도록 돕는다.

폐

폐는 주 기관지에서 일련의 더 작은 기관지로 분기되고 그다음으로 세기관지와 세기관지, 폐포를 포함하는 구조로 되어 있다. 오른쪽 폐는 상엽, 중엽, 하엽의 세 가지 엽으로 구성되어 있다. 왼쪽 폐는 가슴속 공간을 심장과 공유하며 상엽과 하엽으로 구성된다. 이 엽은 내장가슴막이라고 하는 얇고 미끄러운 외막으로 덮여있다. 벽가슴막은 가슴 안 내부를 따라 받치고 있다. 가슴막 사이에 소량의 액체가 있어 호흡 중에 마찰을 감소시킨다.

폐에 들어가면 각 기관지는 점점 더 작은 기관지로 나뉘며 일차, 이차, 삼차세관지로 세분된다. 이 점점 더 작아지는 세기관지는 효과적인 환기를 위해 흡입된 공기를 폐의 모든 영역으로 배분한다. 세기관지는 다양한 자극에 반응하여 팽창하거나 수축할 수 있다. 더 작은 세기관지는 결국 폐포 하나의 두꺼운 작은 세포로 이루어진 작은 주머니에서 끝나므로 가스 교환(호흡)이 발생한다. 건강한 폐에는 수백만의 폐포가 존재하며 포도송이같은 모양을 형성한다. 가스 교환은 폐 모세혈관에서 폐포를 분리하는 몇 개의 세포층에서 일어난다. 산소가 혈액으로 이산화탄소가 폐로 상호 이동하는 것을 호흡이라고 한다. 가스가 폐포를 떠나면서 폐포벽을 구성하는 세포의 단일층을 통과하고 간질 조직의 얇은 층을 통과하여 마지막으로 모세혈관벽의 단일 세포층을 통과한다. 이 세포층의 두께가 증가하면 호흡이 심각하게 위험해질 수 있다.

폐포는 폐포를 둘러싸고 있는 간질 조직의 결합조직에 의해 개방된 상태를 유지한다. 계면활성제라고 불리는 화학물질이 폐포 내벽을 코팅하여 이 작은 주머니를 개방된 상태로 유지하는 것을 돕는다. 계면활성제는 표면장력을 감소시키고 호기 시 폐포가 붕괴하는 것을 방지하는 화학물질이다. 미숙아는 계면활성제가 부족해서 심각한 호흡기 문제를 일으킬 수 있다. 그러나 환자 나이와 관계없이 정상적인 양의 계면활성제와 적절한 결합조직 지원으로도 폐포가 붕괴하거나 무기폐를 예방할 수 없다. 무기폐는 얕은 호흡, 감염, 외상, 염증으로 인해 이차적으로 발생하며 한숨이나 하품으로 역전될 수 있다. 무기폐는 폐렴의 주요 위험 요소이다.

근골격계의 호흡 지원

뼈, 근육, 결합조직은 환기에 필수적인 기능을 한다. 이러한 구조의 지원 없이는 효과적인 환기가 불가능하다. 근골격계의 구조적 지지는 연골 기관부터 환기에 필요한 압력을 유지하는 가슴의 뼈 구조에 이르기까지 다양하다.

환기의 주요 근육은 가슴과 복부를 분리하는 두꺼운 근육인 가로막이다. 가슴벽 근육과 함께 가로막의 수축은 공기를 폐로 끌어들이는 데 도움이 된다. 가로막은 자발적 및 비자발적인 움직임이 가능하다. 숨을 깊이 들이마시거나 기침을 하거나 숨을 참을 때 수의근처럼 작용한다. 당신은 호흡하는 방식으로 이러한 변화를 조절한다. 그러나 다른 골격근이나 수의근과 달리 가로막은 자동 기능을 수행한다. 호흡은 잠자는 동안 그 외에도 항상 이루어진다. 숨을 참거나 일시적으로 더 빠르거나 느리게 호흡할 수 있다 하더라도 이러한 호흡 양상의 변화를 무한정 계속할 수는 없다. 이산화탄소 농도가 높아지면 호흡의 자동 조절이 재개된다. 따라서 가로막은 자발적인 골격근 움직임을 보이지만, 대부분은 불수의근처럼 행동한다. 가로막은 가로막의 수축 및 이완하도록 신호를 보내는 가로막 신경의 지배를 받는다. 가로막 신경은 뇌줄기에서 시작하여 3번 목뼈, 4번 목뼈 그리고 5번 목뼈 높이에서 나온다. 특히 외상으로 인해 이러한 높이의 목뼈에 손상을 입으면 치명적인 무호흡을 유발할 수 있다.

가슴우리는 폐를 포함한 가슴안의 구조물을 지지하고 보호한다. 이 구조는 환기를 위한 가슴내 압력 변화를 수월하게 한다. 갈비뼈, 복장뼈, 등뼈가 보호 골격을 형성한다(그림 2-4). 가슴안의 장기를 보호하는 것 외에도 갈비뼈는 들숨과 날숨에 필요한 압력을 생성하는 데 도움을 준다(그림 2-5). 환기 및 호흡을 지원하는 해부학적 구조는 심장, 대정맥, 대동맥, 폐동맥, 가슴림프관을 비롯한 여러 다른 중요한 구조와 가슴안 공간을 공

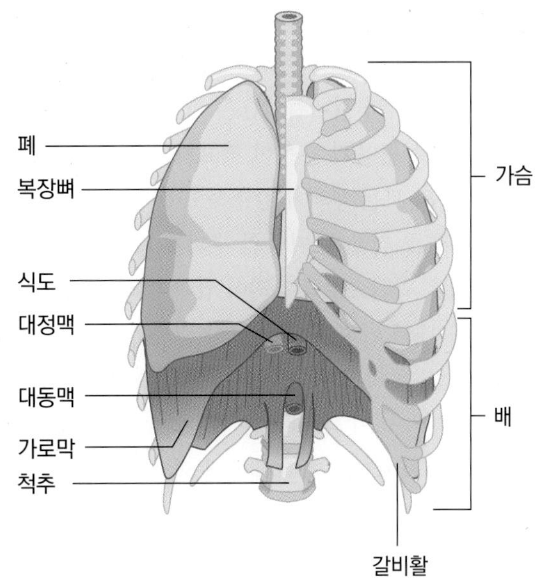

그림 2-4. 가슴우리. 돔 모양의 가로막에 의해 가슴과 배를 나눈다. 가로막은 대혈관과 식도에 의해 관통되어 있다.

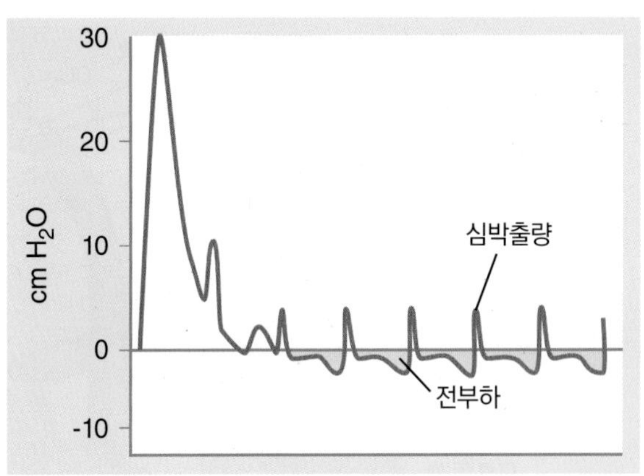

그림 2-5. 가슴안의 음압은 더 많은 혈액이 심장으로 돌아가고 수축기 동안 심실이 수축할 수 있도록 한다.

유한다. 이러한 혈관 구조는 산소가 공급된 혈액을 조직으로 순환시키고 산소가 제거된 혈액을 폐로 되돌려 림프 교환 및 이산화탄소와 같은 폐기물을 제거한다.

갈비사이근은 호흡 보조 근육으로 간주하며 가로막이 호흡에 필요한 압력 변화를 생성하는 데 도움을 준다. 다른 보조 근육으로는 복부와 가슴근육이 포함된다. 가슴벽의 근육은 갈비사이 신경에 의해 지배를 받는다. 가로막이 수축하면 약간 아래로 이동하여 가슴우리를 위에서 아래로 확장한다. 외부 갈비사이 근육이 수축하면 갈비뼈를 위아래로 움직인다. 이러한 동작은 모든 차원에서 가슴안을 확대하기 위해 결합한다. 그 후 가슴안의 압력이 떨어져 대기압보다 낮아지고 공기가 폐로 유입

된다. 이것은 공기가 폐로 빨려 들어가기 때문에 음압 호흡이라고 한다. 이 순환은 활동적이어서 근육이 수축해야 한다.

날숨 동안에 가로막과 갈비사이근은 이완된다. 들숨과 달리 날숨은 일반적으로 근육의 운동이 필요하지 않다. 이 근육이 이완되면서 가슴의 모든 부피가 감소하고 갈비뼈와 근육은 정상적인 휴식 자세를 취한다. 가슴의 부피가 감소하면 폐에 있는 공기는 더 작은 공간으로 압축되어 압력이 대기압보다 높아진다. 폐와 기도 내의 압력인 폐 내압이 증가하여 공기가 기관을 통해 밖으로 밀려 나온다. 이러한 호흡 순환은 수동적으로 이루어진다. 날숨은 대기 내 압력과 가슴막 속의 압력이 같아지면 끝나고 이 시점에서 공기는 폐에서 외부로 유출되는 것을 멈춘다.

호흡 과정은 일반적으로 쉽고 약간의 근육 노력이 필요하다. 환자가 호흡을 위해 보조 호흡근을 사용하고 있다는 것을 알게 되면 호흡기 손상이나 임박한 호흡부전이 발생할 수 있다는 것을 알고 감별진단에 포함한다.

심장은 순환계의 주요 펌프이며 심장의 적절한 기능은 신체에 혈액과 산소를 공급하는 데 매우 중요하다(그림 2-6). 산소가 제거된 혈액은 위대정맥과 아래대정맥을 통해 심장으로 돌아온다. 위대정맥은 머리, 팔, 상체로부터 돌아온 혈액을 회수하고 아래대정맥은 하체로부터 돌아온 혈액을 회수한다. 산소가 제거된 혈액은 대정맥을 통해 우심방으로 들어오고 우심실로 이동하여 폐동맥으로 들어간다. 폐동맥은 오른쪽과 왼쪽 폐동맥으로 분기되어 폐로 흘러 들어간다. 산소화된 혈액은 폐정맥을 통해서 심장과 좌심방으로 들어온다. 이것이 체내에 유일하게 동맥이 탈산소화된 혈액을 운반하고 정맥이 산소화된 혈액

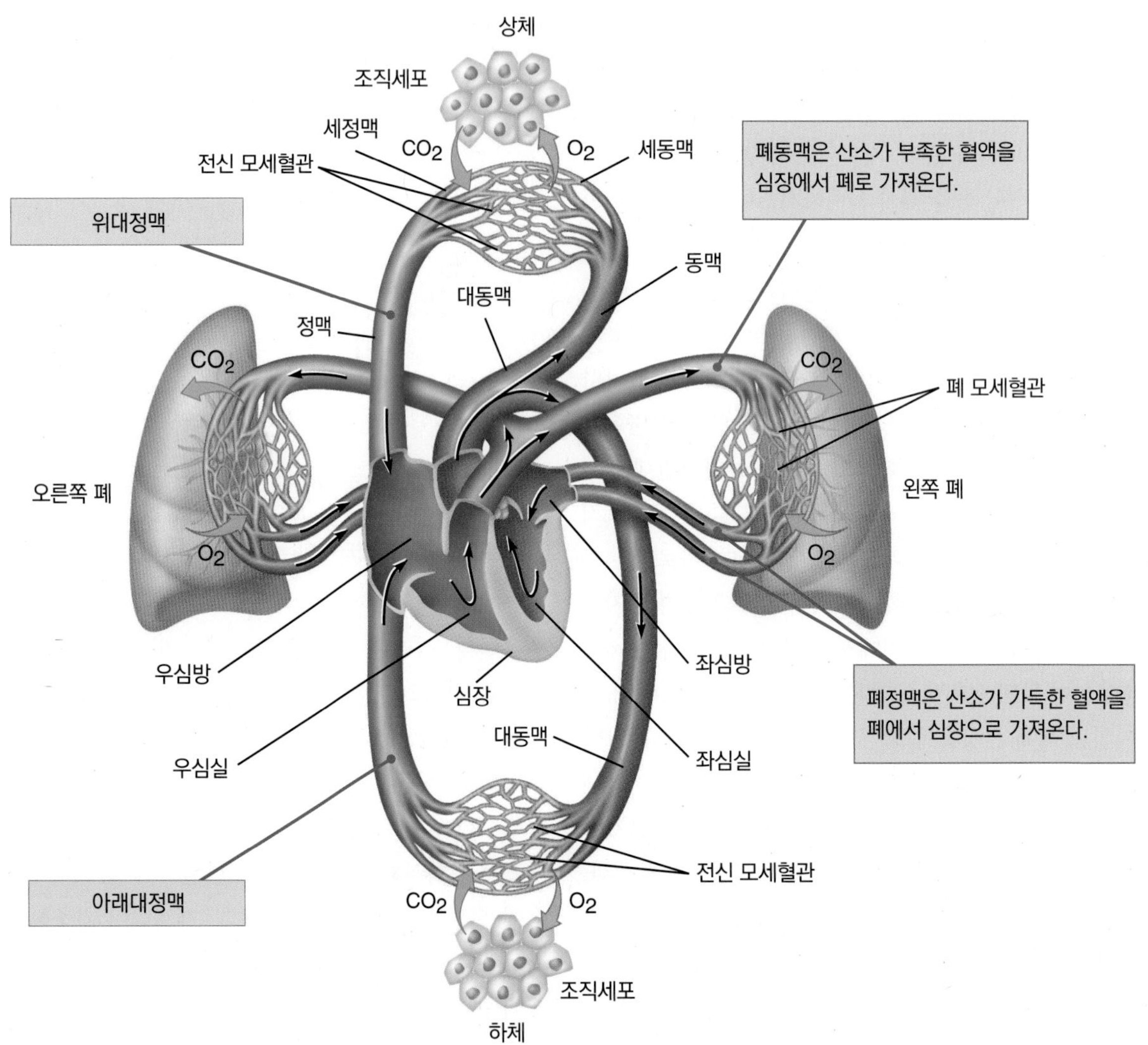

그림 2-6. 순환계에는 심장, 동맥, 정맥 및 서로 연결된 모세혈관이 포함된다. 모세혈관은 세정맥과 세동맥을 연결하는 가장 작은 혈관이다. 심장이 이 시스템의 중심에 있고 강력한 힘을 제공한다.

을 운반하는 신체의 유일한 곳이다.

왼쪽 가슴 위쪽에 있는 가슴림프관은 신체에서 가장 큰 림프관이다. 가슴림프관은 정맥을 통해 흡수되지 않은 다리와 복부의 과도한 체액을 대정맥으로 되돌려 보낸다. 반환되는 림프액의 양은 정맥을 통해 흐르는 혈액량에 비해 적지만, 그렇지 않으면 액체가 다리에 고이게 되므로 림프액의 배출이 중요하다.

호흡계: 생리학

호흡계의 주요 기능은 호흡 즉 폐포모세혈관막에서 가스교환이다. 호흡과 환기는 신경, 감지기, 호르몬의 복잡한 상호작용에 의해 조절된다. 신체 내의 이산화탄소 농도가 일차적인 호흡 조절 인자이다. 이산화탄소는 대사의 주요 노폐물이다. 대사는 당분과 다른 영양소를 신체 세포에서 사용하기 위해 에너지로 분해하는 과정이다. 높은 이산화탄소 농도는 이 신진대사를 담당하는 세포 조직을 손상한다. 유산소대사는 산소를 이용하여 포도당을 에너지로 전환하는 기본 과정이다. 이 과정은 효율적이지만, 세포가 자원을 비축할 수 없기 때문에 산소와 포도당의 지속적인 공급에 의존한다.

산소가 공급되지 않으면 무산소대사에 의존하여 세포가 소량의 에너지를 생성할 수 있지만, 부산물로 젖산과 탄산 같은 과도한 산을 방출한다. 이 과도한 산은 탄산-탄산수소염 완충 시스템에 의해 제거되어야 하며 그렇지 않으면 산증이 발생한다. 그러나 종종 손상된 산소 전달이 순환을 손상하고 산이 축적되어 세포 손상이나 조직 사멸을 일으키는 동일한 문제가 발생한다.

공기가 외부로부터 호흡기로 들어갈 때 감염의 가능성은 항상 존재하지만, 신체는 효율적으로 이 위협에 대응할 수 있다. 호흡계는 질병을 일으키는 유기체(병원체)가 상부 호흡기로부터 유입되어 폐포에 도달하는 것을 막기 위한 몇 가지 방법이 있다.

병원체가 피부(손상 및 감염에 대한 일차 보호벽 역할)를 우회하여 호흡기를 통해 신체로 침입하면 기관내 상피세포의 내층이 감염에 대한 이차 장벽 역할을 한다. 상피는 점액을 분비하는 술잔세포로 구성된다. 끈적한 점액이 침입자를 가로막는다. 다른 세포에는 미세한 섬모가 있어 기침을 통해 배출할 수 있도록 점액을 상기도로 이동시키는 데 도움을 준다. 점액은 면역글로불린 A(IgA)라는 면역 항체도 포함되어 있다. 면역글로불린 A는 체액으로 분비되어 병원성 유기체에 결합하여 백혈구가 이를 인식하고 파괴할 수 있게 한다.

하기도에서 백혈구는 세포 경계 사이를 압박하여 폐포와 세기관지에 물리적으로 들어갈 수 있다. 백혈구는 상기도의 점액으로 운반되지 않은 작은 입자의 병원체를 공격한다. 이 백혈구는 종종 점액을 통해 가래로 배출되고 특정 종류의 호흡기 감염 환자에서 가래의 황록색을 띠기도 한다.

호흡

사람이 숨을 쉴 때마다 폐포는 산소가 풍부한 공기를 공급받는다. 산소는 폐모세혈관의 미세한 네트워크로 전달되며 폐포와 밀접하게 접촉한다. 폐의 모세혈관은 폐포의 벽에 있다. 모세혈관과 폐포의 벽은 매우 얇다. 따라서 폐포의 공기와 모세혈관의 혈액은 두 개의 매우 얇은 조직층으로 분리된다.

산소와 이산화탄소는 확산에 의해 이 얇은 조직층을 빠르게 통과한다. 확산은 분자의 농도가 높은 곳에서 농도가 낮은 곳으로 이동하는 수동적인 과정이다. 혈액보다 폐포에 더 많은 산소 분자가 있다. 따라서 산소 분자는 폐포에서 혈액으로 이동한다. 흡인한 공기보다 혈액에 더 많은 이산화탄소 분자가 있으므로 이산화탄소는 혈액에서 폐포로 이동한다.

호흡의 화학적 통제

뇌 또는 더 구체적으로는 뇌줄기의 호흡 중추는 호흡을 조절한다. 이 부위는 신경계에서 가장 보호되는 부위 중 하나이며 머리뼈 깊숙한 곳에 있다. 뇌는 혈액과 척수액의 이산화탄소 농도를 감시하는 센서 역할을 한다. 동맥혈의 이산화탄소나 산소 농도가 너무 높거나 낮으면 자동으로 호흡을 조절한다. 실제로 한 번의 호흡으로 조정할 수 있다.

호흡은 이산화탄소가 축적된 결과로 발생하며 이는 뇌척수액의 pH를 감소시킨다. 세포는 신체의 산-염기 평형을 조절하기 위해 끊임없이 이산화탄소를 제거하기 위해 작용한다. 이산화탄소의 농도가 너무 높아지면, 뇌척수액의 pH(산도 측정)에 미세한 변화가 발생한다. pH 변화에 예민한 숨뇌(뇌간의 일부)는 가로막 신경을 자극하여 가로막에 신호를 보내 호흡을 시작한다. 그런 다음 사람은 체내의 이산화탄소 농도를 감소시키기 위해 숨을 내쉰다.

화학 수용기 또는 화학수용체는 혈액과 체액의 구성 변화를 감지한다. 화학수용체에 감지된 주요 화학적 변화는 수소(H^+), 이산화탄소(CO_2) 그리고 산소(O_2)를 포함한다.

- 수소(H^+). 화학수용체는 숨뇌 세포를 둘러싸고 있는 체액

의 수소 농도 증가를 감지하여 환기 속도의 증가를 자극한다. 수소 농도가 감소하면 반대 현상이 발생한다. 이 변화는 수소 농도가 높아지면, pH 수치는 낮아지고 수소 농도가 낮아지면, pH 수치는 높아진다. 인체의 정상적인 pH는 7.35~7.45이다.

- 이산화탄소(CO_2). 호흡이 너무 느리거나 얕으면 고이산화탄소혈증 또는 이산화탄소 저류를 유발하거나 혈액이 너무 산성화되면 혈액 내 이산화탄소 수치가 상승한다. 과도한 이산화탄소는 뇌척수액으로 이동하게 되고 수소의 증가를 유발하며 호흡수 증가를 촉진한다. 이 수준은 동맥혈이산화탄소분압($PaCO_2$)을 측정함으로써 혈액 내 수치를 측정할 수 있다. 정상 동맥혈이산화탄소분압은 35~45mmHg이다. 이산화탄소 수치는 호흡의 주요 조절 인자이다.
- 산소(O_2). 말초 화학 수용체가 산소 농도의 과도한 감소를 감지하면 호흡수가 증가한다. 정상 동맥혈산소분압(PaO_2)은 80~100mmHg이다.

정상적인 호흡은 고이산화탄소혈증(높은 이산화탄소 수준)에 의해 조절되며 이산화탄소 수치가 조금이라도 증가하면 호흡이 증가한다. 화학 수용체는 만성폐질환으로 인해 이산화탄소 수치가 지속해서 상승할 때 변화를 겪는다. 신체에는 호흡을 조절하기 위해 저산소구동이라고 하는 백업 시스템이 있다. 산소 농도가 떨어지면 이 시스템도 호흡을 자극한다. 뇌, 대동맥의 혈관벽 그리고 목동맥의 혈관에는 산소 감지기 역할을 하는 부위가 있다. 이 감지기는 동맥혈 내의 최소 산소 수준에 의해 쉽게 충족된다. 따라서 저산소구동은 뇌줄기의 이산화탄소 감지기보다 훨씬 덜 민감하고 덜 강력하다. 만성폐쇄폐질환(COPD)과 같은 폐 질환을 앓고 있는 환자에서 볼 수 있듯이 이산화탄소 수치가 만성적으로 상승한 환자는 저산소구동에 의존할 수 있다. 이러한 환자는 환기 속도나 깊이의 증가를 자극하기 위해 낮은 수준의 산소에 의존한다. 만성폐질환이 있는 환자는 장기간에 걸쳐 과도한 양의 산소를 투여해서는 안 된다. 그러나 만성폐질환이 있는 환자의 초기 처치에서 현저한 저산소혈증이 있고 고농도의 산소가 필요한 경우 호흡 정지를 일으킬 우려가 있다고 해서 고농도의 산소를 공급하지 않으면 안 된다.

완충장치

완충액은 수소(H^+)를 흡수하고 기부하는 물질이다. 완충액은 수소 이온이 과도할 때 흡수하고 수소이온이 고갈되면 수소 이온을 제공하는 역할을 한다. 따라서 완충장치는 세포 외 액체의 수소 이온 농도의 산-염기 변화에 대한 신속한 방어 역할을 한다. 호흡계와 신장계는 항상성을 유지하기 위해 중탄산수소염 완충액과 함께 작동한다. 신체가 과도한 산을 제거할 수 있는 가장 빠른 방법을 호흡기를 통한 것이다. 과도한 산은 폐에서 CO_2+H_2O로 배출될 수 있다. 반대로 느린 호흡은 알칼리 상태에서 이산화탄소 농도를 증가시킨다. 신장계는 더 많은 수소 이온을 여과하여 산성 상태에서 중탄산수소염을 유지하고 알칼리 상태에서 반대로 작용하여 pH를 조절한다. 이것은 산-염기 평형을 달성하기 위해 충분한 수소 이온이 제거되기까지 며칠이 걸릴 수 있는 느린 과정이다.

신장은 혈액의 감소한 산소 농도를 감지할 수 있다. 신동맥의 감지기는 저산소혈증을 감지하고 적혈구 생성을 촉진하는 호르몬인 에리트로포이에틴을 방출한다. 이 감지기가 만성적으로 낮은 수준의 산소를 기록하면 더 많은 적혈구가 생성된다. 예를 들어 만성 기관지염을 앓고 있는 환자는 종종 적혈구 증가증이라 불리는 적혈구 수가 증가한다. 이 질병은 혈전 형성 위험을 증가시킨다. 에리트로포이에틴은 화학적으로 합성되었으며 신체가 적혈구를 생성하도록 촉진하기 위해 화학요법을 받는 환자에게 주사용 약물로 사용된다.

신경계의 호흡 조절

등쪽 호흡군(DRG)은 호흡의 주요 심장박동 조절기로서 흡기를 유발하는 역할을 한다. 이것은 호흡의 기본 패턴을 설정한다. 뇌줄기의 또 다른 부위인 다리뇌는 등쪽 호흡군 활동을 조절하는 데 도움이 된다. 다리뇌에는 두 가지 영역이 있다. 다리뇌 위쪽 부분에 위치한 호흡조절중추는 등쪽 호흡군을 차단하는 데 도움이 되어 더 짧고 빠른 호흡을 유발한다. 다리뇌의 아래쪽에 위치한 지속들숨중추는 등쪽 호흡군을 자극하여 더 길고 느린 호흡을 유발한다. 이 다리뇌의 두 영역은 정서적 또는 육체적 스트레스 중에 호흡을 증가시키는 데 사용된다. 숨뇌의 두 영역과 다리뇌의 두 영역은 호흡 조절을 돕기 위해 함께 작용한다.

환기

상당한 양의 공기가 호흡계 내에서 이동할 수 있다. 성인 남성의 총 폐용량은 6,000mL이며 성인 여성의 경우 총 폐용량이 약 1/3 적다. 휴식 중에 공기 이동량은 약 500mL이다. 이것을 일회 호흡량이라고 하며 이것은 한 번의 호흡을 하는 동안 폐의 안팎으로 이동하는 공기의 양이다. 정확한 부피는 폐 질환, 신체의 크기, 건강 상태, 해발 고도와 같이 덜 분명한 요소 등 많은 변수에 의해 영향을 받을 수 있다. 잔기량은 최대 날숨 후 폐에 남아있는 공기의 양이다. 이 공기는 환기 중 움직이지 않고 폐의 부분 팽창을 유지한다. 폐활량은 최대 들숨과 날숨 시 폐로 들어갔다 나오는 총공기량이다.

예비 용량에는 들숨과 날숨 두 종류가 있다. 날숨 예비 용량은 정상적인 날숨과 폐에 남아있는 공기 사이의 차이이다. 정상적인 날숨 후에 가능한 많은 공기를 폐에서 빼냄으로써 이 개념을 증명할 수 있다. 이 공기량은 날숨 예비 용량이다. 마찬가지로 정상적인 들숨 후에 가능한 한 깊게 들이마시면 들숨 예비 용량이라는 추가적인 양의 공기를 흡입할 수 있다. 보조 환기로 공기를 폐로 적극적으로 이동시킨다. 일반적인 백밸브마스크 장치는 약 1,000~2,000mL 공기를 보유한다. 일반적으로 일회 호흡량은 500mL이지만, 호흡 회로의 무용공간을 보완하기 위해 추가적인 부피가 필요하다. 그러나 과팽창으로 인한 압력 손상을 방지하기 위해 백밸브마스크 장치의 최대용량을 투여해서는 안 된다. 대신 가슴 상승을 평가하여 충분한 양을 판단한다.

무용공간은 폐포가 없는 호흡계 일부이므로 공기와 혈액사이에서 가스 교환이 이루어지지 않는다. 여기에는 상기도의 공기와 하기도 일부가 포함되며 일반적으로 약 150mL이다. 입, 기관, 기관지 및 세기관지는 모두 무용공간으로 간주한다. 환자가 어떤 장치로 환기가 되었을 때 더 많은 무용공간이 형성된다. 환자에게 사용하기 전에 장치에 가스를 채워야 한다. 무용공간의 양은 무기폐와 같은 질병 과정이 발생하면 양이 증가할 수 있다.

각 호흡의 깊이나 양은 환기를 평가할 때 알아야 하는 중요한 정보이다. 효과적인 환기량 결정을 더 정확하게 제공하는 분당호흡량이라는 또 다른 측정이 있다. 분당호흡량은 분당 환기량이라고도 하며 1분 동안 폐를 드나드는 공기의 양에서 무용공간을 뺀 것이다. 무용공간은 일회 호흡량에서 빼야 하므로 적절한 환기 속도와 깊이를 결정할 때 고려할 중요한 요소이다.

분당호흡량 = 호흡수 × 일회 호흡량

생존을 위해서는 호흡수뿐만 아니라 적절한 분당호흡량이 필요하다. 정상적으로 분당 20회의 호흡 속도로 호흡하지만, 가슴 상승과 공기 움직임이 최소인 환자를 생각해본다. 환자의 호흡수는 적절해 보여도 이동하는 공기의 양이 부족하다. 분당호흡량이 너무 적어서 환자에게 환기 보조가 필요하다. 환기와 관련된 공기의 양을 분석하면 많은 호흡기 질환의 병리를 이해하고 환자가 처치에 얼마나 잘 반응하는지 평가할 수 있다(그림 2-7).

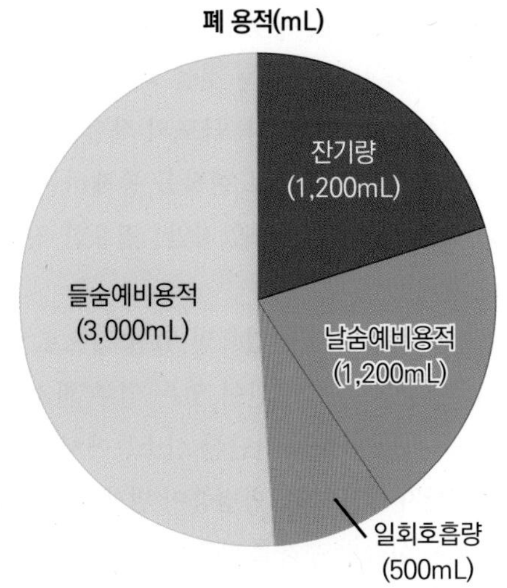

그림 2-7. 폐 용적

AMLS 평가 과정

▼ 초기 관찰

호흡곤란은 징후이자 증상이다. 예를 들어 호흡곤란의 외부 징후는 호흡 보조근의 사용이다. 환자는 숨이 차거나 가슴 답답함 또는 숨쉬기 불편감과 같은 호흡곤란 및 불편감을 표현할 수 있으며 호흡곤란이라는 용어를 사용할 수 있다.

호흡곤란 환자(환자가 말을 할 수 없을 때 종종 목격자에 의해 표현)에게 응급처치를 시행하는 경우 주요호소 증상 내용은 명백하게 숨참에서 허약함, 의식 변화에 이르기까지 다양하다. 응급의료상황관리자는 도움을 요청한 사람으로부터 추가 정보를 얻었거나 환자가 만성폐질환이 있음을 나타내는 이전 기록을 포함하여 다른 병력 또는 추가적인 정보를 얻었을 수도 있다.

현장 안전 고려사항

현장에서 위험 요소를 평가하는 것은 AMLS 평가의 핵심 단계이다. 호흡곤란이 있는 환자는 응급의료제공자에게 위협이 되는 경우는 거의 없지만, 안절부절못하는 저산소증 환자를 다룰 때는 항상 주의한다. 또한 가족이나 환자, 특히 사랑하는 사람이 숨쉬기 힘들어하는 것을 보는 것을 괴로워하는 가족이나 목격자의 폭력 가능성도 고려한다. 극도의 좌절감이 공격성을 유발할 수 있다. 전략과 공감으로 현장을 통제하는 것은 환자의 처치를 위한 토대를 마련할 수 있지만, 필요한 경우 경찰이나 다른 지원을 고려한다.

환자의 주변에 의료기기가 있으면 일단 집으로 들어가 평가를 시작한다. 만성 호흡기 질환이 있는 일부 환자는 기도유지 및 호흡 보조를 위해 비교적 간단한 산소통에서 정교한 인공호흡기에 이르기까지 필요하다. 합병증이 발생하면 EMS 팀이 현장으로 출동하여 심각한 문제를 해결하는 데 도움을 준다.

표준주의사항

발열 병력이 있는 호흡기 환자들은 특히 흡인 및 기도유지를 수행하는 동안 점막을 보호한다. 마스크, 장갑, 가운, 보호안경을 착용하는 것은 매우 단순해 보이지만, 중환자를 처치할 때 잊기 쉬운 예방 조치이다.

기타 위험

환자가 고립된 상황에서 점막 자극과 호흡 증가에 대한 증상을 호소하거나 징후가 나타나는 경우 현장 안전에 대한 특별한 주의가 필요하다. 현장에 진입하기 전에 위험 물질(유해 물질)을 탐지할 수 있는 장비나 위험 물질 관련 팀의 추가 지원을 요청할 수 있다.

산업체이든 가정집이든 모든 현장에 모든 감각을 이용하여 현장 평가를 시행한다. 일반적으로 공기 중에 부유하는 미립자를 볼 수 없으며 연기나 안개가 자욱하거나 먼지가 많은 지역에 들어가지 않는다. 만약 환자가 그러한 장소에 있으면 호흡기 합병증이 발생할 수 있다. 산업 현장에서 화학 플래카드 또는 그림문자가 있는지 확인한다. 관련 교육을 받은 경우 개인 보호장비를 착용하고 이러한 현장에 안전하게 진입하여 위험 물질을 확인한다. 화학 물질 냄새는 공기 중에 보이지 않는 화학물질이 있다는 것을 경고하는 것이다. 이 위험을 감지하는 경우 동일한 개인 보호장비를 착용한다. 산업 현장에서 비정상적인 소리는 가스 누출이나 위험한 상황의 가능성을 알려준다.

환자의 기본적인 설명/주요호소 증상

만성 호흡기 질환을 앓고 있는 환자는 항상 몇 가지 증상을 가지고 있다. 그들에게 적절한 질문은 " 구급차를 부르거나 병원에 내원하게 된 이유는 무엇입니까?"이다. 만성 호흡기 문제가 있는 환자의 일반적인 주요호소증상은 다음과 같다.

- 열을 동반한 천식
- 정량식 분무기 고장
- 긴 여행 후 여행과 관련된 문제
- 애완동물, 향수 또는 담배 연기와 같은 호흡곤란 유발 요인
- 알레르기 항원, 박테리아, 곰팡이, 균류와 관련된 계절적 문제
- 치료에 불순응
- 산소 탱크와 같은 기술적 문제 또는 약품의 소진

일차평가

의식 수준

응급실(ED), 중증도 분류 구역 또는 병원 전 단계에서 환자의 의식 수준, 기도 상태, 호흡을 평가한다. 환자의 의식이 명료하고 호흡을 힘들어하지 않고 자신을 소개할 때 악수를 하면 비교적 안정적인 상태이며 즉각적으로 호흡을 위협하는 상황은 아니다. 환자의 호흡을 확인한다. 정상적인 호흡은 휴식을 하는 동안 편안하고 자연스럽다. 만약 환자가 호흡하기 위해 호흡 보조 근육을 사용하는 것을 확인한 경우 이는 호흡 곤란을 나타내며 환자의 상태가 불안정할 수 있음을 나타낸다. 기도를 주의 깊게 평가한다. 생명을 위협하는 상황을 인식하고 처치하는 것이 일차평가와 처치 전반에 걸쳐 우선되어야 한다. 많은 호흡기 질환이 생명을 위협하기 때문에 호흡 평가는 항상 환자 평가의 초기 단계이다.

기도와 호흡

반응이 없는 환자의 경우 장갑을 낀 손으로 턱 밀어올리기 또는 머리기울임-턱 들어올리기 방법으로 기도를 개방한다. 입안에 혈액이나 분비물과 같은 상기도 폐쇄의 징후가 있는지 확인한다. 기도에서 나는 소리에 귀를 기울인다. 적절하게 기도를 유지하고 있는데도 협착음과 같은 상기도 손상을 나타내는 비정상적인 소리나 쌕쌕거림 같은 하기도의 비정상적인 소리가 있는가? 흡인은 일차평가에서 항상 쉽게 사용할 수 있어야 한다.

지속해서 도수로 기도유지를 시행해야 하는 경우 침습적 술기 방법이나 시행에 대한 즉각적인 계획을 수립한다. 사전 산소화/환기는 항상 계획의 첫 번째 단계로 자원을 기반으로 기

도를 유지하고 감별 진단, 환자의 위치 및 해부학을 바탕으로 안전하고 효과적인 방법을 계획한다.

환자에게 이미 기도유지기를 삽입한 경우 그 효과와 환자의 장치 내성을 평가한다. 호흡을 평가하기 전에 장치가 적절하게 배치되었는지 확인한다.

호흡 평가는 환자와 처음 대면할 때 시작한다. 가슴을 빠르게 시진하고 명백한 움직임이 있는지 확인한다. 일반적으로 청진기 없이 들을 수 있는 호흡음은 비정상이다. 촉각 진동은 사람이 말할 때 느낄 수 있는 진동이다. 폐렴은 진동을 더 두드러지게 하지만, 기흉과 가슴막삼출은 진동을 감소시킨다. 환자가 말하는 것을 듣는다. 환자가 쉰 소리나 삼킴곤란을 호소하는가? 환자가 숨을 들이쉬기 전에 한 문장으로 몇 단어를 말할 수 있는가? 2~3단어를 사용하는 문장보다는 6~7개의 단어를 사용하는 문장을 말할 수 있는 능력은 환자가 어떻게 호흡하는지에 대한 많은 것을 알려준다.

호흡의 속도와 깊이를 평가하는 것은 호흡 평가의 구성 요소이지만, 호흡의 속도와 깊이는 종종 정확하게 결정되지 않는다. 호흡수는 일반적으로 평가되는 활력징후이지만, 호흡의 깊이(양)는 일반적으로 잘못 판단될 수 있다. 호흡수는 적절하지만, 호흡량이 적은 환자는 여전히 분당 환기량이 불충분할 수 있다. 호흡수는 분마다 크게 다를 수 있다. 평가 초기부터 특정 호흡수에 집중하기보다는 호흡수의 감소나 증가를 모니터링해야 한다.

호흡곤란과 호흡부전 구별

환자가 호흡곤란을 이야기하거나 관찰할 수 있는 호흡곤란이 증가하면 평가를 일시 중단하고 스스로 질문한다. 이 환자가 호흡곤란을 겪고 있는가? 아니면 호흡부전의 징후가 있는가? 만약 환자가 간단한 소생술로 호전되면 호흡곤란을 보이는 것이다. 반면에 환자가 기본적인 처치로 호전되지 않거나 호흡곤란이 있는 환자에게 피로, 의식상태 변화를 보이면 호흡부전이 임박한 것이다. 환자의 기도 및 환기를 지원하기 위해 즉각적인 소생술을 시행한다. 다음은 임박한 호흡부전을 나타내는 지표 중 일부이다.

- 호흡수 > 30회 또는 < 6회/분
- 산소포화도 < 90%
- 여러 개의 호흡 보조 근육 사용
- 바로누운자세를 취하지 못함
- 분당 140회를 초과하는 빈맥
- 의식상태의 변화
- 입안 분비물/점액을 제거할 수 없음
- 손톱 바닥이나 입술의 청색증

일차평가 후 환자의 상태에 따라 몇 가지 기본적인 소생술을 시작했을 수 있다. 산소를 공급했거나 지속기도양압(CPAP)환기 또는 백밸브마스크로 양압환기를 시행했을 수 있다. 이러한 처치에 대해 환자의 상태가 개선되었는지 재평가한다. 환자의 활력징후가 개선되었는가? 백밸브마스크 환기 시 환자의 가슴이 대칭적으로 상승하는가? 이러한 방법이 실패하면 기관내삽관(RSI 시행) 및 기계적 환기를 고려할 수 있다.

빠른연속기도(RSA)는 동일한 약리학적 접근 방법을 사용하는 빠른연속기관내삽관의 형태이지만, 기관내삽관 대신 처치제공가가 성문외 기도기나 후두 튜브 기도기를 삽입하는 것이다. 상황과 환자의 상태에 따라서 이것은 합리적인 접근 방법이지만, 이 방법은 기관내삽관과 동일한 기도유지를 제공하지는 않는다. 이 과정은 비교적 새로운 방법으로 현재로서는 잘 연구되지 않았다. 이것은 기도유지의 흥미로운 방법이며 병원전 기도유지를 향상해줄 수 있다.

순환/관류

피부색을 확인하는 것은 환자의 순환을 평가하는 가장 빠른 방법이다. 불포화된 산소로 인한 일반적인 청색증이나 쇼크로 인한 명백한 창백함에 주목하는 것이 중요하지만, 점막을 평가하여 더 미묘한 정보를 얻을 수 있다. 입안, 눈꺼풀 아래, 손발톱 아래 조직은 일반적으로 모든 건강한 환자에서 동일한 분홍색을 보인다. 환자의 점막이 축축한지 확인한다. 탈수는 입과 눈의 점막에서 확인할 수 있다. 건조하고 갈라진 입술, 건조하고 주름진 혀 그리고 움푹 들어간 눈은 명백한 탈수를 가리킨다. 나이 든 환자의 피부는 주름지고 항상 건조해 보일 수 있으므로 일부 노인에게서는 피부 평가가 도움이 되지 않을 수도 있다(그림 2-8).

▼ 첫인상

해부학, 생리학 및 병태생리학에 대한 지식은 철저한 신체 평가를 수행하고 호흡곤란의 원인을 결정하기 위해 환자로부터 적절한 병력을 얻을 수 있는 첫 번째 단계이다. 1장에서는 임상

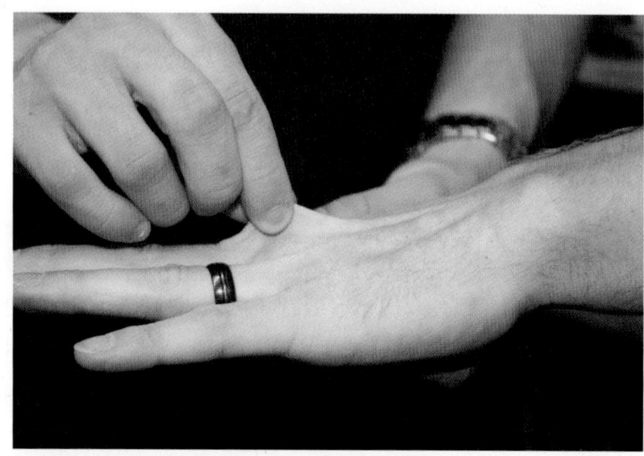

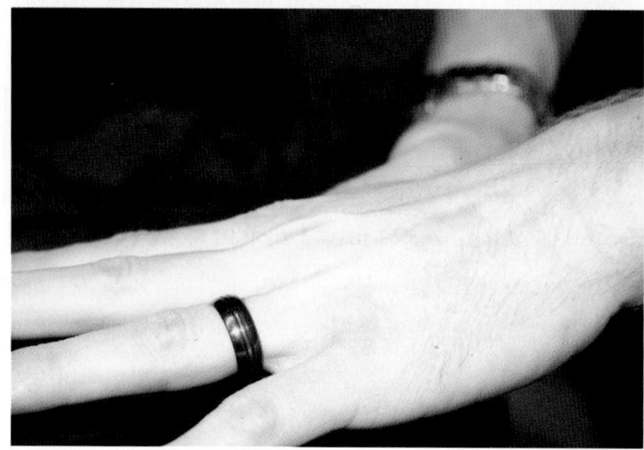

그림 2-8. 피부 탄력 저하
Courtesy of Keith Monosky.

적 인상을 형성하는 과정을 설명하고 기도유지 절차 부록에는 일반적으로 삽관이 필요하지만, 시행할 수 없는 반응이 있는 환자나 난폭한 환자에게 일반적으로 사용되는 빠른연속기관내삽관에 관해 설명되어 있다.

초기 표현

환경과 관계없이 전반적인 의식 수준과 호흡 노력을 평가하고 관류 상태를 신속하게 확인한다. 환자가 차나 휠체어에서 내리거나 들것에 오르는 것을 도우면서 이러한 평가를 시행할 수 있다.

모든 처치 제공자는 환자를 처음 만났을 때 평가할 수 있는 안전 및 환경 단서를 알고 있어야 한다. 다양한 병리학적 상태에 대한 단서는 즉시 명백할 수 있지만, 이는 단서일 뿐이다. 최소한의 정보를 바탕으로 한 성급한 현장 파악을 피한다. 환자의 표현은 특정 상태를 암시할 수 있지만, 이러한 의심은 철저한 평가를 통해 확인한다.

▼ 상세 평가

병력 청취

과거에 비슷한 호소 증상의 병력이 있는 환자에게 현재의 증상을 이전에 경험한 증상과 비교해 보라고 요청한다. 증상이 지난번과 같거나 다른가? 심부전의 병력과 급성 호흡곤란의 병력을 가진 환자는 현재의 증상이 지난번 폐부종이 발생했을 때와 같다고 말할 수 있다. 환자에게 무엇이 다르다고 생각하는지 물어본다. 일부 환자는 자신의 질병에 너무 익숙하므로 현재의 증상을 이전의 경우에 느꼈던 것과 원인을 연관시킬 수 있다. 그러나 특정 진단에 완전히 집착해 추가적인 문제가 발생할 수 있는 것을 간과하지 않도록 주의한다.

OPQRST과 SAMPLER

현 병력(HPI)은 환자 평가의 가장 중요한 요소일 것이다. 의학 교육에서 자주 인용되는 것처럼 "진단의 95%는 적절한 질문을 통해 이루어진다." 현 병력의 주요 요소는 체계적인 병력 청취를 통해 쉽게 얻을 수 있다. 환자에게 통증이 없더라도 이전에 호흡곤란을 겪었던 사람들은 많은 중요한 정보를 제공할 수 있다. 예를 들어 천식을 앓고 있는 환자는 현재 발병의 불편함을 8로 평가할 수 있다. 환자가 이전에 겪었던 것과 현재의 불편함을 어떻게 비교하는지 결정하는 것이 중요하다. 이러한 유형의 불편함을 경험할 때 기관내삽관을 한 적이 있는지 확인하는 것은 기도유지를 위한 처치가 임박하고 호흡부전이 발생할 가능성이 있다는 것을 보여주는 지표가 될 수 있다. 호흡곤란이 운동 때에만 나타나는 경우 호흡곤란을 유발하기 위해 얼마큼의 활동이 필요한지 확인한다. 그리고 이것이 환자가 생각하는 평소와 다른지를 물어본다. OPQRST와 SAMPLER 약어를 사용하여 기본적인 현 병력을 체계적으로 얻을 수 있다.

또한 환자로부터 증상을 악화하거나 완화하는 요인에 대한 정보를 얻는다. 정확한 감별 진단을 개발하고 효과적인 처치 계획을 수립하려면 상세한 현 병력이 필요하다. 호흡곤란 환자의 주요 소견은 표 2-1에 나열되어 있다. 호흡기 병력의 중요한 요소는 다음과 같다.

- 발열 또는 오한
- 발목 부종

표 2-1. 호흡곤란 환자의 주요 소견
지속 시간
▪ 만성 또는 진행성 호흡곤란은 보통 심장질환, 천식, 만성폐쇄폐질환(COPD) 또는 신경근 질환(예, 다발성 경화증)과 관련이 있다. ▪ 급성 호흡곤란은 천식 악화, 감염, 폐색전증, 간헐적인 심장 기능장애, 심인성 원인, 독성 물질의 흡인, 알레르기 원인 물질 또는 이물질 흡입과 관련이 있을 수 있다.
시작(발병)
▪ 호흡곤란이 급성으로 시작되면 폐색전증이나 자발성 기흉을 의심한다. ▪ 천천히(몇 시간에서 며칠) 발생하는 호흡곤란은 폐렴, 울혈심부전, 악성 종양과 관련이 있을 수 있다.
환자의 자세
▪ 앉아 숨쉬기는 울혈심부전, 만성폐쇄폐질환, 신경근 장애로 인한 것일 수 있다. ▪ 발작성 야간 호흡곤란은 좌심실부전이 있는 환자에게 가장 흔하다. ▪ 운동성 호흡곤란은 만성폐쇄폐질환, 심근 허혈, 비만, 복수, 임신과 관련된 복부 증상과 관련이 있다.

- 종아리 부기 또는 압통
- 등, 가슴 또는 복부 통증
- 구토
- 앉아 숨쉬기
- 기침
- 운동 시 호흡곤란
- 기관지염의 병력
  - 천식
  - 만성폐쇄폐질환
- 가래의 혈액
  - 가래의 색
  - 가래 생성 병력
- 이전에 호흡기 관련 입원 병력
- 흡연 또는 간접흡연 노출 병력
- 이전의 삽관 병력
- 가정용 분무기 사용

현재의 건강 상태

병력 청취는 감별 진단의 범위를 좁히는 데 도움이 되는 환자의 위험 요소에 대한 설명이 포함되어야 한다. 예를 들어, 환자는 경구 피임약, 비만, 흡연 및 주로 앉아서 생활하는 것과 같은 정맥 혈전증 및 폐색전증 발병의 위험 요소를 가지고 있을 수 있다.

이차평가

활력징후

체온, 맥박, 호흡, 혈압, 산소포화도, 호기말이산화탄소분압 측정 등 환자의 기본 활력징후를 측정하고 환자 상태의 중증도에 따라 주기적으로 반복해서 측정한다. 특히 비정상적인 활력징후가 있는 경우 환자의 의식상태에 변화가 있는지 자주 재평가한다.

환자의 초기 평가에서 이미 호흡 시 조용하거나(정상) 혹은 호흡이 증가하였거나, 호흡곤란이 있는지 파악되었다. 또한 환자가 호흡곤란이나 임박한 호흡부전의 징후(의식상태 변화를 동반한 호흡 노력의 향상)를 겪고 있다고 판단했을 수 있다. 따라서, 처치 제공자는 이미 일차평가에서 중요 기능과 생명을 위협하는 상황을 처치하고 있다. 그러나 이차평가 중에는 환자의 분당 호흡수를 확인하여 호흡수를 결정한다. 호기말이산화탄소분압 확인은 호흡수에 대한 가장 정확한 기록을 제공할 수 있다. 그러나 활력 징후를 기록하기 위한 목적으로 호기말이산화탄소분압을 측정하는 것은 경제적이지 않다. 호흡수가 매우 높거나 낮은 경우 다른 장기가 호흡곤란의 이차원인일 수 있다. 예를 들어 호흡 보조 근육을 사용하지 않고 어려움 없이 호흡하는 환자가 빠른 속도로 호흡곤란을 보인다. 이 미묘한 발견은 쇼크에 대한 불길한 영향을 미친다. 빠른 호흡은 화학수용체가 산성도(대사성 산증)의 상승을 감지할 때 과도한 이산화탄소를 배출하기 위해 호흡계가 더 빨리 호흡하도록 자극한다. 호흡 중에 호흡 보조 근육을 사용하지 않고 천천히 호흡하는 환자는 중추신경계(CNS) 장애 또는 진정제 작용으로 인해 발생할 수 있는 서맥이 나타난다.

활력징후를 모니터링할 때 호흡과 관류가 환자의 의식상태에 어떤 영향을 미치는지 주의 깊게 관찰하는 것이 중요하다.

신체검사

환자의 병력이 밝혀지면 의식 수준, 환자 자세, 호흡곤란의 정도와 같이 환자의 신체적 징후에 대한 몇 가지 중요한 정보를 알아야 한다. 이번 장에서는 집중 신체검사의 구성 요소를 순서대로 제시하며 각 단계에서 호흡곤란 환자와 특히 관련이 있는 점을 지적한다.

신경계 검사

호흡곤란이 있는 환자의 의식 수준을 평가하는 것은 필수적이다. 의식상태는 중추신경계의 적절한 관류 상태와 산소 공급을 대략 파악할 수 있는 좋은 지표이다. 중추신경계, 특히 뇌는 혈액, 산소, 포도당 공급이 장기간 중단되는 것에 매우 취약하다. 의식상태는 이 세 가지 구성 요소 중 하나라도 몇 분 동안 불충분하면 빠르게 악화할 수 있다. 호흡계 기능 장애는 순환계가 정상적으로 기능을 하더라도 저산소증, 고이산화탄소혈증 및 의식상태 저하를 초래할 수 있다.

의식상태의 평가는 환자 검사의 중요한 부분이다. 사람, 장소, 시간에 대한 환자의 지남력을 평가한다. 언어의 명확성, 언어적 일관성, 반응 시간을 평가한다. 불분명한 발음, 언어장애, 중얼거리거나 횡설수설하는 말, 실어증은 모두 저산소증이 원인일 수 있다. 새로 발병한 의식상태의 변화와 호흡곤란의 조합은 호흡부전의 특징이다.

목 검사

반 누운자세에서 환자의 목에 목정맥 팽창이 있는지 확인한다. 목정맥의 팽창은 목정맥이 혈액으로 가득 차 있는 상태이다. 이는 우심방의 압력을 대략 파악할 수 있다. 목정맥이 팽창된 경우 호흡곤란의 원인으로 심부전을 암시할 수 있다. 목정맥의 팽창은 또한 가슴의 높은 압력을 나타낼 수 있으며 이는 혈액이 머리와 목을 빠져나오지 못하게 한다. 심장눌림증, 기흉, 심부전 그리고 만성폐쇄폐질환은 모두 목정맥 팽창을 일으킨다. 간목정맥역류는 환자의 간에 약한 압력이 가해지면 목정맥이 더 많이 팽창될 때 발생한다. 이것은 우심실 부전의 특정 징후이다.

목정맥 팽창은 환자의 자세와 기타 활력징후에 비추어 해석되어야 한다. 외상 환자의 혈압이 80/40mmHg임에도 불구하고 목정맥이 심하게 팽창한 것은 상당한 문제를 불러일으킬 수 있지만, 누워있는 동안 건강한 20대 환자의 목정맥 팽창은 거의 문제가 되지 않는다.

목을 보는 동안 기관을 평가한다. 기관 편위는 복장뼈위파임에서 보이거나 느낄 수 있으며 긴장기흉의 전형적인 후기 증후이다. 기관 편위는 복장뼈 뒤쪽에서 발생하므로 평가하기 어려울 수 있다. 평가 일부로 복장뼈위파임에서 기관을 촉진하는 것을 고려한다.

가슴과 복부 검사

간목정맥역류는 우심실 부전으로만 나타난다. 우심실이 효과적으로 펌핑되지 않으면 혈액이 역류하여 목정맥과 간 내의 큰 혈액 저장소가 가슴으로 흘러 들어가기 어렵게 만든다. 결과적으로 목정맥 팽창과 팽창된 간이 결합하여 우심실부전이 나타날 수 있다. 간을 부드럽게 누르면 목정맥(간목정맥역류)이 더 팽창된다. 호흡 곤란이 있는 환자가 반 앉은 자세(45도)로 앉아 있을 때 우심실 부전의 징후를 유발할 수 있다.

환자가 호흡할 때 가슴에서 진동을 느껴본다(촉각 진동). 기도에 큰 분비물이 있는 경우 일반적으로 촉각 진동을 쉽게 느끼고 들을 수 있다. 일부에서는 가슴 타진을 권장한다. 타진으로 정상적인 가슴의 소리와 기흉이 심한 경우의 소리로 구별할 수 있지만, 타진은 주위의 소음 때문에 현장에서 시행하기 어렵다.

호흡 곤란 환자의 주요 평가 중 하나는 호흡음을 청진하는 것이다. 가슴 앞과 뒤 폐 부위에서 호흡음을 평가한다. 들숨과 날숨 동안 오른쪽 폐의 세 개 엽과 왼쪽 폐의 두 개 엽을 각각 청진하고 호흡 소리가 양쪽에서 같은지 확인하기 위해 세심한 주의를 기울인다. 청진을 수행하기 위한 모범 사례는 다음과 같다.

- 청진기의 다이어프램을 사용하여 가능하면 다이어프램을 가로막 부위의 피부에 위치시킨다.
- 외부 간섭을 피하고자 청진하는 동안에는 청진기 튜브를 만지지 않도록 한다.
- 비정상적인 잡음을 피하고자 환자에게 입을 벌리고 머리를 중립 위치에 두거나 약간 신전된 상태에서 호흡하라고 요청한다.
- 항상 목적에 따라 청진기를 위에서 아래로, 측면에서 측면으로 이동한다.
- 이상한 소리가 들리면 새로운 부위에 청진기를 위치시켜 호흡음을 비교하기 위해 다시 청진한다.

호흡음은 단순히 정상 또는 비정상으로 분류할 수 있다. 한 부위에선 정상적인 호흡음이 들리고 다른 부위에선 비정상적인 호흡음을 들을 수 있다. 때때로 우발적인 호흡음이라고 불리는 비정상적인 호흡음을 모든 폐 부위에서 들을 수 있다. 특정 호흡기 질환과 관련된 호흡음은 표 2-2에 요약되어 있다.

표 2-2. 특정 상황과 관련된 호흡음

위치	소리	단계	질환 과정
상기도	협착음(Stridor)	들숨	크루프 후두개염 이물질 흡인
하기도	건성수포음(Rhonchi)	주로 날숨	흡인 기관지염 낭포섬유증 폐렴
	천명음(쌕쌕거림, Wheeze)	주로 날숨	반응성 기도 질환 천식 울혈심부전 만성기관지염 기종 기관지 폐쇄
	수포음(crackle)	들숨 끝	폐렴 울혈심부전 악화 폐부종
	호흡음 감소	들숨과 날숨 모두 또는 둘중에 하나	기종 무기폐 기흉(단순 또는 긴장) 동요가슴 신경근육병 가슴막 삼출액
가슴벽	가슴막 마찰음	들숨과 날숨 중 하나	가슴막염 가슴막 삼출액

- 쌕쌕거림(천명음)은 기도 폐쇄나 반응성 기도의 전형적인 소리이다. 환자는 일반적으로 공기를 흡입하는 데 문제는 없지만, 공기를 내보내는 데 어려움이 있어 날숨이 들숨보다 길어진다. 쌕쌕거리는 소리는 일반적으로 날숨 시 들리며(들숨에 들리기도 함) 거칠고, 일치하지 않는 음이 들린다. 음색은 기도의 크기에 따라 다르다. 쌕쌕거림은 일반적으로 천식, 기관지염 및 만성폐쇄폐질환과 같은 질병에서 들릴 수 있지만, 폐렴 및 심부전으로도 나타날 수 있다. 작거나 아주 작은 가슴소리에 주의한다. 쌕쌕거리는 소리를 내기 위해서는 충분한 공기가 호흡계를 통과해야 한다. 환자가 충분한 공기를 호흡할 수 없다면, 쌕쌕거리는 소리를 들을 수 없다.
- 들숨 시에 들리는 수포음(거품소리)은 폐포에 축적된 액체와 관련이 있다. 이 소리는 고음이 날카로우며 때로는 기침으로 사라지는 경우가 있다. 심호흡을 몇 번 하고 이 소리가 사라지면 환자는 무기폐 상태일 수 있다. 폐렴, 울혈부전(CHF), 폐부종은 수포음과 가장 흔하게 관련되어 있다.
- 건성수포음(기관지수포음, 나음)은 "코골이"를 의미하는 그리스어 rhonkos에서 유래되었다. 건성수포음의 청진은 큰 기도에 분비물이 축적되었음을 나타낸다. 건성수포음은 종종 날숨 시에 들리는 거품소리 또는 후루룩 액체를 마시는 소리로 설명된다. 이 소리는 일반적으로 기도에 갇힌 분비물을 공기가 통과할 때 발생한다. 기관지확장증, 낭포섬유증 그리고 흡인성 폐렴은 종종 건성수포음을 동반한다.
- 앞서 언급했듯이 가슴막층 사이의 액체는 마찰을 줄여 정상적인 호흡 중에 폐가 팽창하고 수축하는 것을 돕는다. 이 액

체가 완충작용을 하지 않으면 가슴막 마찰음이 청진 될 수 있다. 이 징후는 폐렴, 가슴막염, 폐 타박상으로 인한 흉통과 관련이 있다. 가슴막 마찰음은 통증 부위에 인접한 위치에서 들을 수 있다.

- 호흡 곤란이 있는 환자에게서는 다음과 같이 호흡음이 감소하거나 멀리 떨어진 호흡음이 들린다.
  - 기능적 잔류 용량을 증가시키는 장애(폐에 있는 가스의 잔여 용량 증가)
  - 감소한 공기 교환
  - 부적절한 공기 또는 액체의 존재
- 감소한 호흡음의 청진은 폐기종의 전형적인 징후이다. 이 질병의 과정은 폐포벽을 파괴하여 폐의 더 큰 표면적을 만든다. 공기 흐름은 덜 격렬해져서 더 부드러운 소리를 낸다. 호흡음 감소와 관련된 다른 질환으로는 무기폐, 기흉, 가슴막삼출액, 흡기량을 제한하는 신경근육장애 등이 있다.
- 협착음은 염증이나 상기도의 심한 폐쇄로 인해 발생하는 소리이다. 이것은 들숨 시에만 들리며 고음의 소리로 설명된다. 바이러스성 후두염과 후두개염은 협착음을 동반하는 두 가지 호흡기 질환이지만, 이물질에 의한 기도 폐쇄, 후두염, 협착 또는 기도 종양도 이러한 호흡음이 들릴 수 있으며 병력으로도 확인할 수 있다. 혈관부종과 외상도 협착음과 관련이 있을 수 있다.
- 감소한 호흡음은 폐기종 및 기타 장애와 관련이 있지만, 호흡음이 들리지 않는 것은 불길한 징후이다. 여기에 나열된 호흡음을 생성하려면 충분한 공기의 이동이 필요하다.

팔다리 검사

환자가 발목이나 허리 아래쪽에 부종이 있는가? 그렇다면 손가락으로 피부 조직을 눌렀을 때 움푹 들어가는가? 말초 부위에 청색증이 있는가? 환자의 맥박을 확인한다. 노맥박은 안정적인 환자에서 가장 일반적으로 평가하는 부위지만, 목동맥, 넓적다리동맥, 발등동맥과 같은 대체 동맥 부위에서 맥박을 평가하여 추가 정보를 얻을 수 있다. 근위부 맥박은 더 큰 동맥에 해당한다. 스트레스를 받거나 출혈이 있을 때 인체는 이러한 더 큰 혈관으로 혈액순환을 전환될 수 있으므로 중심 순환이 유지되는 동안 말초 맥박은 약해지거나 촉지되지 않을 수 있다. 환자에게 빈맥이 나타나는가(운동 또는 저산소증)? 기이맥이 있는가? 환자가 열이 있는지 또는 쇼크로 인해 피부가 차고 축축한지 여부를 확인한다.

진단

환자 처치 계획에 따라 즉시 사용할 수 있는 모니터를 적용한다. 반복적으로 활력 징후, 심전도, 맥박산소측정은 가장 일반적으로 수집되는 자료이다. 일부 상황에서는 사용 가능한 장비에 따라 최대날숨유량, 호기말이산화탄소, 경피경유일산화탄소 농도를 측정할 수 있다.

청진기

실제로 말하면 청진기는 처치 제공자가 할 가장 중요한 투자 중 하나일 수 있다. 청진기의 다이어프램은 고음의 소리(호흡 소리), 벨은 저음의 소리(일부 심장음)를 듣기 위한 것이다. 저음의 소리를 들으려면 청진기의 벨을 피부에 가볍게 대야 한다. 청진기는 처치 제공자가 진단하는 데 도움을 주는 도구이다. 청진기의 가장 중요한 부분은 귀 부분이며 이는 처치 제공자의 뇌가 중요한 진단에 필요한 구성 요소라는 것을 의미한다.

맥박산소측정기

정상적인 상황에서 맥박산소측정기는 산소가 붙어 있는 환자의 헤모글로빈 비율을 측정하는 비침습적인 장치이다. 예를 들어 산소포화도 97%는 환자의 헤모글로빈의 97%에 산소가 부착되어 있다는 것을 의미한다. 대부분의 건강한 사람은 산소포화도가 90% 미만에서 숨이 차는 것을 느낀다. 경피경유 산소포화도 모니터링이라고도 하는 "pulse ox", "O_2 sat"는 혈액 산소공급을 평가하는 쉽고 일반적인 방법이 되었다. 경피경유 산소포화도 모니터는 상대적으로 저렴하며 침습적인 절차 없이 신속하게 혈액 내 산소 농도를 측정할 수 있다. 이 기술은 산소 분자가 차지하는 헤모글로빈 결합 부위의 수에 따라 적외선을 다양한 정도로 흡수하는 헤모글로빈의 능력에 달려있다. 모니터는 빛 흡수량을 계산하여 산소포화도 수준을 나타내는 백분율로 전환한다. 이 백분율은 모니터에 표시된다.

휴식 시 대부분의 건강한 사람은 95~100%의 산소포화도를 가진다. 더욱 정확한 산소농도는 침습성 동맥혈가스(ABG) 모니터링을 통해 평가할 수 있으며 이는 시험용 샘플을 얻기 위해 동맥을 천자해야 한다. 이 검사는 호흡곤란, 호흡부전을 경험하는 환자나 인공호흡기를 사용하는 환자 그리고 호흡 및 대사산증을 평가하는 데 유용하다. 이 검사는 일반적으로 병원 전 단계에서는 시행하지 않지만, 전문적으로 환자를 이송하는 분야에서는 매우 도움이 될 수 있다.

정상 동맥혈산소분압(PaO_2)은 80~100mmHg이다. 일반적으로 산소포화도가 92% 이상으로 유지되면 PaO_2은 60mmHg 이상이다. 산소 농도가 떨어지면 산소포화도 모니터에 감소하는 판독 값이 표시된다. 약간의 지연이 있으므로 산소포화도 모니터에서 실제로 변화를 보기 전에 환자의 산소 농도가 낮아질 수 있다. 산소 분압과 포화도 사이의 관계 때문에 후자는 90% 이상의 동맥혈산소분압 변화에 그다지 민감하지 않다. 산소포화도가 90%일 때 동맥혈산소분압은 대략 60mmHg이다. 그러나 90% 미만에서는 산소 분압의 감소가 발생할 때 산소포화도는 현저하게 감소한다. 이 수준에서 약간의 산소포화도 감소는 심각한 저산소증으로 이어질 수 있다. 수치가 더 떨어질수록 혈액의 산소 농도가 크게 떨어진다. 어떤 경우에는 90% 미만의 판독 값을 산소 공급의 절대적인 개선이 아니라 환기의 질적 개선을 평가하는 데에만 사용할 수 있다. 예를 들어, 심한 저산소증 환자에게 기관내삽관을 할 때 환자가 처음에 70% 산소포화도를 보일 경우 동맥혈산소분압은 40mmHg일 수 있다. 기관내삽관 후 산소포화도는 80%로 향상될 수 있지만, 동맥혈산소분압은 실제로 약 50mmHg로 약간만 개선되었을 수 있다.

다른 요인들은 산소포화도의 신뢰성을 떨어뜨릴 수 있다. 손톱에 매니큐어를 바른 경우, 네일아트, 손가락 오염, 차가운 팔다리 또는 추운 환경, 쇼크, 센서의 피부 접촉 불량, 배터리가 부족하면 판독이 정확하지 않을 수 있다. 산소포화도 모니터는 손가락에서 박동 흐름을 감지하며 이를 박동 막대 또는 깜박이는 빛으로 나타낸다. 산소포화도 모니터가 없는 경우 판독 값을 신뢰할 수 없다. 메트혈색소와 일산화탄소혈색소(일산화탄소 중독) 같은 비기능적인 헤모글로빈은 거짓으로 높은 수치를 일으킬 수 있다. 포화도는 100%일 수 있지만, 환자는 심각한 저산소증일 수 있다. 산소포화도 모니터링의 결론은 얻은 값이 가스로 포화하는 헤모글로빈을 나타낸다는 것이다. 효과적인 환기를 검증하지 못하고, 현재 가지고 있는 헤모글로빈의 양을 결정하지 못하기 때문에 실제로 빈혈로 인해 저산소증을 유발할 수 있고 헤모글로빈에 어떤 가스가 붙어 있는지 나타내지 않을 때 높을 수 있다.

일산화탄소 센서

의료 산업에서 상대적으로 새로운 일산화탄소측정기는 이제 일산화탄소 분자가 헤모글로빈에 부착되는 것을 나타내는 신뢰할 수 있는 지표가 되었다. 헤모글로빈은 산소보다 일산화탄소를 더 좋아한다. 두 가지 모두 부착할 수 있을 때 산소보다는 일산화탄소에 대한 친화력이 훨씬 더 높아서 정상적인 일산화탄소혈색소 수치보다 더 높다. 환자가 독성 일산화탄소 흡입에 노출되었을 때 발생한 일산화탄소 결합의 정확한 양을 감지하는 간단한 방법을 갖는 것은 임상적으로 유용하다. 매우 정확한 센서는 기존의 산소측정기와 동일한 방식으로 환자에게 부착하지만, 일산화탄소를 감지하기 위해 스펙트럼의 다른 파장의 빛에 의존한다. 일산화탄소측정기와 침습적 실험실 검사인 동맥혈가스(ABG) 분석을 이용한 표준 일산화탄소혈색소 검출 결과를 비교하면 일산화탄소측정 방법은 동맥혈가스 결과의 4.3% 이내이다. 이러한 정보에도 불구하고 병원 전 환자에서 일산화탄소 검출 및 모니터링의 정확성과 유용성에 대해서는 여전히 논란이 있다.

호기말이산화탄소 측정기

호기말이산화탄소분압측정기와 호기말이산화탄소분압측정

호기말이산화탄소분압 모니터링은 일반적으로 식도의 이산화탄소 수치가 낮거나 전혀 없기 때문에 기관내관의 적절한 초기 배치를 확인할 수 있는 신뢰도가 높은 방법이다. 또한 의도하지 않은 발관, 부주의한 삽관, 가슴압박의 효과 및 자발 순환의 회복을 감지하는 데 유용하다. 호기말이산화탄소분압 측정은 보통 기관내관과 백밸브마스크 장치 사이에 위치한 측정기를 사용한다. 한 유형의 측정기에는 pH 변화에 민감한 종이 지시약이 포함되어 있다. 배출된 이산화탄소는 종이의 색상을 변화시켜 이산화탄소의 존재를 시각적으로 나타내는 지표로 사용한다. 색상 변화의 정도는 존재하는 이산화탄소의 양과 비슷하므로 이러한 유형의 호기말이산화탄소 분압을 비색이산화탄소 검출이라고 한다. 비색측정기는 임상적 사용이 제한적이고 유통기간이 짧다. pH에 민감한 종이는 사용하기 전까지 밀봉된 포장 상태를 유지하고 개봉 후 15분 이내에 사용해야 하며 위산이 장치로 흡인되면 장치가 무용지물이 되고 기관내관을 통한 산성 약물 투여도 마찬가지다. 탄산음료를 섭취하면 잘못된 양성 결과가 나올 수도 있다.

디지털 호기말이산화탄소 측정기는 각 날숨 후 환자의 이산화탄소를 수치로 표현하는 진정한 정량적 판독 값을 제공한다. 호기말이산화탄소분압 측정을 그래픽과 동적으로 만들어 호흡주기 전체와 시간 경과에 따른 이산화탄소 수준에 대응하여 공기 흐름 속도와 호흡 질에 대한 정보를 제공함으로써 이산화탄소 검출을 한 단계 더 발전시켰다. 그 결과 파형은 신체의 신진

대사를 나타내는 다음과 같은 단계로 나눌 수 있다.

- 1단계는 날숨 초기이며 상당한 양의 이산화탄소를 포함하지 않은 무용공간의 공기를 포함하여 그래프를 움직이지 않는다.
- 2단계는 활발한 날숨 단계이며 폐포 공기의 비율 증가로 인해 증가하는 이산화탄소양을 포함한다.
- 3단계는 폐포 공기가 배출되고 이산화탄소 농도가 결국 안정기에 도달함에 따라 3단계가 계속된다.

그림 2-9는 호기말이산화탄소분압측정으로 생성된 전형적인 파형을 보여준다. A-B(1단계)는 0 또는 기준선에서의 파형을 보여주는 것이고, 이 기준선은 들숨 끝 또는 날숨이 시작될 때 발생한다. 날숨이 시작되면 상향 파형을 보이게 되고 이는 B-C(2단계)로 표시된다. 이 긍정적인 편향은 장치가 즉시 이산화탄소를 감지하기 시작할 때 발생한다. C-D(3단계)는 날숨 속도가 느려지는 것을 나타내며 D는 날숨 끝에서 배출된 이산화탄소의 최고점을 나타낸다. 파형의 고원이 그래프로 표시될 때 음성 편향(하향) 또는 갈라진 부분은 환자의 자발적인 호흡 노력을 나타낼 수 있다. 이것은 신경근 마비가 사라지고 있다는 초기 징후일 수 있다. 파형의 점 D-E는 다음 호흡이 시작할 때 빠른 들숨을 반영한다. 호흡 주기의 이 부분에서 이산화탄소가 거의 배출되지 않기 때문에 아래쪽으로 이동한다.

적절한 기관내관 배치는 설명된 바와 같이 규칙적이고 예측 가능한 파형을 생성한다. 기관내관을 식도로 부적절하게 배치하면 이산화탄소가 지속해서 생성되지 않기 때문에 규칙적인 파형이 생성되지 않는다. 기관내관의 끝이 성문 근처에 위치하면 측정 가능한 판독 값이 생성될 수 있으나 불규칙하며 전형적인 파형은 만들지 못한다. 예상되는 윤곽을 벗어나는 모든 파형은 기관내삽관 상태를 즉시 재평가한다.

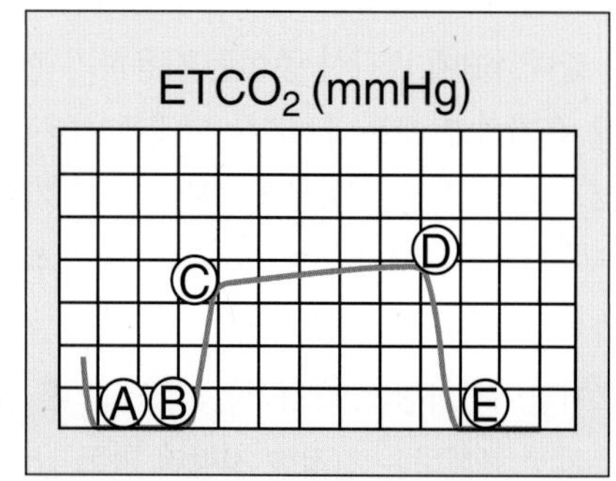

그림 2-9. 정상 호기말이산화탄소분압의 4단계. A-B는 이산화탄소가 없는 호흡 주기, B-C는 들숨에서 날숨으로의 전환과 무용공간과 폐포 가스의 혼합을 나타내는 곡선의 빠른 상승, C-D는 이산화탄소가 풍부한 폐포 가스를 나타내며 폐포가 고르지 않게 비워지면서 완만하게 위쪽으로 기울어지는 경향이 있는 폐포 고원, D-E는 들숨 진입 과정으로 기준선까지 거의 수직으로 떨어짐

$ETCO_2$, End-tidal carbon dioxide.

앞서 언급했듯이 기관내삽관된 환자의 파형과 함께 숫자도 있을 것이다. 정상적인 호기말이산화탄소 농도는 35~45mmHg이며 환기 및 관류가 잘 이루어질 때 존재한다. 심정지, 폐색전증, 저혈량 쇼그와 같은 상황은 정상적인 호기말이산화탄소 농도에 도달하기 어렵다. 이러한 수치는 기도 유지가 시행된 심정지 환자의 상태와 예상 반응을 모니터링하는 데 사용할 수 있다. 기관내삽관된 환자에게 효과적으로 심폐소생술을 20분 동안 시행했음에도 호기말이산화탄소분압이 10mmHg 미만이면 종종 소생술 중단을 결정하는 하나의 지표이며 갑작스러운 증가는 자발 순환의 징후일 수 있다.

삽관되지 않은 환자의 호기말이산화탄소 평가

환자의 호기말이산화탄소분압을 평가하는 또 다른 유용한 방법은 부류연 호기말이산화탄소분압을 통해 삽관하지 않은 환자에서 측정할 수 있다. 이산화탄소 샘플링 튜브를 환자의 코나 입에 삽입하고 환자 날숨의 기도 가스 샘플을 기계의 센서로 보낸다. 백밸브마스크나 코삽입관을 통해 보조 산소를 공급하면서 동시에 삽관하지 않은 환자를 모니터링할 수 있다. 이 기술은 호흡 정보를 제공하고 고이산화탄산혈증, 무호흡, 호흡 억제 및 저관류와 같은 문제를 감지한다. 후자는 패혈증을 포함할 수 있지만, 26mmHg 미만의 호기말이산화탄소분압은 다른 지표와 함께 심각한 감염을 암시한다. 또한 변화가 거의 즉시 나타나지만, 산소포화도가 감소하는 데 몇 분 정도 걸릴 수 있으므로 진정제를 투여하거나 호흡을 억제하는 약물을 투여하는 경우 유용한 도구가 될 수 있다. 부류연 호기말이산화탄소는 만성폐쇄폐질환 또는 천식 악화의 중증도 및 처치의 효과를 평가하는 데 추가로 사용할 수 있다. 경미한 경우 환자는 처음에 과다환기를 할 수 있고 호기말이산화탄소분압은 감소하지만, 중증으로 악화한 경우 호흡 부전의 증상을 나타낼 수 있는 이산화탄소 또는 공기 트레핑이 저류될 것이다.

마지막으로 호기말이산화탄소분압의 파형은 폐쇄된 질병에서 "상어 지느러미"처럼 나타나는 파형의 전형적인 평탄한 모양으로 평가할 수 있다(그림 2-10). 차단된 공기 유출을 처치하고 개선하면 이 모양은 반복적인 평가에서 정상화되어야 한다.

파형 호기말이산화탄소분압은 EMS 제공자가 사용할 수 있

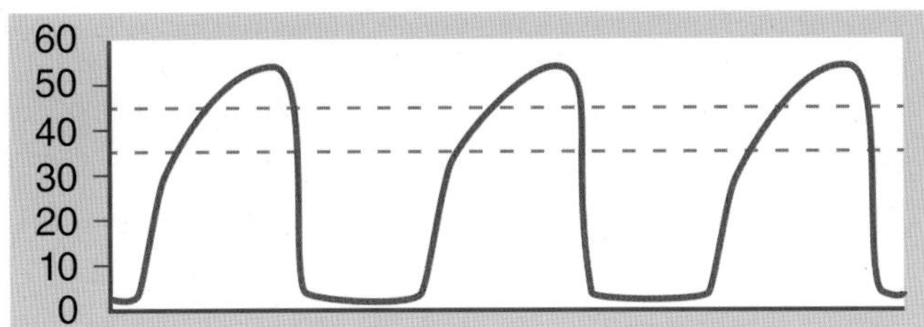

그림 2-10. 파형의 상어 지느러미 모양은 환자의 기관지 경련을 나타낸다. 세기관지가 경련을 일으켜 날숨이 길어지고 환자가 이산화탄소를 내뿜는 데 더 오랜 시간이 걸린다. 상어 지느러미 모양은 모든 유형의 기관지 경련이 있는 환자에게 나타나는 전형적인 징후이다.

Courtesy of Les R. Becker, PhD, MS.MedL, NRP, CHSE.

는 가장 중요한 평가 도구 중 하나일 가능성이 크다. 모든 상급 소생술 기관은 이 술기를 사용할 수 있어야 하고 제공자가 입증한 적절한 역량을 갖추어야 한다. 일부 기관에서는 기관내관의 위치를 확인하는 유일한 수단으로 호기말이산화탄소분압을 고려한다. 여러 임상 시나리오에서의 유용성과 비침습적 적용으로 인해 구급대원의 유용한 도구가 된다.

가슴 방사선 영상 촬영

가슴 방사선 촬영은 흉통과 호흡곤란 환자를 평가하는 데 매우 중요한 평가 장비이다. 단순 방사선 촬영은 폐, 심장, 가슴벽, 뼈, 가로막 및 가슴의 연부조직에 대한 놀라운 양의 정보를 전달한다. 일반적인 가슴 방사선 촬영은 일반적으로 필름에 환자의 가슴을 대고 측면과 뒤앞(PA) 두 방향에서 촬영한다.

중증 환자의 경우 침대 옆에서 이동형 기계를 사용하여 오직 전후(AP) 방향으로 가슴 방사선 촬영을 수행한다. 폐 질환을 진단하기 위해서는 두 방향에서 촬영한 방사선 영상이 더 좋지만, 대부분의 질환을 확인하기 위해서는 전후 방향으로 촬영한 방사선 영상이면 충분하다. 전후 방향으로 촬영한 방사선 영상은 휴대할 수 있기 때문에 두 가지 방향에서 촬영한 방사선 영상보다 약간의 화질 저하가 있고 촬영 기술에 더 많은 차이가 있다. 또한 이동형 장비를 이용하여 전후 방향으로 촬영한 방사선 영상은 심장 크기를 어느 정도 확대할 수 있다.

방사선 촬영 검사는 다음과 같은 기본 사항이 포함되어야 한다.

- 기흉을 확인하려면 양쪽 폐를 최대한 팽창시켜서 검사한다.
- 폐의 경계와 가슴막의 가장자리를 검사하여 가슴막 삼출액, 혈흉 또는 가름고름집(가슴막안 고름)을 암시하는 액체가 있는지 검사한다.
- 각 폐의 내부를 검사하여 폐렴이나 세로칸공기증이 있는지 확인한다.
- 심장의 크기와 위치를 평가한다.
- 가로막 아래의 공기가 양쪽에 있는지 확인하여 장의 천공 여부를 파악한다.
- 기관이 세로칸 중에 있고 기관내관이 용골 위에 있는지 확인한다.

가슴 방사선 촬영과 그 해석은 구급대원에게 필요한 술기가 아니지만, 익숙해지고 인식하면 많은 임상 시나리오에서 도움이 된다. 중환자를 이송하는 의료진은 이 기능에 대한 기본적인 이해가 있어야 한다.

초음파

초음파 검사는 진단 의료 초음파 검사라고도 하며 고주파 음파를 사용하여 신체 내부 구조의 정확한 이미지를 생성하는 영상 방법이다. 초음파 검사를 통해 생성된 영상은 종종 다양한 질병 및 상태를 치료하고 진단하는데 유용한 정보를 제공한다.

초음파 영상은 응급상황에서 유용한 검사이며 대동맥류 파열 및 기타 생명을 위협하는 출혈을 감지하는 데 점점 더 많이 사용되고 있다. 초기에는 주로 임신을 확인하기 위해 사용되었으며 실시간 초음파 영상은 현재 일부 응급처치 제공자들이 자궁외임신, 심장눌림증, 복부 동맥류, 가슴막 삼출액, 기흉 및 복강 내 출혈을 확인하는 데 사용한다. 이러한 장비는 비교적 비싸며 신뢰할 수 있는 초음파 검사는 교육과 전문 지식이 필요하다. 단점은 이 진단 장비의 사용을 제한하는 경향이 있다. 환자 중심의 결과(초음파가 환자 사망률을 증가시키는 경우)는 현재 없거나 최소다. 향후 연구는 병원 전 환경에서 초음파 영상의 역할을 설명할 것이다.

혈액 검사: 동맥혈 가스 및 정맥혈 가스

동맥혈 가스(ABGs)와 정맥혈 가스(VBGs)는 혈액의 산소와 산-염기 균형을 평가하기 위해 사용된다. 동맥혈 가스는 동맥혈을 주사기에 흡인하여 검체를 얻는다. 그런 다음 혈액을 신속하게 분석하여 호흡곤란 환자의 임상적 처치를 지시하는 데 사용한다. 정맥혈 가스 분석은 동맥혈 샘플링이 필요하지 않은 전신 이산화탄소 농도와 pH를 측정할 수 있는 대체 방법이다.

pH는 혈액의 산성 또는 알칼리성 상태를 반영한다. 인체의 정상 pH는 7.35~7.45이다. pH 농도가 감소하면 산증이 나타나지만, pH 농도가 상승하면 알칼리증이 나타난다. 산증과 알칼리증은 호흡 부분과 대사 부분으로 나눌 수 있다. 호흡성 산증은 호흡 부전으로 빠르게 진행할 수 있으며 대사 상태도 산증을 유발할 수 있다. 쇼크가 대사 산증의 가장 일반적인 원인이지만, 당뇨병케토산증이 대표적인 예이다.

동맥혈 산소분압을 측정하는 것은 저산소증 유무와 정도를 평가하는 데 필수적이다. 실내 공기로 호흡할 수 있는 환자의 정상 수치는 80~100mmHg이며 일반적으로 21% 산소(실내 공기)를 호흡하는 동안 달성된다. 500mmHg를 초과하는 100% 산소를 투여받는 환자는 신경학적 결과가 더 나쁜 것으로 나타났다. 처치 제공자는 잠재적인 산소 독성을 피하고자 94~99% 사이의 동맥혈 산소포화도를 유지하는데 필요한 최저 비율로 흡입산소농도(FiO_2)를 결정한다. 만성폐쇄폐질환과 같은 만성폐질환 환자에서 50~70mmHg의 저산소증은 드문 일이 아니다. 만성 저산소증으로 발생하는 내성으로 50~70mmHg 수준으로 감소한 환자의 경우 심각한 임상 증상을 보일 수 있다. 탄산수소염(HCO_3) 농도는 인체의 신진대사 관점에서 산-염기 상태를 반영한다. 중탄산수소염의 낮은 수치는 대사 산증을 나타내고 높은 중탄산수소염 수치는 대사알카리증을 나타낸다. 염기과잉(BE) 또는 염기 결핍은 대사 또는 호흡기 질환의 존재를 평가하는 데 사용할 수 있다. 염기과잉의 범위는 일반적으로 −3~+3이다. 음수 값은 대사 산증을 나타내고 양수 값은 대사알칼리증을 나타낸다.

동맥혈 가스(ABG) 분석

처치 제공자로서 동맥혈 가스 분석에 대한 기본적인 이해가 중요하다. 환자의 적절한 기계적 환기는 동맥혈 가스 분석을 기반으로 한다. 인공호흡기는 환자의 정확한 임상 소견을 바탕으로 설정하며 그중 일부는 동맥혈 가스 분석을 포함한다(표 2-3).

동맥혈이산화탄소분압의 산 또는 염기 변화는 pH와 반비례하며 호흡기 이상이나 변화를 반영한다. 또한, 염기과잉과 탄산수소염 수치는 일반적으로 비정상이나 신체 적응에 대한 신진대사의 이유가 존재할 때 pH와 동일한 방향으로 움직인다는 것을 명심한다.

실험실에서 혈액가스 검사 결과를 분석할 때 올바른 해석을 할 수 있도록 안내하는 지름길은 결과 옆에 화살표를 배치하는 것이다. 환자의 결과가 정상보다 더 높은가? 그렇다면 위쪽을 가리키는 화살표를 사용한다. 분석 결과가 정상 범위보다 낮은가? 그렇다면 아래쪽을 가리키는 화살표를 사용한다.

표 2-3. 주요 혈액가스 분석 결과

지표	정상 범위	이상 소견	
		산	알칼리
pH	7.35~7.45	↓	↑
이산화탄소분압(PCO_2)	35~45mmHg	↑	↓
염기과잉(BE)	−2~+2	↓	↑
탄산수소염(HCO_3)	22~26mEq/L	↓	↑

예를 들어 환자의 혈액가스 결과는 다음과 같다.

PaO_2: 60mmHg
pH: 7.20
$PaCO_2$: 78mmHg
BE: −2
HCO_3: 22mEq/L

산소 분압이 낮으면 산소 공급이 충분하지 않다는 것을 나타내는 것이다. 환자가 실내 공기로 호흡하는 경우 고유량 산소 투여를 고려할 수 있다. pH가 감소하고 산소 분압이 상승하면 염기과잉과 탄산수소염 수치는 정상이다. 이러한 결과를 종합하면 산증(호흡 산증)을 나타낸다. 모든 실험실 검사 결과는 환자의 임상 상태와 상관관계가 있어야 한다. 이 경우 산증을 교정하는 방법은 환자의 분당호흡량을 증가시키는 것이다. 환자에게 기계 환기를 제공하는 경우 호흡수를 증가시키거나(빈도) 일회호흡량을 늘리거나 또는 둘 다 증가시켜 분당호흡량을 교정할 수 있다.

신체는 지속해서 균형 또는 항상성을 재조정하려고 한다. 인체가 산이나 알칼리 이상에 적응하는 기전은 완충 시스템을 통해 처음으로 가장 빠르게 두 번째는 호흡계를 통해 천천히 그리고 며칠 후에는 신장계를 통해 나타난다.

다음 혈액가스 분석 결과는 조기 출혈쇼크에 있는 환자의 성공적인 보상을 보여준다.

pH: 7.36
$PaCO_2$: 25mmHg
BE: −8
HCO_3: 15mEq/L

임상적으로 이 환자는 빠른 호흡(초기 쇼크 징후)을 보이며 탄산의 이용 가능성을 최소화하기 위해 이산화탄소를 배출하고 있다. 사실 호흡계는 환자의 pH가 정상적으로 유지될 정도로 잘 작동하는 데 이를 완전 보상이라고 한다. 또는 대사 산증이 완전히 보상되었다고 말할 수 있다.

혈액가스 분석 결과를 기반으로 양압 환기를 조절하는 것은 중환자 처치 분야에서 표준 관행이다. 이를 수행하는 한 가지 방법은 다음과 같은 실용적인 관점에서 볼 수 있다.

1. 동맥혈이산화탄소분압($PaCO_2$)은 주로 속도(f)와 일회호흡량(VT)의 영향을 받는다.
   - 동맥혈이산화탄소분압이 증가한 경우: 호흡 속도 × 2~5 또는 일회호흡량(VT) × 50~100mL로 증가
   - 동맥혈이산화탄소분압이 감소한 경우: 호흡 속도 × 2~5 또는 일회호흡량(VT) × 50~100mL로 증가
2. 맥박산소측정법으로 측정한 산소포화도(SpO_2)의 급격한 변화의 경우 흡입산소농도(FiO_2)와 호기말양압(PEEP)의 변화가 일어나야 한다. 호기말양압의 변화는 특히 호기말양압 수치가 7~10cmH_2O 보다 큰 경우 주의해서 시행한다.
   - 산소포화도가 95% 이상으로 증가한 경우: 흡입산소농도를 5%씩 감소시켜 산소포화도를 94% 이상으로 유지한다.

정맥혈 가스(VBG) 분석

병원 전 처치 검사(POC)는 특정 임상 상황에서 정맥혈 가스 분석 결과의 유용성을 입증하고 있다. 이 방법은 명백한 임상적 이점이 있다. 실험실 샘플을 얻는 데 필요한 고위험 동맥 천자의 횟수를 줄이고 처치 제공자가 일부 신진대사 장애가 있는지를 결정할 수 있는 충분한 정보를 제공하며 환자의 고통을 완화시킬 수 있다. 산소분압을 제외한 정맥혈 가스 분석 결과는 동맥혈 가스 분석을 예측할 수 있는 변수로 사용한다.

정맥혈 가스 검사의 한 가지 단점은 정맥혈 가스 분석 결과와 임상적 상관관계를 만들 수 없는 경우 동맥혈 가스 분석을 시행해야 한다는 것이다. 또 다른 하나는 신뢰할 수 있는 산소포화도의 명백한 격차이다. 맥박산소측정은 정맥혈 가스 검사의 보조 수단으로 사용할 수 있다. 표 2-4는 정상적인 정맥 및 동맥혈 가스 분석 결과의 차이를 보여준다.

표 2-4. 건강한 사람의 동맥 및 정맥혈 가스 분석 결과 비교

	동맥혈 가스 분석	정맥혈 가스 분석
pH	7.38~7.42	7.35~7.38
이산화탄소분압(PCO_2)	38~42mmHg	44~48mmHg
산소분압(PO_2)	80~100mmHg	40mmHg
탄산수소염(HCO_3)	24mEq/L	22~26mEq/L

폐 기능 검사

폐 기능 검사(PFTs)는 질병의 특성과 중증도를 더 잘 특성화하기 위해 호흡곤란이 있는 환자를 위해 호흡기내과 전문의가 처방하는 검사이다. 폐 기능 검사는 폐가 공기를 얼마나 잘 흡입하고 배출하는지 그리고 산소와 같은 가스를 대기 중에서 신체의 순환으로 얼마나 잘 이동시키는지를 측정한다.

응급실이나 현장에서 기관지 경련이 있는 환자의 최고날숨유속 또는 최고유속을 측정할 수 있다. 이 속도는 기류의 척도이며 연령, 신장, 성별 또는 환자가 알고 있는 기준선에 따라 평가된다. 측정은 처치의 효과를 결정하거나 환자의 호흡곤란의 다른 원인을 알려 줄 수 있다.

▼ 감별 진단 개선

호흡곤란, 쇠약, 발열, 의식상태 변화, 실신, 흉통과 같은 환자의 주요호소 증상을 토대로 특정 진단을 시행하고 질문하며 평가를 한다. 다음 표는 일반적으로 주요호소 증상과 관련된 감별 진단을 공식화하는 데 도움이 된다. 신체 계통에 따른 호흡곤란의 감별 진단은 표 2-5에 요약되어 있으며 증상이나 징후에 따른 감별 진단은 표 2-6에 요약되어 있다.

▼ 지속적인 처치

다음 섹션에서 논의된 처치를 시행하기 전에 다양한 다른 표준 처치가 이미 시행되었어야 한다. 전문 소생술이 필요한 환자의 경우 산소포화도를 94% 이상으로 유지하기 위한 산소 공급과 정맥 라인 확보는 일반적인 처치이다. 침착하고 전문적이며 배려심이 강한 태도로 환자의 불안을 줄이려는 노력은 환자의 심박수와 혈압을 감소시키고 호흡 효과를 극대화하는 데 도움이 될 수 있다.

표 2-5. 신체계통에 따른 호흡곤란의 감별 진단		
중증	응급	비응급
	폐 진단	
기도 폐쇄	자발기흉	가슴막삼출
폐색전증	천식	신생물
비심인성 부종	폐심장증	폐렴
급성중증과민증	흡인폐렴	만성폐쇄폐질환
	심장 진단	
폐부종	심장막염	선천심장병
심근경색증		판막심장병
심장눌림증		심근병증
	복부 진단	
복부 대동맥 박리	허혈성 장	복수
장 천공	췌장염	장폐색증
게실 천공	담낭염	비만
담낭 괴저	장 폐쇄	
식도 천동	가로막 탈장	
복부 진단 처럼 보라색으로 중앙에 정렬		
당뇨병케토산증	고혈당	
갑상샘 발작	갑상샘항진	
	감염 진단	
패혈증	바이러스 폐렴	인플루엔자
패렴	세균성 폐렴	기관지염
후두개염	곰팡이성 폐렴	사람면역결핍바이러스 감염
세균성 기관염	폐렴증	결핵
인두뒤고름집	흡인성 폐렴	
이물질 흡인	폐고름집	
수막염	축농	
	혈액학적 진단	
중증 빈혈	빈혈	만성 빈혈
위장관 출혈	백혈병	
	림프종	
	신경근육 진단	
뇌내출혈	뇌병증	신경근 퇴행성 질환(근위축측삭경화증)
뇌졸중	알코올 중독	중긍근무력증
일과성허혈발작	기저 동맥증후군	다발경화증

표 2-6. 증상 및 징후에 의한 호흡곤란의 감별 진단

중증	응급	비응급
	쇠약	
패혈증	전해질 이상	탈수
뇌내출혈	폐렴	열탈진
심근경색증	기저 동맥증후군	
폐색전증		
기흉		
약물과량투여		
	열	
패혈증	폐렴	기관지염
열사병	축농	요로감염
후두개염		
세균성 기관염		
인두뒤고름집		
	실신	
패혈증	울혈심부전	탈수
폐색전증	심근염	현기증
심근경색증		미주신경 자극
심근허혈		
심장부정맥		
	흉통	
급성심근경색증	심장막염	기관지염
ST분절 비상승 심근경색(NSTEMI)	심근염	가슴벽 통증
심장눌림증	심장막 삼출	갈비연골염
대동맥박리	폐렴	딸꾹질
천식지속상태	드레슬러 증후군	티체 증후군
부정맥	담낭염	
	간염	
	위대정맥색전증	
	의식상태 변화	
저혈당	약물 중독	알코올 중독
뇌졸중/일과성허혈발작	급성관상동맥증후군	
패혈증	고칼슘혈증	
호흡부전	고칼륨혈증	
대동맥박리	저나트륨혈증	
뇌내출혈	폐렴	
간질 발작 상태		

NSTEMI, Non – ST-segment elevation myocardial infarction; TIA, transient ischemic attack.

초기 및 기본적인 처치 방법

산소 제공

산소 제공은 호흡 관련 환자의 산소 공급을 개선하는 가장 쉽고 빠른 효율적인 방법이다. 산소를 일반적으로 코삽입관으로 공급하는 경우 24~40%의 산소를 효과적으로 제공할 수 있다. 분당 6L보다 높은 유량으로 장기간 산소를 공급하는 경우 환자에게 불편함을 유발할 수 있다. 기도 관리 전략은 전산소화를 위한 고유량 코삽입관이 필요하다. 이 치료법은 특수 장비가 필요한 신생아 및 소아의 고유량 처치와 혼동하지 않는다. 가습된 산소를 공급하여 흡기의 건조 효과를 감소시킬 수 있다.

얼굴마스크를 사용하여 산소를 분당 15L로 투여하면 산소 농도를 최대 60%까지 증가시킬 수 있다. 벤투리마스크는 환자에게 흡입된 산소의 양을 28~40%까지 보다 정밀하게 공급할 수 있는 특수 얼굴마스크이다. 벤투리마스크와 표준 얼굴마스크에는 한 가지 공통점이 있다. 호흡 곤란 환자의 코와 입에 장치를 배치하면 환자의 불안이 증가할 수 있으며 종종 환자가 마스크를 벗는 결과를 초래할 수 있다.

비재호흡마스크는 표준 얼굴마스크에 산소 저장낭을 추가한 것으로 분당 15L의 산소를 공급하면 흡기 산소 농도를 80~100%로 증가시킨다. 100% 산소가 필요한 환자는 일반적으로 이상기도양압(BiPAP) 또는 삽관과 같은 다른 유형의 인공호흡 지원이 필요하므로 비재호흡마스크는 종종 다른 유형의 장비에 대한 중간 다리 역할을 한다. 적극적인 처치가 성공하면 환자는 삽관 대신 흡입산소농도를 낮추어 투여할 수 있다.

양압환기

호흡부전 환자는 가스 교환을 개선하고 호흡 곤란을 완화하며 합병증이 동반되지 않은 폐의 처치를 위해 양압환기가 필요하다. 만성폐질환이 있는 일부 환자는 만성적으로 비정상적인 동맥혈 가스 분석 결과를 가지고 있지만, 급성 호흡부전 기준은 다음과 같이 정의된다.

- $PaO_2 < 55$mmHg
- $PaCO_2 > 50$mmHg
- $pH < 7.32$

백밸브마스크 장치, 지속기도양압(CPAP) 또는 이상기도양압을 통해 환기 지원을 비침습적으로 제공할 수 있다.

백밸브마스크 장치

백밸브마스크 장치는 모든 연령대의 환자를 위한 표준 호흡 소생 도구가 되었다. 특정 고려 사항은 구매한 수동 소생기 시스템과 관계없이 일반적이다. 모든 환자에게 맞는 크기의 백(주머니)과 마스크를 선택한다.

수동 소생기는 특히 병원과 시설 간 전원 환경에서 호기말양압(PEEP) 밸브 기능이 있어야 한다. 호기말양압 기능이 있는 장치는 중환자실에서 인공호흡기를 사용하던 환자에게 백밸브마스크를 사용하여 임시 수동으로 환기를 시행해야 하는 경우 해당 조건을 유지한다. 또한, 산소 저장낭과 산소 공급 튜브를 연결하고 가슴이 올라올 수 있을 정도의 일회호흡량으로 천천히 환기하면 산소 공급이 향상된다. 새로 설계된 백밸브마스크 장치 시스템을 사용하면 호기말양압을 조정할 수 있으며 전달되는 일회호흡량을 제한하거나 변경할 수 있다. 이러한 백은 특히 심장 마비 환자에게 선호된다.

수동(자가 팽창) 백밸브마스크 장치에 대한 또 다른 오해는 산소 저장낭에 분당 12~15L의 산소를 공급하면 모두 100% 산소를 전달한다는 것이다. 적당한 일회호흡량과 적절한 마스크 밀봉으로 천천히 환기를 시행하면 이러한 장치를 사용하여 100% 산소에 도달할 수 있지만, 그렇게 하기는 어렵다. 더욱 현실적인 추정치는 65~80%의 산소화이다. 비-자가 팽창 장치 또는 마취백은 환자에게 100% 산소를 공급한다. 대부분의 중환자실에서 근무하는 처치 제공자들은 실제로 사용하기 쉽지는 않지만, 환기를 관리하면서 환자의 폐 순응도에 민감하기 때문에 이 백을 선호한다. 마취 백의 유량제어 밸브는 내장된 호기말양압 기능을 제공한다.

이 기술은 종종 과소 평가되고 적절하게 수행되지 않는다. 교육 과정은 백밸브마스크 장치 사용의 중요성과 빈도를 고려해야 한다. 효과적으로 밀봉을 하고 적절한 일회호흡량과 호흡수를 제공하는 것은 환자의 생존에 매우 중요하다.

지속기도양압(CPAP)

지속기도양압은 기도에 적당한 양의 지속적인 압력을 가하여 더 작은 기도를 개방하고 호흡 노력을 줄이며 폐포의 산소화를 향상하기 위해 사용하는 환기 방법이다. 지속기도양압 장치는 천식, 폐기종, 울혈심부전 같은 중등도에서 중증의 호흡곤란이 있는 환자에게 유용할 수 있다. 이 방법은 울혈심부전 환자의 좌심실 전부하와 후부하를 감소시켜준다. 장치가 효과적이려면 환자의 얼굴과 마스크 사이를 밀착시킨다. 지속기도양압은 현재 병원 전 환경에서 일반적으로 활용되고 있으며 이 장치는 많은 지역에서 BLS 술기로 인식되고 있다.

이상기도양압(BiPAP)

이상기도양압(그림 2-11)은 응급 상황에서 더 자주 사용되는 방식이다. 이 비침습적 기술은 호흡 노력을 쉽게 하고 환기를 개선하며 삽관의 이환률 및 호흡기의 의존 가능성을 줄일 수 있다. 이상기도양압은 적어도 일부 기관내삽관을 피할 가능성을 가지고 있다.

이상기도양압에서는 흡기(흡기 시 기도양압) 중에 하나의 압력이 전달될 수 있으며 호기(호기시 기도양압) 중에 다른 압력을 전달할 수 있다. 이상기도양압은 지속기도양압의 한 형태이지만, 두 가지 다른 수준의 압력을 지원한다. 하나는 흡기시 압력이 더 높고 흡기 시 기도양압(IPAP)을 지원한다. 두 번째는 호기시 기도양압(EPAP)을 지원하고 기도를 계속 개방하는 데 도움이 된다. 환기는 코만을 덮거나 얼굴과 코를 모두 덮는 마스크 통해 전달된다. 마스크는 조절할 수 있는 끈으로 얼굴에 고정되어 있어 마스크를 환자의 얼굴에 고정하는 것에 대해 걱정하지 않고 긴장을 풀 수 있게 한다.

지속기도양압과 이상기도양압은 모두 환자의 호흡 노력을 지원하는 비침습적인 도구이지만, 단점이 없는 것은 아니다. 특히 폐쇄 공포증이 있는 일부 환자의 경우 코와 입을 가리는 것을 견딜 수 없다. 지속기도양압은 정맥 순환을 방해하여 혈압을 낮출 수 있다. 이것은 또한 위 팽창과 흡인의 위험을 증가시킬 수 있다. 마지막으로 증가한 기도 압력은 압력손상, 특히 기흉 또는 긴장기흉의 위험을 초래한다(추후 논의됨).

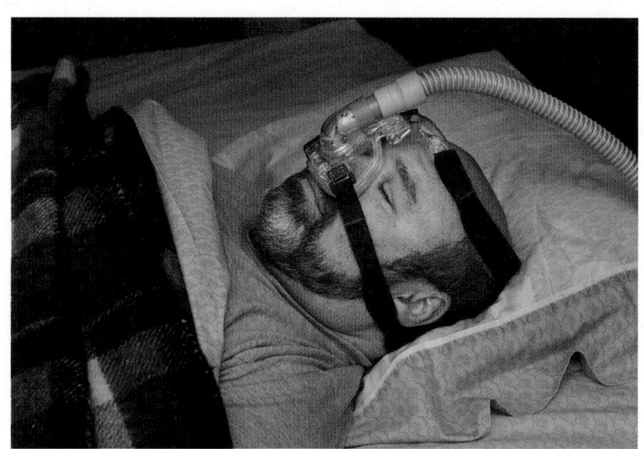

그림 2-11. 이상기도양압(BiPAP) 마스크를 적용한 환자

침습적 기도 환기

응급 환기 관리는 항상 또는 거의 호흡 곤란 및 의식 수준이 저하된 환자에게 시행된다. 침습적 기도 환기의 첫 번째 목표는 기도를 안전하게 보호하고 산소 공급이 적절한지 확인하는 것이다. 두 번째 목표는 합병증 없이 환자로부터 호흡 보조기를 제거하는 것이다. 환기 방식의 선택은 환자의 의식 수준, 폐 기능, 호흡 곤란 정도, 이전의 삽관 이력, 동반된 질환, 저산소증 정도 등을 고려한다.

삽관된 환자를 위한 침습적 술기에는 압력 조절식 호흡기와 용적 조절 호흡기가 포함된다. 성공적인 발관이라는 궁극적인 목표를 가지고 환자가 자신의 호흡에 대해 가능한 한 많은 제어를 할 수 있는 모드를 선택한다.

압력 조절식 인공호흡기

압력 조절식 인공호흡기는 미리 설정된 기도 압력에 도달할 때까지 호흡을 전달한다. 미리 결정된 수치를 최대 흡기압이라고 하며 인공호흡기는 이 매개 변수 내에서 호흡을 주의 깊게 유지한다. 압력이 높을수록 최대 흡기압에 도달하고 흡기가 발생하기까지 인공호흡기에서 공기가 이동할 수 있다. 호흡은 수동 인공호흡기보다 가슴 압력이 높기 때문에 수동적인 호흡은 흡기로 이어진다.

압력 조절식 인공호흡기는 종종 폐 또는 가슴벽의 순응도가 감소하거나[급성호흡곤란증후군(ARDS)] 폐 압력이 증가하는(천식에서와 같이) 중환자실에서 가장 유용하다. 이러한 환자를 처치할 때 최대 압력을 조절하는 능력으로 인해 압력 조절식 인공호흡기를 선택한다.

용적 조절식 인공호흡기

용적 조절식 인공호흡기는 미리 설정된 일회호흡량이 장치에 설정되어 있다. 흡입은 한계에 도달하면 종료된다. 이러한 유형 인공호흡기의 가장 큰 장점은 폐 순응도의 변화와 관계없이 일회호흡량을 전달하는 것이다. 보조/제어 및 간헐적 강제 환기는 용적 조절식 인공호흡기 유형의 일종이다.

환기 지원 모드

다음 네 가지 기본 환기 방법을 사용하여 환기를 시행하기 위해 용적 조절식 인공호흡기 그리고 압력 조절식 인공호흡기를 사용한다.

1. 조절기계적환기(CMV). 인공호흡기는 환자의 호흡 노력과 관계없이 미리 설정된 간격으로 호흡을 전달한다. 이 모드는 무호흡 환자와 약리학적으로 마비된 환자에게만 적절하다. 하지만 현재 중환자 의학 분야에서 거의 사용되지 않는다.
2. 보조/조절환기(A/C). 만약 환자가 숨을 쉬면 보조 호흡이 동시에 제공되고 인공호흡기 모니터는 다음 5초 동안의 호흡을 감시하도록 재설정된다. 5초 이내에 숨을 쉬지 않으면 기계가 보조 호흡을 시행하고 기계가 다시 시작된다. 보조/조절환기는 인공호흡 초기 단계에서 일반적인 인공호흡기 설정이다.
3. 간헐적강제환기(IMV). 조절기계적환기와 환자의 자발적인 환기를 결합한다. 조절기계적환기를 바탕으로 자신의 호흡 노력과 관계없이 환자를 위해 호흡을 보조한다. 환자가 호흡 노력을 하면 인공호흡기는 양압으로 호흡을 지원하지 않는다. 대신 따뜻하고 가습한 산소만을 공급한다. 의식이 명료한 환자의 간헐적강제환기는 진정과 마비가 거의 필요하지 않으며 환자가 환기 근육의 근 긴장도를 유지할 수 있으므로 환자에게서 인공호흡기를 쉽게 제거할 수 있다.
4. 동시성 간헐적강제환기. 이것은 보조/조절환기로 환자의 자발적 호흡을 지원한다. 동시성 전달은 과다팽창으로 인한 압력손상을 유발할 수 있는 호흡의 선회 대피(중첩)를 방지한다(자연 호흡과 동시에 전달되는 기계적 호흡이 전달됨- 간헐적강제환기의 단점).

인공호흡기가 환자의 자발적 호흡에 어떻게 반응해야 하는지 결정한다. 환자의 의식상태를 고려하고 환자가 인공호흡기의 작동을 인지하는지를 고려한다. 호흡을 시도하고 인공호흡기의 반응이 없으면 가장 침착한 환자라도 매우 불안해질 수 있다. 의식이 있는 환자는 동시성 간헐적 강제환기 모드로 설정할 수 있으며 발관을 준비하고 있는 완전히 깨어 있는 환자는 압력지원 호흡기 모드로 설정할 수 있다.

반면에 심하게 진정된 환자나 심각한 뇌 손상을 입은 환자는 호흡 노력을 못할 수 있다. 이러한 환자는 거의 완전히 기계적으로 제어하며 보조/조절환기를 제공한다.

기계식 인공호흡기 설정

기계식 인공호흡을 시작할 때는 환기 모드, 일회호흡량, 호흡수 그리고 초기 산소 공급 농도를 결정한다. 추가 선택에는 호기말양압이 포함된다. 이 매개변수는 호흡 부전이 있는 불안한 환자와 분당 20회의 호흡 속도로 호흡하는 것을 선호하지만, 일회호흡량이 체중을 기준으로 예측한 것보다 적은 만성폐쇄폐질환과 같은 임상 요구 사항을 충족시키기 위해 변형할 수 있다. 표 2-7은 일반적인 인공호흡기 설정을 요약한 것이다.

분당호흡량

분당호흡량은 분당 흡입된 공기의 양이다. 분당호흡량은 일회호흡량과 분당 호흡수로 계산할 수 있으며 적절한 환기를 지원하기에 충분한 공기가 유입되도록 한다.

일회호흡량

일회호흡량(환기량)과 호흡수는 환자 자신의 정상 호흡수와 비슷해야 한다. 대부분의 성인은 5~10mL/kg이 일회호흡량이다. 고통받지 않는 성인을 위한 일반적인 설정은 6~8mL/kg의 부피와 호흡수는 분당 12회이다. 체중을 기준으로 일회호흡량을 결정하기 위해 사용되는 몇 가지 계산이 표 2-8에 나와 있다.

남자 환자의 키가 1.8m이고 체중이 100kg인 경우 8mL/kg로 계산하면 일회호흡량을 800mL로 설정할 수 있다. 만약 환자의 체중이 약 81kg이면 일회호흡량을 650mL로 설정한다.

흡입산소농도(FiO_2)는 초기 인공호흡기 설정으로 선택된다. 선택 범위는 100%에서 최소 21%이다. 산소분압이 낮은 중증 호흡곤란 환자는 자신의 상태가 안정될 때까지 초기 설정을 100%로 하는 것이 도움이 될 수 있다. 응급 또는 신속한 삽관이 필요한 환자는 실내 공기와 동일한 21%의 산소를 견딜 수 없다. 적극적인 기도유지가 필요한 거의 모든 환자는 약간의 산소 보충이 필요하지만, 정확한 정도는 환자마다 다르다. 설정은 일반적으로 40~80% 사이이다.

현재 논의는 폐 보호 전략과 압력손상 최소화에 중점을 두고 있다. 폐 보호 전략은 급성호흡곤란증후군(ARDS) 환자의 합병증을 줄이는 것으로 나타났다. 이것은 일반적으로 중환자실에서 볼 수 있는 급성호흡곤란증후군 환자에게 따를 만한 전략이다. 최근 삽관된 병원 전 환자가 급성호흡곤란증후군으로 고통받는 것 같지 않으므로 이 환기 전략이 병원 전 환자에게 실제로 유익한지는 알려지지 않았다. 일반적으로 6~7mL/kg의 일회호흡량이 권장된다.

표 2-7. 일반적인 인공호흡기 설정

설정	설명	일반적인 설정	주석
호흡수 또는 빈도(f)	분당 전달된 호흡 수	6~20회/분	
일회 호흡량(TV)	환자에게 전달되는 가스의 양	6~8mL/kg	
흡입산소농도(FiO_2)	전달된 흡입 산소 분율	21~100%	<100%인 경우 장비 필요
호기말양압(PEEP)	호기가 끝날 때 전달되는 압력	5~20cmH_2O	이 모드는 산소 공급을 향상시킨다.
압력조절(PS)	흡기 노력을 증가시키는 압력 조절	5~20cmH_2O	
흡기 유속(IFR)/시간	일회 호흡량이 전달되는 속도	40~80 L/분 시간: 0.8~1.2초	
흡기/호기(I/E) 비율	들숨에서 만료까지의 기간	1:2	
민감성	환자가 호흡을 시작하기 위해 생성해야 하는 노력의 양	기준 압력보다 0.5~1.5cmH_2O 낮음	
고압 한계	인공호흡기가 일회 호흡량을 전달할 수 있는 최대 압력	최대 흡기압보다 10~20cmH_2O 높음	인공호흡기는 호흡을 멈추고 한계에 도달하면 나머지를 대기로 배출한다.

표 2-8. 체중을 기반으로한 일회호흡량 계산 공식*

Devine 공식
여성: 45.5kg + 키 1.5m 이상인 경우 매 2.54cm 당 2.3kg
남성: 50kg + 키 1.5m 이상인 경우 매 2.54cm 당 2.3kg
Broca's 공식
여자: 처음 키 1.5m, 체중 45kg + 그 이상 매 2.54cm 당 2.3kg
남성: 처음 키 1.5m, 체중 50kg + 그 이상 매 2.54cm 당 2.3kg
Hamwi 공식
여성: 처음 키 1.5m, 체중 45.5kg 그 이상 매 2.54cm 당 2.2kg
남성: 처음 키 1.5m, 체중 48kg 그 이상 매 2.54cm 당 2.7kg
일반적: 키-체중 공식
여자: 48kg + 5 × [(cm) - 60]
남성: 48kg + 6 × [(cm) - 60]

* 환자에게 적절한 일회호흡량을 선택할 때는 환자의 실제 체중이 아닌 이상적인 체중을 고려한다. 이상적인 체중을 계산할 수 있도록 많은 공식이 고안되었다. 대부분 환자의 키와 성별에 의존한다.

압력 조절(PS)

처음에는 환자의 자발적 호흡 노력과 진정 수준을 기준으로 인공호흡 모드를 선택한다. 압력 조절식 인공호흡기는 자발적 호흡을 유지하는 환자에게 사용되는 모드이다. 이를 통해 분당 호흡, 일회호흡량, 분당호흡량에 대한 최소한의 조건을 설정할 수 있다. 압력 지지를 사용하여 이상기도양압(BiPAP)과 마찬가지로 기도 내 일정한 양의 압력을 유지하는 데 사용할 수 있다.

호기말양압(PEEP)

대부분의 인공호흡기는 호기 정점에도 남아 있는 소량의 양압인 호기말양압을 수용한다. 이 압력은 점액, 구토물, 침윤물(폐렴 환자), 부종(울혈심부전 환자)으로 막힌 폐포를 열어 개방 상태를 유지하는 데 도움이 된다. 호기말양압은 폐렴 및 폐부종에서 볼 수 있는 것처럼 폐포가 붕괴한 환자를 도울 수 있지만, 일회호흡량이 많고 고압 지원이 기흉의 위험을 증가시킨다.

기계적 환기의 합병증

침습적인 기계 환기와 관련하여 여러 가지 심각한 위험이 있다. 용적 손상(압력손상이라고도 함)은 폐포의 과도한 팽창으로 인한 폐포 손상 또는 폐포 파열이다. 기흉과 긴장기흉은 인공호흡기로 유발되는 압력손상은 자주 발생하는 합병증이고 세로칸공기증과 공기복막증은 덜 흔한 합병증이다. 고농도 산소를 장기간 투여하면 결과적으로 세포가 손상될 수 있다. 지속해서 높은 가슴속 압력은 심장 환류를 감소시키고 수축기 혈압을 낮출 수 있다.

양압환기를 제공하는 동안 또 다른 합병증이 발생할 수 있다. 이전의 언급을 통해 이미 알고 있듯이 호기말양압을 적용하면 말단 폐포를 열고 산소 공급을 향상하는 데 도움이 될 수 있다. 그러나 천식이나 만성폐쇄폐질환과 같이 공기가 배출되지 않고 갇히면 질환이 있는 환자에게 너무 많은 환기를 시행하는 경우 자가 호기말양압(auto-PEEP)이라는 합병증이 발생할 수 있다. 이 상태에서는 숨을 내쉬기 위한 시간이 너무 짧으면 점차 공기 갇힘이 증가한다. 이 현상은 가스 교환을 손상할 수 있고 가슴속 압력이 너무 높아져 심박출량 감소의 결과로 혈 역학적 손상이 발생하여 심장 자체에 압력을 가할 수 있다.

기계적 환기가 필요한 특수 상황

삽관 및 후속 기계적 환기 중에 환자를 면밀히 모니터링하는 것이 필수적이다. 기계적 환기를 허용하기 위한 적절한 진정이 환자가 진행 중인 합병증의 증상을 나타내지 못하게 할 수 있기 때문이다. 설명할 수 없는 빈맥, 서맥, 저혈압 또는 고혈압을 즉시 평가하고 해결한다. 정기적인 동맥혈 가스 측정을 포함한 호기말이산화탄소분압 및 산소포화도를 모니터링하여 인공호흡기를 설정한다. 적절한 산소분압을 유지하면서 가능한 한 빨리 흡입산소농도 감소시킨다.

천식이나 만성폐쇄폐질환 환자는 높은 흡기 압력과 증가한 압력 유지가 필요할 수 있다. 이 환자들은 공기량을 유지하고 기도 압력이 높아서 압력손상의 위험이 현저히 증가한다. 만성폐쇄폐질환 환자에서 이상기도양압을 사용하면 삽관의 필요성이 59% 감소하는 것으로 나타났다. 삽관이 필요한 경우 호기말양압을 추가하면 이러한 환자를 더 높은 위험에 처하게 하는 공기 보유를 줄이는 데 도움이 될 수 있다.

기계적 환기에 대한 논의는 입문용이며 평생 학습 동기를 자극하기 위해 포함되어 있다. 기계적 환기에 관한 추가 교육은 항상 흥미롭고 유익하다. 그러나 이 논의만으로는 기계적으로 환기된 환자를 관리할 수 있는 적절한 교육과 지식 또는 경험을 얻을 수 없다.

삽관

궁극적으로 호흡 부전이 있는 환자는 삽관 및 환기가 필요할 수 있다. 삽관은 생명을 구할 수 있고 많은 환자는 하루나 이틀 이내에 발관할 수 있으며 좋은 결과를 얻을 수 있다. 그러나 환자에게 삽관할지 여부를 결정할 때 프로토콜, 의학적 지시 및 환자의 의사 표현과 함께 다음과 같은 문제를 고려한다.

- 중증 천식 환자에게 삽관은 마지막 방법으로 고려한다. 천식 환자는 환기가 매우 어렵고 기흉 및 기계 환기의 다른 합병증이 발생하기 쉽다.
- 예방을 위한 목적으로 심정지가 발생하기 전에 의심스러운 경우 환자에게 적극적으로 환기를 시행한다. 난폭한 환자는 삽관할 준비가 되지 않았을 수 있다. 환자가 삽관을 수용한다면, 그것은 아마도 필요해서일 것이다. 의식이 있지만, 여전히 호흡 곤란 상태에 있는 환자는 삽관을 쉽게 하기 위해 진정제와 신경근 차단제(빠른 연속 기관내삽관)가 필요하다. 산소 공급을 쉽게 하려고 케타민의 해리 용량이 대중

화되고 있다.

- 뇌졸중을 앓았거나 심하게 취한 환자는 구역반사가 거의 없거나 전혀 없을 수 있으며 이는 환자가 구토할 경우 심각한 위험을 초래할 수 있다. 환기가 적절하더라도 기도를 유지하기 위해 이러한 상황에서 환자에게 삽관하는 것을 고려한다.
- 당뇨병이 있거나 과량 투여한 일부 환자는 명백한 삽관의 필요성이 있다. 그러나 50% 포도당이나 날록손(Narcan)의 앰풀이 이러한 환자 상태를 완전히 바꿀 수 있는 경우 위 팽창과 구토를 일으키지 않고 환기를 할 수 있다고 가정하고 초기 처치의 효과를 모니터링하기 위해 몇 분 동안 백밸브 마스크로 환기를 시행하는 것이 더 나을 수 있다. 천천히 환기(1초 이상)하고 가슴 상승을 확인할 수 있을 정도로 충분한 환기를 시행한다.

상기도 상태

상부 호흡기는 기도를 폐쇄하여 결과적으로 환기를 손상할 수 있는 많은 조건에 취약하다. 감염은 이러한 상태의 가장 흔한 원인이지만, 알레르기 반응과 이물질도 공기 흐름을 방해할 수 있다. 기도 폐쇄가 있는 환자는 명백한 외부 징후(예, 부기와 호흡 자세)가 없을 수 있지만, 침을 흘릴 정도로 삼키는 데 어려움(삼킴곤란)이 있을 수 있다. 숨을 쉬거나 말할 때 비정상적인 소리가 발생할 수 있다. 상기도 폐쇄와 관련된 가장 일반적인 소리는 들숨 시 협착음이 들린다. 후두개염 같은 기도 질환 중 일부는 생명을 위협할 수 있으므로 환자의 적절한 자세를 포함하는 안전하고 현명한 계획이 있어야 한다. 이러한 상태가 의심되는 환자의 경우 혀를 누르는 평가를 피한다. 그들은 똑바로 서 있거나 "냄새 맡는 자세"를 원할 수 있다.

흡인

호흡할 수 있는 가스 이외의 것을 흡입하는 것을 흡인이라고 한다. 환자는 담수, 해수, 혈액, 구토물, 독극물 또는 음식물을 흡인할 수 있다. 관으로 영양을 공급받는 환자는 많은 양을 공급받은 직후 바로누우면 흡인의 위험이 있다. 많은 노인 환자들이 뇌졸중이나 기타 신경학적 장애로 인한 삼킴 곤란이 있다. 반응이 없는 환자는 구토할 위험이 있으며 위 내용물의 흡인은 위산이 폐 조직을 자극하여 흡인성 폐렴의 추가적인 위험을 수반한다. 이 위험은 흡인된 물질의 세균으로 의한 폐렴 또는 이차 폐렴의 발병 위험에 추가된다.

병태생리학

위 내용물을 폐로 흡인하면 사망률이 현저히 높아진다. 흡인은 외상을 입었거나 과다 복용한 환자에게서 흔하며 매우 위험한 합병증이다. 견과류나 부러진 치아와 같은 이물질의 흡인도 발생할 수 있다. 대부분의 건강한 성인은 술에 취하거나 심리적 외상을 받았거나 또는 뇌졸중이나 노화로 인한 구역 반사가 감소한 경우에 질식이 발생한다. 음식의 만성적 섭취는 또한 노인 환자에서 폐렴의 흔한 원인이다.

증상과 징후

환자가 갑자기 호흡 곤란이 시작될 수 있는 상황은 무엇인가? 식사 직후에 발생했는가? 환자가 위관을 통해 영양을 공급받는 중인가? 그렇다면 마지막으로 언제 어느 정도를 섭취했는가? 환자의 기도에서 흡인한 물질이 위관으로 공급한 음식물과 같은 색인가? 흡인한 물질에 미립자 물질이 있는가? 발열과 기침은 발작이나 반응이 없는 사고와 같은 흡인이 발생하고 몇 시간 후에 나타날 수 있다. 일부 환자는 만성적으로 흡인하며 흡인성 폐렴의 병력이 있을 수 있다.

처치

흡인의 위험이 있거나 흡인한 환자를 처치할 때 다음과 같은 지침을 사용한다.

- 환기 시 위 팽창을 피하고 적절한 경우 코위관으로 위를 감압함으로써 흡인의 위험을 적극적으로 줄인다.
- 환자의 기도를 스스로 개방할 수 있는 능력을 적극적으로 모니터링하고 필요한 경우 전문기도유지 방법으로 환자의 기도를 유지한다.
- 흡인 및 기도유지를 통해 적극적으로 흡인을 처치한다.

기본 소생술로 기도 폐쇄를 해결하지 못하면 후두경 검사와 마질 겸자를 사용하여 이물질을 제거하고 필요한 경우 지역 프로토콜에서 허용하는 경우 바늘이나 외과적 반지갑상연골절개를 시행한다.

기도 및 이물질 폐쇄

반의식 또는 무의식 환자의 상기도 폐쇄의 가장 흔한 원인은 혀이다. 이물질의 흡인은 환자와 간병인에게 심각한 불안감의 원인이 될 수 있다. 이물질 흡인은 영유아에서 가장 높은 발병률을 보이고 이는 아마도 어린아이들이 자신이 만지는 모든 것을 입에 넣는 경향으로 인해 예상되는 결과일 것이다. 아동기 이상(취학연령 이상)의 경우엔 이와 같은 경향이 발생하지 않는다. 따라서 이 연령기에 이물질을 흡인한 경우, 중독 및 의식 상태에 대한 평가를 신속하게 시행한다. 미국 소아과학회에 따르면 음식, 동전, 장난감은 어린이가 가장 자주 흡인하는 종류라고 한다.

증상과 징후

기침, 호흡 곤란, 질식의 징후가 갑자기 나타나기 시작하는 것은 이물질 흡인의 특징이다. 물체의 크기와 위치 그리고 기도의 지름에 따라 환자는 완전 또는 부분적으로 폐쇄될 수 있다. 하부기도의 부분 폐쇄는 공기 흐름을 방해할 수 있으며 가슴 압력의 급격한 변화는 기흉과 세로칸공기증으로 이어질 수 있다. 특히 영아나 어린이의 한쪽 폐에서 갑자기 쌕쌕거리는 호흡음이 들리면 이물질이 흡인되었는지를 의심한다.

어떤 경우에는 흡인된 이물질이 며칠, 몇 주 또는 몇 달 동안 기도에 갇혀 있을 수 있다. 기관지의 만성 폐쇄는 기관지 허탈 및 폐쇄폐렴을 유발할 수 있다. 식도에 이물질이 걸린 경우도 기도 손상의 원인이 될 수 있다.

처치

흡인된 이물질의 처치는 환자가 숨을 쉬거나 기침할 수 있는 능력에 따라 결정되어야 한다. 보충 산소공급은 환자를 의료기관으로 이송하는 동안 환자의 증상을 충분히 완화할 수 있다. 심각한 협착음, 낮은 산소포화도, 청색증 또는 임박한 호흡부전 징후를 보이는 환자는 즉각적인 처치를 받아야 한다. 이러한 환자를 처치하는 것은 경험이 많은 처치 제공자에게도 어려운 일이다. 불안해하고 호흡 곤란을 호소하는 환자에게서 이물질을 제거하는 물리적 행위뿐만 아니라 고통받는 부모나 다른 가족들을 진정시켜야 한다.

의식이 있으나 스스로 이물질을 제거할 수 없는 부분 기도 폐쇄 환자의 경우 복부밀치기가 심부 기침을 유발할 수 있다. 환자가 의식을 잃으면, 가슴 압박을 시작하는 것이 환자의 기도 폐쇄 문제를 해결하는 데 도움이 되는 가장 좋은 방법인 것으로 밝혀졌다. 가능하면 환자를 환기해 삽관 전 산소화시키고 빠른 연속 기관내삽관에 필요한 약물과 대체 삽관 장비 그리고 기관내삽관에 필요한 장비를 준비한다. 삽관을 시도하기 전에 절차에 대해 환자와 가족에게 간략하고 간단히 설명함으로써 불안을 어느 정도 완화할 수 있다. 충분한 진정 또는 마비된 후 직접 후두경 검사로 이물질을 확인하고 제거할 수 있다. 환자가 구토할 경우 흡인을 막기 위해 흡입기를 환자 근처에 두어야 한다. 백밸브마스크 장치로 환기를 보조하고 필요하다면 삽관을 준비한다.

성문 아래에 위치한 이물질은 잡기 어렵고 쉽게 제거할 수 없다. 이물질을 덜 방해가 되는 위치로 옮기기 위해 맹목적으로 기관내관을 기관으로 통과시키는 것은 성공적인 것으로 알려졌지만, 이는 완전한 문제에 직면한 숙련되고 경험이 풍부한 처치 제공자일 경우에만, 시도하는 술기이다.

이물질을 제거한 후에도 환자의 의식 수준이 저하되었거나 만취, 출혈 또는 산소 공급 및 호흡 보조가 필요할 경우 삽관을 시행할 수 있다. 환자를 이송할 의료기관에서 이물질을 확인할 수 있도록 보관한다. 이송 후 환자의 상태 또는 흡인된 이물질의 일부가 남아 있다는 의심이 있으면 기관지 내시경 검사가 필요할 수 있다. 기관지 내시경 검사는 중환자실 또는 수술실에서 전신 마취를 시행한 후 실시한다.

급성중증과민반응

급성중증과민증은 두 개 이상의 신체 계통을 포함하는 알레르기 반응의 극단적인 전신적 형태이다. 면역 체계는 생명과 건강에 필수적이지만, 때로는 신체가 방어에 지나치게 열중하게 된다. 그 결과 발생하는 문제는 꽃가루알레르기에서 아나필락시스에 이르기까지 중증도가 다양할 수 있으며 단순한 짜증에서 생명을 위협하는 상황에 이르기까지 다양하다. 급성중증과민반응 동안 면역 체계는 하나 이상의 물질에 과민해진다. 인체는 종종 면역 체계에 의해 해로운 것으로 확인되어서는 안 되는 물질(예를 들면, 돼지풀, 딸기, 페니실린)에 대한 이러한 반응을 보인다. 알레르기가 있는 사람의 면역 세포는 알레르기가 없는 사람의 면역 세포보다 더 민감하다. 이 세포는 세균이나 바이러스와 같은 위험한 침입자를 인식하고 반응할 수 있지만, 해가 없는 물질도 위협적인 것으로 간주한다.

병태생리학

침입하는 물질이 체내로 들어오면 비만 세포는 이를 잠재적으로 해로운 것으로 인식하고 화학 매개체를 방출하기 시작한다. 주요 화학 물질 중 하나인 히스타민은 해당 부위의 혈관을 확장하고 모세혈관을 누출시킨다. 훨씬 더 강력한 류코트리엔이 방출되어 추가 확장과 누출을 일으킨다. 침입한 유해 물질을 파괴하기 위해 백혈구가 해당 부위로 이동하고 혈소판도 같이 모이기 시작한다. 대부분은 해가 없는 침입자에 대한 과잉 반응은 일반적으로 침입당한 부위로 국한된다. 꽃가루 알레르기와 관련된 콧물, 가려운 코 및 부은 눈은 국소 알레르기 반응의 예이다.

그러나 급성중증과민증의 경우 화학 매개체가 방출되고 그 효과는 신체 전반에 걸쳐 하나 이상의 계통을 포함한다. 초기 효과는 히스타민 방출로 인해 피부 증상(두드러기), 구토, 저혈압을 유발한다. 훨씬 더 강력한 류코트리엔의 이후 반응은 히스타민의 효과를 복합적으로 나타낸다. 강력한 기관지 수축 물질이 방출됨에 따라 환자의 호흡 상태가 악화한다.

증상 및 징후

환자는 뇌 관류 감소 및 저산소증에 반응하여 중추신경계 증상을 나타낼 수 있다. 이러한 증상에는 두통, 현기증, 혼란, 초조 등이 있다. 가장 흔한 호소증상은 호흡기 증상으로 호흡곤란, 숨참 또는 가슴 압박감으로 나타난다. 협착음 및 쉰 목소리도 나타날 수 있다. 이러한 징후와 증상은 종종 후두 및 후두개 부위의 상기도 부종으로 인한 것이다. 영향을 받은 환자는 인후에 덩어리가 있다고 표현할 수 있으며 하기도 종종 관련 있다. 기관지 수축과 분비물의 증가로 협착음과 쌕쌕거리는 소리가 날 수 있다. 이러한 증상은 천천히 또는 놀라울 정도로 빠르게 진행될 수 있다. 이 빠르고 생명을 위협하는 과정을 중단하는 데 1~3분밖에 걸리지 않을 수 있다. 표 2-9는 급성중증과민증 증상과 징후를 나열한 표이다.

감별 진단

급성중증과민 반응이 있는 환자의 감별 진단을 결정하는 것은 매우 어려울 수 있다. 환자를 동시에 평가하고 문제를 확인하며 현장에 도착한 후 몇 초 이내에 처치하여 환자의 생명을 구해야 할 수도 있다. 이전에 논의된 증상이 있는 경우 급성중증과민증에 대한 의심 지수가 높아야 한다. 이전 연구에서는 병원 전 처치 제공자가 급성중증과민증을 절반의 시간 동안 인식할 수 있음을 나타낸다. 일부 처치 제공자는 두드러기와 저혈압이 있는 환자를 급성중증과민증이 있는 것으로 인식하기 쉽기 때문에 신뢰할 수 없다고 생각할 수 있다. 중추신경계 및 위장 증상과 같은 다른 계통 관련 환자를 인식하는 것은 어렵다.

표 2-9. 급성중증과민반응의 증상 및 징후

계통	증상 및 징후
피부	▪ 따뜻한 ▪ 홍조 ▪ 가려움(소양감) ▪ 부어오르거나 충혈된 눈 ▪ 얼굴과 혀의 부기 ▪ 손발의 부기 ▪ 두드러기
호흡기	▪ 호흡곤란 ▪ 목과 가슴 답답함 ▪ 협착음 ▪ 쉰소리 ▪ 목구멍에 덩이 ▪ 쌕쌕거림(천명) ▪ 거품소리(수포음) ▪ 기침 ▪ 재채기
심혈관계	▪ 부정맥 ▪ 저혈압 ▪ 빈맥
위장관계	▪ 복부경련 ▪ 구역 ▪ 팽창 ▪ 구토 ▪ 복부팽창 ▪ 다량의 물 설사
중추신경계	▪ 두통 ▪ 어지럼 ▪ 혼동 ▪ 불안과 안절부절증 ▪ 임박한 죽음의 감각 ▪ 의식상태 변화

*주요 지표는 굵은 글씨체로 표시하였다.

구역, 구토, 발한, 착란, 저혈압이 있는 환자는 급성중증과민증 관련 기전이 있을 수 있다.

처치

알레르기 반응이 있는 환자는 처치를 위해 두 가지 그룹으로 나뉜다. 첫 번째 그룹에는 알레르기 반응의 징후(두드러기)가 있지만, 호흡 곤란이 없는 환자가 포함된다. 선택 약물은 다이펜하이드라민(베나드릴)이 있다. 환자의 상태 변화를 계속 모니터링하지만, 이 그룹의 대부분 환자는 더 문제없이 회복할 것이다. 프로토콜 및 질병 중증도에 따라 스테로이드를 투여할 수 있다.

두 번째 그룹은 알레르기 반응 및 호흡곤란의 징후가 있는 환자가 포함된다. 이 환자는 산소, 에피네프린, 항히스타민제(보통 베나드릴)가 필요하다. 알레르기 반응의 징후가 있을 때마다 에프네프린을 투여하고 환자에게 급성중증과민증이 발생하는지 모니터링한다. 이러한 환자에서 에피네프린을 투여하는 것은 중요한 처치이다. 근육 내 에피네프린은 환자 자신, 목격자 또는 EMS 제공자가 자가 주사기를 이용해서 투여할 수 있다.

심리적 지원은 처치의 중요한 요소이다. 급성중증과민증은 빠르게 진행될 수 있으며 생명을 위협하는 원인이 될 수 있다. 환자와 그 가족은 처치 제공자가 필요한 처치를 시행할 때 진정이 필요하다. 많은 환자가 비슷한 증상을 경험했고 자신의 상태가 얼마나 심각한지 알 수 있다. 다른 사람들에게는 이것이 처음 발생한 사고일 수 있다. 따라서, 처치 제공자는 전문적이고 침착할 수 있어야 하며 조기 처치와 이송에 집중한다.

인두염과 편도염

인두염과 편도염은 모두 후인두의 감염이다. 대부분 동일한 원인을 갖고 있지만, 편도염은 구체적으로 편도의 감염을 의미하고 인두염은 종종 어느 정도의 편도염을 포함하는 인두의 감염을 의미한다.

병태생리학

인두염과 편도염의 병인은 일반적으로 바이러스성 또는 세균이며 감염의 약 40~60%는 바이러스로 인한 것이며 5~40%는 세균에 의한 것이다. 대부분의 세균 감염은 A군 연쇄상구균에 의해 발생한다. 아주 작은 비율의 경우 외상, 암, 알레르기 또는 독성 물질로 인해 발생한 것이다.

세균과 바이러스 감염은 국소 인두 조직의 염증을 일으킨다. 또한, 연쇄상구균 감염은 추가 염증을 유발할 수 있는 국소 독소와 단백질을 방출한다. 이 염증과 감염은 일반적으로 자가 제한적이지만, 연쇄상구균 감염에는 두 가지 중요한 부작용이 있다. 첫 번째, 세균 표면은 심장에서 정상적으로 발견되는 단백질과 유사한 항원을 운반한다. 연쇄상구균 감염을 치료하는 과정에서 인체는 의도하지 않게 심장과 심장판막을 공격하여 류머티스열을 유발할 수 있다. 두 번째 신장의 사구체는 항체-항원 조합에 의해 손상되어 급성 사구체신염을 일으킬 수 있다.

증상과 징후

인두염과 편도염의 증상과 징후에는 다음이 포함될 수 있다.

- 인두통
- 발열
- 오한
- 근육통
- 복통
- 콧물
- 두통
- 귀통증

신체검사에서 붉고 부어오른 후인두, 커지고 압통이 있는 목 앞쪽 림프절 그리고 종종 사포처럼 느껴지는 미세한 붉은 발진이 나타난다. 성홍열이라고 하는 이 거친 느낌의 발진은 몸통에서 시작하여 전신으로 퍼지며 이는 연쇄상구균 감염에 의해 발생한다. 또한, 편도에 있는 희끄무레한 삼출물(고름 주머니)을 볼 수 있다. 이 삼출물은 연쇄상구균 감염에서 더 흔하지만, 이것이 있다고 세균 감염을 확인하지는 않는다. 바이러스 감염은 기침 및 코막힘과 같은 다른 상부 호흡기 감염(URI) 징후 및 증상의 존재와 더 자주 관련이 있다. 특정 바이러스 감염인 단핵구증은 목 앞쪽 및 뒤쪽 림프절 부기와 압통과 관련이 있으며 비장 파열과 같은 합병증이 발생할 수 있기 때문에 확인해야 한다.

처치

바이러스 인두염과 편도염은 수액, 해열제 및 항염증제로 증상이 가장 잘 치료된다. 세균 감염은 항생제, 보통 페니실린 또는 아목시실린으로 치료한다. 세프트라이악손, 클린다마이신, 에리트로마이신과 같은 대체 치료법은 종종 페니실린에 알레르기가 있는 환자의 대체 약물로 사용된다.

편도 주위 고름집(농양)

편도 주위 농양에서 표재성 연부조직 감염이 진행되어 편도에 인접한 점막밑 공간에 고름 주머니가 생성된다. 이 농양과 그에 수반되는 염증으로 인해 목젖이 반대쪽으로 편위 된다(그림 2-12).

병태생리학

편도 주위 농양은 편도 주위의 가장 흔한 감염이다. 미국에서 편도 주위 농양의 발병률은 연간 약 10,000명 중 3명이다. 연쇄상구균이 펩토사슬알균과 같은 다른 세균과 함께 편도 주위 농양의 배양에서 종종 검출된다.

증상과 징후

편도 주위 농양의 증상과 징후에는 다음이 포함될 수 있다.

- 인두통(특히 한쪽으로)
- 삼킴곤란
- 발열
- 오한
- 근육통
- 목의 앞부분 인두통
- 쉰소리

편도 주위 농양의 추가 징후로는 빈맥, 탈수, "어려운 문제" 또는 굵은 목소리, 목 림프절, 삼킴 곤란, 후인두의 편도선이 비대칭적으로 부풀어 올라 입의 반대쪽으로 치우치는 경우가 많으며 편도의 삼출물 등이 있다.

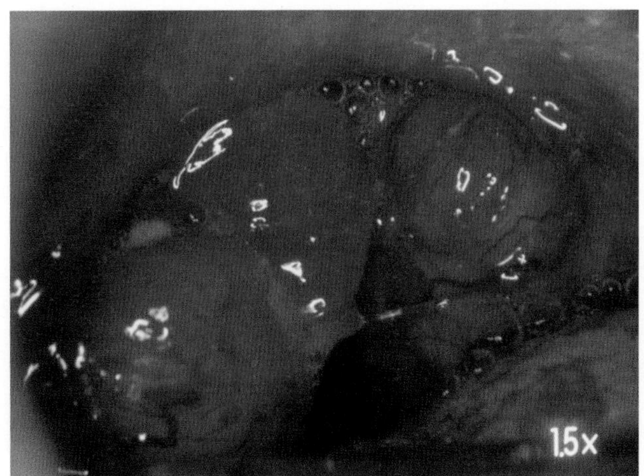

그림 2-12. 편도 주위 고름집. 왼쪽 편도선의 광범위한 부기와 목젖의 편위에 주목한다.

감별 진단

편도 주위 농양 감별 진단에는 인두뒤 및 척추앞 농양, 후두개염, 세균성 기관지염, 단핵구증, 헤르페스 인두염, 목동맥 동맥류 그리고 암과 같은 다른 심각한 질병 등이 있다.

처치

처치에는 정맥 내 수액 투여와 항염증제 및 항생제 투여가 포함된다. 농양이 있는 경우 외과적 배액이 종종 필요하고 수술실에서 수행할 수 있으며 바늘 배농은 응급실에서 시행할 수 있다.

후두개염

후두개염은 후두개와 성문위 부위의 염증을 일으키는 생명을 위협하는 감염이다. 후두개염으로 인한 부기는 기관을 폐쇄하여 저산소증이나 무산소증을 유발할 수 있다.

한때 유아의 질병으로 간주하였던 후두개염의 발병률은 미국에서 헤모필루스 인플루엔자에 대한 백신 면역을 시작한 이후 급격히 변화했다. 성인은 응급 상황에서 이 질병에 걸릴 가능성이 높다. 남성은 여성보다 약 3배 더 자주 후두개염에 걸린다. 이 감염은 2~4세 어린이에게 가장 흔하게 나타난다. 사망률은 성인의 경우 7%, 어린이의 경우 1%로 추정된다.

병태생리학

B형 헤모필루스 인플루엔자(Hib)에 대한 백신 접종을 시행하기 전 후두개염은 성인보다 소아에서 2.6배 더 자주 발생했다. 현재 연쇄상구균은 후두개염을 유발하는 가장 흔한 원인균으로 헤모필루스 인플루엔자를 앞질렀다.

증상과 징후

후두개염은 종종 인두통으로 시작하여 삼킴곤란이 있고 목소리가 들리지 않는다. 신체검사 결과 발열, 침 흘림, 협착음, 호흡 곤란, 후두 촉진시 현저한 통증, 빈맥 그리고 낮은 산소포화도로 인한 삼각 자세 등을 포함하여 중등도 또는 중증의 호흡 곤란을 나타낼 수 있다. 협착음은 크루프로 인한 것보다 더 부드럽고 낮은음일 수 있다.

감별 진단

감별 진단에는 세균성 기관지염, 인두뒤 또는 척추앞 농양, 루드비히 협심증 및 편도 주위 고름집을 포함한다. 후두개염의 진단은 임상 양상과 병력을 근거로 의심해야 하지만, 단순 목 방사선 촬영으로 확인할 수 있다. 컴퓨터단층촬영(CT)을 시행할 수 있지만, 단순 방사선 촬영으로 충분하므로 종종 불필요하다. 광섬유 후두경 검사는 기도 부종의 정도에 대한 직접적인 정보를 제공할 수 있으며 기관내관의 위치를 확인하는 데 도움이 된다.

처치

응급처치는 적절한 산소 공급과 환기를 유지하는 것으로 제한되어야 한다. 가습한 산소는 환자에게 어느 정도의 안도감을 줄 수 있지만, 이 상태의 중증도는 아무리 강조해도 지나치지 않는다. 환자의 입에 아무것도 넣지 않는다. 분비물이 기도를 막는 상황에서만 제한적으로 흡인을 시행한다. 환자가 침을 많이 흘리고 있다면 환자를 앉히고 앞으로 몸을 숙여 침을 흘리게 한다. 삽관은 필요한 경우에만 현장에서 시행한다. 조직에 염증을 일으키는 동안 후두경 날을 사용하여 후두덮개를 조작하면 기도가 자극되어 추가 삽관을 매우 어렵게 만들 수 있다. 이러한 상황에서 기관내삽관은 수술실에서 가장 잘 성공할 수 있다. 항생제는 종종 아목시실린/설박탐(유나신) 또는 클린다마이신, 코르티코스테로이드, 흡입 베타 작용제 및 분무 에피네프린을 사용할 수 있다. 이 상태에서 호흡 부전이 발생하면 기관내삽관 없이도 양압 환기가 일반적으로 성공적이라는 것을 기억한다.

루드비히앙기나(Ludwig angina)

19세기 초에 이를 처음 언급한 의사의 이름을 따라 지어진 루드비히앙기나는 가슴의 통증이 아니라 아래턱뼈 바로 아래의 목 피부밑 심부 공간의 조직 감염이다. 질식 및 질식할 것 같은 느낌은 이 상태를 가진 대부분 환자에게서 보고된다.

병태생리학

목뿔뼈와 아래턱뼈 사이의 부기, 발적, 따뜻한 조직(경화)이 임상 검사에서 가장 눈에 띄는 징후일 수 있다. 이 염증은 구강 내 세균에 의해 발생한다. 연쇄상구균이 종종 검출되지만, 이러한 감염은 단일 균에 의한 경우는 거의 없으며 무산소세균을 포함할 수 있다.

턱끝밑(턱 아래) 감염은 종종 충치에서 시작된다. 혀밑 감염은 일반적으로 아래턱뼈 앞쪽에 발생한 충치가 원인이 될 수 있으며 혀의 부기로 나타날 수 있다. 일반적으로 큰어금니에서 발생하는 턱밑 감염은 아래턱이 붓는 것이 특징이다.

1970년대 수돗물의 불소화가 널리 보급된 이후 선진국에서 충치의 유병률이 감소했다. 그러나 충치는 세계에서 가장 흔한 만성 질환으로 남아 있다.

증상과 징후

루드비히앙기나는 종종 충치와 그에 따른 감염으로 인해 발생하므로 다음과 같은 특징이 있다.

- 심한 잇몸염과 연부조직염, 턱밑, 혀밑 및 턱밑 공간에서 확실한 부기가 나타나며 빠르게 확산하는 감염(그림 2-13)
- 혀밑 부위와 혀의 부기
- 침 흘림
- 기도 폐쇄
- 부종으로 인한 혀의 상승 및 뒤쪽 변위

루드비히앙기나의 증상으로는 인두통, 삼킴곤란, 발열, 오한, 치통, 호흡 곤란 등이 있다. 환자는 치열이 좋지 않으며 앞쪽 목 부위가 붉어지고 부기로 인해 불안해하고 중독된 것처럼 보이는 경향이 있다. 충치의 위치는 어떤 공간이 일차적으로 영향을 받았는지 알 수 있다. 환자의 혀가 부어올라 기계적 기도유지가 필요한 경우 기관내삽관이 어려울 수 있다.

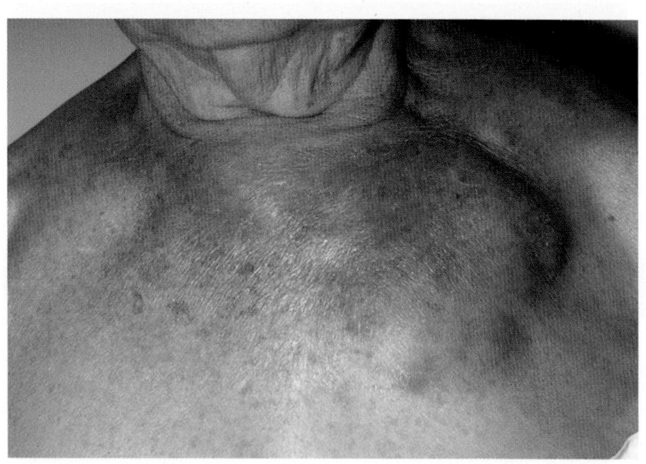

그림 2-13. 루드비히앙기나(Ludwig's angina). 빠른 진행으로 인해 몇 시간 내에 환자의 기도가 폐쇄될 수 있다.

감별 진단

감별 진단에는 인두뒤 및 척추앞 농양, 세균성 기관염, 후두개염이 포함된다. 최근에 화학 요법이나 면역 억제를 통한 장기 이식을 받은 환자는 농양을 포함하여 감염이 발생할 위험이 증가한다.

처치

루드비히앙기나가 의심되는 환자는 기도 손상을 동반한 치명적인 질병이 있는 것으로 간주한다. 특히 기도 개방을 유지하는 것이 가장 중요하다. 감염이 빠르게 진행되는 경우 예방적 삽관을 응급실이나 수술실에서 선택적으로 시행할 수 있다. 협착음, 분비물 조절이 어려운 삼킴곤란, 호흡 곤란은 삽관이 필요할 수 있다. 병원 전 환경에서 가습한 보충 산소를 공급하면 환자가 더 편안해할 수 있다. 심전도 모니터링 및 정맥 라인을 확보한다. 응급실에서 항생제 투여를 시작하고 이비인후과 및 외과 의사와 상담할 수 있다.

세균성 기관염

세균성 기관염은 성문밑 기관의 드문 감염이다. 헤모필루스 인플루엔자 백신 접종이 널리 보급되었기 때문에 세균성 기관염은 가장 일반적인 폐쇄성 기도 감염으로 후두개염과 비교되는 질환이다. 한 연구에 따르면 3년 동안 크룹으로 입원한 500명의 어린이 중 2%는 세균성 기관염에 걸렸다. 모든 연령대에서 발생할 수 있지만, 기관염은 기도가 작고 성문 조직의 직경이 좁은 소아에서 더 흔하다. 여성 환자보다 남성 환자가 2배 더 많이 감염된다.

병태생리학

기관염은 황색포도알균[지역 사회 관련 메티실린 내성 황색포도알균(CA-MRSA) 그리고 의료기관 관련 황색포도알균(HA-MRSA) 포함), 연쇄상구균, 인플루엔자, 클레브시엘라, 슈도모나스과 같은 여러 균에 의해 발생한다.

증상과 징후

세균성 기관염은 상부 호흡기 감염으로 시작하여 성문밑 기관 내막의 감염으로 생명을 위협할 수 있다. 증상으로는 기침, 목소리 변화, 고열, 오한, 호흡곤란 등이 있다. 징후로는 8~10시간 정도의 짧은 시간 동안에 중독 상태로 빠르게 진행, 협착음, 진행을 포함하는 중독 증상, 천명음, 쇳소리와 비슷한 기침 때로는 목 또는 가슴 윗부분 통증이 있다. 후두개염과 달리 침을 흘리는 것은 흔하지 않으며 환자는 바로누운자세를 취할 수 있다.

감별 진단

세균성 기관염은 종종 후두개염 및 인두뒤 농양과 구별하기 어렵다.

처치

다른 기도 감염과 마찬가지로 기도 개방을 유지하는 것이 가장 중요하다. 보충 산소를 제공하고 심전도 모니터링을 시작하며 정맥 라인을 확보한다. 세균성 기관염이 있는 대다수 환자는 삽관이 필요하지만, 환자가 급성 호흡 부전이 있지 않는 한 삽관은 통제된 환경에서 시행하는 것이 가장 좋다. 만약에 삽관이 현장에서 꼭 필요한 경우 대체 삽관 장비가 준비되어 있어야 한다. 삽관에 성공하면 기관 삼출물과 점액이 기관내관을 막고 있는지 확인하고 적절하게 호흡을 제공한다. 이러한 환자는 패혈증의 특징을 나타낼 수 있으므로 적절하게 수액을 공급하고 필요한 경우 혈압 유지에 도움이 되는 승압제를 투여한다.

인두뒤와 척추앞 고름집(농양)

인두뒤와 척추앞 농양은 식도뒤와 목뼈 앞쪽에서 발생하는 감염이다. 앞서 언급했듯이 농양은 신체의 조직 또는 기타 신체의 제한된 공간에 국소적으로 고름이 고여 있는 것이다. 인두뒤 농양은 부비동 치아 또는 중이에서 발생할 수 있다. 이러한 농양이 있는 환자의 67%가 최근 이비인후과 관련 부위에 감염을 가지고 있다. 인두뒤 감염은 기도 폐쇄를 유발하기 시작하면 생명을 위협할 수 있다. 세로칸에서 발생하는 세로칸 감염은 사망률이 50% 정도로 높은 심각한 합병증이다.

병태생리학

인두뒤 농양의 일반적인 원인균은 황색포도알균 종, 연쇄상구균 종, 인플루엔자가 있다. 감염은 다른 균에 의해 발생할 수 있지만, 특히 입안의 혐기성 세균에 의해 발생할 수 있다. 인두뒤 농양은 소아뿐만 아니라 성인에서도 볼 수 있지만, 일반적으로 3~4세 이하의 어린이에게 영향을 미친다.

증상과 징후

인두뒤 농양의 징후는 다음과 같다:

- 인두염
- 삼킴곤란
- 호흡곤란
- 발열
- 오한
- 목 통증, 뻣뻣함, 부기 또는 홍반
- 침 흘림

다음은 기도 손상의 가능성이 있는 징후이다.

- 입 열림 장애
- 음성 변화
- 들숨 시 협착음

감별 진단

초기 인두뒤 농양은 상세 불명의 연쇄상구균으로 인한 인두염으로 오인할 수 있다. 환자의 상태가 급격히 악화하면 후두개염, 세균성 기관염, 뇌수막염과 같은 더 위협적인 질병을 고려한다.

처치

처치에는 기도 확보와 산소 공급이 포함된다. 농양의 내용물을 흡인하면 치명적일 수 있으므로 삽관 시 농양에 구멍을 내지 않도록 주의한다. 심전도 모니터링을 시작하고 정맥 라인을 확보한 후 환자가 경구 섭취 감소로 탈수된 경우 적절하게 수액을 투여한다.

확실한 처치 종종 수술실에서 삽관(또는 기타 통제된 상황에서), 외과적 배액과 항생제 처치를 포함한다. 인두뒤 농양이 세로칸감염으로 진행되기 전에 적극적으로 처치하면 많은 환자가 즉시 회복되고 시술 직후 또는 며칠 후 발관할 수 있다.

혈관부종

혈관부종은 일반적으로 입술(특히 아랫입술), 귓불, 혀 또는 목젖과 같은 머리나 목의 구조에 발생하는 갑작스러운 부종이지만 장을 포함하여 다른 조직에서도 발견될 수 있다. 혈관부종의 병태생리는 완전히 이해되지는 않았지만, 일반적으로 알레르기 반응으로 간주하고 처치한다. 종종 원인은 특발성(알 수 없는 원인)이다. 몇 가지 경우에는 유전성이며 유전성 혈관부종이라고 한다.

전체 인구의 최대 15%가 일시적인 특발성 혈관부종을 가지고 있으며 인종에 따른 발병률의 우세는 없다. 여성은 남성보다 혈관부종이 더 많이 발생하며 성인에게 가장 많이 나타난다. 특정 약물에 노출되면 혈관부종의 위험이 증가한다. 일반적인 유발 요인은 다음과 같다.

- ACE 억제제(캡토프릴, 에날라프릴 등)
- 방사선 조영제
- 아스피린
- 비스테로이드소염제[NSAIDs(이부프로펜, 나프록센 등)]
- 벌목 곤충에 쏘임(말벌, 나나니벌 등)
- 음식 알레르기
- 동물의 털이나 비듬(탈피된 피부 세포)
- 햇빛 노출
- 스트레스

병태생리학

혈관부종에서 일부 손상은 작은 혈관 순환에서 누출을 유발하여 간질 조직이 부풀어 오르게 한다. 부종은 표피조직, 진피조직, 피부밑조직 또는 둘 다에서 발생할 수 있다. 이 염증은 순환하는 호르몬과 히스타민, 세로토닌, 브래디키닌의 작용에 대한 반응이다.

증상과 징후

혈관부종의 징후에는 발진이 있거나 없는 뚜렷한 경계가 있는 부종을 포함하여 호흡곤란이나 불안을 동반한다. 가슴 청진시 협착음, 쌕쌕거림을 들을 수 있으며 삽관 병력이 있는 환자는 악화에 대한 세심한 관찰이 필요하다. 장 혈관부종은 장 폐쇄를 유발하여 구역, 구토, 복통을 일으킬 수 있다.

감별 진단

환자에게 연조직염, 농양, 인두뒤 농양, 루드비히앙기나와 같은 치명적인 질병이 있는지 주의 깊게 평가한다. 만약 환자에게 두드러기가 있는 경우 급성중증과민증의 가능성을 고려한다.

처치

광범위한 혈관부종이 기도를 위협할 수 있지만, 대부분은 저절로 호전되거나 최소한의 처치만 필요하다. 환자가 편안한 자세를 취하도록 한다. 호흡 부전의 징후가 없는 경우 환자는 간단한 자세로 기도를 유지한다. 항히스타민제는 일반적으로 브래디키닌 매개 질환이므로 거의 도움이 되지 않는다. 사례 보고는 유전성 혈관부종이 있는 환자에서 혈액 제제(전체 또는 포장적혈구[PRBC])에 대한 몇 가지 유익한 효과를 보여준다. 추가 약리학적 제제는 일반적으로 병원 전 처치 제공자에게 제공되지 않는다.

조직이 부어오르면 성대가 제대로 보이지 않을 수 있기 때문에 심각한 혈관부종이 발생한 경우 삽관이 매우 어려울 수 있다. 일반적인 삽관 장비 외에 삽관을 시도하기 전에 대체 기도 유지 장비를 준비한다. 시간이 허락한다면, 어려운 기관내삽관을 시행할 수 있는 장비가 준비된 통제된 상황에서 삽관을 시행한다. 비응급 환자의 경우 심전도 모니터링을 시작하고 정맥라인을 확보한 다음 환자를 가까운 의료기관으로 이송한다.

하부기도 상태

폐쇄성 하부기도 질환은 폐 내부의 공기 흐름에 대한 폐쇄가 특징이다. 가장 흔한 폐쇄성 기도 질환은 폐기종, 만성기관지염, 천식이며 이 세 가지 질환은 미국에서 성인의 20%에 영향을 미친다.

폐쇄성 질환은 호기의 양압으로 인해 작은 기도 막혀 폐포에 가스가 갇힐 때 발생한다. 환자가 공기를 밀어내려고 할수록 폐포 내에 더 많은 공기가 갇히게 된다. 폐쇄성 질환이 있는 환자는 폐에 갇힌 많은 양의 가스를 스스로 효과적으로 배출할 수 없다. 폐쇄성 질환이 있는 환자는 고압에서 빠르게 숨을 내쉬는 것보다 낮은 압력에서 천천히 숨을 내쉬는 것이 더 효과적이다(그림 2-14).

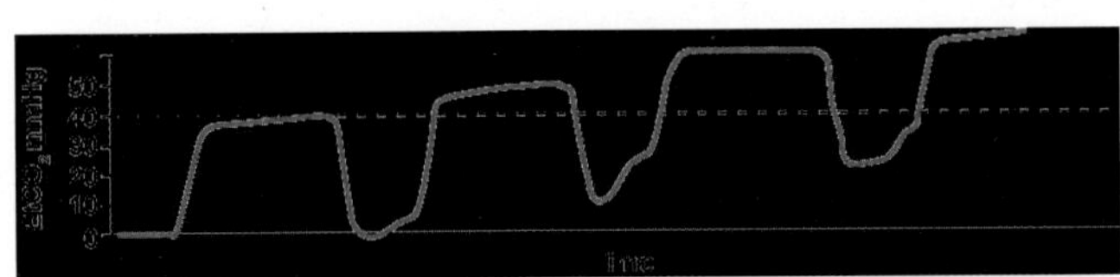

그림 2-14. 이 환자의 호기말이산화탄소 파형이 기준선까지 다시 내려가지 않는다. 환자는 아주 빠르게 호흡하지만, 시간이 충분히 숨을 내쉬는 것을 허용하지 않아 공기가 폐에 갇히고 과도하게 팽창한다. 이러한 유형의 호흡은 가슴속의 압력이 너무 높아져서 위 및 아래대정맥이 붕괴하여 심장으로의 혈액 흐름을 감소시켜 혈압을 낮춘다.

천식

천식은 흔한 질병으로 연간 수백만 명의 환자가 응급실을 방문하고 입원하는 환자의 20~30%를 차지한다. 환자는 재발률이 높으며 치료 후 2주 이내에 10~20% 재발한다. 미국에서는 천식 발병률이 2001년 7.3%에서 2010년 8.4%로 증가하여 당시에 2,570만 명이 천식을 앓았다. 질병통제예방센터에 따르면 2008~2010년 동안 천식 유병률은 성인보다 어린이에게 더 높았고, 백인보다 다인종, 흑인과 아메리카 원주민이나 알래스카 원주민이 더 높았다.

5세 이전에 시작되어 성인이 될 때까지 지속되는 쌕쌕거림이 있는 소아는 폐 기능이 손상될 가능성이 더 높다. 5세 이후에 쌕쌕거림이 시작하는 소아는 성인이 되어서도 쌕쌕거림이 지속되더라도 폐 질환 발병률이 낮다. 천식 환자의 90%가 6세 이전에 첫 증상을 보인다. 일부 소아는 전형적인 쌕쌕거림 없이 야간 기침의 증상이 보인다.

병태생리학

천식은 기관지 민무늬근육의 수축으로 인해 기관지의 만성 염증으로 기관지가 좁아지고 쌕쌕거리는 소리가 난다(그림 2-15). 기도는 흡입된 알레르기항원, 바이러스 및 기타 환경에 지나치게 민감해진다. 자극제는 강한 냄새라도 천식을 유발할 수 있다. 이 물질에 과민반응을 일으키고 심지어 강한 냄새로 인해 유발될 수 있다. 이 과민반응은 질병의 기도 반응을 일으키는 원인이다.

염증은 호흡 곤란, 쌕쌕거림, 기침과 같은 천식 증상의 중심에 있다. 인체는 기관지 부종과 끈적한 점액 분비로 인해 기관지 막힘 및 무기폐를 일으키는 지속적인 기관지 경련에 반응할 수 있다.

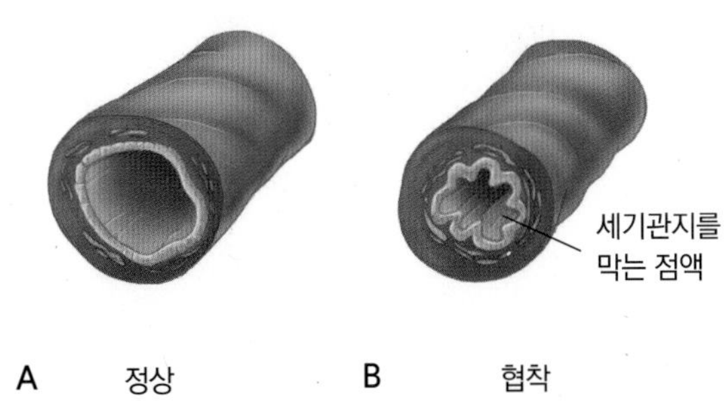

그림 2-15. A. 염증이 없는 정상적인 세기관지. B. 기관지 민무늬근육의 수축으로 인해 기관지가 좁아져 천식과 관련된 쌕쌕거림을 유발

증상과 징후

천식 환자는 증상이 임상적으로 경미한 것으로 간주하더라도 일반적으로 증상을 예리하게 인식한다. 천식 초기 증상에는 다음과 같은 것들이 결합하여 나타난다.

- 쌕쌕거림
- 호흡곤란
- 가슴 압박감
- 기침
- 콧물, 코막힘, 두통, 인두염 및 근육통과 같은 상부 호흡기 감염 징후
- 콧물, 인두염, 쉰소리, 기침 같은 알레르기항원 노출의 징후(그림 2-16)
- 가슴 압박감, 불편함 또는 통증

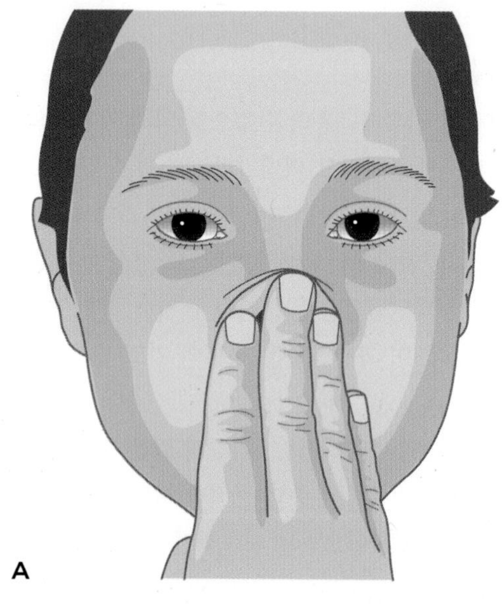

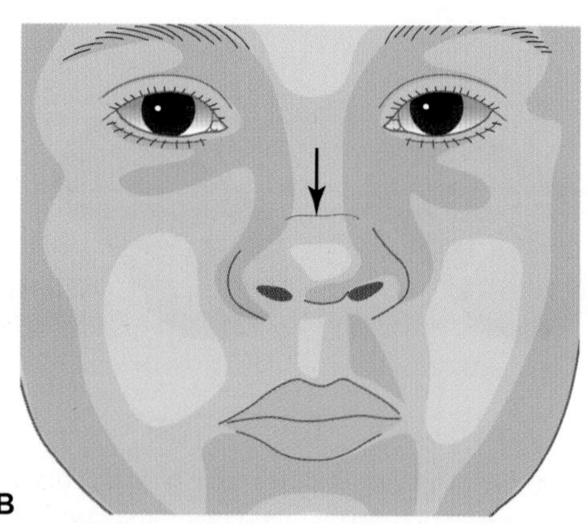

그림 2-16. A. 알레르기 행동(코가 가려워 손으로 코를 자주 문지르는 행동) B. 알레르기 주름

환자는 처음에 과다환기로 인해 이산화탄소 농도를 감소시킨다(호흡알칼리증). 기도가 계속 좁아지면서 완전한 날숨이 점점 더 어려워지고 공기 걸림 결과 이산화탄소 수치가 증가하기 시작한다. 폐는 과도하게 팽창하고 굳어 호흡 노력이 향상한다. 빠른 호흡, 빈맥, 모순맥박이 발생할 수 있으며 초조가 동반될 수 있다. 뒤당김을 거의 볼 수 없고 산소포화도는 실내 공기에서도 정상 수준에 가까워야 한다.

중등도의 악화가 있는 환자는 쌕쌕거림이 증가하고 공기 이동이 감소하면서 빈맥과 빠른 호흡이 증가할 수 있다. 산소포화도는 감소할 수 있지만, 보충 산소로 쉽게 회복되어야 한다. 뒤당김이 보일 수 있으며 중증도에 따라 정도와 유형이 증가한다. 더 많은 근육(예: 갈비사이, 갈비밑)의 뒤당김은 상태가 악화하였음을 나타낸다.

주의 깊게 얻은 환자 병력의 특정 요인은 천식 발작의 중증도를 예측하는 데 도움이 될 수 있다. 호흡기 질환, 잠재적인 알레르기항원에 대한 노출, 가정용 흡입 약물에 대한 순응도, 응급실 내원 빈도, 입원 병력 및 코르티코스테로이드 사용 등이 포함된다.

동물성 물질과 공기 중에 떠다니는 돼지풀 및 꽃가루 입자와 같은 알레르기항원은 천식을 유발하는 일반적인 촉진제이다. 연기나 차갑고 건조한 공기를 흡입하면 일시적으로 유발할 수 있다. 다음 요인들은 환자가 중증으로 천식이 악화하는 것을 겪을 가능성이 있음을 나타낸다:

- 산소포화도가 92% 미만
- 빠른 호흡
- 최근 응급실 방문 또는 입원
- 잦은 입원
- 천식에 대한 삽관의 모든 병력
- 최대유량이 예상값의 60% 미만
- 호흡 보조 근육 사용 및 뒤당김
- 증상 지속 기간 > 2일
- 빈번한 코르티코스테로이드 사용 병력

감별 진단

병력을 청취할 때 새로 발병한 쌕쌕거림만으로 천식을 진단하기에 충분하지 않다. 많은 여러 조건이 쌕쌕거림을 특징으로 하므로 이 질병의 반복적인 발병은 일반적으로 임상의가 최종 진단을 내리는 데 필요하다. 연쇄상구균 종에 의해 발생하

는 세균성 폐렴은 마코플라즈마나 클라미디아의 비정형 감염과 마찬가지고 호흡 시 쌕쌕거림을 일으킬 수 있다. 또한 겨울과 초봄에 영아에서 흔히 발생하는 호흡기세포융합바이러스(RSV)에 의한 감염은 호흡 시 쌕쌕거림의 잠재적인 원인이다.

쌕쌕거림이 함께 나타나는 다른 질병은 무엇인가? 감별 진단에는 원발성 폐 질환과 전신질환이 모두 포함되어야 한다. 만성폐쇄폐질환은 종종 천식의 일부 원인이 될 수 있지만, 기관지염과 폐기종의 특징도 있다. 천식과 만성폐쇄폐질환의 차이점은 무엇인가? 천식에서 반응성 기도 과정은 만성폐쇄폐질환과 달리 대부분 가역적이다. 특히 협착음이 있는 경우 크룹, 후두염, 후두개염, 세균성 기관염 또는 인두뒤 감염으로 인한 것과 같은 상기도 폐쇄를 고려한다. 울혈심부전은 이물질 흡인(이전 논의 참조) 및 폐색전증이 있을 수 있어서 새로 발병한 쌕쌕거림이 있을 수 있다. 흉통은 특히 통증의 질이 이전 천식 발작과 다를 경우 심장 허혈에 대한 평가를 신속하게 시행한다.

처치

처치는 중증도의 정도에 따라 조절한다. 활동성 쌕쌕거림이 들리는 환자를 위한 일차 처치는 알부테롤과 레발부테롤(Xopenex)과 같은 흡입 베타 작용제가 포함된다. 질병 초기에 베타2 작용제를 적극적으로 사용하면 입원 가능성을 줄일 수 있다. 알부테롤 2.5~5mg을 20분마다 3회에 걸쳐 투여하거나 지속해서 투여할 수 있으며 필요에 따라 1~4시간마다 2.5~10mg 투여할 수 있다. 소아의 투여량은 20분마다 0.15mg/kg(최소 투여량 2.5mg)을 투여한 후 환자의 임상적 상태에 따라 1~4시간마다 0.15~0.3mg/kg까지 투여할 수 있으며 최대 10mg을 투여한다.

비경구 베타 2 작용제는 중증 천식 발작에 유용한 보충제일 수 있다. 터부탈린 0.25mg 또는 1:1000 에피네프린 0.3mg을 근육 내 또는 피부밑 투여로 흡입된 베타 2 작용제를 보조할 수 있다. 그러나 고혈압을 유발하고 심근 부하와 산소 요구량을 증가시키는 경향이 있기 때문에 특히 허혈성 심장 질환이 있는 환자에게는 주의해서 사용한다. 터부탈린 또는 에피네프린을 정맥 내 또는 골내(IO)로 투여할 수 있지만, 먼저 의료 지도 의사의 지시를 받아야 한다.

이프라트로피움 0.5mg은 만성폐쇄폐질환이 있거나 흡연력이 있는 환자에게 가장 효과적이다. 이프라트로피움은 20분마다 3회 투여하고 의료 지시에 따라 추가로 투여할 수 있다. 일반적으로 중등 및 중증 질환에만 효과적이다.

코르티코스테로이드를 정맥 내로 투여하면 염증 반응을 늦추어 기관지를 좁게 만드는 부종을 줄이는 데 도움이 된다. 성인의 경우 메틸프레드니솔론(솔루메드롤) 125mg을 투여하거나 소아 환자의 경우 정맥 내로 2mg/kg을 투여한다. 성인의 경우 트리암시놀론(Aristocort) 60mg을 근육 내(IM)로 투여할 수 있다. 6세 이상의 소아에서는 0.03~0.3mg/kg을 근육 내로 투여한다. 코르티코스테로이드는 효과가 나타나기까지 몇 시간이 걸릴 수 있으므로 EMS 제공자는 환자가 응급실에 도착할 때까지 기다리지 말고 코르티코스테로이드 약물이 가능한 한 빨리 효과가 나타날 수 있도록 처치를 시작한다.

정맥 내로 투여한 황산마그네슘은 중증의 천식 악화를 조절할 수 있는 가능성을 보여준다. 이것은 일반적으로 부드러운 기관지 근육을 이완시키기 위해 일반적으로 2g을 30~60분에 걸쳐 투여한다. 그러나 이것은 3차 요법이며 베타 작용제 및 스테로이드보다 우선 투여해서는 안 된다.

널리 사용되지 않지만, 헬륨과 산소의 혼합 가스인 헬리옥스는 중증으로 악화하는 것을 막아줄 수 있는 또 다른 흡입제이다. 80:20 또는 70:30 혼합물로 제공되는 헬륨은 공기보다 가벼운 운반체로 작용하여 산소와 분무제를 분무하고 호흡 노력을 감소시킨다. 헬리옥스와 함께 투여하는 알부테롤은 분당 8~10mL 유속으로 정상 용량의 두 배를 사용한다.

적극적인 약물 요법에도 불구하고 일부 환자는 여전히 중증의 호흡 곤란이나 호흡 부전에 직면해 있다. 이러한 환자에서 케타민 투여는 보조 요법으로 유용할 수 있다.

만성폐쇄폐질환(COPD)

만성폐쇄폐질환은 만성 기관지염 또는 폐기종과 관련된 폐포 면적 손실로 인한 공기의 흐름 장애이다. 어느 정도의 쌕쌕거림과 기도 부종이 특징이며 그 기전은 천식과 약간 다르지만, 둘 다 공기를 가두는 폐 질환이다. 만성폐쇄폐질환은 미국에서 사망 원인 4위를 차지하는 만성적이고 치명적인 질환이다. 약 1,400만 명이 만성폐쇄폐질환을 앓고 있다. 그중 1,250만 명이 만성 기관지염, 170만 명이 폐기종을 앓고 있다. 만성폐쇄폐질환으로 진단된 환자의 수는 1982년 이후 41.5% 증가했다. 미국에서 이 질병의 발병률은 경증 및 중등도 만성폐쇄폐질환의 경우 6.6~6.9% 사이다. 이 질병은 여성보다 남성에, 흑인보다 백인에게서 더 많이 발생한다. 국민건강영양조사(NHANES)에 따르면 만성폐쇄폐질환의 발병률은 특히 흡연자의 나이에 따라 증가한다.

만성폐쇄폐질환의 주요 원인은 흡연이다. 임상적으로 유의한 만성폐쇄폐질환 환자의 대부분은 적어도 20년 동안 하루에 1갑 이상을 흡연했다. 모든 흡연자의 약 15%에서 임상적으로 유의한 만성폐쇄폐질환으로 발전한다. 흡연을 시작한 나이, 하루 흡연 갑 수, 다른 질병의 존재 여부, 신체 건강 수준 및 현재 담배 남용을 포함하여 만성폐쇄폐질환으로 진행하는 속도에 영향을 미친다. 간접흡연은 폐 기능 저하, 천식 악화 및 상부 호흡기 감염 위험 증가에 기여한다. 비흡연자에서 만성폐쇄폐질환을 유발하는 것으로 알려진 유일한 유전적 위험 인자는 폐효소인 호중구 엘라스타제를 억제하는 단백질인 알파 1-항트립신의 결핍이다.

병태생리학

흡인한 입자에 노출로 인해 발생한 만성 염증은 기도를 손상한다. 신체는 기도를 리모델링하여 이 손상을 치료하려고 시도하며 이로 인해 흉터가 생기고 좁아진다. 폐포벽과 결합조직의 변화는 폐포를 영구적으로 확장한다. 그 폐포의 다른 쪽에서는 모세혈관막에 대한 중요한 연결이 두꺼워진 혈관벽으로 변화되어 가스 교환을 방해한다. 점액 분비샘과 배상 세포가 증식하여 점액 생산이 증가한다. 섬모가 파괴되어 이 풍부한 점액의 증가와 제거가 제한된다.

통 모양의 가슴(그림 2-17)과 같은 신체의 외부 변화는 변화된 기도 및 만성 공기 폐색에 대한 반응으로 발생한다. 만성적인 호흡곤란과 만성적 기침 또한 이러한 변화의 징후이다. 만성 저산소증으로 인해 화학 수용체는 혈액 산소 수준의 변화에 반응하지 않는다. 불행히도 이러한 변화는 자극 물질의 만성 흡입에 대한 신체의 영구적인 적응을 반영한다.

폐 기능은 점차 감소하고 신체 변화는 활발하지 않게 된다. 가래 생성이 증가하고 환자는 만성 기침으로 분비물이 유지된다. 고전적인 공기 폐쇄는 확장된 원위 기도에서 공기를 이동시키는 폐의 제한된 능력으로 인해 발생한다. 폐가 과팽창되고 제한된 가스 교환만 발생하여 저산소증 및 높은 이산화탄소 농도를 초래하는 고이산화탄소혈증 상태를 초래한다. 만성 고이산화탄소혈증은 신체의 정상적인 화학 수용체 민감성을 무디게 하고 저산소증이 환기 조절의 주요 기전이 된다. 이 단계에서 환자는 감염에 취약하고 활동을 견디지 못하게 된다. 호흡 노력을 증가시키는 모든 상태는 빠르게 호흡 부전으로 이어질 수 있다. 이산화탄소 정체를 보상하기 위해 신체는 pH에 영향을 미치는 약알칼리성 상태를 유지한다.

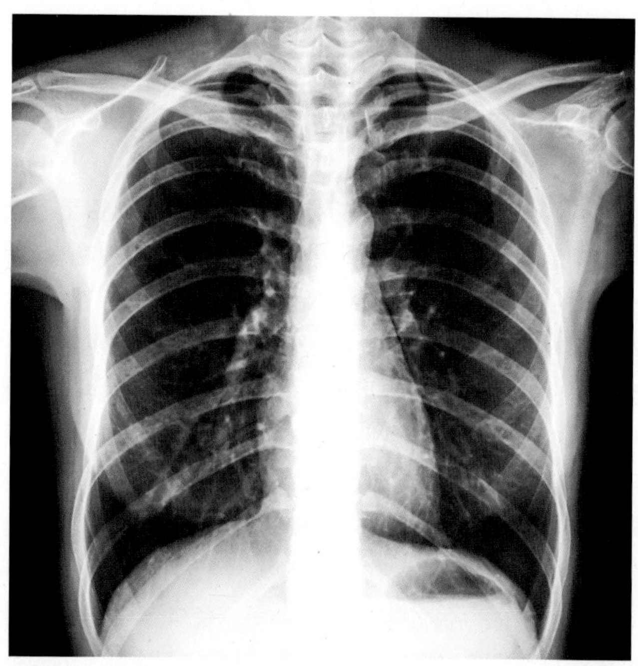

그림 2-17. 만성폐쇄폐질환(COPD) 환자의 일반적인 방사선 사진 소견. 길어진 가슴, 폐의 과팽창, 편평한 가로막, 작은 심장

증상과 징후

만성폐쇄폐질환의 급성 악화 증상과 징후는 다음과 같다.

- 호흡곤란
- 기침
- 움직임을 견디지 못함
- 쌕쌕거림
- 젖은기침
- 흉통 또는 불안
- 발한
- 앉아 숨쉬기

만성폐쇄폐질환은 다음과 같은 임상 징후를 확인할 수 있다.

- 쌕쌕거림
- 호흡수 증가
- 산소포화도 감소
- 보조 근육 사용
- 목정맥 맥박 증가
- 말초 부종
- 과다팽창된 폐
- 타진 시 과다공명

- 거칠고 산발적인 기관지내 수포음

중요한 사건은 다음과 같다.

- 산소포화도 90% 미만
- 빠른 호흡(분당 약 30회)
- 말초 또는 중심청색증
- 고이산화탄소혈증으로 인한 의식상태 변화

만성폐쇄폐질환 환자는 급성 악화의 단일 또는 다중 유발 요인을 가질 수 있다. 언급한 바와 같이 흡연은 만성폐쇄폐질환의 주요 원인이며 지속적인 흡연은 치명적인 사건의 중요한 계기가 될 수 있다. 환경 알레르기 항원에 노출되면 기존의 사건을 일시적으로 악화시킬 수 있다. 대기 오염은 만성폐쇄폐질환 악화에 기여할 수 있지만, 일반적으로 그 자체로는 치명적인 악화를 야기하지 않는다.

감별 진단

만성폐쇄폐질환이 나타나면 특히 호흡 곤란의 주요 증상이 가슴 통증과 관련이 있을 수 있으므로 다른 심각한 질병을 고려한다. 만성폐쇄폐질환의 감별 진단에는 천식, 기관지염, 폐기종, 폐렴, 간질성 폐렴, 폐섬유증, 호흡 부전, 기흉 및 급성 심근경색, 협심증, 울혈심부전, 폐색전증, 폐고혈압과 같은 호흡곤란의 원인이 포함된다.

처치

만성폐쇄폐질환의 악화 처치는 산소 공급과 환기를 유지하는데 달려 있다. 응급처치에는 코삽입관 또는 벤투리마스크로 보충 산소를 공급하여 산소포화도를 최소 94%로 유지한다. 만약 환자가 저유량 산소 공급으로 저산소 상태가 유지되면 비재호흡마스크로 고유량 산소를 공급하고 적극적인 기도유지와 환기 관리를 시행한다. 빈약한 최고유속, 산소포화도 80%로 감소 그리고 창백하거나 청색증이 팔다리에서 나타나는 경우 적극적인 처치가 필요하다. 소규모 연구에 따르면 만성폐쇄폐질환이 있는 의식이 명료한 급성 고이산화탄소혈증 환자에서 삽관 전에 양압 환기를 시행하는 것이 도움이 된다. 양압환기를 시행하면 호흡 노력을 감소시키고 산소 공급이 개선되며 삽관이 필요한 가능성이 감소하는 것으로 나타났다. 심하면 빠른 연속기관내삽관 또는 코기관내삽관이 필요할 수 있다. 만성폐쇄폐질환 환자는 장기간의 삽관이 필요할 수 있으므로 코기관삽관은 진정이 덜 필요하고 조기 삽관이 가능하므로 몇 가지 이점이 있다.

저산소증 환자에게 산소 공급을 절대로 지체하지 않는다. 호흡 곤란이 있는 만성폐쇄폐질환 환자에게 산소를 공급하면 호흡에 대한 욕구가 없어진다는 것은 일반적인 오해이다. 산소 수치가 높아지면 호흡 욕구를 약간 감소시킬 수 있지만, 허용 저산소증은 잘못된 처치 계획이다.

기도가 확보되면 베타 2 작용제를 조기에 자주 투여한다. 이러한 약물은 만성폐쇄폐질환에서 천식만큼 효과적이지는 않지만, 처치의 핵심이다. 환자의 상태를 안정화하기 위해 20분 간격으로 3회 분무할 수 있다. 응급 상황에서는 이러한 복용량을 연속적으로 투여할 수 있다. 이프라트로피움 브로마이드 같은 항콜린제는 특히 베타 2 작용제와 같이 투여하면 효과적이다. 베타2 작용제처럼 빠르게 작용하지는 않지만, 베타 2 작용제와 함께 사용할 때 추가로 20~40%의 기관지 확장을 추가로 제공할 수 있다.

일반적으로 주사할 수 있는 솔루메드롤 형태의 전신 코르티코스테로이드는 중등도 및 중증의 환자에서 일상적인 처치로 간주한다. 경구용 코르티코스테로이드 특히 프레드니손은 경미한 경우 유용하지만, 중등도 및 중증 환자에게는 사용하지 않는다.

급성 호흡부전이 있는 만성폐쇄폐질환 환자는 비침습적 양압환기(NPPV) 또는 인공호흡기를 통한 침습적 환기와 기관내삽관이 필요하다. 만성폐쇄폐질환 환자가 혈역학적으로 안정적이고 기도가 개방되어 있고 분비물이 적으며 의식이 명료한 경우 비침습적 양압 환기의 이점을 얻을 수 있다. 내약성이 있는 경우 비침습적 양압환기는 부작용이 더 적은 경향이 있기 때문에 일반적으로 단기간 환기 지원에 더 좋다. 호기말양압 또는 지속기도양압/이상기도양압 밸브가 있는 백밸브마스크 장치를 사용할 수 있다.

반대로, 침습적 기계적 환기를 시행해야 하는 만성폐쇄폐질환 환자는 처치를 중단하기 어렵고 인공호흡기 관련 폐렴에 취약할 수 있다. 적극적인 치료에도 불구하고 환자의 의식상태 변화, 산증, 호흡기 피로, 저산소증이 경우 기계 환기가 적용된다. 환자에게 사전 지시가 있는지와 장기 기계적 환기와 관련하여 환자가 바라는 것이 무엇인지 가족에게 반드시 물어본다.

무기폐

무기폐는 폐포의 공기 공간이 붕괴되는 것이다.

병태생리학

폐포는 여러 가지 장애에 취약하다. 기흉이나 혈흉에 의해 생성된 외부 압력이나 근위 기도 어딘가의 폐쇄로 인해 허탈할 수 있다. 폐렴의 경우 고름, 폐 타박상으로 인한 혈액, 익수 또는 울혈심부전에 체액으로 채워질 수 있다. 또한, 흡연 또는 유독 가스는 폐포에 존재하는 신선한 공기를 대체할 수 있다.

인체에는 수십억 개의 폐포가 있으며 그중 일부는 시간이 지남에 따라 붕괴하는 것이 일반적이다. 인간은 주기적으로 한숨 쉬고 기침, 재채기 그리고 자세 변경 등을 통해 닫힌 폐포를 여는 데 도움이 되고 폐의 일부에서 발생하는 환기 감소를 방지하는 것으로 여겨진다. 예를 들면 진정 상태이거나, 혼수상태에 있거나, 심호흡 또는 움직임이 통증을 유발하기 때문에 이러한 행동을 하지 않을 경우 붕괴된 폐포가 증가하면 다시 개방되지 않을 수 있다. 풍선처럼 폐포가 완전히 붕괴하면 다시 열리는 것이 더 어렵다. 결국 폐의 전체 부분이 붕괴한다. 이 상태는 무기폐를 나타내며 영향을 받은 부위에서 폐렴이 발생한 가능성이 커진다.

증상과 징후

무기폐가 그 자체로 중대한 질병이 될 수 있지만, 더 큰 우려는 영향을 받은 폐 부위가 병원균의 번식지가 되어 폐렴을 일으킨다는 것이다. 이것은 가슴 또는 복부 수술 후 며칠 동안 열이 나거나 특히 호흡음이 감소하거나 비정상적으로 색이 있는 가래를 뱉어내는 환자의 경우 폐렴이 우려된다.

처치

외과 수술 후 환자는 통증이 있더라도 기침을 하고 심호흡을 하며 침대에서 일어나 움직이도록 권장한다. 침대에서 일어날 수 없는 환자는 무기폐를 경험할 수 있으며 이는 저산소증을 유발하거나 환자를 폐 감염에 걸리게 할 수 있다. EMS 제공자 이런 환자의 심호흡을 강화할 수 있으며 앉아 있거나 일부 진통제를 포함하여 진정 효과가 있는 약물을 복용하는 환자의 무기폐에 주의할 수 있다.

폐렴

폐포에 액체가 모여 발생하는 폐의 감염을 폐렴이라고 한다. 감염으로 인한 염증은 호흡곤란, 발열, 오한, 흉통, 가슴벽 통증 및 가래를 동반한 기침을 유발할 수 있다. 폐렴에는 세 가지 광범위한 유형이 있다. 지역사회 감염 폐렴, 병원 감염(병원내: 입원 후 48시간 이후에 시작), 인공호흡기 관련 폐렴이 있다. 감염 원인은 바이러스, 세균, 곰팡이 또는 화학물질(위 내용물의 흡인)일 수 있다.

미국에서 매년 3백만 건 이상의 환자가 폐렴으로 진단된다. 치료하지 않은 폐렴은 사망률이 30%에 육박한다. 적절하고 시기적절한 처치하더라도 공존하는 질병(동반 질환)은 사망률을 급격히 증가시킬 수 있다. 고령은 폐렴의 민감성을 증가시킨다. 20년에 걸친 연구에서 포도상구균 폐렴으로 인한 폐렴의 전체 사망률은 20%였지만, 80세 이상의 환자에게서는 사망률이 37%를 초과했다.

사람면역결핍바이러스(HIV)감염, 울혈심부전, 당뇨병, 백혈병, 천식, 만성폐쇄폐질환, 기관지염 같은 호흡기 질환 같은 합병증에 의해 회복이 어려워질 수 있다. 이미 약화한 환자에서 폐렴이 발생하면 호흡 곤란, 감염에 의한 폐 조직 파괴, 추가 감염, 더 심해진 호흡 곤란 및 악화하는 증상이 나타날 수 있다. 폐포는 고름으로 가득 찬 주머니 형태로 변화될 수 있다. 이 염증성 물질은 순환을 손상해 축농이나 폐고름집을 유발하며 이는 외과적 처치 없이는 치료하기 어려울 수 있다. 회복된 환자의 경우에도 감염으로 인한 흉터는 호흡 가스 교환을 손상해 폐 예비량을 감소시키고 다른 감염에 대한 민감성을 증가시킨다.

병태생리학

지역사회 감염 폐렴을 일으킬 수 있는 병원체는 포도상구균성 폐렴, 레지오넬라 종, 헤모필루스 인플루엔자, 황색포도상구균, 호흡기 바이러스, 클라미디아, 슈도모나스가 있다. 병원 감염 폐렴은 클렙시엘라 및 장알구균과 함께 동일한 병원체에 의해 발생할 수 있다. 인공호흡기 관련 폐렴과 가장 일반적으로 관련된 두 가지 병원체는 황색포도상구균과 녹농균이 있다. 폐렴은 숙주의 면역 체계의 결함이나 강력한 병원체의 압도적인 부담으로 인해 가장 흔하게 발생한다.

증상과 징후

폐렴 환자는 일반적으로 기침과 발열의 전형적인 증상을 나타내지만, 복통, 미열, 빈맥을 동반한 쇠약과 같은 미묘한 징후도 나타날 수 있다. 급성 증상의 시작과 빠른 진행은 바이러스 원인보다 세균 원인을 더 시사한다. 폐렴의 임상 증상과 징후는 다음과 같다.

- 발열
- 오한
- 기침
- 불쾌감
- 구역 및 구토
- 설사
- 근육통
- 가슴막 통증
- 복통
- 식욕부진
- 호흡곤란
- 빠른 호흡
- 빈맥
- 저산소증
- 거품 소리, 기관지 내의 수포음, 쌕쌕거림을 포함한 비정상적인 호흡음

감별 진단

호흡음이 감소한 부위에서 폐를 청진시 환자에게 "이~" 소리를 내고 있으라고 요청한다. 들리는 음은 "이"보다 "어" 음색과 비슷할 수 있다. 이 현상은 음의 높이가 염소의 울음소리처럼 들리기 때문에 염소와 소리를 뜻하는 그리스어에서 유래된 언어로 염소 소리라고 한다. 또한 영향을 받는 폐엽에 타진 시 탁음이 들리며 촉각 진동 감이 증가할 수 있다. 의식 수준의 변화와 청색증은 중증 질환의 징후이다.

진단은 임상 양상, 신중한 현 병력 및 철저한 신체검사를 기반으로 할 수 있다. 앞뒤 방향 영상 및 측면 가슴 방사선 사진을 포함한 방사선학적 평가는 정상 소견에서 폐렴을 배제하지는 않지만, 폐 침윤물에 대해서 양호한 민감도를 보여준다. 컴퓨터단층촬영은 폐렴에 민감하지만, 환자를 일반 영상보다 높은 방사선에 노출한다.

폐렴의 감별 진단에는 천식, 기관지염, 만성폐쇄폐질환 악화, 기관 또는 성문위 이물, 후두개염, 가슴고름집, 폐농양, 울혈심부전, 협심증, 심근경색이 포함된다.

처치

산소 제공은 임상적으로 의미 있는 모든 폐렴 환자에게 도움이 된다. 산소포화도를 94% 이상으로 유지하는 것을 목표로 코삽입관을 통해 산소를 제공한다. 더욱 집중적인 산소 공급이 필요한 환자는 적극적인 기도유지를 고려한다. 지속기도양압 마스크를 사용하면 마스크로 얼굴을 덮는 것을 견딜 수 있는 환자의 삽관 필요성을 완화할 수 있다(이전 논의 참조).

혈액 배양을 통해 종종 확인할 수 있지만, 처치 과정에 변화를 주는 경우는 거의 없다. 항생제는 가능한 한 빨리 투여한다. 연구에 따르면 응급실에 도착한 후 6시간 이내에 항생제를 투여하면 폐렴 환자의 이환율과 사망률이 감소한다. 급성 염증 반응 증후군(SIRS)은 감염과 동반될 수 있다. 급성 염증 반응 증후군은 초기 손상과는 거리가 먼 비정상적이고 일반화된 염증 반응이며 임상적으로 다음 중 두 가지 이상이 존재하는 경우이다.

- 체온이 36℃ 미만이거나 38℃ 이상
- 심박수 90회/분 이상
- 호흡수가 분당 20회를 초과하거나 동맥혈이산화탄소분압이 32mmHg 미만
- 백혈구 수가 4,500 미만 또는 10,000L/mm³ 초과

급성 염증 반응 증후군의 확인은 패혈증의 진단 또는 심지어 감염의 진단을 확인하지 않는다. 외상, 화상 및 췌장염을 포함한 급성 염증 반응 증후군의 다른 병인이 존재한다. 패혈증은 확인할 수 있는 감염과 급성 염증 반응 증후군의 임상적인 기준이 있을 때 발생한다고 한다. 특히 환자가 패혈 쇼크에 직면한 경우 수액 공급이 효과적일 수 있다. 이러한 환자에게서는 적극적인 수액 소생술과 혈관수축제 투여가 필요할 수 있다. 탈수 환자에서 수액 소생술은 침윤물을 유발할 수 있는 충분한 수액을 제공하여 일반 방사선 사진에서 폐렴을 볼 수 있게 할 수 있다. 이럴 때 산소 공급이 감소하면 수집된 수액의 부담이 증가하면서 가스 교환을 수행하는 폐포 부담으로 볼 수 있다. 가슴 물리치료와 정기적인 보행을 통해 이러한 침윤물과 점액 축적을 완화할 수 있다.

급성폐손상/ 급성호흡곤란증후군

급성폐손상/ 급성호흡곤란증후군(ALI/ARDS)은 폐부전을 일으키는 전신 질환이다. 일반적으로 현장에서 급성호흡곤란증후군을 볼 수는 없지만, 처치 제공자는 급성호흡곤란증후군 환자를 의료기관에서 의료기관으로 이송할 수 있다.

급성폐손상/ 급성호흡곤란증후군에 빠지면, 비심인성 폐부종이 발생하고 혈장의 액체가 폐 실질로 이동하여 폐 조직 및 공기 공간을 채우고 호흡 곤란, 폐부종, 호흡 부전이 동반된다. 관련 중증 저산소혈증을 처치하기 위해 환기 지원이 필요할 수 있다.

병태생리학

급성호흡곤란증후군은 현장에서 거의 볼 수 없지만, EMS 제공자는 이 파괴적인 병리학적 상태를 예방하는 데 중요한 역할을 할 수 있다. 이 증후군은 쇼크, 위 내용물의 흡인, 폐부종 또는 저산소증으로 인해 폐포의 광범위한 손상으로 발생한다. 심한 폐 타박상이 있는 외상 환자에서와 같이 폐에 직접적인 손상이 있을 때 더 악화하는 것으로 보인다. 급성폐손상/ 급성호흡곤란증후군의 발병은 폐포로 액체가 침투하여 폐의 가스 교환을 감소시키는 폐포-모세혈관 경계의 파괴로 시작된다. 심한 경우 적절한 산소 공급을 유지하기 위해 고농도의 산소가 필요하다.

증상과 징후

급성 외상 또는 의학적 문제가 발생한 후 수 시간에서 수일 내에 발생하는 진행성 호흡 곤란 및 저산소혈증은 급성폐손상/급성호흡곤란증후군의 특징이다. 급성호흡곤란증후군은 일반적으로 중환자실에서 가장 흔히 볼 수 있다. 전형적으로 환자는 최근에 큰 수술을 받았고 회복되어 입원실에 있다가 급성폐손상/급성호흡곤란증후군이 발생하고 환자는 다시 중환자실에 입원한다. 급성폐손상/급성호흡곤란증후군의 신체 징후는 다음과 같다.

- 호흡곤란
- 때로는 점막의 청색증을 동반한 저산소혈증
- 빠른 호흡
- 빈맥
- 적절한 산소포화도를 유지하기 위해 보충 산소의 필요성 증가
- 패혈증 환자의 발열과 저혈압
- 거품소리(청진시 들리거나 들리지 않을 수 있음)

치료

산소 공급과 보조 환기는 급성폐손상/급성호흡곤란증후군 처치의 기본이다. 산소포화도, 호흡음 및 갑작스러운 상태 변화를 기록한다. 급성호흡곤란증후군 환자는 일반적으로 "뻣뻣한" 폐(즉, 순응도가 낮음)를 가지고 있다. 약물이나 외상성 손상을 적극적으로 처치하는 것 외에는 구체적인 처치법이 존재하지 않는다. 필요에 따라 압력 지원 및 흡인과 삽관, 기계 환기를 시행한다. 시작한 후에는 환기 압력을 모니터링하고 폐를 과도하게 팽창시키는 추가 손상을 유발하지 않도록 주의해야 한다.

중증급성호흡증후군

중증급성호흡증후군(SARS)은 포유류와 조류의 두 가지 바이러스가 합쳐져 발생하는 질병이다. 바이러스의 근원은 홍콩에서 발견된 박쥐에서 확인되었다. 중증급성호흡증후군은 2003년 2월 아시아에서 처음 보고되었으며 이 질병은 캐나다, 남미 및 유럽으로 퍼졌다. 미국에서는 8건의(모두 경증) 확인된 사례가 있었고 사망자는 없었다. 모든 사례는 중증급성호흡증후군 사례가 보고된 지역을 여행한 사람들과 관련이 있다. 미국에서는 중증급성호흡증후군에 걸린 처치 제공자는 없었다.

병태생리학

중증급성호흡증후군의 전염은 개인 간 밀접한 접촉, 즉 질병에 걸린 사람과 함께 살고 돌보거나 또는 감염된 사람의 호흡기 분비물이나 체액과 직접 접촉하는 것이다. 잠복기는 노출일로부터 약 10일이다. 전염 기간은 잘 정의되지 않았다.

증상과 징후

중증급성호흡증후군의 증상과 징후에는 38.0℃ 이상의 체온, 두통, 전반적인 불쾌감, 통증 등을 포함한다. 초기에는 중증급성호흡증후군이 일반적인 독감과 비슷하지만, 2~7일 후에 마른기침이 나타나며 심한 경우 폐렴으로 진행될 수 있다. 환자는 환기 보조가 필요할 수 있다.

처치

중증급성호흡증후군 감염이 의심되는 사람을 돌보는 경우 적절한 개인 보호장비(N95 또는 P100 호흡기) 사용하고, 감염관리 전문가에게 통보하며 노출 관련 서류 작성을 완료하고 가능한 한 10일간 격리한다.

호흡기 세포융합 바이러스

호흡기 세포융합 바이러스(RSV)는 폐와 호흡 통로에 감염을 일으키는 소아의 주요 질병 원인이다. 미숙아와 면역 체계가 저하된 소아에서 발견되는 감염은 폐와 심장에 영향을 미치는 다른 심각한 질병으로 이어질 수 있다. 호흡기 세포융합 바이러스 감염은 기관지염 및 폐렴과 같은 호흡기 질환을 일으킬 수 있다.

병태생리학

호흡기 세포융합 바이러스는 전염성이 강하고 환자가 기침이나 재채기할 비말을 통해 퍼진다. 이 바이러스는 손과 옷을 포함한 표면에서도 생존할 수 있다. 감염은 학교와 어린이집을 통해 빠르게 확산하는 경향이 있다.

증상과 징후

소아 환자를 평가할 때 탈수 징후가 있는지 확인한다. 호흡기 세포융합 바이러스에 걸린 영아는 종종 수분 섭취를 거부할 수도 있다. 호흡기 세포융합 바이러스는 심각한 상부 호흡기 감염을 유발할 수 있고 성인과 노인 환자에서 전형적인 천식 증상을 유발할 수 있다.

처치

보조 산소를 공급하고 기도와 호흡 문제를 처치한다. 가능한 경우 가습한 산소가 도움이 된다.

기흉

기흉은 가슴막안에 공기가 부분적 또는 완전히 축적된 것으로 가장 잘 정의된다. 앞서 설명한 바와 같이 일반적인 가슴막은 마찰을 최소화하기 위해 가슴막을 윤활한 소량의 액체가 존재한다. 기흉은 대부분 외상에 의해 발생하지만, 다른 일부 의학적 상태에 의해 발생할 수 있다.

일반적으로 가슴막안의 "진공" 압력은 폐를 팽창된 상태로 유지한다. 그러나 폐의 표면이 파괴되면 공기는 가슴막안으로 빠져나가 음압이 손실된다. 폐 조직의 자연적인 탄성으로 인해 폐가 허탈 된다. 가슴막안에 공기가 축적되면 경미하거나 중증일 수 있다.

병태생리학

일차 자발기흉은 명확한 원인 없이 발생할 수 있다. 일차 자발

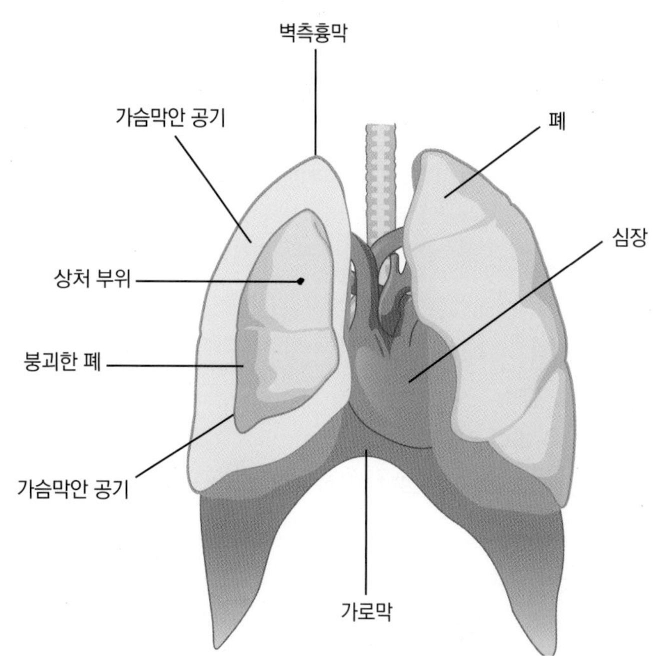

그림 2-18. 기흉은 가슴벽이나 폐 표면의 구멍에서 가슴막안으로 공기가 누출될 때 발생한다. 공기가 가슴막안을 채우고 두 개의 가슴막 표면이 더는 접촉하지 않으면 폐는 붕괴한다.

기흉을 경험하는 거의 모든 환자는 파열되어 기흉을 유발할 수 있는 공기주머니를 갖고 있다(그림 2-18).

일차 자발기흉은 폐 질환의 사전 진단이 없는 환자에서 주로 나타난다. 그러나 일차 자발기흉을 경험한 환자의 90% 이상이 흡연자이다. 이 질환은 키가 크고 마른 젊은 남성에게 더 흔하다. 특정한 유전적 요인이 자발기흉을 일으키기 쉽다는 것을 암시한다. 마리화나 담배뿐만 아니라 코카인의 흡인 및 주입은 또한 자발기흉의 위험 요소로 알려져 있다.

이차 자발기흉은 다양한 폐 질환에 의해 발생할 수 있지만 주로 만성폐쇄폐질환을 가진 환자에게서 발생하며 대부분 만성 흡연으로 인해 가장 자주 발생한다. 다른 보고된 원인으로는 폐섬유증, 유육종증, 결핵, 사람 폐포자충 감염(후천면역결핍증증후군 환자) 등이 있다. 이차 자발기흉은 60~65세 사이의 환자에서 더 자주 발생하며 이차 자발기흉을 경험한 만성폐쇄폐질환 환자는 만성폐쇄폐질환이 없는 환자보다 사망할 가능성이 3.5배 더 높다.

증상과 징후

일차 및 이차 자발기흉의 주요 징후는 흉통과 호흡곤란이다. 흉통은 종종 갑작스럽고 날카롭거나 찌르는 것으로 묘사되며 호흡이나 다른 가슴벽의 움직임으로 악화한다. 만성폐쇄폐질환

과 마찬가지로 폐 예비용량이 감소하면 이차 자발기흉 환자에게서 호흡곤란이 더 뚜렷하게 나타날 수 있다. 기흉의 추가 증상으로는 발한, 불안, 요통, 기침, 불쾌감 등이 포함된다.

다음과 같은 자발기흉의 임상 증후를 확인한다.

- 빠른 호흡
- 빈맥
- 모순맥박
- 호흡음 감소
- 타진 시 과다공명
- 저산소증과 의식 변화(일부 환자의 경우)

호흡음이 감소하기 위해서는 폐의 약 25%가 허탈되어야 하므로 영향을 받은 쪽의 호흡음이 있다고 해서 기흉을 배제할 수는 없다. 중간겨드랑선을 청진하면 이를 조기에 파악하는 데 도움이 될 수 있다. 저산소증, 청색증 및 목정맥 팽창은 긴장기흉을 고려해야 한다. 긴장기흉은 일반적으로 기흉(일차 자발기흉, 이차 자발기흉 또는 외상성 기흉)이 호흡 및 순환의 심각한 손상을 초래할 때 존재하는 것으로 간주한다. 긴장기흉의 가장 흔한 소견은 흉통과 호흡 곤란으로 종종 초기 단계에서는 심박수 증가(빈맥)와 빠른 호흡이 나타난다.

감별 진단

양압환기하는 동안 높은 가슴속 압력으로 인한 용적손상 또는 압력손상의 결과 다른 기흉이 발생할 수 있다. 만약 양압환기를 시행하고 있고 환자가 급성 상태 변화를 보인다면 기흉을 동반한 압력손상을 즉시 의심한다. 실제로 삽관 환자에서 급속히 악화하는 상태는 일반적으로 빠른 암기법 상자에 표시된 DOPE 암기법을 사용하여 급성 악화의 가장 일반적인 원인에 대해 신속한 평가를 시행한다. 양압환기를 받는 환자의 경우 피부밑기종이 발생할 수 있다. 이 환자들은 기관지나무의 일부 허탈로 인해 치명적인 상태에 있을 가능성이 있다. 신속한 평가와 가슴관삽입이 종종 지시된다.

임상검사 소견을 바탕으로 진단을 할 수 있지만, 가슴 방사선 사진으로 기흉의 정도를 확인할 수 있다. 정기적인 가슴 방사선 사진을 촬영할 수 있지만, 기흉의 중증도를 확인하려면 환자가 숨을 내쉬는 동안 가슴 방사선을 촬영한다. 컴퓨터단층촬영으로도 기흉을 확인할 수 있으며 기흉이 작고 환자에게 동반된 질환이 있는 경우 특히 유용하다. 초음파 검사도 기흉 진단에 도움이 된다. 환자가 심한 호흡 곤란을 보이는 경우 긴장기흉의 진단은 방사선 검사가 아닌 임상적으로 이루어져야 하고 방사선 검사를 할 수 있는 시간적 여유가 없으므로 즉시 처치한다.

일차 및 이차 자발기흉의 감별 진단에는 긴장기흉, 가슴막염, 색전증, 폐렴, 심근경색, 협심증, 심장막염, 식도연축 및 담낭염 등이 포함된다.

기흉과 긴장기흉을 구별한다(그림 2-19). 영향을 받은 폐의 가슴막 공간에 공기가 축적되면 결국 영향을 받지 않은 폐와 대정맥쪽으로 세로칸을 이동시킨다. 이러한 변화는 호흡 곤란을 악화시키고 호흡 노력을 증가시키며 심박출량을 감소시켜 폐쇄 쇼크를 초래한다. 호흡노력 증가, 심박출량 저하를 유발하여 폐쇄성 쇼크를 일으킨다. 임상적인 상태 악화를 보이고 호흡음이 감소한 쇼크 상태의 환자는 긴장기흉으로 진단해야 한다. 즉시 생명을 구할 수 있는 가슴 감압을 시행한다. 긴장기흉은 임상 검사로 가장 잘 진단된다. 방사선학적 확인을 기다리는 것은 치명적인 지연을 초래할 수 있다.

빠른 암기법

기관내삽관된 환자의 급성 악화 원인 평가

기관내삽관된 환자의 급성 악화를 평가할 때는 먼저 환자를 인공호흡기에서 분리하고 평가 중에 백밸브마스크로 인공호흡을 시행한다. DOPE 약자를 사용해서 진단 과정을 따라간다.

- D **변위된 튜브(Displaced tube)**. 튜브가 우연히 이동되었는가? 양측 호흡음과 상복부 소리가 없는지 청진한다. 호기말 이산화탄소 분압측정을 사용한다.
- O **폐쇄된 튜브(Obstructed tube)**. 환자의 말초 부분의 튜브를 막고 있는 분비물이 있는가? 멸균 흡인을 시행한다. 환자가 튜브를 깨물고 있는가? 바이트 블록을 삽입한다.
- P **기흉(Pneumothorax)**. 양압 환기 중 기흉이 발생했는가? 호흡음을 청진하고 환기하는 동안 폐 순응도를 감지한다. 가슴속 압력이 높아 백밸브마스크의 백을 짜기가 힘들은가? 긴장기흉이 있는 경우 가슴관튜브를 삽입할 수 있을 때까지 바늘감압을 시행한다.
- E **장비 고장(Equipment failure)**. 인공호흡기에 인공호흡 압력을 구동하는 데 필요한 산소가 부족한가? 산소 탱크와 인공호흡기가 제대로 작동하는지 확인한다. 커프 파열 또는 누출과 같은 기관내관 고장을 고려해야 한다.

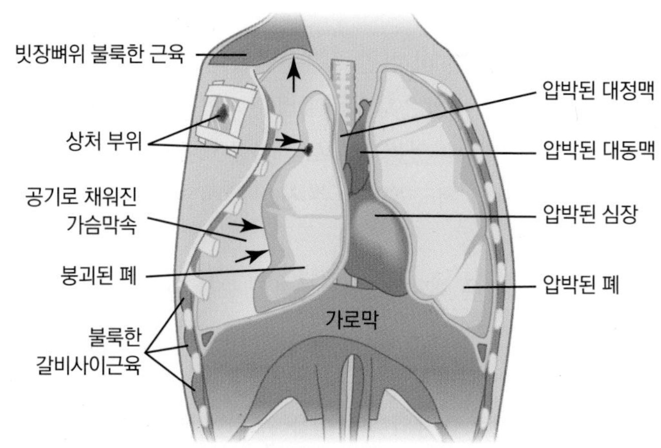

그림 2-19. 가슴 관통 손상 부위를 붕대를 단단히 감고 손상된 폐에서 공기가 빠져나올 수 없는 경우 긴장기흉이 발생할 수 있다. 공기는 가슴막안에 축적되어 심장과 대혈관을 압박한다.

처치

기흉 처치의 목적은 가슴막 공간에 공기를 제거해 공기가 없는 상태로 회복시키는 것이다. 선택한 처치 방법은 환자의 병력, 동반 질환 및 임상적 상태, 해결 가능성 그리고 후속 처치 방법에 따라 결정되어야 한다. 대부분의 환자는 바늘 가슴 감압과 같은 신속한 처치가 필요하지 않지만, 최소한 산소를 공급받아야 하며 병원으로 이동하는 동안 호흡 상태를 면밀히 모니터링한다.

최소한의 침습적인 처치 전략은 간단한 관찰이다. 이 접근 방식은 산소 공급과 예비용량이 좋고 기흉이 작고 동반된 질환이 없는 안정적인 환자에게 이상적이다. 이러한 환자는 응급실에서 6시간 동안 관찰할 수 있다. 반복적인 가슴 방사선 촬영에서 기흉의 크기가 증가하지 않으면 면밀한 추적 관찰을 받으면서 24~96시간 이내에 퇴원할 수 있다.

처치 없이 상태가 해결될 것 같지 않은 특정 환자에게 간단한 흡인을 시행할 수 있다. 여기에는 증상을 보이나 안정적인 환자, 경미한 기흉이 있지만, 만성폐쇄폐질환이 동반된 환자 등이 포함된다. 이 절차를 수행하기 위해서 국소 마취를 시행한 후 바늘을 가슴에 삽입하고 공기를 흡인하여 폐의 재팽창을 유도한다. 그런 다음 일반적으로 환자는 입원해서 관찰된다.

증상이 심한 환자는 종종 가슴관삽입을 받아야 한다. 시간이 허락하는 경우 국소 마취제와 진정제를 투여한다. 이 튜브는 공기가 빠져나가지만, 가슴막안으로 공기가 들어가지 않는 일방향 밸브인 하이믈리크 밸브(Heimlich valve)에 연결할 수 있다. 또는 튜브를 연속적인 고정 흡인기에 연결할 수도 있다. 배액관 장치가 있는 환자는 지속적인 흡인이 필요한 환자보다 더 빨리 퇴원할 수 있다. 중증 또는 장기간 입원한 환자의 경우 또는 가슴관삽입으로 기흉이 교정되지 않는 경우 수술적 처치가 필요할 수 있다.

EMS 제공자와 소생술 팀의 구성원은 가슴관 삽입에 대한 실무 지식이 있어야 한다. 직접 시술을 수행하지 않더라도 그 절차가 어떻게 이루어졌는지 알고 있으면 시술을 시행할 처치 제공자를 도와주는 데 도움이 된다.

가슴막삼출액

가슴막삼출액은 가슴의 한쪽 또는 양쪽에 있는 폐 외부의 축적액이다. 폐를 압축시켜 호흡 곤란을 유발한다. 이 액체는 자극, 감염, 울혈심부전 또는 암에 대한 반응으로 대량 축적될 수 있다. 점차 증가할 수 있지만, 며칠 또는 몇 주에 걸쳐 환자는 종종 호흡곤란이 갑자기 발생했다고 이야기한다. 가슴막삼출액은 폐암과 호흡 곤란이 있는 환자를 진단하는 데 도움이 되는 것으로 간주한다(그림 2-20).

병태생리학

내장가슴막과 벽가슴막 사이에 체액이 모이면 가슴막삼출액이 생성된다. 형성된 액체 주머니는 물집과 유사하고 반복적인 외상이 조직에 가해지면 더 많은 체액이 모이게 된다. 가슴막삼출액은 감염, 종양 또는 외상으로 인해 발생할 수 있다.

이 상태가 어떻게 발생하는지 시각화하려면 폐 밑에 물집이

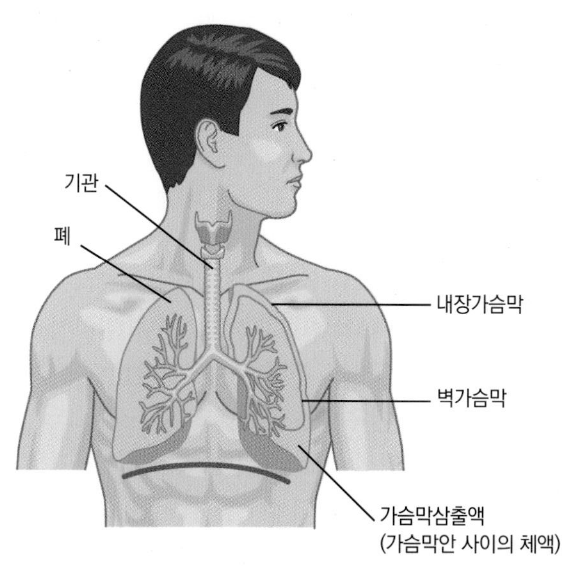

그림 2-20. 가슴막삼출액이 있으면, 한쪽 또는 양쪽에 대량으로 축적되어 폐를 압박하고 호흡곤란을 일으킨다.

형성되는 것을 상상해 본다. 호흡 후 조직이 서로 마찰하여 염증이 생기고 공간에 액체가 축적된다. 일부 가슴막삼출액은 몇 리터의 체액이 들어 있을 수 있다. 다량의 가슴막삼출액은 폐용량을 감소시키고 호흡곤란을 일으킨다.

증상과 징후

삼출액이 있는 환자의 가장 흔한 증상은 호흡곤란이다. 흉통(특히 가슴막염), 기침, 운동 시 호흡곤란, 기립성 호흡곤란도 나타날 수 있다. 흉통의 원인이 가슴막염이 아니라고 해서 삼출액이 배제되는 것은 아니다. 특정 삼출액의 원인은 추가적인 증상(예: 발열과 젖은기침을 동반한 폐렴)을 동반할 수 있으며 저혈압 및 저산소증과 같은 전신 효과는 패혈증을 암시할 수 있다.

가슴막삼출액으로 인한 호흡곤란이 있는 환자의 가슴 부위에서 청진기로 호흡음을 들으면 체액이 폐를 가슴벽에서 멀리 떨어뜨린 가슴 부위에서 호흡음이 감소한다. 환자가 앉아 있으면 호흡하기 편하고 상태가 좋아진 것처럼 생각하는 경우가 많다. 그러나 병원에서 의사가 수행해야 하는 액체 제거(가슴막천차)를 제외하고는 증상을 완화하는 방법은 없다.

감별 진단

삼출액은 가슴 방사선 영상으로 확인할 수 있으며 이는 환자 처치에 도움이 된다. 옆누운자세 영상은 소량의 삼출물을 영상화하는 데 도움이 될 수 있지만, 다량의 삼출물에는 불필요할 수 있다. 환자가 누운자세를 취할 때 폐 전체에 액체층을 생성하려면 약 200mL의 액체가 있어야 한다. 바로누운자세 영상은 액체가 고름집(공동 내에)을 형성하는지를 결정하는 데 도움이 될 수 있으며 이는 축농을 암시할 수 있다.

폐렴, 폐농양, 축농, 폐색전증, 혈흉은 가슴막삼출과 유사한 증상 및 신체 소견을 보일 수 있다. 이 중 혈흉은 외상으로 인한 원인이 있지만, 다른 원인은 내과적이다. 새로운 폐 삼출액이 있는 환자의 경우 악성 종양을 고려한다. 감염에 노출된 것으로 알려진 환자와 새로 전환된 정제 단백질 유도체(PPD) 검사를 받은 환자의 경우에는 결핵을 고려한다.

심부전은 또한 감별 진단의 일부여야 하며 심근경색 및 심부전을 동반한 허혈도 포함되어야 한다. 최근 심근경색 후 심장막안 또는 심장막 및 가슴막 모두에서 액체가 고이면 드레슬러 증후군을 고려한다.

처치

자세를 바꾸면 훨씬 더 심한 호흡곤란을 유발할 수 있으며 환자는 일반적으로 반앉은자세를 취하는 것을 거부한다. 삼출액을 확실히 처치할 수 있는 시설로 환자를 이송할 수 있을 때까지 적절한 자세와 적극적인 보충 산소 투여를 포함한 지지 요법을 사용한다.

삼출액에서 나온 액체는 진단 목적과 증상 완화를 위해 바늘 가슴막천자로 배출할 수 있다. 흡인된 액체의 화학적 및 현미경 검사는 원인을 결정할 수 있다. 드문 경우지만, 특정한 악성 암의 경우처럼 대량의 삼출액을 완화하거나 삼출물의 원인을 처치하기 위해 가슴관삽관이나 수술이 필요할 수 있다. 컴퓨터단층촬영은 새로운 삼출액이 있는 환자에게 시행할 수 있다. 이 연구는 삼출액과 관련된 폐암 및 결핵을 진단하는 데 도움이 될 수 있다.

폐색전증

폐색전증은 혈전, 기포, 지방판 또는 종양 세포로 인해 폐동맥이 갑자기 막히는 것이다. 심부정맥혈전(DVT)은 다리의 깊은 정맥에서 폐로 이동하는 혈전으로 폐색전증의 가장 흔한 원인 중 하나이다.

병태생리학

폐순환은 혈전(색전증), 부러진 뼈로 인한 지방 색전증, 임신 중 양수 누출로 인한 양수색전증 또는 목의 열상으로 순환계에 공기가 유입되고 발생하는 공기 색전증으로 인해 손상될 수 있다. 또는 수액 세트에서 공기를 제거하지 않았거나 부적절하게 제거하면 공기색전증으로 인한 손상이 발생할 수 있다. 어떤 유형이든 큰 색전증은 대개 폐동맥의 주요 분지에서 혈류를 방해한다. 폐에서 적절한 가스 교환을 위해서는 산소를 공급하고 이산화탄소를 흡수하며 산소가 부족한 혈액을 폐포로 전달하기 위해 손상되지 않은 폐혈관이 필요하다. 정상적인 폐포는 폐색전증의 경우와 같이 정맥혈이 도달할 수 없는 경우 거의 쓸모가 없다.

증상과 징후

이 혈관 문제는 모호하고 비특이적인 증상만을 일으키는 경향이 있으므로 응급실에서 가장 어려운 진단 중 하나이다. 폐색전증의 위험이 있는 환자는 최근에 수술이나 중증의 외상을 입은 환자와 유치 카테터가 있는 환자가 포함된다. 다른 위험 요소에는 장기간의 여행, 경구 피임약, 임신, 흡연, 암 또는 심부정맥혈전증(DVT), 폐색전증의 과거력을 포함한 장기간의 부동이 포함된다. 폐색전증을 암시하는 증상과 징후는 다음과 같다:

- 흉통
- 가슴벽 압통
- 호흡곤란
- 빈맥
- 실신
- 객혈(혈액이 섞인 가래)
- 새로 발생한 쌕쌕거림(천명음)
- 새로운 심장 부정맥

흉통, 객혈 및 호흡곤란의 전형적인 3요소는 환자의 20% 미만에서 볼 수 있다. 폐색전증의 초기 증상은 미미할 수 있지만, 대량 폐색전증은 증상이 빠르게 나타나며 맥박이 없는 전기적 활동을 나타내는 무맥성 전기활동으로 심정지를 일으킬 수 있다.

감별 진단

폐색전증은 혼란스러운 표현으로 인해 응급의학에서 가장 빈번하게 오진되는 질환 중 하나이다. 초기 소견은 정상적인 호흡음과 말초 순환을 나타내기 때문에 배제될 수 있다. 전형적인 증상은 갑작스러운 호흡곤란과 청색증 그리고 가슴에 날카로운 통증이 있을 수 있다. 폐색전증의 특징은 청색증이 산소 공급으로 해결되지 않는다는 것이다.

신체검사 시 다량의 폐색전증은 폐심장증에 이어 이차적인 저혈압을 일으킬 수 있다. 좀 더 미묘한 폐색전증은 며칠 동안 폐렴과 무기폐로 악화할 수 있다. 특히 만성폐쇄폐질환 및 천식 환자에서 새로운 쌕쌕거림이 나타날 수 있으며 평가를 혼란스럽게 할 수 있다. 가슴 방사선 촬영은 일반적으로 정상이며 드물게 심전도 리드 Ⅰ에서 S파, 리드 Ⅲ에서 Q파, 리드 Ⅲ에서 역전된 T파를 나타낸다. 만약 SI Q3 T3가 있으면 의심을 제기해야 한다(그림 2-21). 빈맥은 저산소증으로 인해 종종 나타나지만 비특이적인 소견이다. 공기가 가슴 안팎으로 이동하는 것을 막는 것이 없으므로 폐음은 종종 깨끗하게 들린다. 폐순환은 폐색전증으로 인해 방해되어 환기-관류 불일치를 유발한다. 보조 산소 공급으로 산소포화도는 거의 개선되지 않는다.

처치

침상에 누워 있는 환자는 종종 항응고제를 투여받거나 다리에 혈전이 형성되는 것을 줄이기 위해 특수 스타킹이나 기타 장치를 착용한다. 특히 심부정맥혈전증의 병력이 있는 환자의 경우 Greenfield 필터를 의사가 삽입할 수 있다. 심장에서 혈액을 되돌려주는 주요 정맥에서 메쉬 우산처럼 열리는 이 장치는 다리에서 떨어져 나와 이동하는 혈전을 잡기 위한 것이다.

큰 폐색전증으로 인한 심정지는 위험한 상황이며 생존하는 환자는 거의 없다. 산소에 반응하지 않거나 흉통을 호소하는 환자는 가장 가까운 적절한 의료기관으로 이송한다.

폐동맥 고혈압

폐고혈압은 폐동맥압의 상승을 특징으로 하는 드문 만성질환이다. 폐동맥의 높은 압력은 심장이 폐에 충분한 혈액을 공급하는 것을 어렵게 만들어 결국 심장과 폐 모두에 영향을 미친다.

미국에서는 인구 100만 명당 1~3명에게만 영향을 미치는 이 질병은 유전적 요소를 가질 수 있다. 코카인, 메스암페타민, 펜플루라민/펜터민/덱스펜플루라민(벤젠으로 알려져 있으며 안전상의 이유로 1997년 시장에서 철수한)과 같은 약물의 부작용도 관련되어 있다. 이 질병은 가임기 여성과 50~60대 여성 사이에서 흔하다. 중증의 만성 폐 질환은 폐동맥 고혈압의 또 다른 원인이다.

병태생리학

폐고혈압은 염증과 폐동맥 내벽 세포의 변화로 시작된다. 이 외에 다른 원인도 폐동맥에 영향을 미치고 폐고혈압을 유발할 수 있다. 예를 들어 다음과 같은 상황에서 발생할 수 있다.

- 동맥벽이 조여지는 경우
- 동맥벽이 선천적으로 이미 뻣뻣하거나 세포의 과증식으로 인해 딱딱해진 경우
- 혈전이 동맥에 형성된 경우

이러한 변화로 인해 심장이 폐동맥을 통해 폐로 혈액을 보내는 것이 어려워진다. 따라서 동맥의 압력이 상승하여 폐고혈압이 발생한다.

여러 요인이 다양한 유형의 폐고혈압을 유발하는 과정에 원인이 될 수 있다.

폐동맥 고혈압(PAH)은 알려진 원인이 없거나 유전될 수 있

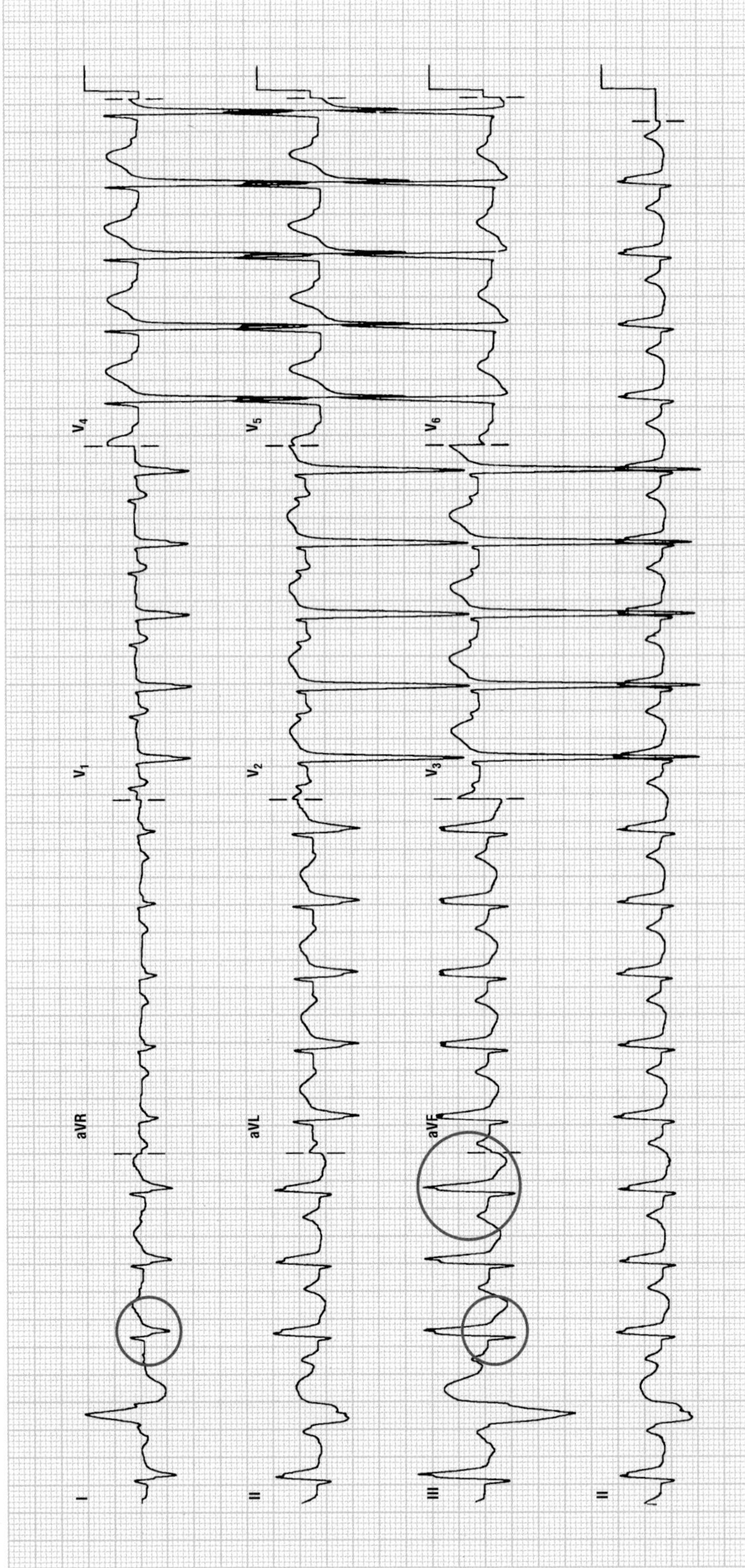

그림 2-21. 고전적인 S1, Q3, T3 패턴의 심전도. 리드 I 에서 원으로 표시된 S파와 리드 III에서 Q파 및 역전된 T파에 주목한다.

다. 일부 질병과 상태는 폐동맥 고혈압을 유발할 수 있다. 예를 들면 사람면역결핍바이러스(HIV) 감염, 선천심장병 및 낫적혈구병 등이다. 또한, 코카인 및 특정 다이어트 의약품을 복용하면 폐동맥 고혈압이 발생할 수 있다.

많은 질병 및 상태는 다음을 포함해 다양한 유형의 폐고혈압(종종 2차 폐고혈압)을 유발할 수 있다.

- 승모판막 질환
- 만성폐쇄폐질환과 같은 폐 질환
- 수면 무호흡증
- 유육종증

증상과 징후

폐고혈압의 증상과 징후는 다음과 같다.

- 호흡곤란(주 증상)
- 쇠약
- 피로감
- 실신
- 두 번째 심장 소리의 증가(S_2)
- 삼천판 잡음
- 목정맥 박동
- 오목 부종

폐음은 종종 정상이다.

감별 진단

진단을 확인하는 데 도움이 되도록 심장 초음파 및 혈액 검사를 수행할 수 있다.

처치

폐혈관을 확장하기 위해 산소를 투여하는 것은 처치의 중요한 부분이다. 폐혈관 확장제(발기부전 치료제) 또는 항염증제가 폐동맥을 좁힐 수 있는 내피층의 성장을 방해하는 약물과 함께 처방할 수 있다.

호흡 기능에 영향을 미치는 기타 상태

중추신경계 기능 장애

광범위한 중추신경계 질환은 표 2-10에서 볼 수 있듯이 호흡 기관 기능을 손상할 수 있다. 중추신경계 장애는 다음과 같이 세 가지 범주로 나눌 수 있다.

1. 급성. 1주일 미만 지속하는 질병
2. 아급성. 1주일에서 2개월 사이에 지속하는 질병 및 장애
3. 만성. 2개월 이상 지속하는 상태

급성 중추신경계 기능 장애

급성 중추신경계 기능 장애는 수많은 내과적 및 외상적 원인을 가질 수 있다. 여기서 초점은 호흡 기능을 손상하는 중추신경계의 급성 내과적 질병에 있다. 이러한 경우의 주요 관심사는 기도 개방을 유지하는 것이다. 폐쇄된 기도는 급속한 악화와 뇌 무산소증을 초래할 수 있다. 뇌졸중, 발작, 중추신경계 감염 및 기타 급성 신경 근육 장애는 의식 수준을 감소시키고 환자를 기도 및 환기 조절 불량의 위험에 빠뜨릴 수 있다.

과다호흡, 빠른 호흡 또는 둘다와 같은 호흡의 일반적인 변화는 종종 중추신경계 기능 장애를 동반한다. 표 2-11에 나와 있는 비정상적인 호흡 양상은 때때로 문제의 원인을 암시한다(그림 2-22).

아급성 중추신경계 기능 장애

아급성 중추신경계 기능 장애는 호흡부전, 무기폐, 폐렴, 염허탈 또는 침윤을 포함한 장기간의 호흡 손상을 일으킬 수 있다. 장기간 움직이지 않으면 점액을 배출하는 능력을 손상하고 기관지가 점액으로 막히는 위험을 증가시켜 폐포가 팽창하는 능력을 상실하여 폐렴의 위험을 증가시킬 수 있다. 지속적인 부동은 심부정맥혈전증 및 폐색전증의 위험을 증가시킬 수 있다.

만성 중추신경계 기능 장애

만성 중추신경계 기능 장애는 심부정맥혈전증 및 폐색전증의 가능성 증가와 같은 아급성 중추신경계 기능 장애와 동일한 많은 위험을 수반한다. 장기간의 호흡기 손상은 안전하게 기도를 유지하기 위해 기관절개가 필요할 수 있다. 따라서 흡기된 공기는 상기도의 방어를 회피하여 하부기도도 감염의 위험을 증가시킨다.

또한, 중추신경계 기능 장애의 장기간 처치는 병원균에 대한 병원 및 의료시설에서 노출과 관련이 있고 녹농균종, HA-MRSA 그리고 반코마이신 내성 장알균(VRE)에 중증 감염이 발생할 가능성이 더 크다.

표 2-10. 호흡 기능을 손상시킬 수 있는 중추신경계 조건		
급성	**아급성**	**만성**
중독	길랭-바레 증후군	HIV/AIDS
과량투여	뇌병증	근위축가쪽경화(ALS)
뇌졸중/일과성허혈발작(TIA)	수막염	치매
진드기독마비	섬망	중증 근무력 마비
중증 근무력 마비	중증 근무력 마비	
길랭-바레 증후군		
수막염		
뇌병증		
섬망		
정신질환		
발작		
경막외고름집		

ALS, 근위축가쪽경화; 사람면역결핍바이러스(HIV)/후천성면역결핍증후군(AIDS); 일과성허혈발작(TIA)

표 2-11. 비정상적인 호흡 양상	
호흡 양상	**설명**
쿠스마울 호흡 (Kussmaul's respiration)	대사성산증, 특히 당뇨병케톤산증을 가리키는 과다 빠른호흡, 과다호흡이다.
체인스톡스 호흡 (Cheyne-Stokes respiration)	무호흡과 무호흡이 점차 감소하는 순서로 번갈아 나타나며 뇌간의 호흡 중추 손상을 암시한다.
비오트 호흡 (Biot's respiration)	규칙적이거나 불규칙한 무호흡 기간이 뒤따르는 빠르고 얕은 들숨 그룹이 특징이다. 아편유사체 과다복용으로 인해 발생할 수 있는 이 리듬은 뇌간의 숨뇌 손상을 나타낸다.
지속들숨호흡 (Apneustic respiration)	심호흡하고 완전히 숨을 들이마실 때 멈추고 완전히 방출되지 않는 것은 다리뇌, 중간뇌, 숨뇌 상부의 손상이나 감염되었음을 나타낸다. 이는 또한 케타민 진정 작용 때문에 나타날 수 있다.
실조 호흡 (Ataxic respiration)	무호흡으로 진행되는 혼란스러운 양상과 호흡 깊이가 특징이다. 이러한 호흡 양상은 숨뇌 손상이 원인이다.

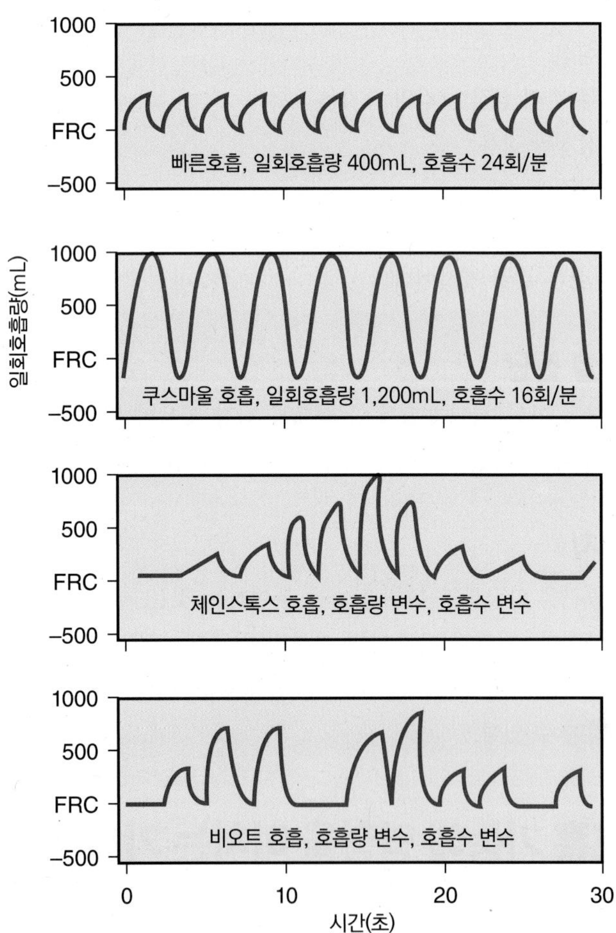

그림 2-22. 호흡 곤란

전신 신경 장애

근위축측삭경화증(ALS), 또는 루게릭병이라고 하는 중증 근무력증 및 신경근 퇴행성 질환과 같은 신경근 질환은 호흡기에 심각한 영향을 미치는 만성 질환이다. 호흡근 약화 또는 비효율적인 신경계 조절은 저환기를 유발하여 무기폐를 일으킬 수 있다. 질병으로 이미 쇠약해진 환자의 경우 후속 폐렴이 생명을 위협할 수 있다. 급성 호흡 부전은 폐렴에 중첩될 수 있으며 반대로 폐렴은 호흡 부전을 유발할 수 있다.

몇 가지 만성 신경근 질환이 개별적으로 언급된다. 길랭–바레 증후군은 바이러스 감염에 대한 과도한 면역 체계 반응을 나타내는 것으로 여겨지는 상행 마비이다. 이 질병을 앓고 있는 환자는 최근에 상부 호흡기 감염이 있을 수 있으며 며칠에 걸쳐 상행 마비가 발생할 수 있다. 호흡 손상이 진행되어 가슴 근육과 호흡근을 침범하는 경우 호흡 장애가 나타날 수 있다.

신경 근육 퇴행병(ALS/루게릭병)은 팔다리의 근육, 일부 골격근 및 호흡기 근육에 영향을 미치는 만성적인 근육 소모 질환이다. 호흡근 마비는 부분적이거나 완전할 수 있으며 환자를 영구적으로 인공호흡기에 의존하게 만들 수 있다. 마지막 몇 가지 조언과 주의 사항이 순서대로 나열되어 있다.

- 만성 신경 근육 질환이 있는 환자의 약물 보조 삽관에 탈분극성 신경 근육 차단제(예, 석시니콜린)를 사용하지 않는다.
- 많은 중추신경계에서 기인한 비외상성 호흡기 질환은 감염성이므로 표준 예방 조치를 따른다.
- 가래가 나오는 환자는 흡인을 고려하고 흡인은 기침을 유발할 수 있으며 이는 점액 플러그를 제거하는 데 도움이 된다.
- 환자의 기도를 보호할 수 있는 환자의 능력에 대해 우려가 되면 산소를 공급하고 필요한 진정제를 투여하고 기관내삽관을 시작한다.

급성, 아급성 및 만성 중추신경계 장애는 모든 상황에서 기도유지에 세심한 주의를 기울여야 한다는 것을 기억한다.

약물 부작용

많은 약물은 폐부작용을 유발한다. 마약은 가장 흔하게 남용되는 약물 범주 중 하나이다. 마약은 호흡 억제뿐만 아니라 수면을 유도한다. 불법 및 처방된 마약은 모두 남용하기 쉽다. 건강한 환자의 경우 소량에서 중등도의 통증 완화와 약한 진정을 유도한다. 더 많은 용량을 투여하면 마약은 호흡 억제를 유발하고 결국 호흡 정지를 유발하며 거의 모든 치명적인 마약 과다 복용이 원인일 수 있다. 날록손(Narcan)과 날트렉손(Revia)이 아편유사제 독성을 역전시키는 데 효과적이지만, 날록손은 정맥 내로 투여하기 때문에 더 효과적이다. 날록손은 성인에게 0.4~2mg 정맥 내 투여 또는 4mg을 코안으로 투여하며 그 효과는 날록손 투여량과 아편유사제 투여량에 따라 다르다. 알코올은 아편유사제와 시너지 효과가 있고 두 물질에 대한 급성 중독은 호흡 억제의 위험을 증가시킨다.

디아제팜(Valium), 로라제팜(Ativan), 알프라졸람(Xanax) 및 미다졸람(Versed) 같은 벤조다이아제핀은 호흡 억제를 일으키거나 상당한 양에서는 호흡 부전을 유발할 수 있다. 가장 일반적으로 처방되는 약물 중에서 이 종류의 약물도 남용할 우려가 높다. 그런데도 벤조다이아제핀은 상대적으로 독성이 낮으며 1% 미만의 사망을 초래한다. 아편유사제와 마찬가지로 벤조다이아제핀은 알코올과 시너지 효과가 있으며 같이 복용하는 경우 부작용의 가능성을 증가시킨다. 저환기, 호흡 억제 및 호흡 부전은 주요 독성을 동반할 수 있다. 만성적인 사용이나 남용 상황에서 해독제 사용에 주의한다. 날록손 사용은 아편유사제의 금단을 촉진할 수 있으며 이는 생명을 위협하는 경우는 거의 없지만, 거의 항상 환영받지 못한다. 금단은 환자가 처치제공자에게 덜 협조적으로 만들거나 의학적 조언을 무시하고 퇴원하겠다고 위협할 수 있다. 벤조다이아제핀의 금단은 심한 경우 발작을 유발할 수 있다. 플루마제닐로 처치하면 금단증상의 처치가 복잡해질 수 있다. 두 약물 모두 지속 기간이 다양하므로 기도 손상이 의심되는 경우 환자를 주의 깊게 모니터링한다.

암

폐암은 특히 담배를 피우는 사람들과 석면, 석탄 먼지 및 간접흡연과 같은 직업적으로 폐 위험에 노출된 사람들 사이에서 일반적으로 가장 흔하게 발생하는 암 중 하나이다. 폐암은 전통적으로 남성에게 발생하는 질병으로 간주하였지만, 오늘날 새로운 폐암 사례의 45%가 여성에서 발생하며 대부분 여성 흡연의 증가 때문일 수 있다.

증상과 징후

폐암은 종종 큰 기도의 종양에서 출혈이 발생하여 객혈(가래에 피가 섞임)과 통제할 수 없는 기침을 유발한다. 폐암은 만성폐쇄폐질환과 폐 기능 장애를 동반하는 경우가 많다. 폐는 또한 다른 신체 부위에서 암이 전이되는 흔한 부위이다.

폐암은 목의 림프샘을 침범하여 종양이 상기도를 폐쇄할 수 있으며 생명을 위협할 수 있다. 폐암 환자는 화학 요법이나 방사선 요법으로 인한 폐 합병증을 앓을 수 있다. 예를 들면, 폐 방사선 조사는 어느 정도의 폐부종과 관련이 있을 수 있다. 종양 처치는 또한 가로막삼출을 일으킬 수 있으며 이는 빠르게 진행되는 호흡곤란으로 나타날 수 있다. 임상 증상은 질병 및 전이의 정도를 반영하지만, 다음과 같은 증상이나 징후를 포함할 수 있다.

- 기침
- 호흡곤란
- 운동 시 호흡곤란
- 쌕쌕거림
- 객혈
- 가슴막 자극이나 가슴막삼출로 인한 흉통(심각한 가슴막삼출이 발생할 때까지 호흡음 감소가 발견되지 않을 수 있음)

암이 국소적으로 전이되면 구조를 압박하거나 조직을 파괴하여 광범위한 증상을 유발할 수 있다. 예를 들면 위대정맥 폐쇄는 광범위한 중심 혈전 및 색전 형성을 유발할 수 있고 재발하는 후두 신경마비는 쉰 소리를 유발할 수 있으며 식도에 대한 압력은 삼킴곤란을 유발할 수 있다. 암은 근육통, 신장 문제, 신장 결석 및 의식상태 변화의 원인이 될 수 있는 칼슘 농도를 현저하게 상승시킬 수 있다. 가슴 방사선 촬영은 종종 악성 종양과 관련된 삼출액을 보여준다.

처치

처치에는 보충 산소 투여, 호흡 보조, 기도 확보, 적절한 흡인 제공이 포함된다. 폐암에서 기흉은 매우 드물지만, 환자가 최근 폐 생검을 받았으면 이 상태를 고려한다. 가슴막삼출액이 있는 경우 응급으로 거의 배출되지 않는다(이전 논의 참조).

독성 흡입

잠재적으로 독성이 있는 많은 물질이 폐로 흡입될 수 있다. 손상 유형은 주로 유독 가스의 수용성에 달려 있다.

증상과 징후

암모니아와 같은 수용성 가스는 상기도의 습한 점막과 반응하여 부기와 자극을 유발한다. 물질이 환자의 눈에 들어가면 화상을 일으키고 염증과 자극을 유발한다.

덜 수용성인 가스는 하부기도에 깊숙이 들어갈 수 있으며 시간이 지남에 따라 손상을 일으킬 수 있다. 이러한 유독 가스는 즉각적인 고통을 유발하지 않고 최대 24시간 후에 폐부종을 유발하기 때문에 전쟁에서 적을 무력화시키는 데 사용되었다. 포스젠 및 이산화질소는 이런 식으로 작용한다.

예를 들어 염소와 같은 일부 일반적인 가스는 중간 정도의 수용성이며 염증과 폐부종 사이의 어딘가에 문제를 일으킨다. 심한 노출은 상기도 부기와 함께 나타날 수 있으며 낮은 수준의 노출은 전형적인 지연된 발병, 하기도 손상으로 나타날 수 있다. 일반적으로 가정에서 발생하는 실수는 배수구 세정제와 염소 표백제를 배수구에 붓는 것이다. 이는 집이나 건물에 있는 모든 사람에게 구역질을 나게 할 수 있는 자극적인 염소가스를 생성할 수 있다. 산업 환경에서는 가정에서 사용할 수 있는 것보다 더 많은 양과 고농도로 자극성 가스를 형성하는 화학물질을 사용하므로 더 많은 사람이 노출되거나 더 유독 가스에 노출되는 사고가 발생할 가능성이 있다. EMS 제공자는 이러한 유형의 사고에 대한 위험이 높은 해당 지역의 산업 환경을 고려한다.

독성 가스는 또한 산업 환경 외부의 사람에게도 영향을 미칠 수 있다. 일반적인 노출 유형 중 하나는 일산화탄소이다. 천연가스는 화학 첨가제 때문에 냄새가 나지만, 일산화탄소는 냄새도 없고 맛도 없으며 눈으로 볼 수도 없다. 일산화탄소는 미국에서 우발적인 중독 사망의 주요 원인이다. 일산화탄소 중독에서 살아남은 사람들은 영구적인 뇌 손상을 입을 수 있다.

일산화탄소는 가스 온수기, 실내용 난방 기구, 그릴, 발전기와 같은 가전제품에 의해 발생하며 담배 연기에도 존재한다. 일산화탄소 중독의 일반적인 원인은 추운 날씨가 시작될 때 사람들이 처음으로 히터를 켤 때 발생한다. 추운 날씨에 밀폐된 건물에서 불완전 연소와 전혀 환기되지 않은 상황에서 발생한다. 일산화탄소 중독의 다른 일반적인 원인은 화재로 인한 연기와 자동차 배기가스다. 어떤 사람들은 차고에서 시동을 걸고 차고 문과 차량 문을 닫고 배기가스를 흡입하여 자살을 시도한다. 일산화탄소 중독과 관련된 징후와 증상은 표 2-12에 나와 있다.

표 2-12. 일산화탄소 중독의 증상과 징후

중증도	일산화탄소 헤모글로빈 (COHb) 농도	증상과 징후
경증	< 15~20%	두통, 구역, 구토, 어지럼, 흐려보임
중등도	20~40%	혼동, 실신, 흉통, 호흡 곤란, 쇠약, 빈맥박, 빠른호흡, 횡문근융해
중증	41~59%	두근거림, 부정맥, 저혈압, 심근허혈, 심정지, 호흡정지, 폐부종, 경련, 혼수
치명적 (치사)	> 60%	사망

감별 진단

일산화탄소에 노출된 사람들은 자신이 독감에 걸렸다고 생각할 수 있다. 그들은 처음에는 두통, 현기증, 피로, 구역과 구토 증상을 호소한다. 운동 시 호흡곤란과 흉통을 호소하고 판단력 저하, 혼동, 또는 환각과 같은 신경계 증상을 보일 수 있다. 최악의 노출은 실신이나 발작을 일으킬 수 있다.

처치

독성 가스에 노출된 환자는 즉시 독성 가스와 접촉하지 않도록 해야 하며 호흡이 약화하면(일회호흡량이 감소한 경우) 100% 보충 산소 투여 또는 보조 환기를 제공한다. 상기도가 손상된 경우 적극적인 기도 관리(삽관이나 반지갑상연골 절개)가 필요할 수 있다.

약한 수용성 가스에 노출된 환자는 처음에는 괜찮게 느낄 수 있지만, 몇 시간 후에 급성 호흡곤란을 경험할 수 있다. 이러한 노출이 의심되는 경우 환자는 모니터링 및 추가 평가를 위해 가장 가까운 응급실로 신속하게 이송한다.

특별한 환자

노인 환자

노인 환자는 호흡기 계통에서 여러 가지 변화를 겪으며 궁극적으로 혈액에 산소를 공급하는 신체의 능력을 손상한다. 호흡기관과 환기를 지원하는 신체 구조 모두에서 광범위한 생리학적 변화가 발생할 수 있다. 노화와 관련된 생리적 변화에 대한 요약은 다음과 같다.

- 상피 내막의 얇아짐
- 점액 생성 감소
- 호흡기 섬모의 쇠약한 활동
- 기관 및 세기관지의 연골 석회화 및 간질 조직 석회화로 인한 폐 순응도 감소
- 폐포 수가 감소함에 따라 호흡 표면적의 감소
- 골절, 쇠약 또는 뼈 변화로 인한 가슴속 부피 감소
- 면역글로불린 및 백혈구 감소를 포함한 덜 활발한 면역 반응
- 가로막, 갈비사이근 및 부속 근육을 포함한 호흡근 약화

이러한 변화는 종종 몇 년 또는 수십 년에 걸쳐 점차 발생하기 때문에 신체의 기능은 현저하게 감소하고 적응할 시간이 없다. 이러한 동일한 변화가 며칠 또는 몇 주 동안 압축된 기간에 걸쳐 일어난다면 갑작스러운 기능 상실은 치명적일 수 있다. 좋은 예는 사람이 나이가 들어감에 따라 발생하는 호흡기 표면적의 감소이다. 젊은 성인의 정상적인 혈액 산소 분압은 일반적으로 평균 95mmHg이다. 노인의 경우 60mmHg만큼 낮은 분압은 드물지 않다. 만약 젊고 건강해 보이는 개인의 산소 분압이 60mmHg로 확인되면, 이는 매우 염려할 만한 수치이다.

호흡기계와 지지 구조의 병리학적 변화의 가능성은 환자의 나이가 들수록 증가한다. 일부 가슴막내 질병은 폐가 공기를 흡인하고 내쉬는 능력을 손상한다. 다른 것들은 혈액으로의 산소 확산과 혈액에서 이산화탄소 확산을 억제한다. 또한 종양이 폐공간을 차지하여 환기에 사용할 수 있는 가능한 면적이 줄어들 수 있다. 만성 흡연은 폐포, 좁은 기관지를 손상하고 점액으로 폐쇄할 수 있으며 기능하는 폐포를 큰 수포나 공기주머니로 대체할 수 있다. 순환기의 변화로 인해 폐 모세혈관에 소량의 혈액을 전달하여 산소 공급이 부족해질 수 있다. 헤모글로빈 수치가 감소하면 적혈구의 산소 운반 능력을 감소시킬 수 있다.

이러한 모든 변화가 결합하여 개인이 일상생활의 정상적인 활동을 수행하는 것을 더 어렵게 만들 수 있다. 노인의 경우 비교적 경미한 호흡기 감염이 생명을 위협할 수 있다. 폐렴은 이미 약간 저산소 상태의 노인 환자를 심각한 저산소 상태로 만들고 호흡 보조와 기계적 환기를 필요로 할 수 있다.

산과 환자

임신 중에 폐 생리학적 변화가 발생한다. 상기도 점막 부종, 점액 분비, 코막힘, 코 충혈은 백밸브마스크 환기 및 기관내삽관

의 어려움을 유발할 수 있다. 임신한 환자는 신체 기관에 대한 높은 산소 요구량으로 인해 호흡 예비력이 감소했다. 중환자의 경우 빠르고 중증의 호흡 부전이 발생할 수 있다. 임신한 환자는 또한 위 흡인의 위험이 더 크다.

다음과 같은 경우에 임신한 환자의 호흡 장애가 발생할 수 있다.

- 자간전증(임신 20주 이후에 발생하는 고혈압 및 단백뇨)
- 폐색전증(임신 내내 발생할 수 있지만, 가장 높은 발병률은 출산 직후 발생)
- 호흡기 감염(폐렴 및 인플루엔자 등)
- 천식
- 급성호흡곤란증후군(ARDS)

비만 환자

체질량 증가는 다음과 같은 방식으로 호흡기의 많은 기능을 방해하거나 복잡하게 할 수 있다.

- 체질량이 클수록 일상적인 활동에 대한 에너지 요구를 증가시키며 결과적으로 산소 공급과 이산화탄소 및 기타 노폐물 제거의 필요성이 증가한다.
- 신체의 순수한 물리적 질량은 가슴의 운동 범위를 제한하여 가로막의 수축과 이에 따른 폐의 팽창을 감소시킨다. 폐색전증, 만성폐쇄폐질환, 울혈심부전 및 폐렴과 같은 다른 호흡기 질환과 마찬가지로 폐쇄수면무호흡(OSA)이 일반적이다.
- 누운 자세에서 복부 앞쪽의 과도한 체중이 상복부로 이동하여 가슴의 팽창을 제한하고 일회호흡량을 감소시켜 고이산화탄소혈증으로 이어지는 호흡산증을 유발할 수 있다.

폐는 수요 증가에 따라 어느 정도 팽창할 수 있지만, 그 크기는 복부와 그 내용물에 의해 제한된다. 만성적으로 흡연을 하는 환자(만성 기관지염)에서 흔히 볼 수 있는 반응으로 가슴의 지름이 증가할 수 있지만, 가슴이 커지나 가슴의 크기 또한 제한적이다. 심장은 점점 더 빠르고 펌프질함으로써 더 효율적으로 기능할 수 있지만, 이러한 변화는 심부전을 포함하여 장기적인 심혈관 부작용을 일으킬 수 있다.

종합 정리

호흡기 손상을 초래하는 장애는 모든 연령대의 환자에게 공통적이며 모든 수준의 처치 제공자가 볼 수 있다. 호흡기 질환은 심각한 환기, 관류 및 확산 손상을 초래할 수 있다. 철저한 환자 병력, 신체검사 및 진단 결과에 대한 평가를 통해서 호흡 곤란 및 호흡 부전의 근본적인 원인을 조기에 인식하는 데 도움이 된다.

처치 제공자로서 호흡기계의 해부학, 생리학 및 병태생리학과 부적절한 환기, 관류 및 확산에 기여하는 질병에 대한 이해는 환자의 고통 수준을 평가하고 적절한 처치를 시작하는 데 중요할 수 있다.

비효율적인 호흡은 다양한 기능 장애 과정으로 인해 발생할 수 있다. 반응성 기도 질환, 세균 감염 대 바이러스 감염과 우발적, 외상성 및 특발성 기도 폐색의 원인에 대한 유사점과 차이점에 대해 잘 알고 있어야 한다. 처치 수준을 최고로 유지하고 신속한 기본생명유지(BLS) 및 전문생명유지(ALS)에 필요한 기도유지 처치를 시행할 준비를 한다. 호흡기 질환이 있는 환자를 평가하고 처치하는 것과 관련된 전문 지식은 생명을 구할 수 있다.

시나리오 해결책

- 감별 진단에는 인두염, 편도염, 편도주위고름집, 후두개염, 루드비히앙기나, 세균성 기관지염, 인두뒤고름집 및 척추앞고름집 등이 포함된다.
- 감별 진단의 범위를 좁히려면 과거 및 현재 질병의 병력 청취를 완료한다. 환자의 입과 목에 대한 신체검사를 시행한다. 기도 부종을 악화시킬 수 있으므로 목구멍을 검사하기 위해 입안에 아무것도 넣지 않는다. 산소포화도를 측정하고 아래턱 밑과 목 부분을 촉진한다. 이 검사로 인해 전문 기도유지가 지연되거나 적절한 의료기관으로 이송이 지연되어서는 안 된다.
- 환자는 임박한 기도 폐쇄의 징후가 있다. 기도 장애 환자의 기도 관리는 응급의학과, 마취과 또는 이비인후과 의사가 가장 잘 시행할 수 있다. 가습된 산소를 투여하고 인두를 흡인할 준비를 한다(환자가 원하는 경우 분비물을 뱉을 수 있도록 한다). 정맥 라인을 확보하고 수액을 투여한다. 다양한 크기의 기관내관을 선택하여 기관내삽관을 준비한다. 입 기관내삽관으로 기도를 확보할 수 없는 경우 반지갑상연골절개를 준비한다. 기도가 유지되면 발열, 항생제 및 통증에 대한 약물 투여를 고려한다.

요약

- 상기도와 하부기도는 가스 교환(환기) 장소인 폐포로 공기를 전달(호흡)한다.
- 센서는 산소 및 이산화탄소에 대한 신체 필요를 충족시키고 산-염기 균형을 유지하기 위해 호흡 주기를 언제 어떻게 조절할 것인지 호흡기 시스템에 알려준다.
- 다른 가슴 구조물에 대한 호흡 해부학의 상호 의존성은 모든 조직에 산소를 공급하고 이산화탄소를 제거하는 데 도움이 된다.
- 호흡계와 가슴속 공간을 공유하는 심혈관계의 질병은 환자가 호흡 곤란이나 호흡 부전, 쇠약, 기도손상, 흉통, 의식상태 변화, 기침 또는 발열 등을 호소하는 경우 감별 진단에 포함해야 한다.
- 상기도를 손상할 수 있는 특정 질병 과정에는 해부학적 폐색, 흡인, 알레르기 반응 및 감염으로 인한 염증 등이 포함된다.
- 하기도 기능 장애를 특징으로 하는 특정 질병 과정에는 천식, 만성폐쇄폐질환, 폐 감염, 기흉, 가슴막 삼출액, 폐색전증, 폐동맥 고혈압 등이 있다.
- 호흡 기능에 영향을 미치는 다른 조건에는 중추신경계 기능 장애, 전신 신경장애, 약물 부작용, 암 및 독성 물질 흡인이 있다.
- 호흡기 질환이 있는 환자에 대한 평가에는 표준 응급 접근법이 포함되어야 한다. 특수 모니터링 및 진단 단서는 감별 진단 범위를 좁히는 데 도움이 될 수 있다.
- 환자 처치에는 기도 및 환기 지원이 포함되며 지속적인 평가의 결과를 기반으로 환자의 처치 계획을 재평가하고 수행되고 있다는 것을 통해 환자를 안심시켜줘야 한다.
- 처치 제공자는 잠재적 또는 실제 치명적인 것을 인식하는 것이 필수적이다. 조기 인식은 전문인명소생술 지원에 대한 즉각적인 요청하고 기본인명소생술(BLS) 및 전문인명소생술(ALS) 처치를 지원하여 환자에게 양질의 환자 처치를 보장한다.

주요 용어

급성폐손상(ALI)/ 급성호흡곤란증후군(ARDS): 폐 기능 부전을 유발하는 전신 질환

유산소대사(aerobic metabolism): 산소가 있을 때만 진행할 수 있는 신진대사

무산소대사(anaerobic metabolism): 산소가 없을 때 일어나는 신진대사로 주요 부산물은 젖산

혈관부종(angioedema): 알레르기가 원인이 있을 수 있고 혀와 입술이 부어오를 수 있는 혈관 반응

지속들숨중추(apneustic center): 더 길고 느린 호흡을 만드는 데 도움이 되는 다리뇌의 일부

무기폐(atelectasis): 폐의 폐포 공기 공간의 붕괴

일산화탄소혈색소(carboxyhemoglobin): 일산화탄소로 가득 찬 헤모글로빈

화학수용체(chemoreceptors): 혈액 및 체액 구성의 변화를 감지하는 화학 수용체. 화학 수용체에 의해 등록된 주요 화학 변화는 수소(H^+), 이산화탄소(CO_2), 산소(O_2)의 농도를 포함한다.

호기말이산화탄소($ETCO_2$) 모니터링: 이산화탄소에 대한 호기 가스 분석, 환자의 환기 상태 또는 폐 관류를 평가하는 유용한 방법이다. 심정지 상태에서 가슴 압박의 효율성과 자발 순환의 회복을 나타낼 수 있다.

가스 교환(gas exchange): 순환하는 혈액 세포에 의해 대기의 산소가 흡수되고 혈류의 이산화탄소가 대기로 방출되는 과정이다.

현 병력(history of the present illness; HPI): 환자 평가의 가장 중요한 요소이며 현 병력의 기본 요소는 OPQRST 및 SAMPLER 약어를 사용하여 얻을 수 있다.

고이산화탄소혈증(hypercapnia): 저환기, 폐 질환 또는 의식 저하의 원인으로 인해 혈액 내 이산화탄소 수치가 비정상적으로 상승한 상태이다. 또한 비정상적으로 높은 농도의 이산화탄소가 포함된 환경에 노출되거나 내쉬는 이산화탄소를 재호흡함으로서 발생할 수 있다. 일반적으로 45mmHg 이상의 이산화탄소 수준으로 정의된다.

루드비히앙기나(Ludwig's angina): 아래턱뼈 바로 아래, 목 앞쪽의 깊은 공간에 발생한 감염으로 이 이름은 이 상태를 가진 대부분의 환자가 보고한 질식과 질식의 감각에서 비롯되었다.

비침습적 양압환기(noninvasive positive-pressure ventilation; NPPV): 일부 유형의 마스크 또는 기타 비침습적 장치를 사용하여 상기도를 통해 양압환기를 제공하는 절차이다.

편도주위고름집(peritonsillar abscess): 표재성 연부조직 감염이 진행되어 편도에 인접한 점막밑 공간에 화농성 주머니가 생기는 고름집이다. 이 고름집과 그에 동반되는 염증으로 인해 목젖이 반대쪽으로 편위된다.

호흡조정중추(pneumotaxic center): 뇌줄기에 위치하는 이 중추는 일반적으로 호흡의 속도와 패턴을 제어한다.

호흡(respiration): 산소는 혈액으로 혈액에 이산화탄소는 폐포로 이동한다.

호흡부전(respiratory failure): 폐가 가스 교환, 즉 흡기한 공기에서 혈액으로 산소를 전달하고 혈액에서 호기로 이산화탄소를 전달하는 기본적인 작업을 수행할 수 없게 되는 장애이다.

가슴막천자(thoracentesis): 가슴막 공간에서 체액이나 공기를 제거하는 절차이다.

가슴림프관(thoracic duct): 왼쪽 상부 가슴에 위치하며 가슴림프관은 체내에서 가장 큰 림프관이다. 그것은 다리와 복부에서 정맥에 의해 수집되지 않은 과도한 체액을 대정맥으로 되돌려준다.

가슴관삽입(thoracostomy): 튜브를 Heimlich 밸브에 연결하는 술기로 공기가 빠져나가지만 가슴막공간으로 들어가지 않도록 하는 일방향 밸브에 연결하는 절차이다.

초음파(ultrasound): 초음파 검사 또는 진단적 의료 초음파 검사라고도 하는 이 검사 방법은 고주파 음파를 사용하여 신체 구조의 정확한 영상을 생성한다.

참고 문헌

Acerra JR: *Pharyngitis.* http://emedicine.medscape.com/article/764304-overview, updated April 11, 2018.

Aceves SS, Wasserman SI: Evaluating and treating asthma, *Emerg Med.* 37:20–29, 2005.

Akinbami LJ, Moorman JE, Bailey C, et al.: *Trends in asthma prevalence, health care use, and mortality in the United States, 2001–2010.* NCHS data brief, no 94. Hyattsville, MD, 2012, National Center for Health Statistics.

American Academy of Orthopaedic Surgeons: *Emergency care and transportation of the sick and injured*, ed 11, Burlington, MA, 2017, Jones & Bartlett Learning.

American Academy of Orthopaedic Surgeons: *Nancy Caroline's emergency care in the streets*, ed 8, Burlington, MA, 2018, Jones & Bartlett Learning.

American Academy of Pediatrics: Prevention of choking among children. *Pediatrics.* 125:601–607, 2010.

Amitai A: *Ventilator management.* http://emedicine.medscape.com/article/810126-overview, updated September 21, 2018.

Asmussen J, Gellett S, Pilegaard H, et al.: Conjunctival oxygen tension measurements for assessment of tissue oxygen tension during pulmonary surgery, *Eur Surg Res.* 26:372–379, 1994.

Benson BE: *Stridor.* https://emedicine.medscape.com/article/995267-overview, updated March 19, 2018.

Boka K: *Pleural effusion.* http://emedicine.medscape.com/article/299959-overview, updated December 28, 2018.

Centers for Disease Control and Prevention: *National health and nutrition examination survey.* https://www.cdc.gov/visionhealth/vehss/data/national-surveys/national-health-and-nutrition-examination-survey.html, updated May 8, 2019.

Daley BJ: *Pneumothorax.* http://emedicine.medscape.com/article/424547-overview, updated September 05, 2018.

Deitch K, Rowden A, Damiron K, et al.: Unrecognized hypoxia and respiratory depression in emergency department patients sedated for psychomotor agitation: pilot study. *West J Emerg Med.* 15(4):430–437, 2014.

Deitch K, Miner J, Chudnofsky CR, et al.: Does end tidal CO_2 monitoring during emergency department procedural sedation and analgesia with propofol decrease the incidence of hypoxic events? A randomized, controlled trial. *Ann Emerg Med.* 55(3):258–264, 2010.

Dumitru I: *Heart failure.* https://emedicine.medscape.com/article/163062-overview, updated May 07, 2018.

Fink S, Abraham E, Ehrlich H: Postoperative monitoring of conjunctival oxygen tension and temperature, *Int J Clin Monit Comput.* 5:37–43, 1988.

Flores J: *Peritonsillar abscess in emergency medicine.* http://emedicine.medscape.com/article/764188-overview, updated October 18, 2018.

Gamache J: *Bacterial pneumonia.* https://emedicine.medscape.com/article/300157-overview, updated June 6, 2019.

Gompf SG: *Epiglottitis.* http://emedicine.medscape.com/article/763612-overview, updated April 10, 2018.

Green TE: *Acute angioedema: Overview of angioedema treatment.* http://emedicine.medscape.com/article/756261-overview, updated August 28, 2018.

Gresham C: *Benzodiazepine toxicity.* http://emedicine.medscape.com/article/813255-overview, updated June 13, 2018.

Harman EM: *Acute respiratory distress syndrome.* http://emedicine.medscape.com/article/165139-overview, updated October 17, 2018.

Howes DS: *Encephalitis.* http://emedicine.medscape.com/article/791896-overview, updated August 7, 2018.

Hunter CL, Silvestri S, Ralls G, et al.: A prehospital screening tool utilizing end-tidal carbon dioxide predicts sepsis and severe sepsis. *Amer J Emerg Med.* 34:813–819, 2016.

Jenkins W, Verdile VP, Paris PM: The syringe aspiration technique to verify endotracheal tube position, *Am J Emerg Med.* 12(4):413–416, 1994.

Kaplan J: *Barotrauma.* http://emedicine.medscape.com/article/768618-overview, updated June 16, 2017.

Khan JH: *Retropharyngeal abscess.* http://emedicine.medscape.com/article/764421-overview, updated October 5, 2018.

Link MS, Berkow LC, Kudenchuk, PJ, et al.: Part 7: Adult Advanced Cardiovascular Life Support: 2015 American Heart Association Guidelines Update for Cardiopulmonary Resuscitation and Emergency Cardiovascular Care. *Circulation*, 132(18 Suppl 2):S444–464, 2015.

Marx J, Walls R, Hockberger R: *Rosen's emergency medicine: concepts and clinical practice*, ed 5, St. Louis, MO, 2002, Mosby.

Memon MA: *Panic disorder.* https://emedicine.medscape.com/article/287913-overview, updated March 21, 2018.

Morris MJ: *Asthma.* https://emedicine.medscape.com/article/296301-overview, updated January 7, 2019.

Mosenafir Z: *Chronic obstructive pulmonary disease.* http://emedicine.medscape.com/article/297664-overview, updated April 5, 2019.

Murray AD: *Deep neck infections.* http://emedicine.medscape.com/article/837048-overview, updated April 12, 2018.

Nadel JA, Murray JF, Mason RJ: *Murray & Nadel's textbook of respiratory medicine*, ed 4, Philadelphia, PA, 2005, Elsevier Saunders.

National Highway Traffic Safety Administration: *National EMS education standards (NEMSES).* https://www.ems.gov/pdf/National-EMS-Education-Standards-FINAL-Jan-2009.pdf, published March 27, 2015.

Nguyen VQ: *Dilated cardiomyopathy.* http://emedicine.medscape.com/article/757668-overview, updated November 28, 2018.

Oudiz RJ: *Idiopathic pulmonary arterial hypertension.* http://emedicine.medscape.com/article/301450-overview, updated June 21, 2018.

Ouellette DR: *Pulmonary embolism.* http://emedicine.medscape.com/article/759765-overview, updated June 6, 2019.

Pappas DE, Hendley JO: Retropharyngeal abscess, lateral pharyngeal abscess and peritonsillar abscess. pp. 1754–1755. In Kleigman RM, et al, Eds: *Nelson textbook of pediatrics,* ed 18, Philadelphia, PA, 2007, Saunders.

Paramedic Association of Canada: *National occupational competency profile.* https://paramedic.ca/site/nocp?nav=02, updated March 27, 2015.

Paul M, Dueck M, Kampe S, et al.: Intracranial placement of a nasotracheal tube after transnasal trans-sphenoidal surgery, *Br J Anaesth.* 91:601–604, 2003.

Peng LF: *Dental infections in emergency medicine.* http://emedicine.medscape.com/article/763538-overview, updated January 4, 2018.

Petrache I: *Pleurodynia.* http://emedicine.medscape.com/article/300049-overview, updated August 13, 2015.

Rackow E, O'Neil P, Astiz M, et al.: Sublingual capnometry and indexes of tissue perfusion in patients with circulatory failure, *Chest.* 120:1633–1638, 2001.

Rajan S, Emery KC: *Bacterial tracheitis.* https://emedicine.medscape.com/article/961647-overview, updated November 26, 2018.

Ren X: *Aortic stenosis.* https://emedicine.medscape.com/article/150638-overview, updated May 7, 2019.

Shah SN: *Hypertrophic cardiomyopathy.* https://emedicine.medscape.com/article/152913-clinical, updated Jan 05, 2016.

Shapiro JM: Critical care of the obstetric patient. *J Intensive Care Med.* 21:278–286, 2006.

Shores C: Infections and disorders of the neck and upper airway. In Tintinalli J, Ed: *Emergency medicine: A comprehensive study guide,* New York, NY, 2004, McGraw-Hill Professional Publishing, pp. 1494–1501.

Snyder SR: Managing sepsis in the adult patient. *EMS World.* May 2012. https://www.emsworld.com/article/10685110/managing-sepsis-adult-patient

Stephens E: *Opioid toxicity.* http://emedicine.medscape.com/article/815784-overview, updated Dec 13, 2018.

Tan WW: *Non-small cell lung cancer.* https://emedicine.medscape.com/article/279960-overview, updated June 27, 2019.

Tang WH: *Myocarditis.* http://emedicine.medscape.com/article/759212-overview, updated Dec 19, 2016.

Tanigawa K, Takeda T, Goto E, et al.: The efficacy of esophageal detector devices in verifying tracheal tube placement: A randomized cross-over study of out-of-hospital cardiac arrest patients, *Anesth Analg.* 92:375–378, 2001.

Tatevossian RG, Wo CC, Velmahos GC, et al.: Transcutaneous oxygen and CO_2 as early warning of tissue hypoxia and hemodynamic shock in critically ill emergency patients, *Crit Care Med.* 28(7):2248–2253, 2000.

Urden L, Stacy K, Lough M: *Thelan's critical care nursing: Diagnosis and management,* ed 5, St. Louis, MO, 2006, Elsevier.

© Ralf Hiemisch/Getty Images

CHAPTER 3

흉통을 유발하는 심혈관 질환 및 상태

심혈관 질환은 성인이 진료를 받아야 하는 일반적인 이유이다. 흉통은 환자가 표현하는 일반적인 증상이며 그 원인은 양성이거나 생명을 위협할 수 있다. 이 장에서는 이 일반적인 증상을 심혈관, 폐, 위장관 및 근골격계의 영향을 받는 네 가지 가능한 시스템으로 분류하여 생명을 위협하는 것부터 비응급까지 흉통의 원인을 신속하게 평가하는 방법을 설명한다. 추가 설명은 정확한 현장 진단을 내리고 처치 계획을 수립하며 필요에 따라 처치를 조정하기 위해 환자를 모니터링하는 데 도움이 된다.

학습 목표

이 장을 마치면 다음을 수행할 수 있다.

- 가슴 불편을 호소하는 환자에게 해부학, 생리학 및 병태생리학에 대한 지식을 적용할 수 있다.
- 병력 청취와 신체검사를 활용하여 흉통 환자를 평가할 수 있다.
- AMLS 평가 과정을 사용하여 질병의 진행 정도와 환자의 임상 증상, 병력, 신체검사에서 얻은 정보를 적용하여 생명 위협(생명 위협, 치명적, 응급 및 비응급 진단)의 정도에 따라 진단목록을 작성할 수 있다.
- 임상적 결정을 내리고 진단검사를 수행하며 그 결과에 따라 흉통이 있는 환자를 처치한다. 임상적 결정에는 환자를 의료기관으로 이송하고 허용된 진료 지침을 따를 수 있다.
- 가슴 불편함을 호소하는 환자에게 지속적인 평가를 시행하여 잠재적 진단을 확인하거나 배제하고 환자의 반응 및 결과에 따라 치료를 조절한다.

시나리오

37세 여성이 호흡곤란과 흉통을 호소한다. 이 여성은 약 일주일 동안 아팠고 오늘 두 번 구토했으며 피부는 홍조를 띠고 심박수는 증가했다. 환자는 하루에 두 갑의 담배를 피우고 경구피임약과 인슐린 이외에 복용하는 약물은 없다고 한다.

- 현재 가지고 있는 정보를 바탕으로 어떤 감별 진단을 고려할 수 있는가?
- 감별 진단의 범위를 좁히는 데 필요한 추가 정보는 무엇인가?
- 환자 처치를 계속할 때 초기 처치의 우선순위는 무엇인가?

해부학 및 생리학

흉통은 가슴벽 자체와 복강 내 장기를 포함하여 가슴을 구성하는 모근 구조에 의해 발생할 수 있다(그림 3-1).

심장

심장은 좌우로 나누어진 4개의 방으로 구성되어 있고 중격으로 나누어져 있는 근육질의 기관이다. 심장의 오른쪽은 신체에서 정맥혈을 받아 폐로 전달하여 산소와 이산화탄소를 교환한다. 심장의 왼쪽은 산소가 풍부한 혈액을 받아 신체의 나머지 부분으로 보낸다. 심방과 심실은 혈액이 의도한 방향으로 이동할 수 있도록 열리고 다치는 판막에 의해 분리된다. 심장은 심근이라고 하는 특수 근육 조직으로 이루어져 있다. 심장의 부드러운 내부 표면은 심내막이라고 하고 외부층은 심외막이라 한다. 심외막은 심장막이라고 하는 심장이 있는 주머니의 가장 안쪽 내층이다. 심장막은 심장 주위의 섬유성 주머니로 심장을 추가로 보호한다.

심근의 독특한 특징은 근육이 리듬감 있게 수축하는 능력이다. 심실의 수축은 심장을 통한 특수 전기 시스템에 의해 분당 박동수를 조절하며 심장의 조정된 수축을 활성화하는 심장 박동 조절 기능을 제공하는 심장 내의 전기 시스템에 의해 조절된다.

대혈관

대혈관에는 대동맥, 위대정맥, 아래대정맥, 폐동맥, 폐정맥이 포함된다(그림 3-2). 가슴을 관통하는 대동맥 부분을 가슴대동맥이라 하고 대동맥이 복부를 통해 아래로 내려가면서 복부대동맥이라고 한다. 대동맥박리라고 하는 생명을 위협하는 심각한 질병은 대동맥이 병에 걸리고 각 층이 분리되기 시작할 때 발생한다. 대동맥류에서 대동맥벽이 약해지고 바깥쪽으로 부풀어 오를 수도 있다. 파열된 대동맥류는 생명을 위협하는 응급상황이다.

폐와 가슴막

2장에서 호흡기 질환은 심도 있게 다루었지만, 여기서는 해부학과 생리학에 대한 간략한 내용이 나와 있다. 기관과 기관지는 민무늬근육과 연골로 이루어져 있어 기도가 수축하고 팽창할 수 있다. 폐와 기도는 산소가 풍부한 공기를 유입하고 세포대사의 산물인 이산화탄소를 제거한다. 숨을 들이쉴 때 가로막과 갈비사이근이 수축하여 가슴을 팽창시켜 가슴안의 압력을 외부 기압보다 낮춘다. 그런 다음 공기는 높은 압력에서 낮은 압력으로 기도를 통해 유입되어 폐를 팽창시킨다. 숨을 내쉴 때 가로막과 갈비사이근이 이완되고 가로막의 탄성과 함께 가슴벽의 압박이 공기를 밀어낸다.

폐는 또한 가슴막으로 안쪽이 둘러싸인 가슴벽으로 둘러싸여 있다(그림 3-3). 내장가슴막은 폐를 감싸고 있으며 벽가슴막은 가슴벽 내부를 덮고 있다. 소량의 내장액은 윤활제 역할을 하

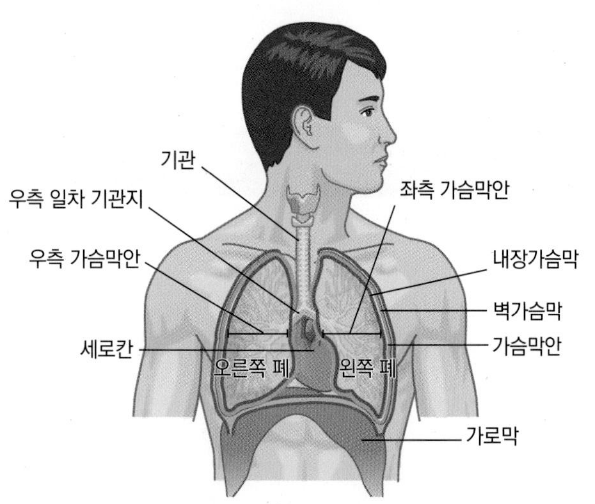

그림 3-1. 가슴안. 갈비뼈, 가로막, 세로칸, 폐, 심장, 대혈관, 기관지, 기관, 식도를 포함한다.

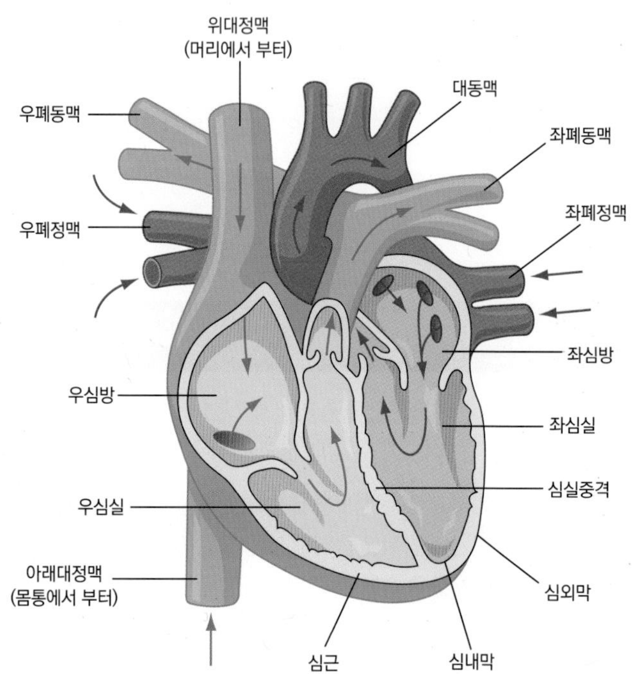

그림 3-2. 심장을 제거한 후에 보여지는 대혈관의 기원 근처의 심장막 반사. 대정맥의 일부는 심장막 공간 내에 있다.

여 가슴 내에서 정상적인 폐의 움직임을 가능하게 하고 소량의 벽측액이 내장측과 벽가로막을 서로 유착시킨다. 액체가 접착제로 작용할 수 있는 방법을 설명하기 위해 두 개의 유리 슬라이드를 예로 든다. 두 개의 유리 슬라이드를 놓으면 쉽게 분리할 수 있지만, 그사이에 물 한 방울만 떨어뜨리면 떼어내기가 매우 어렵다. 가슴막은 몸 감각 신경 지배를 받기 때문에 환자는 "예리한" 통증/몸 통증을 느낄 수 있다.

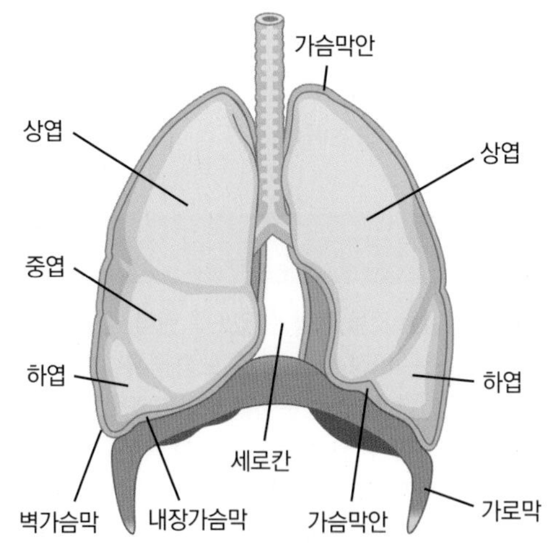

그림 3-3. 가슴벽을 감싸고 폐를 덮고 있는 가슴막은 호흡 기전의 필수적인 부분이다.

심혈관계에서 폐의 역할은 순환계의 정맥에서 산소가 제거된 혈액을 산소가 풍부한 혈액으로 변환하여 생명을 유지하는 것이다. 마찬가지로 중요한 것은 폐가 세포 에너지 생산의 부산물인 이산화탄소(CO_2)를 "배출"한다는 것이다(그림 3-4). 폐와 가슴벽의 이상은 심혈관계의 기능에 영향을 줄 수 있고 심장의 이상은 폐의 기능에 영향을 미칠 수 있다. 폐, 가슴막 및 가슴벽의 기능 장애는 흉통의 일반적인 원인이다.

식도

식도는 상피세포가 늘어서 있지만, 섬유질 외부층이 없는 근육질 관이다. 음식물을 삼키면 인두에서 식도로 전달되어 식도의 리드미컬한 수축(연동운동)을 시작하여 음식을 위장으로 밀어낸다. 이러한 과정이 변화되면 가슴 불편함을 초래할 수 있다. 식도 역류는 종종 가슴 불편함을 유발하고 심장 질환과 혼동할 수 있다. 위 · 식도 역류 질환(GERD)에서 위 내용물이 식도로 역류하여 복장뼈 뒤에 타는 듯한 느낌이나 국소적 불편함을 유발한다. 치명적인 손상은 식도의 압력 증가와 관련되어 발생할 수 있다. 예를 들어, 식도가 찢어질 수 있는 강한 구토[말로

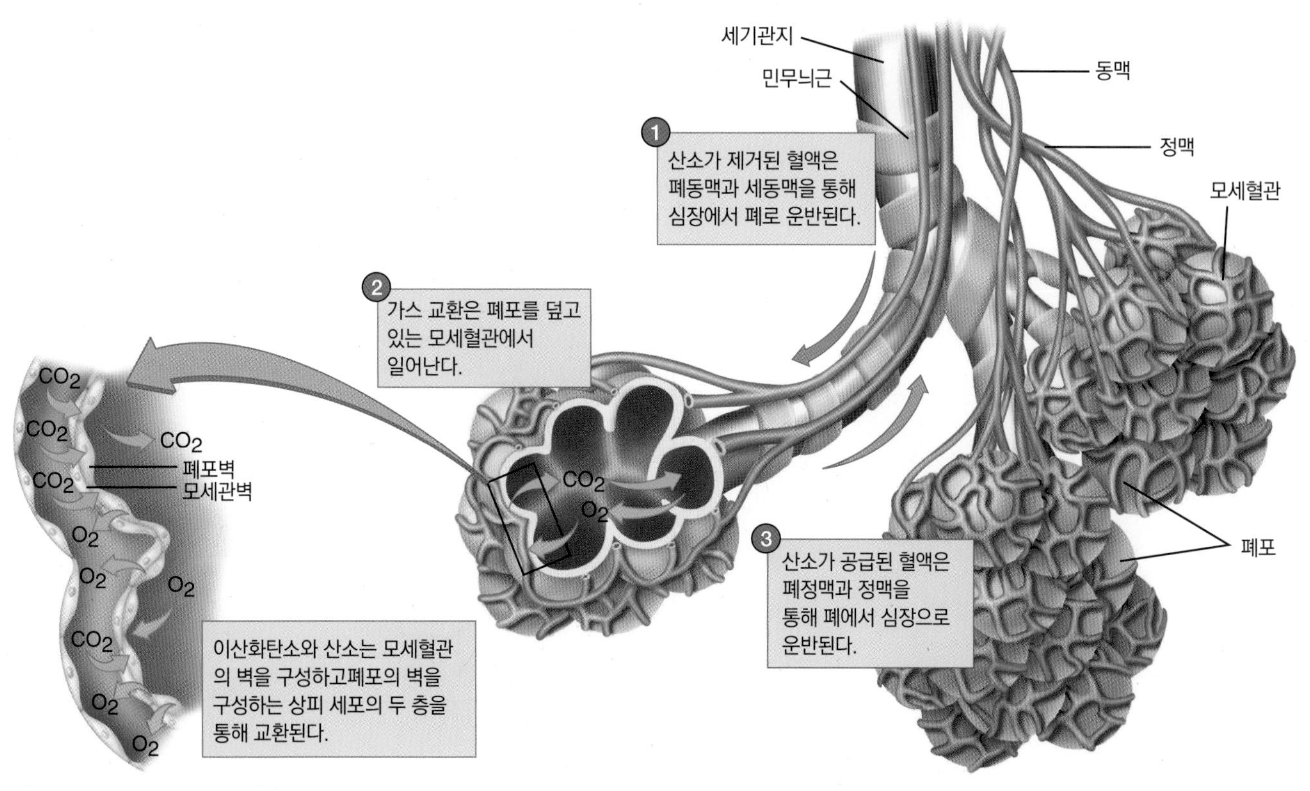

그림 3-4. 폐 안에서의 가스교환

리 바이스 열상(Mallory-Weiss tear) 또는 보에르하브 증후군(Boerhaave syndrome)]는 심한 흉통과 쇼크를 유발할 수 있다.

흉통의 느낌

통증의 과학적 및 임상적 정의는 실제 또는 잠재적인 조직 손상과 관련된 불쾌한 감각이나 감정적 경험이다. 이 장에서 이야기하는 가슴 불쾌감은 통증뿐만 아니라 타는 듯한 느낌, 짓눌림, 찌르는듯한 느낌, 압박감, 누르는 느낌 또는 쥐어짜는 느낌을 포함하는 모든 불쾌감을 포함한다. 따라서 가슴 불쾌감은 가슴내 조직의 잠재적 손상으로 신경 섬유를 자극한 직접적인 결과이다. 이 잠재적 손상은 기계적 폐쇄, 염증, 감염 또는 허혈로 인해 발생할 수 있다. 예를 들어, 급성 심근경색증의 경우 허혈성 조직은 가슴 불쾌감으로 해석하는 뇌로 감각 정보를 전송한다.

많은 심혈관 질환이 가슴 불쾌감을 유발한다. 잠재적으로 생명을 위협할 수 있는 질환을 배제할 수 있을 때까지 모든 종류의 가슴 불쾌감은 심각하게 받아들여야 한다. 때로는 가슴안 외부 장기나 구조물에 의해 불편함과 가슴 불쾌감을 구별하기가 어려울 수 있다(그림 3-5). 가슴안의 경계는 잘 정의되어 있지만, 그 경계에 가까운 장기나 구조물은 신경 뿌리를 공유하고 있을 수도 있다. 예를 들어, 담낭 질환을 앓고 있는 환자는 담낭이 복강에 위치하더라도 가슴과 어깨에 "연관통"이 있을 수 있으므로 가슴과 오른쪽 어깨 상부에 불쾌감을 호소할 수 있다. 그 반대의 경우도 있을 수 있고 환자는 가슴 내부의 병태생리학을 복부, 목, 등과 같은 가슴 외부의 증상으로 해석할 수 있다. 급성 심근경색은 일반적으로 명치 통증, 구역 및 구토를 나타낸다. 환자가 느낄 수 있는 통증을 해석하고 구별하는 방법은 TIP BOX 3-1을 참조한다.

TIP BOX 3-1

환자가 자신이 경험한 것을 말할 수 있도록 한다. 심장과 같은 장기에서 유발되는 통증은 비정상적인 통증 느낌을 유발할 수 있으며 환자에게 통증을 설명할 수 있는 용어를 이야기했을 때 오해의 소지가 있는 단어를 사용할 수 있다. 환자는 의학 용어를 사용하지 않을 가능성이 있지만, 종종 "날카로운", "타는 듯한", "찢는" 또는 "쥐어짜는 듯한"과 같은 단어를 사용하여 통증이나 불쾌감을 설명한다. 불쾌감의 원인을 찾기 위해서는 몸 통증과 내장 통증에 대한 이해가 중요하다(표 3-1 참조).

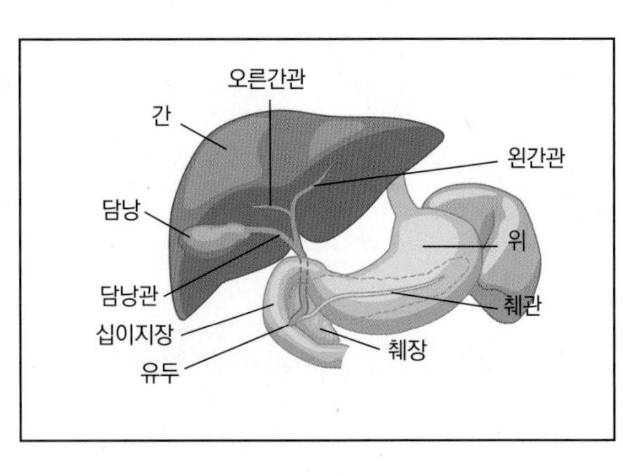

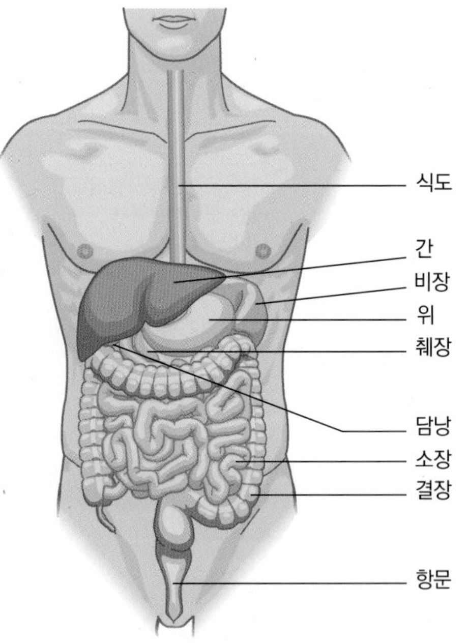

그림 3-5. 가슴 불쾌감이나 통증을 유발할 수 있는 다른 구조는 소화기계와 같이 가슴안 외부에 있을 수 있습니다.

표 3-1. 몸 통증 vs. 내장 통증		
몸 통증	잘 국소화되어 있고 종종 날카로운 것으로 설명된다.	근육, 뼈 및 기타 연부조직 내의 통각수용기(통증에 반응하는 감각 수용체)의 활성화 결과이다.
내장 통증	누르는 느낌, 압박감, 쑤시는, 확끈거림 등을 정확히 찾아내지 못하는 경우가 종종 있다. 신체의 다른 부위로 방사되기도 하며 구역 및 구토와 같은 증상을 동반할 수 있다.	가슴과 복부의 장기 내 통각수용기의 활성화 결과이다.

AMLS 평가 과정 ▶▶▶▶▶

▼ 초기 평가

환자의 기본적인 설명/주요호소 증상(c.c.)

환자는 심혈관 질환이 있을 때 다양한 증상을 경험한다. 가장 일반적인 증상은 흉통, 호흡곤란, 실신, 두근거림, 구역 및 구토, 쇠약, 발한, 피로 등이 있다. 표 3-2는 흉통의 다양한 원인을 나열한 것이다.

일차평가

환자를 처음 평가할 때 우선순위는 생명을 위협하는 가슴 불쾌감의 원인을 찾는 것이다. 위험한 내과적 상태를 가진 환자를 조기에 인식하는 것이 초기 초점이 되어야 한다. 일차평가에서 생명을 위협하는 징후가 나타나면 환자를 신속하게 결정적인 처치를 시행할 수 있는 의료기관으로 이송하는 것을 목표로 병원 전 단계와 병원 내 환경에서 우선순위를 결정한다. 항상 환자의 의식, 기도, 호흡 및 순환 상태를 평가하는 것으로 일차평가를 시작한다.

의식 수준

환자의 의식 수준은 뇌 관류의 적절성을 나타내는 훌륭한 지표이다. 환자의 의식이 명료하고 지남력이 있다면 뇌는 충분한 산소를 공급받고 있으며 이는 다시 심장이 적절하게 기능하고 있다는 것을 의미한다. 반대로, 혼미나 혼동상태는 심박출량이 불량함을 나타낼 수 있으며 이는 심근 손상이나 기능 장애를 나타낼 수 있다. 환자의 피부색과 체온은 순환에 관한 중요한 정보를 제공할 수 있으며 차갑고 축축한 피부는 말초혈관 수축을 암시한다.

기도와 호흡

환자가 말을 할 수 있다면 기도는 개방되어 있다. 환자는 기도를 유지할 수 있거나 환자의 의식 수준에 따라 머리를 적절하게 위치하거나 보조기도기를 삽입하여 기도를 유지하거나 이물질(조직파편, 혈액 또는 치아)을 제거해야 할 수도 있다. 호흡 속도, 질 및 노력에 유의한다. 호흡곤란이 있는 환자의 경우 항상 폐에서 나는 소리에 귀를 기울인다. 환자의 산소포화도(SpO_2)가 94% 미만이면 산소포화도를 94~99%로 유지할 수 있도록 산소 투여를 고려한다. 산소를 과다 투여하면 해로울

표 3-2. 흉통의 중요 감별진단

심혈관 원인	폐 원인	위장관 원인	기타 원인
급성 관상동맥증후군	폐색전증	식도 파열	갈비연골염
울혈심부전	긴장기흉/단순기흉	담낭염	갈비뼈 타박상/갈비뼈 골절
대동맥박리	호흡기 감염(세균성 또는 바이러스성)	소화불량	근(육)연축
부정맥	가슴막염	위식도역류병	
심근염/심장막염		틈새탈장	
		췌장염	

수 있으며 급성관상동맥증후군(ACS)이 있는 환자의 결과를 악화시키는 것으로 나타났다. 심근허혈의 증상과 징후를 보이는 환자는 저산소혈증이 있거나 환기 부족 또는 빠른 호흡을 보이는 경우에만 산소를 투여한다.

순환/관류

환자가 의식이 있는 경우 노동맥의 맥박을 확인하고 의식이 없으면 목동맥에서 맥박을 확인한다. 전반적인 맥박의 질과 규칙적인지 불규칙한지를 확인한다. 피부색과 상태를 지속해서 평가하고 부종이나 피부 긴장도 저하, 피부 탄력의 소실 유무를 확인한다.

▼ 첫인상

흉통을 호소하는 환자의 도움 요청을 받고 현장으로 출동했을 때 해부학, 생리학 및 병태생리학에 대한 지식은 흉통의 일반적인 원인을 찾는 데 도움이 될 수 있다. 가장 심각하고 일반적으로 생명을 위협하는 것은 급성심근경색(AMI)이다.

환자가 있는 방으로 들어가기 전에 무엇을 확인할 수 있는가? 환자가 깨어 있는가? 환자는 어떤 자세를 취하고 있는가? 환자가 호흡 곤란을 나타내는 삼각자세로 있거나 처치 제공자가 방으로 들어가도 거의 반응 없이 누워 있는가? 호흡하는데 힘들어 보이는가? 환자가 불안해 보이는가? 쇼크나 관류 장애가 있는가? 환자의 감정은 병의 원인 또는 환자 상태의 중증도에 대한 단서를 제공할 수 있다. 환자의 첫인상은 환자가 아픈지 아닌지를 알 수 있다.

급성관상동맥증후군이 의심되는 환자의 평가 초기에 주요호소증상과 관련된 신체 부위에 초점을 맞추어 신체검사를 수행한다. 첫인상을 평가한 후 목정맥 팽창 징후[목정맥 팽창(JVD), 우심실부전의 가능성을 나타내는 징후]가 있는지 확인한다. 폐음이 비정상적인지 평가하고 수포음(들숨 시 수포음)은 울혈된 폐와 관련이 있으며 좌심실부전, 급성 폐부종 또는 심인성 쇼크의 결과일 수 있다. 쌕쌕거림(고음의 호기음)은 울혈심부전(CHF) 또는 급성 폐부종에서 나타날 수 있다. 거품이 있는 분홍색 가래를 동반한 기침은 폐부종의 증거일 수 있다.

우심실부전이 발생하면 목정맥 팽창 및 말초 부종이 나타날 수 있다. 심장 박동기의 유무 또는 과거 심장 수술을 나타내는 흉터가 있는지 가슴을 검사하는 것도 중요한 확인이 될 수 있으며 급성관상동맥증후군 진단을 뒷받침할 것이다. 평가를 완료하면 급성관상동맥증후군 진단을 내리고 급성관상동맥증후군의 유형에 맞는 처치를 시행할 수 있다. 상세한 평가를 통해 얻은 정보는 초기 진단을 결정하는 데 도움이 된다.

▼ 상세 평가

병력 청취

환자, 가족 또는 목격자의 도움을 받아 환자의 병력을 청취한다. 복용 중인 약물은 환자의 건강 상태에 대한 중요한 단서를 제공할 수 있다.

OPQRST와 SAMPLER

OPQRST 및 SAMPLER 방법을 사용하여 환자의 주요호소증상을 자세히 설명할 수 있다. 흉통이 있는 환자의 경우 급성심근경색증을 의심하고 불쾌감에 대한 환자의 설명을 청취한다. 환자가 자신의 증상을 설명하기 위해 사용하는 용어를 정확하게 기록하고 대화 중 환자의 몸짓을 관찰한다. 환자가 의도하지 않은 말을 하지 않도록 개방형 질문을 한다.

가슴에 불쾌감이 시작되었을 때 환자는 무엇을 하고 있었는가? 증상이 나타나는 동안 육체적인 활동을 했거나 스트레스를 받았는지를 물어본다. 환자가 표현하고 싶은 데로 불쾌감을 설명하라고 한다. 환자의 반응을 제한할 수 있고 자신이 느끼는 불쾌감을 정확하게 설명하지 못하게 할 수 있으므로 환자에게 설명하지 않는다.

불쾌감을 개선하거나 악화시키는 요인은 무엇인가? 환자는 증상을 완화하기 위해 무엇을 했는가? 환자가 편안하다고 느끼는 자세가 있는가? 나이트로글리세린을 진단 도구로 사용하는 것을 주의한다. 연구에 따르면 비심장성 흉통이 있는 환자는 나이트로글리세린 치료에 반응하는 반면, 급성관상동맥증후군 환자는 그렇지 않다. 급성관상동맥증후군이 의심되고 금기사항이 없는 경우 불안정협심증(UA), 비 ST 상승 급성관상동맥증후군(NSTE-ACS) 또는 급성심근경색증이 있는 경우 나이트로글리세린을 투여한다. 움직임, 촉진 또는 자극에 따라 통증이 증가하거나 단 몇 초 동안 지속하는 통증은 급성관상동맥증후군 이외의 상태를 암시하는 것이다. 그러나 급성관상동맥증후군은 위험한 상태에 있는 환자의 병원 밖 환경에서 단순히 배제할 수 없다.

전형적으로 심장과 관련된 통증은 갑작스럽게 시작되고 중증도가 빠르게 증가하며 운동과 관련된 심한 압박감 또는 쥐어짜는 느낌을 동반한다. 불행하게도 이 상태에 대해 일반적이지 않은 설명이 많으므로 의심을 하고 자주 확인한다. 급성관상동맥증후군의 증상을 소화불량으로 설명할 수도 있다. 불쾌감이나 통증이 왼쪽 팔이나 왼쪽 턱으로 방사될 수 있고 종종 팔이나 턱에서만 통증이 느껴질 수 있다. 이는 갑작스러운 심한 약화나 호흡곤란 또는 설명할 수 없는 발한으로 나타날 수 있다. 등 상부의 찢어지는 듯한 통증으로 설명되는 심한 흉통은 가슴대동맥박리를 나타낼 수 있다.

환자에게 통증을 0에서 10의 범위 내에서 통증을 평가하도록 하는데 0은 불쾌감이 없고 10은 지금까지 느낀 가장 심한 통증을 나타낸다. 통증이 언제부터 시작되었고 언제 악화하거나 완화되나요? 등을 물어본다.

환자에게 증상과 징후가 언제 나타났는지, 얼마나 지속되었는지 물어본다. 증상이 나타난 시간을 확인하고 환자를 이송할 의료기관에 전달한다.

환자가 아스피린 및 기타 약물을 처방받아 복용하고 있을 수 있으므로 모든 약물에 대해 알레르기가 있는지 확인하는 것이 중요하다. 처방한 약, 한약 및 비처방약과 같은 모든 약물에 주의한다. 약물 복용은 관상동맥질환(CAD)이나 이전 심장 질환의 과거 병력을 나타낼 수 있다. 나이트로글리세린, 아스피린, 콜레스테롤 저하 약물, 안지오텐신 전환 효소(ACE) 억제제와 같은 고혈압 약물, 베타 차단제, 칼슘 채널 차단제 및 경구혈당강하제와 같은 약물은 모두 관상동맥질환의 가능성과 관련이 있다. 만약에 환자가 지난 24~36시간 이내에 발기부전으로 약물[예를 들어, 비아그라(실데라필), 시알리스(타다라필), 레비트라(바르데나필)]을 복용한 경우 질산염은 혈압을 급격히 감소시킬 수 있으므로 사용을 피해야 한다.

환자에게 심장병이나 심장병의 가족력이 있나요? 환자에게 급성심근경색이 발생했나요? 환자에게 관상동맥우회술이식(CABG)이나 관상동맥을 확장시키기 위한 스텐트 삽입 유무와 관계없이 피부경유 관상동맥 중재술을 받은 적이 있는가? 위험요소가 있는가? 이것들은 모두 처치 제공자가 답을 얻기 위해 환자에게 시행하는 병력 청취와 관련된 질문이다.

또한 평가 중 가슴벽에 이식된 박동조율기 또는 심실 보조 장치(그림 3-6)를 발견하는 경우 기록하고 TIP BOX 3-2를 참조한다.

환자의 마지막 구강 섭취는 중요한 정보이다. 이것은 위가 가득 차 있고 구역감을 느낄 경우 구토 가능성이 증가할 수 있다는 것을 나타낼 수 있다.

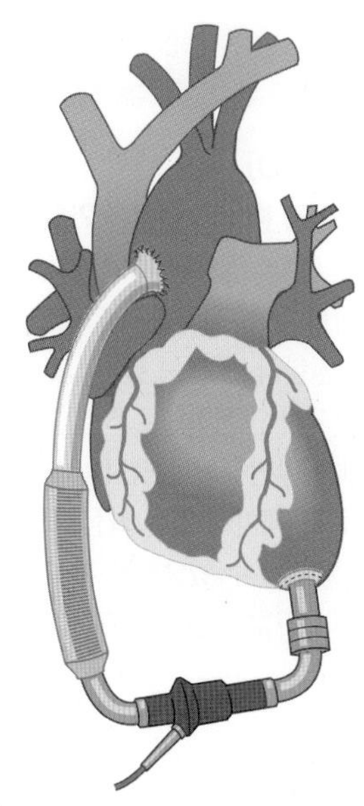

그림 3-6. 좌심실 보조 장치. 이 장치는 작고 연속적인 펌프다. 유입 삽입관은 심첨부에 연결되고 유출이식편은 오름대동맥에 연결된다.

119에 도움을 요청한 이유에 관해 확인한다. 환자가 신체 활동이나 스트레스를 많이 받는 상황이었는가? 아니면 환자가 불쾌감을 느껴 잠에서 깼는가? 코카인이나 메스암페타민(필로폰)을 사용한 적이 있는가? 폐색전증을 암시하는 국제선 비행이나 장거리 여행과 같은 장기간의 활동이 없었는가?

호흡곤란의 경우 심부전의 가능성을 확인한다. 호흡곤란이 언제부터 시작되었는가? 호흡곤란으로 인해 환자가 잠에서 깼는가? 환자가 바로누워 있을 수 있는가? 그렇지 않은 경우 이 증상이 언제 시작되었는가? 만약 이전에 이 증상이 나타났다면 이전보다 더 나빠졌는가? 환자가 숨을 쉴 수 없어 깨어났는가? 발작성 야간 호흡곤란으로 환자가 갑자기 질식할 것 같은 느낌이 들어 잠에서 깨어났는가? 이것은 드물지만, 좌심실부전의 전형적인 징후 중 하나이다. 일부 환자는 심장이 정상적으로 이완되지 않는 상태(확장기 기능 장애)로 인해 발생할 수 있는 돌발성 폐부종으로 인해 이러한 증상이 나타날 수 있다.

실신(기절)은 심박출량이 갑자기 감소할 때 발생한다. 실신이 발생할 수 있는 심장과 관련된 원인으로는 부정맥(빠르거나 느린 심장 리듬), 미주신경 긴장도 증가(혈관 미주신경성 실신으로 알려진 상황, 심박수 감소 및 저항 혈관 확장으로 인한 혈압 급감) 그리고 심장 판막과 관련된 문제와 같은 심장의 구조적 문제가 있다. 또한, 실신에는 비심장성 원인도 많이 있다.(5장, 신경질환 참조). 기절한 사람에게서 얻은 병력의 일부로 환자가 심장 또는 비심장성 원인으로 기절했는지 여부를 확인한다.

TIP BOX 3-2

좌심실 보조 장치(LVAD)

좌심실 보조 장치는 삽입 빈도가 점점 증가하면서 처치 제공자들도 이러한 환자를 만날 수 있다. 심부전이 악화하거나 심장 이식을 기다리는 많은 환자가 좌심실 보조 장치를 삽입하고 가능한 한 정상적인 삶을 추구하기 위해 퇴원한다. 펌프는 일반적으로 지속적인 흐름을 생성하는 마찰이 없는 전자기 엔진이므로 적절하게 기능하는 좌심실 보조 장치가 있는 환자에서 일반적으로 맥박이 느껴지거나 확인되지 않는다. 이것은 반응이 없고 맥박이 없는 좌심실 보조 장치 환자가 심정지 또는 저혈당으로 고통받을 수 있으므로 환자와 처치 제공자에게 혼란을 초래할 수 있다. 이 마찰이 없는 펌프는 혈전증 및 용혈과 같은 많은 합병증을 감소시킨다.

관리 단계

- 환자, 가족 및 좌심실 보조 장치 코디네이터는 펌프 작동에 대해 잘 알고 있으며 일반적으로 배터리 교체 및 기타 기능 문제에 대한 귀중한 정보를 제공한다. 펌프 작동에 익숙하고 사랑하는 사람의 생명이 정상적인 작동에 달려 있음을 인식하므로 그들의 안내를 신뢰한다.
- 활력징후를 확인하기 어려울 수 있다. 연속 흐름 펌프에서는 일반적으로 맥박이 느껴지지 않는다. 혈압은 일반적으로 측정되지 않지만, 평균 동맥압(MAP)은 확인할 수 있다. 이들 환자의 전형적인 평균 동맥압은 70~90mmHg이다. 산소포화도 탐색자는 일반적으로 포화 및 파형을 표시한다.
- 장치 오작동으로 인해 일반적으로 펌프 자체에서 윙윙거리는 소리가 손실된다. 경보 또는 표시기는 환자에게도 경고할 수 있다. 제조업체 또는 조정자의 특정 지침이 도움이 될 수 있다. 가능한 치명적인 문제에는 대규모 펌프 혈전증, 캐뉼러 이탈 및 탐포네이드가 포함됩니다. 조기 수술 조정이 필요하다.
- 심장 압박을 시행하는 것은 논란의 여지가 있다. 배포 초기에 EMS 공급자는 압축을 수행하지 않도록 지시를 받는다. 제조업체의 권장 사항은 일반적으로 심폐소생술을 시행하지 말라고 되어 있지만, 가능하면 코디네이터 및 임플란트 팀과의 논의를 고려한다.
- 우심실 부전은 좌심실 보조 장치가 아닌 환자[폐색전증(PE), 허혈, 폐고혈압 등]와 본질적으로 같게 치료한다.
- 좌심실부전은 허혈이나 펌프 혈전증으로 인한 것일 수 있으며 추가 항응고 요법이 필요할 수 있다. 보상은 펌프 속도를 높이거나 다른 개입을 통해 조정할 수 있다.
- 심한 출혈은 심장의 충만압에 영향을 줄 수 있으며 환자는 전형적인 출혈과 관련된 소생술을 받아야 한다.
- 부정맥은 일반적으로 좌심실 보조 장치 환자가 더 잘 견딜 수 있다. 심실위부정맥은 리듬 조절에 중점을 두고 치료한다. 심실부정맥은 좌심실 보조 장치 환자의 최대 50%에서 흔하게 발생한다. 환자가 안정적인 경우 응급 심장율동전환은 일반적으로 필요하지 않다(맥박이 없고 심실세동일 수 있는 환자에 대해 직면하는 일반적인 접근 방식이 아님).

요약

처치 제공자는 환자의 맥박이 촉지되지 않는다는 것을 확인할 수 있다. 환자와 가족은 일반적으로 장치에 익숙하다. 가능한 경우 장치 이식을 수술받았던 의료기관으로 환자를 이송한다. 코디네이터가 급성 관리를 지원할 수 있으며 가슴 압박은 논란의 여지가 있다. 심실 부정맥은 일반적으로 응급 처치가 필요하지 않다.

피를 보고 기절하는 25세의 사람은 심각한 기저 심장 질환이 있을 가능성이 작다. 65세의 사람이 심장이 불규칙적으로 뛰는 느낌을 받으며 기절하는 경우 위험한 심장 부정맥이 있을 수 있다. 또한, 앉거나 누워 있는 동안 의식을 잃는 것은 일어나면서 기절하는 것보다 더 불길한 의미가 있다.

이차평가

내과 환자에 대한 이차평가는 종종 유사하지만, 환자가 심장 문제를 나타날 때 특정 측면이 더 강조되어야 한다.

활력징후

환자의 맥박을 주의 깊게 검사한다. 빠른 맥박은 불안을 나타낼 수도 있지만, 심한 통증이나 울혈심부전 또는 부정맥에서 이차적으로 발생할 수도 있다. 맥박이 약하고 가늘면 심박출량이 저하된다.

비정상적인 맥박을 나타내는 소견은 다음과 같다.

- 맥박결손. 맥박결손은 촉진된 노맥박수가 심첨맥박수보다 낮을 때 발생하고 두 맥박 사이의 차이로 보고한다. 맥박결손을 평가하려면 심첨맥박을 들으면서 노맥박을 확인한다.
- 모순맥박. 모순맥박은 숨을 들이쉴 때마다 수축기 혈압이

과도하게 저하되는 것이다. 모순맥은 리듬이 규칙적일 때 가장 쉽게 감지할 수 있다. 영향을 받은 맥박이 다른 맥박보다 약하게 느껴진다.

- 교대맥박. 교대맥박은 맥박이 강한 박동과 약한 박동을 번갈아가며 나타날 때 발생하며 일반적으로 좌심실 수축기 손상을 나타낸다.
- 특히 주로 등에서 통증을 느끼면서 흉통이 있는 환자는 양쪽 팔에서 혈압을 측정하는 것이 좋다. 양쪽 팔에서 측정한 수축기 혈압의 현저한 차이는 가슴 대동맥박리의 징후일 수 있다.

신체검사

집중 심혈관 신체검사는 환자의 전반적인 상태에 대한 일반적인 인상으로 시작한다. 환자가 "아픈" 것처럼 보이는가? 환자의 피부색은 어떠한가? 입 주위에 명백한 청색증이나 발한이 있는가? 환자는 통증이나 호흡곤란이 있지만, 정상적으로 말을 할 수 있는가? 아니면 몇 마디 말만 할 수 있는가?

환자가 견딜 수 있는 경우 서 있는 자세로 있고 그렇지 않은 경우 바로누운자세로 있을 때 목정맥 팽창을 확인한다. 일반적으로 사람이 앉거나 서 있을 때 목정맥은 편평하다. 그러나 심장의 오른쪽 기능이 손상되면 혈액이 심장의 오른쪽 뒤에 있는 온몸정맥으로 역류하여 해당 정맥을 팽창시킨다.

가슴을 시진하고 촉진하면서 평가를 계속한다. 가슴을 누르면 흉통이 반복되는가? 그렇다면 흉통이 어느 부위에서 발생하는가? 수술 흉터는 이전의 심장 수술을 나타낼 수 있다. 환자의 피부에 돌출된 부분은 박동조율기 또는 삽입형 제세동기를 나타낼 수 있다. 이 장치는 오른쪽 또는 왼쪽 빗장뼈 바로 아래에 이식되어 있으며 크기는 1달러의 절반 정도이다.

청진기를 사용하여 폐부종을 동반한 좌심실부전을 시사하는 천명음과 폐의 후방 기저부에서 소리가 나는지 들어본다. 예를 들어, 노동맥 또는 목동맥을 촉진하여 맥박이 약함, 강함, 가냘프거나 경계를 나타내는지 맥박의 강도를 측정한다.

복부를 평가한다. 우심실부전이 있으면 체액이 복부에 축적될 수 있다. 또한 간(오른쪽 위 사분면)에 지속해서 부드럽게 압력을 가하면 환자가 똑바로 앉아 있을 때 목정맥의 충혈을 유발할 수 있다. 이를 간목정맥역류라고 하며 이는 우심실부전의 징후이다.

팔다리에 부종이 있는지 평가하고 등을 평가하여 엉치 부종이 있는지 확인한다. 팔다리 부종은 우심실부전의 징후일 수 있다.

진단

병원 전 환경

병원 전 환경에서 가장 널리 사용되는 진단 도구 중 하나는 심전도(ECG) 모니터 제세동기이다. 심장 리듬 모니터링은 부정맥을 모니터링하고 제공되는 처치를 평가하기 위해 심장 질환이 있는 환자에게 사용한다. 피부경유 조율은 증상이 있는 심장차단 환자에게 사용할 수 있다. 심실세동, 무맥성 심실빈맥은 제세동으로 생명을 구할 수 있다. 가슴에 통증이 발생한 상황에서 12-리드 심전도의 신속하게 ST분절 상승 심근경색(STEMI)을 진단할 수 있어 병원 전 처치 제공자가 환자를 가장 가까운 적절한 의료기관으로 이송할 수 있다. 많은 기관에서 환자 접촉 후 10분 이내에 12-리드 심전도를 측정하여 환자의 상태를 확인한다.

환자의 활력징후를 측정할 때 심장 모니터, 파형 호기말이산화탄소분압측정기 및 맥박산소측정기를 환자에게 아직 부착하지 않은 경우 이러한 장비를 부착한다. 심전도 및 산소포화도를 측정하여 환자를 평가하고 처치에 활용한다. 여러 명의 처치 제공자가 팀으로 활동하는 경우 진단에 사용할 수 있는 필수 모니터링 장비를 이용하여 조기 진단 및 처치를 시작할 수 있다. 반복적으로 12-리드 심전도를 측정하는 것은 일반적으로 좋은 방법이지만, 흉통의 증가와 같은 임상적 변화에도 적용할 수 있다.

병원 내 환경

심전도에서 ST분절 상승 심근경색(STEMI)이 있는 환자는 일반적으로 관상동맥의 급성 폐쇄가 있으며 경피경유관상동맥중재술(PCI) 요법을 시행할 수 없는 경우 카테터 기반 치료법과 "혈전용해제" 약물(섬유소용해제)로 먼저 처치한다. 심혈관 불안정성 또는 ST분절 상승 심근경색이 없는 급성관상동맥증후군으로 인한 흉통이 있는 환자는 일반적으로 카테터 삽입을 고려하기 전에 추가로 평가하고 처치한다.

효소의 수치로 확인할 수 있다. 심장과 관련된 흉통이 있을 때 혈액 검사에서 이러한 수치가 높으면 일반적으로 심근경색증으로 진단할 수 있다. 그러나 검사에서 증상이 시작된 후 몇 시간 동안은 양성이 아닐 수 있다. 이 검사는 일부 EMS 시스템에서 현장에서 검사를 시행할 수 있으며 이 결과를 현장 처치에 사용할 수 있다(TIP BOX 3-3 참조). 항공 EMS에서는 더 일

TIP BOX 3-3

트로포닌 심장 생물표지자

트로포닌은 골격근과 심장 근육의 수축 과정에 관여하는 단백질 복합체이다. 심장 트로포닌 T와 I는 심장에 더 특이적이다. 트로포닌의 특징적인 상승과 하강은 심근경색의 진단에 중요한 역할을 한다. 단일 트로포닌 측정은 거의 도움이 되지 않으므로 트로포닌 검사가 병원 전 환경에서 유익한지에 대한 논란이 있다. 또한 EMS 환경에서는 현장 진단(POC) 결과를 사용하고 병원에서 다른 현장 진단 결과 또는 실험실 검사 결과를 사용하면 적절한 비교나 연속 측정을 허용하지 않을 수 있다. 트로포닌의 높은 상승은 패혈증, 울혈심부전, 심근염, 폐색전증, 저산소증, 독소, 신부전, 갑상선 기능 저하증 또는 심장 타박상과 같은 다른 원인에 의해 발생할 수 있다.

단일 양성 트로포닌 검사로 심근경색증을 진단하지 않지만, 환자가 허혈 또는 경색증의 발생 가능성을 높일 수 있는 위험을 분류하는 데 도움이 된다. 트로포닌 I 또는 T는 일반적으로 허혈(관상동맥 폐쇄)이 시작된 후 약 3~6시간 후에 혈청에서 상승하기 시작하고(정상 이상으로 검출됨) 최대 10일 동안 상승한 상태를 유지한다. 일반적으로 생물지표는 처음에 측정한 다음 약 3~6시간 후에 다시 측정하여 처음보다 상승한 환자를 구별하기 위해 사용한다. 미오글로빈 및 CK-MB(크레아틴키나아제-근육/뇌) 검사는 일반적으로 더 이상 심근경색증을 감지하는 데 사용되지 않는다. 연속적인 심전도검사 및 트로포닌 검사를 통해 심근경색증을 진단할 수 있다. 최근에는 고감도 트로포닌 분석이 가능해졌으며 일반적인 검사를 위해 사용되고 있다. 이러한 것들은 매우 민감하므로 종종 거짓 양성이 발생하고 이로 인해 이점이 없을 수 있다.

신부전 환자는 트로포닌 수치가 높아 급성 허혈 여부를 판단하기 어려운 경우가 많다. 일반적인 생각과 달리 트로포닌은 신장에서 제거되지 않으며 상승은 트로포닌의 "백업"으로 인한 것이 아니다. 실제로 트로포닌 수치가 높은 신장질환 환자는 장기간 사망률이 증가하고 30일째에 심장 부작용과 사망이 증가한다.

트로포닌 검사는 입원 전 환경에서 도움이 될 수 있지만, 추가 연구가 수행되어야 한다. 이 실험실 검사 결과에 대한 철저한 이해와 해석은 환자를 평가하는 데 중요하다.

반적으로 이러한 검사를 시행한다.

심장 도관 삽입은 관상동맥 폐색 진단을 위한 황금 기준이며 최상의 치료 방법을 제공한다. 이 검사는 넓적다리 동맥 또는 노동맥을 통해 심장에서 시작되는 대동맥의 기점에 있는 관상동맥으로 카테터를 삽입하는 것을 포함한다. X-ray로 볼 수 있는 조영제를 관상동맥에 주입한 후 심장의 혈관을 확인하여 폐쇄된 부분을 확인할 수 있다. 동일한 접근 포트와 조영제 주입으로 영상화된 혈관을 따라 혈전을 흡입할 뿐만 아니라 혈관을 확장시켜 스텐트를 삽입하여 재응고 또는 허탈을 방지할 수 있는 카테터를 삽입할 수 있다. 심장의 수축은 또한 카테터와 조영제를 사용하여 볼 수 있으며 이를 통해 정상적으로 움직이지 않는 손상된 심장 근육을 확인할 수 있다.

일반적으로 수행하는 또 다른 검사가 심초음파 검사이다. 이 검사는 초음파를 사용하여 움직이는 심장의 고해상도 이미지를 보여주고 판막의 상태와 심근경색, 심장막액 및 심장눌림증을 나타낼 수 있는 심장 운동의 이상과 같은 것을 확인할 수 있다.

운동부하 검사

운동부하 검사를 통해 기능적 허혈의 존재를 확인할 수 있다. 심장에 대한 스트레스는 환자가 여러 개의 심전도 리드를 이용해서 지속해서 심장 모니터링을 받는 동안 러닝머신에서 걷거나 자전거를 타는 것과 같은 운동으로 유발될 수 있다. 그런 다음 심전도에서 운동 중 허혈 징후가 관찰된다. 또한, 심장 스트레스는 아데노신과 같은 혈관 확장 약물의 투여로 유발될 수도 있다.

운동부하 검사는 심장에 부하가 걸리는 전과 후에 핵의학 이미지와 결합할 수 있다. 그런 다음 영상 연구를 통해 운동 중에 손상된 혈류를 나타내는 심장 부위를 시각화할 수 있다. 이러한 손상은 일반적으로 관상동맥의 협착으로 인해 발생한다.

▼ 감별 진단 개선

병력, 신체검사 및 12-리드 심전도는 모두 흉통과 관련된 생명을 위협하는 상태를 조기에 인식하는 데 중요하다. 지금까지 환자가 명백한 호흡곤란이나 쇼크의 징후로 통증을 호소할 때 일차평가에서 처음 제시된 생명을 위협하는 흉통의 원인을 확인했다.

환자의 상태가 더 안정적이어서 주요 증상 및 징후를 덜 유발하는 환자의 경우 이차평가인 병력 청취가 도움이 될 수 있다. 환자의 병력을 청취할 때 다음과 같은 주요 평가 결과는 가능한 진단 목록을 좁히는 데 도움이 될 수 있다.

- 통증의 특징. 짓누르거나 압박하는 것과 같은 찢어지는 듯한 통증은 급성 관상동맥증후군(ACS)보다 가슴대동맥류를 의심한다. 날카로운 통증은 폐색전증이나 기흉, 근골격계 질환에 의해서 발생할 수 있다. 작열통이나 소화불량이 호소증상이라면 위장관(GI)의 문제를 의심할 수 있다.

- 활동 시 동반되는 통증. 운동 시 발생하는 통증은 대개 관상동맥증후군을 나타낸다. 휴식을 취하는 중에 통증이 발생한 경우 심근경색을 나타낼 수 있다. 갑작스러운 통증의 시작은 주로 대동맥박리, 폐색전증 또는 기흉을 의미한다. 식사 후 발생하는 통증은 위장관 문제를 나타낼 수 있다.
- 0에서 10까지의 통증 척도. 평가 및 처치 과정의 초기에 환자로부터 이러한 정보를 얻는다. 통증의 시작과 최고점 또한 처치와 관련된 지속적인 평가와 함께 주목한다.
- 통증 위치. 작은 부위의 국소적인 통증은 일반적으로 몸통증이다(환자는 한 손가락으로 가리킬 수 있고 방사통은 없다). 이에 비해 내장 통증은 국소화하기가 더 어렵다(환자는 가슴에 원을 그리며 통증에 관해 이야기한다). 말초 가슴벽 통증은 일반적으로 심장이 통증의 원인이 아니다.
- 방사통. 등 쪽으로 방사되는 통증은 대동맥박리나 위장관 문제를 의심할 수 있다. 어깨뼈 부위에서 발생하여 목으로 방사되는 통증은 대동맥박리를 나타낸다. 하벽 심근경색은 가슴에서 등 쪽으로 요통이 나타날 수 있다. 턱, 팔 또는 목으로 방사되는 통증은 보통 심장 허혈을 의미한다.
- 통증 지속 시간. 매우 짧게(초 단위로 측정) 지속하는 통증은 본질적으로 심장이 통증의 원인인 경우가 드물다. 통증이 갑자기 시작되고 가장 심한 것으로 설명하는 통증은 대부분 대동맥박리이다. 신체활동 시 발생할 수 있지만, 휴식을 취하면 사라지는 통증은 심장 허혈이 원인일 수 있다. 지속적이고 며칠 동안 지속하는 통증은 생명을 위협하는 경우가 드물다. 간헐적이며 통증의 정도가 변하는 통증은 더 심각할 가능성이 높다.
- 악화/완화. 운동으로 악화하고 휴식을 취하면 호전되는 통증은 일반적으로 심장 허혈이다. 식사와 관련된 통증은 위장관 문제와 관련이 있으며 심호흡이나 기침으로 악화하는 통증은 일반적으로 폐, 심장막 또는 근골격계 문제와 관련이 있다.

흉통과 관련된 증상은 다음과 같다.

- 발한: 심각한 내장 원인
- 객혈: 폐색전증
- 실신 또는 기절할 것 같은 느낌: 심혈관 원인 또는 폐색전증
- 호흡곤란: 심혈관 또는 폐의 원인
- 구역 및 구토: 심혈관계 또는 위장관 원인

지속적인 처치

환자의 상태에 대한 지속적인 처치는 의료기관으로 이송 중에 시행하고 일차평가를 반복해서 재평가한다. 생명을 위협하는 환자의 경우 5분마다 또는 환자가 안정된 상태인 경우 15분마다 활력징후를 측정한다. 신체검사를 반복적으로 시행하여 변화된 사항을 기록하거나 초기 검사에서 누락된 것이 있는지 확인하고 처치의 결과를 평가한다.

관상동맥증후군 환자를 위한 적절한 이송 방법은 환자의 평가 결과 및 처치의 필요에 따라 결정한다. 먼저 환자의 중증도를 결정하고 환자가 견딜 수 있는 이송 방법과 환자에게 가장 적절한 의료기관을 결정한다. 관상동맥증후군 환자의 경우 심혈관센터로 이송하는 것을 고려한다. 고도 변화와 비행 스트레스는 심근 요구량을 증가시킬 수 있으므로 환자를 면밀히 모니터링하고 지원한다. ST분절 상승 심근경색과 같이 시간에 민감한 증상을 가진 환자를 위해 적절한 의료기관으로 이송하는 시간을 줄이기 위해 항공 이송을 고려할 수 있다. 환자의 몸에 처치에 필요한 장비가 부착된 경우 환자 이송을 위해 추가 공간이나 지원팀이 필요할 수 있다. 이러한 준비는 지연을 방지하기 위해 이송 전에 준비한다.

생명을 위협하는 흉통의 초기 원인

즉각적인 처치가 필요한 가슴 불쾌감과 관련된 생명을 위협하는 상태에는 긴장기흉, 폐색전증, 식도파열, 대동맥박리, 심장눌림증, 부정맥, 급성 관상동맥증후군(울혈심부전 포함)이 포함된다. 이 중 일부는 일차평가에서 호흡곤란을 동반한 가슴 불쾌감과 활력징후의 변화를 보이는 가슴 불쾌감 또는 이 세 가지 주요호소 증상 및 주 증상과 징후가 함께 나타날 수 있다.

긴장기흉

긴장기흉은 단순기흉의 점진적인 악화(가슴막안에 공기가 축척)로 생명을 위협하는 흉통의 원인이다. 긴장기흉은 세로칸을 이동시켜 심장과 대혈관에 압력을 가하고 혈류를 방해할 수 있다. 흉곽내 증가한 압력은 정맥혈복귀를 방해하여 전부하를 감소시키고 전신 혈압 저하를 초래한다.

병태생리학

긴장기흉은 사망을 예방하기 위해 응급처치가 필요한 생명을 위협하는 상태이다. 증가한 압력은 가슴막안에 갇힌 공기 또는

양압 기계식 인공호흡기에서 공기가 유입되어 발생한다. 흉곽 내 증가한 공기의 압력으로 인해 영향을 받은 폐가 완전히 허탈되고 심장이 허탈되지 않은 폐 쪽으로 이동하여(세로칸 이동) 영향을 받지 않은 폐와 심장을 압박할 수 있다.

증상과 징후

호흡음이 들리지 않거나 감소하는 것은 기흉을 의미하는 것이다. 쇼크가 동반된 경우 긴장기흉을 즉시 인식하고 처치한다. 긴장기흉을 평가하면 흉통, 심한 호흡곤란, 영향을 받은 쪽의 호흡음이 들리지 않거나 감소, 폐쇄 쇼크가 나타나고 목정맥팽창(JVD)도 관찰될 수 있다.

감별 진단

감별 진단은 다음과 같은 내용을 포함한다.

- 단순기흉
- 급성 관상동맥증후군
- 급성호흡곤란증후군
- 대동맥박리
- 울혈심부전 및 폐부종
- 식도파열 및 열상
- 심근경색
- 심장막염 및 심장눌림증
- 폐색전증
- 갈비뼈 골절

처치

처치는 기흉이 발생한 쪽을 감압하여 가슴 내부의 압력을 완화하는 것이다. 병원 전 처치는 최소 8cm 길이의 14게이지 주삿바늘을 이용하여 바늘감압을 시행한다. 임상적으로 중증 기흉의 결정적인 처치는 가슴관을 삽입하는 것이다. 기흉 및 처치에 대한 자세한 내용은 2장을 참조한다.

단순기흉

기흉은 가슴막안의 공기를 말한다. 작은 기흉은 경미한 증상을 유발할 수 있으며 저절로 치유될 수 있다. 기흉이 크면 일반적으로 공기를 제거하고 폐 음압을 회복하기 위해 적극적인 처치가 필요하다.

병태생리학

기흉은 폐실질과 가슴막안 사이에 공기 누출이 발생할 때 발생하며 종종 작은 공기방울이 터져서 발생하지만, 과도한 압력의 다른 원인으로 인해 발생할 수 있다. 숨을 쉴 때마다 더 많은 공기가 가슴막안 공간에 갇혀 영향을 받은 폐가 허탈된다. 단순기흉은 마르팡증후군과 같은 결합 조직 질환을 앓고 있거나 환자가 키가 크고 날씬한 남성에서 자연적으로 발생할 수 있다. 압력손상이나 기타 가슴 손상으로 인해 발생할 수 있다. 만성폐쇄폐질환(COPD), 낭성 섬유증, 암, 마리화나 흡연, 폐렴과 같은 급성 폐 감염이나 결핵과 같은 만성 폐 감염도 기흉을 유발할 수 있다. 즉각적인 처치가 필요한 긴장기흉이 발생하는 것이다.

증상과 징후

자발기흉이 발생한 환자는 전형적으로 날카로운 흉통과 갑작스러운 호흡 곤란이 나타난다. 마른 젊은 남성과 갑작스러운 보상실패가 있는 만성폐쇄폐질환 환자의 경우 기흉 발생을 의심할 수 있다. 신체검사에서 일반적으로 영향을 받은 쪽 타진하는 경우 과공명음뿐만 아니라 호흡음이 감소한 것을 확인할 수 있다. 그러나 임상 경험은 대부분 기흉에서 호흡음 감소를 실제로 듣는 것이 얼마나 어려운지를 보여준다.

감별 진단

폐색전증과 자발기흉은 유사한 양상이 비슷하지만, 종종 각각의 상황이 구별에 도움이 되는 경우가 많다. 응급실에서 초음파 검사는 기흉을 확인하기 위한 구체적인 검사이다. 단순기흉의 진단을 확인하기 위해 일반적으로 가슴 방사선 촬을 하지만, 이는 초음파만큼 정확하지 않다. 컴퓨터단층촬영(CT)은 과거에 단순 가슴 방사선 촬영으로 단순기흉을 확인할 수 없을 때 사용했다.

처치

처치는 코삽입관 또는 마스크를 통해 산소를 공급하여 거의 정상에 가까운 산소포화도를 유지하는 것을 목표로 한다. 산소요법은 대부분 기흉의 재흡수에 도움이 된다. 보조 호흡은 일반적으로 필요하지 않으며 상태를 악화시켜 긴장기흉으로의 발전 가능성을 높일 수 있다. 일부 작은 단순기흉은 자체적으로 폐쇄될 수 있으며 보존적 모니터링만 필요로 한다. 심각한 기흉의 경우 문제를 해결하기 위해 가슴관 삽입이 필요할 수 있지만, 일부 환자의 경우 가슴관 삽입 없이 공기를 피부 경유로 흡인할 수 있다. 모니터링은 종종 병원 전 환경에서 혈 역학적으로 안정적인 환자에게 필요한 처치 전부이다.

폐색전증

다리의 심부 정맥계에서 형성된 혈전은 가장 일반적으로 폐의 혈관에서 가장 흔하게 발생하며 이를 폐색전증(PE)이라고 한다. 이러한 정맥 혈전색전증은 갑작스럽고 중증 가슴막염으로 인한 흉통, 호흡곤란, 때때로 객혈(폐색전증의 대표적인 삼 징후)을 유발할 수 있다. 혈전은 부동(예: 부목 고정), 최근 출산, 장기간의 항공 여행, 피임약과 같은 약물 복용, 흡연, 정맥 순환 정체를 비롯한 다양한 이유로 인해 형성된다. 암은 정맥 혈전 형성을 초래하기 쉽다.

병태생리학

폐색전증은 심부 정맥에서 형성된 혈전이 분리되어 정맥계(색전증)를 통과하여 이동하고 심장을 통과하여 폐동맥에 머무를 때 발생한다. 미국에서는 매년 20~30만 명이 폐색전증으로 입원하고 이들 중 1/3이 사망한다. 폐색전증은 종종 위험 요인의 존재와 관련이 있다. 강력한 위험 요인으로는 엉덩관절이나 다리 골절, 엉덩관절 또는 무릎 인공관절 치환술, 주요 일반 수술, 외상 및 척수 손상이 있다. 중등도의 위험 요소로는 관절경적 무릎 수술, 화학 요법(과응고를 일으킬 수 있음), 울혈심부전 또는 호흡부전, 경구 피임약 복용 및 정맥혈전색전증의 과거 병력 등이 있다.

유럽의 한 연구에 따르면 폐색전증의 1/3 이상이 응급실에서 진단되지 않을 수 있다고 보고했다. 지연되거나 누락된 진단은 환자의 징후와 증상을 나타내는 환자와 비교하여 관상동맥 질환, 만성폐쇄폐질환, 천식 또는 심부전을 포함한 복잡한 임상 증상 및 병력이 있는 환자에게서 더 흔하며 이전 고정 또는 최근 고정 또는 더욱 전형적인 위험 요소이다. Virchow의 3요소인 응고항진성, 정맥 정체, 내피 손상을 기억한다. 이는 심부정맥 혈전증(DVT) 형성의 위험을 증가시키는 요인이다.

증상과 징후

심부정맥 혈전증의 초기 증상은 상당히 미묘할 수 있으며 신체 외부에 나타나는 징후 없이 통증이나 불편함으로만 제한될 수 있지만, 혈전이 팔 또는 다리와 관련될 때 일반적으로 팔다리의 부종이 있다. 골반에서 발생하는 혈전은 감지하기가 더 어려울 수 있다.

폐색전증의 가장 흔한 증상으로 호흡곤란, 가슴막염 통증, 기침, 두근거림, 불안, 빈맥, 빠른 호흡 및 다리의 부종을 동반하는 혈전증 등이 있다. 일반적으로 폐색전증 환자는 폐 검사에서 정상이다. 심호흡이나 기침(가슴막염)으로 인해 증가하는 날카롭고 국소적인 통증이 있을 수 있으며 이에 따라 환자의 호흡을 "제한"시킨다.

큰 혈전은 큰 폐혈관을 막을 수 있으며 가장 극적인 것은 혈전이 심장을 떠날 때 폐동맥에 걸쳐 있는 안장 색전이다. 이러한 큰 근위부 혈전은 빠른 사망을 유발할 수 있다. 증상의 정도는 폐의 색전 크기와 수에 따라 크게 달라지지만, 또 다른 요인은 환자의 이전 심혈관 예비력이다. 기존에 폐 또는 심장 질환이 있는 환자는 보상할 수 없을 수도 있다.

폐색전증(경색 및 비경색) 환자의 90%는 종종 간헐적으로 호흡곤란을 겪는다. 이것은 공기가 들어오고 나가는데 폐의 특정 부위로의 혈류가 방향을 바꾸어 공기가 사용되지 않을 때 발생한다. 이를 환기–관류($\dot{V}/\dot{Q}$) 불일치 또는 무용공간 환기라고 한다. 저산소증이 있고 생리학적으로 설명할 수 없는 경우 폐색전증을 고려한다. 대부분의 폐색전증은 작으며 저산소증을 유발하지 않는다는 점에 유의한다. 활력징후가 정상적이더라도 환자의 주관적인 호흡곤란을 무시하지 않는다. 또한 폐색전증이 있는 환자는 불안하고 빠르게 호흡할 수 있다는 것을 명심한다. 환자가 공황발작을 겪고 있다고 가정하는 것은 심각한 오류이다.

폐색전증을 앓고 있는 환자의 약 절반가량에서 빈맥을 보인다. 이것은 저산소혈증에 대한 반응이나 좌심실 충전 불량으로 인한 저혈압에 의해 유발할 수 있다. 컴퓨터단층촬영(CT), 심초음파 또는 심전도(전형적으로 $S_1Q_3T_3$)는 폐동맥의 압력 증가로 인한 변형된 모양을 보일 수 있다. 폐색전증 환자의 약 10%가 저혈압을 나타내므로 예후가 좋지 않다. 폐동맥의 주요 가지 중 하나가 안장 색전으로 막히면 환자는 혈역학적으로 불안정하고 무맥성 전기활동을 보이는 심정지가 일반적으로 나타난다.

폐색전증을 시사하는 환자 병력의 요소로는 호흡곤란, 빠른 호흡, 가벼운 현기증이나 실신, 흉통, 마른기침 그리고 설명할 수 없는 빈맥이 포함된다. 폐경색증의 양상은 폐렴과 유사하게 나타나지만, 고열은 대개 폐렴에서만 나타난다. 같은 날 흉통과 객혈의 급성 발병은 폐색전증의 가능성을 시사한다. 한쪽 다리의 부기와 심부정맥 혈전증의 위험 요소가 있을 수 있다.

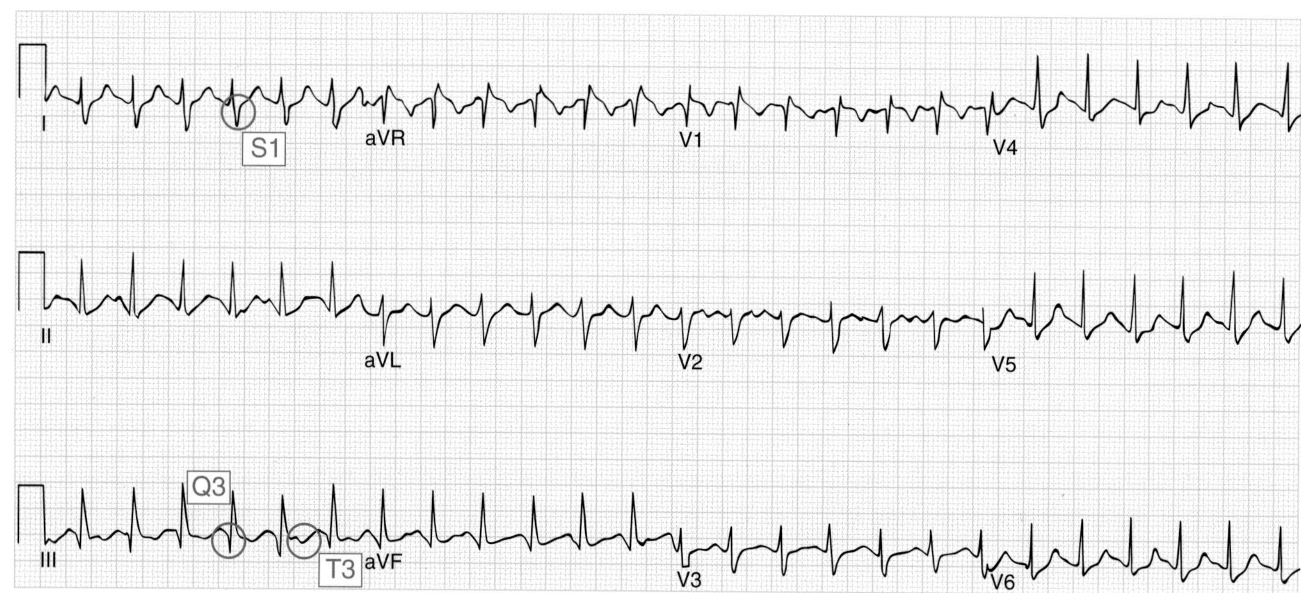

그림 3-7. $S_1Q_3T_3$ 패턴의 12 리드 심전도

This article was published in *Rosen's emergency medicine: concepts and clinical practice*, ed 6, Marx JA, Hockberger RS, Walls RM. Copyright Mosby 2006.

특히 진단 검사를 시행하기 전에 임상적 확률을 평가하는 것이 폐색전증 진단을 결정하는 데 필수적인 요소이기 때문에 신중한 병력 청취 및 위험 요소를 고려하는 것은 폐색전증이 의심되는 환자에게 중요하다. 최근 연구에 따르면 만성폐쇄폐질환이나 천식의 과거력이 있는 환자를 폐색전증으로 진단하면 오진일 가능성이 더 크다. 이러한 맥락에서 처치 제공자의 의심지수 증가 및 환자의 갑작스러운 악화에 대한 준비가 유용할 수 있다.

감별 진단

폐색전증에 대한 많은 감별 진단이 있으며 폐색전증이 의심되는 환자는 신중하게 고려한다. 이러한 환자는 또한 평가를 종료하기 전에 대체 진단을 확인하거나 폐색전증을 제외해야 한다. 고려해야 할 추가적인 문제는 다음과 같다.

- 근골격계 통증
- 가슴막염
- 심장막염
- 과다환기
- 자발기흉
- 폐렴
- 가슴 대동맥박리
- 급성 관상동맥증후군

폐색전증 진단을 확인하려면 다음 절차를 수행한다.

1. 12 리드 심전도를 가능한 한 빨리 검사를 시행한다. 흉통이나 호흡곤란이 있는 환자에서 이는 대체 진단을 평가하는 데 중요하다. 폐색전증에서 가장 흔한 심전도 소견은 동빈맥이다. 몇몇 사례에서 볼 수 있는 폐색전증을 암시하는 다른 소견은 폐고혈압이나 우심실(RV)의 변형과 관련이 있다. 여기에는 리드 Ⅰ에서 현저한 S파와 리드 Ⅲ의 Q파 및 리드 Ⅲ의 T파 역전이 포함된다($S_1Q_3T_3$; 그림 3-7). 이 패턴은 드물게 나타나며, 이 패턴이 없다고 해서 처치 제공자가 폐색전증을 배제해서는 안 된다.
2. 폐색전증이 의심되는 환자에 대한 병원 전 접근방식은 처치 제공자가 진단을 결정하고 안정적인 처치를 제공하며 잠재적인 폐색전증이 있는 환자를 즉시 인지할 수 있도록 하는 위험 요소 및 증상과 징후를 이해하는 것이다. 일단 병원에 도착하면 대부분 가슴 CT 촬영을 통해 진단이 확정된다. 시행할 수 있는 다른 검사에는 심전도뿐만 아니라 다른 원인을 배제하기 위한 가슴 X-ray 검사가 포함된다. 심장 원인뿐만 아니라 환자의 활성 응고 과정(D-dimer)의 가능성을 반영하는 검사를 배제하기 위해 혈액 검사를 시행할 수도 있다. 병원에서의 처치는 일반적으로 혈액 희석제의 사용이 포함

되지만, 극단적인 경우 섬유소용해제 또는 응급 수술이 포함될 수 있다. 현재 치료는 응급실에서 시작할 수 있으며 환자는 적절한 혈액 희석제 사용을 통해 퇴원할 수 있다.

치료

병원 전 환경

병원 전 환경에서 급성 흉통, 호흡곤란 및 활력징후의 변화가 있는 환자는 산소공급, 정맥 라인 확보, 12 리드 심전도와 전자 장비를 이용한 모니터링을 시행한다. 진단이 불분명한 경우 아스피린으로 급성 관상동맥증후군의 표준 처치를 시작하는 것이 적절하다. 환자가 호흡부전이 있는 것으로 확인되면 기도 유지와 호흡 보조가 필요하다. 활력징후를 안정화하기 위해서는 결정질 용액과 혈압상승제 투여를 포함할 수 있다.

병원 내 환경

환자가 병원에 입원하면 적절한 진단 검사를 시행한다. 항응고요법으로 저분자량 헤파린 사용할 수 있으며, 이는 해로운 응고 형성 가능성을 감소시킬 수 있다. 지속적인 저혈압과 빈맥은 일반적으로 더 어려운 처치 과정과 좋지 않은 예후를 나타낸다. 혈역학적으로 의미 있는 폐색전증의 경우 처치 방법으로 혈전 용해 요법을 선택할 수 있다. 일부 환자에게서는 이 치료법이 항응고요법보다 더 빠른 결과를 얻을 수 있지만, 출혈 위험의 증가를 반드시 고려한다. 외과적 색전제거술은 흉부외과 의사가 필요하며 환자에게 심폐우회술을 시행한다. 도관 혈전제거술은 혈관조영술이 가능한 병원에서 가능하다.

식도파열

식도의 자연적인 파열이나 천공은 심한 긴장이나 구토와 같이 음압의 흉강내 압력과 결합한 식도 내압의 급격한 증가로 인해 발생한다. 이것을 뵈르하베증후군(Boerhaave syndrome)이라고도 한다.

병태생리학

호흡곤란을 동반한 흉통은 식도 파열을 나타낼 수 있다. 식도가 찢어지면 위 내용물이 세로칸으로 들어가 염증성 감염 과정이 일어난다. 식도 천공의 가장 흔한 원인으로는 내시경이나 기구로 인한 의인성 손상, 잘 씹지 않은 음식이나 날카로운 물체로 인한 이물질, 부식성 화상, 무딘손상이나 관통상, 자발적인 파열 또는 수술 후 합병증을 포함하며 식도에 병리학적 문제가 있는 환자나 노인에서 발생할 가능성이 더 크다.

증상과 징후

식도 파열의 초기 임상 징후는 모호하다. 환자는 가슴 앞쪽의 가슴막 통증을 호소할 수 있으며 머리와 목을 굽힌 상태에서 침을 삼키면 통증이 악화할 수 있다. 감염이 악화하면서 호흡곤란과 발열이 흉통을 동반하는 경우가 많다.

공기와 위장관 내용물이 세로칸으로 들어가면 환자의 가슴과 목 주위에 피부밑공기가 모이게 되고 촉진 시 피부밑공기가 느껴질 수 있다(바삭한 "시리얼" 느낌).

세로칸공기증과 공기심장막증은 단순 가슴 방사선 촬영에서 뚜렷하게 보일 수 있다. 심음 청진시 수축기 동안 바삭거리는 소리가 들리는 헤먼즈(Hamman) 징후를 들을 수도 있다. 세로칸 염증으로 인해 염증 과정이 시작되면서 패혈증, 발열 및 쇼크가 발생한다. 진단이 24시간 이상 지연되면 환자의 상태가 급격히 악화할 수 있다.

감별 진단

식도 파열은 드문 상태이지만, 초기에 비전형적인 흉통이나 복통을 보이는 환자라면 식도 파열을 고려한다. 감별해야 할 진단에는 가슴 대동맥박리, 급성 관상동맥증후군, 폐렴 및 폐색전증이 포함된다.

처치

생명을 위협하는 식도파열의 처치는 감별 진단에 포함된 증상과 징후를 인식하고 철저한 병력 청취 및 신체검사를 시행하는 것에서 시작된다. 환자는 앞에서 설명한 증상을 나타내며 최근 병력에서 공통 원인 중 하나를 가지고 있다. 일반적인 처치에는 산소 투여, 정맥 라인 확보, 모니터 적용, 12 리드 심전도, 가슴 방사선 촬영 및 검사실 분석이 포함된다. 항생제 투여를 신속하게 시작하고 수액 투여와 기도유지는 병원 전 처치의 다른 중요한 요소이다. 가능한 한 빨리 외과적 수술을 받아야 한다.

급성 폐부종/울혈심부전

폐에 액체가 축적되는 폐부종은 종종 울혈심부전으로 인해 발생한다. 울혈심부전으로 발생하는 폐부종은 비심장성 폐부종과 구별되는 심장성 폐부종으로 알려져 있다. 폐부종은 급성 관상동맥 폐쇄 또는 좌심방과 좌심실 사이의 승모판을 닫는 근육 중 하나의 파열과 같은 결과로 갑자기 발생할 수도 있다. 울혈 심부전은 구조적이나 기능적으로 거의 모든 형태의 심장 질환의 합병증이다. 심실은 신체의 필요를 충족시키기에 충분한 양의 혈액을 채우거나 배출할 수 없다. 병원 전 처치 제공자는 만성 심부전, 만성 심부전의 점진적인 악화(급성-만성 심부전)로 고통받는 환자 또는 처음으로 급성 폐부종을 겪는 환자를 만날 수 있다.

병태생리학

관상동맥질환은 울혈심부전의 가장 흔한 기저질환의 원인이다. 심실의 펌프 기능이 불량하면 심박출량(CO)이 전반적으로 감소하고 심실에 혈액이 더 많이 남게 되어 왼쪽 또는 오른쪽 심장 순환 경로에 압력이 가해진다. 좌심실에 이상이 생기면 폐정맥의 압력이 증가하고 혈액이 폐로 역류하여 가스교환이 불량한 폐부종을 유발한다. 두 가지 예와 같이 내부 단락이나 매우 낮은 혈구 수로 인해 심장이 수요를 따라갈 수 없는 고출력 부전으로 알려진 다소 역설적인 상태를 포함하여 부전이 발생할 수 있는 여러 가지 방법이 있다. 만성 울혈심부전 환자에서 보상 기전이 혈액을 중요한 장기로 재분배하고 신체를 질병에 걸린 심장 기능에 적응하도록 작동한다. 심장의 오른쪽도 관련되면 혈액이 대정맥으로 역류하여 정맥계의 울혈을 유발하여 발 부종이나 목정맥팽창 또는 엉치 부종으로 나타날 수 있다.

증상과 징후

폐부종/울혈심부전의 증상과 징후에는 호흡곤란, 피로감, 운동 불내성, 폐부종과 말초 부종으로 이어질 수 있는 체액 저류 등이 있다. 환자 증상의 중증도에 따라 병력 청취가 제한될 수 있다. 가장 좋은 방법은 환자의 호흡곤란이 처음 발생했는지 아니면 재발한 것인지 물어본다. 환자에게 심부전의 과거력이 있는가? 아니면 새로이 발생했는가? 급성 심근경색증을 암시하는 흉통이 있는가? 만성폐쇄폐질환의 병력이 있는가? 모든 의사는 울혈심부전의 일부 사례를 만성폐쇄폐질환의 악화와 구별해야 하므로 최근에 기침 및 가래 생성에 대해 질문하여 이를 해결할 필요가 있다. 발열과 같은 폐렴의 증거가 있는가? 만성 울혈심부전 환자의 경우 약물 변경, 약물의 부적합, 식이 요법의 변화에 대해 질문한다.

현장에 도착하면 환자가 똑바로 앉아 있는지(삼각 자세라고 함), 숨을 가쁘게 쉬고 있는지, 가슴이 답답하거나 불편함을 호소하는지 확인한다. 발한뿐만 아니라 불충분한 관류 징후(약한 원위 맥박, 차가운 피부, 모세혈관 재충혈 지연, 소변량 감소 및 산증)를 확인한다. 현재 빠른 호흡, 호흡곤란, 양측 가래, 창백하거나 청색증이 있는 피부, 저산소혈증 때로는 거품이 많고 피가 섞인 가래와 같은 전신 및 폐울혈도 나타난다.

일차평가에서 활력징후를 측정하고 모니터링을 시작하기 전에도 쇼크의 임상 징후를 평가한다. 환자가 겪고 있는 고통의 정도에 주목한다. 목정맥을 평가하고 수포음이나 천명음이 들리는지 심음을 청진한다. 혈액순환에 대한 빠른 평가는 특히 심장성 쇼크가 있는 경우 문제를 정확하게 확인하는 데 도움이 될 수 있다.

감별 진단

감별 진단에는 고혈압, 대동맥이나 승모판 질환 또는 심근병증으로 인한 울혈심부전이 포함될 수 있다. 폐부종은 심근경색, 폐 감염, 광범위한 화상 또는 간이나 신장의 질환으로 인해 발생할 수 있다.

처치

병원 전 환경

병원 전 환경에서는 급성 관상동맥증후군이 울혈심부전 및 폐부종의 원인으로 보이는 경우 표준 지침을 따른다. 활력징후를 측정한다. 급성 심부전의 경우 일반적으로 혈압이 현저하게 상승하는 반면(수축기 혈압이 200mmHg보다 높은 경우는 드문 일이 아니다), 급성-만성 울혈심부전에서는 그럴 가능성이 작다. 심장성 쇼크는 일반적으로 혈압이 낮다. 저산소혈증을 처치하기 위해 산소포화도를 평가하고 필요한 경우 산소를 투여한다. 공기가 부족한 정상 산소혈증 환자에게도 산소를 공급한다. 파형 호기말이산화탄소 측정을 통해 얻은 호기말이산화탄소분압은 환기 실패의 조기 증거에 대해 지속해서 모니터링한다. 환자 처치 초기에 12 리드 심전도 검사로 심장 리듬을 확인한다.

심부전 처치는 가스 교환 및 심박출량을 증가시키는 데 중점을 둔다. 환자의 혈압이 적절한 경우(수축기 혈압 > 100mmHg) 환자가 편안한 자세를 취하도록 한다. 필요한 경우 보충 산소를 제공한다. 지속기도양압(CPAP)의 사용은 폐부종의 처치에 막대한 영향을 끼친다. 적절한 환자에서 이 기술을 사용하면 약물 및 침습적인 인공호흡기를 이용한 처치의 필요성을 크게 줄여준다. 의식 변화와 호흡 부전의 징후가 있는 경우 기관내삽관이 필요할 수 있다. 지속기도양압은 2단계 양압기도 포함하는 비침습적 양압환기(NIPPV)로 널리 알려진 처치 유형이다. 비침습적 양압환기는 다음 두 가지 방법으로 처치할 수 있다. 1) 정맥혈복귀와 전부하를 감소시켜 폐부종을 감소시키고, 2) 가스 교환을 개선하는 두 가지 방식으로 치료할 수 있다. 비침습적 양압환기의 사용은 2장에서 자세히 설명한다. 이러한 맥락에서 심부전 치료에서 지속기도양압을 사용하는 것에 관한 한 연구는 병원 전 지속기도양압을 사용하면 기관내삽관의 필요성이 감소하고 병원으로 이송하는 동안 활력징후가 개선되며 단기 사망률이 감소한다고 결론지었다. 또한, 다른 연구에서는 흡입산소농도가 28~30%에 불과해도 울혈심부전으로 인한 급성 폐부종 환자의 예후를 개선한다고 밝혔다.

양압환기와 함께 수축기 혈압이 100mmHg 이상이면 나이트로글리세린이 폐부종의 일차 치료제로 부상했다. 이 약물은 말초혈관 확장을 통해 전부하를 감소시키는 역할을 한다. 이러한 처치 방법을 동시에 사용할 때는 전신 혈압이 빠르게 감소할 수 있으므로 주의한다. 또한, 용적과부하를 겪고 있는 아급성 울혈심부전 환자의 이뇨를 시작하기 위해 푸로세마이드를 투여할 수 있지만, 이 처치는 논란의 여지가 있으며 급성 울혈심부전에서 일상적으로 사용해서는 안 된다(울혈심부전의 만성 증상 관리와 반대).

일반적으로 병원 전 환경에서 사용되지는 않지만, 앤지오텐신전환효소억제제와 베타차단제는 울혈심부전 처치시 뉴욕 심장학회/미국 심장학회 분류척도의 모든 수준에서 권장된다. 알도스테론길항제는 앤지오텐신전환효소억제제 및 베타차단제 치료에도 불구하고 환자의 박출률이 35% 미만으로 유지되는 경우 추가된다.

환자의 흉통이 저혈압과 심장성 쇼크, 호흡곤란으로 복잡하다면 혈압을 개선하기 위해 혈압상승제가 필요할 수 있다. 도부타민과 노르에피네프린(현장에서) 및 밀리논(병원에서)을 투여하여 혈압과 심근 수축력/심박수를 증가시킬 수 있다. 이 글을 쓰는 시점에서 현재 문헌은 심인성 쇼크 상황에서 도파민보다 노르에피네프린의 안전성을 뒷받침한다.

병원 내 환경

병원 내 환경에서 환자는 병력, 신체검사, 흉부 방사선 촬영 및 검사실 검사가 완료되는 동안 적극적인 처치가 필요하다. 아직 시행하지 않았다면 12 리드 심전도 검사를 시행한다. 동맥혈 및 정맥혈 검사는 환자의 산소 공급과 환기 능력을 평가하는 데 도움이 된다. 일상적인 검사실 분석 외에도 뇌나트륨이뇨펩티드(BNP)의 상승은 불분명한 경우 울혈심부전을 진단하는 데 유용할 수 있다. 이 펩타이드는 심실 근육이 늘어날 때 방출된다. 또한 심근 손상을 평가하는 데 도움이 되도록 심근효소 검사도 시행한다.

중환자 처치 환경에서 좌우 혈역학적 모니터링을 통해 처치 효과와 함께 심장 전체의 다양한 압력을 평가하는 데 도움이 될 수 있다. 이러한 유형의 모니터링은 약리학적 처치가 충분한지 또는 약리학적 처치와 기계적 처치의 일부 조합이 필요한지에 대한 의사 결정에 정보를 제공할 수 있다. 초미세여과법(aquapheresis)은 전해질을 크게 교란하지 않고 체액과부하를 제거하는 데 도움이 될 수 있다. 모르핀은 역사적으로 급성 울혈심부전을 치료하는 데 사용되어 왔지만, 호흡 충동의 억제와 저혈압의 결과로 모르핀을 투여받은 울혈심부전 환자 그룹에서 사망률이 증가했다는 연구로 인해 논란이 되고 있다.

논의된 내과적 처치와 함께 대동맥내풍선펌프는 후부하를 줄이는 데 도움이 되며 전반적인 관류를 개선할 수 있다. 박출률이 30% 미만이고 평균 기대 수명이 6개월 이상인 환자는 좌심실 보조장치 및 양쪽 심실 보조장치를 포함한 심장 내 이식 장치를 사용할 수도 있다. 덜 침습적인 양심실 박동주율기는 삶의 질, 기능적 상태 및 운동 능력을 향상하는 것으로 나타났지만, 사망률이나 이환율에는 영향을 미치지 않는다.

심장부정맥

부정맥은 급성 폐부종을 유발할 수 있으며 상태의 심혈관 스트레스로 인해 발생할 수도 있다. 따라서 심장 모니터링은 이러한 환자를 처치하는 데 매우 중요하다.

병태생리학

폐부종은 빠르거나 느린 심박수로 인해 발생할 수 있다. 1분 동안 뿜어져 나오는 심박출량을 결정하는 변수는 심박수와 일회박출량이다. 속도가 너무 빠르면 심실을 채우는 시간이 충분하지 않아 일회박출량이 감소하지만, 속도가 너무 느리면 분당 전달되는 양이 급격히 감소하여 수요를 맞추지 못할 수 있다. 기존의 심장 질환은 비교적 경미한 변화로 조기 보상실패를 유발할 수 있다. 예를 들어, 심방세동이라는 일반적인 상태의 새로운 발병으로 고통받는 환자는 상부 심방이 심박출량을 제공하는 중요한 부스트를 잃을 수 있으며 보상작용이 작용하지 않을 것이다. 또는 서맥이 있는 심장 차단이 발생하면 장기로의 혈액 전달이 많이 감소할 수 있다.

증상과 징후

부정맥을 겪고 있는 환자는 다음과 같은 증상과 징후를 보일 수 있다.

- 흉통/두근거림
- 호흡곤란
- 실신 또는 거의 실신
- 어지럼 또는 가벼운 현기증
- 빠르거나 불규칙한 심장 박동
- 심계항진 또는 심장 각성상태

감별 진단

3 리드 심전도는 심장 부정맥의 진단에 선호되는 도구이다. 12 리드 심전도는 또한 추가적인 질병 인식을 제공할 수 있다.

처치

일차평가를 진행하는 동안 모니터를 적용하여 지속적으로 활력징후를 측정하고 부정맥이나 급성 심근 손상을 평가한다. 서맥과 빈맥의 처치를 위해 현재의 지침 및 현장의 프로토콜을 따른다. 환자는 또한 급성 관상동맥증후군(ACS)을 경험할 수도 있다. 12 리드 심전도와 혈액검사는 산소를 공급하고 정맥라인을 확보하는 초기에 시행한다. 서맥으로 인해 환자가 임상적으로 불안정해지면(흉통, 호흡곤란, 급성 폐부종, 쇼크) 심박수를 증가시키는 조치를 한다. 경피적 심장박동조율은 증상이 있고 서맥을 보이는 매우 불안정한 환자에서 원하는 심박수에 빠르게 도달하기 위한 초기 처치로 고려한다. 어떤 상황에서는 아트로핀이나 다른 방법을 이용한 심박동수 변동을 지시할 수 있다. 환자가 허혈을 겪고 있는 동안 너무 높은 심박수를 유발하여 심장에 무리를 주는 것은 심근 손상으로 이어질 수 있다.

정상 혈압(> 수축기 혈압 100mmHg)으로 빈맥(150회/분 이상)을 보이는 흉통 환자의 경우 박동조율기의 근원(심실위 vs 심실)과 현재 부정맥의 유형에 따라 치료한다. 심박수가 빠르고 불규칙한 경우 판막 기능이 불량하고 혈류가 정체되어 혈전 형성의 위험이 증가할 수 있다. 새로 발생한 심방세동이나 다초점 심방빈맥이 발생할 때는 주의를 기울여야 한다. 심박수를 조절하고 정상 리듬을 회복하며 혈전 형성을 예방하기 위해 약물을 처방한다. 이러한 약물은 순환계로 여러 개의 혈전을 방출하여 뇌졸중이나 다른 관련 합병증을 유발할 수 있는 리듬의 심한 변화를 방지하는 데 도움이 된다. 적용할 수 있는 경우 항부정맥제를 잠재적인 박동조율기 대신 적절하게 투여할 수도 있다. 빈맥 환자가 의식 변화의 증후와 심장성쇼크의 근거가 있는 경우 생명을 위협하는 리듬을 즉시 변화시키기 위해 동시성 심율동전환이 필요할 수 있다.

대동맥류와 대동맥박리

가슴 대동맥은 대동맥 뿌리 부분에서 좌심실의 대동맥 유출로에서 발생한다. 관상동맥이 시작되는 대동맥 판막과 관상동맥 첨판은 인체에서 가장 큰 혈관의 기원에서 발견된다. 이 부위는 관상동맥으로의 혈류가 발생하는 부위이다. 모든 동맥과 마찬가지로 대동맥은 내막, 중간막, 바깥막의 3개 층으로 이뤄져 있다. 내막은 내피세포로 구성된 매끄러운 안감으로 이 세포가 심각하게 손상되면 연쇄 반응이 활성화될 수 있다. 중간막은 민무늬근육과 일부 탄력조직으로 구성되어 있다. 바깥쪽의 섬유질 층이 바깥막이며 이 혈관에 가해지는 힘을 견딜 수 있는 수용층을 제공합니다. 정상적인 노화로 인해 이 층이 탄력을 잃고 내막이 약해지고 만성 고혈압이 있는 경우 악화가 심화할 수 있다. 일부 환자는 대동맥에 선천적인 변화를 일으켜 대동맥벽의 강도를 감소시키고 대동맥벽의 퇴화를 촉진한다. 마르판과 엘러스-단로스 증후군(Ehlers-Danlos syndromes, EDS)은 이러한 변화를 유발한다.

병태생리학

가슴 대동맥박리(TAD)는 고압의 혈류가 중간막으로 들어가는 내막과 바깥막 사이의 부위가 박리되는 결과를 초래한다. 박리의 정도는 이 파열이 발생한 위치와 중간막의 질병 상태, 혈압에 따라 달라진다. 이 손상은 대동맥을 위 또는 아래로 움직일 수 있으며 관상동맥(보통 오른쪽)이나 심장막 공간 또는 가슴막안으로 다시 확장될 수 있으며 목동맥이나 빗장밑동맥으로 확장될 수 있다. 혈압 조절과 심장 수축은 혈종의 확장을 조절하는 주요 요소이다.

증상과 징후

흉통은 "극심한", "날카로운", "찢김" 또는 "잡아 째는"과 같이 환자가 설명하는 가장 흔하게 나타나는 증상이다. 환자가 가슴 앞쪽에 통증을 호소하면 오름대동맥이 관련된 통증일 수 있다.

목과 턱의 통증은 대동맥활의 손상과 관련이 있을 수 있으며 어깨뼈 근처의 통증은 아래대동맥의 박리를 나타낼 수 있다. 심음 청진으로 대동맥판 역류가 발생할 수 있다. 울혈심부전과 급성 폐부종이 빠르게 발생할 수 있으며 심장눌림증의 발생 유무를 확인하는 것이 필수적이다. 가슴대동맥 박리는 복부(가로막 위 및 아래)로 방사되는 통증이 있거나 흉통과 급성 신경학적 증상이 동시에 있는 환자에게서 고려한다.

찢어지는 통증은 일반적으로 구역, 구토, 가벼운 현기증, 불안 및 발한과 관련이 있다. 실신이 발생하는 것은 흔하지 않지만, 일부 환자에게는 유일한 증상일 수 있으며 의식상태의 변화도 발생할 수 있다.

혈압은 다음 두 가지 방식으로 나타날 수 있다.

1. 저혈압은 대동맥 파열로 인한 심장눌림증 또는 저혈량증과 함께 심장막으로 박리 부위가 이동하는 것을 나타낼 수 있다.
2. 고혈압은 박리와 관련된 카테콜아민 방출을 나타내거나 처치에도 불구하고 고혈압이 지속하는 경우 신장동맥까지 박리가 확장되었다는 것을 나타낼 수 있다.

오른쪽과 왼쪽 팔의 혈압을 비교하면 대동맥 분지(일반적으로 빗장밑동맥) 손상을 확인할 수 있다. 한쪽 팔에서 혈압이 현저히 감소하는 것은 대동맥박리를 의미하는 것이다. 신경학적 증상은 뇌졸중의 징후를 유발하는 근위 대동맥 분지의 손상이나 척수 증상과 징후를 일으키는 말초 손상을 나타낼 수 있다.

감별 진단

병력 청취와 신체검사를 통해 대동맥박리를 의심할 수 있지만, 감별 진단을 확인하기 위해서는 진단적 검사가 필요하다.

진단적 검사

미국심장협회(AHA)의 가슴 대동맥 질환에 대한 지침은 12 리드 심전도를 대동맥류 진단을 위한 특정 방법으로 사용하지 않지만, 모든 흉통 환자에게 12 리드 심전도 검사를 시행한다. 새로운 ST 분절 상승과 동시에 발생하는 가슴대동맥의 이상이 의심되는 환자는 경피적 관상동맥중재술과 재관류요법을 시행할 수 있는 의료기관으로 즉시 이송한다. 다음과 같은 진단 절차를 통해 대동맥류를 진단할 수 있다.

1. 가슴 방사선 촬영. 흉통을 호소하는 모든 환자에게 가슴 방사선 촬영을 시행한다. 대동맥박리 환자의 방사선 촬영 사진 중 12%는 정상이다. 다른 미묘한 소견들과 함께 세로칸의 확장은 처치 제공자가 이 진단을 내릴 수도 그렇지 않을 수도 있다.
2. 심초음파 검사. 심초음파는 대동맥 역류가 보일 수도 있는 흉강경유와 가슴대동맥을 잘 볼 수 있는 식도경유 방법으로 확인할 수 있다.
3. 컴퓨터단층촬영 혈관조영술(CTA). 컴퓨터단층촬영 혈관조영술은 대동맥박리를 찾기 위해 선택하는 기본 진단 검사이며 정맥 내로 요오드화 조영제를 사용한다.
4. 자기공명영상(MRI). 이것은 대동맥박리의 실제 이미지를 캡처하는 데 좋다. 그러나 환자 주위에 비철금속 장비가 필요하고 이미지를 얻는 데 오랜 시간이 소요되기 때문에 환자의 상태가 불안정할 때는 도움이 되지 않는다.
5. 혈관 조영술. 대동맥류와 대동맥박리를 진단하고 평가하기 위해 혈관조영술을 사용할 수도 있다.

처치

일반적으로 대동맥박리가 의심되는 경우에도 흉통에 대한 프로토콜을 따른다. 산소 투여, 정맥 라인 확보 및 모니터의 적용은 일반적인 처치 방법이다. 수술이 필요한 대동맥박리 환자에게 아스피린과 같은 항혈소판요법을 사용하는 것은 문제가 있지만, 금기 사항은 아니다. 심장혈관센터가 있는 의료기관으로 환자를 신속하게 이송하는 것이 최우선이다. 대동맥박리를 의심하고 이러한 증상과 징후를 의료진에게 전달하면 보다 신속하게 확인할 수 있다.

대동맥박리에서 가장 위험한 증상은 대동맥 파열 또는 심장눌림증으로 인해 저혈압을 나타내는 환자이다. 수술을 준비하는 동안 환자에게 정맥 내로 혈액제제를 투여하여 먼저 소생시켜야 한다. 심장막천자는 심박출량을 약간 개선해 수술을 통해 대동맥이 완전히 복구될 될 때까지 환자에게 더 많은 시간을 제공할 수 있다.

환자 상태의 안정화는 대동맥에 대한 추가 전단 응력을 감소시키는 데 중점을 둔다. 이것은 일반적으로 니트로푸루시드와 같은 강력한 동맥혈관 확장제의 사용을 포함한다. 이러한 제제의 사용과 관련된 수축성의 반사적 증가를 무디게 하려고 에스모올과 같은 속효성 베타 차단제가 사용된다. 최근에는 니카르디핀이나 라베타롤과 같은 약제가 단일 약제로 사용되며 적절한 것으로 보인다. 또한 교감신경 자극 반응을 유발할 수 있으므로 관련 통증을 적극적으로 처치하여 스트레스를 줄이는 것이 중요하다.

가슴 대동맥박리의 최종 처치는 박리 유형에 따라 다르다. 대동맥 뿌리 부분을 포함하는 것은 일반적으로 외과적으로 치료되지만, 왼쪽 빗장밑에서 원위부에 발생하는 것은 일반적으로 각 그룹의 결과 및 관련 문제에 대한 과거 평가를 기반으로 내과적으로 치료된다. 대동맥 뿌리 부분의 가슴 대동맥박리는 관상동맥을 방해하여 심전도상 ST분절 상승 심근경색이 나타날 수 있다는 점에 유의한다. 헤파리노이드, 항혈소판제 또는 섬유소 용해제로 이러한 상태를 경험적으로 치료하면 참담한 결과를 초래할 수 있으므로 ST분절 상승 심근경색 환자가 주로 요통이나 맥박 결손이 있는 경우 가슴 대동맥파열을 의심한다.

심장눌림증

앞에서 설명한 다른 질환의 초점은 흉통 및 호흡 노력의 증가를 보이거나 흉통과 변화된 활력징후를 나타내는 환자에 맞춰져 있다. 흉통, 기침 또는 호흡곤란이 나타날 수 있는 드문 질환 중 하나가 심장눌림증이다.

병태생리학

심장눌림증은 심장을 둘러싸고 있는 심장막 안에 액체가 축적될 때 발생한다. 액체가 축적되고 압력이 가해지면 얇은 우심실을 압박하여 충전을 제한하고 종종 심장의 왼쪽에도 영향을 끼친다. 심장눌림증을 외상성 손상으로 발생할 수도 있지만, 이 질환에 대한 내과적인 원인도 많다(표 3-3). 축적되는 액체는 암, 삼출물, 고름, 기체, 혈액, 요독 액체 또는 여러 복합적인 요인으로 인해 발생할 수 있다. 빠르게 축적되는 액체는 일반적으로 최소한의 액체로도 매우 빠르게 증상과 징후를 유발한다. 느리게 축적되는 액체는 적응을 가능하게 하며 증상과 징후가 느리게 나타나고 공간 내 액체의 양이 훨씬 많다.

증상과 징후

심장눌림증의 전형적인 증상과 징후는 저혈압, 목정맥팽대, 심음 감소(Beck's triad)가 있다. 심장막 안에 천천히 액체가 축적되는 환자는 흉통, 기침 및 호흡곤란을 나타낼 수 있다. 불행하게도 내과적 환자에서 흔히 볼 수 있는 것처럼 전형적인 상태를 나타내는 많은 환자는 전형적인 징후를 나타내지 않기 때문에 특히 검사에서 눈에 보이는 목정맥팽창이 보이지 않고 달리 설명할 수 없는 저혈압이 나타나는 경우 높은 수준의 의심이 필요하다.

표 3-3. 심장눌림증의 가장 흔한 원인

감염	• 바이러스성: 매우 드물다 • 박테리아: 결핵, 콕시엘라브르네티, 기타(희귀) • 곰팡이: 매우 드물다 • 기생충: 매우 드물다
염증성 및 자가면역	• 전신 홍반성루푸스 • 베체트 증후군 • 전신 혈관염 • 심장막 손상 증후군: 심근 경색 후, 심장막 절제술, 외상 후
신생물	• 이차 전이성 종양: 폐암, 유방암, 림프종 • 원발성 종양: 매우 드물다
대사	• 요독증(신부전의 합병증), 점액부종
혈액심장막	• 수술 후(복장뼈 절개술 후) • 중재적 심장학: 조동 절제, 심박조율기 삽입 • 급성 대동맥박리 • 외상성: 무딘손상 또는 개방 가슴 손상

Reproduced from: Bodson L, Bouferrache K, Vieillard- Baron A. Cardiac tamponade, *Curr Opin Crit Care*. 17(5):416 – 424, 2011.

심장눌림증을 나타낼 수 있는 다른 전형적인 증상과 징후는 다음과 같다.

- 모순맥박. 일반적으로 수축기 혈압은 들숨 시마다 약간 감소한다. 심장눌림증으로 인해 심장이 압박될 때 수축기 혈압 감소가 더 증가한다. 모순맥박은 맥박이 감소하거나 들숨 중에 촉지되지 않을 때 발생한다. 들숨 시 목정맥의 팽창이 증가하는 쿠스마울 징후도 나타날 수 있다. 쿠스마울 징후 또한 모순이다. 숨을 들이쉬는 동안 심음을 청진하면 특정 심장 박동에서 맥박이 약해지거나 촉지되지 않을 수도 있지만, S1은 모든 심장 박동에서 들린다.

감별 진단

심장눌림증에 대한 감별 진단은 어려우며 긴장기흉이나 심인성 쇼크를 동반한 급성 심부전이 포함될 수 있다. 심장눌림증 환자는 흉통과 호흡곤란을 호소하면서 기침을 동반할 수도 있다. 높은 의심 지수는 내과적 심장눌림증 발병에 대한 환자의

심장눌림증의 전기 발전기

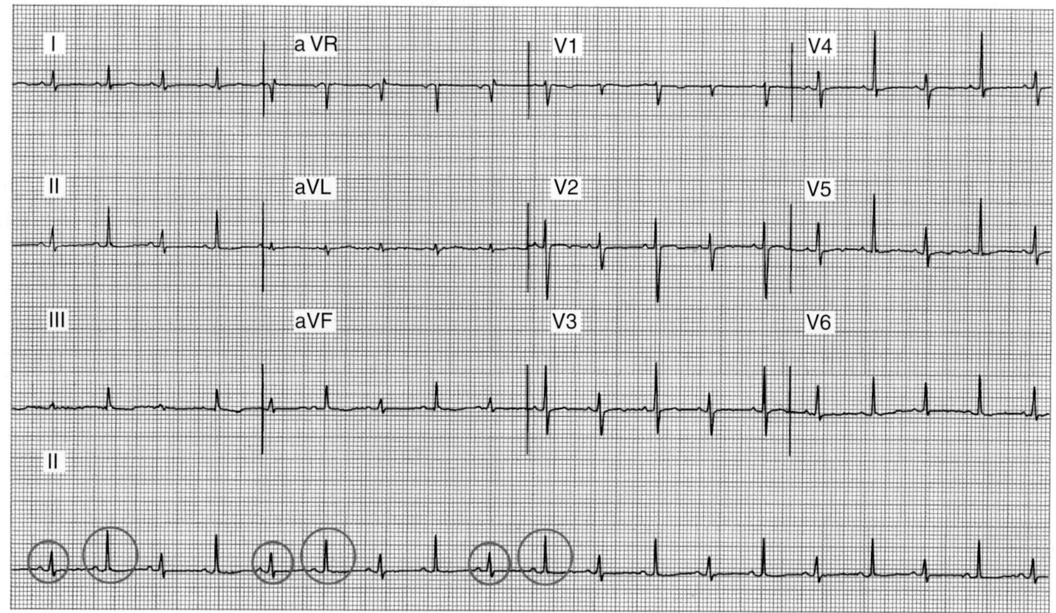

그림 3-8. 심장눌림증. 심장막삼출이나 삼장눌림증이 있는 환자에서 전기적 교대맥이 발생할 수 있다. P-QRS-T 축에서 교대맥을 확인한다. 이것은 대량의 심장막삼출에서 심장이 주기적으로 흔들리기 때문에 발생한다. 상대적으로 낮은 QRS 전압과 동성 빈맥도 존재한다.

Goldberger A: *Clinical electrocardiography: a simplified approach*, ed 7, St. Louis, MO, 2006, Mosby.

위험 요소를 검토하는 동안 진단할 수 있다. 가능한 진단 범위를 좁히려면 다음과 같은 검사를 시행한다.

1. 가슴 방사선 촬영. 가슴 방사선 촬영은 축적된 액체가 200~250mL 이상일 경우 심장이 크게 보이지만 급성 삼출에서는 심장이 정상으로 보일 수 있다.
2. 심전도. 심전도는 낮은 진폭(전압 감소)을 나타낸다. 심전도와 관련된 또 다른 진단 징후를 전기적 교대맥이라고 한다. 전기적 교대맥은 만성 심장눌림증에서 매우 특이적이며 심장막액의 급성 축적에서는 드물게 나타난다. 모든 리드에서 P파, QRS복합체 및 ST-T파의 형태학적 특징과 진폭은 심장이 수축할 때마다 앞뒤로 흔들리지만, 다음 수축 전에 정상 위치로 돌아오는 "교대 심장 현상"으로 인해 모든 박동에서 교대로 나타난다. 심장눌림증에서는 심장이 너무 무거워서 제때 정상적인 위치로 되돌아갈 수 없으며 연속적인 심전도는 교대 수축을 위해 심장이 제자리에서 벗어난 것을 볼 수 있다(그림 3-8).
3. 심초음파 검사. 심초음파 검사는 심장막액을 진단하는 가장 빠른 방법이며 응급실에서 쉽게 수행할 수 있을 뿐만 아니라 점점 더 많은 EMS 기관에서 사용할 수 있게 되었다. 우심실의 허탈 증거는 심장막액이 임상 증후군이나 심장눌림증을 유발하는 특징 중 하나이다. 심초음파는 우심실(RV) 허탈과 함께 심장막 삼출을 보여준다.
4. 혈역학적 모니터링. 이 모니터링은 우심실과 좌심실 압력이 동일하다는 것을 보여준다.

처치

일반적으로 산소 공급, 정맥 라인 확보, 모니터 적용을 시행하고 12 리드 심전도를 측정하는 것도 필요하다. 병원 전 환경에서 표준 흉통 지침을 따르지만, 쇼크의 징후가 있으면 모르핀과 질산염의 투여를 방해할 수 있다.

폐쇄 쇼크 상태 환자에서 저혈압이 있는 경우 결정질 용액으로 수액소생술을 시작하면 초기에 심장의 오른쪽을 채우고 심박출량을 개선하는 데 도움이 될 수 있다. 혈압이 정상인 환자에 대한 수액 투여는 혈역학적으로 부정적인 영향을 미칠 수 있으므로 피해야 한다. 이러한 처치는 환자가 심장막천자술이

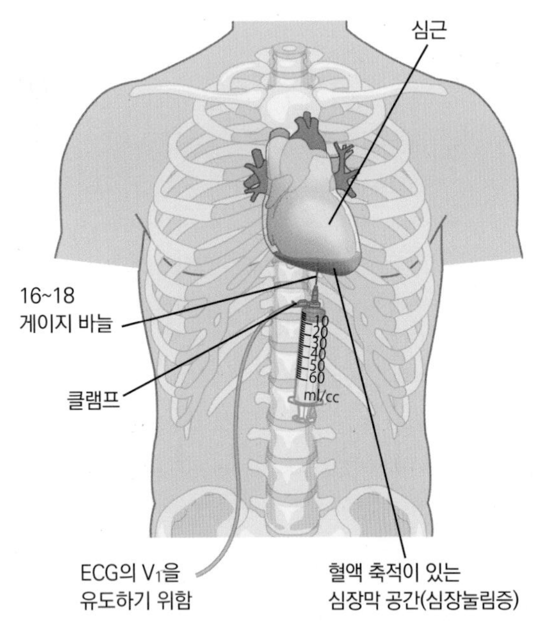

그림 3-9. 심장눌림증에서 심장막 내의 혈액을 제거하기 위한 심장막천자술

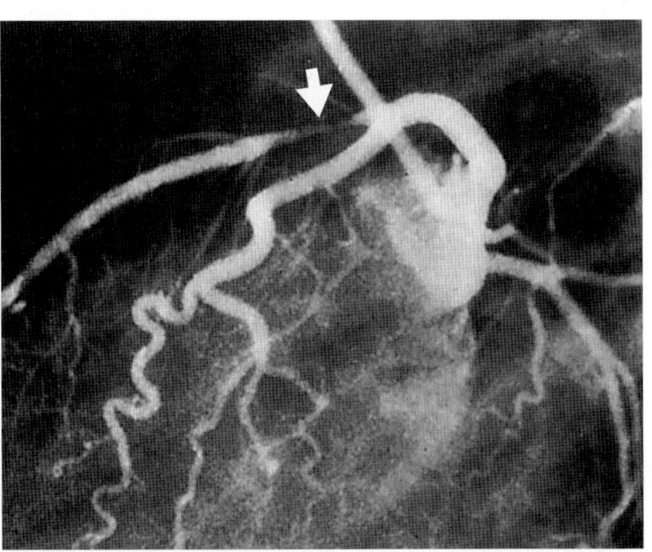

그림 3-10. 관상동맥 조영술에서 좌전하행 관상동맥의 협착(화살표)이 보인다.

Braunwald E: *Heart disease: a textbook of cardiovascular medicine*, ed 4, Philadelphia, PA, 1992, Saunders.

나 드물게 외과적 심장막절제술을 받을 수 있을 때까지 임시 조치로 사용한다.

심장막천자는 이전에 왼쪽 칼돌기밑 부위로 바늘을 삽입하도록 가르쳤다. 초음파를 쉽게 이용할 수 있게 되면서 바늘 삽입 방법은 일반적으로 초음파 유도 흉강경유 다중 천공 돼지 꼬리형 카테터를 삽입할 수 있는 외과 전문의 또는 심장외과 전문의에 의해 심장막천자를 시행할 수 있다.

그림 3-9는 심장막에서 혈액을 제거하는 데 사용되는 심장막천자이다(초음파 유도 흉부경유 방법은 아님). 환자의 상태를 개선하기 위해 충분한 양의 액체를 제거한다. 심장눌림증이 재발하면 같은 절차를 반복할 수 있으며 3 way를 카테터에 연결해 놓을 수 있다. 추가 배액이 필요한 경우 수술적 상담이 필요하다.

급성관상동맥증후군

급성 관상동맥증후군(ACS)은 심장 근육으로의 혈류 감소와 관련된 질환이다. 이러한 상태는 종종 죽상경화증의 공통적인 선행 병리를 가지고 있다. 죽상경화증은 그리스어 아테로(athero; "죽" 또는 "반죽"을 의미)와 경화증(sclerosis; "단단함"을 의미)에서 유래되었다. 이 경우 "죽" 또는 "반죽"은 칼슘, 지질, 지방으로 이루어져 있으며 플라크라고 부른다. 플라크가 관상동맥벽에 달라붙으면 내강이 좁아져 심근에 도달하는 혈액(영양소와 산소 운반)의 양을 감소시킨다(그림 3-10). 플라크은 딱딱해지거나 부드러워질 수 있다.

병태생리학

관상동맥 내에서 죽상경화증이 발생하면 관상동맥질환(CAD)이라고 한다. 관상동맥질환 환자는 급성 관상동맥증후군의 위험이 증가한다. 특정한 위험 요소로 인해 환자는 급성 관상동맥증후군이 발생할 위험이 더 커지며 위험 요소가 많을수록 급성 관상동맥증후군으로 발전할 확률이 높다.

수정할 수 없는 위험 요소에는 나이, 성별 및 유전 등이 있다. 나이가 들수록 관상동맥질환에 걸릴 확률이 높다. 남자들은 더 젊은 나이에 관상동맥질환에 걸리며 급성 관상동맥증후군으로 사망할 가능성이 더 높다. 그러나 심장질환은 특히 폐경 후 여성의 주요 사망 원인 중 하나이다.

개선할 수 있는 위험 요소에는 고혈압, 흡연, 고콜레스테롤, 당뇨, 비만, 스트레스, 신체 활동 부족 등이 있다. 고혈압은 일반적으로 식이요법과 운동, 약물치료로 성공적으로 관리할 수 있다. 고혈압은 심장이 필요한 것보다 더 많이 일하게 하여 시간이 지남에 따라 심장을 비대하고 약하게 만든다. 흡연은 급성 관상동맥증후군 발병 위험을 증가시킨다. 흡연은 미국에서 가장 예방할 수 있는 사망 원인 중 하나이다. 흡연자의 심장마비 위험은 비흡연자의 두 배 이상이다. 수년간 흡연을 한 사람도 금연 시 급성 관상동맥증후군이 발생할 가능성을 감소시켜 준다. 고콜레스테롤은 식이요법과 운동, 약물치료로 쉽게 관리할 수 있는 또 하나의 위험 요소이다. 당뇨병은 심장 질환이 발생할 가능성을 많이 증가시키고 혈관 자체에 영향을 주어 죽상동맥경화증을 가속화한다. 당뇨병을 앓고 있는 사람은 대부분 고혈압을 가지고 있어 위험이 훨씬 더 증가한다. 비만과 스트레스, 운동 부족은 죽상동맥경화 과정을 가속하여 급성 관상동맥증후군에 걸릴 가능성을 증가시킨다.

현재 미국심장협회(AHA) 지침에서는 급성 관상동맥증후군을 협심증과 불안정협심증(UA)/ST분절 비상승 심근경색(NSTEMI) 및 ST분절 상승 심근경색(STEMI)의 연속체로 정의한다.

심근경색

심근경색은 협착된 관상동맥에 혈전이 형성되어 플라크가 파열되어 혈소판이 응집되고 혈전이 형성되어 발생한다. 관상동맥이 완전히 막히면 심장근육의 허혈 세포가 죽기 시작한다. 이것은 심장근육에 영구적인 손상을 일으킬 수 있으며 흔히 심장마비라고 한다. 심장근육이 죽으면 근육의 세포는 세포막 구조가 파괴된다. 이 괴사에 대한 생물표지자에는 트로포닌으로 알려진 단백질이 포함되어 있으며 그중 일부는 심장근육에 특이적이고 간단한 혈액 검사로 측정할 수 있어 심장마비를 화학적으로 빠르게 확인할 수 있는 수단을 제공한다. 혈청에서 트로포닌을 검출하는 데는 종종 몇 시간이 걸리므로 연속 검사가 일반적으로 수행된다. 고감도 트로포닌과 같은 검사 기술의 발전은 현재의 관행을 바꿀 수 있다.

협심증

협심증은 말 그대로 "흉통"을 의미하며 플라크로 가득찬 좁아진 관상동맥에서 혈액 공급이 불충분하여 발생한다. 일반적으로 안정형 협심증의 통증은 보통 운동이나 스트레스로 나타나며 3~5분, 때로는 15분까지 지속한다. 협심증으로 인한 통증은 휴식 또는 나이트로글리세린에 의해 완화된다. 협심증은 그 자체로 심각한 심장 질환의 징후이며 불안정해지면 급성 심근경색으로 이어질 수 있다. 치료하지 않고 방치하면 불안정협심증이 급성 심근경색으로 이어질 수 있다. 협심증에 대한 캐나다 심혈관학회(CCS) 등급 척도는 표 3-4에 나와 있다.

- ST분절 비상승 급성 관상동맥증후군(NSTE-ACS). 미국심장협회는 위험성이 있는 환자를 확인하고 처치를 설명하는 측면에서 불안정협심증과 ST분절 비상승 급성 관상동맥증후군(NSTE-ACS) 사이의 밀접한 연관성을 공식적으로 확인했다. ST분절 비상승 급성 관상동맥증후군 환자는 가슴 불쾌감이나 협심증과 동등한 증상이 있는 상황에서 ST분절 하강이나 현저한 T파 역전 및 심장괴사 생물표지자의 양성소견을 보인다. 연구에 따르면 ST분절 비상승 급성 관상동맥증후군은 일반적으로 기존의 죽상경화증 플라크의 파열과 이후의 관상동맥 허혈의 결과로 형성된 혈전으로 인해 발생한다. 불안정협심증은 휴식 중에 발생하며 이전에 발생했던 협심증보다 더 심각하다. 휴식 시에도 계속되는 지속적인 가슴 불쾌감(15분 이상)이나 밤에 환자를 깨우는 가슴 불편함(야간)은 불안정협심증의 특징이다. 환자는 지난 며칠에 걸쳐 통증의 지속시간과 강도가 증가했다고 설명할 수도 있으며 플라크(죽상경화판) 파열과 같은 더 심각한 합병증의 위험에 처해 있다. 이런 환자는 ST분절 비상승 급성 관상동맥증후군이 있는 것으로 간주한다. ST분절 비상승 급성 관

표 3-4. 캐나다 심혈관학회(CCS) 분류에 따른 협심증의 등급

등급	단계에 대한 설명
I	걷거나 계단 오르기와 같은 "평범한 신체 활동은 협심증을 유발하지 않는다." 협심증은 직장이나 취미 생활 중에 격렬하고 빠르거나 장기간의 활동으로 발생한다.
II	"일상적인 활동에 약간의 제한이 있다." 협심증은 빠르게 걷거나 계단을 오를 때 발생한다. 오르막 걷기, 식사 후 걷기 또는 계단 오르기, 추운 곳, 바람이 부는 곳 또는 정서적 스트레스를 받는 상태에서 기상 후 몇 시간 안에 발생한다. 협심증은 정상 상태에서 정상 속도로 2블록 이상 걷고 일반 계단을 1층 이상 오를 때 발생한다.
III	"일반적인 신체 활동의 한계가 뚜렷하게 나타난다." 협심증은 평상시의 속도로 1~2블록을 걷고 1층 계단을 오르는 과정에서 발생한다.
IV	"불편함 없이 신체 활동을 수행할 수 없으며 협심증 증상이 휴식을 취할 때도 증상이 나타날 수 있다."

CCS, Canadian Cardiovascular Society.
Reproduced from: Anderson JL, Adams CD, Antman EM, et al. 2012 ACCF/AHA focused update incorporated into the ACCF/AHA 2007 guidelines for the management of patients with unstable angina/non-ST-elevation myocardial infarction: A report of the American College of Cardiology Foundation/American Heart Association Task Force on Practice Guidelines, *Circulation*. 127(23) e663 – e828, 2013.

표 3-5. 불안정협심증/ST분절 비상승 급성 관상동맥증후군의 원인

혈전 또는 혈전색전증은 일반적으로 파괴되거나 침식된 플라크에서 발생 ■ 일반적으로 곁가지에 있는 폐쇄혈전 ■ 기존 플라크의 부분 폐쇄혈전 ■ 플라크 관련 혈전에서 유래한 원위부의 미세혈관 혈전색전증
플라크 침식에 의한 혈전색전증 ■ 플라크가 없는 관상동맥 혈전색전증
심외막 또는 미세혈관의 동적 폐쇄(관상동맥 경련 또는 혈관수축)
진행성 관상동맥 폐쇄
관상동맥 염증
이차성 불안정협심증
관상동맥 박리

참고: 몇몇 환자는 둘 이상의 NSTE-ACS 발병 원인을 가진다.
NSTE-ACS. Modified from Braunwald E. Unstable angina: an etiologic approach to management. *Circulation* 1998;98:2219–2222

상동맥증후군은 생물표지자를 통해 진단한다. 이 환자는 허혈이나 일과성 허혈 변화를 보일 수 있고 세심한 관찰과 심장 전문의와의 상담이 필요하다. 표 3-5는 ST분절 비상승 급성 관상동맥증후군의 원인을 나열한 것이다. 이러한 각각의 조건은 궁극적으로 환자의 폐쇄된 관상동맥 혈관에 의해 제공될 수 있는 더 많은 관상동맥 산소 요구량을 초래한다. 프로토콜 및 의료 지도에 따라 환자의 12 리드 심전도와 연속적인 심장 생물표지자 검사를 통해 허혈 환자를 모니터링할 수 있는 의료기관으로 신속하게 이송한다.

- ST분절 상승 심근경색은 지속적인 ST분절 상승과 검사실 검사에서 확인된 심장 생물표지자의 방출을 동반하는 심근 허혈의 특징적인 증상을 기반으로 진단한다. 심근 허혈과 일치하는 환자 표현과 관련된 새롭거나 아마도 새로운 좌각차단은 더 ST분절 상승 심근경색에 해당하는 것으로 간주하지 않는다(TIP BOX 3-4). 전흉부 리드(V1~V4)의 ST 분절 하강은 후벽 심근경색을 나타낼 수 있지만, 리드 V7~V9을 사용하여 후벽 심근경색의 직접적인 평가가 가능하다(V7~V9을 사용하면 주 관상동맥의 병변과 관련된 일상적인 12 리드 심전도에서 볼 수 없는 ST분절 상승을 최대 20~30%까지 확인할 수 있다). 또한, 하벽 심근경색을 동반하는 것으로 알려진 우심실 경색(RVI)은 최소 V4R인 우측전흉부 리드로 평가할 수 있다. 우심실 경색 또는 허혈은 하벽 급성 심근경색을 앓는 환자의 30~50%에서 발생하며 흔히 우심부전과 저혈압을 유발한다. 이러한 증상은 흉통을 호소할 때 질산염이나 아편제제를 투여할 경우 상태가 악화할 수 있다. aVr의 상승이나 하강은 또한 급성 심근경색이 발생한 경우 사망률의 현저한 증가와 관련이 있을 뿐만 아니라 LAD 또는 구부러진 부위의 명확하지 않은 고등급 폐쇄에 중요할 수 있다.

TIP BOX 3-4

왼방실다발갈래차단의 심근경색에 대한 수정된 Sgarbossa 기준

좌각차단(LBBB)의 심전도 소견이 있는 환자에서 ST분절 상승 심근경색(STEMI)을 감지하는 것은 어려울 수 있다. 새로운 좌각차단은 항상 병리학적인 것으로 간주하며 심근경색의 징후일 수 있다. Elena B. Sgarbossa는 좌각차단이 발생한 상황에서 ST분절 상승 심근경색 진단에 도움이 될 수 있는 심전도 소견을 1996년에 처음 설명했다. 수정된 Sgarbossa 기준은 이제 ST분절 상승 심근경색을 확인하는 데 사용된다.

- ST분절 상승이 1mm 이상인 리드 1개 이상
- 일치하는 ST분절 하강이 1mm 이상인 V1~V3
- 이전 S파 깊이의 25% 이상으로 정의된 바와 같이 1mm 이상 ST분절 상승 및 비례적으로 과도하게 일치하지 않는 ST분절 상승이 있는 리드 1개 이상

수정된 기준은 조금 더 복잡하지만(점수 시스템 없음), 좌각차단에서 ST분절 상승을 확인하기 위한 민감도를 높인다. 광범위한 채택을 위해서는 추가 연구와 검증이 필요하다.

참고: 심전도에서 오른쪽 리드를 확인하는 명명법은 표준화되지 않았다. 이러한 결과를 가장 잘 전달할 방법은 지역 지침을 참조한다.

증상과 징후

처치 제공자는 급성 관상동맥증후군과 관련된 가장 흔한 증상인 가슴 불쾌감에 대해 자주 도움 요청을 받고 출동한다. 급성 관상동맥증후군에 대한 효과적인 처치는 시간에 민감하므로 신속하게 인지하고 발병 후 처음 1시간 이내에 필수적인 처치를 제공하는 것이 중요하다. 초기 처치는 급성 심장사 및 심근 손상의 가능성을 줄일 수 있다. 급성 관상동맥증후군의 신속한 인식 및 진단은 증상과 징후를 빠르게 인식하고 철저한 병력 청취와 신체검사를 시행하는 것으로 시작한다.

급성 관상동맥증후군의 전형적인 증상과 징후는 모두 나타날 수도 있고 몇 가지만 나타날 수도 있다. 노인, 당뇨병 환자와 55세 이상의 폐경 후 여성은 통증이나 불쾌감 없이 나타날 수 있지만, 오히려 갑자기 쇠약해지는 것처럼 나타날 수 있다. 여성 또한 가슴의 불쾌감을 동반하거나 동반하지 않고 호흡곤란을 호소할 수 있다. 구역, 구토, 등이나 턱의 통증도 여성에게 더 흔하다. 쇠약감이나 호흡곤란을 급성 관상동맥증후군으로 인식하지 못하면 심각하고 생명을 위협하는 결과를 초래할 수 있다. 이러한 대체 증상을 협심증 관련 증상 또는 비정형적인 흉통이라고 한다.

AMLS 평가 과정에서 논의된 대로 SAMPLER 병력과 OPQRST 법을 사용하여 흉통이 있는 환자에 대한 접근 방법을 구성할 수 있다.

OPQRST와 SAMPLER를 완료한 후 감별 진단 범위를 좁히고 환자가 급성 관상동맥증후군을 앓고 있는지와 원인이 협심증인지 불안정협심증 또는 급성 심근경색인지 결정할 준비가 된다. 예를 들어, 한 환자가 폭설로 쌓인 눈을 치우던 중 갑자기 가슴 불쾌감이 발생했다고 말한다. 통증은 복장뼈 아래로 지속적이며 목, 턱, 팔로 방사되었다. 그는 코끼리가 가슴 위에 앉아 있는 것 같은 압박감 때문에 숨쉬기가 곤란하다. 10점 척도를 이용해 통증을 평가해 달라는 질문에 10점 이상이라고 설명했다. 통증은 약 1시간 동안 지속하였으며 휴식을 취하거나 나이트로글리세린을 투여해도 완화되지 않았다. 이 환자는 급성 심근경색의 가능성이 있으며 ST분절 상승 심근경색이 있는지를 결정하기 위해서 12 리드 심전도를 측정한다. ST분절 상승 심근경색은 동적일 수 있으므로 환자에게 특히 설득력 있는 상황 설명과 증상이 있지만, 심전도에 초기 ST분절 상승 심근경색이 나타나지 않는 환자의 경우 항상 연속적인 심전도 측정을 고려한다.

감별 진단

중요한 것은 전형적인 임상 양상이 없다고 해서 안심하면 안 된다. 예를 들어, 가슴 촉진 시 압통이나 가슴막염 요소 또는 기침의 존재는 통증에 대한 심장 원인을 배제하지 않는다. 이러한 증상이 있는 환자는 심각하게 받아들여야 하며 나이 및 위험 인자에 따라 가능한 급성 관상동맥증후군을 평가한다. 위 · 식도 역류 질환 및 근골격계 통증과 같은 대체 진단은 배제 진단이며 확인하려면 의료기관의 의료진에게 맡겨야 한다(TIP BOX 3-5 참조).

TIP BOX 3-5

타코츠보 심근병증(Takotsubo Cardiomyopathy) –"심장병"

타코츠보 심근병증은 EMS 인력이 볼 수 있는 흥미로운 임상 질재지만, 진단을 확인하기 위해 병원 평가가 필요하다. 이는 스트레스가 많은 심리적 또는 신체적 사건에 의해 유발되는 것처럼 종종 느껴지며 환자는 급성 관상동맥증후군의 증상을 보인다. 여기에는 ST 분절 상승 또는 새로 발병한 심부전 및 트로포닌 상승이 포함될 수 있지만, 심장 카테터 삽입에서 확인된 폐쇄 관상동맥 병변은 없다. 그 이름은 "문어 항아리"라는 일본어로 심초음파에서 심장이 어떻게 보이는지를 나타낸다.

타코츠보 심근병증에 대한 메이요 클리닉의 기준은 다음과 같다.

- 단일 관상동맥 분포 이상으로 확장된 일시적인 좌심실 기능 장애
- 심장 카테터 삽입에 의한 폐쇄 관상동맥 질환의 유무
- 새로운 심전도 이상 또는 트로포닌 상승
- 심근염 또는 갈색세포종의 부재

북미에서는 타코츠보로 진단된 환자의 90%가 여성(대부분 노인)이고 일본에서는 주로 남성에서 발견된다. 어떤 사람들은 카테콜아민의 과잉 때문이라고 생각하지만, 이것은 증명되지 않았다. 베타 차단제가 종종 처방되지만 앤지오텐신 전환 효소 억제제의 투여는 사망률을 개선한다. 이 진단에는 병원 평가가 필요하지만, 평가에서 환자가 ST 상승과 트로포닌이 있을 수 있지만, 관상동맥 폐색이 없기 때문에 일부 STEMI 경고 거짓 양성 결과의 원인이 될 수 있다.

맥박산소측정

맥박산소측정으로 호흡곤란, 호흡 노력 향상, 빠른 호흡, 산소포화도가 94% 미만으로 정의되는 저산소혈증이 있는지 모니터링한다. 급성 관상동맥증후군 환자에게 산소를 투여하는 것은 강조되지 않으며 산소를 투여하면 환자의 예후를 악화시킬 수 있다. 산소는 저산소혈증(SpO_2 ≤ 94%) 또는 임상적 호흡곤란이 확인된 환자에게만 투여하며 산소포화도를 94~98%로 유지할 수 있도록 투여한다.

12 리드 심전도

12 리드 심전도 기능이 있는 모니터를 가능한 경우 허혈이 의심되는 환자에게 나이트로글리세린이나 모르핀 같은 약물을 사용하기 전에 급성 관상동맥증후군이 의심되는 모든 환자에게 적용한다(TIP BOX 3-6). 12 리드 심전도 검사는 허혈성 가슴 불쾌감을 가진 모든 환자에게 즉시(환자 접촉 후 10분 이내) 시행되어야 한다. 실제로 병원 전에 12 리드 심전도를 빨리 측

TIP BOX 3-6

급성 관상동맥증후군이 의심되는 환자의 처치 목표는 첫 의료 접촉 후 10분 이내에 12 리드 심전도를 측정하는 것을 포함한다. ST분절 상승 심근경색(STEMI) 환자의 경우 10분 이내에 측정하는 것이 가능하다. 급성 흉통 환자에 대한 아스피린 투여는 금기 사항이 없는 입원 전 환자의 100%에서 이루어져야 한다.

정하고 환자를 이송할 의료기관에 심전도를 전송하는 것이 새로운 2015 AHA 지침에서 Class Ⅰ으로 분류되었다. ST분절 상승 심근경색이 있는 경우 ST분절 상승 심근경색 관련 내용을 전달하고 환자를 지침에 따라 이송한다. ST분절 상승 심근경색 환자의 경우 AHA는 최초 의료 접촉(FMC) 후 90분 이내에 일차 경피 관상동맥중재술(PPCI)을 권장하지만, 어떤 경우라도 최초 의료 접촉과 재관류 사이의 간격은 120분을 넘지 말아야 한다. 신속하게 관상동맥중재술(120분 미만) 시행이 불가능할 경우 섬유소용해에 대한 권장 사항은 복잡해졌으며 처치 제공자는 현지 지침을 따른다. 자세한 내용은 9장의 2015 ILCOR AHA 지침을 참조한다. 일반적으로 병원 내 섬유소용해는 일부 상황에서 수용할 수 있는 대안이지만, 증상 발생 시간과 경피적 관상동맥중재술을 시행까지 예상되는 지연 시간이 의사결정에 영향을 미친다. 현장에서 지연된 시간은 최종 처치 및 재관류에 드는 시간을 늘리는 것 외에는 거의 없기 때문에 현장에서 머무는 시간을 단축하기 위해 의료기관으로 이송하는 중에 약물을 투여할 수 있다. 일부 상황에서는 헬기를 이용해 환자를 관상동맥중재술이 가능한 의료기관으로 신속하게 이송하는 것을 고려한다.

처치

심장에 허혈이나 손상이 발생하는 위치와 표준 처치와 관련된 예상 합병증을 알면 가장 적절한 처치를 제공할 수 있는 능력이 향상된다. 예를 들어, 리드 Ⅱ, Ⅲ 및 aVF에서 ST분절 상승에 의해 입증되는 하벽 경색 환자의 경우 우심실 경색을 의심한다. 하벽 경색이 있는 환자의 경우 처치 제공자는 가슴의 왼쪽에 V 리드를 가슴의 오른쪽에 부착하여 오른쪽 심전도를 측정한다. 리드 V_4R에서 1mm 이상의 ST분절 상승은 우심실 경색을 암시한다(그림 3-11). 실제로 리드 Ⅱ의 ST분절 상승보다 리드 Ⅲ의 ST분절 상승이 우심실 관련을 예측할 수 있다. 저혈압, 상승한 목정맥압 및 명확한 폐 분야(clear lung field)의 3요소는 현장에서 우심실 경색을 진단하는 데 도움이 될 수 있

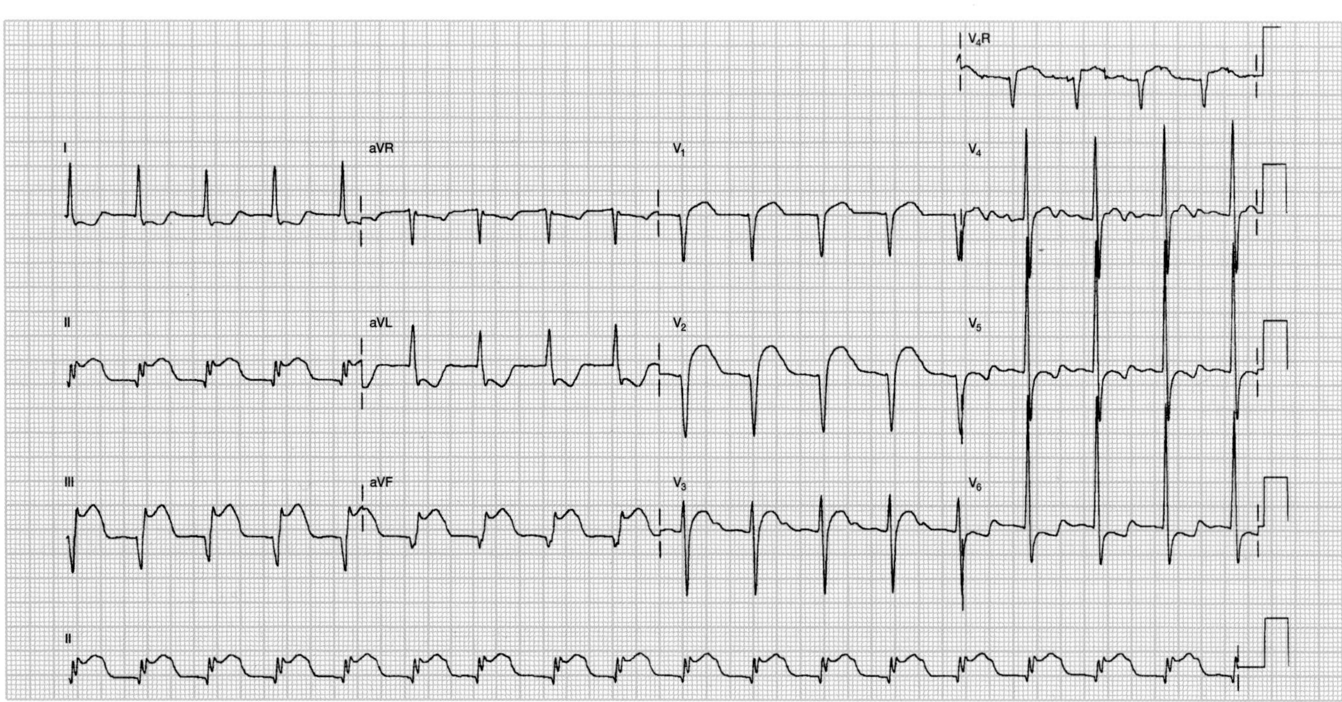

그림 3-11. 급성 하벽 경색이 있는 급성 우심실 경색. 리드 Ⅱ, Ⅲ 및 aVF의 ST분절 상승 및 Q 파동과 리드 Ⅰ와 aVL의 상호 변화에 유의한다. 리드 Ⅲ의 ST분절 상승은 리드 Ⅱ의 상승을 초과하며 급성 우심실 경색의 결과로 V_1~V_3에서도 볼 수 있다.

From *Introduction to 12-lead ECG: the art of interpretation*, ed 2, Courtesy of Tomas B. Garcia, MD

다. 급성 우심실 경색 환자는 심박출량을 유지하기 위해 우심실 충만압을 유지한다. 전부하를 감소시키는 약물(질산염, 이뇨제) 또는 기타 혈관 확장제(모르핀, 앤지오텐신전환효소 억제제)는 심각한 저혈압을 유발할 수 있으므로 주의해서 사용한다. 우심실 경색이 의심되는 환자가 저혈압인 경우 프로토콜 및 의료 지도 의사의 지시에 따라 신중한 수액 소생술을 시행하는 것이 적절하다. 질산염은 통증을 감소시킬 수 있지만, 개선된 결과와 관련이 없다는 것을 기억하는 것이 중요하다. 따라서 이러한 상황에서 질산염이 저혈압을 유발할 가능성이 있는 경우에는 사용하지 않는다. 통증은 다른 약물로 조절할 수 있다. 또한, 허혈이 정상적인 전기 패턴을 방해할 수 있고 상당한 심장 차단이 존재할 수 있으므로 동 기전(p파)이 있는지 확인한다. 이것은 종종 병원 전 처치 제공자가 못 보고 넘어가는 경우가 있다.

병원 전 환경

병원 전 처치 제공자로서 급성 관상동맥증후군의 조기 인식, 환자를 이송할 의료기관에 통보, 관상동맥 성형술이 가능한 의료기관으로 이송, 심실 부정맥의 인지 및 제세동이 환자 생존의 핵심이다. 초기 활력징후의 일부로 12 리드 심전도를 측정하고 ST분절 상승 심근경색이 있는 경우 환자를 이송할 의료기관으로 신속하게 환자 상태를 보고한다. 아스피린이 급성 관상동맥증후군 환자의 이환율과 사망률을 줄이는 데 도움이 될 수 있는 유일한 방법이기 때문에 잘 알려진 MONA 방법은 서서히 사라지고 있다. 산소는 저산소혈증이 아닌 급성 관상동맥증후군 환자에서 결과를 악화시키는 것으로 나타났으며 모르핀은 STEMI에서 이점이 없고 NSTE-ACS에서 결과를 악화시키는 것으로 나타났고 나이트로글리세린 설하 투여는 연구되지 않았다(나이트로글리세린을 정맥 내로 투여한 경우 혜택이 있음). 의료 지도 의사에게 의료 지도를 받고 약물에 대한 프로토콜을 검토한다. 다음과 같은 지침이 일반적이다.

- 비장용성(지속성) 코팅이 되어 있지 않으면 아스피린 162~325mg(소아용 아스피린 2~4개)을 급성 관상동맥증후군의 징후가 나타나면 씹거나 그냥 삼켜서 복용한다. 환자가 아세틸살리실산에 알레르기나 최근 출혈성 궤양 병력이 없고 천식 발작이 없는지 확인한다. 천식을 앓고 있는 환자는 "아스피린 유발 천식"으로 알려진 상태가 발생할 수 있다. 아스피린을 투여하면 점차적으로 천식이 발생하지만, 환자는 상태가 더 심하고 회복하기 어려운 천식이 경험할 수 있다. 관상동맥중재술을 시행하기 전 아스피린 투여는 미국심장협회의 Class I 권장 사항이다. 흉통을 호소하는 모든 환자는 알레르기가 없는 한 아스피린을 투여한다. 미국심장협회는 응급의료상황관리자가 병원 전 EMS 처치 제공자가 도착하기 전에 환자에게 아스피린 162~325mg을 씹어 먹을 수 있도록 지도하는 것을 권장하고 있다. 아스피린 좌약(300mg)은 안전하며 심한 구역이나 구토 또는 상부 위장관 장애가 있는 환자에게 투여할 수 있다.
- 산소는 호흡곤란, 심부전, 쇼크 또는 산소포화도가 94% 미만인 환자에게 투여한다. 저산소증의 징후가 있는 경우 산소포화도를 94% 이상으로 유지하기 위해 산소를 투여한다. 호흡곤란이 심하거나 좌심실 부전으로 인한 급성 폐부종이 있는 경우 지속기도양압(NIPPV) 또는 이상성기도양압(NPPV)로 산소를 투여하거나 최소한 백밸브마스크장치를 사용하여 산소를 공급한다. 그러나 이러한 장비가 없는 경우 최근 ILCOR와 AHA 2015 보고서에는 급성 관상동맥증후군이 의심되거나 정상 산소포화도를 보이는 환자에게 산소 투여의 이점을 확인하지 못했다.
- 나이트로글리세린을 투여하기 전에 정맥 내로 결정질 수액을 투여할 수 있지만, 환자가 과거 약물 투여에 대한 합병증이 없었다면 나이트로글리세린을 투여한 후까지 정맥 라인 확보를 지연시킬 수 있다.

가능하면 나이트로글리세린을 투여하기 전에 정맥 내로 확보하는 것이 도움이 된다. 질산염은 특히 발기 부전 치료제와 같이 사용하면 혈압이 급격히 떨어질 수 있다. 환자가 최근에 발기부전 치료제를 복용한 경우 투여하지 않는다. 저혈압의 경우 수액을 볼루스로 신속하게 투여한다.

- 나이트로글리세린 0.4mg를 정제나 정량식 분무기로 혀 밑에 투여할 수 있다. 수축기 혈압이 90mmHg 이상으로 유지되는 경우 3~5분마다 3번 반복 투여할 수 있다. AHA 지침은 119 응급의료상황관리자가 나이트로글리세린 투여가 가능한 환자에게 EMS 처치 제공자가 도착하는 것을 기다리는 동안 나이트로글리세린을 5분마다 최대 3번까지 반복 투여하도록 조언하라고 권고한다. 나이트로글리세린은 전부하와 심장의 산소 소모를 감소시켜 허혈을 감소시키고 관상동맥을 확장해 심장 곁순환을 증가시킨다. 나이트로글리세

린은 급성 관상동맥증후군, ST분절 상승 또는 하강 그리고 좌심실부전(폐부종)의 합병증을 포함한 급성 심근경색과 관련된 증상을 호소하는 환자에게 투여할 수 있다. 우심실경색 환자는 적절한 전부하가 필요하므로 주의하여 사용한다. 나이트로글리세린은 저혈압, 극단적으로 서맥이나 빈맥을 보이는 환자에게 투여해서는 안 된다. 24~36시간 이내에 발기부전 치료제인 포스포다이에스터분해효소 억제제(비아그라, 시알리스, 레비트라)를 복용한 환자에게 나이트로글리세린을 투여하지 않는다. 나이트로글리세린 투여시 두통, 혈압 감소, 실신, 빈맥에 주의한다. 환자는 약물 투여 중 앉거나 누워 있어야 한다. 통증과 혈압을 더욱 효과적으로 조절하기 위해 나이트로글리세린을 분당 10mcg의 속도로 투여를 시작할 수 있다. 통증을 완화하기 위해 매 3~5분마다 10mcg씩 용량을 증가시켜 투여한다. 혈압을 주의 깊게 관찰하지 않으면 나이트로글리세린 투여로 인해 혈압이 위험한 수준으로 감소할 수 있기 때문에 혈압을 모니터링한다. 많은 EMS 시스템과 처치 제공자들도 나이트로글리세린을 점적주입 하는 것보다 적극적인 처치 방법을 사용한다.

- 관련된 정서적 스트레스와 교감신경 자극은 허혈을 악화시킬 수 있으므로 처치에서 통증 완화가 가장 중요하다. 일반적으로 통증을 조절하기 위해 아편제제 마약이 사용된다. 펜타닐은 유리한 심혈관 특성으로 인해 이러한 상황에서 광범위하게 사용된다. 안전성에 대해 논란이 있지만, 모르핀은 여전히 널리 사용되므로 특히 체액이 고갈되거나 우심실경색이 명백한 환자의 경우 혈압 저하에 주의한다. 모든 아편제제 투여는 호흡 충동에 영향을 미치므로 주의 깊게 모니터링하고 되도록 임상 평가에 파형 호기말이산화탄소분압측정을 포함한다.
- STEMI 환자를 경피 관상동맥중재술을 받을 수 있는 의료기관으로 이송하면서 경구 아데노신이인산(ADP) 억제제를 병원 전에 투여하는 것은 잠재적인 이득이 있는 것으로 인식되어 왔다. 연구에 따르면 초기 항혈소판억제제와 관련된 경피 관상동맥중재술을 시행한 후 개선된 임상 결과가 확인되었다. 병원 전 환경은 P2Y12 억제제를 사용할 수 있는 합리적인 환경으로 확인되었으며 특히 상대적으로 짧은 FMC-PPCI 시간 간격의 경우에 더 그렇다. 또한, 혈액 응고에 강력한 영향을 미치며 우회술이 필요한 경우(상대적으로 드물기 때문에) 관상동맥 혈관재형성을 지연시킬 수 있으므로 현장에서 사용할 수 있도록 심장학 및 심혈관 수술 관행과 호환되는 합의된 프로토콜을 수립하는 것이 가장 좋다. 이것은 병원 전 기관이 허혈성 흉통 관리의 협력적인 처치에 주도적으로 참여할 수 있는 분야이다.

병원 전 섬유소용해제의 투여는 미국과 유럽에서 효과적인 것으로 나타났다. 미국에서는 구급차에서 사용하는 것은 비교적 드물지만, 환자를 항공으로 이송하는 경우 자주 사용한다. 최초 의료 접촉 후 기계적 처치 시작이 120분을 초과할 것으로 예상되는 경우 병원 전 섬유소용해제 사용을 고려한다(TIP BOX 3-7). 이 경우 정맥 라인을 확보하는 것은 최초 의료 접촉

TIP BOX 3-7

ST-상승 심근경색증 환자 처치를 위한 2013 ACCF/AHA 가이드라인

1. 관상동맥중재술이 가능 병원에서 최초 의료 접촉 후 기계를 사용한 처치가 불가피한 지연으로 인해 120분을 초과하는 경우 금기 사항이 없는 한 관상동맥중재술이 불가능한 의료기관에서 STEMI 환자에게 섬유소용해 요법을 시행한다(Class Ⅰ, 근거 수준: B).
2. 섬유소용해 요법이 1차 재관류 방법으로 지시되거나 선택되는 경우 병원 도착 후 30분 이내에 투여한다(Class Ⅰ, 근거 수준: B).
3. 금기 사항이 없는 경우 최초 의료 접촉 후 120분 이내에 일차 관상동맥중재술을 시행할 수 없는 것으로 예상되는 STEMI 환자와 이전 12시간 이내에 허혈성 증상을 보이는 환자에게 제공한다(Class Ⅰ, 근거 수준: A).
4. 섬유소용해 요법은 실제 후방(기저부) 심근경색증이 의심되거나 리드 aVR에서 ST 상승과 관련된 경우를 제외하고는 ST 하강을 보이는 환자에게 투여해서는 안 된다(Class Ⅲ, 근거 수준: B).
5. 금기 사항이 없는 한 관상동맥중재술 또는 관상동맥우회술이식(CABG)에 적합하지 않은 STEMI 및 심인성 쇼크 환자에게 섬유소용해 요법을 시행한다(Class Ⅰ, 근거 수준: A).

*제안된 기간은 시스템 목표이다. 모든 개별 환자에 대해 가능한 한 빨리 재관류 요법을 제공하기 위해 모든 노력을 기울인다.

ACCF, American College of Cardiology Foundation; AHA, American Heart Association; CABG, coronary artery bypass graft; FMC, first medical contact; PCI, percutaneous coronary intervention; STEMI, ST-elevation myocardial infarction.

Reproduced from 2017 AHA/ACC Clinical Performance and Quality Measures for Adults with ST-Elevation and Non-ST-Elevation Myocardial Infarction Circ Cardiovasc Qual Outcomes. 2017;10:e000032. DOI: 10.1161/HCQ .0000000000000032.

후 30분 이내여야 한다. 병원 밖 섬유소용해제를 투여하는 것은 프로토콜에 대한 엄격한 준수, 12 리드 심전도 측정 및 분석, ACLS 경험, 환자를 이송할 의료기관과 의사소통 능력, STEMI 처치 경험이 있는 의료 지도 의사가 필요하다. 섬유소용해제를 사용하는 것을 평가하기 위한 지속적인 품질 개선 과정이 필요하다. 대부분의 EMS 서비스는 12 리드 심전도 측정을 통한 조기 진단에 집중하고 섬유소용해 체크리스트 작성, 1차 약물 투여, 심장 도관 삽입을 준비하기 위해 환자를 이송할 의료기관에 사전 보고에 집중할 만큼 이송 시간이 짧다. 그러나 병원 전 섬유소용해제가 STEMI 환자에 대한 처치 방법의 표준 구성 요소이고 대체 방법인 관상동맥중재술이 지연되거나 불가능한 상황에서는 병원에서 섬유소용해제를 투여하는 처치에서는 이송 시간이 30분을 초과할 때 섬유소용해제를 병원 전에 투여하는 것이 합리적이다.

병원 내 환경

STEMI로 진단된 환자의 초기 현장 안정화 후 다음 약물 중 하나 이상의 약물을 투여하는 것은 드문 일이 아니다.

- 헤파리노이드(Heparinoids): 저분자 헤파린. 에녹사파린과 같은 저분자 헤파린은 점적 투여가 필요하지 않기 때문에 항응고제를 투여하는 편리한 방법이다.
- 미분획헤파린(Unfractionated heparin). STEMI에서 섬유소 특이적 용해제를 이용한 보조요법으로 사용되는 경우 현재의 권장 사항은 50~70units/kg의 용량을 일시에 투여한 후 12units/kg/h 속도로 투여한다. 대부분 구급차를 이용한 환자 이송 과정에서는 헤파린을 점적주입 하지 않지만, 일부에서는 병력과 12 리드 심전도에서 STEMI로 확인된 환자에게 헤파린을 볼루스로 투여한다. 프로토콜과 의료 지도 의사의 의료 지도 및 업무 범위에 따라 처치 여부가 결정된다. 현재 대부분의 의료기관 간 전원하는 경우 처치하는 시간을 지연시킬 수 있으므로 환자를 전원하는 동안 약물 투여를 피한다.
- 베타-수용체 길항제 투여. 베타 차단제는 심근경색 후 환자 관리를 위한 표준 치료이지만, 급성 관상동맥증후군 환자의 급성 치료에 사용하려면 임상적 상황을 신중하게 고려한다. 급성 치료에 사용되는 약물에는 메토프로롤과 에스몰올이 있다. 이 약물은 수축성과 속도를 감소시켜 심근 활동을 감소시킬 수 있다. 또한, 부정맥이 문제가 될 때 심장의 전기적 흥분성을 감소시킬 수 있다. 반면에 진행 중인 환자가 심장성 쇼크 또는 심장 차단과 같은 합병증을 일으키면 수축성 및 속도에 미치는 영향은 임상적 상황을 심각하게 악화시킬 수 있다. 베타 차단제 투여에 대한 금기는 중등도에서 중증의 좌심실 부전 및 폐부종, 서맥, 저혈압, 부적절한 말초 관류 징후, 2도 또는 3도 심장 차단 및 천식의 경우이다. 현장에서 중증 환자를 처치하는 경우 처치 제공자는 프로토콜에 따라 메토프로롤, 아테놀롤, 프로프라놀롤, 에스몰올 및 라베탈롤을 사용할 수 있다. 심박수와 혈압이 적절하게 유지되도록 약물을 투여하기 전에 활력징후를 확인한다. 때때로 불쾌감이 완화되면 카테콜아민 방출이 중단된다. 베타 차단제를 정맥 내로 투여하는 경우 환자는 저혈압이 발생하고 상태가 악화할 수 있으며 정맥 내로 수액을 볼루스로 투여할 수 있도록 준비한다. 프로토콜, 의료 지도 의사의 의료 지도 및 업무 범위에 따라 환자를 처치한다.
- 리시노프릴과 캡토프릴을 포함한 ACE 억제제. 이 약물은 저혈압, 신부전, 고칼륨혈증의 금기증이 없는 STEMI 환자에게 퇴원 전에 병원 내 환경에서 경구 투여한다. 혈압을 낮추는 것으로 알려진 효과 외에도 ACE 억제제는 심근경색 후 좌심실 재형성과 관련된 파괴적인 변화를 최소화하고 혈관 내피세포 사멸을 최소화하여 플라크 파괴를 억제하는 것으로 여겨진다. 대규모 기록된 연구는 ACE 억제제가 폐쇄성 및 비폐쇄성 관상동맥질환을 가진 환자 모두에서 6개월 사망률의 감소와 유의하게 연관되어 있다.
- 아토르바스타틴을 포함한 항지질 요법은 급성 심근경색의 초기 처치에서 일반적으로 투여된다. 이러한 약물은 외래 환자 치료 및 위험 감소의 핵심이다.

생명을 위협하지 않는 흉통의 원인

가슴 불쾌감을 호소하거나 급성 관상동맥증후군의 관련 증상과 징후가 비정상적으로 나타나는 환자는 급성 관상동맥증후군 여부를 먼저 평가한다. 초기 평가 후 급성 관상동맥증후군이 발생할 가능성이 낮아지면 생명을 위협하거나 위협하지 않는 다른 감별 진단을 평가한다(표 3-6).

일부 응급 진단에는 불안정협심증, 관상동맥연축 또는 프린츠메탈(Prinzmetal) 협심증, 코카인 유발 흉통, 감염(심근염, 심장막염), 단순기흉(2장 참조) 그리고 식도 파열, 담낭염 및 췌장염과 같은 위장관 원인(6장 참조) 등이 포함된다.

표 3-6. 가슴 불쾌감의 원인: 감별진단

- 급성 관상동맥 폐쇄
- 폐색전증
- 관상동맥박리(종종 가슴대동맥 박리와 관련됨)
- 조절되지 않는 고혈압
- 관상동맥연축
- 관상동맥색전증(심방 점액종, 혈소판 혈전, 판막증식증 등)
- 위장관 질환
  - 급성 위염
  - 급성 췌장염
  - 위산 역류, 식도염
  - 소화성 궤양 질환
  - 보어하브 증후군
- 폐렴, 가슴막염
- 바이러스성 심근염 / 심장막염
- 관상동맥 침범을 동반한 전신 혈관염
- 독성 노출(예: 사이안화물 또는 일산화탄소)
- 빈혈 또는 적혈구 기능장애(: 낫적혈구)
- 쇼크(저혈량 또는 패혈)
- 심장부정맥
- 심장의 구조적 이상(선천적 또는 후천적)

관상동맥 연축 또는 프린츠메탈 협심증

관상동맥 연축은 심근에 혈액과 산소를 공급하는 관상동맥이 갑자기 좁아지는 것이다. 관상동맥 연축은 변형협심증 또는 프린츠메탈 협심증으로도 알려져 있다.

병태생리학

프린츠메탈 협심증은 휴식 중에 흉통을 유발하며 관상동맥의 혈관 연축으로 인해 발생한다. 남녀 모두 프린츠메탈 협심증이 나타날 수 있지만, 50대 여성에게서 더 흔하게 발생한다. 프린츠메탈 협심증이 있는 환자는 심실부정맥, 심근경색, 심장차단 또는 돌연사할 위험이 증가한다.

증상과 징후

프린츠메탈 협심증 환자는 활력징후가 거의 변화되지 않을 수 있다. 일부 환자는 중요한 관상동맥질환을 보이지만, 다른 환자는 그렇지 않을 수 있다. 심한 통증은 주로 환자가 밤이나 아침 시간에 쉬고 있을 때 발생한다. 연축은 주기적으로 발생할 수 있으며 통증이 발생한 후 통증이 없는 기간이 있다.

감별 진단

이 상태는 종종 STEMI 및 급성 심근경색과 구별하기가 어렵기 때문에 일반적인 분류와 처치가 이루어져야 한다.

처치

이 흉통은 휴식이나 질산염으로 완화될 수 있다. 급성 심근경색과 비슷하게 보이는 ST분절 상승을 동반하는 심전도 변화에 주목한다.

코카인 사용

코카인이나 크랙 코카인(흡연 형태의 코카인)은 다양한 형태로 체내에 흡수될 수 있다. 심장에 대한 위험성은 잘 문서화되어 있다.

병태생리학

심장 독성은 심박수, 혈압, 심실 수축력(β 효과)이 향상하면서 심장에 직접적인 영향 때문에 발생하며 그 결과 심근의 산소 요구량이 증가한다. 또한, 관상동맥 혈류가 감소하고 관상동맥 연축의 위험이 커진다(α 효과). 사실 관상동맥 연축은 코카인 유발성 심근경색의 주요 원인으로 생각된다.

증상과 징후

코카인을 남용하는 환자는 초조함의 징후를 보이고 동공이 확장될 수 있다. 크랙 코카인을 피우지만, 환자는 공격성, 편집증 및 반사회적 행동 같은 분말 코카인을 흡입한 사람에게 보이는 것과 동일한 증상과 징후를 보인다.

감별 진단

진단에는 다른 약물(예: 바비투르산염, 벤조다이아제핀 또는 알코올)의 독성이나 불안장애(예: 공황발작) 및 우울증이 포함될 수 있다.

처치

코카인 유발성 부정맥과 고혈압의 일차 처치는 일반적으로 중추신경계 및 심혈관계에 코카인이 미치는 영향을 완화하기 위해 벤조다이아제핀을 투여하는 것이다. 최근 발표한 900명 이상의 코카인 양성 환자에 대한 등록 연구에 따르면 이 환자들은 젊은 남성이며 STEMI 및 심장성 쇼크가 발생할 비율이 더 높은 집단으로 나타났다. 또한, ACS를 앓고 있는 코카인 양성 환자는 다혈관성 관상동맥질환을 보일 가능성이 작았다. 벤조다이아제핀은 표준 ACS 처치 프로토콜에 추가되어야 한다. 코카인과 관련된 위험 때문에 섬유소용해제의 사용은 고위험으로 간주한다. 베타 차단제는 결과적으로 반대되지 않는 알파 효과가 위험한 고혈압 상태 및 관상동맥 연축을 촉진할 수 있기 때문에 금기이다. 만성적인 코카인이나 크랙 코카인 사용은 죽상경화 질환을 가속하므로 정상보다 어린 나이의 환자는 ACS가 발생할 위험이 있을 수 있다.

심장막염

심장막염은 심장막이나 심장막 주머니의 염증이다. 급성일 수도 있고 48시간 지속할 수도 있으며 만성일 수도 있고 더 오래 지속하고 자주 재발할 수 있다.

병태생리학

심장막염은 일반적으로 바이러스에 의해 발생하지만, 만성 신부전, 류머티즘 심장질환, 결핵, 백혈병, 후천면역결핍증후군(AIDS) 또는 암을 포함하는 다른 병인들에 의해 유발될 수 있다. 원인을 알 수 않는 경우도 종종 있다. 심장막염의 불쾌감은 급성 관상동맥증후군과 다르다. 이것은 종종 며칠 동안 점차 강도가 증가하는 둔한 통증으로 설명된다.

증상과 징후

심장막염의 고전적인 통증은 앞으로 몸을 기울이면 개선되고 뒤로 누우면 악화한다. 아마도 이유는 심장이 가슴 중앙에 매달려 있고 누웠을 때 가슴 뒤쪽에 닿기 때문일 것이다. 들숨에 의한 자극으로 통증이 증가할 수 있다. 조기에는 폐가 정장이라 목정맥팽창(JVD) 또는 발 부종이 나타나지 않는다. 추가 증상으로 발열, 쇠약, 피로, 권태감, 심장막 마찰음을 청진으로 들을 수 있다. 심장막염의 결과로 심장막 삼출액이 발생하는 경우 마찰이 발생하는 것을 들을 수 있고 모순맥박을 발견할 수 있다. 흉부 방사선 사진에서 만성 상태의 심장막삼출로 인해 심장 윤곽이 확대된 것을 볼 수 있다. 12 리드 심전도에서 고전적으로 PR 분절 하강을 보인다고 하지만, 다른 여러 시점에서 발생하는 다양한 증상들이 있다. 확산한 ST분절 상승의 감별 진단(그림 3-12)에 심장막염이 포함되어야 한다. 혈액 검사에서 신체의 염증을 간접적으로 측정하는 적혈구 침강 속도의 상승과 감염의 존재를 나타낼 수 있는 백혈구 수(WBC)가 증가할 수 있다.

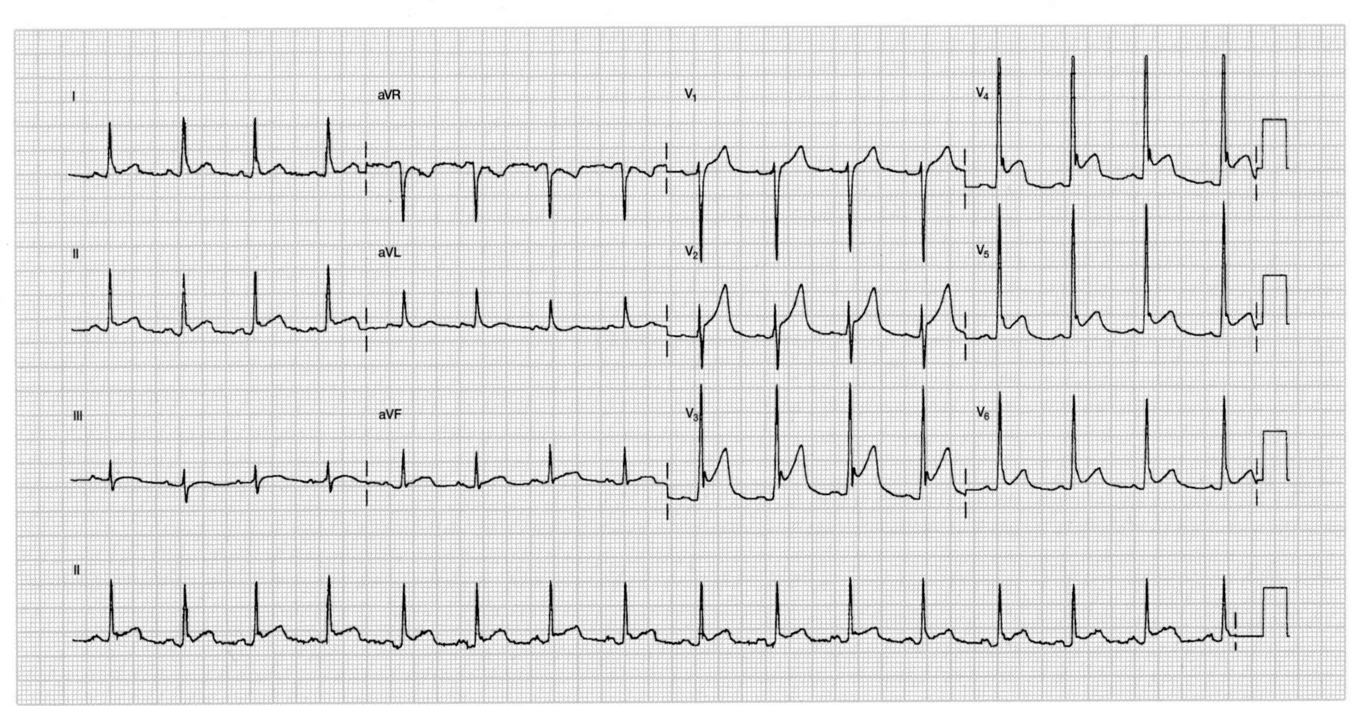

그림 3-12. 심장막염을 나타내는 12 리드 심전도. 리드 I, II, aVF, V_1~V_6에서 ST분절 상승이 있다. QRS복합체의 양성 ST분절 상승을 나타낸다.

From *Introduction to 12-lead ECG: the art of interpretation*, ed 2, Courtesy of Tomas B. Garcia, MD.

감별 진단

심장막염과 관련된 흉통은 발병(보통 점진적), 통증 유형(예리한/몸 통증), 완화/자극(앞으로 기울이면 통증이 좋아짐)에 따라 급성 심근경색과 구별된다. 환자는 심근경색 또는 심근경색 후 드레슬러 증후군으로 알려진 심근경색 또는 심장 수술 후 환자가 심장막염의 형태로 발전할 수 있다.

처치

처치는 진통제와 비스테로이드항염증제(NSAIDs)를 사용하여 불쾌감을 완화하는 것을 목표로 한다. 일반적으로 통풍에 사용되는 약물인 콜히친은 스테로이드제처럼 효과적일 수 있다. 환자의 경향은 증상의 중증도 및 기타 관련 문제 또는 동반 질환에 따라 달라진다.

심근염

심근염은 심근의 심근층에 발생한 염증으로 정의된다.

병태생리학

종종 임상적으로 진단되지 않는 이 염증은 일반적으로 여름철에 바이러스(콕사키 B 장바이러스, 아데노바이러스)에 의해 발생한다. 이 질병의 예후에는 1/3은 합병증 없이 회복하고 1/3에서는 만성 심기능장애를 나타내며 나머지 1/3의 환자는 만성 심부전으로 진행하여 심장 이식이 필요하거나 사망한다.

증상과 징후

환자는 발열, 피로, 근육통, 구토 및 설사를 포함한 인플루엔자 유사 질환을 나타낼 수 있다. 그 후 심근염의 징후는 발열과 빈맥, 빠른 호흡을 보이며 12%의 환자에서 흉통을 호소한다. 심전도는 QT 간격 연장이나 방실차단 또는 급성 심근경색의 패턴으로 낮은 전압을 나타낼 수 있다. 심장 효소는 보통 적혈구 침강 속도와 함께 상승한다.

감별 진단

심근염은 울혈심부전과 함께 급성 심근경색처럼 나타날 수 있지만, 환자는 일반적으로 젊으며(35세 미만) 심장 질환의 위험인자가 없을 수 있다. 심장도관삽입에서 관상동맥 폐쇄는 보이지 않는다. 다른 감별 진단에는 심근병증과 심장눌림증, 죽상경화증이 포함될 수 있다.

처치

처치는 지지요법이 도움이 되며 심하면 심장 이식이 필요하다.

담낭염

가슴에 가깝기 때문에 위장관의 문제는 가슴의 불쾌감과 통증을 유발할 수도 있다. 담낭염은 처치 제공자의 즉각적인 주의가 필요한 응급상황일 수 있다.

병태생리학

담낭염은 담낭 벽의 감염과 염증을 유발할 수 있는 담낭관 폐쇄로 인해 유출되지 않아 발생하는 담낭의 염증이다. 담낭염과 관련된 통증은 일반적으로 우상복부에 국한되지만, 어깨로 방사될 수도 있다.

증상과 징후

담낭염에서 통증은 날카롭고 복통이 있으며 종종 기름진 음식을 섭취한 후 나타난다. 갑자기 나타날 수 있기 때문에 흔히 발작이라고 한다. 발작이 급성(열이 없음)인지 만성(열이 있음)인지에 따라 발열이 있을 수도 있고 없을 수도 있다. 구역과 구토는 흔히 동반되는 증상과 징후이다. 검사실 검사에서 간 기능이 증가하고 백혈구 수가 증가할 수 있다.

감별 진단

오른쪽 상복부 통증과 등으로 방사되는 가슴 아래쪽 통증은 가슴 대동맥박리에 대한 우려를 불러일으킬 뿐만 아니라 하벽 심근경색과 유사할 수 있다. 진단은 일반적으로 담낭염과 일치하는 해부학적 이상을 보여주는 초음파 검사를 통해 이루어지지만, 때로는 기능에 대한 핵의학 영상 검사가 필요하다.

처치

처치를 위해서는 담낭을 제거해야 하며 수술 전까지는 지지적 요법을 시행한다. 환자가 수분을 계속 섭취하도록 하는 것과 마찬가지로 구역과 통증을 완화하는 것이 우선순위이다. 수술을 시행하기 전에 광범위 항생제를 투여할 수 있다. 이 질환과 흉통을 일으킬 수 있는 식도연축, 식도역류, 소화성 궤양, 담석급통증을 포함한 흉통의 다른 위장관 질환에 대한 추가 정보는 6장에 설명되어 있다.

췌장염

췌장염은 췌장의 급성 염증이며 고혈당, 담석, 과도한 알코올 사용 또는 기타 여러 약물로 인해 발생할 수 있다. 일부 일반적인 약물은 또한 특정 에이즈 약물, 이뇨제(푸로세마이드 및 하이드로클로로티아자이드) 및 일부 화학요법 약물(L-아스파라기나아제 및 아자티오프린)을 포함하여 췌장염을 유발할 수 있다. 에스트로젠 대체 요법은 혈중 중성지방 수치를 높이는 효과 때문에 췌장염을 유발할 수도 있다.

병태생리학

췌장이 손상되거나 기능에 이상이 생기면 췌장 효소가 췌장 조직으로 누출되어 자가 소화를 시작한다. 췌장염은 다기관 기능 장애로 이어지는 생명을 위협하는 상태일 수 있으며 종종 재발한다.

증상과 징후

췌장염은 종종 중증으로 심각하고 구토와 관련된 상복부 및 왼쪽 상복부 통증과 함께 나타날 수 있다. 다양한 실험실 검사에서 이상이 보일 수 있지만, 혈청 리파아제의 상승은 대부분 급성 췌장염 사례에서 중요한 확인 검사이다. 췌장염의 초기 합병증에는 탈수, 저칼슘혈증 및 고혈당으로 이어지는 세 번째 간격으로 인한 쇼크 등이 있다. 중증의 췌장염과 관련된 대사 장애로 인한 직접적인 폐 손상의 결과로 환기 부전이 발생할 수 있다. 신부전은 또한 질병을 복잡하게 할 수 있다.

감별 진단

환자의 병력 및 신체검사 소견은 진단의 범위를 좁히는 데 도움이 될 수 있고, 가능성에는 다음과 같은 내용을 포함할 수 있다.

- 파열된 장 점액
- 급성 장간막 허혈
- 비정형 심근경색
- 소화 궤양 질환
- 복부 대동맥류 박리 또는 파열

실험실 검사와 영상 검사(복부 방사선 사진, 복부 CT, 복부 MRI)가 진단을 결정하는 데 도움이 되기 때문에 병원 전 진단이 어렵다.

처치

췌장염의 처치는 질병의 중증도에 따라 다르다. 일반적인 원칙으로는 아편제제를 이용하여 통증 완화, 구역 조절, 환자에게 수분을 공급하는 것이다. 음식물을 코 위관으로 주면 췌장 자극을 피하는 데 도움이 될 수 있다. 환자가 감염의 징후를 보이면 정맥 내로 항생제 투여를 시작할 수 있다.

식도 파열

식도의 말로리-바이스 파열은 보통 심한 구토 후에 발생한다. 파열은 일반적으로 식도와 위 접합부 또는 위 자체의 길이가 약 1~4cm이다. 일부 위장관 출혈이 발생할 수 있지만, 일반적으로 심각하지 않다. 이 질병에 대한 자세한 설명은 6장을 참조한다.

기타 심장 관련 흉통의 원인

가슴 불쾌감의 다른 원인에는 판막심장병, 대동맥판막협착증, 승모판탈출 및 비대심근병증과 같은 심장의 구조적 변화가 있을 수 있다. 이러한 모든 질병은 급성 관상동맥증후군과 유사한 가슴 불쾌감 및 통증을 유발할 수 있다.

대동맥판막협착증

사람이 나이가 들면서 심장판막의 단백질 콜라젠이 손상되고 칼슘이 침전된다. 판막을 가로질러 흐르는 혈액의 난류는 판막의 상처와 두꺼워짐, 폭이 좁아지거나 협착을 증가시킨다. 이 노화 과정이 진행되어 일부 환자에게서는 심각한 대동맥협착을 유발하지만, 다른 환자에게서는 그렇지 않은지는 알려지지 않았다. 진행성 질환을 유발하는 대동맥의 석회화와 협착은 심장마비를 일으킬 수 있는 칼슘이 관상동맥에 침전될 수 있는 것과 달리 건강한 생활 방식의 선택과는 아무런 관련이 없다.

병태생리학

류마티즘 열은 A군 사슬알균에 의해 치료되지 않은 감염으로 인한 질병이다. 류마티즘 열로 인한 판막 첨판의 손상은 판막 전체에 난기류가 증가하고 유사한 손상을 일으킨다. 류마티즘 열로 인한의 협착은 판막 첨판의 가장자리가 융합되면서 발생한다. 류마티즘 대동맥판협착은 보통 어느 정도의 대동맥판 역류와 함께 발생한다. 정상적인 상황에서 대동맥 판막은 대동맥의 혈액이 좌심실로 역류하는 것을 방지하기 위해 닫혀있다. 대동맥판역류에서 병에 걸린 판막은 펌프질 후 심실 근육이 이완되면서 혈액이 좌심실로 다시 누출되도록 한다. 류마티즘 열이 있는 환자는 승모판에 어느 정도 류마티즘 손상을 입힌다. 류마티즘 심장 질환은 저개발 국가에서 이주한 사람을 제외하고는 미국에서 흔하지 않다.

증상과 징후

흉통은 대동맥판막협착증 환자의 첫 번째 증상일 수 있다. 대동맥판막협착증 환자의 흉통은 협심증 환자의 흉통과 유사하다. 두 가지 질병에서 통증은 운동으로 인해 발생하고 휴식을 취하면 완화되는 복장뼈 아래의 압력으로 설명된다. 관상동맥 질환이 있는 환자의 경우 흉통은 좁아진 관상동맥으로 인해 심근에 혈액 공급이 부족하므로 발생한다. 대동맥판막협착증이 있는 환자의 경우 관상동맥의 근본적인 협착 없이 흉통이 발생한다. 두꺼워진 심근은 좁아진 대동맥판막을 통해 혈액을 밀어내기 위해 높은 압력을 이기고 펌프질해야 한다. 이것은 혈액으로 공급을 초과하여 심근의 산소 요구량을 증가시켜 협심증을 유발한다.

대동맥판막협착증과 관련된 실신은 대개 운동이나 흥분으로 인해 발생한다. 환자의 혈압이 갑자기 감소하면 심장은 혈압 강하를 보상하기 위해 심박출량을 증가시킬 수 없다. 따라서 뇌로 가는 혈류가 감소하여 실신을 유발한다. 불규칙한 심장 박동으로 심박출량이 감소할 때도 실신이 발생할 수 있다. 효과적인 처치가 없다면 대동맥판협착으로 인한 흉통이나 실신 증상이 시작된 후 평균 기대 수명은 3년 미만이다.

좌심실부전으로 인한 호흡곤란은 가장 불길한 징후이며 좌심실을 채우는 데 필요한 압력 증가로 인해 폐의 모세혈관 투과성이 증가하여 발생한다. 초기에는 호흡곤란이 활동 중에만 발생하지만, 질병이 진행됨에 따라 휴식 중에 발생한다. 환자는 호흡곤란 없이 반듯하게 누워 있는 것이 어렵다는 것을 알 수 있다. 격렬한 활동은 실신이나 협심증을 유발할 수 있어 환자가 처치를 받아야 한다.

감별 진단

철저한 병력 청취와 잡음의 존재가 감별의 핵심이다.

처치

협심증 환자의 처치와 유사하며 일반적으로 휴식과 산소 투여이다. 전부하를 감소시키는 나이트로글리세린과 같은 약물의 사용은 매우 주의를 기울여야 한다. 실신 환자에서 전부하가 충분하지 않으면 수축기 혈압이 현저하게 감소하고 상태가 악화할 수 있다.

판막 감염은 대동맥판협착의 심각한 합병증이기 때문에 환자는 세균이 혈류로 유입될 수 있는 모든 절차에 앞서 환자에게 항생제를 투여한다. 여기에는 이전에 일상적인 치과 치료와 경미한 수술이 포함되어 있다. 흉통, 실신, 호흡곤란 등의 증상이 나타나면 판막치환술을 받지 않은 대동맥판막협착증 환자의 예후는 좋지 않다.

승모판탈출

승모판탈출은 세계 인구의 5~10%에 영향을 미치는 가장 흔한 심장 판막 이상이다. 정상적인 승모판은 좌심방과 좌심실 사이에 위치한 두 개의 얇은 첨판으로 이루어져 있다. 낙하산처럼 생긴 승모판 첨판은 건삭이라고 불리는 일련의 끈으로 좌심실의 내벽에 부착되어 있다. 심실이 수축하면 승모판 첨판은 꼭 맞게 닫히고 좌심실에서 좌심방으로 혈액이 역류하는 것을 방지한다. 심실이 이완되면 판막이 열리고 폐에서 산소화된 혈액이 좌심실을 채울 수 있다.

병태생리학

승모판탈출 환자의 경우 승모판 첨판과 건삭이 퇴화하여 두꺼워지고 비대해진다. 심실이 수축하면 첨판이 좌심방으로 탈출하여(뒤로 떨어지며) 판막 입구를 통해 혈액이 누출되거나 역류할 수 있다.

증상과 징후

중증의 승모판역류(MR)는 울혈심부전과 비정상적인 심장 박동을 유발할 수 있다. 대부분의 환자는 승모판탈출을 인지하지 못하지만, 다른 환자들은 두근거림, 흉통, 불안, 피로와 같은 여러 증상을 겪을 수 있다. 나이트로글리세린에 반응하지 않는 날카로운 흉통을 느낀다고 환자가 설명할 수 있다. 청진기로 심음을 청진하면 좌심실의 압력 부하에 대한 비정상적인 판막 첨판의 조임을 나타내는 찰깍하는 소리가 들릴 수 있다. 비정상적인 판막 개방을 통한 혈액 역류가 있는 경우 딸깍하는 소리가 난 직후에 휙하는 소리가 들릴 수 있다.

감별 진단

일반적으로 이학적 소견은 심음 청진시 딸깍하는 소리뿐이다.

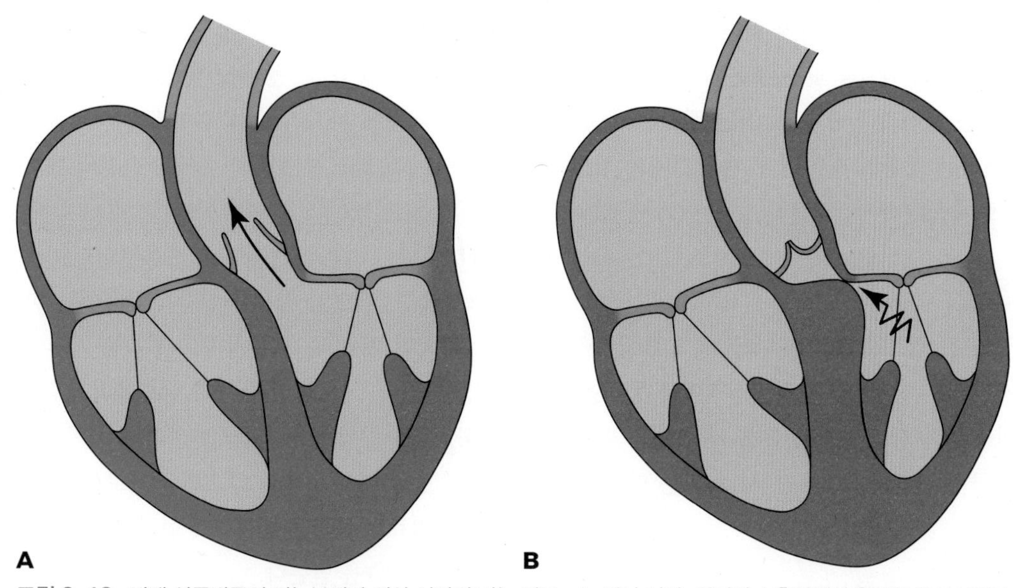

그림 3-13. 비대 심근병증의 기능부전과 정상 심장의 기능 비교. A. 정상 심장, 심실이 수축하면서 혈액이 좌심실에서 방해받지 않고 대동맥으로 흘러가는 것을 보여준다. B. 비대 심근병증, 비대한 중격이 승모판막의 앞첨판에 부딪히며 좌심실에서의 혈액 유출을 막는 것을 보여준다.

처치

승모판역류는 일반적으로 약물로 처치할 수 있지만, 일부 사람들은 결함 있는 판막을 치료하거나 교체하기 위한 수술이 필요하다.

심근병증

심근병증은 일반적으로 심근을 약화하고 확장하는 일련의 상태를 말한다.

병태생리학

대부분의 심근병증은 확장 심근병증, 비대 심근병증, 제한 심근병증으로 분류한다. 심근병증은 다양한 원인에 의해 심근의 근세포가 손상되어 심장이 근육의 비대나 비후에 적응하기 위해 스스로를 재형성될 때 발생한다(그림 3-13). 이 쇠약해지는 질병의 과정에는 유전적 및 면역학적 원인이 있다.

증상과 징후

일반적인 환자의 임상 양상으로는 흉통, 쇠약 및 호흡 곤란이 포함된다. 좌심실부전이 운동성 흉통과 함께 첫 번째 증상일 수 있다. 심전도는 심실내전도 지연 또는 좌각차단(LBBB)이 있을 수 있으며 비특이적일 수 있다. 흉부 방사선 사진은 일반적으로 큰 심장을 나타내며 환자가 무증상이면 뇌성 나트륨 배설펩타이드((brain natriuretic peptide; BNP) 검사 결과가 약간 상승하고 증상이 있으면 매우 상승할 수 있다.

감별 진단

감별 진단은 배제 사항 중 하나이다.

처치

처치는 울혈심부전 및 APE와 유사하다. ACE 억제제는 심장의 후부하를 감소시키는 다른 방법과 함께 선택하는 치료 방법이다. 이 질환은 심장 이식의 주요 징후이다. 앞에서 논의한 바와 같이 심실 보조 장치는 이식에 대한 가교 요법 또는 지속 요법으로 사용할 수 있다.

흉통과 관련된 비응급 원인

가슴 불쾌감과 통증의 몇 가지 원인은 응급 상황이나 생명을 위협하는 것은 아니다. 가슴 불쾌감의 신경학적 원인에는 신경병증, 대상포진 및 대상포진 후 신경통이 있다. 흉통의 많은 호흡기 원인으로는 폐렴, 가슴막염, 폐종양, 세로칸공기증 등이 있다. 흉통의 근골격계 원인은 흉통의 가장 흔한 비응급성 원인일 수 있으며 티체증후군(Tietze's syndrome)으로 알려진 상태를 포함하여 가슴벽 관절의 염증(갈비연골염)을 포함한다.

대부분의 상태는 통증의 원인과 설명에 의해 구분할 수 있다. 처치는 지지적이며 통증의 원인을 찾는 것은 구급차에서 일상적으로 시행하지 않는 검사가 필요하다. 진단 검사는 종종 심각하게 생명을 위협하는 상황이 배제된 후 응급실에서 퇴원하기 위한 후속 조치로 수행된다.

흉곽출구증후군

흉곽출구증후군은 가슴, 등 또는 목의 근육군에 의해 팔신경얼기(목에서 팔로 전달되는 신경) 및 빗장밑정맥이나 동맥을 압박하는 것이다. 이러한 신경의 압박은 흔히 자세 변화와 관련이 있다는 점에서 급성 관상동맥증후군(ACS)과는 다른 가슴 불쾌감을 유발한다.

병태생리학

흉곽출구증후군에서는 보통 C8 및 T1 신경 뿌리가 영향을 받아 자신경 분포 부위(아래팔) 또는 C5, C6 및 C7 신경 뿌리에서 통증과 따끔거림을 유발하며 목, 귀, 가슴 윗부분과 등 윗부분, 팔의 바깥쪽 통증을 유발한다. 흉곽출구증후군을 겪을 가능성이 가장 높은 사람은 자동차 충돌로 인한 목 손상과 오랜 기간 인체공학적이지 않은 자세로 컴퓨터를 사용하는 사람들이다. 어린 운동선수(예: 수영 선수, 배구 선수, 야구 투수)와 음악가들도 흉곽출구증후군을 겪을 수 있지만, 훨씬 덜 빈번하다.

증상과 징후

다음과 같은 증상과 징후가 나타날 수 있다.

- 손, 팔 또는 손가락의 마비 및 따끔거림
- 혈액순환 장애로 인한 팔다리의 변색
- 목, 어깨 또는 팔의 통증
- 손이나 팔의 쇠약

감별 진단

이러한 진단을 내릴 수 있는 한 가지 신체검사는 팔거상스트레스검사(elevated arm stress test; EAST)라고 한다. 환자가 앉은 상태에서 양쪽 팔꿈치관절을 90도로 굽히고 팔꿈치관절을 관상면에서 약간 뒤로 오게 한 후 이 자세에서 3분 동안 주먹을 쥐었다 폈다 하면서 느끼는 증상을 설명하도록 한다. 환자가 3분 동안 이 자세를 유지할 수 없거나 관련된 팔의 무거움, 손의 점진적인 무감각, 팔과 어깨 윗부분을 통한 점진적인 통증이 있으면 흉곽출구증후군이 있다는 것을 의미한다. 증가하는 통증 때문에 환자가 손을 떨어뜨리는 것을 보는 것은 드문 일이 아니다. 해당하는 팔과 손에는 순환의 변화가 있을 수 있다.

처치

스트레칭, 적절한 자세를 연습, 물리치료, 마사지요법 및 카이로프랙틱 치료와 같은 처치로 흉곽출구증후군의 통증을 해결할 수 있다. 코르티손과 보톡스(보툴리눔 독소 A) 주사는 치료 과정에서 증상을 완화한다. 그러나 회복 과정은 오래 걸리며 며칠 동안 자세가 좋지 않으면 실패로 이어질 수 있다. 6~12개월의 치료로 통증을 완화하지 못하면 약 10~15%의 환자가 외과적 감압술을 받는다.

대상포진

수두 대상포진 바이러스는 수두와 대상포진의 주요 병원체이며 대상포진이라고 한다(이 질환에 대한 자세한 내용은 8장을 참조한다).

병태생리학

대상포진은 수두 대상포진 바이러스로 인해 수두에 걸린 후 몸에 잠복해 있다가 나중에 뇌 신경 또는 척수신경 피부 분절에서 다시 활성화된다. 대상포진은 특징적인 발진이 발생하기 전, 도중 또는 후에 가슴 불쾌감이나 통증을 유발할 수 있다. 사람면역결핍바이러스(HIV)로 의해 면역이 저하되었거나 화학요법을 받는 환자는 대상포진이 발생할 위험이 훨씬 더 높다.

증상과 징후

심장마비의 통증과 달리 대상포진 통증은 일반적으로 발진이 나타나기 며칠 전에 발생하는 작열감으로 나타난다. 대상포진 후 신경통의 경우처럼 발진이 사라진 후 몇 개월 동안 통증이 지속할 수 있다. 통증과 발진은 몸통에 가장 흔하게 발생하지만, 얼굴, 눈 또는 신체의 다른 부위에도 나타날 수 있다. 처음에는 발진이 두드러기와 유사하게 나타나지만, 두드러기와는 달리 신체의 한쪽에서 피부 분절을 따라 나타나는 경향이 있으며, 이는 띠 모양으로 나타나고 정중선을 넘지 않는다. 나중에 발진은 액체로 채워진 작은 물집을 형성한다. 환자는 발열과 전반적으로 권태감이 나타날 수 있다. 통증이 심한 물집은 결국 피로 채워지면서 흐려지거나 어두워지고 7~10일 이내에 딱지가 생기다가 보통 떨어져 나간다. 발진과 직접 접촉하면 수두에 걸린 적이 없는 사람에게 바이러스를 전염시킬 수 있다. 발진에 딱지가 생길 때까지 사람은 전염성이 있는 것으로 간주한다. 물집이 발생하기 전 또는 대상포진 후 신경통(발진이 사라진 후의 통증) 동안에는 전염성이 없다. 통증은 발진이 호전된 후에도 지속될 수 있으며 통증 완화를 위해 약물 처치가 필요할 정도로 심각할 수 있다.

감별 진단

발진이 있는 경우 진단이 쉽다. 대상포진은 피부 분절을 따라 신체의 한쪽에만 발진이 유일하게 국한된다. 대상포진 후 신경통과 같이 발진이 없는 경우 확진을 위해 혈액 검사가 필요할 수 있다.

처치

대상포진은 일반적으로 발진이 시작된 후 72시간 이내에 시작될 때 가장 효과적인 경구 항바이러스제로 치료한다. 경구 투여 코르티코스테로이드의 추가는 대상포진의 통증과 대상포진 후 신경통의 발생을 감소시키는 데 약간의 이점을 제공할 수 있다. 대상포진 후 신경통이 있는 환자는 적절한 통증 조절을 위해 마약성 진통제가 필요할 수 있다.

흉통과 관련된 근골격계 원인

평가 부분에서 설명한 대로 가슴우리는 근골격 구조로 구성되어 있으며 흉통의 신체 원인이 될 수 있다. 근육과도 긴장, 갈비연골염, 비특이적인 흉통은 일반적으로 환자가 날카롭거나 아프다고 분명하게 표현한다. 이것을 진단으로 결정하기 전에 환자의 흉통에 대한 다른 모든 원인을 배제한다. 대부분의 염증과 마찬가지로 비스테로이드항염증제(NSAIDs)의 사용과 온열요법 또는 냉찜질 요법, 휴식은 처치를 위한 가장 일반적인 방법이다.

흉통과 관련된 기타 폐 원인

가슴 불쾌함의 호흡기 원인으로는 폐렴증, 가슴막염, 폐종양, 세로칸공기증 등이 있다. 가슴 불쾌감을 유발하는 호흡기 질환에 대한 자세한 설명은 2장을 참조한다.

폐렴증

폐렴증은 폐 조직의 염증을 말하며 폐렴, 기관지염 및 흡인을 포함하는 다양한 상태로 인해 발생할 수 있다. 젖은기침과 호흡곤란이 폐렴증의 가장 흔한 증상이다. 감염으로 열이 발생할 수 있으며 기침이 화상을 입을 수 있다. 피로와 권태감 또한 폐렴을 동반할 수 있다. 처치는 일반적으로 지지적이며 원인을 찾는 것을 목표로 한다. 처치는 유발 요인을 피하고 정맥 내로 항생제와 같은 약물을 투여할 수 있다. 환자가 호흡곤란을 호소하는 경우 산소를 투여하여 포화도를 94% 이상으로 유지한다. 정맥 라인을 확보하고 심장 모니터를 적용한다. 환자를 가장 편안해하는 자세를 취해둔다. 폐렴을 확인하거나 배제하기 위해 전체 혈구 계산, 화학 패널 및 가슴 방사선 촬영을 시행한다.

가슴막염

가슴막염은 호흡 시 통증을 나타내는 데 가장 많이 사용되는 용어이며 통증의 원인을 찾기 위해 철저한 평가를 수행하도록 한다. 가슴막성 통증은 일반적으로 호흡과 함께 증가하며 폐를 감싸고 있는 벽측과 장측가슴막 염증의 결과이며 이 장의 앞부분과 2장에서 자세히 설명한 병리학적 과정이다. 환자가 숨을 쉴 때 염증이 생긴 가슴막이 서로 마찰하여 들숨에 따라 증가하는 날카로운 통증을 일으킨다. 발열과 기침이 있을 수 있으며 폐렴과 구별하기가 어려울 수 있다. 가능한 징후로써는 가로막이 서로 마찰할 때 청진기로 들리는 거칠고 긁는 듯한 소리인 가슴막 마찰음이다. 환자가 숨을 깊이 들이쉴 때 종종 가죽이 늘어나는 소리가 들린다.

가슴 방사선 사진에서 가슴막안에 공기나 액체가 보일 수 있다. 또한 가슴막염의 원인(예: 폐렴, 갈비뼈 골절, 폐종양)을 나타낼 수도 있다. 상당한 양의 액체가 있는 경우 입원 후 가슴막천자로 제거해야 할 수 있다. 수집된 액체는 원인을 확인하기 위해 검사를 시행할 수 있다. 폐 조직 질환이나 암으로 인해 액체가 축적될 수 있다.

통증에는 아세트아미노펜이나 비스테로이드성항염증제(NSAID)를 사용할 수 있으며 기침을 억제하기 위해 코데인 기반의 기침 시럽을 투여할 수 있다. 처치는 일반적으로 지지적이며 원인을 찾는 것을 목표로 한다. 앞서 논의한 바와 같이 심장 관련 흉통의 생명을 위협하는 원인은 배제되었다.

특별한 환자

노인 환자

노인 환자의 급성 관상동맥증후군을 나타낼 수 있지만, 증상은 분명하지 않을 수 있다. 쇠약 또는 무증상 심근경색(증상과 징후 없음)이 흔하기 때문에 항상 이에 대한 가능성을 염두에 두고 있어야 한다. 노인들은 혈 역학적 절충을 보상하는 능력을 감소시키는 약물(예: 베타 차단제)을 복용하고 있을 수 있다. 이러한 문제를 해결할 준비가 되어 있어야 한다. 많은 노인 환자들은 진단과 처치가 어려울 수 있는 여러 가지 질병을 가지고 있다.

비만 환자

비만 환자는 움직임이 감소하기 때문에 다리의 혈전이 폐색전증의 원인이 될 수 있다. 흉통의 호소는 몸통 무게로 인한 조직의 신경 분포 때문에 바뀔 수 있다. 비만 환자는 심근의 부하가 증가하여 급성 관상동맥증후군에 걸릴 위험이 높다. 게다가 당뇨병이 더 흔하며 이는 심혈관 문제의 원인이 될 수 있다. 비만 수술 후에 전해질 불균형이 발생할 수 있으며 비만 환자의 가슴 불쾌감의 원인으로 부정맥을 유발할 수 있다.

산과 환자

임신한 환자를 평가할 때 과응고 상태와 혈전 발생 가능성으로 인한 것일 수 있기 때문에 의심되는 진단으로 폐색전증을 고려한다. 임신은 또한 심혈관계에 대한 요구량을 증가시키고 이전에 진단되었거나 진단되지 않은 질병을 악화시킬 수 있다. 위 · 식도 역류 질환(GERD)은 임신 중에도 흔히 발생하며 가슴 불쾌감을 유발할 수 있다. 고위험 산과 환자를 처치할 수 있는 의료기관으로 이송하는 것을 고려한다. 산후 심근병증은 높은 도덕성과 관련된 중등도에서 중증의 울혈심부전 증상을 유발할 수 있다.

종합 정리

흉통 환자의 처치는 초기 관찰에서 시작된다. 즉각적인 목표는 환자가 아픈지 여부를 확인하는 것이다. 환자에 대한 첫인상은 평가를 계속할 시간이 있는지 아니면 즉시 처치해야 하는지를 알려준다. 중증도를 분류하기 위해 환자를 먼저 평가한다. 생명을 위협하는 진단에는 즉각적인 처치를 위해 진단 범위를 좁혀야 한다. 호흡음을 평가하여 긴장기흉과 울혈심부전을 배제한 다음 가능한 한 급성 관상동맥증후군을 배제한다. 아스피린, 산소 또는 나이트로글리세린 투여로 처치를 지연시키지 말고 12 리드 심전도를 측정한다. 환자의 양쪽 팔에서 혈압과 맥박을 확인하고 대동맥박리를 고려해 다리와 비교한다. 종종 식도파열, 폐색전증 또는 다른 생명을 위협하는 질환에 대한 단서를 병력 청취하는 동안 확인할 수 있으므로 시간이 허용하는 한 이러한 진단을 배제하기 위해 병력을 청취한다.

환자가 내원하는 의료기관에서는 흉부 방사선 촬영과 혈액검사 그리고 CT 촬영을 시간이 허용하는 대로 수행한다. 감별진단을 구성하는 조건을 확인하거나 배제하려면 SAMPLER, OPQRST, 신체검사 결과 및 검사실 검사 결과와 같은 내용을 사용한다. 환자의 상태가 불안정하거나 악화하는 경우 AMLS 환자 평가 과정을 진행하면서 ABC를 처치한다. 즉각적으로 생명을 위협하는 것에 대한 처치는 다른 모든 것보다 우선한다. 일단 이것들이 배제되면 흉통의 다른 원인에 대한 진단으로 진행되지만, 가슴 불쾌감의 초기 증상은 모호할 수 있다. 지속적인 재평가는 생명을 위협하는 상황을 감지하는 데 필수적이다.

심장병은 미국 남성과 여성의 주요 사망 원인이다. 60만 명 이상의 미국인이 매년 심장병으로 사망하고 약 절반은 증상이 시작된 후 처음 몇 분과 몇 시간 동안 사망한다. 최초의 구급대원 프로그램의 창설은 현장에서 고도로 숙련된 의사가 아닌 제공자가 처치를 제공함으로써 심장 질환의 영향으로 인한 사망을 감소시키기 위한 초기 계획에 크게 기인한다. 병원 전 의료진은 흉통 또는 협심증에 해당하는 고위험 주 증상을 신속하게 인식하고 각 상태를 적절하게 관리할 수 있어야 한다.

시나리오 해결책

- 감별 진단에는 심근염, 폐렴, 폐색전증, 급성 관상동맥증후군, 담낭염 그리고 심장막염이 포함된다.
- 감별 진단의 범위를 좁히려면 환자의 과거 병력 및 현 병력을 확인한다. 현재의 질병에 대해 더욱 철저하게 병력을 청취한다. 활력 징후 평가, 심장 및 호흡음 평가, 목정맥 평가, 심전도 모니터링 및 12 리드 심전도, 산소포화도, 호기말이산화탄소분압 및 혈당 검사를 포함하는 신체검사를 수행한다.
- 환자는 급성 관상동맥증후군이나 감염 또는 심부전을 나타낼 수 있는 징후가 있다. 의료 지도를 받은 경우 산소를 투여하고 정맥 라인을 확보한다. 심전도를 모니터링하고 12 리드 심전도를 측정한다. 추가 처치는 평가 결과의 나머지 부분에 따라 달라진다. 급성 관상동맥증후군이 의심되면 아스피린, 나이트로글리세린 및 모르핀으로 환자를 처치한다. 환자에게 쇼크가 나타나지 않고 울혈심부전의 징후가 나타나는 경우 지속적인 기도양압과 나이트로글리세린으로 처치한다. 환자의 검사 결과에서 담낭염이 의심되면 통증을 치료한다. 환자가 당뇨병케톤산증이 있는 경우 다량의 수액을 정맥 라인으로 투여한다. 환자를 가장 가까운 적절한 의료기관으로 이송한다.

요약

- 흉통 환자에 대한 표준 평가 방법에는 일차평가 중 생명을 위협하는 원인을 찾고 적절하게 처치하는 것이 포함되어야 한다. 기도가 개방된 환자의 경우 호흡 소리를 평가하고 쇼크의 징후를 찾는 것이 중요하다.
- 생명을 위협하는 흉통의 원인에는 일반적으로 흉통과 호흡곤란 또는 활력징후의 변화(또는 언급한 원인 전부)를 유발하는 질병이 포함된다.
- 흉통에 대한 표준 프로토콜에는 산소 투여, 정맥 라인 확보, 모니터 적용, 심전도, 흉부 방사선 촬영, 검사실 검사가 포함된다. 처치 제공자는 추가 자원(전문 심장 센터에서의 심장 카테터 삽입)을 위해 환자를 분류하고 과정의 초기 단계에서 전문센터로 환자를 이송해야 한다.
- 생명을 위협하지 않는 흉통의 원인은 심혈관, 호흡기, 위장관, 면역계, 심장 구조, 신경계 및 근골격계를 비롯한 여러 신체 계통에서 발생할 수 있다.

주요 용어

급성 관상동맥증후군(ACS) 급성 심근허혈(관상동맥질환으로 인한 심근으로의 불충분한 혈액 공급으로 인한 흉통)과 일치하는 모든 임상 증상을 포괄하는 용어. ACS는 협심증, 불안정협심증, ST분절 상승 심근경색(STEMI), 비ST분절 상승 심근경색(NSTEMI)을 포함한 임상 증상을 다룬다.

급성 심근경색(AMI) 일반적으로 "심장발작"으로 알려진 AMI는 심장의 일부에 혈액 공급이 중단되어 심장 세포가 죽을 때 발생한다. 가장 일반적으로 동맥벽 내의 플라크 파열에 따른 관상동맥의 폐쇄로 인해 발생한다. 그 결과로 허혈 및 산소 공급 감소는 처치하지 않으면 심근조직의 손상 및 사망을 유발할 수 있다.

심장눌림증 "심장막눌림증"이라고도 하며 이는 액체가 심장막(심장을 둘러싸고 있는 주머니)에 축적되는 응급상태이다. 액체의 양이 천천히 증가하는 경우(예를 들어, 갑상샘저하증) 심장막은 눌림증이 발생하기 전에 1L 이상의 액체를 포함하도록 팽창할 수 있다. 액체가 급격히 증가하면(외상이나 심근파열 후 발생할 수 있음) 100mL 정도만으로도 눌림증이 발생할 수 있다.

허혈 혈류가 물리적으로 막히거나 조직의 요구량이 증가하거나 또는 저산소증으로 인한 근육으로의 산소 및 영양소 전달이 제한되어 조직의 손상이나 기능 장애를 유발한다.

ST분절 비상승 심근경색(NSTEMI) 심장의 일부에 경색 없이 혈액 공급이 차단되어 발생하는 심근경색의 유형이다. 심전도 기록에는 ST분절 상승이 없지만, 심근경색의 다른 임상 증상이 있다. NSTEMI의 진단은 심장효소, 심근 손상 및 사망으로 인해 발생하는 다른 부산물에 대한 검사실 검사의 결과를 기반으로 진단한다.

심장막염 심장을 둘러싼 조직(심장막)에 염증이 생기는 상태이다. 이것은 여러 가지 요인에 의해 발생할 수 있지만, 종종 바이러스 감염과 관련이 있다. 심장기능장애나 울혈심부전(CHF) 징후가 동반되면 더 심각한 심근염 또는 심근이 관련된 것을 암시한다.

가슴막 폐(내장)과 가슴안(벽)을 둘러싸고 보호하는 얇은 막

폐색전증(PE) 주로 다리나 골반의 심부정맥에서 발생하는 혈전에 의한 폐동맥이 갑자기 막히면서 색전증이 생겨 폐동맥으로 이동하여 혈전으로 막히게 된다. 증상으로는 빈맥, 저산소증, 저혈압 등이 있다.

모순맥박 정상적인 흡기 시 수축기 혈압이 10mmHg 이상 감소하는 것

ST분절 상승 심근경색 (STEMI) 12 리드 심전도에서 ST분절 상승과 함께 심장 효소의 증가 때문에 확인된 심근 괴사를 초래하는 휴식 시 협심증 증상이다. 이러한 발작은 사망과 장애의 위험성이 상당히 높으며 즉시 재관류요법을 시행할 수 있는 의료기관으로 신속하게 이송한다.

안정협심증 흉통이나 호흡 곤란 또는 이에 상당하는 증상이 운동시에 발생하고 휴식을 취하면 해소되어 증가한 요구량에 따라 적절한 관류를 방해하는 관상동맥의 고정된 병변이 있음을 나타낸다.

긴장기흉 단순기흉이 점진적으로 악화하여 가슴막안에 공기가 축적되어 생명을 위협하는 상태이다. 이것은 정맥혈복귀를 복귀정맥혈을 점차 제한시키고 전부하를 감소시켜 전신 저혈압이 발생할 수 있다.

불안정협심증(UA) 협심증의 빈도나 강도가 증가하거나 기저보다 덜 심한 운동으로 발생한다. 이것은 정적 병변의 협착을 의미하며 증가한 요구량에 대한 관상동맥 혈류의 추가적인 제한을 야기한다.

참고 문헌

Adam A, Dixon AK, Grainger RG, et al: *Grainger and Allison's diagnostic radiology*, ed 5. Philadelphia, PA, 2008, Churchill Livingstone.

Aehlert B: *Paramedic practice today: above and beyond*. Burlington, MA, 2011, Jones & Bartlett Learning.

Aghababian R: *Essentials of emergency medicine*, ed 2. Sudbury, MA, 2011, Jones & Bartlett Learning.

Akula R, Hasan SP, Alhassen M, et al.: Right-sided EKG in pulmonary embolism. *J Natl Med Assoc*. 95:714–717, 2003.

American Academy of Orthopaedic Surgeons: *Nancy Caroline's emergency care in the streets*, ed 8. Burlington, MA, 2018, Jones & Bartlett Learning.

American Heart Association: *2010 AHA guidelines for CPR and ECC*, Dallas, TX, 2010, American Heart Association.

American Heart Association: *ACLS for experienced providers*. Dallas, TX, 2013, American Heart Association.

American Heart Association: *Atherosclerosis*. http://www.heart.org/HEARTORG/Conditions/Cholesterol/WhyCholesterolMatters/Atherosclerosis_UCM_305564_Article.jsp, reviewed April 30, 2017.

American Heart Association: *Classes of heart failure*. https://www.heart.org/en/health-topics/heart-failure/what-is-heart-failure/classes-of-heart-failure, reviewed May 31, 2017.

Anderson JL, Adams CD, Antman EM, et al.: 2012 ACCF/AHA focused update incorporated into the ACCF/AHA 2007 guidelines for the management of patients with unstable angina/non-ST-elevation myocardial infarction: A report of the American College of Cardiology Foundation/American Heart Association Task Force on Practice Guidelines. *Circulation*. 127(23): e663–e828, 2013.

Black JM, Hokanson Hawks J: *Medical-surgical nursing*, ed 8. Philadelphia, PA, 2009, Saunders.

Bledsoe BE, Anderson E, Hodnick R, et al.: Low-fractional oxygen concentration continuous positive airway pressure is effective in the prehospital setting. *Prehospital Emergency Care*. 16(2):217–221, 2012.

Bodson L, Bouferrache K, Vieillard-Baron A: Cardiac tamponade. *Curr Opin Crit Care*. 17(5):416–424, 2011.

Braunwald E: *Heart disease: A textbook of cardiovascular medicine*, ed 4. Philadelphia, PA, 1992, WB Saunders.

Damodaran S: Cocaine and beta-blockers: The paradigm. *Eur J Intern Med*. 21(2):84–86, 2010.

Dorland's illustrated medical dictionary. Philadelphia, PA, 2007, Saunders.

Ferrari R, Guardigli G, Ceconi C: Secondary prevention of CAD with ACE inhibitors: A struggle between life and death of the endothelium. *Cardiovasc Drugs Ther*. 24(4):331–339, 2010.

Field J: *Advanced cardiac life support provider manual*. Dallas, TX, 2006, American Heart Association.

Field J, Hazinski M, Gilmore D: *Handbook of ECC for healthcare providers*. Dallas, TX, 2008, American Heart Association.

Frownfelter D, Dean E: *Cardiovascular and pulmonary physical therapy*, ed 4. St. Louis, MO, 2006, Mosby.

Go AS, Mozaffarian D, Roger VL, et al.: Heart disease and stroke statistics—2013 update: A report from the American Heart Association. *Circulation*. 127(1):e6–e245, 2013.

Goldman L, Ausiello D: *Cecil medicine*, ed 23. Philadelphia, PA, 2007, Saunders.

Haji SA, Movahed A: Right ventricular infarction: Diagnosis and treatment. *Clin Cardiol (Hoboken)*. 23(7):473–482, 2000.

Herlitz J, Bång A, Omerovic E, et al.: Is pre-hospital treatment of chest pain optimal in acute coronary syndrome? The relief of both pain and anxiety is needed. *Int J Cardiol*. 149(2):147–151, 2011.

Hiratzka LF, Bakris GL, Beckman JA, et al.: 2010 ACCF/AHA/AATS/ACR/ASA/SCA/SCAI/SIR/STS/SVM guidelines for the diagnosis and management of patients with thoracic aortic disease: A report of the American College of Cardiology Foundation/American Heart Association Task Force on Practice Guidelines, American Association for Thoracic Surgery, American College of Radiology, American Stroke Association, Society of Cardiovascular Anesthesiologists, Society for Cardiovascular Angiography and Interventions, Society of Interventional Radiology, Society of Thoracic Surgeons, and Society for Vascular Medicine. *Circulation*. 121(13):e266–e369, 2010.

Ikematsu Y: Incidence and characteristics of dysphoria in patients with cardiac tamponade. *Heart Lung: J Crit Care*. 36(6):440–449, 2007.

Johnson D, Ed: The pericardium. In Standring S, et al., Eds: *Gray's anatomy*. St. Louis, MO, 2005, Mosby.

Lange RA, Cigarroa RG, Yancy CW Jr, et al.: Cocaine-induced coronary-artery vasoconstriction. *N Engl J Med*. 321:1557–1562, 1989.

Manfrini O, Morrell C, Das R, et al.: Management of acute coronary events study: Effects of angiotensin-converting enzyme inhibitors and beta blockers on clinical outcomes in patients with and without coronary artery obstructions at angiography (from a register-based cohort study on acute coronary syndromes). *Am J Cardiol*. 113(10):1628–1633, 2014.

Marx JA, Hockberger RS, Walls RM, et al.: *Rosen's emergency medicine: Concepts and clinical practice*, ed 6. St. Louis, MO, 2006, Mosby.

O'Connor RE, Ali Al AS, Brady WJ, et al.: Part 9: Acute Coronary Syndromes: 2015 American Heart Association Guidelines Update for Cardiopulmonary Resuscitation and Emergency Cardiovascular Care. *Circulation*. 132 (18 Suppl 2), S483–S500, 2015.

O'Gara PT, Kushner FG, Ascheim DD, et al.: ACCF/AHA guideline: 2013 ACCF/AHA guideline for the management of ST-elevation myocardial infarction. *Circulation*. 127:e362–e422, 2013.

Parikh R, Kadowitz PJ: A review of current therapies used in the treatment of congestive heart failure. *Expert Rev Cardiovasc Ther*. 11(9):1171–1178, 2013.

National Association of Emergency Medical Technicians. *PHTLS: Prehospital Trauma Life Support,* ed 9. Burlington, MA, 2019, Public Safety Group.

Rezaie S: The Death of MONA in ACS: Part I – Morphine. *REBEL EM.* https://rebelem.com/the-death-of-mona-in-acs-part-i-morphine/, November 5, 2017.

Rezaie S: The Death of MONA in ACS: Part II – Oxygen. REB*EL EM.* Ahttps://rebelem.com/death-mona-acs-part-ii-oxygen/, November 5, 2017.

Rezaie S: The Death of MONA in ACS: Part III – Nitroglycerin. *REBEL EM.* https://rebelem.com/death-mona-acs-part-iii-nitroglycerin/, November 5, 2017.

Rezaie S: The Death of MONA in ACS: Part IV – Aspirin. *REBEL EM.* https://rebelem.com/death-mona-acs-part-iv-aspirin/, November 5, 2017.

Story L: *Pathophysiology: A practical approach,* ed 2. Burlington, MA, 2015, Jones & Bartlett Learning.

Torres-Macho J, Mancebo-Plaza AB, Crespo-Gimenez A, et al: Clinical features of patients inappropriately undiagnosed of pulmonary embolism, *Am J Emerg Med.* 31(12):1646–1650.

Urden L, Stacy K, Lough M: *Critical care nursing: Diagnosis and management,* ed 6. St. Louis, MO, 2010, Mosby.

U.S. Department of Transportation: *National emergency medical services education standards: Paramedic instructional guidelines.* Washington, DC, 2010, U.S. Department of Transportation.

U.S. Department of Transportation: *National EMS education standards: Paramedic.* Washington, DC, 2010, U.S. Department of Transportation.

Weitzenblum E: Chronic cor pulmonale. *Heart.* 89(2):225–230, 2003.

Williams B, Boyle M, Robertson N, et al.: When pressure is positive: A literature review of the prehospital use of continuous positive airway pressure. *Prehosp Disaster Med.* 28: 52–60, 2012.

Wilson SF, Thompson JM: *Mosby's clinical nursing series: Respiratory disorders.* St. Louis, MO, 1990, Mosby.

CHAPTER 4

쇼크

이 장에서는 쇼크에 빠진 환자에서 실패한 관류의 기능에 대해 자세히 살펴본다. 이 장에서는 조직 관류의 해부학 및 생리학을 검토하고 저관류 또는 쇼크의 병태생리학을 설명한다. 쇼크의 유형에 관해 설명하고 비교하여 모든 단계에서 쇼크를 인식할 수 있다. 전문 내과 소생술(AMLS) 평가 과정은 일반적인 쇼크의 평가와 응급 처치를 위한 방법을 제공한다.

학습 목표

이 장을 마치면 다음을 수행할 수 있다.

- 쇼크와 관련된 신체 계통의 해부학적 구조와 생리학을 설명할 수 있다.
- 쇼크의 병태생리학을 설명할 수 있다.
- 다음과 같은 쇼크 유형(저혈량 쇼크, 분포 쇼크, 심장성 쇼크, 폐쇄 쇼크)을 설명하고 비교할 수 있다.
- 각 쇼크 유형의 주요 특징을 설명할 수 있다.
- 일차 및 이차평가와 지속적인 관리 과정에서 생명을 위협하는 중 환자에서 생명을 위협하는 소견이 있는지 환자를 평가한다.
- 환자의 알레르기, 현재 복용 중인 약물, 과거 병력 그리고 마지막 경구 섭취에 대한 정보를 얻는 효과적인 방법을 나열한 다음 각각의 쇼크 범주와 관련이 있는지 연관시킬 수 있다.
- 쇼크와 관련된 진단을 확인하는 데 사용하는 혈액검사 및 진단 검사를 설명할 수 있다.
- 쇼크 환자의 관리, 모니터링 및 지속적인 관리를 위해 적절한 처치 방법을 적용할 수 있다.
- 감별 진단을 하고 적절한 임상적 추측을 입증하며 응급 심혈관, 호흡기 또는 혈액학적 상태를 보이는 쇼크 환자를 처치할 때 AMLS 평가 과정을 적용할 수 있다.
- 쇼크 환자를 평가하는 동안 발견된 문제를 해결하기 위해 AMLS 평가를 적용할 수 있는지 설명할 수 있다.

시나리오

당신이 처치해야 하는 환자는 전신 쇠약과 무기력을 나타내는 64세 여성이다. 평가에 따르면 그녀는 빈맥과 빠른 호흡을 보이고 피부를 촉지했을 때 차갑다. 환자의 과거 병력은 빈번한 요도 감염, 갑상샘저하증, 제2형 당뇨병 및 폐렴으로 6개월 전에 입원했었다. 환자는 최근에 상기도 감염에 대한 항생제 검사를 받았다. 환자의 혈압 76/54mmHg, 맥박 114회/분, 호흡 24회/분이며 규칙적이고 산소포화도는 96%이다.

- 첫인상은 어떠한가?
- 현재 가지고 있는 정보를 바탕으로 어떤 감별 진단을 고려하고 있는가?
- 감별 진단 범위를 좁히려면 어떤 추가 정보가 필요한가?
- 환자 처치를 계속하면서 가장 먼저 필요한 초기 처치는 무엇인가?
- 평가 결과를 토대로 정교한 차이는 무엇이며 그 이유는 무엇인가?

쇼크는 조직의 요구를 충족시키기 위해 사용할 수 있는 산소가 부족한 세포 관류가 저하된 상태이다. 쇼크는 산소 흡입, 흡수 또는 전달이 실패하거나 세포가 전달된 산소를 흡수하여 세포 기능을 수행하기에 충분한 에너지를 생산할 수 없을 때 발생할 수 있다. 쇼크가 발생하면 신체가 고통스러워한다는 것을 이해하는 것이 중요하다. 쇼크 반응은 생리학적 고통의 시간 동안 수축기 혈압과 뇌 관류를 유지하는 데 사용한다. 쇼크 반응은 심장 마비부터 주요 감염, 알레르기 반응에 이르기까지 신체에 고통을 주는 광범위한 상태를 동반할 수 있다. 미국에서는 매년 100만 명 이상의 사람이 다양한 쇼크 상태로 응급실에 도착하므로 이 상태의 병태생리학, 평가 및 처치에 대해 이해를 하는 것이 처치 제공자의 역할에 매우 중요하다. 비판적 사고와 의사 결정에 대한 전문 지식은 쇼크 상태의 치명적인 환자를 만났을 때 사용할 수 있는 필수 방법이다. 이 과정에는 신속한 평가, 응급처치를 제공하고 감별 진단을 시행하는 것이 포함된다.

쇼크의 초기 징후는 미묘할 수 있고 쇼크가 서서히 진행하는 것을 방심할 수 없다. 즉시 처치하지 않으면 쇼크가 진행되어 신체의 중요한 장기가 손상되어 결국 사망에 이르게 된다. 쇼크의 증상과 징후에 대한 신속한 인식은 모든 처치 제공자에게 필수적인 기술이다. 이것은 조직 관류의 해부학과 생리학에 대한 이해로 시작된다.

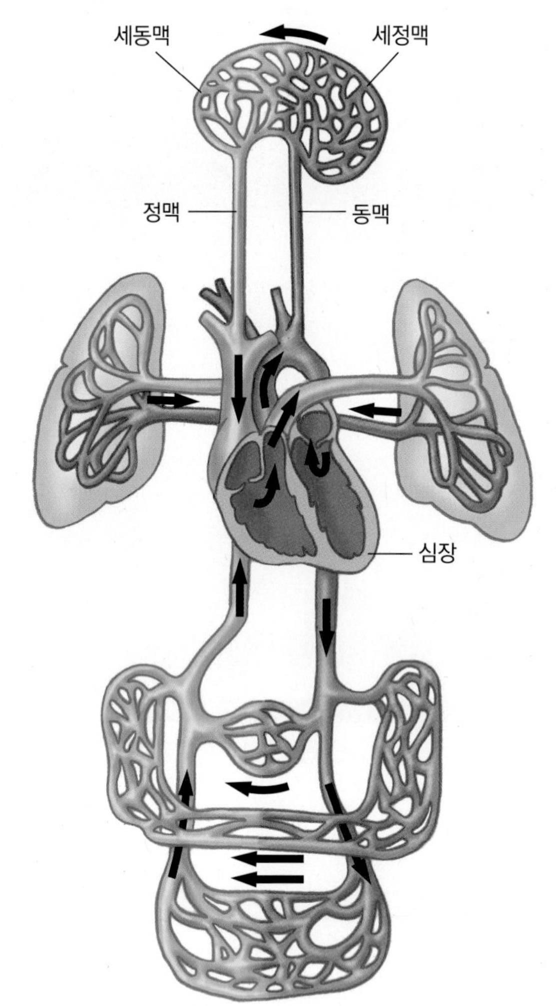

그림 4-1. 심혈관계는 심장(펌프), 혈관(혹은 용기) 및 혈액이나 체액의 세 가지 구성 요소의 지속적인 작동이 필이하다.

관류의 해부학 및 생리학

관류라는 단어는 라틴어 동사의 perfundere에서 파생되었으며 "붓는다"를 의미한다. 신체에서 혈액은 순환계로 전달될 때 세포에 산소를 공급한다. 혈액이 신체를 지속적으로 순환하도록 하기 위해서는 심혈관계는 펌프 기능(심장), 적절한 체액 부피(혈액 및 체액) 및 심박출량과 체액 부피 변화에 반응하여 수축 및 확장과 같은 반사 조절이 가능한 손상되지 않은 혈관의 세 가지 구성 요소가 필요하다(그림 4-1). 혈관 내 부피는 혈관 내 혈액 순환량이다.

심장

심장은 세로칸에 있는 원뿔 모양의 근육 기관이며 복장뼈의 아래쪽 뒤쪽에 있다. 그것의 질량의 3분의 2가 몸통의 정중선 왼쪽에 있고 3분의 1은 정중선 오른쪽에 비스듬한 각도로 있다. 심장은 네 개의 방으로 구성되어 있으며 심장의 위쪽에 우심방과 좌심방이 위치하고 아래쪽에는 우심실과 좌심실이 위치하며 심장끝이다.

심방은 근육질의 심실보다 작다. 정맥혈은 우심방을 통해 심장으로 들어가서 삼첨판을 통해 우심실로 흐른다. 우심실에서 혈액은 폐 판막을 통해 폐동맥줄기로 이동하며 폐동맥줄기는 왼쪽과 오른쪽 폐동맥으로 이동한다. 일단 혈액이 폐에서 산소를 공급받으면 왼쪽과 오른쪽 폐정맥을 통해 좌심방으로 이동한다(왼쪽과 오른쪽 폐에 각 2개씩 있는 폐정맥은 신체에서 유일하게 산소화된 혈액을 운반하는 정맥이다). 승모판막(이첨판)은 혈액이 좌심방에서 좌심실로 이동할 수 있게하여 대동맥 판막을 통해 대동맥으로 펌핑되어 신체의 나머지 부분으로 이동한다.

완전한 심장 박동을 심장 주기(cardiac cycle)라고 한다. 우심방, 좌심방, 우심실, 좌심실의 수축과 이완은 심장 주기의 구성 요소이며 심장의 수축은 단계적으로 일어난다. 심실이 이완(심실 확장기)되고 혈액은 심방에서 심실로 흐른다. 심실이 채워지는 것의 대부분은 수동적으로 이루어진다. 그런 다음 심방이 수축(심방 수축기)하여 심실로 추가 혈액을 이동시킨다. 심방의 수축과 심실 충전에 대한 기여를 심방 킥(atrial kick)이라고 한다. 심방 수축이 완료되고 심방판막이 닫히고 심방이 이완(심방 이완기)됨에 따라 심실은 훨씬 더 강하게 수축(심실 수축기)하여 폐와 신체로 혈액을 내보낸다. 심장의 수축성은 일회박출량(stroke volume)이라고 하는 각 수축으로 펌프질하는 혈액의 양을 증가시키거나 감소시킬 수 있다. 심장은 맥박수를 올리거나 낮추어서 수축하는 속도를 변화시킬 수 있다.

심박출량

혈액이 전신을 순환하기 위해서는 심장이 펌프질해야 한다. 건강한 사람의 경우 심장은 적절한 관류를 유지하고 전신에 산소가 공급된 혈액을 매우 효율적으로 이동시킨다. 심박출량(Cardiac output)은 심장이 분당 펌프질할 수 있는 혈액의 양이며 몇 가지 요인에 따라 다르다. 첫째, 심장은 적절한 힘을 가져야 하는데 이것은 대부분 심장 근육이 수축하는 능력에 의해 결정된다(그림 4-2). 둘째, 심장은 펌프질하기에 충분한 혈액을 공급 받아야 한다. 심장으로 흐르는 혈액의 양이 증가함에 따라 심장의 수축 압력이 증가한다. 사전 수축 압력을 전부하라고 한다. 전부하는 수축 전에 심장 근육이 먼저 늘어나는 것이다. 그것은 수축 직전에 혈액의 양과 관련이 있다. 전부하가

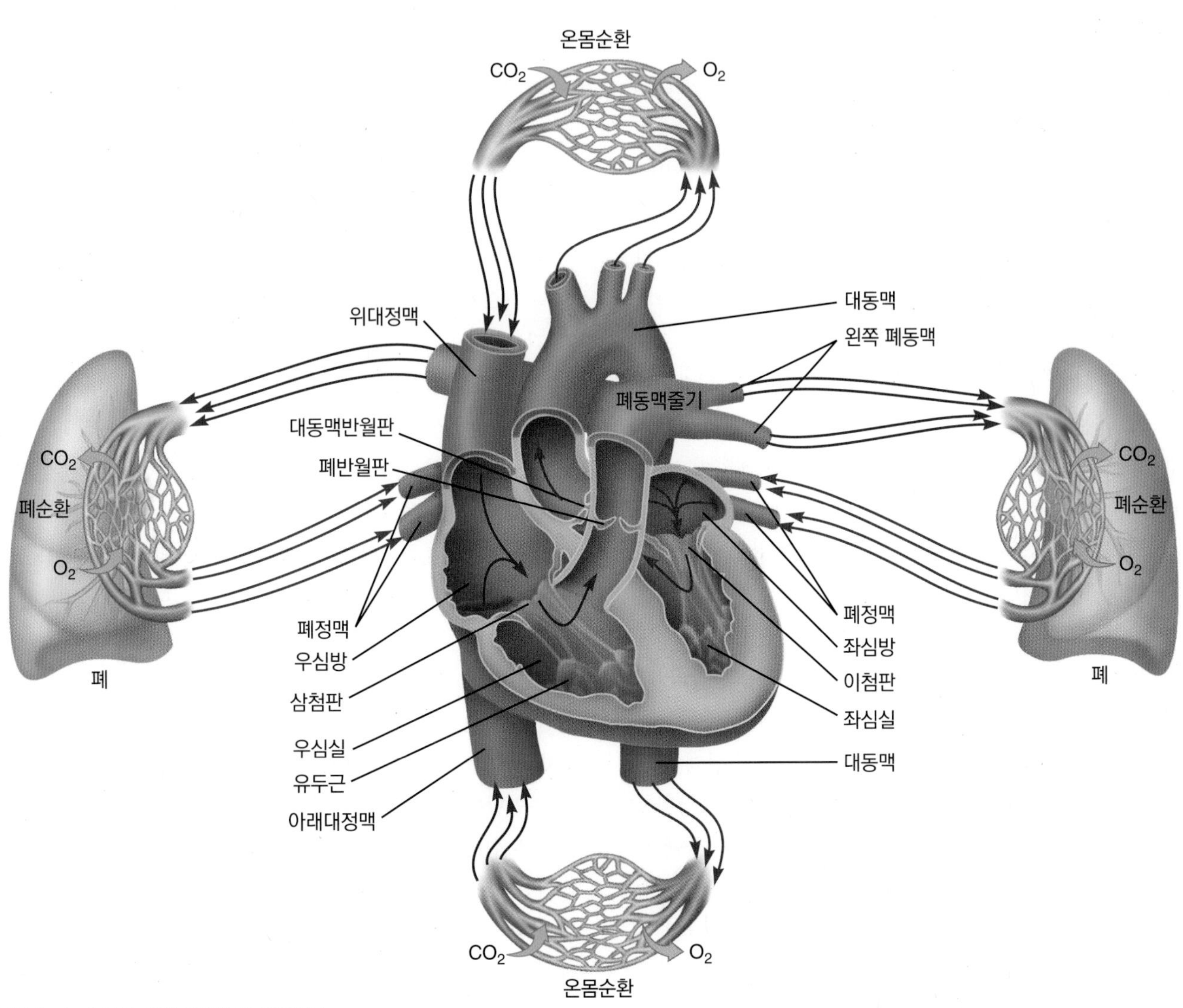

그림 4-2. 순환은 심장 근육에서 시작된다.

증가함에 따라 심실 내의 혈액의 양이 증가하여 심장 근육이 늘어나게 된다. 근육의 신축성이 증가하면 심근의 수축력이 증가하고 이는 최대 한계가 있으며 스탈링의 법칙에 설명된 바와 같이 수축성이 감소할 수 있다. 마지막으로 말초 순환에 대한 저항이 적절해야 한다. 심장이 펌프질하는 힘이나 저항을 후부하라고 한다.

심박출량은 일반적으로 분당 리터(L/min)로 표시하고 건강한 성인의 심박출량은 3~8L/분이며 평균은 5L/분이다. 심박출량은 심장의 일회박출량과 심박수에 의해 결정되며 공식은 다음과 같다.

심박출량 = 일회박출량 × 심박수

건강한 성인의 일회박출량은 일반적으로 약 70mL이지만, 그 양은 개인적인 생리학적 차이로 인해 차이가 있을 수 있다. 일회박출량에 영향을 미치는 일차적인 기계적 변수는 프랭크-스탈링 기전으로도 알려진 스탈링 법칙으로 설명된다. 스탈링의 법칙은 심장 근육 섬유가 심장 수축의 힘을 조절하기 위해 늘어나고 수축할 수 있는 능력을 설명한다. 이 법칙에 따르면 심장이 더 확장되면 확장될수록 심장은 더 강하게 수축하지만, 어느 정도까지만 수축한다. 심장을 고무줄이라고 생각해보면 당기면 당길수록 더 멀리 날아갈 것이다. 심장 근육이 최적 탄력성을 넘어 늘어나면(오래된 고무 밴드처럼) 수축은 더 약해지고 덜 효과적이다.

신경 및 내분비계 기전도 신경 전달 물질을 통해 일회박출량에 영향을 미친다. 심장 신경의 수축 신경 섬유는 노르에피네프린을 방출하고 부신수질은 에피네프린을 방출한다. 이 두 가지 아드레날린 제제는 심장 수축의 강도를 증가시킨다.

부적절한 심박출량은 관류저하의 원인 중 하나이다. 적절한 심박출량을 생성하려면 심장이 충분한 힘으로 수축할 수 있어야하며 심박수가 유효 범위 내에 있어야 한다. 일회박출량 및 심박출량을 결정하는 주요 요소의 세부 사항은 다음과 같다.

- 전부하(preload). 수축이 시작되기 직전에 심실의 혈액에 의한 심근 조직 조직이 늘어난다. 전부하의 개념을 활시위를 당길 때 발생하는 장력과 비교하여 이해할 수 있다. 줄에 충분한 장력이 가해지지 않으면 화살은 궁수의 발 근처의 땅에 떨어진다. 이와는 대조적으로 강하게 당기면 화살이 목표물을 향해 나아간다. 심장 근육의 수축과 이완은 심장으로 돌아오는 혈액의 양과 수축 전에 심실에 축적되는 혈액에 의해 좌우된다. 스탈링의 법칙에 따르면 어느 정도까지는 심장 근육이 확장할수록 심장 수축이 강하고 심박출량이 증가한다.
- 후부하(afterload). 심실에서 박출되는 혈액이 만나는 힘이다. 후부하는 회전문을 밀고 나가는 데 필요한 압력이라고 생각할 수도 있다. 누군가 또는 무언가가 문의 반대쪽을 밀고 있다면, 문을 열기 위해 더 많은 압력이 필요하다. 전신순환에서 후부하는 대동맥 수축기 압력과 전신 혈관 저항에 의해 영향을 받는다. 후부하를 증가시키거나 감소시키면 심박출량이 달라진다. 후부하에 영향을 미치는 또 다른 요인은 혈액의 점성 또는 점도이다. 혈액이 끈적해지면 혈관계를 통해 끈적한 혈액을 이동시키는 데 더 많은 힘이 필요하기 때문에 후부하를 증가시킬 수 있다.
- 수축력(Contractility). 주어진 전부하에 대한 심장 수축의 강도를 수축력이라 한다. 에피네프린 또는 도파민 투여에 의해 제공하는 양성 수축력은 수축률을 증가시킨다. 이 강한 수축은 일회박출량을 증가시킨다. 심장 수축력이 증가함에 따라 심장의 산소 요구량이 증가한다는 점에 유의한다.
- 동시성(Synchrony). 효과적으로 펌프질하기 위해서는 심장 수축을 동기화하여 심방은 심실을 채우기 위해 수축하고 심실은 수축하여 폐와 심장으로 혈액을 보내는 심장주기를 효율적으로 시행한다. 심방세동 동안 일어나거나 방실차단과 같은 전도 장애에서 발생하는 것과 같은 심방 수축의 동시성 상실은 펌프로서의 심장의 효과를 변화시킨다. 심방세동은 심방이 심실에 완전히 수축하고 혈액을 펌프질하지 못하게 하여 심실 전부하의 감소를 일으키고(심방 킥 손실로 인한) 심박출량을 감소시킨다. 방실차단과 같은 전도 장애는 심방과 심실 근육 섬유 사이의 조정을 방해하여 수축 효율을 감소시켜 심박출량을 감소시킬 수 있다.

혈관계

혈관계는 신체 전체로 혈액을 이동시키는 통로이다. 동맥혈관계를 구성하는 동맥과 세동맥은 산소와 영양분이 풍부한 혈액을 운반한다. 정맥계를 구성하는 정맥과 세정맥은 탈산소화된 혈액을 심장으로 되돌려 보내고 노폐물을 운반하여 신체에서 제거한다. 모세혈관은 산소와 다른 영양을 조직으로 전달하고 조직에서 노폐물을 제거하기 위한 장소 역할을 함으로써 혈액과 조직 사이를 연결한다. 조직에 더 많은 산소가 필요할 때 모세혈관전조임근은 혈액이 모세혈관으로 흘러 들어갈 수 있도록 확장한다.

사실, 혈관계의 모든 부분은 다양한 자극에 반응하여 수축(혈관 수축)하고 확장(혈관 확장)할 수 있다. 동맥과 세동맥은 혈관벽이 더 부드러운 근육 섬유를 가지고 있으므로 정맥과 세정맥보다 더 강하게 수축하고 팽창한다. 정맥에 비해 동맥에서 혈액의 증가한 압력은 혈액을 빠르게 유지해 준다. 정맥계에서 잔류 혈압이 낮으므로 혈액의 역류를 방지하기 위해 판막이 필요하다.

혈액

혈액은 산소와 영양소를 신체의 세포와 신체에서 노폐물을 제거하는 두 가지 중요한 기능이 있다. 적혈구(RBC)의 철분을 함유한 단백질인 헤모글로빈은 조직으로 산소를 운반한다. 신진대사의 주요 노폐물 중 하나인 이산화탄소(CO_2)는 주로 혈장에 용해되어 있으며(25%까지는 헤모글로빈을 통해 운반) 이산화탄소의 축적이 산증 상태를 만들기 때문에 신속하게 제거되어야 한다.

혈액의 다른 구성 요소에는 다음과 같다.

- 백혈구(WBC)는 세균, 곰팡이 및 기타 병원균에 의한 감염으로부터 신체를 보호하는 데 도움을 준다.
- 혈소판은 응고 과정을 시작한다.
- 단백질은 혈액 응고, 면역, 상처 치유, 운반을 포함하는 다양한 기능을 수행한다.
- 호르몬은 기관계의 기능을 조절하고 성장과 발달을 조절하며 다른 중요한 기능을 수행한다.
- 영양소는 세포가 적절하게 기능할 수 있도록 에너지를 공급한다(예를 들어: 포도당은 혈액이 신체 전체의 세포로 전달되는 영양소이다).
- 혈장이 혈액에서 고체 성분(적혈구, 백혈구, 혈소판)을 운반한다. 이 액체는 약 92%의 물과 7%의 단백질로 구성되어 있다.

세포 사이의 공간을 차지하는 세포들 사이를 채우고 있는 사이질액(세포바깥)과 세포 내부에 남아 있는 세포내액은 평형을 유지해야 한다. 혈장 단백질은 유체 평형을 조절하는 데 중요하다. 혈장 단백질 알부민과 글로불린은 크고 혈관에서 쉽게 빠져나갈 수 없다. 혈관 내에서 혈장 단백질이 있으므로 삼투압을 생성하여 액체를 혈관으로 다시 끌어들인다(그림 4-3).

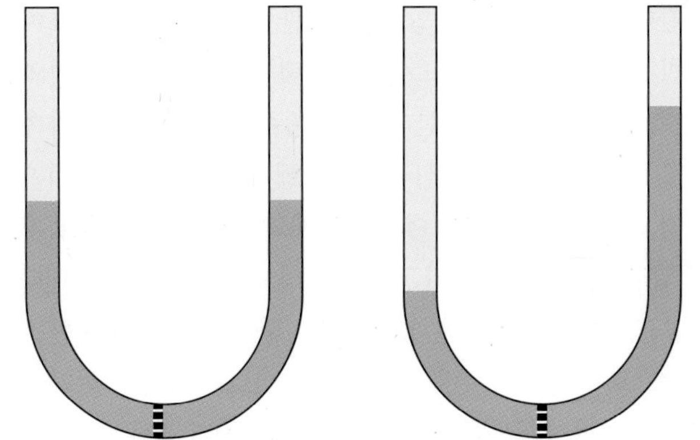

그림 4-3. 반투과성 막으로 분리되는 U 관에 같은 양의 물과 고체 입자를 함유한다. 만약 반투과성막을 통해 확산할 수 없는 용질이 한쪽에 추가되지만, 다른쪽에는 추가되지 않으면 액체는 막을 투과하여 추가된 입자를 희석시킨다. U 관에서 액체 높이의 압력차를 삼투압이라고 한다.

혈압

혈압은 혈액이 동맥벽에 가하는 압력이다. 혈압은 일반적으로 신체에 의해 세심하게 조절되기 때문에 다양한 조직과 장기에 충분하고 일관된 순환이 발생한다. 혈압은 관류 방법의 하나이다. 관류가 효과적이려면 심장이 계속해서 혈액을 혈관에 주입해야 하며 동맥 혈관은 긴장을 유지해야 한다. 혈액 순환 계통을 통한 이러한 혈액 흐름의 저항을 말초혈관 저항이라고 하는데, 이것은 말초 동맥과 세동맥의 혈관 수축 정도에 의해 결정된다. 혈관 수축은 혈액에 압축력을 가하여 혈관 공간 내의 압력을 증가시킨다. 전신 혈관 저항이 증가하면 동맥 혈압이 상승하여 모세 혈관을 통한 혈류를 촉진하고 조직에 효과적인 관류가 일어난다.

순환계를 통한 혈관의 직경이 감소함에 따라 이러한 저항을 전신 혈관 저항이라고 하며 원위 동맥 및 동맥의 혈관 수축 정도에 의해 결정된다. 혈관 수축은 혈액에 압축력을 가하여 혈관 공간 내에서 압력을 유지하고 증가시킨다. 전신 혈관 저항이 증가하면 동맥 혈압이 상승하여 모세혈관을 통해 효과적으로 혈류를 촉진하고 조직으로 관류시킨다.

혈관의 직경이 줄어들면 마찰과 저항이 증가한다. 마찰은 혈관벽을 따라 혈관을 통해 흐르는 점성 액체인 혈액으로 생성된다. 적혈구는 혈액 점성도의 많은 부분을 담당하지만, 단백질 분자도 기여한다. 혈액의 구성이 변하면 다소 점성이 된다. 예를 들어, 혈장이라고 하는 혈액의 액체 성분 비율이 증가하거나 감소할 수 있다. 만약 헤마토크릿이 증가하면서 혈장 농도가 떨어지면, 혈액은 더 점성이 커진다.

심장에서 방출되는 혈액의 양이 증가할수록 동맥 혈압도 증가한다. 따라서 동맥 혈압은 조직 관류의 간접적인 지표이다. 일반적으로 mmHg로 표기하며 동맥벽에 가해지는 압력의 양은 측정된 압력을 결정한다. 혈압은 수축기 혈압/확장기 혈압으로 표시한다. 수축기 혈압은 심실에서 분출되는 혈액의 양과 압력 그리고 그 분출에 대한 동맥계의 반응을 나타낸다. 확장기 압력은 심실이 이완된 후 동맥계의 잔류 압력을 나타낸다.

평균 동맥압(MAP)은 일반적으로 환자의 가장 중요한 혈압 기준으로 간주하며 수축기 혈압뿐만 아니라 확장기 혈압을 모두 고려한다. 평균 동맥압은 궁극적으로 장기 관류를 유지하는 데 필요한 혈압이며 일반적으로 약 70mmHg이다. 평균 동맥압이 장기간 70mmHg 미만으로 현저하게 감소하면 관류 부족으로 인한 장기의 허혈이 발생할 수 있다. 따라서 뇌, 관상동맥 및 신장이 관류 상태를 유지하려면 평균 동맥압이 60mmHg 이상이어야 한다. 환자는 다양한 의학적 상태에 따라 더 높거나 더 낮은 평균 동맥압을 가질 수 있다. 만성 고혈압 환자는 적절한 관류를 유지하기 위해 평균보다 높은 압력이 필요할 수 있다. 평균 동맥압을 계산하기 위해서는 다음과 같은 두 가지 공식을 사용한다.

$$\text{평균 동맥압(MAP)} = \text{확장기 혈압} + \left(\frac{1}{3} \times \text{맥압}\right)$$

$$\text{평균 동맥압(MAP)} = \frac{[\text{수축기 혈압} + (2 \times \text{확장기 혈압})]}{3}$$

맥압은 수축기 압력과 확장기 압력의 차이이다. 맥압은 일반적으로 약 40mmHg이다. 심박출량이나 혈관 저항의 변화는 맥압의 변화를 초래한다. 저혈량 쇼크에 대한 신체의 반응은 각각이 맥압에 미치는 영향의 한 예이다. 심박출량이 감소하고 말초혈관 저항이 증가하면 맥압이 좁아진다. 부피가 감소함에 따라 심장으로 돌아오는 혈액량의 감소는 심박출량의 감소를 초래한다. 신체는 에피네프린을 분비하는 교감 신경계를 활성화하여 반응한다. 이것은 심박수 증가, 심장 수축력 증가 및 혈관 수축을 유발한다. 그 결과 수축기 혈압이 낮아지면서 확장기 혈압이 증가하여 맥압이 좁아진다. 그 변화는 미묘하고 쉽게 놓칠 수 있다. 예를 들어, 혈압은 118/68mmHg에서 108/82mmHg로 변할 수 있다. 이것은 거의 50%(50~26)의 맥압 감소를 나타낸다. 혈압만 보면 맥박의 감소는 눈에 띄지 않을 수 있지만, 맥압을 계산하면 상당한 감소가 나타난다. 50% 이상의 감소는 일회박출량의 50% 감소를 나타낸다. 맥압은 특히 새로운 패턴을 확인할 수 있도록 반복적으로 측정할 때 유용한 쇼크의 지표이다. 다른 증상과 징후와 마찬가지로 전체 평가의 일부여야 하며 환자 상태를 확인하기 위해 다른 소견을 확인하는 데 사용한다.

자율 신경계

신체는 심혈관계를 통해 관류가 이루어진다. 심혈관계의 조절은 서로 경쟁하는 하부체계로 구성된 자율 신경계의 기능이다. 하위 시스템 중 하나인 교감 신경계는 정상적인 신체 기능을 유지하는 데 도움이 되며 신체가 즉각적인 반응을 요구하는 위협에 반응할 수 있게 한다. 이러면 교감 신경계는 일시적으로 혈액을 소화와 같은 중요하지 않은 기능에서 심장과 뇌로 혈액이 다시 향하도록 조직 관류에 직접적인 역할을 한다. 자율 신경계의 또 다른 하부체계는 휴식과 재생을 담당하는 부교감신경계이다. 표 4-1은 교감 신경계와 부교감 신경계의 기능을 요약한 것이다.

쇼크의 병태생리학

쇼크는 세포 수준에서 발생한다. 쇼크 중에 발생하는 세포 변화는 신경계, 위장계 및 내분비계를 포함한 신체의 모든 계통에 영향을 미친다. 쇼크의 증상은 부적절한 관류로 인한 대사장애의 정도와 일치하지만, 원인과 관계없이 유사한 경우가 많다. 즉, 신체의 보상 기전은 어떤 유형의 쇼크가 발생하더라도 동일한 방식으로 반응하여 장기 및 조직 관류를 향상하는 경향이 있다. 쇼크는 부적절한 심박출량, 말초혈관 저항 감소, 적혈구가 조직에 산소를 전달하지 못하거나 이것이 합쳐져 발생할 수 있다. 부적절한 관류의 결과 때문에 조직에 이산화탄소와 같은 노폐물이 축적된다. 위험한 노폐물이 축적되면 세포 사멸로 이어지고 결국 전체 장기의 사망으로 이어진다.

미토콘드리아는 쇼크의 영향을 받는 첫 번째 세포 성분 중 일부이다. 신체 대부분의 산소는 미토콘드리아에 의해 소비되며 미토콘드리아는 모든 신체 계통에서 사용하는 유산소 에너지의 95%를 생산한다. 미토콘드리아에서 산소가 고갈되면 세포는 무산소대사를 겪게 되어 젖산 생성을 증가시켜 산화된 환경을 조성하게 된다. 따라서 혈중 젖산 수치가 높아지는 것은 쇼크를 나타내는 지표가 된다.

표 4-1. 교감 신경계와 부교감 신경계의 기능

	교감 신경계	부교감 신경계
심장근육	속도 및 강도 증가	속도 및 강도 감소
혈관	수축(알파 수용체) 확장(베타 수용체)	확장
세기관지	이완(베타 수용체)	수축
소화관	연동운동 감소	연동운동 증가
방광	이완	수축
피부	땀남	효과 없음
부신수질	에피네피린 분비 증가	효과 없음

대사 산증

정상 세포에서 포도당을 대사하는 동안 산소가 소비된다. 이 과정을 유산소대사라고 한다. 산소가 부족하면 산소를 필요로 하지 않는 대체 경로를 통해 포도당이 대사되며 이 과정을 무산소대사라고 한다. 무산소 경로는 훨씬 덜 효율적이어서 포도당 분자당 더 적은 에너지(ATP)를 생산하고 주로 젖산을 포함한 더 많은 노폐물을 생산한다.

불충분한 산소 관류로 인해 신체 조직에 쇼크가 발생하면 세포믄 무산소대사의 부산물로 젖산을 생성하기 시작하여 대사 산증을 유발한다. 쇼크가 지속되면 무산소대사 과정으로 인해 충분한 ATP를 생성할 수 없게 된다. ATP 부족은 나트륨-칼륨 펌프의 기능을 손상시켜 세포에 나트륨이 축적되고 혈청에 칼륨이 축적된다. 이러한 전해질 수치의 변화는 체액 이동을 유발하여 세포와 미토콘드리아 내에 부종이 형성되고 결국에는 이러한 구성 요소가 손상할 수 있다. 허혈 세포는 또한 유리기와 염증 인자를 생성하여 세포의 손상을 증가시킨다. 이러한 독소는 관류가 회복되면 다시 순환계로 흘러 들어가 다른 장기도 손상한다. 손상이 심하면 재산소화와 관류량이 회복되어도 손상을 복구할 수 없고 세포사가 발생한다.

혈전 형성 활성화, 리소좀 효소 방출 그리고 순환하는 혈액양의 감소가 세포의 산소 사용을 손상할 수 있다. 이 세 가지 요인들은 각각 적절한 산소 공급을 유지할 수 있는 신체의 능력을 점진적으로 손상하는 악순환을 유발한다. 각 단계가 진행될수록 더 큰 반응이 활성화된다. 신체의 순환량이 손상되고 즉각적인 처치가 시작되지 않으면 신체는 추가적인 보상 기전을 활성화하여 반응한다.

보상 기전

실혈, 심근경색, 급성중증과민증(anaphylaxis) 또는 긴장기흉으로 인해 관류가 감소하면 신체는 중요한 장기의 기능을 보존하기 위해 즉시 반응해야 한다. 보상 기전이 활성화되어 심박출량증가(맥박수 및 수축력 증가), 말초혈관 수축, 미세한 환기 증가를 포함하여 적절한 관류를 유지하는 데 도움을 줄 수 있다. 심박출량 증가는 조직으로의 산소 전달 속도를 증가시키고 혈관 수축은 가장 중요한 조직의 관류압을 향상한다. 분당 호흡량이 증가하면 동맥 산소 함량이 증가하여 남아 있는 관류량을 최대한 활용한다.

이러한 보상 기전은 어느 정도까지만 효과적이다. 일단 임계점에 도달하면 더 이상 보상할 수 없으며 조직에 저산소증이 발생한다. 이 시점에 신체는 "쇼크 상태"에 빠지게 된다. 궁극적으로 사용할 수 있는 산소 수준은 신체 전체의 산소 요구량을 충족시키기에 불충분하다. 이러한 산소 부족과 노폐물 축적은 다발성 장기 기능 장애와 사망을 초래할 것이다.

부신 반응

신장 위에 위치한 부신은 쇼크에 대한 반응으로 에피네프린과 노르에피네프린을 방출한다. 이 호르몬들은 심장과 혈관의 α 수용체와 β 수용체를 자극한다. $\alpha 1$ 자극은 혈관 수축을 유발하고 $\beta 1$ 자극은 심박수와 심장 수축을 증가시킨다(표 4-2). 수용체 분포는 일반적으로 지방, 피부 및 소화관의 조직과 같은 중요하지 않은 조직에서의 더 큰 수축을 초래한다. 신장 내에서도 혈관 수축이 발생한다.

표 4-2. 쇼크에 따른 α-β 반응

	위치	반응
α1	피부 세동맥, 내장, 점막, 정맥, 방광 괄약근	수축, 전신 혈관 저항 증가
α2	소화 기관	분비물 감소 및 연동운동 저하
β1	심장 신장	심박수, 수축력 및 산소 소비 증가 레닌 분비
β2	심장, 폐 및 골격근의 세동맥 세기관지	장기 관류 증가로 인한 확장 확장

뇌하수체 반응

뇌하수체 전엽은 쇼크에 반응하여 항이뇨호르몬(ADH)을 방출한다. 시상하부에서 합성되는 항이뇨호흐몬은 증상을 감지하기 어려운 쇼크 초기에 분비된다. 항이뇨호르몬은 신장의 원위 신세관과 집합관으로 순환하면서 체액이 재흡수되도록 한다. 그 결과 혈관 내 체액량이 유지되고 소변량이 감소한다. 항이뇨호르몬을 바소프레신이라고도 한다. 항이뇨호르몬은 소화관과 혈관에서 민무늬근육 수축을 자극한다.

레닌-안지오텐신-알도스테론 시스템 활성화

신장은 혈압을 유지하는 데 필수적이다. 신장으로의 혈류가 감소하면 레닌-앤지오텐신-알도스테론계(RAAS)가 활성화된다. 레닌은 신장의 사구체옆 세포에서 분비되는 효소이다. 안지오텐신을 안지오텐신 Ⅰ(혈관 확장제)로 전환하는데 이는 안지오텐신노겐을 다시 안지오텐신 변환 효소(ACE)를 통해 폐에서 안지오텐신 Ⅱ(혈관 수축제)로 전환된다. 안지오텐신 Ⅰ과 Ⅱ는 부신 피질에서 분비되는 알도스테론의 생성 및 분비를 자극하는 단백질로 신장이 신세관으로부터 나트륨을 재흡수하게 한다. 이 나트륨은 물을 소변으로 배출하는 대신 혈관으로 다시 운반하여 혈관의 혈액량을 증가시키고 혈압을 증가시킨다. 알도스테론의 분비는 신장에 신호를 보내 레닌의 분비를 멈추게 하고 신장으로의 관류를 회복시킨다. 알도스테론 분비는 또한 쇼크의 초기 징후 중 하나인 갈증을 유발한다.

안지오텐신 Ⅱ는 강력하지만 오래가지 못하는 혈관 수축제이다. 쇼크가 발생했을 때 심장에서 가장 멀리 떨어진 혈관의 수축을 유도하여 심장의 후부하를 증가시키는 저항을 생성한다. 덜 중요한 장기에 혈액 공급을 감소시켜 심장으로 더 많은 혈액을 공급하여 전부하가 증가하고 심박출량이 향상된다. 이 선택적 관류는 쇼크의 허혈 단계에서 발생한다. 뇌, 심장, 폐 및 간과 같은 필수 장기의 관류는 증가하지만, 덜 중요한 장기는 허혈이 발생할 수 있다.

쇼크의 진행

쇼크는 보상, 비보상 및 비가역 세 단계로 연속적으로 발생한다(표 4-3). 당신의 목표는 초기 단계에서 쇼크의 임상 증상과 징후를 초기 단계에서 인식하고 영구적인 손상이 발생하기 전에 즉각적인 처치를 시작하는 것이다. 그러기 위해서는 신체가 보상하는 동안 나타나는 미묘한 징후를 인지하고 적극적으로 환자를 처치한다(표 4-4). 먼저 현장 평가와 손상 기전이나 질병의 특성을 기반으로 쇼크의 가능성을 예측하는 것부터 시작한다. 평가를 진행하면서 저혈압이 나타나기 전에 불충분한 관류 징후를 인식하며 환자가 어떤 쇼크 단계에 있는지 결정하기 위해 어떤 한 가지 증상이나 증후에 의존하지 않는다. 잠재적인 쇼크 환자를 처치하는 경우 신속한 평가, 즉각적인 처치 및 생존 가능성을 유지하기 위해 이송을 하는 경우 항상 주의한다.

쇼크 증후군 처치의 주요 목적은 뇌의 관류를 잘 유지하는 것이기 때문에 혼동 및 기면과 같은 의식상태 변화는 쇼크 환자에서 늦게 나타나는 지표이다. 때로는 의식이 명료한 환자가 쇼크의 보상 단계에서 동요하거나 불안해할 수 있지만, 이는 의식상태의 변화로 간주하지 않는다.

보상 쇼크

신체가 감소한 관류를 여전히 보상할 수 있는 쇼크의 초기 단계를 보상 쇼크라고 한다. 보상 쇼크에서 신체는 화학 매개물질을 방출하여 무산소 대사와 젖산 축적을 일으키는 손상에 반응한다. 자율 신경계에서 분비되는 화학 매개 물질은 잠재적으로 치명적인 손상을 보상하는 역할을 한다. 이 화학 매개 물질은 혈관계가 수축하도록 자극하여 동맥압을 정상으로 유지하거나 약간 상승시킨다. 산소의 필요성과 진행 중인 대사 산증을 해결하기 위해 호흡 속도와 깊이를 증가시켜 신체가 더 많은 산소를 가져오고 더 많은 이산화탄소를 제거하도록 한다. 이 쇼크 이 단계에서 신체는 대사 산증을 상쇄하기 위해 호흡 알칼리증[빠른 호흡을 통해 "호흡 산증"(이산화탄소)을 제거]

표 4-3. 쇼크의 단계

단계	활력징후	증상과 징후	병태생리학
보상	정상 혈압 정상 또는 약간 증가한 심박수 빠른 호흡 모세혈관 재충전 지연 보상 예비 지수 감소	차가운 손과 발 창백한 점막 안절부절, 불안 소변 감소	혈관 수축은 주요 장기로 혈류를 유지하지만, 조직 허혈은 덜 필수적인 장기에서 발생한다.
비보상	혈압 감소 빈맥 > 120회/분 빠른 호흡 > 30~40회/분 맥압 증가	얼룩덜룩하거나 창백하고 차갑고 축축한 피부 창백하거나 청색증의 점막 명백한 쇠약 대사(젖산) 산증 불안 말초 맥박이 촉지되지 않거나 감소	혈관 긴장도가 감소함에 따라 혈압 감소 모든 장기에 기능 장애 임박 무산소 대사가 일어나 젖산 산증 발생
비가역	심한 저혈압	젖산 수치 > 8mEq/L	대사산증이 모세혈관 후 조임근을 열어 정체되고 응고된 혈액을 방출하도록 한다. 과도한 칼륨과 산은 부정맥을 유발한다. 세포 손상은 돌이킬 수 없으며 유리기를 방출한다.

표 4-4. 보상 쇼크 및 비보상 쇼크의 징후

보상 쇼크	비보상 쇼크
초조, 불안, 동요 임박한 불안감 약하고 빠른 맥박 차고 촉촉한 피부 창백하고 입술에 청색증 호흡곤란 구역, 구토 영유아 우 모세혈관 재충전 지연 갈증 혈압 유지	의식 수준 변화(언어 자극에만 반응하거나 반응하지 않음) 저혈압 힘들거나 불규칙한 호흡 말초 맥박이 가늘거나 촉지되지 않음 창백, 얼룩덜룩한 또는 청색증 피부 동공 확장 소변량 감소 임박한 심정지

*의식상태 변화는 후기 지표이다.

을 만들어 산-염기 균형을 유지하려고 시도한다. 이러한 측정을 평가하면 호기말이산화탄소분압 수치의 감소와 젖산 수치가 상승하는 것을 볼 수 있다. 일부 사람은 현재 젖산 생산이 실제로 신체의 보상 기전이 작동하고 있다는 신호라고 믿고 있는데 이는 여전히 젖산을 생산할 수 있기 때문이다. 이 과정에 대해서는 향후 더 많은 것을 배울 것이다.

쇼크의 보상 단계는 혈압이 유지된다. 출혈 쇼크로 인한 혈액 손실은 이 시점에서 15~30%로 추정할 수 있다. 맥압 감소(확장기 혈압과 수축기 혈압의 차이)도 발생하여 실과 같은 가는 맥박이 발생한다. 맥압은 동맥계의 긴장성을 반영하며 수축기 또는 확장기 혈압 단독보다 관류 변화를 더 잘 나타낸다. 보상 단계의 환자는 기립성 검사 결과도 양성으로 나타난다. 보상 쇼크 상태의 환자는 상태의 환자는 여전히 쇼크 상태이므로 즉시 처치해야 하는 것을 기억하는 것이 중요하다. 사실 이러한 환자들이 더 적극적으로 치료할수록 예상되는 결과가 더 좋다. 비보상 쇼크로의 전환을 방지하는 것이 가장 중요하다.

비보상 쇼크

혈압이 더 이상 유지되지 않는 쇼크의 다음 단계를 비보상 쇼크라고 한다. 출혈 쇼크에서 혈액량의 30% 초과해서 실혈이 발생하면 비보상 쇼크가 발생한다. 보상 기전은 더 이상 진행 중인 쇼크 상태를 회복시킬 수 없으며 환자의 징후와 증상이 훨씬 더 분명해진다. 심박출량이 급격히 감소하여 혈압과 심장 기능이 더욱 감소한다. 혈액이 뇌와 심장으로 이동함에 따라 증상과 징후가 더욱 분명해진다. 신장은 자체 혈류를 자동조절하여 반응한다. 심박출량이 감소하면 신장의 모세 혈관으로 들어가는 세동맥(구심 혈관)이 확장되고 사구체 모세혈관에서 나오는 세동맥(원심 혈관)은 수축한다. 이것은 신장의 관류를 허용한다. 혈압이 떨어지면 이 과정은 유지할 수 없으며 신장의 관류가 심하게 손상된다. 이 시점에서 혈관 수축이 계속되면 치명적인 영향을 미칠 수 있다. 관류되지 않은 조직의 세포는 허혈이 되어 무산소대사와 세포 사멸을 초래한다. 이 단계에서 적극적인 처치를 하면 환자는 회복될 수 있다.

혈압은 쇼크의 변화를 측정할 수 있는 마지막 신호일 수 있다. 신체에는 초기 관류 손실을 보상하고 혈압을 유지하는 데 도움이 되는 몇 가지 자동 기전이 있다. 따라서 저혈압이 발생할 때쯤이면 쇼크는 이미 상당 부분 진행된 상태이다. 이것은 특히 혈액량의 35~40% 이상의 실혈이 발생할 때까지 혈압이 유지될 수 있는 영아, 소아, 임신부에게 해당한다. 쇼크가 의심되는 모든 저혈압 환자의 경우 응급 상황으로 간주하고 생명을 구할 수 있는 처치를 시작하고 10분 이내에 이송을 시작하여 가장 적절한 의료기관으로 이송하는 중에 수액 소생술을 제공한다.

비가역(말기) 쇼크

쇼크의 마지막 단계는 상태가 말기 단계로 진행되었을 때 돌이킬 수 없는 비가역 쇼크이다. 동맥 혈압이 비정상적으로 낮다(일반적으로 출혈 쇼크에서 40%를 초과한 실혈이 있음). 보상 기전이나 처치로 되돌릴 수 없는 심혈관계의 점진적인 악화는 다발성 장기 부전을 초래한다. 생명을 위협할 정도의 심박출량, 혈압 및 조직 관류의 감소가 관찰된다. 심장과 뇌의 관류를 유지하기 위해 간, 신장, 폐에서 혈액이 빠져나오고 세포가 죽기 시작한다. 비록 쇼크의 원인을 처치하고 되돌린다고 하더라도 치명적인 장기 손상은 회복되지 않고 환자는 결국 사망할 수 있다. 이 단계에서 적극적인 처치를 시행해도 일반적으로 회복되지 않는다. 그러나 비보상 쇼크와 비가역 쇼크 사이의 임상적 차이는 쉽게 구별되지 않을 수 있으므로 적절한 의료기관으로 이송하는 동안 적극적인 처치를 제공한다.

AMLS 평가 과정

▼ 초기 관찰

쇼크에 대한 AMLS 평가 과정은 쇼크에 빠진 환자를 효율적으로 인식하고 평가해 처치할 수 있다. 쇼크의 조기 인식과 즉각적인 처치 및 신속한 이송은 긍정적인 환자 결과와 직접적인 관련이 있다. 초기 관찰은 저관류의 유무 또는 가능성을 인식하는 데 중점을 두어야 한다. 쇼크가 뚜렷하게 나타나거나 서서히 나타날 수 있기 때문에 평가 과정 중에 여러 지점에서 쇼크를 인지할 수 있다. 중요한 것은 급속도로 진행되어 생명을 위협할 수 있기 때문에 쇼크에 대한 높은 수준의 의심을 유지한다.

현장 안전 고려 사항

현장 안전은 모든 환자에게 접근하는 데 매우 중요한 사항이다. 상태가 심각해 보이는 환자를 대할 때 안전 문제를 놓치기 쉬우므로 시간을 내어 자신과 관련된 사람들이 안전하게 현장을 유지할 수 있도록 한다.

환자 기본 설명/주요호소 증상

쇼크 상태 환자의 기본 설명과 주요호소 증상은 다양하게 나타날 수 있다. 예를 들어, 위장 출혈이 있는 환자는 복통을 호소할 수 있고 가슴대동맥 박리 환자는 요통을 호소할 수 있으며 긴장기흉 환자는 호흡곤란을 호소할 수 있다. 이 환자들 모두 쇼크 상태일 수 있지만, 각 환자의 기본 설명은 다르다. 새로운 진단 정보가 발견되면서 환자의 처치가 발전한다. 상태가 위험한 환자에게서는 최종 처치가 이루어질 때까지 기도, 호흡 및 순환에 즉각적으로 초점을 맞춰야 한다.

쇼크가 의심되는 환자의 경우 다음 사항을 확인한다.

- 환자에게 다가갈 때 생명을 위협하는 징후가 보이는가? 의식 수준의 변화 또는 호흡곤란이 있는가?
- 환자의 피부에 쇼크의 징후가 보이는가? 창백, 회색빛, 땀남, 얼룩덜룩, 두드러기가 있는가?
- 주변 쇼크의 가능성을 암시하는가? 구토나 출혈이 있는가?

일차평가

환자의 상태가 안정되면 생명의 위협을 확인하고 처치하는 데 도움이 되는 구성 요소를 평가하고 기록에 집중한다. 생명를 위협하는 손상을 처치하여 환자의 상태가 안정되면 이러한 처치를 완료하는 데 도움이 되는 구성 요소를 평가하고 병력을 청취하며 기록에 집중한다. 설명할 수 없는 쇼크의 증상과 징후가 있으면 즉시 이송한다. 산소 공급, 호흡 및 순환을 보조하고 정상 체온을 유지하며 심전도, 맥박산소측정 및 호기말이산화탄소분압을 모니터링한다.

의식 수준

의식 수준이 변화되었거나 불안, 전투적 또는 혼란스러워 보이는 환자는 저산소증 및 쇼크의 징후를 평가한다. AVPU 및 글래스고혼수척도(GCS)를 사용하여 환자를 평가하면 환자의 의식 수준이 변화되었는지를 결정하는 데 도움이 될 수 있다. 산소 투여를 고려하고 환자에게 쇼크의 다른 징후가 있는지 주의 깊게 평가한다.

기도와 호흡

환자가 기도 개방을 유지할 수 없는 경우 현장에 있든 아니면 의료기관으로 이송하는 중이든 최종적인 처치가 이루어질 때까지 기본적인 기도 관리를 제공한다.

일단 환자의 기도를 확보하면 산소 공급을 향상하는 데 주의를 기울여야 한다. 저산소증의 증상이 나타나기 전에 환자의 산소포화도가 급격히 감소할 수 있다는 것을 기억한다. 종종 쇼크의 가장 초기 징후인 호흡 속도와 깊이의 증가는 불안과 혼동될 수 있다. 호흡의 증가는 생명을 위협하는 것도 배제할 수 있다. 환자의 호흡은 산증과 같은 근본적인 상태에 대한 단서를 제공할 수 있다. 조기 산증의 예방과 신속한 처치는 환자의 결과를 크게 향상할 수 있다. 쇼크 상태에서 호흡 속도가 느린 경우 쇼크가 이미 말기에 이르렀다고 의심한다.

순환/관류

순환 상태는 빠르게 평가할 수 있다. 환자에게 다가갈 때 명백한 출혈을 찾는 것으로 시작한다. 혈액이 섞인 구토나 대변은 내부 출혈을 의심한다. 대변에서 선홍색 혈액이 보이면 하부 위장관에서 출혈을 나타낸다. 흑색변이라고 불리는 짙은 빨간색이나 검은색의 대변은 상부 위장관 출혈로 인한 것이다. 대변 내의 검은색 혈액은 오래된 출혈이나 소화된 혈액의 존재를 나타낸다. 대변의 색을 직접 보기 전에 위장관 출혈의 냄새를 맡을 수도 있다. 환자가 말을 할 수 없으면 목격자에게 무엇을 목격했는지 물어본다.

환자의 맥박을 평가하면서 스스로 다음과 같은 질문을 한다.

- 노동맥, 목동맥, 넓적다리동맥이 강한지 아니면 가늘고 약한가?
- 맥박 속도가 너무 빠르거나 너무 느린가?
- 맥박이 규칙적인가 아니면 불규칙적인가?

쇼크의 초기 단계에서 혈압은 유지되기 때문에 관류를 평가할 때 맥박의 질은 더 유용한 도구이다. 맥박의 질을 평가하면 더 짧은 시간에 더 많은 정보를 얻을 수 있다. 실처럼 가늘고 약한 맥박은 저관류의 지표이고 강한 맥박은 적절한 관류 상태를 시사하지만, 보상 쇼크의 가능성이 있다. 환자의 맥박을 평가할 때 피부의 색과 온도를 평가한다. 말초혈관 수축으로 인해 차갑고 창백한 피부는 쇼크에서 흔히 볼 수 있다. 빈맥은 쇼크에 대한 교감 신경계의 반응을 나타낸다. 서맥이 있는 환자는 쇼크를 유발하는 부정맥이 있을 수 있다. 서맥은 신경성 쇼크에도 나타날 수 있다. 비정상적인 심박수의 근본적인 원인을 해결하려는 조치를 해야 한다. 쇼크 상태 환자의 이송을 지연시키지 않는다.

추가 질병이나 손상에 대해 적절하게 평가하기 위해 환자의 신체 부위를 노출해 적절하게 평가하는 경우 환자를 따뜻하게 유지한다. 쇼크는 말초 관류를 감소시키고 무산소대사로 전환해 필수 장기에 혈액을 공급하는 것과 환자가 체온을 유지하는 것을 어렵게 만든다. 환자의 체온을 유지하기 위해 담요로 덮고 따뜻한 수액을 정맥 내로 투여하는 것을 고려한다. 저체온증은 혈액 응고 능력을 감소시킨다. 체온보다 더 차가운 수액을 정맥 라인으로 투여하면 환자의 신체에 의해 가온되어야 이미 과부하된 신진대사에 추가적인 부담을 준다.

▼ 첫인상

첫인상은 쇼크 환자를 확인하는 데 중요하다. 예를 들어, 창백하고 무기력한 환자의 초기 출혈은 쇼크를 포함하여 환자의 생명을 위협하는 것을 배제하기 위해 즉시 바로누운자세로 이송한다. 현재로서는 생명을 위협하는 상황에 초점을 맞춘 처치가 최우선이다.

▼ 상세 평가

병력 청취

중증으로 보이는 환자의 경우 이차평가 및 지속적인 처치와 함께 응급실로 이송하는 중에 병력 청취를 수행할 수 있다. 쇼크 환자에게는 시간이 가장 중요하다. 환자를 응급실로 이송하는 데 집중하고 기도, 호흡 및 순환 문제를 평가 및 처치와 같이 환자를 이송하기 전에 수행하는 필수 항목으로 현장에서의 처치를 제한한다.

현재의 질병에 대한 설명과 포괄적인 과거 병력을 포함하여 철저한 병력을 청취하는 것은 쇼크 유형을 결정하는 데 필수적이다. 현장에서 시간을 지연시키는 처치는 환자에게 그만큼 필요할 때 시행한다. SAMPLER 및 OPQRST을 사용하여 과거 병력을 얻을 수 있다. 처음에 병력을 청취할 때 선택적일 수 있다. 예를 들어, "호흡 곤란"을 호소하는 쇼크의 증상과 징후를 보이는 환자의 경우 SAMPLER과 OPQRST에 빠르게 초점을 맞추고 얼마나 심각한지 질문할 수 있다. 과거 병력은 신체 검사 결과와 함께 감별 진단을 하고 적절한 처치를 시행하는 데 도움이 될 수 있다. 표 4-5는 환자 병력에서 저관류 시 고려할 사항을 나열한 것이고 표 4-6은 쇼크에 영향을 미치는 약물을 자세히 설명한 것이다. 즉시 생명을 위협하는 상황이 해결되면 완전하게 병력을 청취할 수 있다.

이차평가

활력징후

활력징후(혈압, 맥박, 호흡 속도, 온도)는 환자의 안정성을 결정하고 쇼크의 유형을 확인하는 데 필수적이다. 대부분의 쇼크 유형은 저혈압, 빈맥, 빠른 호흡 및 차가운 피부를 특징으로 하지만, 몇 가지 예외가 있다. 분포 쇼크 환자는 혈관이 확장되기 때문에 저혈압과 빈맥이 나타나지만, 피부는 따뜻하고 건조할 수 있다. 심장성 쇼크 환자는 근본적인 원인에 따라 서맥 또는 빈맥일 수 있다. 신경성 쇼크 환자는 일반적으로 서맥이 나타나고 혈관 확장으로 인해 피부가 따뜻하고 건조하다. 또한, 활력징후는 쇼크 단계를 확인하고 처치에 대한 환자의 반응을 결정하는 데 도움이 되는 경향이 있으므로 중요하다.

신체검사

쇼크의 증상과 증후가 있는 환자에서 신체검사를 시행하는 것은 원인을 파악하고 적절한 처치 방법을 선택하기 위해서이다. 예를 들어, 처음에 흉통과 쇼크 징후가 있는 환자에서 목정맥이 확장된 것을 볼 수 있다. 목정맥 확장은 우심실부전으로 인한 심장눌림증, 긴장기흉, 심장성 쇼크로 인해 나타날 수 있다. 다음 단계에서는 폐를 청진하는 것이다. 한쪽에서 호흡음이 감소한 것을 확인할 수 있으며 이것은 긴장기흉과 폐쇄 쇼크의 발생 가능성을 나타내는 것이다.

표 4-5. 저관류 시 병력 청취

저혈량 쇼크

- 구토
- 설사
- 과도한 발한
- 과도한 배뇨
- 혈액 상실: 내부출혈, 외부출혈

폐쇄 쇼크

긴장기흉
- 호흡음: 한쪽이 감소하거나 들리지 않음
- 목정맥 확장(JVD)
- 호흡곤란 증가
- 청색증

폐색전증
- 위험요소
- 갑작스러운 흉통 및 호흡곤란
- 무반응 저산소혈증(보조 산소 투여에도 불구하고 낮은 산소포화도)
- 저이산화탄소혈증(저호기말이산화탄소)
- 청색증 (큰 폐색전증)

심장눌림증
- 위험요소
- 감소된 심음
- 목정맥 확장(JVD)
- 청색증
- 맥압 감소

분포 쇼크

신경성 쇼크
- 척수 손상(외상 및 비외상)
- 최근 외상
- 홍조 피부
- 서맥이 있을 수 있음

급성중증과민증(Anaphylaxis)
- 알레르기항원에 노출된 병력
- 혈관부종
- 호흡음: 쌕쌕거림(천명음)
- 두드러기

패혈증
- 감염 병력(폐렴)
- 항생제 투여
- 발열(가능)
- 상처, 폴리카테터, 배액, 정맥 라인
- 면역력 저하

심장성 쇼크

- 심장 병력
- 급성 심근경색증
- 12 리드 심전도 변화
- 호흡음: 폐에서 거품소리(수포음)
- 목정맥 확장(JVD)
- 말초 부종

기타

- 독성 노출
- 약물 과다 복용

표 4-6. 쇼크에 영향을 미치는 약물

약물	효과	쇼크
스테로이드	감염 징후를 가릴 수 있으며 조기 인식 가능성 감소	패혈증
β 차단제	보상성 빈맥을 무디게 하여 보상 능력을 감소시킴	모든 유형
혈액응고제, 항혈소판제	출혈 가능성 증가	출혈
칼슘통로차단제	혈관 수축을 억제하여 보상 능력을 감소시킴	모든 유형
혈당강하제	혈당 조절 능력을 손상시킬 수 있음	모든 유형
천연약제	출혈을 악화시킬 수 있음 심장에 부담을 증가시킬 수 있음	출혈 특히 심장성 쇼크이지만, 모든 유형이 영향 받을 수 있음
이뇨제	장기간의 이뇨제 치료는 저칼륨혈증을 유발하고 탈수로 이어질 수 있음	모든 유형

진단학

쇼크 징후가 있는 환자를 평가하는 데 사용되는 진단 도구에는 모니터링(맥박산소측정, 심장 리듬, 혈당 모니터링), 심전도, 보상 예비 지수 및 검사실 검사 등이 있다. 호기말이산화탄는 산증 및 호흡 상태를 모니터링하는 중요한 도구이다. 병원에서는 검사실 검사, 컴퓨터단층촬영(CT), 초음파 검사, 방사선 촬영 검사가 필수적이다. 표 4-7은 일반적으로 쇼크 환자를 평가하는 데 사용되는 혈액 검사를 요약한 것이다.

맥박산소측정

맥박산소측정기는 사용하기 가장 간단한 평가 도구 중 하나이다. 환자의 손가락이나 피부에 센서를 부착하는 간단한 구조이지만, 간단함에도 불구하고 맥박산소측정법은 오류 가능성이 높다. 맥박산소측정 모니터에 파형이 표시되지 않으면 판독 값의 정확성을 의심한다. 쇼크가 진행됨에 따라 말초혈관 수축이 증가하여 맥박산소측정 판독을 어렵게 만들 수 있다. 혈액이 순환하는 데 걸리는 시간으로 인해 판독 값의 변화가 지연될 수 있으므로 환자는 실제 판독값보다 더 저산소혈증이거나 덜 저산소혈증 상태일 수 있다. 조직 관류의 다른 증상과 징후가 있을 때 맥박산소측정 판독값을 기반으로 환자 처치를 지연하거나 보류해서는 안 된다.

호기말이산화탄소분압측정

호기말이산화탄소분압측정은 쇼크를 확인하는 데 유용하다. 심박출량이 갑자기 감소하면 폐로 전달되는 혈액이 줄어들어 이산화탄소가 적게 전달되어 호기말이산화탄소 수치가 갑자기 감소한다. 호흡 속도를 유지하더라도 호기말이산화탄소는 감소를 보인다. 호기말이산화탄소의 감소는 또한 쇼크를 유발하는 큰 폐색전증과 같이 환기-관류 불일치가 존재할 때 발생한다. 패혈 쇼크 부분에의 뒷부분에서 논의한 바와 같이 호기말이산화탄소분압측정은 패혈증을 확인하는 데 중요한 도구이다. 또한 쇼크와 관련된 사망률을 예측하는 지표이기도 하다. 호기말이산화탄소분압측정과 쇼크 및 대사 산증과의 연관성에 대한 추가 연구는 현재 심장마비 처치에 사용되는 것과 같은 방식으로 쇼크 처치에 유용한 도구가 될 수 있다.

심전도

심전도는 심장 리듬을 평가하고 허혈, 손상 및 특정 전해질 이상을 확인하는 데 도움이 된다. 리드를 올바르게 부착하고 리듬을 분석하거나 전송하며 그 결과를 바탕으로 환자를 적절한 의료기관으로 이송한다. 쇼크는 심근 경색의 원인 또는 심근 경색의 결과일 수 있으므로 이차평가에서 진단을 위해 다중 리드 심전도 검사를 시행해야 하지만, 환자를 결정적인 처치(예를 들어 심장도관삽입과 처치를 위한 검사)를 시행할 수 있는 의료기관을 결정하는 데 도움이 될 수 있도록 조기에 측정한다. 불쾌감, 쇼크 징후를 호소하는 환자의 경우 가장 먼저 시행해야 하는 처치 중 하나가 심전도 측정이다.

표 4-7. 쇼크 환자를 위한 검사실 검사

검사	정상 수치	비정상 수치	검사가 필요한 경우
혈당 검사	70~110mg/dL (3.8~6.1mmol/L)	수치 증가는 고혈당, 당뇨병케토산증, 스테로이드 사용, 스트레스를 의미 수치 감소는 저혈당, 저장된 포도당 감소를 의미	모든 종류의 쇼크
헤모글로빈(Hb)/적혈구 용적률(Htc) 검사	Hb, 남성: 14~18g/dL (8.7~11.2mmol/L) Hb, 여성: 12~16g/dL (7.4~9.9mmol/L) Hct, 남성: 42%~52% (0.42~0.52) Hct, 여성: 37%~47% (0.37~0.47)	감소는 심각한 혈액 상실을 나타냄 증가는 혈장 손실, 탈수를 나타냄	모든 종류의 쇼크
위/대변 혈액 검사	음성	양성 결과는 위장관 출혈을 나타냄	위장관 출혈 의심
젖산 검사	정맥: 5~20mg/dL (0.6~2.2mmol/L)	증가는 조직 저관류 및 산증, 지혈대의 장시간 사용을 나타냄	모든 종류의 쇼크
일반 혈액 검사	총 백혈구 수치 5,000~10,000/mm^3 ($5\sim10 \times 10^9$/L)	백혈구 수치 증가는 감염을 시사	패혈 쇼크
산-염기 균형 검사	pH 7.35~7.45	pH 증가는 알칼리증을 나타냄 pH 감소는 산증과 관류 장애를 나타냄	모든 종류의 쇼크
	HCO_3^- 21~28mEq/L	중탄산수소염 수치 감소는 설사, 장누공과 같은 조건에서 쇼크, 신부전, 당뇨병케토산증, 살리실산염 과다복용과 같은 증가된 산 생산에 대한 반응으로 빠르게 소실되거나 소모되고 있음을 나타냄 중탄산수소염 수치 증가는 중탄산수소염 또는 제산제의 과다 섭취, 구토, 위흡인, 칼륨 결핍, 이뇨제 사용과 같은 상태로 인한 산 손실을 나타냄	
동맥혈 가스 검사	PCO_2 35~45mmHg PO_2 80~100mmHg	PCO_2 증가는 이산화탄소 잔류, 저환기, 폐렴, 폐 감염, 폐색전증, 울혈심부전, 호흡 노력을 손상 시키는 상태를 나타냄 PCO_2 수치 감소는 CO_2 수치 감소, 과호흡, 불안, 두려움, 통증, 중추신경계 병변, 임신, 호흡을 증가시키는 상태를 나타내고 대사 산증에 대한 반응으로 발생(예. 당뇨병케토산증) O_2 수치의 감소는 저산소증을 나타냄	모든 종류의 쇼크
혈청 전해질 검사	Na^+ 136~145mEq/L (136~145mmol/L) K^+ 3.5~5mEq/L (3.5~5mmol/L)	Na^+ 수치 증가는 삼투성 이뇨와 동반되어 나타날 수 있음 K^+ 수치 증가는 산증, 구토, 설사 및 당뇨병케토산증에서 일반적으로 나타남 K^+ 수치 증가는(고칼륨혈증) 비정상적인 심전도를 유발할 수 있으며 정점 T파형, 넓은 QRS, 서맥 또는 빈맥이 나타날 수 있음	모든 종류의 쇼크

표 4-7. 쇼크 환자를 위한 검사실 검사 (계속)

검사	정상 수치	비정상 수치	검사가 필요한 경우
신장 기능 검사	혈청 요소 질소 10~20mg/dL (3.6~7.1mmol/L) 크레아틴:0.5~1.2mg/dL (44~97mmol/L)	혈청 요소 질소 수치의 증가는 심각한 탈수, 쇼크, 패혈증을 나타냄 혈청 크레아틴 수치 증가(> 4mg/dL [0.2mmol/L])는 손상된 신장 기능을 나타냄	모든 종류의 쇼크
혈액/소변 배양 검사	음성	양성 결과는 감염을 나타냄	패혈 쇼크
보상 예비 지수 검사	0.7~1.0	0.3~0.6 또는 감소 추세는 저혈량 또는 혈액 상실을 나타냄 0.1~0.3은 비보상 쇼크에 가까움 0은 비보상 쇼크	혈액이나 체액 손실, 현재로서는 패혈 쇼크 특성이 알려져 있지 않음

CHF, Congestive heart failure; CNS, central nervous system; CO_2, carbon dioxide; DKA, diabetic ketoacidosis; ECG, electrocardiogram; GI, gastrointestinal; HCO_3^-, bicarbonate; K^+, potassium; Na^+, sodium; O_2, oxygen; PCO_2, partial pressure of carbon dioxide; PO_2, partial pressure of oxygen; WBC, white blood cell.

Mosby's Diagnostic and Laboratory Test Reference, 9 ed. Pagana KD, Pagana TJ. Copyright Mosby 2009.

검사실 검사

적절하게 처치를 시행하고 정맥 라인 확보를 지연시키지 않고 할 수 있는 경우 지침에 따라 검사실 분석을 위해 혈액 샘플을 채취한다. 병원 전 환경에서 현장 진단검사(POCT)가 점점 더 보편화되고 있지만, 쇼크 환자를 적절한 의료기관으로 이송하는 것이 최우선이다. 쇼크 동안에 대사가 증가하기 때문에 저혈당이 발생할 수 있다. 특히 환자의 의식상태가 변화된 병원 내 검사는 평가의 일상적인 부분이어야 한다. 쇼크 환자에서 젖산과 마찬가지로 혈당 수치도 상승할 수 있다. 비당뇨병 환자에서 젖산과 혈당 수치가 상승한 경우 패혈 쇼크를 의심한다. 상승한 젖산 수치는 쇼크를 나타낼 수 있다.

병원 내, 병원 간 또는 중환자 이송 환경에서 소변량을 모니터링하고 신장 질환이 없는 성인의 경우 최소 0.5~1mL/kg/h로 유지한다(소아의 경우 1~2mL/kg/h). 소변량은 신장 관류를 나타내므로 중요한 지표이다.

보상 예비력

미국 식품의약청은 최근 볼륨 손실로 인해 환자가 비보상 쇼크에 빠지려면 얼마나 걸리는지 판단하는 방법을 승인했다. 맥박산소측정법을 이용한 비침습적 방법으로 동맥파형의 특성을 파악한다(그림 4-4). 이 수치는 저혈량 쇼크 수치와 비교할 수 있으며 연속적으로 수치가 기록된다. 이것은 일반적으로 활력

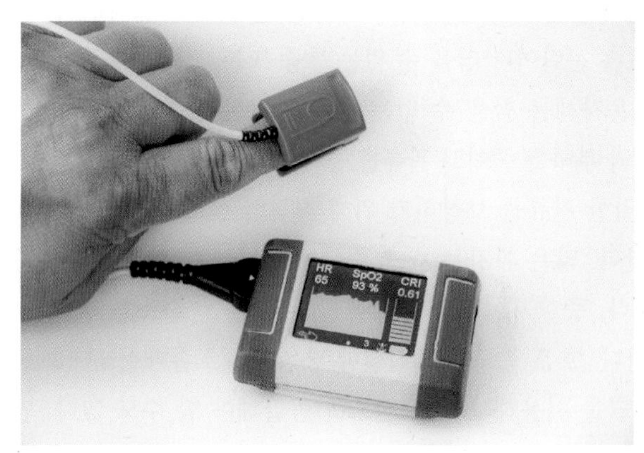

그림 4-4. 보상 예비 지수 측정 장비
Courtesy of DL Moore Photography

징후 변화가 감지되기 전에 보상 예비 지수 변화를 볼 수 있으며 미리 위험을 감지할 수 있다. 또한 이는 실시간 모니터링이 가능하고 처치에 대한 피드백을 제공할 수 있다. 수액, 혈액 또는 혈압상승제를 투여할 때 보상 예비 지수가 개선되는 것으로 나타났다.

▼ 감별 진단 개선

일차평가에서 환자가 쇼크 상태라고 판단했지만, 근본적인 원인을 확인하지 못했을 수 있다. 이차평가의 구성 요소를 통해 감별 진단을 개선하고 환자 상태의 심각성을 결정하는 능력을

향상할 수 있다. 쇼크의 원인을 파악하고 필요한 처치를 시작하기 위해서는 계산된 목적을 가지고 이차평가를 신속하게 진행하는 것이 중요하다. 생명을 위협하는 상태와 쇼크의 징후는 일차평가 중에 분명하지 않을 수 있으며 이차평가 또는 쇼크 단계가 진행될 때까지 발견되지 않을 수도 있다. 환자의 생명을 위협하는 상태가 나타나는 것과 관계없이 일차평가의 ABC로 돌아가 생명을 위협하는 상황을 즉시 처치를 시행한 후 시간과 환자 상태가 허용한 이차평가를 통해 감별 진단을 개선하는 것이 필수적이다.

▼ 지속적인 관리

경험으로 평가하고 처치를 시행한 후 재평가 한다. 지속적으로 처치를 시행하는 동안 일차평가와 활력징후를 반복해서 측정하고 주요호소증상을 재확인하고 시행한 모든 처치에 대해 환자의 반응을 모니터링한다. 항상 외상의 가능성을 고려한다. 환자의 적절한 자세는 초기 호소와 증상에 따라 달라진다. 환자가 호흡 곤란이나 참을 수 없는 통증 또는 다른 이유로 인해 바로누운자세를 참을 수 없는 경우 가능한 한 머리를 낮게하여 심장의 부하를 줄이고 관류를 증가시킬 수 있다.

적절한 관류를 보장하기 위해 최적의 산소 공급이 유지되어야 한다. 많은 환자는 쇼크 증상이 나타나기 전에 저산소증에 빠진다. 중환자이거나 부상을 입은 환자는 산소를 공급 받아야 한다. 호흡 속도가 부적절한 경우 비재호흡마스크나 백밸브마스크를 사용해 100% 산소를 공급해야 할 수도 있다. 만약 이러한 처치가 효과가 없으면 기관내삽관과 같은 전문 기도유지 방법을 사용하는 것을 고려한다. 일반적으로 산소포화도를 94~99%로 유지하는 것을 목표로 산소를 투여한다.

명백한 출혈을 지혈함으로써 환자의 순환 상태를 유지한다. 출혈 쇼크는 가장 흔한 유형의 쇼크 중 하나이지만, 관류저하의 유일한 원인은 아니다. 대부분의 관류 문제는 되돌리기 어려운 복잡한 원인을 가지고 있으므로 의료기관에서 근본적인 원인을 해결할 수 있을 때까지 현장에서의 처치는 증상을 개선할 수 있는 처치로 제한될 수 있다. 어떤 환자는 즉시 정맥 라인 확보가 필요할 수 있지만, 현장에서 머무르는 시간을 최소화하기 위해 의료기관으로 이송하는 중에 구급차에서 정맥 라인을 확보한다.

수액 소생술

저혈량 쇼크 환자에서 등장성 결정질 용액을 투여하지만, 산소, 헤모글로빈, 응고 인자 또는 기타 필수 혈액 성분이 없기 때문에 불충분할 수 있다. 또한, 등장성 결정질 용액은 일시적으로 부피확장제로 작용하지만, 너무 많이 투여하면, 기존의 혈액이 희석되어 더 묽어진다. 따라서 수액을 투여하는 동안 수시로 평가하는 것이 중요하다. 가능한 경우 초기 혈액 검사를 일찍 시행하여 결과를 확인할 수 있다면 수액 소생에 도움이 될 수 있다.

환자가 수액 과부하의 징후(예를 들어: 청진시 수포음)를 나타내지 않으면 초기에 등장액을 볼러스로 20~30ml/kg (1,000~2,000L) 투여한다. 환자가 수액 과부하의 위험이 있는 경우 볼러스로 250~500mL의 수액을 적절하게 투여한 후 재평가를 실시한다. 수액 소생술의 목적은 관류를 향상시켜 평균동맥압(MAP)을 60~70mmHg로 유지하거나 수축기 혈압을 80~90mmHg로 유지하는 것이다.

콜로이드, 전혈, 농축 적혈구, 신선동결혈장, 혈소판, 덱스트란 및 알부민은 기타 용적 확장제이다. 출혈이 의심되면 혈액제제 투여가 필요한 상황이다. 전혈 및 혈액제제는 혈액량을 대체하는 동시에 산소 운반 능력(전혈과 농축 적혈구)과 지혈인자(혈소판과 신선동결혈장)의 추가적인 이점을 제공하지만, 사람의 혈액 속에 항체가 존재한다는 것은 약간의 위험을 초래한다. 혈액형과 교차적합 검사를 시행하는 것이 선호되지만, 시간이 허락하지 않는 경우 교차하지 않는 RH⁻ O형 혈액(낮은 항체 O형 전혈)을 수혈할 수 있다. 대량의 수혈이 필요한 경우 신선냉동혈장과 혈소판을 조기에 투여하면 생존율을 향상시키는 것으로 나타났다.

덱스트란은 합성 용적 확장제이다. 등장액보다 혈관 공간에 더 오래 머물지만, 산소 운반 능력은 없다. 알부민은 혈액형 검사나 교차적합 검사가 필요 없는 사람의 혈액 제품이지만, 산소 운반 능력은 없다. 이러한 용액은 논란의 여지가 있으며 일반적으로 현장에서 쇼크 처치를 위해 사용하지 않는다. 등장성 결정질 용액은 초기 처치 단계에서 사용할 수 있다. 저역가 O형 냉장 보관 전혈은 출혈 쇼크에서 선호되는 초기 처치 방법이다.

체온 조절

신체는 정상 체온을 유지하기 위해 많은 에너지를 소모한다.

혈관 수축은 혈액을 말초 조직에 공급하는 대신 신체는 체온을 유지하기 위해 에너지를 소모한다. 대사 예비력을 보존하기 위해 환자를 따뜻하게 유지한다. 구급차나 소생실은 따뜻하게 유지되어야 하며 환자는 가능한 한 담요로 덮어야 한다. 이것은 신체검사 중에 어려울 수 있지만, 체온 유지는 우선순위가 높아야 한다. 따뜻한 수액 투여는 체온 유지에 도움이 되며 가능한 경우 따뜻한 수액 투여를 시작한다.

혈압상승제 투여

혈압을 상승시키는 약물인 혈압상승제는 특정 유형의 쇼크 환자에게 효과적인 보조 치료제이다. 심장성 쇼크에서는 심장이 효과적으로 기능하지 않으며 수축촉진제는 심장의 수축력을 촉진하고 혈압을 상승시켜 심박출량을 증가시킬 수 있다. 분포 쇼크의 한 유형인 신경성 쇼크는 저혈압과 서맥이 특징적이다. 수액을 투여하는 것이 도움이 될 수 있지만, 신경성 쇼크에서 혈관 수축을 증가시키기 위해 혈압상승제가 필요할 수도 있다. 혈압상승제를 투여 전에 수액을 충분히 투여했는지 확인하는 것이 중요하다. 다음과 같은 혈압상승제 및 수축촉진제를 투여할 수 있다.

- 혈압상승제
  - 에피네프린
  - 노르에피네프린
  - 도파민(고용량)
  - 페닐에프린

- 수축촉진제
  - 도파민
  - 도부타민
  - 에피네프린
  - 노르에피네프린(혈압상승제가 필요한 대부분의 쇼크 상황에서 선호되는 약물)

혈액제제 투여

혈액 투여는 병원 전 환경에서 실행할 수 있는 선택일 수 있다. 환자에게 대량 출혈, 빈혈, 쇼크 상태이거나 심각한 출혈 장애가 있는 경우 혈액제제 투여를 시행할 수 있다. 이미 언급했듯이 수혈의 최우선 목표는 혈액의 산소 운반 능력을 증가시키는 것이지만, 그 외에도 추가적인 이점이 있다. 적절한 혈액제제의 선택은 환자의 기저 상태에 따라 달라진다.

표 4-8. 혈액제제

혈액제제	임상 적용
전혈, 저역가 O형 저온 저장	- 헤모글로빈, 혈소판, 혈장을 한 단위로 - 짧은 유통 기한
농축 적혈구	- 낮은 헤모글로빈 (보통 7.0 미만)
혈소판	- 응고 촉진, 출혈 방지 - 혈소판감소증
신선동결혈장(FFP)	- 간부전, 와파린 과다복용, 파종성 혈관내 응고 또는 대량 수혈 시 응고 결핍
동결건조혈장(미국에서는 아직 사용할 수 없음-미국 FDA 승인 대기 중인 제품)	- 위와 같이 상온에서 안정적인 유통 기한을 가지며 재구성이 필요하나 투여 과정이 용이함
저온 침전물(피브리노겐, 인자 Ⅷ, 폰빌레브란트 인자를 사용한 신선동결혈장)	- 출혈 장애, 대량 수혈
대량 수혈	- 24시간에 걸쳐 10단위를 초과한 수혈을 시행하는 대량 출혈 환자, 응고 인자와 혈소판 추가 - 저체온, 저칼륨혈증의 위험이 있는 환자

혈액제제를 전혈로 보관하는 경우 유통 기한은 매우 짧고 전혈 내의 혈소판은 며칠에서 몇 주에 걸쳐 비활성화될 수 있다. 이전의 과정은 혈액 성분을 분리하고 특정 제품에 더 긴 유통 기한을 제공하는 것이었다. 수혈의 경우 일반적으로 농축 적혈구를 사용한다. 이 농축된 혈액제제는 혈장의 80%를 제거하고 방부제가 첨가된다. 표 4-8은 사용할 수 있는 혈액제제와 그 임상 적용을 설명한 것이다.

수혈 반응

일반적으로 혈액제제 투여는 일반적으로 감염과 면역 반응이라는 두 가지 합병증이 있다. 기증자와 혈액제제를 검사하는 개선된 방법은 감염의 확산과 관련된 문제를 감소시켰다. 특히 정상인에서 거의 심각하지 않은 일반적인 바이러스인 거대세포바이러스(CMV)라는 약간의 위험이 남아 있다. 일부 병원체는 냉장 보관 중에도 혈액을 감염시킬 수 있다.

용혈 반응

수혈자의 항체가 수혈된 혈액을 항원으로 인식하고 반응하면 기증자의 적혈구가 파괴되거나 용혈된다. 이 용혈 반응은 면역 반응에 따라 빠르고 공격적일 수도 있고 느릴 수 있다.

혈액 투여 과정의 오류는 치명적인 용혈 반응을 일으킬 수 있다. 이것이 발생하면 대부분의 수혈된 세포는 압도적인 면역 반응으로 파괴된다. 면역 반응이 발생하면 응고 연쇄반응이 관여하여 파종혈관내응고(DIC)와 같은 출혈 장애를 일으킬 수 있다. 파종혈관내응고와 급성중증과민증의 경우 요통, 정맥 주입 부위 통증, 두통, 오한 및 발열, 저혈압, 호흡 곤란, 빈맥, 기관지 경련, 폐부종, 출혈, 신부전 등이 증상으로 나타날 수 있다.

수혈 반응의 첫 번째 징후가 나타나면 혈액제제 투여를 중단하고 적절한 혈액검사를 시행한다. 즉시 지지적 치료를 시행하고 혈액은행에 통보한다. 혈액제제를 관리하기 위해 담당자가 있는 모든 기관은 이럴 때 제공자를 안내하는 엄격한 정책과 절차를 가지고 있다.

열성 수혈 반응

수혈 중 또는 그 직후에 열(발열성 반응)이 발생할 수 있으며 이는 일반적으로 해열제로 관리할 수 있다. 환자의 체온을 모니터링하는 것은 혈액 투여 중 관리 표준이다. 열성 반응이 일어나기 쉬운 환자에게는 수혈을 시작할 때 디페닐드라민과 아세트아미노펜을 투여할 수 있다.

알레르기 수혈 반응

두드러기와 발진의 발병은 일반적으로 혈액제제를 수혈하는 동안 자기 제한적이지만, 어떤 경우에는 기관지 연축과 급성중증과민증으로 진행된다. 처치에는 제한된 반응에 대한 항히스타민제 또는 급성중증과민반응 쇼크에 대해서는 에피네피린을 투여할 수 있다.

수혈 관련 급성폐손상

수혈 관련 급성폐손상(TRALI)은 수혈 중 또는 수혈 후에 드물게 발생하지만, 복잡한 면역 반응으로 이후에 비심장성 폐부종 또는 급성호흡곤란증후군/급성폐손상(ARDS/ALI)이 발생한다. 이에 대해서는 이 장의 뒷부분에 설명되어 있다.

과다혈량

심혈관계의 예비력이 제한된 환자(노인, 영아)의 경우 혈액제제 수혈은 순환 혈액량을 증가시키고 호흡 곤란, 저산소증, 폐부종의 증상을 동반한 환자의 심혈관계 문제를 일으킬 수 있다.

특정 유형의 쇼크에 대한 병태생리학과 평가 및 처치

쇼크는 심혈관계의 어느 부분에 기능 장애가 발생하는지에 따라 저혈량 쇼크, 분포 쇼크, 심장성 쇼크 및 폐쇄 쇼크 유형으로 분류할 수 있다(표 4-9). 심혈관계의 세 가지 주요 구성 요소인 심장, 혈관, 혈액에서 발생할 수 있다.

저혈량쇼크

저혈량쇼크에서 불충분한 조직 관류의 원인을 저혈량증이라는 용어 자체를 자세히 살펴보면 쉽게 기억할 수 있다. 접두사 hypo-는 "아래" 또는 "낮음"을 의미하고 vol-은 용량(부피)을 나타내며 결합 형태 -emia는 "혈액 안에 또는 혈액에 속하거나 관련된"을 의미한다.

순환이 부적절하면 심박출량이 감소하여 조직과 세포에 산

표 4-9. 쇼크의 유형

분류	초기 징후	원인	처치
		저혈량 쇼크	
출혈 /비출혈	차고 냉습한 피부 창백하고 청색증 피부 혈압 감소 의식수준 변화 모세혈관 재충전 지연 빠른 호흡	출혈: 외상, 위장관 출혈, 대동맥류 파열, 임신관련 출혈 심한 탈수: 위장염, 당뇨병케토산증, 부신위기	지혈 적절한 경우 혈액제제로 수혈 고려

표 4-9. 쇼크의 유형 *(계속)*

분류	초기 징후	원인	처치
분포 쇼크			
패혈	고열 또는 체온저하 혈압 감소 빈맥 의식 수준 변화	감염	IV로 수액을 볼루스 투여 항생제 투여 혈압상승제 투여 고려
분포 쇼크			
급성중증과민증	가려움, 홍반, 두드러기, 혈관부종 맥박수 증가 혈압 감소 불안 호흡 곤란, 쌕쌕거림(천명음) 구토, 설사	항원 항체 과민반응	에피네피린 투여 1:1,000, 0.3~0.5mg IM(Epi 1mg/mL) 필요에 따라 반복 투여 IM 투여에 3~10분 동안 반응이 없으면 에피네피린 1:10,000, 0.3~0.5mg IV(Epi 1mg/mL)로 필요에 따라 15분마다 반복 투여, IV로 수액을 투여하기 위해 에피네프린 투여를 지체해서는 안 됨 정맥 내 수액 투여 디펜히드라민 1~2mg/kg IV로 투여 (최대 50mg) 코르티코스테로이드 치료 고려 혈압상승제 투여 고려 H_2 수용체 차단제 투여 고려
신경성	따듯하고 건조한 핑크빛 피부 혈압 감소 의식 명료 모세혈관 재충전 시간 정상	외상	IV로 수액을 볼루스 투여 노르에피네피린 투여 고려
독성	특정 물질에 따라 다름 (제10장 독극물에 대한 내용 참고)	10장 참고	특정 물질에 따라 다름(10장 참고)
심장성 쇼크			
	차고 냉습한 피부 창백하고 청색증 피부 빠른 호흡 빈맥 또는 기타 비정상적인 심장 리듬 혈압 감소 의식 수준 변화 모세혈관 재충전 시간 감소	펌프 부전: 급성 심근경색증, 심근병증, 심근염, 힘줄끈 파열, 유두근 기능이상/ 파열, 독소, 심근타박상, 급성 대동맥판 부전, 심실중격 파열 부정맥	필요에 따라 산소 투여 IV로 수액을 볼루스 투여 속도 보정(약물 또는 심박조율 /심장율동 전환) 근육수축제 혈압상승제 대동맥내풍선펌프 또는 기타 좌심실 보조 펌프
폐쇄 쇼크			
	혈압 감소 호흡 곤란, 빈맥, 빠른 호흡 목정맥 확장, 한쪽 호흡음 감소 또는 들리지 않음, 낮은 심음 청색증이 있을 수 있음	광범위한 폐색전, 긴장기흉, 급성 심장눌림증	긴장기흉의 경우 바늘감압 시행 심장눌림증인 경우 심장막천자 시행 적절한 의료기관으로 이송

AMI, Acute myocardial infarction; BP, blood pressure; GI, gastrointestinal; IM, intramuscular; IV, intravenous; JVD, jugular venous distention; LOC, level of consciousness.

소를 적절하게 공급하지 못한다. 저혈량 쇼크의 전형적인 증상과 징후는 빈맥, 저혈압 그리고 호흡수 증가이지만, 징후는 손실된 체액의 양에 따라 다르다. 출혈, 구토, 설사 및 기타 여러 조건은 순환하는 혈류량을 감소시킬 수 있다(그림 4-5). 저혈량 쇼크의 원인에는 출혈 및 비출혈성 원인이 있다.

출혈쇼크

출혈쇼크는 저혈량쇼크의 흔한 원인이다. 명백한 출혈 없이도 상당한 출혈이 발생할 수 있다. 내부 또는 외부 출혈은 외상성 손상 또는 대동맥류 파열, 비장 파열, 자궁 외 임신, 위장관 출혈 또는 기타 심각한 출혈의 원인과 같은 의학적 문제를 동반할 수 있다. 출혈은 환자가 혈액을 토하는 것처럼 명백하거나 위장관 출혈 환자처럼 시간이 지남에 따라 서서히 진행할 수 있다. 출혈쇼크에서는 적혈구가 고갈되면서 산소 운반 능력이 감소한다.

출혈쇼크에 대한 즉각적인 처치는 오든 외부 출혈을 멈추게 하는 것이다. 외부 출혈은 내부 출혈보다 병원 전 환경에서 더 쉽게 조절할 수 있다. 그러나 내부 출혈이 의심되고 쇼크의 징후가 있는 환자의 경우 3시간 이내에 손상이 발생한 경우 트라넥삼산(TXA) 투여를 고려할 수 있다. 외부 출혈이 있으면 직접 압력을 가한다. 팔다리 상처에 직접 압력을 가하는 것이 효과가 없으면 즉시 지혈대를 적용한다. 가능하면 환자 생존율을 높이기 위해 쇼크 증상과 징후가 나타나기 전에 지혈대를 적용하는 것이 중요하다. 고샅부위나 겨드랑이 부위 손상과 같이 지혈대를 적용할 수 없는 경우 지혈 거즈를 적용한 후 적극적으로 직접 압박을 시행한다.

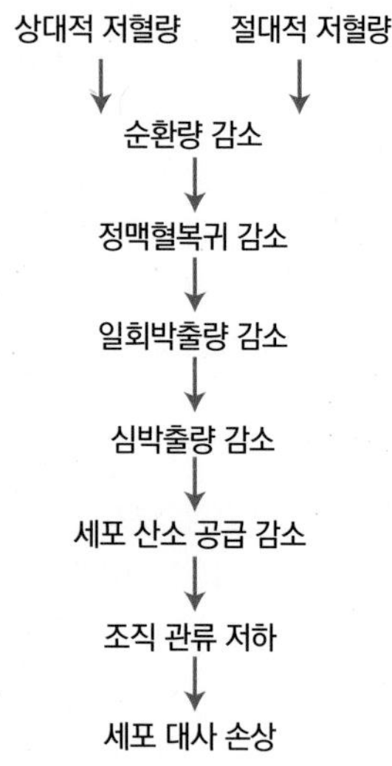

그림 4-5. 저혈량쇼크의 병태생리학

Reproduced from *Thelan's critical care nursing: Diagnosis and management*, ed 5, Urden LD. Copyright Mosby 2006.

비출혈성 쇼크

혈액 이외의 체액 손실도 저혈량쇼크를 유발할 수 있다. 예를 들어, 당뇨병이나 요붕증 환자의 구토, 설사 및 심한 이뇨에 의해 극심한 체액 손실이 발생할 수 있다. 심한 화상을 입은 환자에게 불충분하게 수액을 공급하면 과도한 혈장 손실로 인해 쇼크가 발생할 수 있다. 이러한 환자의 쇼크는 체액이 이동하는 데 걸리는 시간으로 인해 종종 지연되어 나타난다.

쇼크의 중증도는 체액 손실의 비율과 속도에 따라 달라진다. 서서히 일어나는 체액 손실은 신체가 보상할 수 있는 시간을 준다. 건강한 성인의 경우 10~15%의 실혈은 잘 견딜 수 있다. 어린이와 노인은 소량의 손실에도 더 민감하고 보상 기전이나 약물로 인해 외부 징후가 지연되어 나타날 수 있다. 표 4-10은 저혈량쇼크의 단계를 요약한 것이다.

저혈량쇼크의 처치에는 정맥 내 또는 골내 경로를 통해 등장액을 투여하는 것이 포함된다. 성인의 경우 수액을 250ml 단 위로 증가시키면서 투여한다(소아의 경우 20ml/kg). 수액을 투여한 후(최대 2L) 환자를 재평가하여 환자의 상태가 안정화되고 있는지를 확인하는 것이 중요하다. 이것은 수액 소생술에서 허용적 저혈압에 대한 강조가 증가했음을 반영한다. 안정화는 맥박의 감소와 혈압 및 호흡 상태의 개선으로 나타난다. 일반적으로 머리 외상이 없는 성인의 경우 수축기 혈압을 80mmHg, 머리 외상이 있는 경우 수축기 혈압이 100mmHg로 유지될 수 있도록 수액 소생술을 시행한다. 출혈이 있는 경우 수혈이 필요할 수 있다.

보상 예비 지수와 같은 새로운 도구가 개발되고 연구됨에 따라 쇼크의 조기 발견이 가능할 수 있다.

분포 쇼크

분포 쇼크는 또한 혈관 공간의 혈액량이 불충분하기 때문에 발생한다. 그러나 문제는 혈액이나 체액 손실에서 비롯된 것이 나니라 혈관이 확장하고 모세혈관에서 체액이 누출됨에 따라 혈관 용량이 급격히 증가하기 때문이다. 이 체액은 제3공간이라고 하는 혈과 이 및 간질 공간으로 누출된다. 이러한 혈관확장과 모세혈관 누출은 패혈증, 급성중증과민증, 신경성 쇼크, 독성쇼크 증후군 및 독소 노출에서 발생할 수 있다. 혈관 공간이 너무 많으면 말초혈관 저항이 너무 적고 전부하가 감소하므로 심박출량이 감소하고 쇼크가 발생한다.

표 4-10. 저혈량쇼크의 분류

	실혈(%)	쇼크 단계	의식 수준	혈압	맥박	호흡	피부
Class I	< 15%	보상	약간 불안	정상	정상	정상	핑크색, 정상
Class II	15~30%	보상(초기)	경미한 불안	낮은 정상	경미한 빈맥	경미한 빠른 호흡	창백하고 차가운 피부, 2초 > 모세혈관 재충만 시간
Class III	30~45%	비보상(후기)	변화, 무기력	저혈압	현저한 빈맥	중등도의 빠른 호흡	창백하고 경미한 청색증, 차가운 피부, 3초 > 모세혈관 재충만 시간
Class IV	> 45%	비가역	매우 무기력하고 반응 없음	중증 저혈압	심각한 빈맥에서 서맥	중증의 빠른호흡부터 사망전 호흡	창백하고, 중심부 및 말초 청색증, 차가운 피부, 5초 > 모세혈관 재충만 시간

패혈쇼크

패혈쇼크는 그람 음성 또는 그람 양성의 산소균, 무산소균, 곰팡이, 바이러스에 의한 감염에 대한 대규모의 전신 염증 반응의 결과이다. 특히 입원한 환자에서 그람 음성 유기체가 패혈증의 주요 원인으로 보인다.

건강 관리의 몇 가지 변화가 패혈증 발병률의 최근 증가에 기여했다. 가정에서 의료 기기를 삽입하는 환자가 많아져 환자가 감염되기 쉽다. 이 환자 중 많은 수가 면역 체계가 손상되어 패혈증에 걸릴 위험이 훨씬 더 크다. 또한, 황색포도알균과 패렴사슬알균 같은 항생체 내성 그람 양성균에 의한 감염도 증가하고 있다. 환자가 패혈증에 걸리기 쉬운 요인은 다음과 같다.

- 부적절한 면역 반응
  - 당뇨병, 간 질환, 사람면역결핍바이러스(HIV)/후천면역결핍증후군(AIDS)
  - 신생아
  - 노인
  - 임산부
  - 알코올 중독자
- 일차 감염
  - 폐렴
  - 요로 감염
  - 담낭염
  - 복막염
  - 고름집(농양)
- 의원성 요인
  - 유치 정맥 카테터
  - 폴리 카테터
  - 수술

패혈쇼크와 전신 염증 반응 증후군(SIRS)의 기초는 염증 반응과 다발성 장기 부전의 복잡한 과정이다. 전신 염증 반응 증후군 진단을 위해서는 다음 기준 중 두 가지 이상이 충족되어야 한다.

- 체온 > 38℃ 또는 < 36℃
- 맥박수 > 90회/분
- 호흡수 > 20회/분 또는 동맥혈이산화탄소분압($PaCO_2$) < 32mmHg
- 백혈구 수 > 12,000mm^3, < 4000mm^3 또는 > 10% 띠 중성구증가

패혈증은 패혈쇼크의 전조이다. 전신 염증 반응 증후군 환자가 적절한 수액 소생술에도 불구하고 장기 기능장애 또는 저혈압과 관련된 경우 패혈쇼크가 존재한다. 패혈증은 이후에 설명하는 과역동 단계(hyperdynamic phase)나 활력 감퇴 단계(hypodynamic phase)에서 나타날 수 있다. 여러 선별 도구가 사용되지만, 롭슨 병원 전 중증 패혈증 선별 도구(표 4-11)는 패혈증 구분에 75% 이상의 성공률을 보인다. 병원 전 또는 병원 환경에 맞게 조정할 수 있다. 병원 전 처치 제공자가 패혈증의 가능성을 의료기관의 의사에게 전달하는 것이 중요하다. 패혈증에 대한 조기 인식과 처치는 생존율을 향상하는 것으로 나타났다. 자세한 내용은 11장에서 설명한다.

표 4-11. 롭슨 병원 전 중증 패혈증 선별 검사 도구

- 체온 > 38.3°C 또는 < 36°C
- 맥박수 > 90회/분
- 호흡수 > 20회/분
- 급격한 의식 변화
- 혈장 포도당 > 6.6mmol/L (119mg/dL) 당뇨이 아닌 경우

*이러한 소견이 감염을 시사하는 병력이 있는 환자에게 나타나면 패혈증을 고려한다.

Reproduced from Ulrika Wallgren, Maaret Castrén, Alexandra Svensson, et al, Identification of adult septic patients in the prehospital setting: a comparison of two screening tools and clinical. *European Journal of Emergency Medicine* 2014 Aug;21(4):260–5

급성중증과민반응 쇼크

과민성으로 알려진 환자의 경우 급성중증과민증은 두려운 가능성이다. 저혈압, 빈맥, 호흡 곤란, 쌕쌕거림, 거품소리, 기관지 내 수포음, 불안, 두드러기, 구토, 설사, 가려움과 같은 증상과 징후는 항원에 노출된 후 몇 분 또는 최대 1시간 이내에 시작될 수 있다. 구토와 같은 위장 장애 증상이 종종 두드러진다. 증상이 호전되면 1~12시간 후에 다시 나타날 수 있으며 이때 경증 이거나 더 심할 수 있다. 그러나 급성중증과민 반응은 갑작스럽게 되고 극적인 특성에도 불구하고 이 질환은 미국에서 연간 400~800명의 사망자가 발생한다. 현재의 문헌에 따르면 비정형적 증상(구토, 설사)은 병원 전 처치제공자에 의해서 50%만 확인할 수 있다.

항체-항원 과민 반응은 급성중증과민반응 쇼크의 주요 원인이다. 모든 과민 반응이 쇼크로 발전하는 것은 아니다. 대부분의 알레르기 반응은 가려움과 두드러기 같은 경미한 증상만 일으킨다. 알레르기 반응을 보이는 환자는 다이펜하이드라민으로 처치하고 추가 증상을 모니터링한다. 모든 사람이 추가 노출에 대해 급성중증과민 반응을 반복하는 것은 아니지만, 40~60%의 사람 중 가장 흔한 원인은 벌목 종류(말벌, 벌, 개미)에 속하는 곤충에 쏘인 것이다. 거의 모든 물질은 민감한 사람에게 반응을 일으킬 수 있지만, 일반적으로 급성중증과민증을 일으키는 다른 일반적인 원인으로는 계란, 우유, 조개류와 땅콩 등이 있다(표 4-12).

라텍스 알레르기는 1987년 질병통제예방센터가 혈액 매개 병원체의 전염을 예방하기 위한 보편적인 예방조치에 대한 권고안을 발표한 이후 환자와 의료종사자 사이에서 점점 더 흔해지는 계기가 되었다. 라텍스 알레르기의 위험에 처한 환자는

표 4-12. 급성중증과민반응 쇼크의 일부 유발 요인

음식
계란 우유 어패류 견과류와 씨앗 콩류 및 곡류 감귤류 초콜릿 딸기 토마토 아보카도 바나나
음식 첨가물
식용색소 방부제
진단 시약
요오드 조영제
생물학적 제제
혈액 및 혈액 성분 감마 글로불린 백신과 항독소
환경
꽃가루, 곰팡이, 포자 동물의 털 라텍스
약물
항생제 아스피린 마약
동물/곤충 독
꿀벌, 말벌 뱀 해파리

Thelan's Critical Care Nursing, ed 6, Urden L. Copyright Mosby 2010.

다음과 같다.

- 이분척추와 같은 신경관 결손이 있는 환자
- 선천성 비뇨기과 질환이 있는 환자
- 여러 차례 수술을 받은 환자, 의료인, 고무 제조업 종사자(장갑 제조업 포함) 등 라텍스에 누적되어 노출이 있었던 사람

라텍스 알레르기와 관련된 위험 때문에 대부분 의료 장비 제조업체는 라텍스를 다른 물질로 대체하고 있다.

급성중증과민증이 진행되는 동안 히스타민, 호산구, 급성중증과민증의 화학쏠림 인자, 헤파린 및 류코트리엔과 같은 생화학적 매개체가 방출된다. 혈관 확장, 모세혈관 투과성 증가(폐 모세혈관 투과성 포함), 기관지 수축, 과도한 점액 분비, 관상동맥혈관 수축, 염증 및 피부 반응이 뒤따라 나타난다. 피부 반응은 혈관 확장 및 두드러기로 인해 홍조, 따뜻한 피부로 나타날 수 있다. 급성중증과민반응 쇼크 환자에게 항상 두드러기가 나타나는 것은 아니며 피부가 차갑고 창백하며 축축할 수 있다는 점에 유의하는 것이 중요하다. 두드러기가 없다고 해서 급성중증과민반응 쇼크가 아니라고 배제해서는 안 된다.

다른 분포 쇼크의 원인과 마찬가지로 급성중증과민반응에서 말초혈관 확장은 상대적인 혈량저하증을 유발한다. 이것은 모세혈관에서 혈관 확장과 누출 때문이다. 체액량과 혈관 저항이 갑작스럽게 감소하면 심박출량이 감소한다. 심혈관 허탈 및 기도 폐쇄는 일반적으로 직접적인 사망 원인이다.

쇼크는 이러한 환자를 빠르게 압도할 수 있으므로 즉각적인 처치가 중요하다. ABC(기도, 호흡, 순환)를 평가하고 처치할 때 다음과 같은 사항을 확인하는 것이 중요하다.

- 환자는 이전에 알레르기 반응의 병력이 있는가? 환자가 에피네피린 자기 주사기를 사용하는가?
- 환자가 문제를 일으키는 물질에 노출되었나? 만약 그렇다면 언제 노출되었는가?
- 두드러기, 발진, 인후 부기 또는 호흡 곤란을 호소하는가? 후두 부종은 빠르게 발병할 수 있으므로 신속한 처치가 필요하다.
- 증상이 언제부터 시작되었는가? 발병 속도가 빠를수록 반응이 더 심할 가능성이 높다.
- 증상이 얼마나 지속되었는가? 증상은 일반적으로 6시간 내에 호전된다.

급성중증과민반응 쇼크의 처치는 알레르기 항원을 제거하고 방출된 생화학 물질의 효과를 역전시켜야 한다(그림 4-6). 에피네프린은 바로 투여해야 생명을 구할 수 있다. 산소 공급, 기관

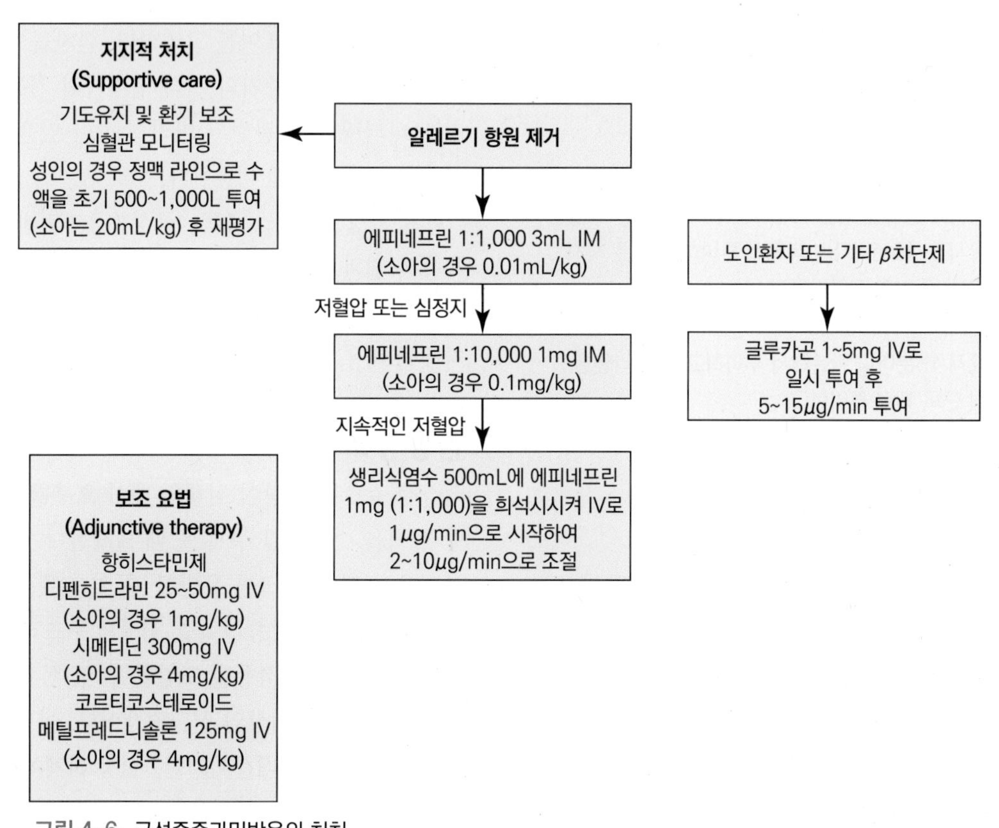

그림 4-6. 급성중증과민반응의 처치

Haddad and Winchester's clinical management of poisoning and drug overdose, ed 4, Shannon M, Borron S, Burns M, Copyright Saunders 2007.

내삽관 또는 기계 환기, 정맥 내로 수액을 투여함으로써 활력 징후를 유지할 수 있도록 지원하는 것이 필요할 수 있다. 코르티코스테로이드는 모세혈관막을 안정화하고 혈관 부종과 기관지경련을 감소시킬 수 있지만, 초기에 효과가 지연되어 나타나기 때문에 초기 증상을 처치하는 것이 아니라 급성중증과민반응의 후기 반응을 예방하거나 개선하기 위해 사용한다. 급성중증과민반응을 처치하기 위해 가장 많이 사용되는 두 가지 약물인 에피네프린과 디펜히드라민은 표 4-13에 요약되어 있다. β 차단제를 복용하는 환자의 경우 글루카곤 투여를 고려한다. 글루카곤은 이온성, 심박동수 변동 특성이 있으며 기관지경련을 역전시키는 능력이 있다. H_2 수용체 차단제(예; 시메티딘, 파모티딘)는 위장관 및 피부 과민증 증상을 치료하기 위해 디펜히드라민과 함께 사용될 수 있다. 심각한 증상 및/또는 갑작스러운 급성중증과민반응이 있는 환자는 증상이 반복적으로 발생할 수 있으며 즉각적인 처치가 필요할 수 있으므로 장기간 모니터링한다.

급성중증과민반응은 병원 전 처치 제공자를 위해 증거 기반 지침이 발표된 몇 안 되는 질병 중 하나이다. 주가 정보는 10장에서 설명한다.

표 4-13. 급성중증과민반응 처치에 사용되는 일반적인 약

에피네프린

- **분류**: 카테콜아민, 교감신경 흥분제, 아드레날린성, 수축제
- **작용**: α 및 β 수용체와 결합하여 혈압과 맥박을 증가시키고 기관지 확장 촉진
- **투여량**:
  - 빠르게 진행되거나 중증 반응인 경우 1:1,000 0.3~0.5mg을 투여하고 필요시 5~15분마다 반복해서 투여하고 다른 처치를 제공하기 위해 투여를 지연시키지 않는다.
  - 중증 반응인 경우 1:10,000 0.3~0.5mg을 3~10분에 걸쳐 투여하고 필요시 15분마다 반복해서 투여하고 정맥 라인을 확보하는 동안 근육 내로 투여한다.
- **투여 경로**:
  - 1:1,000 근육 내 투여
  - 1:10,000: 정맥 내 투여
- **부작용**: 두근거림, 빈맥, 고혈압, 불안, 구역, 구토

디펜히드라민

- **분류**: 항히스타민제, 항콜린성, 히스타민-1(H_1) 수용체 길항제
- **작용**: H_1 수용체와 결합하고 차단하며 증상 완화를 제공하지만, 급성중증과민반응을 역전시키지는 않는다.
- **투여량**: 1~2mg/kg(최대 50mg) IV로 4~8시간마다 투여
- **투여 경로**: 경구, IV, IM, IO
- **부작용**: 저혈압, 두근거림, 졸음, 불안, 가슴 조임

신경성 쇼크

신경성 쇼크는 분포 쇼크의 드문 형태이다. 교감신경계의 신호 전달이 중단되면 신체는 적절한 투쟁-도주 반응을 일으킬 수 없다. 일반적으로 6번 등뼈(T6) 이상에서 발생하는 척수 손상은 종종 신경성 쇼크를 유발한다. 혈관은 반대되는 미주신경 자극으로 인해 확장된다. 이러한 이유로 신경성 쇼크는 때때로 혈관성 쇼크라고 한다. 확장된 혈관은 환자의 피부를 따뜻하고 분홍색으로 만든다. 혈압이 감소하고 전신 혈관 저항이 감소하며 손상 수준 이하의 순환계는 충분한 정맥혈을 심장으로 돌려보내지 못한다. 교감신경 자극 상실로 인해 신경성 쇼크의 특징인 서맥이 나타난다. 그러나 항상 발생하는 것은 아니다. 동맥압이 감소하고 50~60mmHg 미만에서 조직 허혈이 발생한다.

기도유지를 확인하고 필요한 경우 기도유지를 시행한다. 보충 산소를 제공하거나 보조 환기를 시행하여 산소 공급을 유지한다. 정맥 라인을 확보하고 수액 소생술을 시작한다. 환자가 수액 소생술에 반응하지 않으면 노르에피네프린이나 도파민과 같은 혈관수축제 투여를 고려한다. 환자를 따뜻하게 유지하고 환자의 두개내압 증가와 기타 신경학적 기능 장애가 발생했는지 모니터링한다. 관련된 머리 손상이 있을 수 있으며 가능한 한 환자를 신속하게 이송한다.

혈관 확장은 독소, 중독, 급성중증과민반응 또는 약물 과다복용의 결과로 발생할 수 있다. 이러한 경우 노출에 대처할 때 지지적 처치를 제공한다. 독소 노출에 대한 AMLS 처치에 대한 자세한 내용은 10장을 참조한다.

심장성 쇼크

심장성 쇼크는 심장이 신체의 대사 요구를 충족시키기에 충분한 혈액을 순환시킬 수 없을 때 발생한다. 우심실 또는 좌심실 부전은 심장성 쇼크를 유발할 수 있으며 부정맥(방실차단 포함), 힘줄끈 기능이상과 같은 심장의 구조적 장애, 유두근 파열 또는 특정 독소의 작용을 포함할 수 있다. 가장 흔한 원인은 심근 소실이 40% 이상인 심근경색이다. 이것은 보통 심장의 전벽의 대규모 경색 때문이지만, 심장 전체에 걸쳐 많은 작은 경색으로 인해 발생할 수 있다. 심장성 쇼크의 위험 요인에는 노인, 여성, 울혈심부전, 과거의 심근경색 및 당뇨병 등이 있다.

심장성 쇼크 환자의 경우 일회박출량의 양이 감소하거나 심장박동이 너무 느리거나 너무 빠르기 때문에 혈액이 더 이상 효과적으로 뿜어져 나오지 않는다. 심장의 왼쪽 기능이 상실되면 혈액이 폐혈관에 과부하를 일으켜 폐부종과 가스 교환이 충분하게 기능을 하지 못한다.

심장성 쇼크의 증상과 증후는 다양하게 나타낼 수 있으며 현장에서 진단하기 어려울 수 있다. 환자의 호흡이 빨라지고 폐부종으로 인해 폐음 청진시 거품소리를 들을 수 있다. 환자는 일반적으로 맥박이 약하고 빠르지만, 근본적인 원인이 심장 방실차단인 경우 서맥이 나타날 수도 있으며 다른 부정맥이 나타날 수 있다. 일회박출량 및 심박출량 감소에 따라 이차적으로 저혈압이 발생한다. 말초 관류가 불량하면 환자의 피부는 차갑고 촉촉하며 창백하며 목정맥 확장과 청색증이 나타날 수 있다. 환자는 흉통과 호흡 곤란 호소할 수 있으며 뇌 관류가 감소하면 의식 수준이 변화될 수 있다.

심장성 쇼크는 원인을 조기에 파악하고 결정적인 지지 요법을 시작한다. 심장 모니터링으로 부정맥을 확인할 수 있고 다중 리드 심전도는 허혈이나 부상, 심근경색 진단에 도움이 된다. 병원에서는 흉부 방사선 촬영하여 폐부종과 가슴막 삼출을 확인할 수 있다. 검사실 분석으로 트로포닌과 같은 심장표지자를 확인한다. 또한, 환자의 혈청에서 뇌 나트륨 배설 펩티드(BNP)라는 호르몬 수치가 상승했는지 검사할 수 있으며 이는 심부전을 나타낼 수 있다. 뇌 나트륨 배설 펩티드는 심방과 심실의 늘임 반응으로 방출된다. 혈관 확장은 나트륨뇨 배설 증가(소변으로 과도한 나트륨 방출)와 혈액량 감소를 유발한다. 뇌 나트륨 배설 펩티드가 정상 수준인 100pg/mL [<100ng/L(SI 단위)] 이상으로 상승하면 환자의 호흡 곤란이 울혈심부전과 관련이 있을 수 있다는 신호이다. 뇌 나트륨 배설 펩티드 수치가 정상이면 근본적인 원인은 심장이 아니라 폐에서 기원했을 가능성이 더 크다.

심장성 쇼크 환자의 초기 처치는 기도, 호흡 및 순환의 안정화에 중점을 두어야 한다. 그러나 현장에서 환자를 안정시키기 위한 장기간의 노력은 권장되지 않는다. 기도 관리는 항상 가장 중요하다. 가능한 한 빨리 저산소증을 교정하고 정맥 라인을 확보한다. 급성 심근경색증 발생한 경우 조기에 적절한 의료기관으로 환자를 이송하면서 의료진에게 환자의 정보를 제공해 심장도관삽을 미리 준비할 수 있도록 한다. 금기가 없는 한 아스피린과 헤파린을 투여한다. 하벽 심근경색이 있는 경우 우측 심전도를 측정한다. V_4R에서 ST 상승은 우심실경색(RVI)을 의미한다. 우심실경색 환자의 경우 전부하에 의존하며 니트로글리세린은 심각한 저혈압을 유발할 수 있다. 우심실경색이 없으면 환자의 수축기 혈압이 적절하면 니트로글리세린을 투여한다. 수축기 혈압과 의식 수준이 적절한 환자에게 니트로글리세린을 투여한 후 흉통이 완화되지 않는 경우 아편제제 진통제(펜타닐)를 추가로 투여한다.

환자가 저혈압인 경우 혈관수축제를 투여하기 250~500mL의 등장성 용액을 투여하는 것을 고려한다. 특히 중심정맥압이 높거나 폐부종이 있는 경우 수액을 주의해서 투여한다. 쇼크가 지속되면 혈관수축제를 투여하고 평균 동맥압을 65~70mmHg로 적절하게 조절한다. 도파민을 사용하는 경우 도파민이 종종 유발하는 심박수 증가를 최소화하기 위해 가장 낮은 유효 용량을 투여한다. 저혈압과 함께 빈맥이 있는 경우 노르에피네프린이나 페닐에프린을 투여하는 것을 고려한다. 환자의 수축기 혈압이 80~100mmHg인 경우 도부타민 또는 밀리논이 적절할 수 있다. 심장성 쇼크의 응급처치는 맥박에 큰 영향을 주지 않으면서 심장의 펌프 능력을 유지하는 데 중점을 둔다. 더 심각한 저혈압을 유발하지 않는 한 환자를 반좌위 자세(semi-Fowler's position)로 취해 폐울혈 징후가 있는 심장성 쇼크를 처치한다. 호흡곤란, 심부전, 쇼크 또는 산소포화도가 94% 미만인 환자에게는 산소를 투여한다. 지속기도양압(CPAP)또는 이상성기도양압(BiPAP)을 사용하면 폐포 수준에서 폐울혈을 완화하는 데 도움이 될 수 있지만, 저혈압인 경우 상대적 금기이다. 이 부분은 프로토콜에 따라 결정한다.

심장을 지지하고 관상동맥 관류를 개선하기 위해 대동맥 내 풍선 펌프 또는 기타 좌심실지지 펌프가 필요할 수 있다. ST상승 심근경색(STEMI)으로 인한 심장성 쇼크 환자의 경우 경피적 관상동맥중재술(PCI)을 시행할 수 있는 의료기관으로 이송하는 것이 필수적이며 환자의 생존율을 높일 수 있다.

폐쇄 쇼크

폐쇄 쇼크는 대혈관이나 심장에 혈액의 순방향 흐름에 장애가 있을 때 발생한다. 중요한 원인은 심장눌림증, 대량 폐혈전증 그리고 긴장기흉이다. 폐쇄 쇼크의 일반적인 증상과 징후는 호흡곤란, 불안, 빈맥 및 빠른 호흡이다. 폐가 관련된 원인일 경우 호흡음이 감소할 수 있다. 이후 단계에서는 맥압이 좁아지고 저혈압이 발생할 수 있다. 청색증이 나타날 수 있으며 환자의 의식 수준이 감소할 수 있다. 모순 맥박(들숨 시 맥박이 현저하게 약해지거나 사라지는 현상)은 심장눌림증 또는 긴장기흉과 함께 발생할 수 있다.

폐쇄 쇼크의 역전은 필수적인 기능을 지원하고 혈류 차단의 구체적인 원인을 처치한다. 초기 처치는 최종 진단 및 처치 계획이 수립될 때까지 관류를 유지하는 데 필요한 경우 수액 소생술 및 혈관수축제를 투여해 혈관 용적을 증가시키는 데 중점을 두어야 한다.

심장눌림증

심장을 둘러싼 심장막안에 체액이나 혈액이 채워져 심장의 충전 능력을 저하해 심박출량을 감소시킬 때 나타나는 것이 심장눌림증이다(그림 4-7). 외상, 심실 파열, 감염 및 전이암은 심장눌림증의 원인이 될 수 있다. 심장눌림증의 진행 과정은 심장막안의 체액 축적 속도(혈액 또는 삼출액)에 따라 달라진다. 심장눌림증의 전형적인 지표인 Beck's triad(목정맥 팽대, 쇼크, 심음 감소)를 기억하는 것이 도움이 될 수 있다. Beck's triad는 환자의 10~40%에서만, 늦게 나타나는 발견이며 임상적으로 구별하기 어려울 수 있다.

심장눌림증은 수액 소생술, 수축촉진제 및 심장막천자로 처치할 수 있으며 심장막천자는 주사기에 부착한 바늘을 심장막을 관통할 수 있을 만큼 충분히 가슴에 삽입한 다음 액체를 빼내는 것이다. 최종 처치는 체액 축적의 원인과 속도에 따라 다르다. 많은 전문가가 초음파 유도하에 심장막천자를 수행할 것을 권고하고 있다.

폐색전증

폐색전증은 혈전이 혈관을 통해 이동하여 폐동맥에 막았을 때 발생하는 생명을 위협하는 상태이다. 폐혈관의 많은 부분이 막히면 심장으로 돌아가는 혈류가 감소하여 심박출량이 감소하여 저혈압과 쇼크가 발생한다.

폐색전증의 처치는 산소 공급과 환기에 초점을 맞춘다. 수액 소생술로 혈관계를 지지할 준비를 한다. 일차 처치 방법은 헤파린 같은 전신 항응고제 또는 에노사파린(로베녹스) 같은 분획헤파린 약물이다. 혈전용해제(섬유소용해제), 혈관 내 혈전 제거 또는 흉부 수술은 중증의 쇼크를 동반한 경우 고려할 수 있다.

긴장기흉

가장 빠르게 처치가 가능한 폐쇄 쇼크의 원인은 긴장기흉이다. 기흉은 공기가 내장가슴막과 벽가슴막 사이의 폐 외부에 갇혀

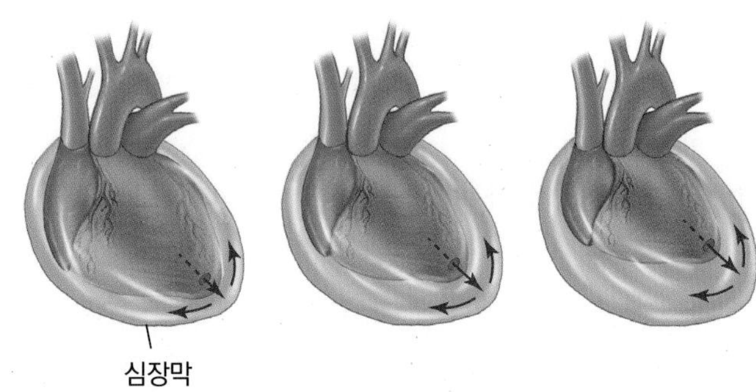

그림 4-7. 심장눌림증. 혈액이 심장 내 공간에서 심장막안으로 흘러 들어가기 때문에 심실의 확장이 제한되기 때문에 심실이 완전히 채워질 수 없다. 심장막안에 더 많은 혈액이 축적되면서 혈액을 축적할 수 있는 심실 공간이 줄어들고 심박출량이 감소한다.

가슴안의 장기에 압력을 가할 때 발생한다. 이 압력으로 인해 세로칸이 영향을 받지 않은 쪽으로 이동하여 호흡과 관류를 방해한다. 가슴안 압력이 증가하면 대정맥을 압박하여 심장으로 정맥복귀혈을 감소시키고 심박출량이 감소한다. 비록 외상이 기흉의 일반적인 원인이지만, 그 상태는 자연적 또는 양압 환기의 결과로 발생할 수 있다. 만성폐쇄폐질환 환자는 폐의 약한 부위가 파열될 수 있으므로 과도한 압력의 영향에 취약하다. 기흉은 또한 건강한 환자에서 양압 환기로 인해 발생할 수도 있다. 양압으로 환기를 시행하는 환자에게 기흉이 생길 위험이 증가하며 처치하지 않으면 긴장기흉으로 악화할 수 있다.

가능하면 양압환기를 이용한 처치를 피한다. 긴장기흉으로 인한 사망을 예방할 수 있는 유일한 처치는 손상 부위에서 가슴감압을 시행하는 것이다. 이러한 생명을 위협하는 응급 상황이 발생하는 바늘감압이나 가슴관삽입을 수행한다.

쇼크의 합병증

급성 신부전

쇼크가 진행되는 동안 혈액은 처음에 가장 덜 중요한 장기에서 공급이 중단되고 이후 뇌와 심장까지 혈액 공급이 감소한다. 신장으로 가는 혈류가 감소하기 때문에 급성 신부전이 흔히 발생한다. 만약 순환이 너무 오랫동안 충분히 기능을 못 하면 세포 기능 이상이 영구적일 수 있다. 보다 구체적으로 말하면 신세관에 45~60분 이상(개인에 따라 다름) 불충분한 양의 산소가 공급되면 비가역적인 손상이 발생하는데 이를 급성 세관괴사라고 한다. 신부전이 발생하면 신체는 더 이상 전해질, 산 또는 과도한 체액을 혈류에서 제거할 수 없으므로 일시적 또는

무기한으로 투석이 필요할 수 있다.

급성호흡곤란증후군(ARDS) 또는 급성폐손상(ALI)

쇼크 발생 시 모세혈관 투과성은 단백질, 체액 및 혈액 세포가 모세혈관에서 스며 나와 폐포에 모여 환기와 적절한 산소 공급을 방해한다. 염증과 확산하는 폐포 손상은 폐에 광범위한 부종을 일으킨다. 중성구에 의해 방출되는 다른 매개체는 폐 혈관 수축을 유발한다. 이 증상은 급성호흡곤란증후군(ARDS) 또는 급성폐손상(ALI)이라고 한다. 급성호흡곤란증후군 또는 급성폐손상은 폐렴, 흡인, 췌장염, 약물 과다 복용을 포함하여 쇼크 이외의 많은 원인이 있을 수 있다. 처치 방법의 발전에도 불구하고 이 증후군은 계속해서 높은 사망률을 보인다. 만약 환자가 생존하면 장기간 기계 환기가 필요할 수 있다.

응고병증

쇼크 후기는 응고 연속단계의 과도한 자극을 유발할 수 있으며 응고와 출혈이 동시에 발생하기 시작한다. 이러한 상태는 파종혈관내응고(DIC)라고 한다. 일부 혈전은 혈관을 막고 간이나 뇌와 같은 주요 장기로 혈액 공급을 차단할 수 있다. 혈소판은 혈액이 고이는 곳에 결합하여 점성이 더욱 높아진다. 시간이 지남에 따라 일반적으로 존재하는 응고 인자가 빠르게 고갈되며 출혈 위험이 높아진다. 혈액 응고 성분이 분해되고 섬유소용해 시스템이 활성화되면서 출혈이 시작된다. 이 질환은 급성 또는 만성일 수 있다. 다음 조건으로 인해 파종혈관내응고가 발생할 수 있다.

- 급성
  - 태반조기박리, 용혈, 간효소 상승, 저혈소판수 증후군(HELLP증후군), 자간증
  - 대량 수혈
  - 폐쇄 황달
  - 급성 간부전
  - 대동맥 내 풍선 펌프 및 좌심실 보조 펌프
  - 화상
  - 외상/출혈
- 만성
  - 심혈관 질환
  - 자가면역 질환
  - 혈액 질환
  - 염증 질환
  - 사람면역결핍바이러스(HIV)/후천면역결핍증후군(AIDS)

출혈의 급속한 진행(예를 들어, 정맥 천자 부위에서 흘러나옴, 타박상)을 포함한 증상이 보인다면, 명백한 실혈량 및 양성 양이나 D이합체(D-dimer) 검사 결과에서 나타나는 것보다 더 심각한 쇼크 상태이다. 미세 혈관 응고는 말단 조직에서 허혈의 징후와 함께 나타낼 수 있다. 프로트롬빈시간(PT) 및 부분트롬보플라스틴시간(PTT)과 같은 표준 혈액 응고 검사는 신뢰할 수 없다. 더욱 신뢰할 수 있는 진단을 제공하는 것은 자프로트롬빈시간 및 부분트롬보플라스틴시간 이외에도 낮은 혈소판 수치, 연장 트롬빈시간, 낮은 브리노겐 수치이다.

처치는 파종혈관내응고의 원인에 따라 다르며 환자마다 다르다. 그러나 공통된 처치의 목표는 일반적으로 출혈을 줄이고 과도한 응고를 억제하며 기저 원인을 제거하고 항상성을 회복하여 관류를 개선하는 것이다.

간 기능이상

간부전은 지속해서 상승하는 간 효소 수치, 포도당 이상(고혈당 또는 저혈당), 지속인 젖산산증 그리고 황달이 발생할 수 있으며 쇼크를 처치하지 않고 방치할 경우 발생할 수 있다. 간은 포도당(신체에서 에너지로 전환됨)을 조절하고 응고 인자(손상으로부터 치유하는 데 중요함)를 생성하는 능력 때문에 모든 쇼크 상태에서 필수적이다. 그러나 혈액이 더 중요한 기관으로 이동되기 때문에 간은 허혈 상태가 될 수 있다. 간 아미노기전달효소 수치가 상승하고 혈청 빌리루빈이 2mg/dL (18μmol/mL) 이상인 경우 간 기능이상을 나타낸다. 간부전은 일반적으로 후기에 발생하는 합병증이고 조기에 효율적인 처치로 예방할 수 있다.

다발성 장기 기능이상 증후군

통제되지 않는 염증 반응은 상호 의존적인 장기 계통의 점진적인 순서로 기능이상을 일으킬 수 있다. 다발성 장기 기능이상 증후군(MODS)으로 알려진 이 질환은 환자의 초기 질병을 유발한 급성 장애나 손상으로 인해 처음에는 손상되지 않았던 두 개 이상의 장기가 장기 계통의 결합 부전을 또는 장기 시스템의 결합된 부전을 특징으로하는 진행성 질환이다. 일반적으로

손상이나 중증 질병에 대한 반응으로 발생하며 좋지 않은 예후를 나타낸다. 실제로 이는 중환자실에서 사망의 주요 원인이며 두 개의 장기 기능이상이 발생하면 사망률이 54%에 이른다. 만약 다섯 개의 장기 기능이상이 발생하면 사망률은 80% 이상이다.

패혈증과 패혈쇼크는 다발성 장기 기능이상 증후군의 가장 흔한 원인이지만, 그 외에도 대규모 전신 염증 반응을 일으키는 병리학적 과정에 의해 발생할 수 있다. 다발성 장기 기능이상 증후군은 종종 심각한 외상, 대수술, 급성 췌장염, 급성 신부전, 급성호흡곤란증후군 및 괴사 조직(예, 화상 환자의 가피)의 존재에 의해 촉발된다. 기저 질환이 있는 노인과 광범위한 조직 손상을 입은 사람은 다발성 장기 기능이상 증후군의 위험이 가장 높다.

다발성 장기 기능이상 증후군은 일차 및 이차 단계로 나눌 수 있다. 일차적인 다발성 장기 기능이상 증후군은 가슴 외상이나 압도적인 감염과 같은 별개의 손상 직후에 분명해 진다. 관류가 감소하면 국소적이고 일반화되어 감지하기 어렵다. 미열, 빠른 호흡, 호흡곤란, 급성호흡곤란증후군, 의식상태 변화 및 대사과다증이 나타날 수 있다. 심혈관 관련 징후로는 빈맥, 전신 혈관 저항성 증가, 심박출량 증가 등이 있다. 위장관 지표로는 복부 팽창, 복수, 마비장폐색, 상부위장관 출혈, 하부위장관출혈, 설사, 허혈결장염 그리고 장음 감소 등이 있다. 황달, 오른위사분위역 통증, 혈청 암모니아 및 간 효소 수치가 상승하면 간이 연루된 것을 나타낸다.

초기 손상 후에 잠복기가 발생한다. 초기 장기 기능이상에 대한 반응으로 대식세포와 중성구가 활성화되면서 원래 손상에 영향을 받지 않은 장기가 손상되기 시작한다. 이러한 전신 반응은 이차 다발성 장기 기능이상 증후군을 발생시킨다. 혈관 내피가 기능을 상실하면서 응고와 섬유소 연쇄반응이 활성화되어 파종혈관내응고(DIC)와 혈소판 감소가 발생한다. 이러한 전신 반응은 통제할 수 없는 대사과다증, 모세혈관 투과성 증가 및 혈관 확장을 유발한다. 심박출량이 감소하고 산소 공급과 수요 사이의 불균형이 커지면서 조직 관류가 점차 더 손상된다. 궁극적으로 조직 저산소증, 심근 기능이상, 대사부전은 광범위한 장기 기능이상을 초래한다.

특별한 환자

노인 환자

노인은 더 오래 살고 노년에 더 활동적으로 지내고 있다. 역설적으로 더 오래 사는 것은 중증 질환에 걸리거나 다칠 가능성이 더 높아지게 한다.

만성 질환을 조절하기 위해 약물을 사용하는 것은 신체의 치유 능력과 쇼크와 같은 장애를 인식하는 능력을 복잡하게 만들 수 있다. 혈소판을 억제하는 약물은 치료 수준을 복용하더라도 출혈을 일으킬 수 있다. 예를 들어, 위장관 출혈이 발생할 수 있다. 약물을 과다 복용하거나 외상이 발생하면 과다출혈이 발생할 수 있다. 혈소판을 억제하는 약은 지혈에 영향을 미치기 때문에 이러한 약물이나 출혈을 지속되게 할 수 있는 다른 약물을 확인하고 쇼크에 기여할 가능성을 이해하는 것이 중요하다. 출혈을 조절하고 길항제나 혈액 제제로 특정 약물의 효과를 역전시킬 필요가 있다는 것을 인식하는 것은 처치 처치의 일부이다. 노인 환자에게 아세틸살리실산(아스피린)과 클로피도그렐(플라빅스)을 포함하여 혈소판 활성을 억제하는 약을 먹는지 환자에게 물어본다. 많은 노인은 또한 와파린(쿠마딘), 다비가트란(프라닥사), 리바록사반(사렐토), 아픽사반(엘리퀴스)과 같은 항응고 처치를 받고 있다. 출혈이 의심되는 경우 의료기관에서 처치를 준비할 수 있는 시간을 주기 위해 환자를 이송할 의료기관에 환자의 정보를 제공하는 것이 중요하다. 환자는 또한 비타민 E, 은행나무잎추출물, 인삼, 당귀, 피버퓨(화란국화), 마늘, 생강, 오메가-3 지방산을 포함한 출혈을 증가시키는 보충제를 복용하고 있을 수도 있다.

일부 고혈압약 및 혈관 확장제는 쇼크에 대한 반응으로 심장박동수를 증가시키는 능력을 제한한다. β 차단제와 칼슘 채널 차단제는 정상적인 보상 기전이 빈맥을 유발하지만 환자의 맥박수를 낮게 유지할 수 있는 약물의 두 가지 예이다.

다른 요인들도 노인 환자에서 쇼크의 조기 진단을 복잡하게 할 수 있다. 사람은 나이가 들수록 폐와 심장의 예비량이 줄어든다. 폐포가 경직되고 일회호흡량이 감소한다. 안정시 심박출량은 기초 대사율과 마찬가지로 감소한다. 쇼크 관련 보상 기전은 더 느리고 덜 효과적이다. 지방 조직의 양이 감소하고 근육량이 위축되기 시작하며 체온을 유지하기가 더 어려워진다.

산과 환자

임신부를 처치할 때는 두 명의 환자 생존이 산모의 적절한 관류 유지에 달려 있다는 것을 아는 것이 중요하다. 임신은 일반적으로 약 40주 동안 지속되며 여성의 몸은 그 기간 많은 생리적 변화를 겪는다. 임신부의 심장 박동수는 태아의 추가적인 관류 요구를 보상하기 위해 분당 10~15회 빨라진다. 혈액량은 거의 50% 증가하고 심박출량은 30%까지 증가한다.

태아가 자라면서 내부 장기, 가로막 및 아래대정맥에 추가적인 압력을 가한다. 심박출량과 혈관 내 용적이 증가하기 때문에 임신부에서 관류저하의 징후가 지연될 수 있다. 임신으로 인한 혈관 변화는 초기의 쇼크 징후를 가릴 수 있다.

임신 후반기의 임신부를 처치할 때는 자궁이 확대되어 아래대정맥에 압력이 가해져 저혈압이 발생하지 않도록 환자를 왼쪽 옆으로 누운자세를 취해준다. 산소 공급을 적절하게 유지하고 정맥 내로 수액 소생술을 시작한다.

소아 환자

어린이는 심박수를 강하게 증가시켜 심박출량을 증가시키는 능력으로 인해 쇼크 발생시 보상 능력이 뛰어나다. 결과적으로 소아 환자의 저혈압은 늦게 나타날 수 있다. 환자가 최종적인 처치와 수혈을 받을 수 있는 의료기관에 도착할 때까지 생리식염수 또는 젖산 링거액과 같은 등장성 수액을 볼루스로 투여한다. 다른 질병도 어린이가 쇼크에 빠지게 한다.

낫적혈구병

낫적혈구병은 유전적으로 유전된 적혈구의 상염색체 열성 질환이다. 이 질환은 보통 아프리카계 미국인 혈통의 사람들에게 나타난다. 아프리카계 미국인 500명 중 1명이 이 질환을 가지고 있으며 이는 미세혈관에서 혈구가 비정상적으로 낮고 혈관이 폐쇄되어 허혈과 고통스러운 위기를 초래할 수 있다. 낫적혈구병의 발병률이 높은 다른 그룹에는 지중해 국가, 중앙 아메리카, 카리브 제도, 인도 및 사우디아라비아 출신의 가족이 있다.

출혈

혈소판감소

혈소판감소증은 신체의 혈액 내 혈소판의 수가 비정상적으로 적을 때 발생한다. 출혈 위험은 혈소판감소증의 정도에 비례한다. 혈액 1마이크로리터당 10만 개 미만이면 혈전을 형성하는 혈액의 기능 저하와 관련이 있고 2만 개 미만은 자발적인 출혈이 발생할 수 있다.

혈소판감소증은 감염, 백혈병과 같은 암, 루푸스와 같은 류머티즘 질환, 비장 분리(비장에 혈액 고임)를 비롯한 많은 원인이 있을 수 있다. 일부 유전 질환은 혈소판 수치를 낮출 수도 있다. 자발적인 출혈이나 손상으로 인해 출혈이 지속되는 것 외에도 혈소판 수치가 낮은 환자는 점상 출혈이나 출혈점을 보일 수 있다. 큰 타박상은 최소한의 손상이나 손상의 병력이 없이 발생할 수 있다. 신체적 학대는 설명할 수 없는 타박상을 입은 어린이의 경우 항상 신체적 학대를 고려한다.

혈소판감소증으로 인한 이차 출혈 환자의 처치에는 근본적인 원인을 처치하고 출혈을 다른 방법으로 출혈을 조절할 수 없는 경우 혈소판 수혈이 포함된다.

혈우병

혈우병은 혈액 응고 인자 또는 혈액 응고를 촉진하기 위해 혈소판과 작용하는 단백질이 부족할 때 발생하는 출혈 질환이다. 혈우병에는 혈우병 A와 혈우병 B라는 두 가지 주요 유형이 있다. 혈우병은 일반적으로 어머니로부터 유전되는 유전 질환이다. 혈우병 A와 B는 같은 증상과 징후를 보인다. 영향을 받는 환자는 일반적으로 가족 중에 출혈 질환의 병력이 있거나 처음 발병한 경우 특히 관절과 근육에 경미한 외상으로 출혈이 발생한다. 환자의 병력에도 출혈에 대한 공통된 패턴이 있다. 관절에 출혈이 일어나는 것은 매우 흔하며 그 후 관절 손상으로 이어진다. 근육에 출혈이 있으면 구획증후군을 일으킬 수 있고 입안의 출혈은 기도 손상으로 빠르게 진행할 수 있다. 중추신경계 출혈은 국소 신경학적 징후와 함께 새로 발병하는 두통으로 나타날 수 있다. 두통과 함께 새로운 문제인 국소 신경학적 징후로 나타날 수 있다.

혈우병 A와 B의 처치는 알려진 질병이 있는 환자에서 인자 대체를 수반한다. 환자는 항상 최소 1회 이상의 복용량을 휴대해야 한다. 환자의 병력에서 진단된 출혈 장애를 확인한 경우 이 약물에 관해 물어보는 것이 중요하다. 통증 조절 또한 처치 목표이지만 근육 내로 진통제를 투여하는 것을 피한다.

폰 빌레브란트병

폰 빌레브란트병은 가장 흔한 유전성 응고 장애이며 그 증상은 혈우병 A와 유사할 수 있다. 폰 빌레브란트병은 다른 응고 인자와 마찬가지로 혈소판이 서로 붙거나 뭉치는 데 도움이 되는 폰 빌레브란트 인자가 없거나 결핍된 것이 특징이다. 이 질환의 환자는 비정상적인 월경 출혈, 점막 출혈, 코피, 타박상,

출혈점이 있을 수 있다.

처치에는 합성 호르몬 데스모프레신(1-데아미노-8-d-아르기닌-바소프레신)의 사용이 포함된다.

비만 환자

쇼크에 빠진 비만 환자는 처치 제공자에게 많은 어려움을 준다. 이러한 도전 과제 중에는 기도유지와 정맥 라인 확보, 혈압, 맥박산소측정 및 정확한 심전도와 같은 진단과 활력징후를 얻는 것이 있다. 평가와 처치의 많은 어려움으로 인해 비만 환자를 처치할 때 쇼크에 대한 높은 의심 지수를 유지한다.

종합 정리

이 상태를 처치하려면 환자의 쇼크 단계와 쇼크 유형을 조기에 정확하게 확인하는 것이 필수적이다. 쇼크에 빠진 환자에게 효과적인 처치를 제공하기 위해서는 단계별 임상 추론 기술, 철저한 평가 및 진단 결과에 대해 신중해야 하지만, 적절한 해석이 필요하다.

시나리오 해결책

- 환자는 저혈압, 빈맥, 의식 수준에서 알 수 있듯이 혈역학적으로 불안정하다.
- 감별 진단에는 당뇨병 관련 저혈당, 갑상샘저하증으로 인한 점액부종으로 인한 이차적인 혼수, 패혈증과 관련된 호흡기 또는 요로 감염, 하기도 폐쇄 또는 일차 저체온을 포함할 수 있다.
- 감별 진단의 범위를 좁히려면 과거 및 현재의 병력 청취를 완료한다. 혈당 측정, 체온, 폐음, 다중 리드 심전도, 호기말이산화탄소분압 등을 평가하는 신체검사를 수행한다. 평가 소견은 호기말이산화탄소분압 22mmHg와 양쪽으로 흩어져 있는 날숨시 쌕쌕거림, 12리드 심전도는 급성 손상이나 경색의 흔적 없이 우각차단, 혈당 132mg/dL(7.3mmol/L) 및 체온은 35.8℃이다.
- 환자는 쇼크의 징후가 있다. 환자의 기도를 확보하고 보조 산소 공급을 고려한다. 환자의 체온을 유지하기 위해 즉각적인 조치를 하고 정맥 라인을 확보하여 수액을 투여한다. 만약 저혈압이 정맥 내로 수액 투여 후에도 반응하지 않으면 노르에피네피린과 같은 혈압상승제 투여를 고려한다. 심장 리듬을 모니터링하고 필요에 따라 12리드 심전도를 반복해서 측정한다. 가장 가까운 적절한 의료기관으로 신속하게 이송한다.
- 이 환자는 패혈증 쇼크로 처치한다. 감염 병력과 현재 저혈압 외에도 심박수는 >90회/분, 체온 <36℃, 호흡 >20회/분 이다. 또한, 호기말이산환탄소는 <25mmHg, 혈당 >112mg/dL이다. 혈당 수치가 132mg/dL이므로 저혈당일 가능성은 배제할 수 있다. 환자가 쌕쌕거리는 소리를 내긴 했지만, 실내 공기 중 산소포화도는 >96%이므로 저산소증은 분명하지 않았다. 점액 부종 혼수는 현장에서 확실히 가능성이 있지만, 이 상태의 대부분 환자는 서맥이고 패혈쇼크의 가능성이 더 높다. 환자를 신속히 이송하고 등장성 수액을 투여하며 환자를 이송할 의료기관의 의사에게 환자 정보를 보고한다.

요약

- 부적절한 조직 관류를 이해하려면 해부학, 생리학 및 쇼크의 병태생리학에 대한 지식이 필요하다.
- 쇼크는 여러 장기 계통에서 조직 요구를 충족시키기에 너무 적은 산소와 너무 적은 에너지를 사용할 수 있는 진행성 세포 관류저하 상태이다.
- 쇼크의 주요 세 가지 단계는 보상, 비보상, 비가역 쇼크이다.
- 세포 관류의 세 가지 주요 결정 요소는 심박출량, 혈관 내 용적, 혈관 용량이다.
- 심박출량은 일회박출량과 심박수에 의해 결정된다.
- 일회박출량의 4가지 주요 결정 요인은 전부하, 후부하, 수축력 및 동시성이다.
- 평균 동맥압은 조직 관류의 간접적인 지표이고 고혈압 병력이

요약 (계속)

있는 환자에서 적절한 관류를 위해서는 더 높은 평균 동맥압이 필요할 수 있다.

- 좁은 맥압은 심박출량의 감소를 나타내며 쇼크의 유용한 지표입니다.
- 혈액은 신체의 세포로 산소를 운반하고 노폐물을 배출한다. 적혈구의 철 함유 단백질인 혈색소는 조직으로 산소를 운반한다.
- 만성 기저 질환, 나이, 비만 및 면역억제는 쇼크의 보상 기전에 부정적인 영향을 미친다.
- 보상 기전에는 분당 환기 증가, 심박출량 증가 및 혈관 수축이 포함된다.
- 쇼크의 유형에는 저혈량, 폐쇄, 분포, 심장성이 있다.
- 신체에 더 이상 충분한 산소가 없으면 세포는 무산소대사의 부산물로 젖산을 생성하고 대사산증이 발생한다.
- 쇼크의 허혈 단계에서는 뇌, 심장, 폐 및 간의 관류가 증가하는 반면, 덜 중요한 장기는 허혈이 된다.
- 불안, 전투적, 혼동 등은 쇼크의 초기 징후일 수 있다.
- 대부분의 쇼크 유형은 빈맥, 빠른 호흡, 차가운 피부 및 저혈압이 특징이다. 분포성 쇼크에서만, 피부가 따뜻할 수 있다. 심장성 쇼크나 신경성 쇼크에서는 서맥을 동반할 수 있다.
- 쇼크가 의심되는 환자를 평가하는 데 사용되는 평가 도구로는 맥박산소측정, 심전도, 혈청 포도당 검사, 호기말이산화탄소분압, 보상 예비력 및 젖산 수치 측정 등이 있다. 병원에서는 검사실 검사, CT, 초음파, 방사선 촬영이 사용된다.
- 쇼크의 합병증으로는 급성 신부전, 급성호흡곤란증후군, 응고병증, 간 기능장애, 다발성 장기부전이 있다.
- 쇼크의 초기 처치는 지지요법, 산소 공급, 수액 소생술, 체온 조절, 혈압상승제 투여가 있다. 구체적인 처치는 근본적인 원인에 기초한다.

주요 용어

산증(Acidosis) 산이 축적되거나 염기가 소실되어 혈액 내 수소이온 농도가 비정상적으로 증가하는 것으로 혈액의 pH가 정상 범위 보다 낮게 나타난다.

후부하(Afterload) 손상되지 않은 심장에서 심실이 혈액을 내보내는 압력이다. 이는 말초혈관 저항과 동맥계의 혈액량 및 물리적 특성에 의해 영향을 받는다.

심장 주기(Cardiac cycle) 완전한 심장 운동 또는 심장박동. 한 심장 박동의 시작으로부터 다음 심장 박동의 시작까지의 기간이다(이완기에서 수축기까지).

심박출량(Cardiac output) 심장의 심실에서 시간 단위당 배출되는 유효 혈액량(보통 분당 용적)으로 이는 일회박출량과 심박수를 곱한 값과 같다.

파종성혈관내응고(disturbance of blood coagulation; DIC) 응고 기전의 활성화와 동시에 혈전 용해로 인한 혈액 응고 장애

혈량저하증(Hypovolemia) 체내의 순환 혈액량이 비정상적으로 감소하고 가장 흔한 원인은 출혈이다.

평균동맥압(mean arterial pressure; MAP) 한 번의 심장 박동의 전체 주기에 대한 동맥 내 평균압력이다.

관류(Perfusion) 혈액이 혈관을 통해 신체의 여러 장기로 이동한다.

전부하(Preload) 확장기 말에 심장의 기계적인 상태로 정맥혈복귀와 심실벽에 가해지는 스트레스 또는 늘임

맥압(Pulse pressure) 수축기 혈압과 확장기 혈압의 차이

쇼크(Shock) 주요 장기에 산소와 영양소의 적절한 관류를 유지하는 순환계의 부전으로 인한 심각한 혈역학 및 대사 장애의 상태로 부적절한 혈액량, 심장 기능 또는 혈관 운동 긴장도에 의해 발생할 수 있다.

일회박출량(Stroke volume) 각 심장 박동마다 심실에서 배출되는 혈액의 양으로 나이, 성별, 운동 여부에 따라 달라진다.

참고 문헌

Aehlert B: *Paramedic practice today: above and beyond*. St. Louis, MO, 2009, Mosby/JEMS.

American Academy of Orthopaedic Surgeons: *Nancy Caroline's emergency care in the streets*, ed 8. Burlington, MA, 2018, Jones & Bartlett Learning.

American College of Surgeons: *ATLS student course manual*, ed 10. Chicago, IL, 2018, American College of Surgeons.

Cairns CB: Rude unhinging of the machinery of life: Metabolic approaches to hemorrhagic shock. *Curr Opin Crit Care*. 7(6):437–443, 2001.

Centers for Disease Control and Prevention: *Guide to infection prevention for outpatient settings: Minimum expectations for safe care*. https://www.cdc.gov/HAI/settings/outpatient/outpatient-care-guidelines.html, last reviewed September 9, 2014.

Copstead-Kirkhorn LE, Banasik JL: *Pathophysiology*. Philadelphia, PA, 2010, Saunders.

Darovic GO: *Handbook of hemodynamic monitoring*, ed 2. Philadelphia, PA, 2004, Saunders.

Gaugler MH: A unifying system: Does the vascular endothelium have a role to play in multi-organ failure following radiation exposure? *Br J Radiol*. 78:100–105, 2005.

Hamilton GC: *Emergency medicine: An approach to clinical problem-solving*, ed 2. Philadelphia, PA, 2003, Saunders.

Hirschl M, Wollmann C, Mayr H: 30 day survival of patients with STEMI and cardiogenic shock. *Crit Care Med*. 41(12), 2013. doi: 10.1097/01.ccm.0000439211.53447.b9

Hudak CM, Gallo BM, Morton PG: *Critical care nursing: A holistic approach*, ed 7. Philadelphia, PA, 1998, Lippincott.

Hunter CH: End-tidal carbon dioxide may be used in place of lactate to screen for severe sepsis. *JEMS*. (March):134, 2014.

Hunter CL, Silvestri S, Dean M, et al.: *End-tidal carbon dioxide levels are associated with mortality in emergency department patients with suspected sepsis*. October 1, 2011. http://med.ucf.edu/media/2011/10/i2-poster-dean-matthew.pdf

Hunter CL, Silvestri S, Ralls G, et al.: The sixth vital sign: Prehospital end-tidal carbon dioxide predicts in-hospital mortality and metabolic disturbances. *Am J Emerg Med*. 32(2):160–165, 2014.

Japp A, Robertson C, Wright R, et al.: *Macleod's clinical diagnosis*, ed 2. St. Louis, MO: Elsevier, 2018.

Kolecki P: *Hypovolemic shock treatment and management*. http://emedicine.medscape.com/article/760145, updated October 13, 2016.

Kragh JF Jr, Walters TJ, Baer DG, et al.: Survival with emergency tourniquet use to stop bleeding in major limb trauma. *Ann Surg*. 249:1–7, 2009.

Link MS, Berkow LC, Kudenchuk PJ, et al.: Part 7: Adult Advanced Cardiovascular Life Support: 2015 American Heart Association Guidelines Update for Cardiopulmonary Resuscitation and Emergency Cardiovascular Care. *Circulation*. 132(18 Suppl 2):S444–S464, 2015. http://doi.org/10.1161/CIR.0000000000000261

Marshall JC: The multiple organ dysfunction syndrome. In Holzheimer RG, Mannick JA, Eds. *Surgical treatment: Evidence-based and problem-oriented*. Munich, Germany, 2001, Zuckschwerdt, http://www.ncbi.nlm.nih.gov/books/NBK6868/

Marx JA, Hockberger RS, Walls RM: *Rosen's emergency medicine: Concepts and clinical practice*, ed 6. St. Louis, MO, 2006, Mosby.

McCance KL, Huether SE: *Pathophysiology: The biologic basis for disease in adults and children*, ed 5. St. Louis, MO, 2006, Mosby.

Miller RD, Eriksson L, Fleisher L, et al.: *Miller's anesthesia*, ed 7. Philadelphia, PA, 2009, Churchill Livingstone.

Moultan SL, Mulligan J, Grudic GZ, et al.; Running on empty? The compensatory reserve index. *J Trauma Acute Care Surg*. 75(6): 1053–1059, 2013.

Mustafa S, Kaliner A: *Anaphylaxis medication*. http://emedicine.medscape.com/article/135065-medication, updated May 16, 2018.

National Association of Emergency Medical Technicians. *PHTLS: Prehospital Trauma Life Support*, ed 9. Burlington, MA, 2019, Public Safety Group.

Pagana KP: *Mosby's diagnostic and laboratory test reference*, ed 9. St. Louis, MO, 2008, Mosby.

Patton KT, Thibodeau GA: *Anatomy and physiology*, ed 7. St. Louis, MO, 2010, Mosby.

Seif D, Perera P, Mailhot T, et al.: Review article: Bedside ultrasound in resuscitation and the rapid ultrasound in shock protocol. *Crit Care Res Pract*. (Article ID 503254), 2012. doi:10. 1155/2012/503254. http://emcrit.org/wp-content/uploads/2011/ 03/New-RUSH-Review-Article1.pdf

Society of Critical Care Medicine: *6-hour bundle*. http://www.survivingsepsis.org/SiteCollectionDocuments/Bundle-6Hour-Step2a-CVP.pdf

Society of Critical Care Medicine: *Surviving sepsis: Bundles*. http://www.survivingsepsis.org/Bundles/Pages/default.aspx

Solomon EP: *Introduction to human anatomy and physiology*, ed 3. Philadelphia, PA, 2009, Saunders.

Stanton BA, Koeppen BM: *Berne and Levy physiology*, ed 6. St. Louis, MO, 2008, Mosby.

Swan KG Jr, Wright DS, Barbagiovanni SS, et al.: Tourniquets revisited, *J Trauma*. 66:672–679, 2009.

Tintinalli JE, Kellen GD, Stapczynski S, et al.: *Tintinalli's emergency medicine: A comprehensive study guide*, ed 6. New York, NY, 2003, McGraw-Hill.

Urden LD, Stacy KM, Lough ME: *Thelan's critical care nursing: diagnosis and management*, ed 5. St. Louis, MO, 2006, Mosby.

Wallgren UM, Castrén M, Svensson AEV, et al.: Identification of adult septic patients in the prehospital setting: A comparison of two screening tools and clinical judgment. *Eur J Emerg Med Off J Eur Soc Emerg Med*. 28(6):573–579, 2013.

CHAPTER 5

신경계 질환

신경계 질환(급성 또는 만성)을 앓고 있는 환자를 평가하고 처치하는 것은 가장 어려운 사례일 수 있다. 이것은 특히 의식상태가 변화된 환자에게 해당한다. 변화된 의식상태는 많은 신경계 질환의 흔한 증상이다. 의식상태가 변화하고 환자가 효과적으로 의사소통할 수 없는 많은 원인은 독특한 어려움을 나타낼 수 있다. 이 장에서는 AMLS 평가 방법을 이용하여 기본적인 신경학적 검사를 완료하고 감별 진단을 공식화하는 도구를 제공하여 도움을 줄 것이다.

학습 목표

이 장을 마치면 다음을 수행할 수 있다.

- 변화된 의식상태와 비정상적인 신경 기능의 증상과 증후를 인식할 수 있다.
- 신경학적 신체 이상과 관련된 적절한 병력을 청취한다.
- 기본적인 신경학적 검사를 시행한다.
- 즉시 생명을 위협하는 것을 인식하고 처치한다.
- 아픈 환자와 그렇지 않은 환자를 구분하고 안정된 환자가 불안정해질 가능성이 있을 때를 예측할 수 있다.
- 현장과 이송 중에 신체적, 정서적인 지지적 처치를 제공한다.
- AMLS 평가 과정을 이용하여 진단을 공식화하는 데 도움이 되도록 신경학적 검사 결과를 적용한다.
- 적절한 감별 진단을 고려한다.
- 저혈당의 가능성을 배제하기 위해 의식상태가 변화된 환자에게 혈당 검사를 수행하는 것의 중요성을 설명할 수 있다.
- 임상 소견 및 진단을 토대로 특별한 이송 방법 및 이송할 의료기관을 고려한다.

시나리오

당신이 도움을 요청한 개인 주택에 도착했을 때 한 여성이 밖에서 당신에게 다가와 어머니가 "정상적이지 않은 행동을 하고 있다"고 말한다. 딸은 어머니가 오늘 아침에 교회에 안 나오자 확인하러 왔다고 한다. 그녀는 계속해서 자신의 어머니가 일반적으로 "압정처럼 날카롭다"고 자신을 돌볼 수 있다고 말한다. 대문을 열고 들어가자마자 당신은 72세의 여성이 흐트러진 모습으로 잠옷과 하이힐을 신고 정원 주변을 서성이고 있는 것을 발견했다. 그녀는 당신이 들어온 것을 눈치채지 못하는 것 같다. 그녀의 딸은 당신에게 어머니가 복용 중인 약물 목록을 주고 "어머니는 나이에 비해 꽤 건강하다"고 말하며 어머니가 이런 식으로 행동한 적이 없다고 말한다. 당신이 그녀의 관심을 끌려고 하면 그녀는 짜증스럽게 눈썹을 찌푸린 채 당신을 쳐다본다. 당신은 이 환자를 처치하는 것이 어려우리라는 것을 알고 있다.

- 이 환자에게 어떤 구체적인 평가를 시행해야 하는가?
- 감별 진단에 어떤 조건이 있는가?

이 장에서는 의식상태가 변화된 환자를 감별 진단을 내리고 즉각적으로 생명을 위협하는 상태를 확인하고 적절한 처치를 시행하는데 필요한 임상적 판단을 개발할 수 있는 현재 지식 기반을 구축한다. 사람의 각성도, 인지의 어려움 또는 정상적인 행동에서 벗어난 생동의 감소는 변화된 의식상태를 구성한다. 어떤 사람에게는 정상적인 행동이 다른 사람에게는 일반적인 행동이 아닐 수 있으므로 변화된 의식상태는 개인마다 다르게 나타난다. 변화된 의식상태의 징후는 경미한 혼동에서 심각한 인지적 결손에 이르기까지 다양하다.

변화된 의식상태는 병원 전 단계에서 이환율의 흔한 징후이며 근원적인 원인을 조기에 인식하고 처치하는 것은 생명을 구할 수 있다. 이 질환은 종종 외상 및 감염과 같은 동반 질환과 관련이 있다. 적절한 처치 과정을 결정하기 위해서는 근본적인 상태의 확인이 필요하다.

신경학적 문제가 있는 환자는 취약하고 보상 기전이 감소할 위험이 있다. 깨어있는 사람을 보호하는 많은 반사는 신경계가 어떤 원인으로 인해 저하될 때 일시적으로 비활성화될 수 있다. 눈꺼풀은 깜빡거리지 않아서 먼지와 자극제를 사라지게 하지 않고 후두는 분비물이 기도로 흘러내리는 것에 반응하여 구역질과 기침을 일으키지 않아 환자를 위험에 빠뜨릴 수 있다.

적절한 응급처치를 제공하고 환자에 대한 감별 진단을 공식화하는 것은 인체에 대해 확실한 이해를 하고 체계적이며 세부적인 평가를 얻는 데 달려 있다. 의식상태가 변화된 환자의 적절한 신경학적 평가를 수행하기 위해서 활력 징후에만, 의존해서는 안 된다. 환자의 증상과 행동에 대한 면밀한 관찰과 숙련된 신체검사를 시행하고 혈당과 호기말이산화탄소측정과 같은 추가 진단 검사를 통해 환자가 불편해하는 원인을 보다 명확하게 파악하는 데 도움이 될 수 있다.

해부학과 생리학

뇌와 척수

뇌는 체중의 2%에 불과하지만, 우리가 누구인지를 정의한다. 수십억 개의 뉴런을 통해 우리는 주변 세계와 상호작용하고 사고와 행동을 조절하며 우리의 지능과 성격을 결정하고, 즐거움과 고통을 인지하고, 인격을 형성하고, 기억을 평생 저장한다. 뇌는 20세 이후가 되어도 완전히 발달하며 새로운 증거에 따르면 성인의 뇌는 혁신적인 기능 및 구조적 영상 기법을 포함한 신경학적 연구의 발전 덕분에 우리는 이제 인류 역사상 그 어느 때보다 뇌에 대해 더 많이 알게 되었다. 그러나 우리는 마음, 몸, 정신의 본질적인 상호 연결을 확인하지 못했다.

보호용 해부학적 구조

뇌와 척수로 구성된 중추신경계(CNS)는 신체의 모든 신경 조직의 98%를 차지한다. 뇌 자체는 신경 조직(위치와 기능에 따라 백질과 회색질이라고 함)으로 구성되며 머리뼈안 또는 머리뼈의 약 80%를 차지한다. 평균적인 성인의 뇌 무게는 약 1.5kg이고 뇌척수액에 의해 머리뼈안에서 완충 작용을 한다. 뇌척수액은 투명하고 약간 황색을 띠는 액체로 충격 흡수제 역학과 뇌의 에너지원 역할을 한다. 그것은 주로 물로 구성되어 있지만, 단백질, 염분, 포도당을 포함하고 있다. 머리뼈 내 뇌척수액의 흐름은 **그림 5-1**에 나와 있다.

뇌와 척수에 대한 추가적인 보호는 수막이라 불리는 세 개의 막 층에 의해 제공된다(**그림 5-2**). 수막의 각 층은 "막"을 의미하는 그리스어에서 수막이라고 부른다. 뇌의 표면에 직접 부착되어 있는 가장 안쪽의 수막은 연막이라고 하는 정교한 막이다. 연막은 뇌와 척수의 표면에 공급하는 혈관을 포함하고 있다. 수막의 중간층은 모양에서 따온 아교질과 탄력소 섬유의 엉킴이다. 수막의 망상 혈관망은 거미줄과 닮았기 때문에 거미막("거미 같은"을 의미)으로 알려져 있다. 뇌척수액은 수막과 거미막 사이의 공간(거미막밑 공간)에서 순환하여 뇌를 물리적인 손상으로부터 보호하고 면역학적 보호막을 제공한다. 머리뼈를

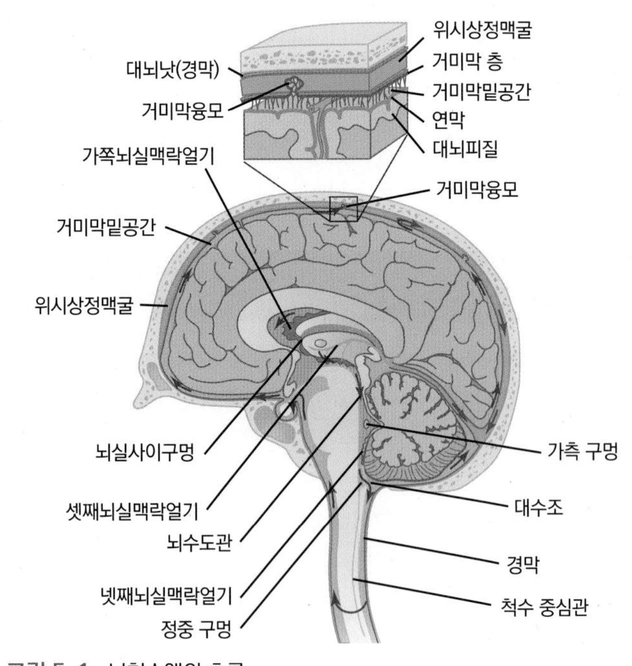

그림 5-1. 뇌척수액의 흐름

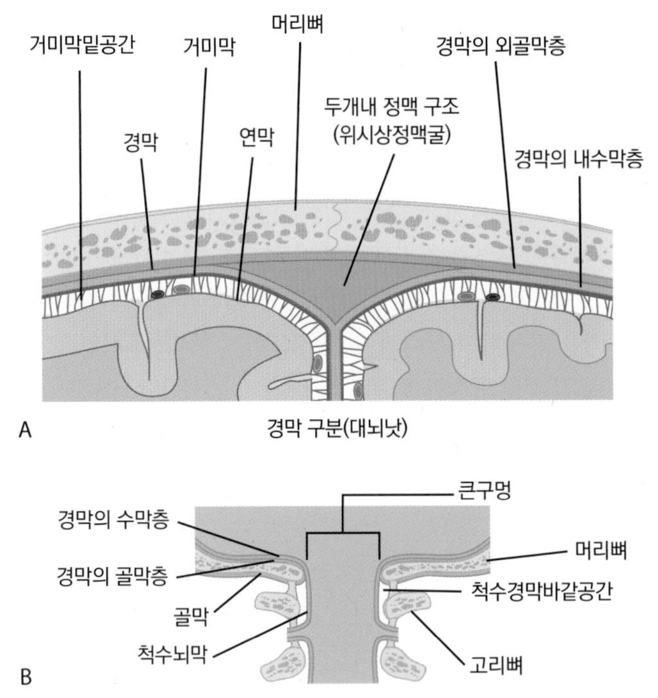

그림 5-2. 경막, 거미막, 연막은 수막의 세 층이다. A. 위 관상영상. B. 척추 수막의 연속성.

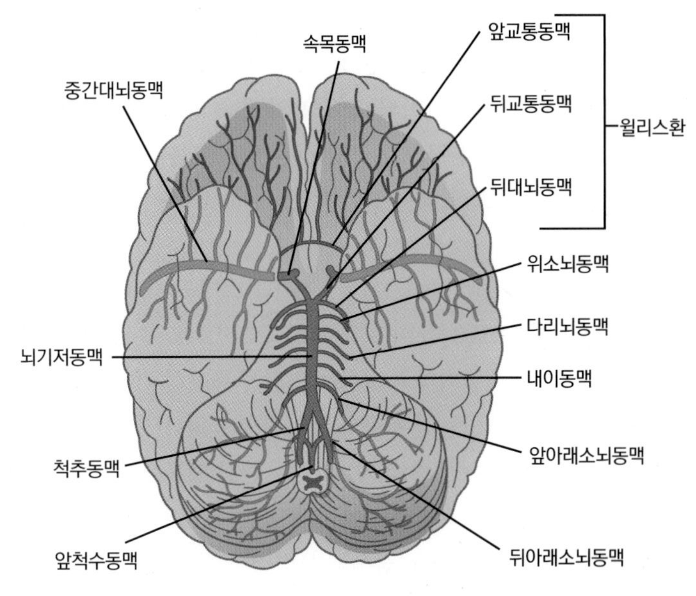

그림 5-3. 대뇌 순환과 뇌의 기저부에 있는 윌리스환.

둘러싸고 있는 가장 바깥쪽 수막은 머리뼈에 공급하는 동맥을 포함하고 있다. 그것은 적절하게는 경막, 즉 "강한 어머니"라고 부른다. 두 개의 섬유층으로 구성된 경막과 머리뼈 사이에 있으며 경막밑공간은 경막과 거미막밑 사이에 있다.

혈액 공급

뇌의 가장 중요한 기능을 유지하려면 적절한 관류가 유지되어야 한다. 뇌가 제대로 기능하려면 지속해서 산소와 포도당을 공급해야 하며 저장 능력이 없다.

앞쪽 두 개의 속목동맥과 뒤쪽 두 개의 척추 동맥이 뇌에 혈액을 공급한다. 척추 동맥은 합쳐져서 머리뼈의 밑부분 바로 안쪽에 있는 뇌바닥동맥이 되고 뇌줄기와 소뇌로 가지를 제공한다. 뇌바닥동맥은 **그림 5-3**에서 보듯이 뇌의 아랫부분에 윌리스 고리를 형성하기 위해 속목동맥의 가지들을 분할하고 연결한다.

뇌 혈류는 뇌혈관의 수축 또는 확장에 의한 대사 요구량에 따라 통합적 혹은 지역적으로 전신 혈압과는 독립적으로 유지되고 조절된다. 이러한 기능은 뇌관류압(수축기 혈압과 거의 동일)이 60~160mmHg 사이에 있는 한 효과적이다. 따라서 뇌 관류를 보존하기 위해 수축기 혈압을 최소 60~70mmHg에서 160mmHg 미만으로 유지하는 것이 중요하다. 많은 유형의 뇌 손상은 이러한 기전의 손상을 초래하고 이 경우 정상적인 수준의 전신 혈압을 유지하는 것은 훨씬 더 중요하다.

뇌 혈류는 또한 이산화탄소의 혈청 수준에 의해 영향을 받는다. 저이산화탄소혈증(예: 과다환기)은 뇌혈관 축소를 일으키 관류를 감소시키지만, 두개내 총혈액이 감소하여 두개내압을 감소시킨다. 또는 고이산화탄산혈증은 혈관 확장을 유발한다. 따라서 호기말이산화탄소를 면밀하게 모니터하는 것이 중요하다. 혈관의 수축 또는 확장인 뇌혈관 활동을 이해하는 것은 의식상태가 변화하거나 외상성 뇌 손상 또는 뇌졸중으로 의심되는 환자를 처치하는 데 중요하다.

뇌에 영양을 공급하는 모세혈관은 혈액-뇌장벽(BBB)으로 알려진 혈액과 뇌의 세포액 사이에 보호 장벽을 형성하는 세포 사이의 긴밀한 접합이 있는 특별한 안감이 있다. 이 장벽은 특정 입자(세균, 일부 단백질 및 독소, 항체 및 많은 항생제를 포함)가 뇌로 유입되는 것을 방지하는 동시에 산소, 물, 포도당의 통과를 허용하고 적극적으로 촉진한다. 머리 외상과 특정 감염 그리고 혈액뇌장벽을 손상해 종종 이차 뇌 손상을 일으킨다.

뇌의 기능적 영역

뇌는 많은 구성 요소와 기능적인 영역이 있는 복잡한 기관이다. 뇌는 대뇌, 소뇌, 사이뇌, 뇌줄기의 주요 영역으로 나눌 수 있다. 편도핵과 해마 구조를 포함하는 변연계(둘레계통)는 인간의 감정에서 중요한 역할을 한다.

대뇌

대뇌는 피질(엽으로 나누어짐)과 피질하조직으로 구성된다. 신경 피질 혹은 회색질이라고도 하는 피질은 대뇌의 가장 바깥쪽 층이며 뇌의 가장 기능인 부분으로 전체 질량의 2/3 이상을 차지한다. 그것의 많은 이랑(뇌회), 고랑, 능선 때문에 대뇌 피질의 표면적은 실제로 그것이 차지하는 공간보다 30배 더 크다. 각 능선 또는 이랑, 고랑, 틈새는 특정 인지 기능과 관련이 있다. **그림 5-4**는 대뇌와 뇌의 다른 주요 구조를 보여준다.

뇌 반구와 엽의 구조 및 기능은 다음과 같다.

- 오른쪽과 왼쪽 반구. 대뇌는 왼쪽과 오른쪽 반구로 나뉜다. 구조적, 기능적으로 반구는 신체의 반대쪽을 조절한다. 반구는 초당 40억 개의 자극을 전달하는 신경 섬유(뇌들보에서)를 끊임없이 전달하여 서로 연결되어 있다.
- 뇌의 구조는 개인마다 같지 않다. 오른손잡이의 90% 이상과 왼손잡이의 70% 이상에서 해석적 언어 중추는 왼쪽 반구에 있다. 논리적 뇌라고도 하는 왼쪽 반구는 읽기, 쓰기, 수학적 계산, 순차적 및 분석적인 작업도 담당한다. 창의적 뇌라 알려진 오른쪽 반구는 감각 정보를 해석하고 공간 인식을 처리한다. 흥미롭게도 많은 음악가, 무용가, 예술가는 왼손잡이이며 이러한 사람들의 대뇌 피질의 오른쪽 반구는 왼쪽보다 더 활동적인 것으로 보인다.
- 엽. 대뇌는 엽으로 더 세분화되고 각 엽은 그 위에 있는 머리뼈의 이름을 따라 명명된다. 예를 들어, 전두엽은 전두골 아래에 있다. 다른 엽은 두정엽, 측두엽, 후두엽이다. 각각의 엽과 그것과 일치하는 대뇌 피질의 각 엽과 해당 영역에는 특정한 기능이 있다. 전두엽은 운동기능을 조절하고 성격을 결정하며 생각과 말을 정교하게 한다. 두정엽은 신체적 감각을 해석한다. 측두엽은 장기 기억을 저장하고 소리를 해석하고 후두엽은 시력을 담당한다.

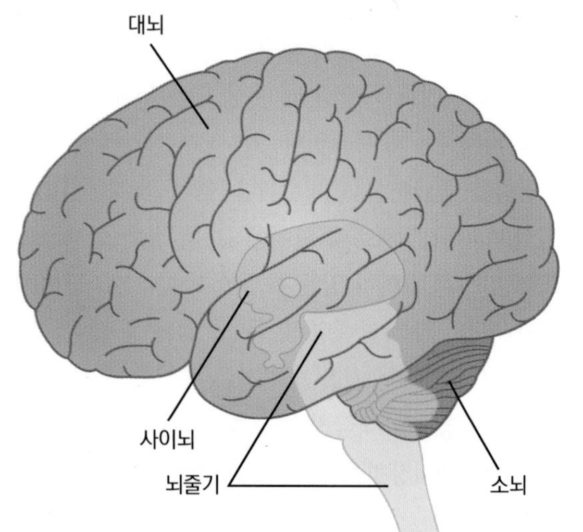

그림 5-4. 뇌의 네 가지 주요 영역은 뇌줄기, 사이뇌, 대뇌 및 소뇌이다.

소뇌

뇌에서 두 번째로 큰 부분인 소뇌는 뇌줄기의 위쪽과 대뇌의 뒤쪽에 있다(**그림 5-4**). 소뇌는 움직임, 균형과 자세를 조정한다.

사이뇌

뇌의 중심 근처에는 사이뇌(**그림 5-4**)가 있으며 시상과 시상하부를 포함한다. 회백질로 구성된 시상은 척수와 대뇌 피질사이에 감각 입력을 연결하고 각성(수면/깨어남 전환)을 담당하는 그물활성화계의 대부분을 포함한다. 체리 씨앗보다도 크지 않은 작은 시상하부는 신체의 항상성을 유지하는 역할을 한다. 그것은 뇌하수체를 통해 교감신경계와 부교감신경계를 연결한다. 시상하부의 호르몬은 뇌하수체에서 호르몬의 분비를 자극하거나 억제하여 순환 리듬(신체의 선천적인 수면 주기), 갈증과 배고픔 및 기타 기능을 조절한다.

시상을 주위를 둘러싸고 있는 원시 뇌의 구조는 전체적으로 둘레계통(변연계)으로 알려져 있다(**그림 5-5**). 변연계는 편도 핵과 해마라는 두 가지 구조로 구성되어 있으며 이 계통은 전두엽의 전두엽 피질에 연결되어 있다. 변연계는 기본적인 생존 본능과 우리가 긍정적이거나 또는 부정적인 견해를 가졌는지와 같은 우리 성격의 주요 특징을 구성하는 많은 행동 반응을 조절하기 때문에 원시 뇌라고 한다. 이 계통은 두려움, 좌절, 불안, 긴장, 화, 분노, 성적 욕망, 식욕, 유대감을 형성하고자 하는 능력 그리고 감정적인 기억의 저장과 같은 강렬한 감정을 담당한다. 변연계는 사건이 일어나는 대로 해석할 수 있게 해주고 행동이나 사건의 결과를 예측하는 데 도움을 준다.

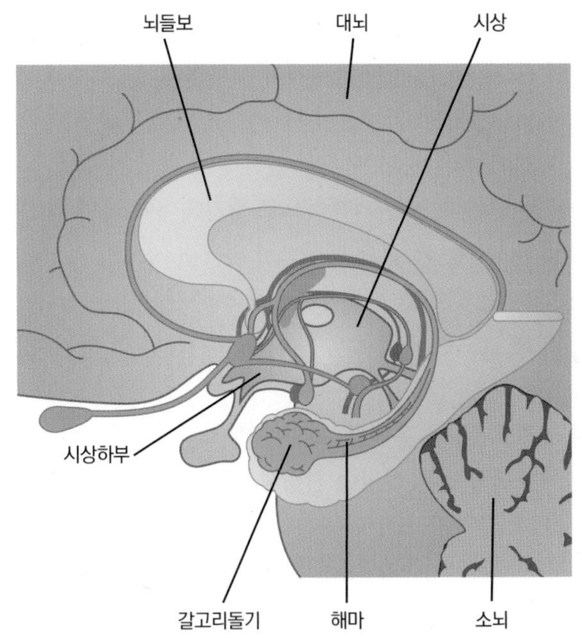

그림 5-5. 둘레계통.

뇌줄기

척수를 뇌에 연결하는 것은 수질, 중간뇌 및 다리뇌를 포함하는 뇌줄기이다(그림 5-4 참조). 수질은 호흡 및 심박수와 같은 기본적인 생리 기능을 조절한다. 중간뇌는 시각, 청각 및 신체의 움직임의 조절에 관여한다. 뇌줄기("다리"를 의미)는 소뇌와 수질을 연결하고 자세와 움직임, 수면에 관여한다.

뇌실

뇌실(작은 배를 의미)은 순환하는 뇌척수액으로 채워진 공동과 같은 공간으로 심실 내의 모세혈관 네트워크에 의해서 지속적으로 생성된다.

AMLS 평가 과정 ▶▶▶▶▶

▼ 초기 평가

현장 안전 고려 사항

환자가 공격적이거나 혼란스럽거나 폭력적인 상황에서는 현장이 안전한지 확인하고 필요한 경우 접근하기 전에 경찰관이 현장의 안전을 확보했는지 확인한다. 현장이 초기에 안전하다면 먼리서 환자를 관찰하고 신체의 움직임과 환자가 하는 말에 주목한다. 환자가 점점 흥분하거나 공격적으로 변하는 경우 현장 안전 평가의 하나로 이러한 행동을 고려하고 즉시 적절한 지원을 요청한다. 신경학적으로 말해서 변연계(둘레계통)은 앞이마엽 피질보다 먼저 경각심을 느끼는 이유를 감지한다. 이 체계는 상황을 의식적으로 인식하기 전에 경고를 한다. 이 인식 및 경보 체계를 고려하고 시스템을 염두에 두고 현장 안전을 평가한다.

기본적인 자세 및 주요호소 증상

신경학적 기능 장애를 가지고 있는 환자에서 가장 흔한 기본적인 자세 및 주요호소 증상에 대한 간략한 개요는 다음과 같다. 많은 질병 과정이 비슷한 표현을 하거나 하나의 징후가 다를 징후를 가릴 수도 있다. 예를 들어, 섬망은 저혈당을 초래할 수 있고 저혈당은 발작을 유발할 수 있으며 발작은 뇌졸중을 가릴 수도 있다. 또한, 환자의 신경학적 증상이 절박해 보일 수도 있지만, 때로는 감별 진단에서 고려해야 할 더 심각한 의학적 상태를 나타낼 수 있다. 예를 들어, 실신(기절)은 때때로 폐색전증을 나타낼 수 있다.

변화된 의식상태

의식상태가 변화된 환자는 혼동의 징후를 보이거나 전형적인 행동에 변화를 나타낼 수 있다. 의식상태가 변화된 환자의 경우 원인과 결과를 구분하기 어려운 경우가 많다. 저혈당 및 전해질 이상(예를 들어 나트륨혈증)은 지남력 장애를 일으킬 수 있고 우울증, 중독, 과다복용은 비정상적이거나 불안한 행동을 유발할 수 있다. 이러한 행동 변화는 가족 구성원이나 환자를 잘 알고 있는 누군가를 통해 확인한다.

의식상태가 심각하게 저하되거나 혼수상태에 있어 병력을 알 수 없는 환자는 즉각적인 소생술이 필요하다. 이런 종류의 정신적 감소는 불길할 수 있고 출혈 뇌졸중, 과다복용 및 기타 심각한 상태를 야기할 수 있다.

섬망

섬망은 인식, 방향 및 인지의 약화 및 감소를 특징으로 하는 의식상태의 급성 변화이며 때때로 환각 또는 망상과 관련이 있다. 이것은 남정보다 여성에서 더 자주 볼 수 있으며 종종 아주 젊은 사람과 60세 이상의 노인에서 질병과 관련이 있다. 이러한 변화는 각성, 지남력, 정서적 또는 행동적 반응, 지각, 언어 표현, 판단 및 활동의 감소를 유발할 수 있다. 섬망의 원인에는 중독, 감염, 외상, 발작, 내분비 장애, 장기 부전, 뇌졸중, 쇼크, 전환장애, 두개내출혈 및 종양이 있다. 또한, 약물도 섬망의 흔한 원인이다.

치매는 때때로 섬망과 혼동되지만, 만성적인 뇌기능상실, 특히 단기 기억 기능의 만성 상실을 나타낸다. 또한 사고, 언어, 판단 및 행동에도 영향을 미친다. 섬망과 달리 치매는 퇴행성이고 시간이 지남에 따라 발생하며 일반적으로 되돌릴 수 없다.

섬망 환자의 경우 단기 기억이 흐려지고 시간이나 장소에 대한 지남력 상실이 나타난다. 의식 수준은 짧은 기간 동안 변동될 수 있으며 말하는 것은 일관성이 없거나 긴장하거나 횡설수설할 수 있다. 환자는 일반적으로 구별할 수 있는 국소 신경학적 결손이 없다. 그런데도 감염, 중독, 탈수, 심부정맥, 갑상샘 문제, 약물 투여 문제(과다복용과 불충분한 투여)로 인해 활력징후와 신체검사 결과에 변화를 일으킬 수도 있다.

모든 수준의 섬망을 보이는 환자는 충분히 평가한다. 외모, 활력징후, 수분 공급, 외상이나 감염의 증거를 모두 고려한다. 간이 의식상태 검사는 의식상태 변화의 심각성, 성격 및 진행 상황을 문서화하기 위해 시행할 수 있다. 급성 섬망 상태에 있는 사람을 만날 때 환자가 혼란스러워하고 판단력이 떨어질 가능성이 높다는 것을 기억한다. 당신과 환자의 안전이 최우선이다. 환자는 벤조디아제핀 또는 정신병약을 사용하여 물리적 또는 화학적 제제가 필요할 수 있다.

환자가 의식이 없으며 구역 반사가 약하거나 코골이나 호흡 시 시끄러운 호흡음이 관찰되는 경우 적절하게 기도를 유지하고 흡인의 위험을 줄인다. 산소포화도가 94% 미만이거나 환자가 호흡곤란을 보이는 경우 보충 산소를 투여한다. 척수 외상이 의심되는 경우 척추의 움직임을 제한하도록 예방 조치를 시행하고 환자의 혈청 포도당 수치를 검사한다. 환자는 응급실에서 검사실과 방사선 검사의 도움을 통해 평가할 수 있다. 환자는 외과적, 신경학적 또는 정신과적 평가가 필요할 수 있다.

흥분된 섬망이라고 하는 증후군에서 환자는 처음에 심한 정신병으로 보이며 기대에 비해 지나치게 힘을 보일 수 있다. 환자는 극도로 정신이 혼란스럽고 과도하게 자극되며 제어할 수 없을 수 있다. 흥분한 섬망 환자를 물리적으로 억제하려는 시도는 이러한 결과를 악화시킬 수 있다. 물리적 또는 전기 장치(테이저 장치)로 제지하면 환자의 격렬한 저항이 갑자기 멈출 수 있다. 흥분된 섬망이 있는 환자는 불규칙한 호흡 유형(호흡 산증으로 인한 것일 수 있음)을 겪다가 일반적으로 몇 분 이내 사망할 수 있다. 이러한 환자에서 심부정맥이 관찰되었지만, 무수축이 나타난다. 고체온이 나타날 수 있으며 종종 에피네프린과 대사 산증의 순환 수준이 높아진다. 흥분된 섬망 징후를 나타내는 모든 환자는 의학적으로 평가되어야 하며 안전하게 통제를 유지하는 데 필요 이상으로 엎드린 자세로 억제해서는 안 된다. 이는 환기를 방해하여 산증을 증가시킬 수 있다. 경찰관에 의해 엎드린 자세로 있는 환자는 가능한 한 빨리 바로누운자세나 앉은 자세를 취해줘야 기본 산증을 완충하는 호흡 노력과 일회호흡량을 유지할 수 있다. 벤조디아제핀, 신경이완제 또는 케타민과 같은 적절한 진정제로 화학적 억제가 적절한 경우가 많다. 환자의 심장 리듬을 모니터링하고 지속해서 맥박산소측정과 호기말이산화탄소를 측정한다. 활동적인 몸부림이 갑자기 멈추거나 환자의 의식상태가 급격히 저하되면 즉시 호흡정지가 있는지 확인하고 일반적으로 심정지가 발생한다. 적극적인 기도 관리와 심장 관리는 생명을 구할 수 있다. 흥분된 섬망 환자, 경찰관 및 EMS 인력의 교차점은 적절한 조정, 의사소통 및 우전 순위 지정이 필요하다. 이것은 환자에게 취약한 기관이며 갑작스러운 심장 마비 또는 인식할 수 없는 호흡저하가 빠르게 발생할 수 있다.

실신/머리가 텅 빈 느낌

뇌 관류 감소와 관련된 일시적인 의식 상실인 실신은 많은 가능한 원인이 있다. 머리가 텅 빈 느낌, 거의 실신에 가까움, 실신은 동일한 감별 진단을 받는다. 대동맥 판막 협착증, 비대심근병증, 심장 리듬장애, 혈량저하증(탈수, 자궁외임신 파열, 대동맥 파열), 중추신경계 문제(예, 거미막밑출혈), 폐색전증과 혈관미주신경 반사(종정 상황적 또는 정서적 유발로 인한 경우가 많음)와 같은 조건을 포함한다. 병원 기반 평가는 환자의 50%에서만 실신의 원인을 결정할 수 있다. 부정맥, 허혈 등과 같은 생명을 위협하는 원인을 배제하는 데 중점을 둔다.

어지러움/현기증

환자들이 어지러움을 호소할 때 환자가 머리가 텅 빈 느낌(또는 거의 실신)에 대해, 현기증, 회전감, 비정상적인 운동 감각을 느끼고 있는지 구별하는 것이 중요하다.

고유감각(자기 신체 공간적 인지)과 균형의 변화를 보고하는 환자는 대부분은 그러한 경험에 대한 과거 병력을 말할 수 있다. 일과성 허혈발작(TIA)에 대한 이차적인 변화와 같은 간헐적인 변화를 평가하지 못할 수도 있다. 그러나 뇌졸중, 체위현기증, 과다 복용, 척추 동맥 박리 및 전해질 불균형이 있는 환자를 포함한 많은 환자는 평가를 완료하는 동안에 여전히 증상이 있을 수 있다.

현기증은 증상이고 이것은 중추신경계(CNS) 또는 전정 기관에서 시작된다. 중추 현기증은 출혈 또는 허혈성 발작(뇌졸중), 뇌진탕, 종양, 감염, 편두통, 다발경화증, 독성물질 섭취 및 흡입, 베르니케-코르사코프증후군, 뇌줄기 8번 뇌신경핵의 병변에 의해 발생할 수 있다. 말초 현기증은 전정계 또는 8번 뇌신경 손상으로 인한 것이다.

현기증이 있는 환자는 균형이 맞지 않거나 직립 자세를 유지하는 데 어려움을 느끼며 술에 취한 느낌을 호소하거나 병실이 빙글빙글 도는 느낌을 호소할 수 있다. 환자는 구역이나 구토가 있을 수 있다. 현기증은 갑자기 발병할 수 있으며 환자는 또한 이명, 윙윙거림이나 귀에서 울리는 소리를 호소할 수 있다. 뇌졸중, 심방세동, 고혈압의 병력이 있으면 뇌졸중과 관련된 현기증을 시사할 수 있으므로 환자에게 질문하는 것이 중요하다. 환자의 의식 수준(LOC)이 감소하거나 눈이 앞뒤로 빠르게 움직일 수 있으며 이를 안진이라고 한다. 안진은 수평, 수직 또는 회전할 수 있으며 자발적으로 감소하거나 감소하지 않을 수 있다. 안진은 소뇌, 뇌줄기 또는 전정 기관의 병변으로부터 인해 발생할 수 있다.

24시간 이상 지속되는 현기증과 균형 상실, 자세 유지, 서기 및 걷기의 어려움을 동반하는 경우 종종 소뇌 경색증이 있는 것으로 발견된다. 움직임에 의해 유발되지 않는 일시적인 증상은 일과성허혈발작을 나타낼 수 있다. 다른 뇌신경 결손이 있는 환자는 뇌줄기 또는 소뇌 문제에 대한 평가가 필요하다.

현기증은 전정계의 기능 장애, 일반적으로 내이의 기능 장애로 인한 것일 수 있다. 이것은 일반적으로 말초 현기증이라고 한다. 증상은 중추성 현기증보다 더 예민하고 갑작스럽고 심각하며 짧은 기간일 수 있으며 종종 머리의 움직임이나 위치 변화에 의해 악화하거나 유발된다. 움직임의 중단으로 해결되는 자세 변화와 관련된 짧고 반복적인 현기증의 간략하고 반복적인 현기증의 에피소드는 양성 체위성 현기증을 암시한다. 환자는 이송 중 한쪽 또는 다른 쪽을 선호할 수 있으며 증상을 악화시키기 때문에 질문에 대답하기 위해 당신 쪽으로 몸을 돌리기를 원하지 않을 수 있다.

발작

환자의 의식상태가 충분히 호전되면 발작을 일으킨 환자로부터 병력을 청취할 수 있을 것이다. 그러나 일반적으로 발작 직후 기간 안에는 환자와 관련된 정보를 목격자에 의존해야 한다. 발작은 강직강대 운동, 실금, 혀 깨물기와 관련된 전신 발작(의식 소실 포함)일 수 있으며 의식 소실 없이 신체의 한 부분에만 영향을 미치는 국소 발작일 수 있지만, 의식 소실 가능성이 있다.

현장평가를 시행하는 동안 항경련성 약물이나 의료 경고 팔찌를 확인할 수 있다. 뇌전증 외에도 발작이 머리 손상, 뇌졸중, 수막염, 약물 노출 또는 위축과 같은 다른 조건에 의해 침전되었을 수 있다는 것을 고려하는 것이 중요하다.

두통

두통은 애매하고 모호한 증상일 수 있다. 허혈뇌졸중이나 두개내출혈로 발생할 수 있는 것처럼 의식 소실이 없다면 환자는 아마도 증상을 설명할 수 있을 것이다. 통증의 시작, 성격, 위치에 대한 환자의 설명에 특별한 주의를 기울인다. 이 정보는 측두동맥염 및 편두통과 같은 특정한 원인을 찾아내는 데 유용할 수 있다.

시력 변화와 같은 관련 증상에 주의한다. 예를 들어, 양측 시력 변화(두통과 신체의 같은 쪽)는 측두동맥염으로 발생할 수 있다. 편두통이 있는 환자는 눈부심(빛 민감성)과 소리공포증(소리 민감성)을 가지고 있을 수 있으며 번쩍이는 빛을 감지할 수 있다. 외상을 경험하고 두통을 호소하는 환자는 경막밑혈종, 경막외혈종 또는 척추동맥 박리가 있을 수 있다. 구토를 동반하거나 동반하지 않는 갑작스러운 발병이 있는 심한 두통은 거미막밑 출혈을 나타낼 수 있다. 고혈압 및 혈관 이상과 같은 동반질환의 병력은 출혈이나 동맥류를 가리킨다. 정맥 내 약물 사용 병력이 있거나 이식된 포트 부위를 부적절한 세척은 경막외고름집을 나타낼 수 있다. 마지막으로 뇌막염을 나타낼 수 있는 발열을 포함한 비정상적인 활력 징후에 주의한다.

실조/보행 장애

실조는 관절 불안정, 보행 불안정, 비정상적인 눈 움직임 또는 움직임의 정확성에 어려움을 초래하는 근육의 조절과 조정의 상실을 나타낸다. 이것은 종종 소뇌의 뇌 기능 장애로 인한 것일 수 있다. 척수나 말초 신경 또는 내이의 병리, 근육 약화에 기인할 수도 있다. 환자 또는 가족 구성원은 환자가 정상적으로 걷기가 불가능하다고 이야기할 수 있고 다음과 같은 것을 언급할 수 있다.

- 움직임을 조정하는 데 어려움이 있음
- 복시 또는 불규칙한 눈 운동
- 걷거나 서 있을 때 힘 빠짐이나 불안정하거나 균형이 떨어지는 것을 느낌

실금이나 변화된 의식상태(정상 압력 수두증에서도 발생)나 구역, 구토, 시력 변화(후 순환 뇌졸중에서 발생할 수 있음)와 같은 관련 증상도 나타날 수 있다. 실조의 원인은 표 5-1에 요약되어 있다.

국소 신경학적 결손

국소 신경학적 결손은 팔다리의 일부 또는 전체, 얼굴 한쪽의 쇠약이나 무감각과 같은 신경학적 기능의 국소 소실을 의미한다. 환자가 표현성 실어증으로 알려진 상태인 언어 장애를 일으키는 관련 신경학적 손상이 없는 한 환자는 아마도 결손의 시작을 설명할 수 있을 것이다. 뇌졸중은 특히 시간에 민감한 국소 신경학적 결손의 원인이다. 병력은 이전의 질병(예를 들어, 길랭-바레 증후군)이나 만성 신경학적 장애(예를 들어, 신경근 퇴행성 질환(루게릭병), 다발경화증 또는 중증 근무력증)를 나타낼 수 있다. 실금과 요저류는 일반적으로 말총증후군의 다리 쇠약을 동반하기 때문에 장과 방광 기능에 대해 반드시 질문을 한다. 지시를 이해하거나 따르는 환자의 능력 변화에

표 5-1. 실조의 원인

보행 장애	설명	감별 진단
광범위한 보행	사람은 발 사이의 거리가 비정상적으로 넓어 보행 시 안정성이 증가한다. 환자는 주저하거나, 멈추거나, 비틀거리거나 일직선으로 걸을 수 없을 수 있다.	급성 알코올 중독 만성 알코올 남용으로 인한 소뇌 위축 당뇨병 환자의 말초신경병증 뇌졸중 페니토인(다일란틴)과 같은 항경련제 섭취 정상 압력 수두증 두개내압 증가
추진력 있는 보행 (가속 보행)	머리와 목을 앞으로 굽힌 구부정한 자세 절뚝이는 걸음걸이 종종 실금이 동반된다.	진행성 파킨슨병 일산화탄소 중독 망간에 만성 노출(살충제를 취급하는 사람, 용접공과 광부). 정신병약과 같은 특정 약물 복용
경직 보행	뻣뻣함과 발 끌기가 특징 장기간의 일방적인 근육 수축으로 인해 발생	뇌졸중 간부전 척수 외상 또는 종양 뇌고름집 또는 종양 머리 외상
가위 걸음	웅크리고 있는 자세로 다리와 무릎을 구부린 자세 환자가 걸을 때 무릎과 허벅지가 가위처럼 스치는 동작 환자는 짧고 느리며 의도적인 조치를 함 환자는 발가락이나 발바닥으로 걸을 수 있음	뇌졸중 간부전 척수 압박 가슴 또는 허리 종양 다발경화증 뇌성 마비
발처짐 걸음	발 처짐이 특징이고 발이 늘어져 걸을 때 발가락이 땅을 긁음	길랭-바레 증후군 허리 디스크 탈출증 종아리 신경 외상

주의한다. 그러한 결손은 뇌졸중, 중독, 전해질 이상 또는 간뇌병증 등을 나타낼 수 있다.

일차평가

일차평가는 환자의 기도, 호흡 및 순환 평가뿐만 아니라 즉각적인 생명의 위협에 대한 처치를 포함한다. 다른 원인이 명백해 보이더라도 의식상태나 행동에 변화가 있는 모든 환자의 혈당 수치를 확인한다.

의식 수준

환자의 의식 수준이 감소하면 기도도 손상될 수 있다. 대부분의 경우 말을 할 수 있는 환자는 기도가 개방되어 있지만, 의식상태를 변화시키는 모든 신경학적 상태는 환자가 기능적 기도를 유지할 수 없는 상태로 빠르게 진행하게 할 수 있다. 의식을 잃으면 혀나 분비물이 기도를 막을 수 있다. 코골이, 목을 울리는 소리, 협착음이 들리는지 귀를 기울이고 공기 흐름이 좋은지 확인한다. 기도를 개방하고 유지하는 것은 가장 중요하다. 흡인, 환자의 자세, 입인두기도기, 코인두기도기 삽입 또는 전문기도유지와 같은 처치를 제공해야 할 수 있다.

기도와 호흡

환자의 호흡수, 깊이 및 패턴에 대한 평가는 의식상태 변화의 근본적인 원인을 나타낼 수 있다. 산증, 뇌졸중, 대사 질환 및 기타 병리학적 상태는 호흡 패턴의 변화를 일으킨다. 저환기는 약물 과다 복용, 뇌졸중 또는 두개내 부기의 원인이 될 수 있는 중추신경계(CNS)의 억제를 나타낼 수 있다. 가능하면 도움을 제공하기 전에 기준선 산소포화도를 측정하지만, 호흡 곤란의 경우 기준선 산소포화도를 측정하기 위해 처치를 지연시키지 않는다. 산소포화도를 최소 94%로 유지할 수 있도록 필요한 경우 보조 산소와 보조 환기를 시행한다. 보조 산소와 보조 환기에 대한 환자의 반응을 모니터링한다. 환기의 적절성은 혈중 이산화탄소분압($PaCO_2$)을 측정하여 평가할 수 있다. 현장 및 기타 응급 상황에서 호기말이산화탄소분압을 측정하여 이산화탄소분압을 근사치로 계산할 수 있다. 목표는 대사 산증이 있거나 뇌출혈의 명확한 징후가 있는 환자의 경우 호기말이산화탄소분압을 낮게 설정해야 하는 분명한 이유가 없는 한 30~40mmHg(호기말이산화탄소 분압은 혈중 이산화탄소분압보다 약 5mmHg 낮음)으로 호기말이산화탄소분압을 유지한다. 특히 기관내삽관을 시행한 환자에게는 과다호흡을 시키는 경향이 있으며 이는 뇌 관류 감소로 인한 뇌 손상 증가와 직접적으로 관련이 있다.

순환/관류

일차평가의 이 구성 요소에서 먼저 환자의 맥박이 촉지되는지 확인한다. 혈압이 떨어지면 맥박은 일반적으로 말초(노동맥, 발등동맥)에서 먼저 소실되고 그다음 더 근위부(넓적다리와 팔) 그리고 마지막으로 목동맥에서 소실된다. 맥박의 강도를 평가하고 모세혈관 재충전과 피부색 및 체온을 포함하여 적절한 관류의 다른 징후를 확인할 수 있다. 의식상태는 일반적으로 적절한 관류의 가장 좋은 지표이지만, 이 장에서는 비정상적인 것으로 가정하므로 도움이 되지 않는다.

맥박수와 리듬에 대한 평가는 또한 의식상태 변화의 원인을 정확히 확인하는 데 도움이 될 수 있다. 심실 반응이 빠른 심방세동, 빠른부정맥 그리고 느린부정맥과 같은 일차 리듬장애는 직접적으로 관류저하를 유발할 수 있다. 빈맥은 감염, 체온 상승, 발작 후 상태, 약물 금단 또는 중독, 저혈량증의 징후일 수 있다. 서맥은 뇌탈출증, 체온 저하 또는 약물 중독을 나타낼 수 있다. 불규칙한 맥박은 급성 관상동맥 증후군, 전해질 장애, 산증, 저산소증, 독성 물질의 섭취에 의해 유발할 수 있는 심장 리듬장애를 고려한다.

혈압은 의식상태 변화의 원인을 결정하는 데 크게 의존하고 있으며 이것은 검사의 일환으로 얻어야 하지만, 적절한 관류를 확인하기 위해 이 매개변수를 사용하지 않는 것이 중요하다. 앞에서 설명한 바와 같이 관류의 모든 징후에 의존한다.

▼ 첫인상

환자에게 신경학적 문제가 있는지 확인하려고 할 때 질병을 나타낼 수 있는 명백하고 미묘한 변화를 모두 찾는다. 환자의 주변을 확인하면 안전을 유지하는 데 도움이 되며 진단과 관련된 정보를 제공할 수 있다. 환자가 있는 지역은 깨끗하고 깔끔한가? 아니면 더럽고 어수선한가? 환자가 방치나 학대의 희생자라는 증거가 있는가? 음식이 충분한지 확인하기 위해 필요한 경우 환자나 가족에게 동의를 구하고 냉장고 등을 확인하도록 동료에게 요청한다. 그렇지 않거나 손에 든 음식이 상한 것처럼 보인다면 환자의 상태는 영양실조나 전해질 이상 때문일 수 있다. 인슐린이나 경구 혈당강하제가 있는지 확인한다. 비어 있거나 거의 비어 있는 약병이 흩어져 있는가? 약병의 유통 기한

이 지났는가? 그렇다면 우발적이거나 의도적인 과다복용이 환자의 의식상태를 변화시키는 원인이 될 수 있다. 환자가 독립적으로 생활하지 않거나 미성년자인 경우 환자의 간병인은 누구인가? 감별 진단을 내리는 데 도움을 줄 수 있는 환자 주변 환경의 물건(예; 산소 용기 또는 약물을 투여하는 도구)에 주의한다. 방안의 어울리지 않는 물건이 있는지 확인한다. 환자가 119에 전화를 걸려고 시도했지만, 그렇게 하기 전에 수화기를 떨어뜨린 것처럼 전화기가 바닥에 있는가? 이것은 잠재적인 진단으로 뇌졸중을 고려하도록 할 수 있다.

생명을 위협하는 징후

저혈당

저혈당 환자는 종종 혼동과 비정상적인 행동을 보이지만, 또한 우울하고 게으르며 둔한 것처럼 보일 수 있다. 환자는 국소 쇠약이나 발작이 있거나 완전히 반응이 없을 수 있다. 피부 소견은 창백함과 발한을 포함한다. 환자가 흡인의 위험 없이 삼킬 수 있을 만큼 의식이 있다면 어떤 형태로든 경구로 포도당을 투여할 수 있다. 환자가 의식 수준이 저하된 경우 프로토콜에 따라 포도당을 정맥 내로 투여한다. 환자가 의식이 없거나 혈당 수치를 확인하는 데 지연되거나 어려움이 있는 경우 혈당 수치가 회복될 때까지 포도당 투여를 보류하는 것보다 정맥 내로 포도당을 투여하는 것이 권장된다. 정맥 라인을 확보할 수 없는 경우 글루카곤을 근육 내로 투여하는 것을 고려한다. 불행하게도 현재 글루카곤의 가격으로 인해 EMS 기관의 약품 목록에서 배제되었다.

저환기(이산화탄소 혼수상태)

뇌졸중, 우발적이거나 의도적으로 약물 과다 복용, 외상 또는 내과적 문제로 인해 의식이 없거나 호흡 노력이 손상된 경우 환자는 호흡 보조가 필요하다. 환기가 손상되면 동맥혈이산화탄소분압이 위험한 수준까지 상승하고 이것은 혼란, 졸음, 떨림과 경련을 유발한다. 이러한 상태를 "이산화탄소 혼수"라고 하며 환기 보조가 제공되지 않으면 사망으로 이어질 수 있다. 이는 초기 평가에서 종종 간과되는 경우가 많다. 이러한 환기 보조는 백밸브마스크를 이용하거나 전문기도유지 장비를 사용하여 환자에게 기관내삽관을 시행할 수 있다. 처음에 환기 속도는 동맥혈이산화탄소분압 수준을 빠르게 감소시키기 위해 정상보다 약간 빠르게 시행할 수는 있지만, 알칼리증을 예방하기 위해 환자의 상태를 주의 깊게 모닝터링한다. 신속한 호기말이산화탄소분압 측정은 진단을 내리고 처치를 평가하는 데 필수적이다.

저산소증

중증의 저산소증은 혼란과 의식상태의 감소를 유발할 수 있으므로 산소포화도 측정은 의식상태가 변화된 모든 환자의 평가에 필수적인 요소이다. 의식 저하는 저산소증으로 이어지는 저환기와 관련이 있을 수 있다. 산소포화도가 94% 미만인 경우 보충 산소 투여가 환자가 저환기(호기말이산화탄소측정으로 결정하는 것이 가장 좋음)인 경우 보조 환기를 제공한다. 처치 제공자는 산소포화도가 정확하지 않은 여러 상황을 알고 있어야 한다. 아마도 이것 중 가장 흔한 것은 일산화탄소 중독과 관련이 있을 것이다. 이 경우 맥박산소측정 수치는 일산화탄소와 결합한 헤모글로빈을 보여준다. 벤조카핀과 같은 특정 약물에 의해 발생하는 메트혈색소혈증은 또한 실제 결과보다 약간 높은 수치를 나타내며 심각한 경우 85%의 특징적인 수치를 보인다. 마지막으로 시안화물은 완전히 산소로 포화된 혈액에도 불구하고 세포 수준에서 산소 이용을 차단할 수 있다.

대뇌허혈을 동반한 관류저하

많은 급성 내과적 상태, 주요 외상 그리고 특정한 종류의 약물은 대뇌허혈을 초래하는 관류저하를 일으킬 수 있다. 쇼크의 원인을 신속하게 파악하고 가능한 한 표적 처치를 실시한다. 4장에서는 쇼크가 발생한 경우 원인에 따라 어떻게 처치해야 하는지를 자세히 설명하였다.

두개내압 상승

두개내압(ICP)이 특히 심각하게 급성으로 상승하면 뇌에 대한 관류가 현저하게 저하될 수 있다. 두개내압 상승은 급성 출혈이나 부종 또는 뇌실복막강션트의 오작동과 같은 덩이 효과로 인한 것일 수 있다. 압력이 너무 높아지면 머리뼈의 아래쪽 또는 큰구멍으로 뇌탈출이 발생할 수 있다. 이 상태는 종종 같은 쪽의 동공 확장과 무의식을 특징으로 하며 사망률이 높다.

과다환기로 두개내압을 처치하는 것은 매우 조심스럽게 의료지도 의사의 지시에 따라서 이루어져야 한다. 과다환기는 혈액에 용해된 이산화탄소의 양을 감소시켜 뇌혈관 수축을 유발한다. 혈관 수축은 뇌의 혈액량을 감소시켜 두개내압을 감소시킨다. 그러나 혈관 수축은 혈류를 감소시킨다. 관류에 대한 순효과는 예측하기가 불가능하지 않더라도 어렵기 때문에 환자의 신경학적 상태를 면밀히 모니터링한다. 과다환기를 시행하는 것이 적절한지 여부를 결정할 때 생명을 위협하는 임상 시나리오에서 현지 프로토콜을 따른다. 경증에서 경증 및 중등도의 환자에서 과다환기는 단기 처치로 시행할 수 있다. 적절한 산소 공급과 전신 관류[호기말이산화탄소분압 약 30mmHg (25mmHg 이상)]를 유지한다.

▼ 상세 평가

병력 청취

의식상태가 변화된 환자는 명확한 병력을 제공하거나 EMS 제공자를 이해하지 못할 수도 있다. 가능하다면 환자 근처에 다른 가족이 함께 있을 수 있도록 하면 현장에서 유용한 정보를 수집하는 데 도움이 될 수 있다. 환자가 약간의 병력을 제공할 수 있다면 몇 분 안에 의식상태가 변화될 수 있기 때문에 가능한 한 빨리 병력을 청취한다. 동료와 함께 일할 경우 병력 청취 및 신체검사를 동시에 시행할 수 있는 경우가 많다.

의식상태가 변화된 환자를 처치할 때 환자의 기본적인 의식상태와 최근에 어떻게 변화되었는지 설명할 수 있는 가족이나 목격자로부터 정보를 수집한다. 변화의 정도에 대해 질문하고 환자가 언제 마지막으로 정상적인 것처럼 보였거나 행동했는지 물어본다. 환자의 약물 요법, 혈압 및 지속되었을 수 있는 최근 외상에 대한 정보와 같은 의식상태 변화의 원인에 대한 다른 잠재적인 단서를 수집한다. 비정상적인 신체 움직임, 냄새, 말하기, 무의식적 행동에 대해 질문하고 관찰한다.

OPQRST와 SAMPLER

OPQRST와 SAMPLER 암기법은 체계적인 접근 방법을 사용하여 환자의 전체적인 병력을 얻을 수 있어야 한다. 신경학적 상태가 허용되면 환자에게 직접 질문한다. 환자에게 무엇이 잘못되었는지 물어보고 환자가 자신의 우려 사항을 자유롭게 설명할 수 있도록 한다. 환자는 감별 진단에 도움이 되는 중요한 병력을 제공할 수 있다. 10대 소녀가 열이 나고 목이 뻣뻣하다고 말할 수도 있다. 나이가 많은 환자는 실수로 약을 잘못 복용했다는 것을 인정할 수 있다. 반대로 환자가 말을 잘하지 못하는 경우 뇌졸중이나 기타 심각한 의학적 문제가 발생할 가능성이 더 커진다.

이차평가

환자를 안정화하고 생명을 위협하는 것을 처치한 후 환자의 상태에 대한 일반적인 인상을 형성하고 가능한 감별 진단 목록을 작성한다. 이차평가와 상세한 신체검사를 수행하기 전에 일반적인 평가 결과뿐만 아니라 활력징후, 혈청 포도당 검사 결과, 맥박산소측정 수치를 고려하여 환자가 얼마나 고통스러워하는지 파악한다. 환자를 즉시 병원으로 이송해야 하는지 아니면 현장에서 평가하는 데 더 많은 시간을 할애할 수 있는지 결정한다. 의식상태가 변화된 환자의 상태는 불안정한 경향이 있고 빠르게 보상작용이 저하될 수 있으므로 나머지 평가 및 검사의 대부분은 의료기관으로 이송하는 중에 시행할 수 있다. 외상성 손상과 비정상적인 광경, 소리 및 냄새와 같이 진단적으로 유용할 수 있는 정보에 대해 경계한다. 환자의 위치와 고통의 원인을 암시할 수 있는 시각으로 보이는 외모의 단서를 주목한다.

이차평가는 충분한 임상적 추론의 도움으로 배제되거나 배제할 수 있는 보다 완전한 감별 진단을 생성하는 데 도움이 된다. 주요호소 증상 및 관련 문제의 병력과 환자의 증상이 언제 시작되었는지를 나타내는 시간 지표 및 악화 요인 목록을 기록한다.

신체검사 중 부상이나 기타 환자의 신체 상태 이상을 확인하고 가능한 한 많은 신경학적 검사를 완료한다. 환자와 처음 접촉하는 동안 환자의 의식 소실(LOC), 말하기 능력 및 일반적인 방향에 대한 평가를 완료하겠지만, 뇌신경 기능의 이상 유무, 팔다리의 운동기능을 포함한 기타 신경 기능을 검사한다. 그리고 팔다리의 감각과 근력을 포함하는 다른 신경학적 기능을 평가한다. 실금이 있거나 환자가 걸을 수 있는 경우 보행이 정상인지 기록한다.

진단

구급차나 헬기 안에서 사용할 수 있는 진단적 도구의 유형은 제한적이지만, 주의 깊은 관찰과 함께 가지고 있는 도구를 사용하면 종종 중요하고 처치할 수 있는 상태를 발견할 수 있다. 가장 쉽고 널리 사용되는 평가 방법은 AVPU로 환자의 의식 수준을 명료, 언어 자극에 대한 반응, 통증 자극에 대한 반응 또는 무반응으로 분류한다. 글래스고혼수척도는 의식 수준과 의식상태를 평가하는 데 사용되는 또 다른 도구이다(표 5-2). 점수는 눈 뜨기, 운동 반응, 언어 반응의 세 가지 반응을 기준으로 평가한다(표 5-3). 이 진단 도구는 종종 머리 외상 환자의 뇌 손상을 평가하는 데 사용한다. 이것은 외상 환자의 의식상태에 대한 표준화된 의사소통 수단으로 검증되었지만, 내과 환자에게도 널리 사용되고 있다.

표 5-2. 글래스고혼수척도(GCS)

반응	성인	소아(5세 미만)
눈 뜨기 반응 (Eye opening)	4. 자발적 3. 음성 자극 2. 통증 자극 1. 없음	4. 자발적 3. 소리를 지르거나 음성에 반응 2. 통증 자극 1. 없음
언어 반응 (Verbal)	5. 지남력 정상 4. 지남력 장애 3. 부적절한 단어 2. 이해할 수 없는 소리 1. 없음	5. 미소, 연령에 적합한 말/대화 4. 울지만 달랠 수 있음, 부적절한 단어/대화 3. 달래기 어려움 2. 안절부절 못하고 달랠 수 없음 1. 없음
운동 반응 (Motor)	6. 명령에 따름 5. 통증 국소화(통증 부위 인지) 4. 통증을 피함 3. 비정상 굴곡(피질제거자세) 2. 비정상 신전(대뇌제거자세) 1. 없음	6. 자발적 운동 5. 통증 부위 인지(만지는 부위를 피함) 4. 통증에 반응하여 피함 3. 비정상 굴곡(피질제거자세) 2. 비정상 신전(대뇌제거자세) 1. 없음

표 5-3. 그래스고혼수척도 점수의 해석

점수	중증도	처치	의료기관 선택
13~15	경증	적절한 산소, 포도당 및 체온을 유지하여 적절한 신경계 기능을 촉진	환자 또는 가족
9~12	중등도	기도 폐쇄 평가 의식 감소에 주의	가장 가까운 적절한 의료기관
8 이하	중증	기도/환기 조절이 필요할 수 있음 현장 체류 시간을 줄임	가장 가까운 적절한 의료기관

빠른 암기법

의식 수준 감소의 원인: AEIOU-TIPS

A: 알코올, 급성중증과민증, 급성 심근경색
E: 뇌전증, 내분비 이상, 전해질 불균형
I: 인슐린(포도당)
O: 아편제제
U: 요독증
T: 외상
I: 두개내(종양, 출혈 또는 고혈압), 감염
P: 중독
S: 발작, 뇌졸중, 실신

빠른 암기법

급성 의식상태 변화 평가: SMASHED

S: 기질(고혈당, 저혈당, 티아민을 포함할 수 있음), 패혈증
M: 수막염 및 기타 중추신경계 감염, 정신 질환
A: 알코올(취했거나 금단 상태)
S: 발작(발작 또는 발작 후), 자극제(항콜린제, 환각제, 코카인)
H: 과다(갑상샘항진증, 고체온, 고이산화탄소혈증), 저(저혈압, 갑상샘저하증, 저산소증)
E: 전해질(고나트륨혈증, 저나트륨혈증, 고칼슘혈증), 뇌병증(간, 요독, 고혈압, 기타)
D: 약물(모든 유형)

빠른 암기법

변화된 의식상태의 초치 평가: SNOT

병원 전 환경에서 초기 평가를 수행할 때 다음과 같은 내용을 기억한다.
S: 설탕, 뇌졸중, 발작
N: 혼수(이산화탄소, 아편제제)
O: 산소
T: 외상, 독소, 체온

이 목록은 변화된 의식상태의 가능한 모든 원인에 대한 포괄적인 평가가 아니라는 것에 유의한다.

앞에서 언급한 바와 같이 가능한 경우 체온, 혈당, 산소포화도, 호기말이산화탄소분압을 포함한 활력징후를 측정하고 기록하며 적절한 처치를 시행한다. 심장 모니터링 및 12리드 심전도 측정을 시행한다. 일부 혈액 분석은 휴대용 장치를 이용하여 실행할 수 있으며 구급차나 헬기에 휴대용 초음파 장비가 탑재되어 있을 수도 있다.

빠른 기억 상자 안의 암기법은 병력, 신체 검진 및 검사실 검사 결과를 기반으로 감별 진단을 공식화하는 데 도움이 될 수 있다.

▼ 감별 진단의 개선

일차평가 및 이차평가의 구성 요소는 감별 진단을 구체화하고 환자 상태의 중증도를 결정하는 데 도움이 된다. 평가 과정 중에 나타나는 생명을 위협하는 것을 처치한다. 신경계 질환을 포함한 대부분의 질병이나 상태는 한 가지 이상의 요인에 의해 발생한다는 사실을 기억한다. 나중에 설명하는 특정 조건은 감별 진단을 결정하고 주요 결과를 인식하는 데 도움이 되는 접근 방법을 제공한다.

▼ 지속적인 관리

신경학적 기능장애가 의심되는 환자의 처치는 체계적으로 접근한다. 지속적인 처치를 시행하는 중에 일차평가, 활력징후, 기본적인 설명, 주요호소증상 및 산소 투여를 포함하여 시행한 모든 처치를 다시 재평가 한다. 항상 그렇듯이 기도, 호흡 및 순환을 모니터링한다. 환자의 산소 공급을 유지한다(94%의 산소포화도는 보충 산소 공급 없이 뇌졸중 환자에게서 허용되는 최소 수준). 산소 처치를 받는 의식상태가 변화된 환자는 환기의 효과를 측정하기 위해 호기말이산화탄소분압을 모니터링 한다. 많은 신경계 질환을 모방할 수 있는 저혈당이 있는지 확인하고 정맥 내 수액 소생술이 필요하지 않더라도 환자가 보상 작용을 하지 못하는 경우를 대비해 정맥 라인을 확보하고 셀라인 락을 연결한다. 환자가 외상성 손상을 입었다고 의심되는 경우 목뼈를 고정하고 척추고정을 시행한다.

환자는 일반적으로 겁을 먹기 때문에 침착하고 지지적이며 전문적인 태도가 가장 중요하다. 당연하게 여겼을 수도 있는 생리학적 기능은 적절하게 작동하지 않거나 더 이상 작동하지 않을 수 있다. 또한, 환자는 혼란스러워할 수 있으며 신체적 또는 언어적으로 꾸짖을 수 있다. 항상 침착하고 안심할 수 있는 방법을 사용한다.

당신의 팀은 환자를 가장 잘 처치할 수 있는 의료기관을 결정한다. 뇌졸중 센터, 외상 센터 또는 전문적인 처치를 제공하는 다른 센터를 선택 할 수 있다. 환자의 상태가 생명을 위협하는 경우 더 확실한 처치를 받을 수 있는 환자를 가장 가까운 적절한 의료기관으로 이송한다. 환자를 가장 가까운 의료 기관으로 이송하지 않기로 한 경우 각 병원의 수용 능력, 환자의 의학적 상태에 따라 이송할 의료기관을 결정한다. 온라인을 통한 의료지도는 필요한 경우 추가 지침을 위한 자원이 될 수 있다.

특정 진단

뇌졸중

뇌경색이라고도 불리는 뇌졸중은 뇌로 가는 혈류가 막히거나 중단되어 뇌세포가 죽게 될 때 발생하는 뇌 손상이다. 미국 뇌졸중 협회에 따르면 뇌졸중은 사고가 아닌 예방 가능한 사건으로 간주하기 때문에 뇌졸중(CVA)이라는 용어는 더 이상 의료계에서 사용되지 않고 있다.

뇌졸중은 **그림 5-6**과 같이 허혈 또는 출혈로 분류된다. 허혈 뇌졸중은 혈전이나 색전이 혈관을 막아 뇌로 가는 혈류를 감소시킬 때 발생한다. 혈전은 피떡 또는 콜레스테롤 판이 동맥에서 형성되어 혈류를 차단한다. 색전은 순환계의 다른 곳에서 형성되어 더 작은 동맥에 박힐 때 떨어져 나와 혈류를 방해하는 혈전 또는 판이다. 드물게 색전은 골절된 뼈의 지방이나 정맥 라인 확보, 수술, 외상 또는 중증 감압병 중에 발생하는 기포로 이루어질 수 있다. 허혈뇌졸중은 병에 걸리거나 손상된 혈

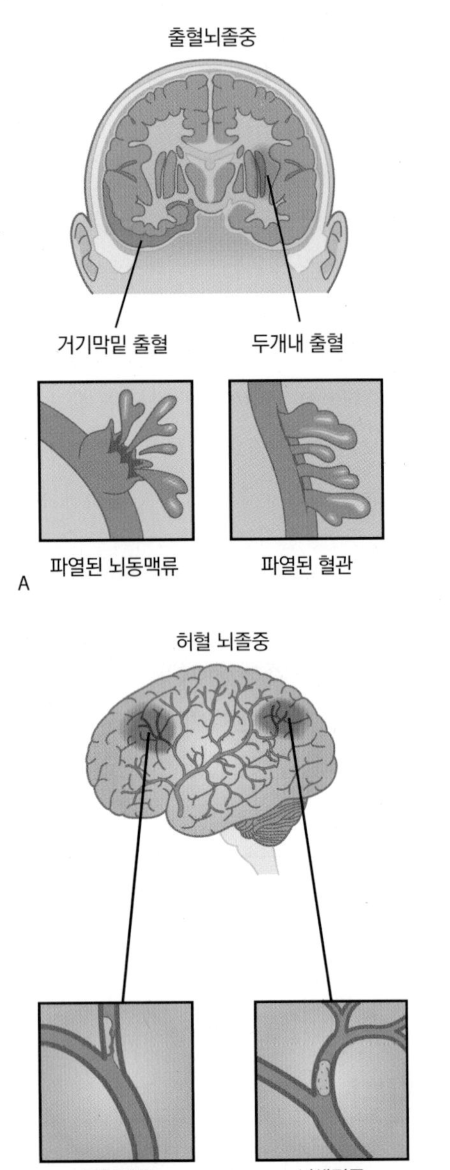

그림 5-6. 뇌졸중의 원인. A. 출혈뇌졸중은 대뇌내 출혈 또는 거미막밑 출혈로 인한 출혈의 결과이며 일반적으로 뇌동맥류 파열의 결과이다. B. 허혈뇌졸중은 뇌혈전증이나 뇌색전증으로 인해 혈관이 막힌 결과이다.

관이 파열될 때 발생하는 출혈성 뇌졸중보다 훨씬 더 흔하다.

뇌졸중에는 일반적으로 네 가지 주요 특징을 가지고 있다. 증상은 일반적으로 현재 질병의 집중된 병력 청취로 얻을 수 있는 빠른 발병이다. 둘째, 신경학적 장애의 증상과 징후가 있으며 이는 신체검사로 알 수 있다. 셋째, 뇌졸중은 일과성허혈발작(TIA)과 다르다. 일과성허혈발작에서 존재하는 결손은 24시간 이내에 해결되는 반면 뇌졸중의 결손은 최소 24시간 지속되기 때문이다. 그러나 뇌졸중의 신속한 진단을 위해서는 일과성허혈발작이 의심되는 환자도 뇌졸중 의심 환자와 동일한 방법으로 검사하고 처치한다. 또한, 일과성허혈발작을 가진 환자는

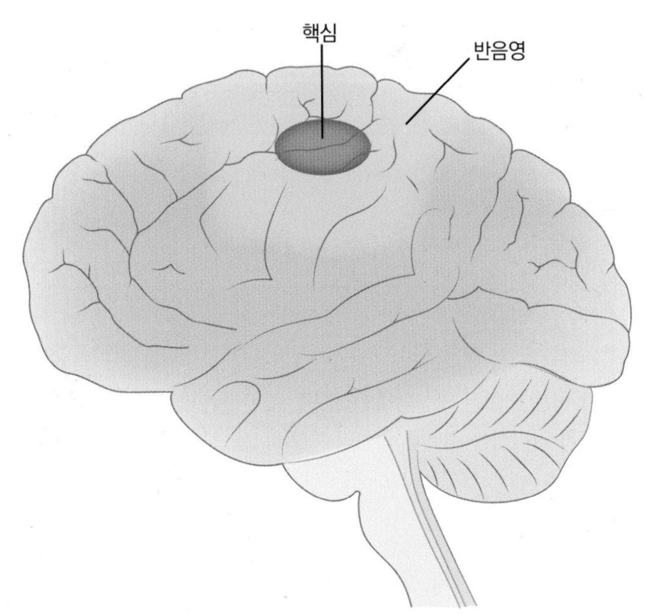

그림 5-7. 혈전성 뇌졸중 후 허혈 부위(반음영)가 경색을 둘러싸고 있다. 허혈은 빠른 진단과 처치로 잠재적으로 가역적이다.

일반적으로 뇌졸중으로 진행되며 그 결과 필연적인 장애가 나타난다. 뇌졸중의 네 번째 특징은 근본적인 원인이 기능 장애 혈관에 이차적이며 뇌졸중의 증상과 징후는 특정혈관에 의해 공급되는 뇌 영역을 반영한다는 것이다.

병태생리학

허혈뇌졸중 동안 뇌의 일부분으로 가는 혈류가 중단되고 뇌의 허혈이 발생한다(그림 5-6B 참조). 허혈은 장기나 조직(뇌)으로 불충분한 혈류로 인해 부적절한 관류(조직으로 산소 공급)를 유발한다. 신경세포의 죽음이나 뇌경색(조직 죽음)이 뒤따른다. 혈류는 색전이나 혈전과 같은 직접적인 폐쇄로 제한될 수 있으며 두개내압이 증가한 환자나 쇼크 상태에서 저혈압 환자에서 발생할 수 있다.

혈전 또는 색전은 심장이나 심장 혈관에서 발생하여 뇌의 더 작은 혈관으로 이동할 수 있다. 혈전성 뇌졸중의 가장 흔한 부위는 뇌동맥 가지, 윌리스환, 후순환에 있다. 뇌 일부에 대한 관류 부족으로 인해 경색이 발생하면 잠재적으로 되돌릴 수 있는 허혈 부위가 반음영이라고 하는 영역을 둘러싼다(그림 5-7). 처치의 목표는 뇌 조직의 추가 파괴를 방지하고 영향을 받은 뇌 조직에 산소를 공급하여 허혈을 역전시키거나 멈추는 것이다. 이것은 반음영을 파괴로부터 보호하고 일부 신경계 기능을 보존할 수 있다. 이 과정의 목표인 뇌졸중 증상의 신속한 인지는 신속한 처치에 도움이 될 수 있다.

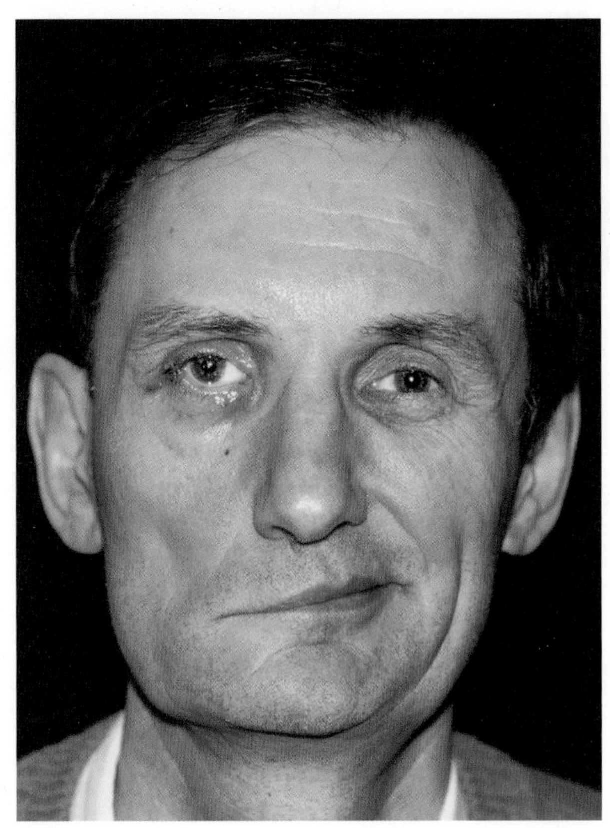

그림 5-8. 얼굴 처짐
Dr. P. Marazzi/Science Source.

중간뇌동맥에 발생한 뇌졸중은 전형적으로 뇌졸중이 발생한 반대쪽 신체에 반신불완전마비 또는 한쪽의 쇠약감을 유발한다(그림 5-8). 환자는 종종 병변 쪽을 응시하는 시선을 보인다. 허혈 병변이 우세대뇌반구에 있는 경우 환자는 수용실어증 또는 표현실어증을 가질 수 있다. 비우세대뇌반구의 뇌졸중은 신체의 한쪽 면을 무시하거나 주의를 기울이지 않을 수 있다. 일반적으로 쇠약은 다리보다 팔과 얼굴에서 더 두드러진다. 앞대뇌동맥 분포의 뇌졸중은 의식상태의 변화와 판단력 저하, 반대편 쇠약(팔보다는 다리에서 심한), 요실금 등이 발생할 수 있다.

뒤대뇌동맥폐쇄는 사고 과정을 손상시키고 기억을 흐리게 하며 시야 결손을 일으킬 수 있다. 마지막으로 척추뇌바닥동맥폐쇄는 현기증, 실신, 실조 그리고 안진, 복시, 삼킴곤란 등을 포함하는 뇌신경 기능 장애를 유발할 수 있다. 이러한 이유로 뇌졸중은 어려움을 호소하는 환자의 경우 항상 감별진단에 있어야 한다.

죽상경화증 환자는 동맥 내 혈전 형성 및 혈소판 부착 위험을 위험을 증가시킨다. 또한 혈관 내에서 혈액 응고 형성과 혈소판 응집의 위험성을 증가시킨다. 게다가 낫적혈구 빈혈, 단백질 C 결핍, 적혈구증가증(순환 적혈구의 풍부하게 나타나는 유전성 질환)과 같은 혈액 질환을 앓는 환자도 뇌졸중의 위험을 증가시키는 혈액의 특성이 있다.

증상과 징후

급성 신경학적 결손이 있는 환자는 결손이 특정 신체 부위의 힘이나 감각 소실과 같은 국소적이거나 의식상태의 변화와 같은 광범위 뇌졸중에 대해 평가한다. 환자의 85%가 허혈뇌졸중을 앓는다는 사실을 인지한다. 뇌졸중은 매우 경미하고 비특이적인 증상이나 생명을 위협하거나 치명적인 증상으로 나타날 수 있다. 모호한 무감각, 현기증, 흐릿한 시야 또는 서툰 손과 같은 경미한 것이 뇌졸중의 증상일 수 있다. 반신불완전마비와 얼굴 처짐을 동반한 중간대뇌동맥 뇌졸중이 EMS 팀원이 평가하는 유일한 뇌졸중 유형이라고 믿지 않는다.

뇌졸중 환자는 일반적으로 얼굴의 한쪽, 한쪽 팔이나 다리 또는 신체의 한쪽 전체에 심각한 쇠약, 무감각 또는 따끔거림이 갑자기 시작된다. 갑작스러운 의식 소실이나 감소도 발생할 수 있다. 한쪽 또는 양쪽 눈의 시력을 소실하고 구역질이나 구토, 두통 또는 말하기 어려움을 겪을 수 있다. 이러한 말하기 어려움은 구음 장애 또는 표현실어증이나 수용실어증의 형태로 나타날 수 있다.

뇌졸중의 증상은 단독으로 발생할 수 있지만 환자는 일반적으로 다양한 증상을 나타낸다. 뇌졸중의 증상은 미묘하거나 극적일 수 있다. 뇌졸중은 수면 중에도 발생할 수 있으며 환자는 깨어나기 전까지 증상을 느끼지 못한다. 때로는 증상이 무기력해지고 환자는 의식상태의 변화, 실어증, 반신마비(몸 한쪽의 마비) 때문에 전화기를 사용하거나 다른 사람에게 도움을 요청할 수 없다.

여기서 구별해야 할 가장 중요한 점은 환자가 마지막으로 정상적인 행동하는 것을 본 시간과 증상이 발견된 시간이다. 환자가 가족과 함께 앉아 있다가 갑자기 말을 할 수 없거나 몸의 한쪽이 갑자기 쇠약해지는 경우(또는 다른 뇌졸중 증상) 증상이 발견된 시간과 마지막으로 정상적으로 보인 시간은 같다. 전날 밤에 환자가 잠자리에 들었다가 정상적으로 행동하다가 아침에 뇌졸중 증상으로 깨어난 경우 환자가 정상적으로 행동하는 것이 마지막으로 목격된 시간은 전날 밤이다. 가족이 외출을 하려고 할 때 정상적인 것처럼 보였지만, 몇 시간 후 가족이 돌아왔을 때 놔졸중 증상을 보인 경우에도 마찬가지이다.

이는 환자가 가족 구성원들이 집을 떠나기 전에 마지막으로 정상으로 보였고, 몇 시간 후에 돌아왔을 때 뇌졸중의 증상을 보이는 경우와 같다. 환자를 마지막으로 정상적으로 본 시간은 가족이 외출하기 전이지 집에 도착한 시간은 아니다. 이것은 조직플라스미노겐활성제(TPA)의 투여 시간제한이 환자가 정상적이었던 마지막 시간을 기준으로 하므로 중요하다. 또한, 환자가 과거에 뇌졸중을 앓았을 경우 환자의 기본적인 기능과 의식상태를 아는 것이 중요하다. 병원에서 환자가 컴퓨터단층촬영(CT)과 자기공명영상(MRI) 검사를 받게 되고 의사는 혈전용해제를 투여할지를 결정할 것이다. 주요 소견은 다음과 같다.

- 한쪽의 쇠약
- 언어 장애
- 현기증 또는 균형 소실
- 의식상태 변화

감별 진단

현장에서 한 종류의 뇌졸중과 다른 종류를 구별하는 것은 어렵지만, 의식상태 변화를 일으킬 수 있는 특정 다른 원인은 빠르게 배제할 수 있다. 예를 들어, 저혈당은 뇌졸중과 비슷할 수 있다. 이러한 이유로 의식상태가 변화되었거나 쇠약한 환자는 혈당 수치를 확인한다. 외상성 뇌 손상의 증상도 뇌졸중과 유사할 수 있다. 편두통이나 이에 상응하는 편두통, 전해질 이상, 뇌염과 수막염과 같은 뇌척수액 감염, 다발경화증이나 길랭-바레 증후군과 같은 신경계의 말이집탈락병, 정신 장애도 뇌졸중 같은 증상이 있지만, 이러한 진단을 내리려면 병원에서 추가 검사가 필요하다.

고려해야 할 다른 감별 진단으로는 알코올이나 다른 약물에 대한 급성 중독, 벨 마비, 고름집 및 기타 감염, 섬망, 기억상실, 목동맥 또는 척추동맥 박리, 외상으로 인한 두개내출혈, 발작 후 따라오는 상태가 있다.

일과성 허혈 발작은 뇌졸중과 유사하지만, 증상은 24시간 이내에 해결되며 대부분은 1시간 이내에 해결된다. 미국 뇌졸중협회에 따르면 이러한 환자의 약 10%는 90일 이내에 뇌졸중에 걸리고 그 중 약 절반은 2일 이내에 뇌졸중에 걸린다. 일과성 허혈 발작은 무시해서는 안 되는 위험 신호이다. 그러나 일과성 허혈 발작은 뇌졸중의 1/8에서만 선행된다. 대부분의 사람들에게 뇌졸중은 경고 없이 발생한다.

처치

병원 전 환경에서 즉각적인 우선순위는 뇌졸중을 고려하고 환자가 뇌졸중을 앓고 있거나 뇌졸중을 겪었다고 생각되는 경우 가능한 한 빨리 환자를 뇌졸중 센터로 이송하는 것이다. 뇌졸중 척도는 뇌졸중의 존재를 결정하고 뇌졸중 센터로 이송을 해야 하는지를 결정하는 데 도움이 된다.

- 신시내티 병원 전 뇌졸중 검사(CPSS)는 얼굴 처짐과 양쪽 팔을 앞으로 펴서 들고 있게 하여 비교하고 간단한 문장을 말해보도록 해서 언어 장애를 검사한다.
- 로스앤젤레스 병원 전 뇌졸중 검사(LAPSS)는 얼굴의 미소 또는 찡그림, 손의 잡는 힘 및 팔의 힘을 측정하고 환자의 나이, 간질 또는 경련 발작의 과거력, 임상 증상의 지속 시간, 혈당, 발병 전 일상생활 가능 여부 등에 대한 과거 정보, 몸의 한쪽 면에 대한 미소 혹은 찡그림, 손잡는 힘, 팔의 위약감을 측정하고 또한 나이, 경련 질환의 존재, 증상의 기간, 혈당 측정, 기본적인 보행 등에 대한 과거 정보를 확인한다.
- 미국 국립보건원 뇌졸중 척도(NIHSS)는 뇌졸중 환자의 신경계, 신경운동 결손을 더욱 상세하게 평가하기 위한 도구이다(표 5-4). 또한 병원 내 처치 제공자는 환자의 상태를 추적 관찰할 수 있다.
- FAST 암기법은 뇌졸중 환자를 인식할 수 있는 빠른 구별 도구이다. F는 얼굴 처짐을 의미, A는 팔의 쇠약, S는 언어 장애, T는 시간을 나타낸다. EMS 교육에는 1998년부터 FAST가 포함되었다.
- MEND(Miami Emergency Neurologic Deficit) 뇌졸중 평가는 미국의 많은 주에서 사용되고 있다. MEND는 마이애미 응급 신경학적 결손 검사의 약자이며 신시내티 병원 전 뇌졸중 척도보다 더 자세한 평가이다.

뇌졸중 척도의 대부분은 중간대뇌동맥에 분포하는 뇌졸중을 더 잘 식별할 수 있다. 다른 대뇌동맥 분포에 영향을 미치는 뇌졸중이 많으며 임상 증상은 구별하기 어려울 수 있다. 뒤쪽 순환 뇌졸중은 시력 변화가 있을 수 있다. EMS 환경에서 균형 있는 소뇌 검사는 수행하기 어려울 수 있다. 환자가 누운 상태에서 한쪽 다리를 다른 쪽 다리로 문지르게 하는 것은 후방 뇌졸중을 구별하는 데 도움이 될 수 있다.

또한, 더 원위부의 작은 혈관으로 분리되기 전에 근위부의

표 5-4. 미국 국립보건원 뇌졸중 척도(NIHSS)

방법	척도 정의
1a. 의식 수준: 조사자는 기관내튜브, 언어 장벽 또는 입기관 외상/붕대와 같은 장애물로 인해 전체 평가가 방해받는 경우 응답을 선택한다.	0= 명료; 예리하게 반응 1= 명료하지 않지만 경미한 자극으로 흥분할 수 있음 2= 명료하지 않음; 반복적인 자극에 반응. 3= 반사 운동 또는 자율신경 효과로만 반응하거나 완전히 무반응, 이완 및 반사
1b. LOC 질문: 환자에게 해당 월과 나이를 질문한다. 대답은 정확해야 하고 근사치에 대한 부분 점수는 없다.	0: 두 가지 질문에 모두 정확하게 대답 1: 한 가지 질문에 정확하게 대답 2: 두 가지 질문에 대한 대답이 정확하지 않음
1c. LOC 명령: 환자에게 눈을 뜨고 감은 다음 마비되지 않은 손을 잡았다가 놓으라고 한다. 손을 사용할 수 없는 경우 다른 단계 명령을 대체한다.	0: 두 가지 명령을 모두 정확하게 수행 1: 한 가지 명령을 정확하게 수행 2: 두 가지 명령 중 한 가지도 수행하지 못함
2. 최적의 주시: 수평 안구 움직임만 테스트한다. 자발적 또는 반사적(눈머리) 안구 운동은 채점하지만, 온도안진검사는 수행하지 않는다.	0: 정상 1: 부분 응시 마비; 한쪽 또는 양쪽 눈의 비정상적인 주시 2: 눈머리 술기로 극복되지 않는 강제적인 편위 또는 완전한 주시 마비
3. 시각: 적절한 경우 손가락 계수 또는 시각적 위협을 사용하여 시야(위아래 사분면)를 대면 검사를 한다.	0: 시각 상실 없음 1: 부분 반맹 2: 완전 반맹 3: 양쪽 반맹(시각장애인)
4. 얼굴 마비: 환자에게 치아를 보이거나 눈썹을 치켜올리고 눈을 감도록 요청한다.	0: 정상적인 대칭 움직임 1: 경미한 마비(웃을 때 비대칭) 2: 부분 마비(얼굴 아래쪽 전체 또는 거의 전체) 3: 한쪽 또는 양쪽의 완전 마비
5. 팔 운동: 팔을 적절한 위치에 놓는다. 팔(손바닥을 아래로)을 90°(앉은 경우) 또는 45°(누운 경우)로 뻗는다. 팔을 뻗어 들은 후 10초 전에 팔이 떨어지면 기록한다. 5a. 왼쪽 팔 5b. 오른쪽 팔	0: 이동 없음; 팔이 10초 동안 자세를 유지한다. 1: 이동 있음; 팔이 자세를 유지하지만 10초 전에 아래로 쳐짐 2: 중력에 대항하는 약간의 노력; 팔을 유지하거나 유지할 수 없고 침대로 처짐, 중력에 대항하는 힘이 있음 3: 중력에 대한 노력 없음; 팔이 바로 처짐 4: 움직임 없음 UN: 절단 또는 관절 융합
6. 다리 운동: 다리를 적절한 위치에 놓는다. 다리를 30°로 유지한다(항상 바로누운자세로 검사). 다리를 30°로 유지한 후 5초 전에 떨어지면 기록한다. 6a. 왼쪽 다리 6b. 오른쪽 다리	0: 이동 없음; 다리를 5초 동안 자세를 유지할 수 있다. 1: 이동 있음; 다리가 5초가 끝날 때쯤 떨어지지만, 침대에 닿지는 않는다. 2: 중력에 대한 약간의 노력; 다리가 5초 전에 침대에 닿는다. 중력에 대한 약간의 노력이 있음 3: 중력에 대한 노력 없음; 다리가 즉시 침대로 처진다. 4: 움직임 없음 UN: 절단 또는 관절 융합
7. 팔다리 운동 실조: 눈을 뜬 상태에서 양쪽 손가락-코-손가락 및 발뒤꿈치 검사를 수행한다.	0: 결여 1: 한쪽 팔다리에 존재 2: 양쪽 팔다리에 존재 UN: 절단 또는 관절 융합

표 5-4. 미국 국립보건원 뇌졸중 척도(NIHSS) *(계속)*

방법	척도 정의
8. 감각: 둔감하거나 실어증이 있는 환자의 경우 검사를 받았을 때 바늘로 찌르는 듯한 감각이나 얼굴을 찡그리거나 유해한 자극을 회피한다.	0: 정상; 감각 상실 없음 1: 경증에서 중등도의 감각 상실; 찔린 쪽이 덜 날카롭거나 둔하다고 느끼거나 바늘로 찌르는 듯한 통증이 있지만, 만지는 것을 자각하는 경우 2: 중증 감각 상실; 환자는 얼굴, 팔, 다리를 만지는 것을 인식하지 못함
9. 최상의 언어: 환자는 첨부된 사진에서 무슨 일이 일어나고 있는지 설명하고 첨부된 명명 시트에 있는 이름으로 항목의 이름을 지정하고 첨부된 문장 목록에서 문장을 읽도록 요청받는다. 이해력은 이전의 일반 신경학적 검사의 모든 명령뿐만 아니라 여기에서의 응답으로 판단된다.	0: 실어증 없음; 정상 1: 경증에서 중등도의 실어증; 아이디어에 대한 상당한 제한 없이 유창성이나 이해 능력 명백한 손실 2: 중증 실어증; 모든 의사소통은 단편적인 표현을 통해 이루어진다. 청취자에 의한 추론, 질문 및 추측이 크게 필요함 3: 무언, 완전실어증; 사용할 수 있는 언어 또는 청각 이해력 없음
10. 구음 장애: 환자에게 목록에서 단어를 읽거나 반복하도록 요청하여 적절한 언어 샘플을 얻어야 한다.	0: 정상 1: 경증에서 중등도의 구음 장애; 환자는 몇 마디를 불분명하게 말한다. 약간 어려움으로 이해할 수 있다. 2: 심한 구음 장애; 환자의 말이 알아들을 수 없을 정도로 흐릿하다. 또는 음소거/구음 장애 상태. UN: 삽관 또는 기타 물리적 장벽
11. 소거 및 부주의(이전의 무시): 무시를 확인할 수 있는 충분한 정보는 사전 테스트 중에 얻을 수 있다. 환자가 시각 이중 동시 자극을 방해하는 중증의 시각 상실이 있고 피부 자극이 정상이면 점수는 정상이다.	0: 이상 없음 1: 시각, 촉각, 청각, 공간 또는 개인의 부주의 또는 감각 양식 중 하나에서 양쪽 동시 자극에 대한 소거 2: 하나 이상의 양식에 대한 심각한 반부주의 또는 소거는 자신의 손이나 공간의 한 쪽 방향만을 인식하지 못함

나열된 순서대로 뇌졸중 척도 항목을 관리한다. 각 하위 척도 검사 후 각 범주의 성과를 기록한다. 기록한 점수를 변경하지 않으며 각 검사 술기에 대해 제공된 지침을 따른다. 점수는 임상의가 환자가 할 수 있다고 생각하는 것이 아니라 환자가 하는 것을 반영한다. 임상의는 검사를 시행하는 동안 환자의 답변을 기록하고 신속하게 시행한다. 지시된 경우를 제외하고 환자를 지도해서는 안 된다(즉, 환자에게 특별한 노력을 기울이도록 반복적으로 요청).

미국 국립보건원의 신경 장애 및 뇌졸중 국립 연구소: NIH 뇌졸중 척도. 2003. www.ninds.nih.gov

더 큰 혈관에서 발생하는 혈전인 큰 혈관 폐색(LVO) 뇌졸중에 대한 새로운 치료 기법이 개발되었다. 큰 혈관 폐색이 있는 환자는 일반적으로 뇌의 더 넓은 영역에 허혈이 있고 검사에서 훨씬 더 많은 신경학적 장애가 있다. 동맥에서 직접 혈전을 제거하거나 혈전이 발생한 부위에 혈전용해제를 직접 주입하는 처치술이 이러한 환자에게 더 일반적으로 시행하고 있다. 이러한 전문적인 처치는 특정 의료기관(가장 일반적으로 뇌졸중 센터)에서 시행되고 있으며 대부분의 일차 의료기관에서는 사용할 수 없다. 위의 뇌졸중 척도 외에도 여러 가지 의학 검사 도구가 있으며 이는 큰 혈관 폐색(LVO) 환자를 구별하고 적절한 의료기관으로 이송하는 데 도움이 될 수 있다. 이러한 의식 검사 점수에는 VAN, RACE, LEGS, LAMS 및 CPSSS 방식이 포함된다. 뇌졸중이 의심되는 환자에서 큰 혈관 폐색을 구별하기 위해 선별하기 위해 의료 지침에서 승인한 검사 방법을 배우고 사용한다.

현재 어떤 큰 혈관 폐색을 확인하기 위한 의학적 검사 도구가 EMS에서 사용하기에 가장 적합하거나 신뢰할 수 있는지에 합의된 것은 없다. 추가 연구 및 정보가 평가되면 권장 사항을 변경할 것이다. 또한 혈전 제거가 가능한 뇌졸중 센터와 같은 새로운 유형의 뇌졸중 센터 인증이 차츰 발전하고 있다. EMS 의료 책임자와 의료기관장은 지역 뇌졸중 시스템의 개발에 참여하고 이러한 개발에 EMS 제공자를 참여시키는 것이 필수적이다. 뇌졸중 환자를 이송하기에 가장 적절한 의료기관이 어디인지에 대해 오늘날 많은 논의와 논쟁이 있다.

기도, 호흡 및 순환을 평가하고 필요에 따라 처치를 시행한다. 프로토콜에 따라 환자의 혈당을 측정하고 환자의 혈당을 측정하고 필요한 경우 처치를 시행하고 환자의 산소포화도가 94% 미만으로 감소하면 보충 산소를 제공한다. 병원에서 마지막으로 정상적으로 행동하는 것으로 알려진 3시간 이내에 섬유소용해제를 투여받은 환자는 신경학적 기능이 향상되고 사망률이 낮은 경향을 보인다. 최근의 증거에 따르면 특정 환자의 경우 섬유소용해제 투여 시간을 4.5시간으로 연장할 수 있다. 혈전을 제거하거나 용해하기 위해 일부 센터에서 사용할 수 있는 다른 처치에는 기계 장치와 직접적으로 동맥 내 섬유소용해가 있는데 이는 종종 정맥 내 처치를 위해 3시간에서 4.5시간을 초과하여 시행할 수 있다. 새로운 연구에 따르면 동맥 내 처치 특히 큰 혈관 폐색 환자에서 증상 발병 후 최대 24시간 이내에 수행할 경우 개선된 결과가 나타났다. 그런데도 증상 시작 시간은 환자의 처치 방법을 결정하는 데 중요하며 병력의 중요한 측면이다.

허혈뇌졸중이 의심되는 환자의 경우 낮은 좌위자세(fowler position) 또는 바로누운자세에서 머리를 30° 정도 올려 편안한 자세를 유지한다. 환자의 혈압을 조절하여 뇌 혈류가 유지될 수 있도록 평균 동맥압(MAP)을 60mmHg 이상으로 조절한다. 초기 평가에서 환자의 혈압을 낮추지 않는다. 이는 실제로 환자의 뇌졸중 크기를 증가시키거나 악화시킬 수 있다. 고열은 허혈성 뇌 손상을 가속하기 때문에 정상보다 체온이 높으면 환자의 체온을 낮추어야 한다. 환자의 발작을 조절할 수 있는 약물은 의료 지도 의사의 의료 지도 또는 지침에 따라 적용할 수 있다.

뇌졸중이 의심되는 환자는 뇌졸중 센터로 이송한다. 증상이 나타난지 3시간 미만의 환자는 가장 가까운 뇌졸중 센터로 이송하는 것이 가장 좋다. 장기간의 급성 증상이 있거나 말초 섬유소용해 처치 방법을 받을 수 없는 환자, 특히 큰 혈관 폐색에 대해 양성 반응을 보이는 환자는 추가 혈관 내 처치를 수행할 수 있는 뇌졸중 센터나 종합병원으로 환자를 이송하는 것이 도움이 될 수 있다. 분류 방법이나 프로토콜은 이러한 상황에서 해당하는 환자를 구별하는 데 도움이 된다. 심한 두통이나 알려진 대뇌내 병변(예; 종양, 동정맥 기형, 동맥류)이 있는 환자는 뇌졸중이 출혈성으로 확인되어 응급수술이 필요한 경우 신경외과 수술이 가능한 병원으로 이송할 수 있다.

목동맥 박리

속목동맥은 뇌에 산화된 혈액을 공급한다. 목동맥 박리는 동맥의 가장 안쪽부터 파열로 시작된다. 순환하는 혈액이 파열된 부분으로 유입되어 가장 안쪽과 중간층을 빠르게 가장 안쪽의 층과 중간층을 박리한다. 이 기계적 과정은 동맥의 내강(관 안쪽의 공간)을 압축하여 혈액이 더 이상 동맥을 통해 순환할 수 없도록 하여 허혈뇌졸중을 유발한다.

목동맥 박리는 허혈뇌졸중의 특이한 원인이다(그림 5-6B 참조). 이러한 종류의 뇌졸중은 모든 연령대에서 발생할 수 있지만, 대부분은 50세 미만의 사람에게 가장 자주 나타나는 경향이 있다. 목동맥 박리는 10대와 젊은 성인에서 발생하는 모든 뇌졸중의 약 4분의 1을 차지하며 신체 활동에 참여하는 동안 종종 발생한다. 남자와 여자는 거의 동일하게 영향을 받는다.

병태생리학

동맥벽 내층의 초기 파열은 외상성 손상, 결합조직 질환, 고혈압, 죽상동맥경화증 또는 기타 병리학적 과정에 기인할 수 있다. 또한, 병에 걸리거나 손상된 동맥의 약해진 바깥층은 부풀어 오르기 시작하여 동맥류를 형성하여 동맥의 협착을 유발할 수 있다. 드문 경우지만, 동맥이 파열된다. 그러나 목동맥류와 목동맥 박리는 별개의 병리학적 과정으로 간주한다.

속목동맥의 박리는 머리뼈의 안쪽과 바깥쪽에서 발생할 수 있다. 머리뼈 바깥쪽 박리는 머리뼈가 외상으로 발생한 충격의 힘을 흡수하는 경향이 있기 때문에 가장 자주 발생한다. 이러한 상태의 증상과 징후가 모호하기 때문에 진단을 내리기 위해서는 정밀한 영상 검사가 필요하다.

증상과 징후

목동맥 박리 환자는 편두통, 목 또는 얼굴 통증을 호소할 수 있으며 최근의 외상 손상을 이야기할 수 있다. 눈꺼풀의 처짐, 동공 수축, 얼굴 땀없음증을 특징으로 하는 호너증후군을 환측에서 볼 수 있다. 이 증후군은 일반적으로 종양, 외상 또는 혈관 질환으로 인한 일방적인 교감신경 압박의 결과이다.

환자는 신체 활동 후 또는 기침이나 재채기와 같이 일반적으로 무해한 사건 후 또는 천장에 그림을 그릴 때와 같이 목을 뻗은 후에 나타날 수 있다. 일반적으로 머리, 등, 얼굴 등의 통증은 자발적이고 비외상성 박리의 초기 증상일 수 있다. 두통은 일정하게 지속적이고 심각하며 한쪽만 발생한 것으로 설명한다. 일시적인 시력 상실이 발생할 수 있으며 환자는 미각이 감소되었다고 설명할 수 있다. 신체적 소견에는 반신불완전마비, 다량의 코피, 목 혈종, 목뼈 외상, 자궁 경무 타박상 또는 뇌신경 마비가 포함될 수 있다. 주요 발견 사항은 다음과 같다.

- 머리나 목의 편측 통증
- 시력 변화
- 동공 수축(특히 한쪽)

감별 진단

목동맥 박리의 감별 진단에는 목 외상, 뇌졸중의 다른 원인(출혈 또는 허혈), 거미막밑 출혈, 중독 또는 독성, 일과성 허혈 발작, 전해질 불균형, 두통, 목뼈 골절, 빨랫줄 손상, 척추 동맥 박리 및 망막 동맥 및 정맥 폐쇄 등을 포함한다.

처치

외상이 박리보다 먼저 발생한 경우 척추의 움직임을 제한한다. 지지적 처치를 제공하고 기도, 호흡, 순환 상태를 모니터링한다. 응급실에서는 혈압을 조절해야 하고 의사는 MRI 또는 혈관조영술 검사 소견을 바탕으로 항응고제나 외과적/신경영상의학적 처치 방법을 선택할 수 있다.

환자는 신경 및 혈관 기능이 있고 처치적 방사선 절차를 수행할 수 있는 의료기관으로 이송한다.

뇌내출혈

뇌내출혈이라는 용어는 출혈뇌졸중과 같은 의미로 사용된다(그림 5-6, A 참조). 출혈뇌졸중에서 작은 동맥이 파열되어 거미막밑, 경막밑 또는 경막외공간과 같은 공간이나 잠재적인 공간이 아니라 뇌 자체의 조직으로 직접 출혈이 발생한다(그림 5-9). 뇌내출혈은 전체 뇌졸중의 10~15%를 차지하며 허혈뇌졸중보다 사망률이 더 높다. 이러한 종류의 뇌졸중 후 첫 달 동안의 사망률은 40%에서 80%이다. 그러나 전체 사망의 약 절반은 발병 후 48시간 이내에 발생한다. 두개내출혈 환자의 20%만이 완전한 기능적 독립성을 회복한다.

특정 조건은 사람들을 뇌내출혈의 더 높은 위험에 빠뜨린다. 항응고제 투여, 고혈압, 죽상경화증 그리고 코카인, 합성 카티논(목욕용 소금) 또는 메스암페타민과 같은 각성제의 사용이다.

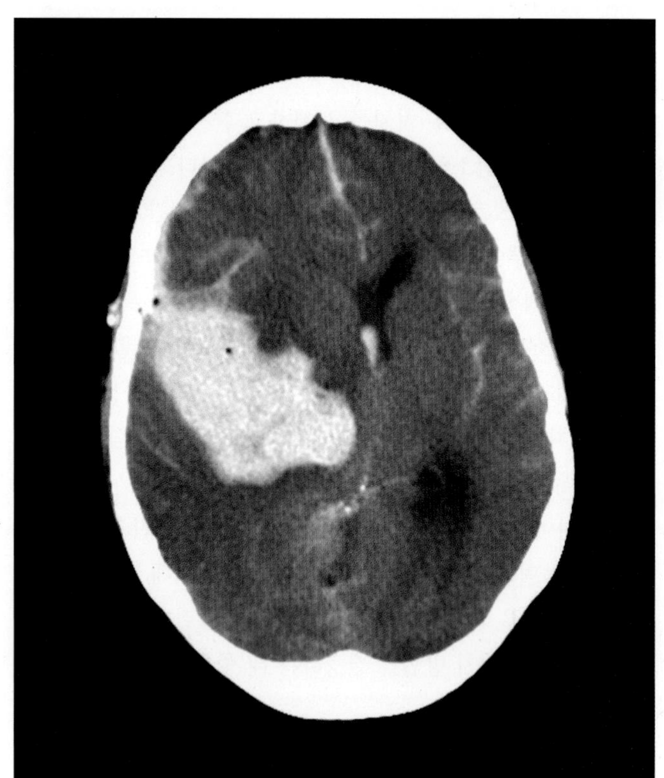

그림 5-9. 뇌내출혈의 자기공명영상(MRI).

병태생리학

이 단계는 작은 뇌내 동맥 즉, 표면이 아닌 뇌 내부의 동맥이 고혈압 및 죽상경화증과 같은 질병 과정에 의해 손상될 때 뇌내 출혈의 단계가 설정된다. 이전에 뇌졸중이 있었던 환자의 경우 혈관조직이 더 약하고 더 부서지고 더 쉽게 출혈할 수 있다. 흡연은 또한 혈관을 약화할 수 있다. 실제로 수축기 혈압이 150mmHg 이상인 흡연자는 비흡연자보다 출혈뇌졸중에 걸릴 확률이 9배 더 높다.

출혈은 시상, 조가비핵, 소뇌 또는 뇌줄기에서 가장 자주 발생한다. 출혈의 직접적인 영역을 넘어서는 뇌 조직은 출혈 자체의 덩이 효과에 의해 생성된 압력에 의해 손상을 받을 수 있다. 이러한 덩이 효과는 구역, 구토, 의식상태 변화, 혼수, 호흡 억제 또는 사망과 같은 증상을 유발할 수 있는 두개내압을 증가시킨다.

증상과 징후

뇌내출혈이 있는 환자는 의식상태가 변화할 가능성이 있다. 자주 발생하는 불만으로는 두통, 구역, 구토 등이 있다. 이런 환자는 현저한 고혈압이 동반되거나 동반되지 않을 수 있고 발작을 일으킬 수 있다. 그러나 병원 전 단계에서 두개내출혈과 허혈뇌졸중을 구별하는 것은 매우 어려운 일이다. 그 결정은 응급실에 도착해서 뇌의 CT 촬영 소견을 통해 내려야 한다. 주요 소견은 다음과 같다.

- 활력징후 변화(고혈압, 맥박 및 호흡 변화)
- 의식 수준 변화
- 목이 뻣뻣하거나 두통
- 국소 신경학적 결손(쇠약, 주시 선호)
- 보행 어려움, 미세한 운동 조절 어려움
- 구역, 구토
- 어지럼 또는 현기증
- 비정상적인 안구 움직임

감별 진단

출혈뇌졸중의 감별 진단에는 허혈뇌졸중, 편두통, 종양 및 대사 이상 등을 포함한다. 구토는 위장관계 문제일 수 있지만, 뇌내출혈과 같은 두개내압 증가를 의미할 수 있다. 일과성 허혈발작은 또한 두개내출혈의 증상과 혼동될 수 있다.

처치

출혈뇌졸중이 의심되는 경우 가장 중요한 것은 환자를 가능한 한 빨리 응급으로 신경외과 진료가 가능한 의료기관으로 환자를 이송하는 것이다. 뇌졸중의 증상과 징후를 인지하고 기도, 호흡 및 순환과 관련하여 발생하는 모든 어려움을 통제할 수 있다. 기도가 유지되지 않았거나 무호흡을 포함한 호흡 기능 장애의 징후가 있는 환자는 처치가 필요하다. 프로토콜에 따라 뇌졸중 척도를 사용하거나 항응고제 투여와 출혈 문제에 대한 구체적인 질문을 할 수도 있다. 생명을 위협하는 문제를 처치하는 것이 정보를 수집하는 것보다 우선되어야 한다.

뇌내출혈이 있는 많은 환자도 고혈압을 앓고 있다. 일반적으로 확인할 수 있는 영상을 확보하지 않는 한 현장에서 혈압을 처치하지 않는다. 그러나 당신은 환자의 두개내압을 더 증가시킬 수 있는 자극은 최소화한다. 저혈당은 뇌졸중 증상을 모방할 수 있고 뇌졸중 환자의 나쁜 결과와 관련이 있기 때문에 환자를 모니터링하고 들것의 머리쪽을 30° 정도 올리고 정맥 라인을 확보하며 혈당 수준을 확인한다. 프로토콜이나 의료 지도 의사의 의료 지도를 통해 구역과 구토를 처치하면 두개내압의 추가 증가를 예방하는 데 도움이 될 수 있다.

두개내출혈이 있는 환자는 심전도 변화 또는 발작을 일으킬 수 있다. 환자가 의료기관으로 이송되면 즉시 CT 검사를 시행할 것이다. 다른 가능한 검사는 CT 혈관조영술, CT 관류, MRI(MR 혈관조영술과 정맥조영술 포함)가 있다. 항응고제를 복용 중이거나 다른 원인으로 인해 혈액 응고 저하가 있는 환자는 다양한 방식으로 처치할 수 있다. 출혈을 조절하기 위해 비타민 K, 프로트롬빈 복합 농축액, 신선 냉동 혈장 또는 재조합 인자 Ⅶa를 투여할 수 있다. 혈압도 같은 이유로 엄격하게 조절할 수 있다. 응급 신경외과 상담이 필요할 수 있다.

출혈뇌졸중이 의심되는 환자는 신경외과적 처치가 가능한 뇌졸중 센터로 이송한다.

거미막밑 출혈

거미막밑 출혈(SAH)은 뇌 표면의 동맥이 연막과 거미막 사이의 거미막밑 공간에서의 출혈로 인해 발생한다. 혈액이 종종 뇌실로 스며들어 자극을 유발하는 경우가 많다. 혈액의 양은 또한 질량 변화의 원인이 될 수 있다. 이런 종류의 출혈은 교통사고와 같은 외상에 의해 유발되지만, 뇌동맥류나 동정맥 기형이 파열될 때 더 자주 발생할 수 있다(그림 5-6, A 참조).

병태생리학

뇌동맥류는 병에 걸리거나 손상된 혈관의 약해진 벽에서 발생하는 주머니이다. 동정맥 기형은 특정 동맥이 모세혈관이 아닌 정맥에 직접적으로 연결되어 파열할 수 있는 혈관의 엉킴을 일으키는 혈관계의 유전적 발달 장애이다. 그러나 종양, 혈전 또는 비정상적인 혈관 기형이 있는 뇌의 모든 부분에서 출혈이 발생할 수 있다. 조절되지 않는 고혈압과 선천성 동맥류는 선행요인이 될 수 있다. Elers-Danlos 증후군, Marfan 증후군, 대동맥 기형 또는 다낭성 신장 질환과 같은 특정 전신 질환이 있는 환자도 거미막밑 출혈의 위험성이 증가할 수 있다. 나이, 고혈압, 흡연, 죽상경화증으로 인한 혈관벽에 결손이 있는 환자도 위험하다.

증상과 징후

거미막밑 출혈은 천둥소리처럼 갑자기 심한 두통을 호소하는 모든 환자에게서 의심한다. 환자에 통증이 시작된 후 통증 이 최대로 강해질 때까지 얼마나 시간이 걸렸는지 구체적으로 질문한다. 짧은 시간(초에서 분)은 거미막밑 출혈을 더 암시한다. 두개내압이 일시적으로 뇌관류 압력을 초과한 경우 의식 상실이 발생할 수 있다. 지주막밑 출혈이 있는 환자의 약 절반은 혈압이 상승했다. 중간대뇌동맥 출혈은 발작, 운동 장애, 구역과 구토, 목 경직, 요통, 광공포증, 시각 변화를 유발할 수 있다. 출혈이 일반적으로 뇌 실질보다 거미막밑 공간 내에서 발생하기 때문에 국소 신경학적 징후는 뇌내출혈보다 덜 흔하다. 뇌신경 소견이 나타날 수 있으며 가장 흔하게는 안구 운동 신경 마비로 인해 영향을 받은 눈이 아래쪽과 바깥쪽을 향한다. 신경 마비가 있는 경우 복시는 일반적으로 호소하며 환자에게 복시에 대해 질문한다. 또한, 운동이나 성행위 중 통증이 시작되면 거미막밑 출혈의 의심 지수를 높여야 한다.

환자의 약 30~50%에서는 거미막밑 공간으로 소량의 출혈이 유입된다. 두통은 종종 더 많은 지주막밑 출혈과 같은 특성을 가지며 특히 갑작스러운 발병과 통증이 평소보다 더 심하게 느끼지만, 상당히 빠르게 개선될 수 있으며 명백한 신경학적 결손이나 증상이 없을 수도 있다. 이러한 초기 소량의 출혈을 종종 치명적인 더 큰 출혈의 예상 징후로 인식하는 것이 중요하다. 출혈은 5등급으로 분류한다.

- 1 등급: 수막 자극이 있거나 없는 경미한 두통
- 2 등급: 심한 두통과 동공 변화 여부와 관계없이 비초점 검사
- 3 등급: 신경학적 검사에서 경미한 변화
- 4 등급: 의식 수준 저하 또는 국소적 결손
- 5 등급: 자세 유무와 관계없이 혼수상태

주요 소견은 다음과 같다.

- 심한 두통의 갑작스러운 발병
- 쇠약(국소적) 또는 무시
- 의식상태 변화
- 구역/구토
- 시력 변화, 복시, 안진
- 두통과 관련된 목 경직

감별 진단

거미막밑 출혈의 감별 진단에는 두통, 구역과 구토, 의식 소실, 의식상태 변화, 뇌졸중, 편두통, 종양, 감염, 약물 사용, 과다 복용 및 외상을 포함한 의식상태 변화를 유발할 수 있는 모든 병리학적 발생이 포함된다.

처치

병원 전 처치를 시행하는 중 환자의 기도, 호흡 및 순환에 대한 보조가 가장 중요하다. 가능하면 환자를 진정시키지 않는다. 정맥 라인을 확보하고 침대의 머리 쪽을 높여 환자의 의식상태에 급격한 변화를 보일 때 기도를 확보할 준비를 한다. 혈압 조절은 일반적으로 현장에서는 권고되지 않지만, 환자의 두개내압을 증가시킬 수 있는 자극을 최소화해야 하므로 구역과 구토가 있는 경우 적극적으로 조절한다.

병원에서 전산화단층촬영(CT) 검사를 시행하며 출혈의 근원을 찾기 위해 자기공명영상(MRI)이나 뇌혈관 조영술을 시행할 것이다. 초기 영상 검사에서 명백한 출혈이 없는 환자는 뇌척수액에서 혈액을 찾거나 출혈이 시작된 지 12시간 후에 흔히 볼 수 있는 뇌척수액(황색변색증)에서 이 혈액이 저하되는 것과 일치하는 변화를 찾기 위해 허리 천자를 시행할 수 있다.

적절한 환자 분류와 전산화단층촬영 검사와 신경외과적 처치가 가능한 병원으로 환자를 적절하게 이송하는 것이 중요하다.

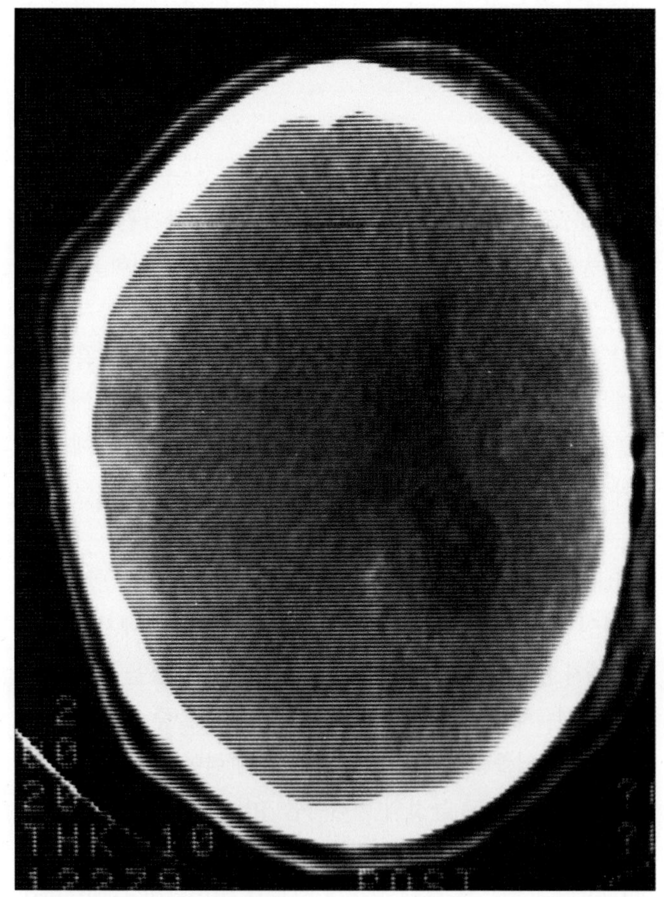

그림 5-10. 경막밑 혈종의 컴퓨터 단층활영(CT).

Courtesy of Peter T. Pons, MD, FACEP.

경막밑 혈종

갑작스러운 경막밑 혈종은 경막과 거미막 사이에 혈액이 고이는 것이다(그림 5-10). 혈종은 급성, 아급성, 만성일 수 있다. 급성기는 손상 시점부터 3일까지, 아급성기는 손상 후 3일에서 약 2주까지 지속되며 만성기는 손상 후 2에서 3주 사이에 시작된다. 경막밑 출혈의 사망률은 약 20%이며 대부분 60세 이상의 환자에게서 발생한다.

병태생리학

경막밑 출혈은 대개 대뇌 피질과 정맥굴 사이를 연결하는 연결정맥의 파열로 인해 발생한다. 이것은 일반적으로 직접적인 외상이나 급격한 감속으로 촉진된다. 그러고 나서 혈액이 경막밑 공간에서 응고된다. 경막밑 출혈의 아급성기에는 응고된 혈액이 액화되어 묽어질 수 있다. 만성기에는 혈액이 분해되어 경막밑 공간에 장액이 남아있다.

충격–맞충격 손상은 경막밑 혈종을 초래할 수 있다. 충격 또는 타격은 직접적인 충격을 흡수하는 머리뼈 바로 아래에 있는 뇌에 외상을 유발한다. 충격 후 뇌는 머리뼈의 공간 안에서 반동을 일으키고 머리뼈 반대쪽에 부딪혀 손상을 입힌다(맞충격). 이것은 뇌의 양쪽에 출혈이나 신경학적 손상을 일으킬 수 있으며 신체검사 및 영상 검사에서 뚜렷한 결과로 나타난다.

노인은 노화 과정의 결과로 뇌의 부피가 더 작을 수 있으며 외상 또는 감속 손상으로 경막밑 출혈이 발생하는 동안 머리뼈와 뇌 사이의 연결정맥이 찢어질 위험이 더 크다. 또한, 뇌 위축으로 인해 만성적으로 많은 양의 알코올을 섭취하는 환자도 비슷한 위험에 처해 있다. 두개내 빈 공간이 증가하기 때문에 출혈로 인한 증상이 적을 수 있으며 손상 후 몇 시간에서 며칠 동안 국소 증상이나 증후 또는 혼수상태가 나타나지 않을 수 있다. 이러한 환자는 잠재적인 혈종을 평가하기 위해 의료기관으로 이송한다.

증상과 징후

무딘 머리 손상 후 환자는 경막밑 출혈이 나타날 수 있으며 종종 의식소실이나 사건에 대한 기억 상실이 동반할 수 있다. 환자는 증상이 없거나 성격 변화, 두개내압 증가 징후(두통, 시력 변화, 구역, 구토), 반신불완전마비, 편마비가 있을 수 있다. 혈우병과 같은 출혈 이상이 있는 환자와 항응고제를 복용하는 환자는 알코올 중독자 및 노인과 마찬가지로 경미한 외상 후에 경막밑 혈종이 발생할 수 있다. 주요 소견은 다음과 같다.

- 두통
- 의식 소실 또는 의식상태 변화
- 국소적 또는 전신적 쇠약
- 외상의 병력 및 징후

감별 진단

경막밑 혈종의 감별 진단은 다른 모든 두개내출혈, 수막염과 같은 감염, 허혈뇌졸중의 감별과 동일하다. 두개내 종양과 비슷한 양상을 보일 수 있다.

처치

의식상태 변화를 평가하기 위해 병원 전 단계에서 환자를 평가한다. 국소 신경학적 결손은 경막밑혈종의 징후일 수 있다. 환자의 혈당을 측정하고 필요한 경우 처치를 시행한다. 환자의 의식상태가 변화되면 기도를 유지한다. 외부 손상이 명백한 경우 의료 지도 의사에게 관련 손상을 보고하고 목보호대를 착용시킨다. 의식상태가 악화할 가능성이 있기 때문에 혼란이나 기도 손상이 증가하는 징후가 있는지 주의 깊게 관찰한다.

환자를 신속하게 외상센터로 이송하며 가능하지 않은 경우 신경외과적 수술이 가능한 의료기관으로 이송한다.

경막외 혈종

경막외 혈종은 머리뼈의 속판과 뇌막의 가장 바깥쪽인 경막 사이에 혈액이 축적되는 것이다(그림 5-11). 이 상태는 일반적으로 경막외 공간의 동맥에 대한 외상으로 인해 발생하므로 외상에 의해 야기되어 높은 압력의 질량 효과를 초래한다. 흔히 머리뼈의 측두골 골절이 발생하고 이로 인해 중간뇌막 동맥 파열로 인해 발생한다. 심각한 신경학적 기능 장애가 있는 환자의 경우 즉각적인 외과적 감압이 필요하다. 회복 가능성은 환자의 수술 전 신경학적 상태와 직접적으로 관련이 있다. 일반적으로 외상은 경막외 혈종의 유일한 원인이다. 이것은 뇌의 출혈 유형에 관한 완전성의 문제로 이 AMLS 텍스트에 포함되어 있다.

병태생리학

경막외 혈종의 약 80%는 중간뇌막동맥 또는 그 가지 위 측두두정엽에 위치한다. 이 상태는 일반적으로 머리에 대한 직접적인 외상에 의해 촉진된다. 전두엽과 후두부의 경막외 혈종은 경막외 혈종의 약 10%를 차지한다. 대부분의 출혈은 동맥에서 발생하지만, 환자의 1/3에서는 정맥 손상의 결과로 발생한다.

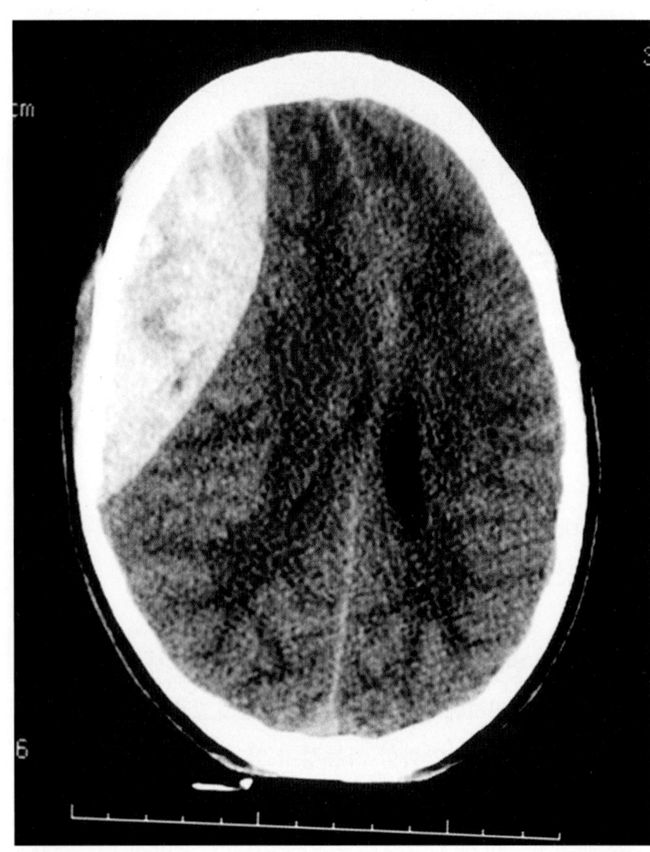

그림 5-11. 경막외 혈종의 컴퓨터 단층촬영(CT).
Courtesy of Peter T. Pons, MD, FACEP.

정맥 출혈은 함몰머리뼈골절로 발생하며 그 결과 혈종은 작고 양성인 경향이 있다.

동맥 출혈로 인해 발생한 경막외 출혈과 관련된 압력은 정중선 이동과 뇌탈출을 초래할 수 있다. 3번 뇌신경의 압박은 반대측 반신불완전마비와 동측 동공 확장을 유발할 수 있다. 비록 경막외 혈종이 보통 빠르게 최대치 크기에 도달하지만, 환자의 약 10%에서 손상 후 24시간 동안 혈종의 크기가 증가한다.

증상과 징후

환자는 외상 후 의식을 잃을 수도 그렇지 않을 수도 있으며 의식을 잃은 후 다시 아닐 수도 있고 혹은 의식을 잃은 다음 다시 둔감하거나 반응이 없어질 때까지 일정 기간 깨어날 수(명료기간) 있다. 명료기간 동안 환자는 기분이 좋고 적절하게 행동하며 처치를 거부할 수 있다. 증상이 나타나기 전에 이를 설명하기 위해 특별한 주의를 기울여야 한다. 환자는 거부 후 보상 작용에 실패할 수 있다.

환자는 심한 두통을 호소하고 구토나 발작이 있을 수 있다. 증가한 두개내압은 쿠싱 3징후(수축기 고혈압, 서맥, 불규칙한 호흡)가 발생할 수 있다. 이 환자는 반응이 없을 수 있고 이는 이 반응은 죽음이 임박했음을 나타낸다.

손상을 입은 쪽의 동공이 확장되고 고정되거나 반응이 느린 경우 두개내압 증가로 인한 뇌탈출을 나타낼 수 있다. 증가하는 뇌탈출증의 전형적인 증상은 혼수상태, 고정되고 확장된 동공, 대뇌제거자세 그리고 반신마비도 나타날 수 있다. 주요 소견은 다음과 같다.

- 외상
- 변화된 의식상태
- 구역/구토
- 어지럼/전신적 쇠약
- 변화된 의식 수준
- 같은쪽 동공 확장
- 쿠싱 3징후

감별 진단

경막외 혈종의 감별 진단은 다른 유형의 두개내출혈, 미만성 축삭 손상 및 뇌진탕이 포함된다.

처치

경막외 혈종이 의심되는 모든 환자에게 정맥 라인을 확보하고 산소를 투여하며 심장 모니터를 연결한다. 환자의 혈압이 낮지 않으면 수액을 투여하지 말고 정맥 라인을 유지할 수 있을 정도로 소량의 수액을 투여한다. 산소포화도를 94% 이상으로 유지하고 활력징후를 자주 재평가한다. 필요한 경우 목보호대를 착용시키고 환자의 의식 수준이 감소하면 기도를 확보하고 혈역학적 안정성을 확보하기 위한 조치를 취한다.

머리 손상 환자에 대한 일부 연구는 병원 전 기관내삽관이 증가하는 사망률과 관련이 있고 이는 EMS 공동체 내에서 치열한 논쟁의 주제가 되었다. 현재 가장 좋은 권고 사항은 전문 처치 제공자가 지속적인 교육과 실습으로 전문기도유지술을 시행할 수 있도록 숙련도를 유지한다. 효과적인 백밸브마스크 환기를 시행하는 것은 모든 처치 제공자가 유지해야 하는 술기이고 어려운 기도유지에서 기관내삽관 대신 선택할 수 있는 방법일 수 있다.

응급실에서 환자는 외상 지침에 따라 평가되고 일반적으로 CT 검사를 시행한다. 추가적인 처치에는 신경외과 진료를 통해 두개내압 조절이 포함된다. 딜란틴(Dilantin) 또는 다른 항경련제는 조기 발작의 발병률을 감소시키기 위해 투여할 수 있지만, 앞으로의 발작 장애의 발생을 예방하지 못할 것이다.

경막외 혈종이 의심되는 환자의 경우 신속한 수술이 유일한 처치법이기 때문에 매우 중요하고 신경외과 관련 환자를 처치할 수 있는 외상센터로 이송한다.

종양

뇌종양 또는 두개내 신생물은 주변의 건강한 실질 조직을 침범하고 압박하는 덩어리를 형성하는 세포의 부적절한 증식이다. 종양은 원발성 또는 전이성 및 양성이나 악성으로 분류된다. 원발성은 종양이 뇌에서 시작되었음을 의미한다. 전이성 종양은 세포가 피부 흑색종이나 폐암과 같은 신체의 다른 곳에서 종양으로 이동할 때 발생한다. 혈액을 통해 이동하고 뇌에서 자라기 시작한다. 원발성 악성 병변은 모든 두개내 종양의 약 절반을 차지하고 공격적이며 침습적이고 생명을 위협하는 경향이 있다. 원발성 양성 종양은 더 천천히 자라는 경향이 있고 덜 공격적이지만, 뇌줄기와 같은 중요한 부위에서 발생하면 생명을 위협할 수 있다.

종양은 종종 수막종이나 신경교종과 같은 세포 유형에 따라 분류되는 경우가 많지만, 병원 전 처치는 세포 유형과 관계없이 동일하다.

병태생리학

뇌종양은 덩이 효과나 정상 뇌 조직의 침투로 신경 경로를 손상시킬 수 있다. 셋째뇌실, 넷째뇌실 근처에서 발생하는 종양은 뇌척수액의 흐름을 방해하여 수두증을 유발할 수 있다. 종양을 지지하기 위해 형성되는 혈관은 혈액-뇌-장벽을 파괴하고 부종을 일으키거나 파열되어 출혈을 일으킬 수 있다.

증상과 징후

뇌종양의 증상과 징후는 비특이적이다. 환자는 두통, 변화된 의식상태, 구역, 구토, 쇠약, 보행 변화 또는 미묘한 행동 변화를 경험할 수 있다. 국소 발작, 시력 변화, 언어 장애 및 감각 이상도 나타날 수 있다. 환자는 종양이 다소 커지더라도 증상을 느끼지 못할 수 있지만, 증상의 급격한 변화가 있을 때 처치를 시행한다. 이러한 변화는 종종 뇌척수액 흐름의 폐쇄 또는 출혈로 촉진된다.

주요 소견은 종양의 위치에 따라 다를 수 있다(표 5-5). 다른 징후와 증상은 다음과 같다.

표 5-5. 위치에 따른 뇌종양의 주요 소견

종양의 위치	주요 소견
전두엽	행동 억제 기억 상실 각성도 감소 후각 감소
측두엽	감정적 변화 행동 장애
뇌하수체	시각적 변화 무력 월경 주기의 변화
후두엽	시야 결손
뇌간 또는 소뇌	뇌신경 마비 조정 감소 안구진탕 신체 양쪽의 감각 결손

- 국소적 쇠약
- 시력 변화
- 어지럼/현기증
- 구역/구토

감별 진단

뇌종양의 감별 진단에는 감염, 뇌졸중, 두내개출혈 등이 있다.

치료

환자의 증상에 따라 지지적 처치를 제공한다. 부종, 수두증, 두개내출혈, 뇌하수체 경색, 실질 경색(주로 혈관 압박에 의해 유발됨)과 발작으로 인해 환자가 갑자기 악화할 수 있다. 환자의 의식 수준이 갑작스레 감소하거나 발작이 발생할 경우 처치를 시행할 준비를 한다.

뇌종양이 의심되는 환자는 종양학 및 신경외과적 처치가 가능한 병원으로 이송한다.

특발성 두개내압 상승

특발성 두개내압 상승은 뇌종양의 증상과 유사하므로 '대뇌 거짓 종양' 또는 '거짓 종양'으로 알려져 있다. 이 상태는 거미막밑 공간에서 뇌척수액이 잘 흡수되지 않는 것이 특징이다. 특발성 두개내압 상승은 주로 임신가능 기간 동안 비만 여성에게 영향을 미친다. 시신경유두부종 또는 시신경의 부종은 가장 우려되는 문제이며 상승한 두개내압으로 인한 것이다. 시신경유두부종은 진행성 시신경 위축과 실명을 초래한다.

병태생리학

특발성 두개내압 상승의 원인은 그 이름에서 알 수 있듯이 아직 명확하지 않다. 일부 연구에서는 경막정맥굴로 뇌척수액의 유출이 감소하는 것으로 나타났다. 다른 이들은 뇌 혈류량이 증가하면 뇌척수액을 배출하는 뇌의 능력이 저하한다고 말한다.

증상과 징후

두개내압이 상승하면 환자가 비특이적이고 유형, 위치 및 빈도가 다양한 경향이 있는 두통에 대해 처치를 받도록 유도할 수 있다. 귀에서 박동성 울림과 수평적 복시가 또 다른 증상이다. 드물지만 환자는 팔로 방사되는 통증이 있을 수 있다. 영양을 받는 사람은 몸을 구부렸다가 다시 일어선 후 기립성 저혈압이 발생하여 실신을 유발할 수 있다. 시신경유두부종 한쪽 또는 양쪽 눈의 시력이 간헐적으로 흐려지거나 시력 상실이 발생할 수 있다. 환자는 일반적으로 코 아래 1/4 지점에서 시작하여 그다음 중심 시야로 이동한 다음 색채감각의 손실을 초래한다. 주요 소견은 다음과 같다.

- 두통
- 시력장애와 시신경유두부종
- 젊고 비만한 여성 환자

감별 진단

특발성 두개내압 상승을 위한 감별 진단에는 무균성 수막염, 라임병, 수막종, 혈관 종양, 동정맥 기형, 뇌졸중, 수두증, 두개내 농양, 두개내출혈, 편두통, 루푸스 등이 있다.

처치

병원 전 단계에서 환자를 위해 할 수 있는 일은 거의 없다. 병원 전 처치는 일반적으로 보존적이다.

병원에서는 시력 검사, 직접 안과 검사, 허리천자 및 영상 검사가 필요할 수 있다. 감별 진단을 배제하기 위해 혈액과 뇌척수액을 검사한다. 환자는 약물을 투여받을 수 있으며 두개내 단락 설치나 조정을 포함하여 허리천자 또는 외과적 처치에 의한 뇌척수액의 배액이 필요할 수 있다.

뇌 고름집

뇌 고름집은 중추신경계 외부의 유기체가 혈액-뇌 장벽을 통화하여 뇌로 들어갈 때 시작되는 감염이다. 처음에는 염증이 발생하여 일반적으로 혈관이 잘 형성된 피막이 고름의 집합체로 변한다.

병태생리학

특정한 세균(연쇄상구균, 슈도모나스, 박테로이데스)은 일반적으로 부비동, 입, 중이 또는 유양돌기에서 이러한 부위에서 뇌로 직접 배수되는 정맥을 통해 들어간다. 다른 세균 감염(포도상 구균, 연쇄상 구균, 클렙시엘라, 대장균, 슈도모나스)은 일반적으로 먼 곳에서 혈관을 통해 퍼진다. 관통상이나 외과적 시술로 인한 직접적인 전파 역시 뇌의 세균 감염(포도상 구균, 클로스트리디움, 슈도모나스)의 원인이 될 수 있다. 현재 질병의 병력에 수술 병력과 외상 병력, 유치 카테터의 병력, 최근 귀 감염을 통합한다. 고름집의 약 1/4은 원인이 명확하지 않다. 면역체계가 저하된 환자, 정맥 라인으로 약물을 투여하는 환자, 익사 직전 환자 및 광범위한 치과 치료를 받는 환자는 박테리아의 확산으로 인한 뇌 고름집의 위험에 처해 있다.

증상과 징후

뇌 고름집이 있는 환자는 두통을 호소하는 경우가 가장 많다. 감염 부위와 일치하는 국소 신경학적 결손이 존재할 수 있다. 두통, 열, 국소 신경학적 결손의 세 가지 증상은 거의 나타나지 않는다. 발작, 변화된 의식상태, 구역이나 구토, 경직된 목도 뇌농양을 나타낼 수 있다. 두통이 갑자기 악화하면 뇌 고름집이 뇌척수액으로 파열되었음을 나타낼 수 있다. 약물 또는 이나 사람면역결핍바이러스/후천면역결핍증후군(HIV/AIDS)과 같은 기저 질환으로 인해 면역이 저하된 환자는 특히 뇌 고름집의 위험이 있다. 면역 억제는 특히 크론병, 궤양성 대장염, 류마티즘 관절염과 같은 질환에 대한 다중 면역 조절제의 개발과 함께 더욱 보편화되고 있다. 이 환자 집단에서는 의심 지수를 높여야 하고 주요 소견은 다음과 같다.

- 열
- 혼란 또는 의식 수준 감소와 같은 변화된 의식상태
- 목 강직/수막증

- 두통
- 구역/구토
- 농양의 위치와 일치하는 국소적 결손

감별 진단

고려해야 할 광범위한 세균 감염 외에도 뇌 고름집의 감별 진단에는 두통, 고혈압, 두개내출혈, 곰팡이 감염 및 종양이 포함된다.

처치

뇌 고름집은 생명을 위협할 수 있다. 그러나 조기 인지와 처치는 이환율과 사망률을 감소시킬 수 있다. 환자에게 지지적 처치를 제공한다. 환자의 기도, 호흡 및 순환 상태를 모니터링하고 산소를 제공하며 필요한 경우 정맥 라인으로 수액을 투여한다. 환자가 발작을 일으키거나 보상이 되지 않으면 적절한 처치를 시행할 준비를 한다. 이러한 환자는 고름집으로 인한 덩이 효과, 뇌 기능 장애 및 패혈증의 결과로 사망할 위험이 있지만, 급성으로 발생하는 경우는 드물다. 그런데도 뇌 고름집이 파열되거나 뇌출혈을 일으킬 수 있으며 환자의 상태가 빠르게 악화할 수 있다.

병원에서 검사실 검사 및 방사선 검사와 가능한 경우 허리천자 또는 뇌 생검을 시행하고 항생제를 투여한다.

뇌염

뇌염은 국소적 또는 확장성 뇌 기능 장애를 일으키는 뇌의 일반적인 염증이다. 이 장애는 혼수와 두통을 포함하여 수막염과 유사한 증상과 징후를 보인다. 뇌염의 뇌 기능의 일부 변화 즉 방향 감각 상실, 행동 변화, 운동 또는 감각 결손과 같은 뇌 기능의 일부 변화를 유발하지만, 뇌 수막염은 그렇지 않은 것이 특징이다. 그러나 환자는 한 번에 두 가지 조건을 모두 가질 수 있다.

병태생리학

뇌염은 뇌 실질을 손상시키는 가장 흔한 바이러스 감염이다. 바이러스는 다양한 매개체를 통해 몸에 들어갈 수 있다. 일부 바이러스는 인간에 의해 전파되며 어떤 바이러스는 모기나 진드기 매개이며 동물에게 물려서 전염된다. 일반적인 원인은 단순 포진 바이러스 1형으로 구순포진을 유발하는 것으로 더 일반적으로 알려져 있다. 면역체계가 손상된 환자는 거대세포 바이러스 및 수두대상포진과 특정 바이러스에 감염될 가능성이 더 크다. "대상 포진"으로 알려진 이 후자의 바이러스는 초기 감염(수두) 이후에 감각 신경절에 잠복해 있으며 여전히 모호한 상황에서 재활성화되어 대상포진을 유발한다. 동물이 물거나 박쥐와 접촉하는 등 노출 가능성이 있는 경우 광견병을 고려한다. 북미 지역의 사람들은 세인트루이스 뇌염의 위험이 있고 아시아의 사람들은 일본 뇌염의 위험이 있는 지역도 중요할 역할을 한다.

일반적으로 바이러스는 중추신경계 외부에서 복제되어 혈류나 신경 경로를 통해서 들어간다. 바이러스가 뇌 안으로 들어가 신경세포에 들어가면 세포가 오작동하기 시작한다. 출혈, 염증 및 혈관주위 울혈은 모두 회색질에서 더 자주 발생한다.

감염 후 뇌염은 바이러스 감염 후 신체 면역 반응이 뇌 조직을 공격하는 면역 관련 장애이다. 이것은 초기 발현 시점에 급성 바이러슨 감염과 임상적으로 구별하기 어렵다.

증상과 징후

뇌염의 과정은 환자마다 매우 다양하고 나타나는 것의 급성도와 중증도는 일반적으로 예후와 관련이 있다. 일반적으로 환자는 초기 증상으로 감기나 독감과 일치하는 바이러스에 대한 병력을 이야기한다. 이것은 발열, 두통, 구역, 구토, 근육통, 기면 등을 포함할 수 있다. 환자는 또한 행동이나 성격 변화, 명료함 감소나 의식상태 변화, 목 강직, 눈부심, 기면, 전반 발작 또는 국소 발작, 혼란이나 기억 상실 또는 이완마비가 있을 수도 있다. 수두, 홍역, 볼거리, 대상 포진 또는 엡스타인 바이러스를 일으키는 바이러스 중 하나와 관련이 있는 뇌염의 경우 환자는 발진, 림프절병증, 샘 비대를 일으킬 수 있다. 중추신경계에 대한 감염의 영향으로 인해 환자는 불안해하거나 폭력적일 수 있다. 정신과적 증상이 있는 모든 환자에게는 근본적인 의학적 문제를 가지고 있을 수 있다는 것을 기억한다. 영아 환자는 피부, 눈, 입안의 병변과 발진, 명료함 감소, 과민성 증가, 발작, 잘 먹지 않음, 쇼크와 같은 증상이 나타날 수 있다. 사람면역결핍바이러스 감염은 톡소플라즈마 감염으로 인해 이차적인 뇌병증을 앓게 할 수 있다. 주요 소견은 다음과 같다.

- 발열
- 혼란 또는 의식 감소와 의식상태 변화
- 두통

감별 진단

뇌염의 감별 진단으로는 세균, 바이러스, 진균과 원충 감염, 반응성 자가면역 질환, 신부전, 간부전, 만성자가면역질환, 발작, 대뇌출혈/부종, 전해질 이상, 중독, 뇌졸중, 매독, 외상 및 뇌농양과 같은 뇌병증을 일으킬 수 있는 비 감염성 질병 및 상태가 포함된다.

처치

뇌염의 사망률은 최대 75%이고 생존할 수 있을 만큼 운이 좋은 사람은 종종 장기간의 운동 장애 또는 정신 장애가 있다. 광견병 뇌염의 경우 사망률은 100%인 것으로 생각된다.

뇌염 환자는 보상이 빠르게 감소할 수 있으므로 기도를 유지하고 처치할 준비를 한다. 발작이 있거나 간질 상태에 있는 환자는 프로토콜에 따라 처치한다. 항바이러스제는 일반적으로 처치 초기에 응급실에서 투여한다. 수두증의 징후와 증가된 두개내압은 일반적으로 처음에는 보수적으로 처치한 다음 이뇨제, 만니톨, 코르티코스테로이드 및 외부 심실 배액관을 포함하여 더욱 공격적인 방법으로 처치한다.

환자에게서 뇌염이 의심되는 경우 마스크, 가운, 장갑 착용을 포함한 비말 예방 조치를 사영하여 입자의 공기 중으로 전파되는 것을 방지한다. 감염병이 있을 수 있는 모든 환자와 마찬가지로 병원 전 치료제공자는 엄격한 혈액과 체액 격리 예방 조치를 시행하며 항상 마스크를 착용한다. 추가 안전을 위해 환자에게도 마스크를 착용시킨다.

병원에서 환자는 일련의 혈액 검사, 방사선 및 기타 영상 검사, 바이러스 혈청 검사를 포함한 뇌척수액 검사 등을 시행한다. 뇌 생검을 시행할 수 있다.

수막염

수막염은 뇌와 척수를 둘러싸고 있는 막인 수막의 염증이다. 또한 뇌척수액은 감염과 염증의 증상을 보일 것이다. 수막염은 감염성 및 비감염성 원인이 다양하지만, 생명을 위협하는 급성 수막염은 세균 감염인 경우가 많다.

병태생리학

세균성 수막염은 일반적으로 세균이 혈류에서 뇌척수액으로 이동할 때 발생한다. 명백한 감염원이 없다면 뇌척수액 침윤은 일반적으로 코인두에 서식하는 박테리아에 의해 유발한 것으로 추정된다. 어떤 경우에는 박테리아가 감염되거나 외상이나 수술 기구에 의해 파괴된 인접 구조(예, 부비동, 코인두)에서 퍼질 수 있다. 다시 한번 이러한 병력은 감별 진단에 중요한 단서가 될 수 있다.

일단 뇌척수액에 들어가면 항체와 백혈구가 부족하여 세균이 증식할 수 있다. 뇌척수액에서 세균 성분이 있으면 혈액-뇌 장벽이 더 잘 투과되고 독소가 들어갈 수 있다. 세균이 증식함에 따라 염증과 반응하여 뇌척수액의 세포 수, pH, 젖산, 단백질 및 포도당 조성을 변화시킨다. 염증이 진행됨에 따라 두개내압은 상승하여 뇌척수액의 유출 폐쇄를 유발할 수 있다.

특정 시점에서 뇌 내부와 주변의 압력은 뇌척수액의 흐름을 역전시킨다. 이러한 발전은 의식상태의 추가적인 추가 악화와 관련이 있다. 뇌에 대한 지속적인 손상은 혈관 경련, 혈전, 패혈 쇼크를 유발하고 환자는 일반적으로 광범위한 허혈 손상으로 사망한다.

신생아와 영아의 수막염은 일반적으로 B군 연쇄상구균이나 대장균에 의해 발생한다. 생후 1년 이상의 소아에서는 폐렴 연쇄상 구균과 수막염균이 점점 더 흔해지고 있다. 이 세균은 성인 수막염에서도 가장 흔하다. 한때 소아에서 가장 흔한 원인이었던 B형 헤모필루스 인플루엔자는 이 균에 대한 면역이 출현한 이후 거의 보이지 않지만, 소아와 성인에서 서로 다른 헤모필루스 아형에 의해 유발되는 경우가 있다. 성인에서 다른 원인균으로 리스테리아 모노사이토게네스(특히 노인), 황색포도상구알균, 기타 다양한 연쇄상구균, 그람음성균이 있다. 신경외과 시술 후 수막염에서 다른 세균이 관찰된다. 여기에는 다양한 슈도모나스 및 에어로모나스를 포함한 다양한 포도상구균, 연쇄상구균, 그람음성 막대균 등이 포함된다.

증상과 징후

급성 세균성 수막염 환자는 빠르게 보상 기전이 저하되어 응급처치와 항생제가 필요할 수 있다. 수막염의 전형적인 증상은 두통, 목 강직(목의 굴곡과 신전에 대한 저항), 발열과 오한, 눈부심 등을 포함한다. 감염은 또한 발작, 의식상태 변화, 혼란, 혼수상태 및 사망을 유발한다. 이 상태는 일반적으로 상부 호흡기 질환에 의해 유발된다.

세균성 수막염 환자의 거의 1/4에서 증상이 시작된 후 24시간 이내에 급성으로 나타난다. 대부분의 바이러스성 수막염 환자는 일주일에 걸쳐 서서히 진행되는 증상을 보인다. 발열 및 두통이 있는 환자들은 목의 강직 또는 목의 굴곡에 대한 불편감, 케르니크징후(다리가 엉덩이와 무릎에서 굴곡될 때 양성이고 이후에 무릎을 펼 때 통증이 있어 저항 및 굴곡으로 이어지는 경우) 및 브루진스키징후(목의 굴곡에 대한 반응으로 다리의 비자발적인 굴곡, **그림 5-12**)에 대한 검사를 한다.

의식상태 변화는 종종 나타나며 흥분이나 혼란에서 혼수상태에 이르기까지 다양하게 보일 수 있다. 중추신경계에 대한 감염의 영향으로 인해 환자는 불안해하거나 폭력적일 수 있다. 정신과적 증상이 있는 모든 환자는 근본적인 의학적 문제가 있을 수 있으며 정신과적 진단은 일단 기질적 원인이 평가되면 진단은 배제되어야 한다는 것을 기억한다. 영아 환자는 부풀어 오르는 숫구멍, 감소한 음색 및 역설적인 과민성(혼자 있을 때 조용하고 안으면 울음)을 나타낼 수 있다. 수막염은 노인과 어린이 특히 당뇨, 신부전, 낭성섬유증이 있는 경우 고려한다. 면역억제 환자, 밀집된 환경에서 거주하는 환자(예; 군 복무자, 교도소 수용자, 대학 기숙사 거주자 등), 비장절제 환자,

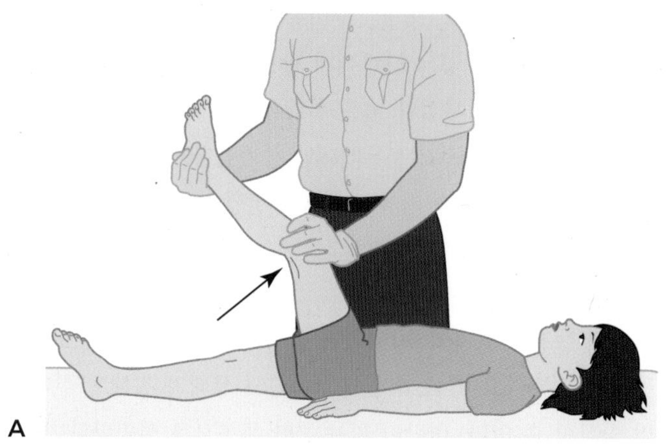

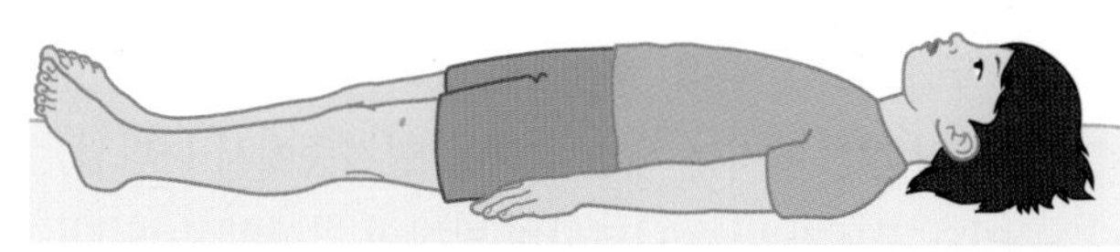

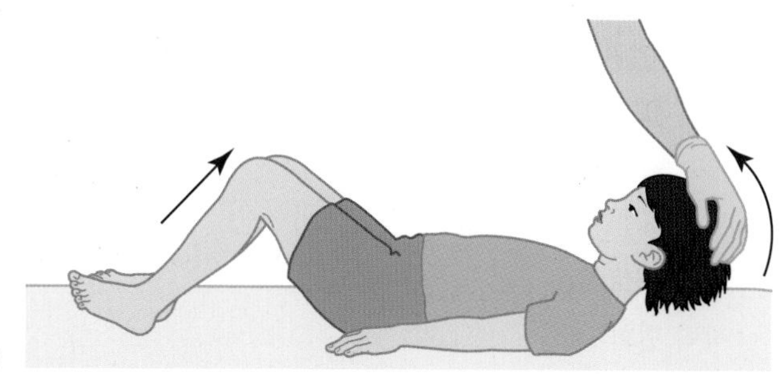

그림 5-12. A. 케르니크징후(Kernig's sign). 수막 자극은 바로누운자세에서 엉덩관절을 구부린 상태에서 다리를 곧게 펴지 못하게 한다. B. 브루진스키징후(Brudzinski's sign). 수막 자극 결과 바로누운자세에서 머리를 가슴쪽으로 구부를 때 무릎이 저절로 구부러진다.

알코올 중독 또는 기타 경화성 간질환 환자, 화학요법을 받는 환자, 정맥 라인으로 약물을 투여받고 있는 환자, 수막염에 노출된 환자 등 모두 이병에 걸릴 위험이 높다.

환자에게 뇌염이 의심되는 경우 마스크, 가운, 장갑 착용을 포함한 비말 예방 조치를 사영하여 입자의 공기 중으로 전파되는 것을 방지해야 한다. 환자의 질환에 처치 제공자가 노출되었을 가능성이 높은 경우 즉시 관리자나 관련 부서에 보고한다. 처치 제공자가 수막구균으로 인한 세균성 수막염에 노출되었을 가능성이 높은 경우 예방적 항생제 투여가 필요하다. 다른 유기체로 인한 수막염 예방은 지시되지 않는다. 주요 소견은 다음과 같다.

- 발열
- 의식상태 변화 특히 혼란 또는 의식 감소
- 수막증의 삼 징후(목 강직, 눈부심, 두통)

감별 진단

수막염의 감별 진단에는 뇌 고름집, 종양, 뇌염, 진전 섬망, 출혈 및 뇌졸중이 포함된다.

처치

환자의 기도, 호흡 및 순환 상태가 안정화되었는지 확인하고 쇼크나 저혈압 환자를 처치하기 위해 정맥 라인으로 수액 투여를 시작한다. 수막염 환자는 발작의 위험성이 높으므로 발작을 예방하고 지침에 따라 처치를 시행한다. 만약 환자의 의식상태가 변화되면 기도유지를 시행한다. 환자가 명료하고 수막염의 초기 단계면 자세히 모니터링하고 산소를 공급하며 정맥 라인을 확보하고 신속하게 응급실로 이송한다. 수막염 환자는 이송 중에 보상 기전 상실이 있을 수 있으므로 기도 유지와 호흡을 조절하고 발작이 발생할 때 처치할 준비를 한다.

수막염이 의심되는 환자는 대부분 응급실에서 치료할 수 있다. 환자가 14세 미만인 경우 적절한 거리에 소아청소년과 전문 병원이 있는 경우 이송하는 것을 고려한다. 응급실에 있는 동안 환자는 안정되고 뇌졸중이나 출혈을 배제하기 위해 머리 CT 검사를 수행할 수 있다. 검사에는 일반적으로 뇌척수액 평가를 위한 허리천자가 포함한다. 세균성 수막염이 의심되면 환자는 정맥 라인으로 항생제를 투여한다. 환자는 또한 코르티코스테로이드를 투여 받을 수 있다.

정상 압력 수두증

정상 압력 수두증은 뇌실에 과도한 양의 뇌척수액이 있지만, 허리천자에 의해 결정될 때 정상적인 뇌척수액 압력이 특징이다. 전형적인 세 가지 증상에는 요실금, 비정상적인 보행, 인지 장애 등이 있으며 이는 종종 가역적이다.

병태생리학

정상 압력 수두증 환자는 뇌실의 뇌척수액 양이 증가한다. 과도한 뇌척수액은 대뇌피질에서 나오는 신경 섬유에 압력을 가하여 임상 결과를 초래한다. 뇌척수액 축적은 일반적으로 거미막을 가로질러 경막 동까지 부적절한 흡수로 인한 것으로 여겨진다.

증상과 징후

정상 압력 수두증의 환자는 일반적으로 보행 장애, 요실금 및 인지 장애의 세 가지 징상을 나타낸다. 환자는 발을 질질 끌며 걷거나 넓어진 보행을 하는 경향이 있으며 일반적으로 파킨슨병 환자와 마찬가지로 첫걸음을 내딛는 데 어려움을 겪는다. 환자는 요실금을 경험하고 초기 단계에서 환자는 절박뇨와 빈뇨가 나타날 수 있다. 인지 장애는 일반적으로 무관심, 정신운동 감소, 주의력 감소, 집중력 상실로 구성된다. 주요 소견은 다음과 같다.

- 변화된 보행
- 요실금
- 의식상태 변화

감별 진단

장상 압력 수두증의 감별 진단에는 알츠하이머병 및 치매, 뇌졸중, 파킨슨병, 전해질 이상형, 독성 및 특발성 두개내압 상승의 원인이 포함된다.

처치

현장과 이송 중 환자에게 신체적, 정서적 지지를 제공한다. 응급실을 내원하면 방사선 검사와 실험실 검사를 통해 진단이 내려진 후 환자는 뇌척수액을 제거하고 지속해서 뇌척수액의 양과 압력을 감소시킬 수 있도록 배액관을 설치할 수 있다.

활력 징후, 과거 병력, 신체적 검사 결과에 대한 주의 깊은 모니터링과 기록은 환자를 이송하는 의료기관의 의료진에게 유용한 정보가 된다. 응급 처치는 일반적으로 필요하지 않지만, 환자가 발작하는 경우를 대비한다.

환자는 신경외과적 처치가 가능한 의료기관으로 신속하게 이송한다.

뇌정맥 혈전증

뇌정맥 혈전증(CVT)은 뇌의 정맥과 경막동 사이에 형성되는 혈전이다. 이는 오직 부검으로만 진단할 수 있으므로 한때 드물다고 생각되었던 이 질환은 전문적인 영상 기술을 통해 이전에 믿었던 것보다 더 흔한 것으로 나타났다. 남성보다 여성에게 더 자주 발생하며 성인기나 중년에 발생하는 경향이 있다.

병태생리학

뇌정맥 혈전증은 일반적으로 응고 항진 상태(임신, 악성 종양 및 경구 피임약 사용 중에 발생할 수 있는 혈전 형성 경향이 비정상적으로 증가함), 얼굴, 부비동염 또는 머리 외상과 같은 기저 위험 요소가 있는 사람에서 발생한다. 응고된 혈액은 정맥 시스템의 국소 부위나 넓은 부위에서 존재할 수 있다. 뇌정맥 혈전증은 뇌부종 또는 두개내압 증가를 유발하여 전체적이거나 국소적 신경학적 기능 장애를 유발할 수 있다.

증상과 징후

뇌정맥 혈전증 환자의 90%에서 발생하는 가장 흔한 주요호소 증상은 두통이고 이 초기에 국소화되고 상태가 진행됨에 따라 더 확산할 수 있다. 벼락이 치는 듯한 두통으로 설명한다. 뇌에 대한 국소적 영향은 뇌졸중과 유사한 증상을 유발할 수 있으며 증가한 두개내압은 더욱 일반적인 효과와 시력 장애를 유발할 수 있다. 뇌신경 마비는 해면 정맥동 혈전증에서 나타날 수 있다. 구역과 구토가 나주 나타나며 발작이 발생할 수 있다. 다른 증상으로는 반신불완전마비, 실어증, 운동 실조(보행 변화), 어지러움, 귀울림(귀 안에서의 울림), 복시 및 얼굴 쇠약 등이 있다. 주요 소견은 다음과 같다.

- 두통
- 구역/구토
- 시력 변화
- 귀울림

감별 진단

정맥 혈전증의 감별 진단에는 급성 뇌졸중, 머리 외상, 특발성 두개내압 상승, 신경 마비, 발작, 감염 및 루푸스가 포함된다.

처치

병원으로 이송 중 지지적 처치를 제공한다. 뇌졸중과 마찬가지로 기도 개방과 적절한 환기가 보장되어야 한다. 환자의 의식 상태가 변화되었거나 반신완전마비가 있는 경우 흡인을 방지하기 위해 환자에게 먹거나 마실 것을 제공하지 않는다. 정맥 라인으로 수액을 투여하고 보충 산소를 공급할 수 있으며 발작을 일으키면 지침에 따라 처치한다. 일반적으로 병원에서 환자는 CT나 MRI 검사 결과를 통해 감염 과정을 배제할 수 있다. 환자는 허리천자를 포함한 검사실 검사를 수행할 수 있으며 더 이상의 응고를 막기 위해 환자에게 혈액 희석제를 사용할 수 있다.

정맥동에 혈전이 있는 환자는 외과적으로 삽입된 미세 도관을 사용하여 혈전용해제를 투여하는 경우가 많으므로 병원에서 치료 방사선과 및 신경외과적 지원이 권장된다.

고혈압 뇌병증과 악성 고혈압

고혈압 응급 상황은 심각한 고혈압 상황에서 머리, 신장 또는 심장의 손상을 포함한다. 고혈압성 뇌병증은 극도로 높은 혈압과 관련된 신경학적 증상을 나타낸다. 악성 고혈압은 망막 출혈과 시신경유두부종 등을 나타낸다. 이러한 증상은 보통 혈압이 낮아지면 되돌릴 수 있다.

대부분의 고혈압성 뇌병증 환자는 이미 고혈압의 병력을 가지고 있다. 그렇지 않은 사람들의 경우 병력 청취는 약물 사용을 포함하여 고혈압의 원인을 확인하기 위해 특별히 초점을 맞춘 질문이 필요할 수 있다.

병태생리학

건강한 환자에서 대뇌 자동조절은 평균 동맥압 범위를 통해 정상 상태의 뇌 혈류를 약 50~150mmHg로 보존한다. 만성 고혈압 환자의 경우 효과적인 자동조절의 범위가 더 높은 범위로 이동하여 더 높은 혈압에서 보호할 수 있다. 혈압이 급격하게 상승하면 대뇌 자동조절이 극복되어 두개내 혈관의 압력 증가, 혈관 손상과 혈액 뇌 장벽(BBB) 손상이 발생한다. 이러한 것은 모세혈관 액체 누출 및 그 결과로 뇌부종을 일으킨다. 두개내압이 증가하면 눈에서 망막 출혈을 유발하고 시신경유두부종이라고 하는 시신경의 부종을 일으킬 수 있다.

증상과 징후

환자는 두통, 혼란, 시력 장애, 발작, 구역, 구토를 할 수 있다. 대동맥 박리, 울혈심부전, 협심증, 두근거림, 시신경유두부종, 혈뇨와 같은 다른 장기 손상에 주의한다. 주요 소견은 다음과 같다.

- 고혈압
- 두통
- 구역 / 구토
- 시력 변화
- 의식상태 변화 또는 국소 신경학적 결핍

감별 진단

고혈압성 뇌병증과 일치하는 증상을 보이는 환자는 신장 질환, 크롬친화세포종, 자간전증, 자간증(임산부에서)이 있을 수 있다. 환자는 혈압 급상승을 유발한 특정 음식이나 약물을 복용했거나 고혈압약 또는 알코올 섭취를 중단했을 수 있다. 그러나 고혈압은 증상의 원인이 아니라 다른 병리학적 과정의 결과일 수 있다. 뇌출혈, 외상, 뇌졸중은 감별 진단의 일부로 고려한다.

처치

의료 지도 의사의 지시가 있으면 보충 산소를 투여하고 정맥 라인을 확보한다. 수축기 혈압이 220mmHg 이상이거나 이완기 혈압이 120mmHg 이상인 경우에만 혈압을 낮추기 위한 처치가 일반적으로 보장된다. 이러한 목적을 달성하기 위해 일반적으로 사용되는 약물로는 라베탈롤과 히드랄라진을 정맥 라인으로 볼루스로 투여하거나 니트로프루시드, 니카르디핀, 니트로글리세린을 정맥 라인으로 점적 투여하고 클로니딘은 경구로 투여한다. 대부분의 지상 EMS의 경우 사용할 수 있는 유일한 약물은 니트로글리세린 혀밑 투여이지만, 일부에서는 현재 혀밑 투여용 캡토프릴을 사용하거나 정맥 라인으로 투여할 수 있는 에날라프릴 등과 같은 안지오텐신전환효소(ACE) 억제제를 보유하고 있다. 혈압을 빠르게 낮추면 허혈뇌졸중이나 심근경색과 같은 심각한 합병증을 초래할 수 있기 때문에 주의한다. 혈압을 25% 이상 급격히 낮추어서는 안 되며 6시간 이내에 이완기 혈압은 100mmHg로 유지하는 것이 합리적인 목표이다.

급성 고혈압 환자는 갑작스러운 두개내출혈이 발생하여 의식을 잃거나 기도를 유지할 수 없게 될 수 있으므로 적절하게 기도을 유지할 수 있도록 한다.

베르니케 뇌병증 / 코르사코프증후군

베르니케 뇌병증과 코르사코프증후군은 같은 병리학적 과정의 다른 단계로 생각되며 베르니케 뇌병증은 코르사코프증후군으로 진행된다. 티아민 또는 비타민 B1의 급성 결핍은 베르니케 뇌병증(Wernicke encephalopathy)이라고 알려진 질환을 일으킬 수 있으며 이것은 급성 혼동, 실조증, 안근마비(눈 근육의 비정상적 기능)의 세 가지 증상을 특징으로 한다. 그러나 영향을 받은 환자의 1/3만이 세 가지 증상을 모두 나타낸다.

코르사코프증후군(Korsakoff syndrome)은 질병의 후기 단계, 특히 기억 상실의 증상을 지칭하는 용어이다. 이 증후군은 종종 알코올 중독 환자에서 흔히 볼 수 있지만, 장기간 혈액 투석을 받는 환자나 후천면역결핍증후군(AIDS) 환자와 같이 영양실조 환자에서 발생할 수 있다. 코르사코프증후군 진단 시 평균 연령은 약 50세이지만, 대사 장애가 있거나 비경구 영양을 섭취하거나 티아민 또는 기타 비타민이 부족하게 음식을 먹는 젊은 환자에서 발생할 수 있다.

병태생리학

티아민은 탄수화물의 대사에 중요한 역할을 한다. 사용 가능한 티아민이 너무 적으면 이러한 세포 체계가 작동하지 않아 사용 가능한 에너지가 충분하지 않아 세포가 사멸된다. 가장 심각한 영향을 받는 체계는 뇌와 같이 높은 대사 요구로 인해 빠른 전환을 보이는 체계이다. 에너지 생산이 감소하고 신경학적 손상이 발생하여 세포 부종과 신경계 손상을 유발한다.

증상과 징후

베르니케 뇌병증의 진단은 알코올 남용이나 영양실조, 혼동, 안구 기능이상 및 기억 장애의 급성 증상을 보이는 모든 환자에게 베르키네 뇌병증 진단을 고려한다. 가장 흔하게 볼 수 있는 안과 문제는 안진, 양측 가쪽곧은근 마비, 비공역성 시선(dysconjugate gaze)이다. 시력상실은 보통 관찰되지는 않는다.

뇌병증은 전반적인 혼동 무관심, 초조 또는 부주의로 나타날 수 있다. 혼수상태나 낮은 의식 수준과 같은 심각한 의식상태의 변화는 거의 관찰되지 않는다. 환자의 약 80%는 말초신경병증을 앓고 있다. 저혈압, 구역, 체온 불안정도 티아민 결핍으로 인해 발생할 수 있다. 영아는 변비, 초조, 구토, 설사, 식욕 부진, 눈 질환 또는 발작 및 의식 소실을 포함한 의식상태 변화가 있을 수 있다. 주요 소견은 다음과 같다.

- 위쪽 및 안쪽으로 움직이는 상승 및 주변 쇠약
- 혼합된 상부 및 하부 운동 뉴런 소견

감별 진단

감별 진단에는 알코올 또는 불법 약물 중독, 섬망, 치매, 뇌졸중, 정신병, 폐쇄 머리 손상, 간부전으로 인한 뇌병증 및 발작 후 상태가 포함된다.

처치

병원에서 환자는 혈액 검사, 전해질 측정, 허리천자, 동맥혈가스 분석, CT, MRI 등 가능한 검사를 거쳐 감별 진단을 평가한다.

기도유지, 산소 공급 보장, 혈압 및 체액 조절 유지에 집중한다. 만약 이 상태가 의심되는 경우 경험에 의존한 티아민 투여를 시작한다. 티아민은 경구로 투여할 수 있지만, 흡수를 보장하기 위해 종종 정맥 라인이나 근육 내로 투여한다. 티아민의 초기 용량은 일반적으로 100mg이지만, 시간이 지남에 따라 뇌병증을 되돌리기 위해서는 500mg까지 필요할 수 있다.

일부 임상의는 환자가 티아민 결핍 상태에 있는 경우 티아민을 투여하기 전에 포도당을 투여하는 것에 대해 우려를 표명했다. 그 우려는 포도당이 뇌병증을 악화시킬 수 있다는 것이다. 그러나 이 효과는 티아민을 동시에 투여하지 않고 장기간 포도당을 투여받는 환자에게서만 나타난다. 티아민을 즉시 사용할 수 없더라도 저혈당이 발생한 경우 병원 전 환경에서 포도당만을 투여하는 것이 안전하다.

베르티케 뇌병증이 진단으로 간주할 가능성이 있는 경우 의식상태가 변화된 환자에게 티아민과 포도당을 투여한다. 이전에는 이 요법이 병원 전 및 응급실 환경에서 경험적으로 제공되었다. 현재 이것은 EMS에 의해 거의 관리되지 않으며 일반적으로 매우 작은 비율의 응급실 환자에게 제공한다. 특별한 이송 결정은 내릴 필요는 없다. 환자는 어느 병원으로든 이송할 수 있지만, 소아는 소아 전문 센터로 이송한다.

편두통

편두통은 경증에서 중증의 반복되는 두통으로 인지 또는 시각 장애, 현기증, 구역 및 구토와 같은 신경학적 증상이 때때로 동반된다. 두통은 편측성 또는 양측성일 수 있다. 편두통은 종종 어린 시절에 시작되어 청소년기와 초기 성인기에 더 자주 발생한다. 환자의 약 80%는 30세 이전에서 첫 편두통을 경험하고 50세 이후에는 두통이 덜 빈번해지는 경향이 있다. 흔한 편두통 유발 요인은 다음과 같다.

- 스트레스
- 질병
- 신체 활동
- 수면 양상 변화
- 높은 고도 및 기타 기압 변화
- 식사 건너뛰기
- 특정 약물(경구 피임약 등) 복용
- 카페인, 알코올 및 특정 음식 섭취
- 밝은 빛, 소음, 불쾌한 냄새 등에 노출

병태생리학

편두통의 병태생리학은 완전하게 이해되지 않는다. 최근 연구에 따르면 세로토닌과 도파민과 같은 뇌의 신경 전달 물질은 통증을 유발하는 혈관 확장을 일으키는 염증성 연쇄 반응을 자극한다. 구역 및 구토와 같은 편두통과 관련된 일부 증상은 도파민 수용체 활성화와도 관련이 있다. 많은 도파민 길항제가 임상적으로 편두통 치료에 효과적인 것으로 밝혀졌다.

증상과 징후

어지럼, 귀울림 그리고 시야에서 번쩍이는 빛이나 지그재그 선에 대한 인식으로 구성된 전조 증상은 편두통을 동반할 수 있다. 비록 다양한 신경학적 증상이 편두통 증후군과 관련이 있거나 원인으로 알려졌지만, 두통은 종종 욱신거리고 편측정이며 눈부심 및 소리 공포증을 동반한다. 편두통의 하위유형으로는 눈(시야의 암점 또는 일시적인 시력상실), 편마비(일부는 뇌경색으로 영구적인 쇠약을 초래), 뇌줄기(현기증, 구음장애, 귀울림, 복시, 실조증과 관련된)가 포함될 수 있다. 편두통은 보통 4시간에서 72시간 지속되고 환자는 종종 조용하고 어두운 방에 있는 것을 선호하며 처음에는 처방전 없이 구입할 수 있는 약물로 두통을 치료하려고 할 수 있다. 주요 소견은 다음과 같다.

- 두통
- 눈부심
- 구역/구토
- 소리나 냄새에 대한 민감도 증가
- 편두통의 병력

감별 진단

편두통의 감별 진단에는 다른 일차 두통(군발성 또는 긴장성과 같은), 감염(수막염과 부비동염과 같은), 측두 동맥염, 허혈 뇌졸중 또는 출혈뇌졸중 또는 출혈이 포함된다. 또한, 뇌종양, 두개내압 증가, 특발성 두개내 고혈압, 누출 동맥류, 아편제제 금단으로 인한 편두통과 유사한 두통을 유발할 수 있다 또한 편두통과 비슷한 두통을 유발할 수 있다. 편두통에 대한 광범위한 감별 진단을 고려할 때 관련 신경학적 증상이 있는 두통이 추가 평가 및 검사 없이 "유일한" 편두통이라고 가정하지 않도록 주의한다. 즉, 앞서 설명한 "비정형" 또는 "아형" 편두통 두통은 급성 뇌졸중과 같은 다른 관련 진단이 배제된 후에 진단되어야 한다.

처치

환자가 불편해 보일 수 있지만, 환자의 상태는 일반적으로 안정적이다. 아편유사 진통제는 사용하지 않는다. 항구토제 처치는 동반되는 구역질을 처치하는 것뿐만 아니라 편두통의 주기와 강도를 줄이는 데 도움을 줄 수 있다. 환자가 구토를 했다면 정맥 라인으로 수액을 투여하는 것도 도움이 될 수 있다.

편두통의 병력이 있는 환자는 뇌졸중이나 기타 응급 상황을 특히 심각한 편두통 또는 복잡한 편두통으로 오인할 수 있다. 이러한 다른 상태 중 하나가 존재할 경우 신경학적 상태의 갑작스런 변화에 주의한다.

감별 진단에는 뇌졸중과 두개내출혈이 포함되기 때문에 환자를 이러한 의학적 상태를 치료할 수 있는 의료기관으로 이송한다. 환자는 빛과 소리에 매우 민감하기 때문에 조명을 크거나 사이렌을 작동하지 않은 상태에서 눈을 감거나 가리고 이송하는 것을 선호할 수 있다. 일반적으로 이송 중에 지지적 처치를 시행한다.

측두동맥염

“거대 세포 동맥염”으로도 알려진 측두동맥염은 측두 부위에 욱신거리거나 타는 듯한 통증을 유발하는 측두동맥의 염증으로 종종 삼키거나 씹는 데 어려움을 겪거나 시각 장애 및 기타 증상을 동반한다. 다른 동맥에도 염증이 생길 수 있다. 이 질환은 50세 이상의 성인, 특히 70대 여성에게 영향을 미치는 있다.

병태생리학

측두동맥염의 정확한 병태생리학은 알려지지 않았다. 일부 연구자들은 감염이 원인이라고 추측하지만, 이것은 결코 증명되지 않았다. 또 다른 가설들은 동맥벽에서 T 세포 증식을 자극하는 자가면역 반응과 관련이 있다.

증상과 징후

환자는 일반적으로 측두동맥 부위의 두통과 두피 압통을 호소한다. 두통은 급성으로 시작되지만, 머리의 한쪽에만 영향을 미친다. 또한, 환자는 전형적으로 턱의 파행과 측두 부위의 붓기, 삼킴곤란, 쉰 목소리, 기침 등이 나타나며 발열도 흔하다. 빈번하고 매우 우려되는 합병증은 동측 눈의 시각 장애이다. 때때로 환자는 청력 소실이나 현기증을 호소한다. 다른 증상과 징후로는 발한, 체중 감소를 동반한 식욕 부진(식욕 소실), 근육통, 피로, 쇠약, 입안 염증, 잇몸 출혈이 있다. 주요 소견은 다음과 같다.

- 두통(보통 편측 및 측두 부위)
- 일시적 두피 압통 및 홍반
- 시각 장애(보통 한쪽 눈)
- 노인

감별 진단

측두동맥염의 감별 진단에는 기타 염증성 류마티스 질환, 악성 종양, 편두통, 종양 및 감염 등이 있다.

처치

지지적인 처치를 제공한다. 의료기관에서 환자는 혈액 검사, 방사선 검사, 측두동맥 생검 등을 포함하는 일련의 검사를 받을 수도 있다. 측두동맥염이라고 생각되는 환자는 일반적으로 혈관 염증을 감소시키기 위해 코르티코스테로이드를 처방한다.

발작

발작은 의식 소실 및 변화, 경련 또는 떨림, 실금, 행동 변화, 주관적 지각(맛, 냄새, 공포) 변화 및 기타 증상의 소실 또는 변화를 일으킬 수 있는 대뇌 피질에서의 비정상적으로 과도하거나 동시에 생성되는 신경 활동의 일시적인 발생이다.

발작은 신경학적 손상 및 질병의 흔한 비특징적인 증상이며 근본적인 비정상에 대한 일차 또는 이차적으로 발생할 수 있다. 발작은 발열, 감염, 약물 복용/금단, 급성 신경학적 손상(예, 뇌졸중, 외상), 구조적 변화(예, 뇌종양, 퇴행성 질환), 임신 합병증, 대사 장애, 전해질 불균형, 선천성 질환에 의해 발생할 수 있다. 발작(반사 발작)은 가벼운 깜빡임, 특정 시각적 양상 또는 심지어 양치질로 인해 발생할 수 있다. 모든 발작의 거의 70%는 알려진 원인이 없다(특발성).

발작의 병력이 있는 사람은 단순히 월경 호르몬 변화(생리 뇌전증)로 인해 발작의 빈도와 중증도를 악화시킬 수 있다. 발작의 병력이 있는 사람의 다른 유발 요인은 약물을 정확하게 복용하지 않은 것, 제품명이 알려진 약을 복제 약으로 변경, 수면 부족, 피로, 스트레스, 질병 및 탈수 등도 포함된다.

뇌전증은 뇌의 지속적인 이상이 재발성 발작을 일으키는 질환이다. 이것은 선천적이거나 후천적인 구조적, 대사적 또는 유전적 이상일 수 있다. 저나트륨혈증과 같은 일시적인 이상으로 인한 발작은 뇌전증으로 간주하지 않는다.

발작은 전신 발작과 국소 발작으로 분류할 수 있다. 전신 발작은 양쪽 대뇌 반구를 모두 포함하며 의식 소실과 관련이 있다. 국소 발작은 대뇌 반구의 한쪽만 주로 관련되므로 각성이 유지되지만, 의식상태, 반응 또는 행동에 변화가 있을 수 있다. 전신 발작에는 소발작, 무긴장발작, 강직발작, 간대 발작, 강직간대발작 등의 유형이 있다. 국소 발작의 분류는 나중에 논의된다.

병태생리학

발작은 뇌 안에서 흥분성과 억제성 사이의 불균형이 있을 때 발생하는 것으로 생각되며 흥분성 힘에 유리하게 움직인다. 연구자들은 발작이 뇌의 대뇌 피질에서 억제성 신경전달 물질인 감마아미노부티르산(GABA)의 감소, 또는 흥분성 신경전달 물질인 글루타메이트의 증가에 의해 발생한다고 믿고 있다. 활성 발작을 멈추기 위해 일반적으로 사용되는 벤조디아제핀은 감마아미노부티르산(GABA)의 분비를 증가시켜 신경 활동을 억제한다.

발작은 세 가지 뚜렷한 단계가 있다. 발작의 유형에 따라 모든 단계가 관찰되는 것은 아니다. 일부 환자는 발작이 일어나는 몇 시간 또는 며칠 전에 증상을 경험할 수도 있다. 발작 전 단계는 관찰할 수 있는 발작 활동 직전의 기간이며 임박한 발작에 대한 전조 증상이나 경고를 포함할 수 있다. 전조 증상은 몇 초 또는 몇 분 동안 지속되는 매우 작은 국소 발작이다. 항경련제가 전조 증상을 모호하게 하거나 변화시킬 수 있지만, 환자는 발작 직전에 쇠약, 덥거나 추위를 느끼거나 비정상적인 명치 부위의 감각이 있다고 말할 수 있다. 다른 사람들은 자신의 전조 증상을 말하거나 이해하는 데 어려움, 갑작스러운 공포감, 두통, 존재하지 않은 소리를 듣거나 불쾌한 냄새를 맡는 것, 혀가 얼얼한 느낌 도는 시각적 환각으로 설명한다. 발작 단계는 대뇌 피질에서 비정상적으로 과도하거나 동시에 생성되는 신경 활동의 일시적 발생이 일어날 때 실제적인 발작 활동이며 뇌파(EEG)에 기록될 질 수 있다. 관찰할 수 있는 다양한 임상 증상은 비정상적인 전기적 활동의 위치와 관련이 있다. 발작 후 단계는 발작 활동이 진정되면서 발작 직후에 발작 후 단계가 나타나며 발작 후 회복 기간으로 간주한다. 어떤 환자는 즉시 회복되지만, 다른 환자는 발작의 유형, 지속 시간 및 뇌 내의 활동 위치에 따라 평소처럼 느끼고 행동하는 데 몇 분에서 몇 시간이 걸릴 수도 있다. 환자는 발작을 인지하거나 무슨 일이 일어났는지 모른 채 깨어날 수 있다. 전신발작은 의식을 완전히 소실하는 반면에 국소 발작은 일반적으로는 그렇지 않다. 전신발작 동안 환자는 말을 하거나 손을 내밀거나 의도적인 활동을 할 수 없다. 전신 강직간대발작 후에는 발작 후 단계가 더욱 심해 기억상실, 혼동, 피로 또는 혼수상태로 나타날 수 있다.

전신 강직간대발작을 포함한 대부분의 발작은 2분 이내에 종료되고 일부는 5분 이상 지속된다. 단 한 번의 단시간 발작은 보통 생명을 위협하지 않는다. 그러나 뇌전증 지속상태(이 장의 뒷부분에서 논의될)라호 하는 장기간의 발작은 생명을 위협하는 의학적 및 신경학적 응급 상황으로 신속한 진단과 즉각적인 처치가 필요하다.

증상과 징후

대부분은 가족 구성원이나 목격자는 EMS에 전화를 걸어 경련을 일으키는 것을 보거나 혼동스러워하고 지남력을 잃은 행동을 하거나 목적 없이 방황하는 사람이 있다고 신고할 수 있다. 목격자들은 그 사람이 발작을 일으키려고 한다고 믿고 EMS에 도움을 요청할 수 있다. 수년 동안 발작은 전신발작 또는 부분발작으로 분류되었지만, 2010년 국제뇌전증연맹(ILAE) 위원회는 개정된 분류를 발표했으며 이 분류는 2017년(표 5-6)에 다

표 5-6. 발작의 분류
전신 발작 발병
운동성
■ 강직간대 발작
■ 무긴장 발작
■ 뇌전증 연축
■ 근간대 발작
■ 근간대 강직잔대 발작
■ 간대 발작
■ 강직 발작
■ 근간대성발작
비운동성(소발작)
■ 전형적인 발작
■ 비정형 발작
■ 근간대 발작
■ 눈꺼풀 근간대경련
국소 발작 발병
운동성 발병
■ 자동증
■ 무긴장 발작
■ 강직 발작
■ 뇌전증 연축
■ 운동과다
■ 근간대성발작
■ 강직 발작
비운동성 발병
■ 자율
■ 행동 정지
■ 인지
■ 감성적인
■ 감각
알 수 없는 발병
운동성
■ 강직간대 발작
■ 뇌전증 연축
비운동성
■ 행동 정지

Fisher RS, Cross JH, French JA, et al: Operational classification of seizure types by the International League Against Epilepsy: Position Paper of the ILAE Commission for Classification and Terminology. *Epilepsia*. 58(4): 522-530, 2017.

시 업데이트되었으며 전신발작이라는 용어는 유지하지만, 부분발작은 국소 발작으로 변경되었다.

2010년 국제뇌전증 연맹 분류에 따르면 전신발작은 양방향으로 분산된 네트워크 내의 특정 지점에서 시작되어 빠르게 관여한다. 전신발작은 처음에 의식 소실로 시작되며 이는 짧거나 연장될 수 있지만, 발작 후 단계까지 계속된다.

전신발작에는 여러 하위 유형이 있다. 강직간대발작 형태는 강직(머리, 몸통, 팔다리의 굴곡 또는 신전)으로 시작하여 간대발작(팔다리 또는 목의 리듬 있는 운동 경련)이 된 다음 환자가 발작 후 단계가 되면 해소되는 경향이 있다. 전신발작의 다른 형태는 강직, 간대, 근간대 율동 수축, 무긴장, 소발작 등이 있다.

전신발작 동안에 환자는 기도 폐쇄를 경험하거나 적절하게 호흡하지 않을 수 있다. 처치 제공자는 기도를 유지하고 보조 환기를 시행할 준비를 한다.

국제뇌전증 연맹에 따르면 국소 발작은 한쪽 반구로 제한된 네트워크 내에서 발생하며 이는 개별적으로 국소화되거나 너 광범위하게 분포할 수 있다. 국소 발작은 뇌전증이 있는 환자가 경험하는 가장 흔한 유형의 발작이며 일반적으로 1~3분 동안 지속된다. 국소 발작의 두 가지 하위 분류는 다음과 같다.

- 의식과 각성상태가 유지되는 국소 발작. 이 발작은 보통 한쪽 반구의 매우 작고 정의된 영역에서 시작하여 유지되며 뇌의 해당 영역에서 오는 것으로 식별될 수 있는 이상을 초래한다. 예를 들어, 대뇌 피질의 오른쪽 운동 영역에서 발작이 시작되어 유지되면 왼쪽 팔, 다리 또는 얼굴에서 리드미컬한 움직임이 발생할 수 있다. 환자는 일반적으로 항상 깨어 있고 발작 활동을 인식한다. 만약 환자가 의식이 없거나 의식상태가 변화된 경우 의식 저하의 다른 원인을 고려하고 평가한다.
- 의식과 각성상태의 장애가 있는 국소 발작. 이 발작(이전 용어는 복합 부분 발작)은 한쪽 반구에서만 발생하지만, 더 넓은 영역이나 전체 반구에서 발생한다. 환자는 의식을 유지하지만, 주변 상황이나 위험한 상황을 인식하지 못하거나 친구를 구별할 수 없다. 그들은 조용히 앉아서 자동적인 모습을 보일 수도 있고 아니면 옷을 벗고 비명을 지르거나 심지어 차도에 뛰어들기도 한다. EMS 제공자는 국소 발작을 보이는 환자에게 접근하여 처치할 때 극도로 주의한다. 이 유형의 발작이 있는 환자는 공격적인 것으로 알려져 있으며 신체적인 접촉이나 구속에 격렬하게 저항할 수 있다. EMS 처치 제공자와 경찰관이 이 환자가 흥분해 지지를 따르지 않는다고 믿고 제압을 시도하는 동안 이 질환을 자진 많은 사람이 손상을 입었다. 이로 인해 미국 장애인법에 명시된 개인의 법적 권리를 침해하는 소송이 제기되었다. 이 질환이 있는 많은 환자는 이 발작 장애가 있음을 나타내는 환자 인식표를 착용한다. 이 발작은 몇 분 이내에 저절로 멈추기 때문에 일반적으로 의학적 처치가 필요하지 않다.

"관찰하고 견제하며 억제하지 않는다"는 국소 발작을 일으키는 사람을 처치하는 가장 쉬운 방법이다. 환자에게 조심스럽게 다가가 침착하게 말한다. 다시 한번 말하지만, 신체 접촉을 최소화하여 폭력적인 행동을 유발하지 않는다. 목격자와 대화하여 그들이 목격한 내용을 듣는다. 정상 상태에서 현재 상황으로 느리게 변화하였는가? 아니면 빠르게 변화하였는가? 국소 발작은 빠르게 일어나고 관찰되면 보통 정상적인 행동에서 급격한 변화가 나타난다. 행동 변화 유형의 약물이나 알코올로 인한 느린 변화와 다르다. 그러나 환자는 흥분해 동시에 국소 발작을 일으킬 수 있다. 보고된 인식 변화, 멍한 응시, 혼동, 반응에 불능, 중얼거림, 감정적인 폭발, 자동증 및 방황을 기록한다. 발작이 끝나면 환자는 일반적으로 긴장이 풀리고 의식 수준과 각성수준이 회복된다. 환자는 피곤해하고 15분 정도 혼란 상태에 있을 수 있으며 몇 시간 동안 완전한 기능으로 회복되지 않을 수 있다.

국소 발작 동안 의식이 유지되지만, 국소 발작은 무의식과 전신발작으로 발전할 수 있다. 국소 발작의 주요 소견은 다음과 같다.

- 의식상태 변화
- 국소적이거나 전신적으로 율동적이고 통제되지 않는 움직임
- 멍한 주시 또는 쓰러짐 발작, 눈꺼풀 떨림
- 끙끙거리는 소리, 반복되는 단어와 문구, 웃음, 비명, 울음
- 옷을 벗고, 차도로 뛰어 들어가기, 목적 없이 돌아다니기
- 자동증
- 가족, 친구 또는 간병인이 설명한 발작 후 상태

뇌전증 지속상태(SE)는 5분 이상 지속되는 지속적인 경련 또는 경련 전 신경학적 기준으로 돌아가지 않고 5분 간격으로 경

련이 반복적으로 발생하는 것으로 정의된다. 뇌전증 지속상태는 환자 팔다리의 긴장성 및 간대성 운동의 존재에 따라 경련성 및 비경련성 유형으로 추가로 분류된다. 뇌전증 지속상태는 즉각적인 진단과 즉각적인 처치가 필요한 생명을 위협하는 의학적 및 신경학적 응급상황이다. 뇌전증 지속상태 동안에는 대뇌의 포도당과 산소 공급이 고갈될 수 있다. 전신적인 저산소증, 고이산화탄소혈증, 산증, 혈압 변화, 고체온, 신경성 폐부종, 횡문근융해 등이 발생할 수 있다. 뇌전증 지속상태 30분 후에는 뇌의 병리학적 변화가 일어나고 60분 후에 신경세포가 죽기 시작한다.

비경련성 뇌전증 지속상태(NCSE)는 뇌전도(EEG)에서 연속 또는 거의 연속적인 발작과 관련된 최소 30분에서 60분 사이에 의식상태 변화로 정의된다. 이러한 유형의 발작은 급성 외상성 뇌 손상 후 자주 발생하고 중환자의 8~20%에서 보고된다. 비경련성 뇌전증 지속상태의 진단 및 처치가 지연되면 사망률이 증가할 수 있다.

비경련성 뇌전증 지속상태는 소발작, 국소 발작으로 나타날 수도 있고 또는 EEG에서만 관찰될 수 있다. 이러한 이유로 발작 후 5~10분 후에도 의식이나 각성수준이 호전되지 않을 경우 EMS 제공자는 환자가 비경련성 뇌전증 지속상태에 있을 가능성을 고려하고 지침에 따라서 처치하고 의료 지도 의사에게 의료 지도를 받는다.

정신성 비뇌전증 발작(PNES)은 비뇌전증 행동발작(NEBS)이라고도 하고 이전에는 가성 발작으로 불렸으며 비정상적인 움직임과 의식상태 변화가 있는 전신발작 활동처럼 보일 수 있지만, 비정상적인 신경 활동으로 인한 것은 아니다. 정신성 비뇌전증 발작은 주로 스트레스와 관련이 있거나 감정적인 원인으로 인해 발생할 수 있다. 뇌전도 모니터링 없이 정신성 비뇌전증 발작을 진단하는 것은 거의 불가능하고 뇌전증으로 오진하는 가장 흔한 상태이다. 또한 뇌파를 이용해 진단한 발작 장애를 가지고 다른 시간에 여전히 정신성 비뇌전증 발작을 나타내는 것도 가능하다. 그러나 환자가 "가짜로 발작" 한다고 생각하여 처치 및 항경련제 투여를 보류하는 것은 위험할 수 있으므로 지침에 따라 추정되는 발작을 처치하고 의료 지도 의사의 의료 지도를 받는다.

정신성 비뇌전증 발작은 전신발작이나 비정상적인 전기적 방출로 인한 것이 아니므로 숨뇌나 환자의 호흡에 영향을 주어서는 안 된다. 환자는 일반적으로 호흡을 계속한다. 환자의 호흡과 이산화탄소 상태를 모니터링하기 위해 호기말이산화탄소분압측정을 시행하는 것이 잠재적으로 발작과 같은 비슷한 활동을 구별하는 데 도움이 된다.

감별 진단

발작에 대한 감별 진단에는 뇌졸중, 저혈당, 고체온, 편두통, 기억상실, 출혈, 종양, 대사 이상, 수면 장애, 운동 장애, 정신성 비뇌전증 발작 및 정신병 또는 약물 사용이 포함된다. 또한, 심정지, 혈관 증상 및 에토미데이트 투여 시 종종 갑자기 발작 활동과 혼동되는 근간대 경련이 나타난다.

처치

산소 공급, 환기 및 환자를 위험으로부터 보호하는 것은 병원 전 상황에서 가장 중요한 처치이다. 보호장비를 설치하거나 위험을 제거하여 환자를 손상으로부터 보호한다. 영아의 경우 블로바이 및 영아용 캐뉼러를 통해 산소를 공급한다. 환자에게 착용하는 산소마스크는 구토와 흡인의 가능성이 있으므로 주의해서 사용한다. 코인두기도기 삽입을 고려한다. 환자의 호흡수나 환기 노력이 부적절하거나 환자가 저산소 상태가 되면 보조 환기를 시행한다. 발작이 지속되는 경우 다른 발작을 처치할 수 있도록 이송 중에 발작 후에 정맥 라인을 확보한다. 모든 환자에게서 혈당 수치를 검사하고 필요한 경우 포도당을 투여한다. 환자가 고체온인 경우 체온조절을 시작해야 하지만, 환자가 떨지 않도록 한다. 환자를 옆으로 눕히거나 회복자세를 취하면 흡인으로부터 기도를 보호하는 데 도움이 된다. 기도유지가 되지 않는 다른 환자와 마찬가지로 활발하게 발작을 일으키는 환자에게 경구용 항경련제를 투여하지 않는다.

지속적으로 5분 이상 활발하게 발작을 일으키는 환자는 뇌전증 지속상태로 간주하고 발작을 멈추기 위해서 벤조디아제핀을 투여해 적극적으로 처치한다. 만약 정맥 라인 확보를 실패하였거나 지연되는 경우 근육 내(IM), 골강 내(IO), 코안(IN), 직장 등으로 초기 약물을 투여하는 것을 고려한다. 이것은 사용된 특정 벤조디아제핀을 기반으로 투여한다. 처치 제공자는 근육 내로 디아제팜을 투여해서는 안 되는 것과 같이 자신이 사용할 수 있는 특정 약물의 특성을 알아야 한다. 도착 전 신속한 항경련제 투여(RAMPART) 연구에서 근육 내 미다졸람을 투여하는 것과 정맥 내로 로라제팜을 성인에게 투여하는 것이 성인에게 똑같이 안전하고 효과적이라는 것을 발견했다. 미다졸람과 같은 특정 벤조디아제핀의 코안 투여(IN)는 어린이와 성인의 급성 재발성 발작을 조절하는 데 안전하고 효과적인 방법으로 나타났다. 영아나 어린아이를 위해 부모나 보육 제공자가 자주 사용하는 또 다른 방법은 디아제팜 겔을 직장내로 투여하는 것이다. 모든 벤조디아제핀은 호흡 억제를 일으킬수 있기 때문에 EMS 제공자는 현장에 도착하기 전에 환자에게 제공한 약물이나 처치 방법에 관해 물어보고 모든 발작 환자의 기도를 유지할 준비를 한다.

벤조디아제핀의 적절하고 반복적인 투여가 발작을 멈추는 데 효과적이지 않다면 레베디라세탐(케프라), 페니토인(딜란틴), 페노바르비탈과 같은 2차 약제를 투여한다. 이러한 약물들은 일반적으로 슈레스타, 조시, 체트리, 카르 및 아차랴(2015년)는 케타민이 특히 페노바르비탈에 내성이 있는 경우뇌전증 상태를 효과적으로 조절할 수 있다는 증거를 발견했다. 최후의 수탄으로 프로포롤을 포함한 전신 마취제이다. 최후의 수단은 프로포폴을 포함한 일반 마취 제제이다. 발작 후 상태에서는 지지적 처치가 최선의 처치이다. 발작 후 환자는 아마도 혼란스럽고 화를 내며 아마도 공격적이거나 폭력적일 수 있다. 환자를 안심시키고 무슨 일이 일어났는지 설명할 수 있도록 한다. 환자가 공공장소에 있는 경우 프라이버시를 보호하기 위한 필요성과 실금의 가능성을 고려해 옷을 잘라 제거한다. 병원 밖에서 발작을 일으킨 모든 환자는 평가를 받을 수 있도록 병원으로 이송할 필요는 없다. 만약 발작 후 환자가 의식 주준을 회복하는 경우 일부 EMS 체계에서는 처치 제공자가 환자가 정상적으로 회복되는지 모니터링하기 위해 최대 15분 정도 현장에 머물 수 있게 한다. 환자가 성년이고 각성 상태로 돌아오고 완전히 지남력이 정상적인 의식상태로 회복되면 환자는 의료기관의로 이송하는 것을 거부할 권리가 있다. 이상적으로는 환자가 현재 발작 장애로 인한 처치를 받고 있으며 약물을 복용하고 있는 경우 돌발적으로 발작이 발생할 때 취할 수 있는 계획이 있다. EMS 제공자는 환자가 담당 주치의에게 연락하여 발작과 관련된 내용을 알리도록 권장한다. 여러 요인(예를 들어, 질병, 운동, 식이 등)으로 인해 환자에게 처방된 뇌전증약(AED)은 더 이상 처치 수준이 아니며 조정할 필요가 있다. 모든 경우 지역 EMS 프로토콜은 발작 장애 환자의 안정화 또는 재평가를 위해 응급실로 이송해야 하는 환자를 결정해야 한다.

처음으로 발작을 일으키는 환자는 의료기관으로 이송되어 검사 및 평가를 받아야 한다. 마찬가지로 발작이 외상으로 인한 경우 가능한 흡인이 발생하거나 발작이 물에서 발생한 경우 환자가 노인, 당뇨병이 있거나 임신한 경우, 발작이 5분 이상 지속되거나 연속적으로 발생한 경우 또는 발작 후 간계에서 5분 이상 지속되거나 연속적으로 발생한 경우, 발작 후 단계 동안 5~10분 이내에 의식 수준이 명백한 개선이 없으면 환자를 이송한다. 발작이 외상에 의해 발생한 것으로 판단되며 의식이 저하된 경우 외과적 처치가 가능한 외상 센터나 다른 가능한 병원으로 이송한다.

열 발작은 6개월에서 3세 사이의 어린이에게 열에 의해 유발되는 경련이며 특히 유아에서 흔하다. 약 25명의 어린이 중 1명은 적어도 한 번은 열 발작을 일으킬 것이다. 대부분의 열 발작은 무해하다. 대부분의 몇 초에서 몇 분 동안 지속되며 대부분은 2분 미만이다. 짧은 열 발작이 뇌 손상을 유발한다는 증거는 없지만, 열 발작이 있는 특정 어린이는 뇌전증 발병 위험이 증가한다. 발작 중 아이가 숨을 쉬지 않기 때문에 아이의 피부색이 어둡거나 청색으로 변할 수 있다. 이러한 관찰은 발작 활동과 함께 발작을 목격한 적이 없는 부모와 목격자에게는 이 상황이 매우 무서울 수 있다.

EMS 제공자는 주로 고열(예, 질병, 감염)로 인한 발작이 다른 장애(예, 저혈당, 외상, 약물 노출)에 의해 유발될 수 있다는 것을 알아야 하므로 발작을 일으키는 다린 병리학을 고려하고 평가하는 것이 중요하다. 환자를 검사하는 동안 병력에 대해 질문하고 다른 가족 구성원에 관해 물어보고 현장에서 징후를 찾는다. 신체검사를 시행하는 동안 전염병과 관련된 징후(예, 점상 발진)와 외상의 증거가 있는 피부를 자세히 확인한다. 국소 신경학적 이상을 평가하고 중독으로 인한 구토 및 설사 또는 전해질 불균형의 가능성을 고려한다.

어린이가 몸을 떨고 더 많은 열을 발생시키지 않도록 한다. 냉각 조치와 해열제 투여는 열이 나는 어린이를 더 편안하게 만들 수 있지만, 열 발작의 초기 발생이나 재발을 감소시킨다는 연구는 없다. 기도를 유지하고 산소를 공급하며 어린이가 계속해서 호전되고 있는지 모니터링한다.

만약 발작이 5분 이상 지속되면 환자는 열 뇌전증 지속상태(FSE)로 간주하고 지침에 따라 적극적으로 처치한다. 열 뇌전증 지속상태는 자발적으로 멈추는 경우가 거의 없고 약물에 대해 상당히 내성이 있으며 처치를 해도 상당한 기간 지속된다. 벤조디아제핀을 정맥 라인, 근육 내, 코안, 골강 내로 투여할 수 없거나 지연되는 경우 직장으로 투여한다. 기도 유지와 호흡 상태를 유지한다. 산소포화도와 호기말이산환탄소분압을 모니터링 한다. 조기에 적극적으로 처치를 하면 전체 발작 시간이 짧아진다. 초치 처치 후에 고열 뇌전증 지속상태가 계속되면 의료 지도 의사의 의료 지도를 받는다.

일반적으로 발작이 있었던 모든 소아 환자는 평가를 위해 파라메딕이 응급실로 이송한다. 열 발작이 있는 대부분의 어린이는 입원할 필요가 없다. 그러나 발작이 지속되거나 재발하거나 심각한 감염이 동반되거나 감염의 원인을 알 수 없는 경우 의사는 관찰을 위해 어린이가 입원하도록 권할 수도 있다.

벨 마비

벨 마비는 갑자기 발병하고 원인이 불확실한 한쪽 얼굴 마비이다. 이것은 가장 흔한 머리 신경병증 중 하나이지만, 뇌졸중과 유사해 환자를 놀래게 할 수 있다. 벨 마비는 말초 얼굴 신경 마비의 약 절반을 차지하며 나머지 절반은 특정 원인과 관련이 있다.

병태생리학

벨 마비는 뇌줄기에 있는 신경의 핵과 반대되는 제7뇌신경의 말초 부분의 기능 장애로 인한 한쪽 얼굴 쇠약을 말한다. 신경초의 염증과 붓기는 일반적으로 측두골을 통과하는 곳에 나타난다. 붓기는 의 껍질의 염증과 부종은 그것이 측두골을 통과하는 곳에서 일반적으로 나타난다. 정의에 따르면 병인이 알 수 없는 상태를 벨 마비라고 하며 특히 단순포진, 다양한 종류의 바이러스 및 라임병(신경보렐리아증)으로 인한 감염, 특히 감염의 증거가 증가하고 있다.

증상과 징후

벨 마비 환자는 일반적으로 EMS에 도움을 요청하거나 얼굴 마비로 인해 뇌졸중이 있다고 믿고 응급실로 내원하게 된다. 일부 환자는 꼭지돌기 부위나 외이에 통증이 있고 환측 눈의 찢김 감소, 미각의 변화가 있다.

검사에서 환측의 얼굴 전체의 쇠약이나 마비가 나타날 수 있으며 그쪽의 눈이 완전히 감기지 않을 수 있다(그림 5-13). 주의 깊게 관찰하면 환측의 눈이 위아래로 회전하는 것을 볼 수 있다. 뇌졸중의 얼굴 징후는 얼굴의 아래쪽 절반만 쇠약하지만, 이마와 윗눈꺼풀은 정상적인 운동 기능을 유지한다는 점에서 다르다. 일부 환자에게서는 이를 구별하기 어려울 수 있으며 이러한 경우 환자는 달리 입증될 때까지 뇌졸중이 발생한 것으로 처치한다. 주요 소견은 다음과 같다.

- 한쪽 얼굴 전체의 쇠약
- 팔이나 다리가 쇠약하지 않음
- 눈을 감기 어려움

그림 5-13. 벨 마비 환자는 한쪽 얼굴에 쇠약이나 마비가 나타날 수 있으며 이는 종종 영향을 받은 얼굴 쪽의 눈을 감는 데 어려움이 있어 환자가 뇌졸중을 앓고 있다고 믿게 만든다.

감별 진단

얼굴 신경 마비는 벨 마비 이외의 다양한 잠재적인 원인이 있다. 여기에는 라임병, 단순포진, 급성 HIV 감염, 종양 및 중이염이 포함된다. 뇌졸중과 같은 중추신경계 원인을 배제하는 것이 중요하다. 뇌졸중을 앓았던 사람은 보통은 이마에 약간의 주름이 생길 수 있다.

처치

병원 전 단계에서 벨 마비의 처치는 주로 환자를 이송하고 혈력징후를 측정하고 필요한 처치를 시행하며 환자에게 정서적 지원을 제공하는 것이다. 영향을 받은 쪽의 눈꺼풀 닫힘이 손상되었기 때문에 눈을 보호하기 위해 눈 보호대나 보호안경이나 거즈로 눈을 가려준다. 주기적으로 소량의 생리식염수로 눈이나 거즈를 촉촉하게 유지한다. 응급실에서는 앞에서 언급한 다른 원인을 배제한 후 코르티코스테로이드와 항바이러스제를 처방할 수 있으며 추가 검사와 관찰을 위해 신경학적 추적 관찰을 할 수 있다.

벨 마비는 생명을 위협하지는 않으며 보통 자가 치유된다. 이러한 이유로 응급 이송이 꼭 필요한 것은 아니지만, 만약 환자가 급성 뇌졸중을 앓고 있는지가 의심되는 경우 가장 가까운 뇌졸중 센터로 신속하게 이송한다.

척수 경막외 농양

척추 경막외 농양은 척추와 척주의 경막층 사이의 공간에 화농성 감염 물질이 존재하는 상태이다. 이것은 척수와 척수 신경뿌리의 압박을 유발하여 마비, 쇠약, 통증 및 기능 상실을 유발할 수 있다. 농양은 일반적으로 열이 나지만, 열이 나지 않는다고 해서 이 진단을 배제할 수 없다. 이 진단은 심각한 영구장애의 잠재적인 원인임에도 불구하고 고려되지 않는 경우가 많다. 민감한 처치 제공자는 이 진단의 특징을 병력 및 신체검사에 통합하여 적절한 항생제 및 외과적 처치를 시행하기 위해 농양이 확인되면 평생 장애를 잠재적으로 예방할 수 있다.

병태생리학

척수는 척주관에 있으며 뇌와 마찬가지고 주변 조직으로부터 신경 조직을 격리하는 보호층(경막)으로 덮여 있다. 척수 경막외 농양은 척수 또는 척주관에 인접하여 감염이 발생할 때 발생한다. 이것은 등의 연조직염, 추간판염, 척추 골수염에서 발생할 수 있거나 이러한 상태와 무관하게 발생할 수 있다. 화농성 물질이 경막외 공간에 축적되면서 뼈 척주와 척수 사이에 압박이 발생한다. 이것은 척수 자체, 척수 신경 및 척수로 또는 척수에서 혈류를 제공하는 혈액 공급에 직접 영향을 줄 수 있다. 이것은 척수 경색뿐만 아니라 척수에 직접적인 압박 손상을 일으킬 수 있다.

농양 발병의 위험 요소에는 만성 알코올 남용, 당뇨병, 사람면역결핍바이러스(HIV), 후천면역결핍증후군(AIDS), 암, 화학 요법, 만성 코르티코스테로이드 사용 및 모든 면역억제제의 약리학적 형태를 포함한 모든 형태의 면역 저하가 포함된다. 이것은 이식 환자에 대한 알려진 면역억제제를 포함할 수 있다. 그러나 경험이 많은 처치 제공자는 다른 약제, 특히 류마티즘 관절염과 크론병과 같은 상태에 사용되는 면역 조절제를 고려할 것이다. 또한, 최근 척추 손상으로 인한 척추 수술이나 기구(주사, 경막외 마취 또는 허리천자 포함), 정맥으로 약물 남용, 유치 카테터, 패혈증(세균혈증), 과다 연조직염, 척추 골수염 등이 있는 환자도 위험할 수 있다.

증상과 징후

말총증후군을 나타내는 환자는 일반적으로 모든 척추 수준에서 발생할 수 있는 요통을 나타낸다. 농양이 여러 위치에서 형성될 수 있고 반드시 인접하지 않아도 된다는 점을 감안할 때 환자는 척주의 여러 위치에서 통증을 느낄 수 있다. 환자는 일반적으로 전신 불쾌감, 발열, 오한, 두통을 포함한 감염 증상을 나타낸다. 더 진행성 질환과 척추 압박이 있는 사람들은 쇠약, 무감각, 감각 이상, 빠르게 진행되는 하반신불완전마비나 하반신마비로 신경학적 손상의 증상과 징후를 보일 수 있다. 압박성 병변의 정도에 따라 장이나 방광의 실금이 있을 수도 있고 없을 수도 있다. 주요 소견은 다음과 같다.

- 척추의 일부 또는 여러 부위에 나타나는 요통
- 신경학적 결손(쇠약, 무감각, 저림, 하반신불완전마비)
- 최근 척추의 교정술(경막외 마취, 주사 또는 수술)
- 면역 저하 또는 정맥으로 약물 남용

감별 진단

감별 진단에는 종양, 혈종, 길랭-바레증후군, 척수 압박, 대사이상 및 기타 신경 장애가 포함된다.

처치

척수 경막외 농양의 병원 전 처치는 주로 지지적이다. 패혈증 기준을 충족하는 환자는 국소 패혈증 지침에 따라 처치를 한다. 환자와 현실적인 통증 조절 목표를 설정하는 데 중점을 두고 통증을 조절하는 것이 중요하다. 이것은 만성으로 아편유사제를 사용하는 환자에게 특히 중요하며 이 환자는 표준 용량의 아편유사 진통제에 반응하지 않을 수 있다. 최종 진단을 하기 위해서 MRI 검사를 시행하고 보통 외과에서 최종 처치를 시행한다. 환자는 MRI 검사와 신경외과 처치가 가능한 의료기관으로 이송한다. 모호하거나 특이적인 증상은 무시하기 쉽다. 경막외 농양은 일반적으로 비특이적이고 모호한 호소 증상을 나타낸다는 것을 기억한다.

말총증후군

말총증후군은 허리 하부와 엉치부위의 척수 끝에서 나오는 신경근이 압박되어 다리 통증, 쇠약, 방광과 장의 실금 및 정체, 성기능 상실을 유발하는 질환이다. 이 증후군은 응급 상태이며 영구적인 기능 상실을 방지하기 위해 외과적 처치가 필요하다.

병태생리학

해부학적으로 말총은 말의 꼬리와 비슷하다. 말총은 T12와 L2 사이의 척수 끝에서 먼 쪽의 신경근에 의해 형성된다. 말총증후군은 외상으로 인한 압박, 디스크 탈출, 종양 및 기타 척수 병변, 척수 협착증(척주관의 협착)에 의한 신경근의 모든 압박으로 인해 발생할 수 있다. 척수의 허리 부분에 있는 신경근은 신장 및 압박 손상으로부터 자신을 보호할 수 있는 잘 발달된 덮개 또는 신경외막이 없으므로 손상되기 쉽다.

증상과 징후

말총증후군의 영향을 받은 환자는 요통, 양쪽 또는 때때로 양쪽의 좌골신경통, 회음부 부위의 안장 감각 장애, 장 또는 방광 기능 장애가 있을 수 있다. 신경근의 압박으로 인한 다양한 다리 운동 및 감각 변화도 나타날 수 있으며 다리 반사가 감소하거나 없을 수 있다. 허리 통증은 가장 흔한 증상이다. 환자가 자발적으로 요실금, 장실금 및 정체의 병력 또는 다리의 쇠약, 무감각, 저림의 병력과 관련이 없다면 반드시 질문한다. 정확한 병력은 진단을 내리는 데 중요하며 중요한 병력 요인을 도출하기 위해서는 신중함과 기밀 유지가 필요할 수 있다. 주요 소견은 다음과 같다.

- 요통, 종종 다리 아래로 방사
- 장, 방광 실금 또는 정체
- 최근 척추 조작(예: 허리 천자 또는 수술 중)
- 외상

감별 진단

감별 진단에는 외상과 다른 원인으로 인한 요통, 종양, 길랭-바레 증후군, 척수 압박, 대사 이상 그리고 다른 신경 장애를 포함한다.

처치

병원 전 치료는 필요한 경우 통증 조절을 포함하며 주로 지지적이다. 일반적으로 병원 전 처치는 필요하지 않고 말총증후군이 치명적이지는 않지만, 응급 수술로 처치하지 않으면 영구적인 신경학적 손상을 입을 수 있다. 따라서 말총증후군이나 미분화 요통이 의심되는 경우 응급실로 이송하는 것이 좋다. 응급실에 도착하면 다양한 방사선 검사(X-ray, CT 또는 MRI)를 수행할 수 있으며 이는 가장 진단적이다.

말총증후군이 의심되는 환자는 움직임에 따라 악화할 수 있는 근본적인 외상 원인이 있는 경우 이송을 위해 척추고정을 시행할 수 있다.

신경근 퇴행병

신경근 퇴행병은 미국에서는 루게릭병 또는 근위축측삭경화증(ALS)으로 알려져 있다. 이 질병은 상부 및 하부 운동 세포의 퇴화로 인해 수의근이 약해지거나 위축되는 것이 특징이다. 환자는 일반적으로 진단 후 3~5년 후에 사망하며 일반적으로 40~60세 사이에 발생한다. 여성보다는 남성이 더 많이 영향을 받는다.

병태생리학

신경근 퇴행병은 알려진 단일 원인이 없다. 과학자들은 최근 일부 환자에서 단백질 합성과 운동 세포의 시냅스 기능을 조절하는 유전자의 돌연변이를 확인했다. 그러나 이러한 설명은 신경근 퇴행병의 경우 극히 일부에 불과하다. 글루타메이트 독성, 미토콘드리아 기능 장애 및 자가면역이 근위축측삭경화증에서 모두 역할을 할 수는 있지만, 연구자들은 여전히 정확한 방법을 찾으려고 노력하고 있다.

증상과 징후

신경근 퇴행병 환자에서 상부 운동 세포 소견에는 경직과 반사항진이 포함된다. 낮은 운동 소견으로는 쇠약, 운동 실조, 근섬유다발수축이 포함된다. 사망은 호흡근의 약화와 흡인 폐렴으로 인해 기인한다. 부동의 의학적 합병증은 이 질병을 가진 환자의 이환율과 사망률을 증가시킨다.

환자는 팔다리 쇠약, 말하기와 삼키기 어려움, 시력 장애, 팔다리 경증으로 인해 급성 처치를 받을 수 있다. 운동 장애는 전형적으로 손목 처짐, 손가락의 민첩함 소실, 발 처짐 및 말초에서부터 중심으로 나타난다. 감정에 대한 환자의 조절이 부족할 수 있으며 환자가 슬프거나 재미있는 사건이나 말에 과민 반응하게 할 수 있다. 시력, 감각 및 자율 신경 기능 장애는 보통 환기 보조를 필요로 하는 환자에서 이 질병의 후반부에 발생한다. 쇠약은 종종 비대칭적이며 팔이나 다리에서 시작된다. 씹거나 삼키기 어려움은 이 질병의 후반부에 발생한다. 주요 소견은 다음과 같다.

- 오름차순 및 안쪽으로 이동하는 취약성
- 위쪽과 아래쪽의 운동 세포 소견

감별 진단

감별 진단은 길랭-바레증후군, 다발성 경화증, 중증 근무력증, 척수 종양 및 뇌졸중이 포함된다.

처치

병원 전 처치는 환자의 이송과 환자의 기도, 호흡, 순환 및 활력 징후를 평가하고 필요한 경우 지침에 따라 전반적인 쇠약에 대해 산소 공급과 수액을 투여한다.

병원에서 환자는 신경과 협진과 신경 전도 검사를 포함한 일련의 검사를 받게 된다. 처치는 주로 증상에 따라 이루어지며 환자와 가족이 정서적 지원을 받을 수 있어야 한다. 환자의 생존 유서 또는 DNR 지시에 따라야 한다. 폐렴이나 다른 감염, 심부정맥 혈전증, 호흡기 문제와 같은 합병증이 흔하다. 이러한 문제는 지침에 따라 처치한다.

신경근 퇴행병 환자는 호흡기 근육의 극심한 쇠약으로 인해서 보상 기전 저하될 수 있으므로 교정 조치를 한다. 기도관리가 필요할 수 있다. 특히 상태가 만성이면 환자를 병원으로 이송해 신경과 전문의 처치를 받아야 한다.

길랭-바레증후군

길랭-바레증후군은 급성 면역 매개 다신경병증, 전신 쇠약, 무감각 또는 마비를 유발하는 탈수초성 질환의 그룹을 말한다. 길랭-바레증후군의 발병률은 미국에서 100만 명당 1~3명이다. 이 증후군은 모든 연령대에서 발생할 수 있지만, 보통은 젊은 성인과 노인에게서 발견된다. 이 상태는 남성과 여성에게 동등하게 영향을 미친다.

병태생리학

길랭-바레증후군은 최근의 감염이나 다양한 유형의 의학적 문제에 대한 자가면역 반응으로 나타내는 것으로 여겨진다. 연구자들은 신체가 말초 신경, 특히 축삭에 대한 항체를 형성하고 축삭돌기는 탈수초화되어 운동 쇠약과 경우에 따라 감각 소실을 초래한다고 믿고 있다. 회복은 일반적으로 짧은 재수초화 기간과 관련이 있다. 길랭-바레증후군을 앓고 있는 많은 환자들이에서 캄필로박터 제주니에 대한 혈청 양성인 것으로 나타났다.

증상과 징후

길랭-바레증후군 환자는 초기에 주로 넓적다리에서 팔다리 근육의 쇠약으로 종종 나타난다. 쇠약은 일반적으로 호흡기 도는 위장 질환이 있은 지 몇 주 후에 나타난다. 몇 시간에서 며칠에 걸쳐 쇠약이 진행되어 팔과 가슴 근육, 얼굴 근육, 호흡근을 침범할 수 있다. 발병 후 12일이 지나면 대부분의 환자는 최악의 상황에 놓이고 다음 몇 개월 동안 점차 호전되기 시작한다.

많은 길랭-바레증후군을 앓고 있는 환자들은 호흡근의 약화를 보상하기 위해 질병 중에 기계 환기가 필요하다. 많은 경우에 환자는 튼튼하다고 느끼더라도 서거나 걸을 수 없다. 심부힘줄 반사의 부족은 상대적으로 길랭-바레증후군의 강한 지표이다. 또한, 환자는 발에 감각 이상이 있을 수 있으며 그다음에는 손에 감각 이상이 있을 수 있다. 통증은 가장 최소한의 움직임으로 나타날 수 있으며 어깨, 등, 엉덩이, 넓적다리에서 가장 인상적이다. 환자는 진동을 감지하는 능력의 상실, 고유감각과 촉각의 소실, 활력징후, 심박수, 혈압의 광범위한 변화를 포함한 인상적인 자율신경 기능 장애 등을 겪을 수 있다. 또한 요저류, 변비, 얼굴 홍조, 과다침분비, 땀없음증, 긴장동공이 있을 수 있다. 주요 증상은 다음과 같다.

- 다리, 팔, 얼굴, 몸통의 대칭적이고 점진적인 쇠약
- 무반사(반사의 부재)
- 선행 질환

감별 진단

길랭-바레증후군의 감별 진단은 척수 감염 또는 척수 손상과 동일하다. 고칼륨혈증과 저칼륨혈증과 같은 전해질 이상은 쇠약을 유발할 수 있다. 수막염, 뇌염, 보툴리누스 중독과 같은 감염은 물론 진드기 매개 감염도 이 질병과 유사하다. 질병의 초기 단계에서 길랭-바레증후군은 다발경화증, 중증근무력증, 알코올, 중금속 또는 유기인산염의 독성 섭취, 당뇨병 및 사람면역결핍바이러스(HIV) 신경병증으로 오인할 수 있다.

처치

병원 전 단계에서 기도, 호흡 및 순환 관리, 산소 공급, 필요한 경우 환기 보조가 가장 중요하다. 기타 병원 전 처치는 정맥 라인 확보와 심장 모니터링이 포함된다. 만약 환자에게 자율신경장애가 있는 경우 고혈압은 속효성 약물로 가장 잘 치료된다. 증상이 있는 서맥 아트로핀으로 잘 치료되며 저혈압은 일반적으로 정맥 라인으로 수액 투여에 반응한다. 환자에게 2도 또는 3도 방실차단이 있는 경우 일시적인 심장 조율이 필요할 수

있다.

이것은 빠르게 진행되는 질병이기 때문에 환자가 보상 기전이 작동하지 않을 가능성을 인식하는 것이 중요하다. 필요에 따라 기도유지를 시행한다.

급성 정신병

급성 정신병 환자는 사고, 행동 및 지각에 장애가 있지만, 지남력에는 이상이 없다. 환자는 망상, 환각, 언어 문제, 둔마된 감정, 금단, 무관심 등이 있을 수 있다.

병태생리학

정신병은 주로 뇌의 화학 및 발달의 이상과 관련이 있다. 유전적 요인은 정신병 발병에 중요한 역할을 할 수 있지만, 심리사회적 스트레스 요인이 유발 요인으로 작용하는 것으로 생각된다. 항정신병 약물에 의해 차단되는 뇌의 도파민 수용체의 과잉 활동은 급성 정신병을 특징짓는 활동적인 환각과 망상을 일으킬 수 있다고 여겨진다. 세로토닌 전달과 관련된 뇌의 전전두엽 피질에서의 활동 감소는 둔마된 감정 영향 및 사회적 위축과 같은 증상과 관련될 수 있다.

증상과 징후

환자의 약 50%가 급성 정신병을 앓고 있다. 환자는 급성 차단이 일어나기 전에 정신 건강이 악화하는 기간을 가질 수 있다. 그 기간은 일반적으로 가정, 직장 및 공공장소에서 기능이 저하되는 것이 특징이다. 급성 정신병을 앓고 있는 일부 환자는 저혈압, 입안 건조, 진정 및 배뇨 또는 성행위의 어려움과 같은 약물 반응에 대한 처치를 받을 수 있다. 다른 환자들은 일정 기간 동안 정신병에 처방된 약을 먹지 않았을 수 있다. 주요 소견은 다음과 같다.

- 초조와 행동 변화
- 종종 망상 및 환각을 동반하는 비정상적인 사고
- 불안정한 기분

감별 진단

급성 정신병의 감별 진단에는 다른 의학적 또는 물질 유발 원인으로 우울증, 공황장애, 중독, 뇌종양 및 감염으로 인한 섬망이 포함된다.

처치

정신병 환자를 처치할 때 당신과 환자의 안전이 가장 중요하다. 환자는 지침에 따라 화학 진정제, 신체구속 또는 경찰의 호위가 필요할 수 있다. 가능하면 환자의 활력징후를 모니터링하고 정서적 지지를 제공한다. 환자가 의학적으로 불안정해지면 지침에 따라 적절한 처치를 시행한다.

의료적 문제가 환자의 의식상태 변화의 원인이 될 수 있으므로 혈당 수치를 확인하고 외상 관련 손상을 평가하고 맥박산소측정을 포함한 활력징후를 주의 깊게 평가하고 필요한 경우 처치를 시행한다. 또한, 중독, 부적절하거나 우발적인 약물 복용에 대한 평가를 위해 주의 깊게 촉발 사건의 병력을 청취한다.

급성 우울증 및 자살 시도

자살은 사람이 의도적으로 자신의 삶을 끝낼 때 일어난다. 자살 시도는 자살을 시도했지만 실패했을 때 발생한다. 국립 정신보건협회에 따르면 자살을 시도하는 사람 1명당 12~25번의 시도가 이루어진다. 10대 중에서 자살할 때 최대 200번이나 시도할 것이다. 자살 시도는 다양한 형태로 취할 수 있으며 응급처치는 그 사람이 시도한 자해를 근거로 처치한다.

10대의 자살 약속 및 기타 선정적인 자살이 이 주제에 대한 뉴스들을 지배하지만, 주로 노인들이 그들의 삶을 끝내는 더 치명적인 수단을 선택하기 때문에 노인의 자살률은 10대의 자살률보다 훨씬 높다. 노화연구소에 따르면 총기, 교수형, 중독(독성 과다복용 포함) 순으로 65세 이상 성인이 선택하는 가장 일반적인 자살 방법이다. 이 연령대의 자살 시도는 4명 중 1명꼴로 성공한다. 80세 이상의 백인 남성은 다른 연령, 성별 또는 인종 그룹의 사람들보다 자살 위험이 더 높다.

그러나 자살률은 35~64세 사이의 성인에서 꾸준히 증가했으며 현재는 노인의 자살률과 거의 같다. 질병통제예방센터(CDC)에 다르면 자살은 미국에서 모든 연령대에서 10번째 주요 사망 원인이고 15~34세 연령층에서는 두 번째 사망 원인이다. 남성은 여성보다 위험이 훨씬 더 높으며 더 치명적인 수단을 선택하는 경향이 있기 때문에 시도가 훨씬 더 많이 성공한다. 가장 위험한 민족은 아메리칸 인디언, 알래스카 원주민 및 비히스패닉계 백인이다.

질병통제예방센터는 2018년에 미국에서 47,173명의 자살을 보고했으며 이는 2010년보다 8,809명이 증가한 수치이다. 처치의 목표는 환자를 안정시키고 기저 질환을 확인하며 정신 건강 상태를 평가하고 적절한 의뢰를 제공하는 것이다.

병태생리학

우울증의 병태생리학은 다인자 변연계의 신경 전달 물질의 변화를 수반하는 것으로 여겨진다. 세로토닌, 노르에피네프린, 도파민의 비정상적인 수치 또는 이들의 일부 조합은 모두 우울증의 가능한 원인으로 조사되었다. 자살을 시도하는 사람들을 포함하여 우울증의 가족력이 자주 발생한다. 우울증을 앓고 있는 환자는 알코올 또는 기타 물질로 "자가 치료"할 수 있기 때문에 알코올 및 기타 약물 남용은 우울증 또는 동반 질환의 위험 요소이기도 하다. 신체적, 성적 학대, 직계 가족의 자살, 가정내 폭력이나 이혼, 감금, 그리고 이전의 자살 시도와 같은 정서적 스트레스 요인도 우울증이나 자살에 관한 생각을 동반하거나 촉진할 수 있다.

증상과 징후

우울증은 다양한 방식으로 나타날 수 있다. 어떤 환자는 철회하지만, 다른 환자는 초조해 보인다. 식사 행동과 수면 양상이 영향을 받는다. 환자는 피곤하고 절망적이며 무력하거나 쓸모없다고 느낄 수 있으며 한때 그들이 즐겼던 활동들에 더 이상 즐거움을 느끼지 않는다. 건망증이 생기고 식욕이나 체중에 변화가 있으며 명백한 원인이 없는 신체적 증상을 경험할 수 있다. 환자는 사고와 언어와 같은 정상적인 기능이 느려질 수 있고 종종 집중력이 저하된다. 우울증이 심한 경우 환자는 자살을 시도할 때 처치 제공자의 주의를 끌 수 있다. 주요 소견은 다음과 같다.

- 둔마된 감정이나 우울한 영향
- 우울증/자살 시도의 병력
- 외상(예, 자해 또는 스스로 목 조름)
- 독성 물질 섭취

감별 진단

우울증에 대한 감별 진단에는 중독, 불안, 학대 또는 폭력, 전해질 이상, 두통, 정신병, 감염, 종양 및 기타 스트레스 요인이 포함된다.

처치

특히 환자가 약물 과다 복용으로 의심되거나 자살을 시도한 경우 의식 저하에 대한 경계심을 유지하면서 지지요법을 시작한다. 이런 경우 기도, 호흡, 순환 유지가 최우선이다. 환자가 자살을 시도한 방법과 일치하는 처치를 제공한다. 예를 들어, 환자가 목을 매거나 높은 곳에서 뛰어내린 경우 척추 고정을 시행하고 일산화탄소 중독은 산소를 투여하며 관통상이나 무딘 손상이 있는 환자에게는 외상 처치를 시행한다. 목을 조른 경우 협착음, 높은 곳에서 뛰어내린 경우 감속 손상, 섭취로 인한 전해질 및 리듬 이상을 찾는다. 중독 가능성이 있는 경우 환자의 심장 리듬을 모니터링하고 심전도에서 QRS가 확대되는지 확인한다.

가능한 모든 자살 시도는 심각하게 받아들여야 한다. 환자를 항상 혼자 두어서는 안 된다. 환자가 구급차에 탑승한 상태라면 구급차의 뒷문을 잠그고 환자칸에 있는 잠재적으로 치명적일 수 있는 물건에 쉽게 접근할 수 없도록 하는 것이 중요하다.

환자는 외상이나 의학적 문제가 없거나 지침에 따라 정신과 시설이 있는 병원으로 이송한다. 이러한 환자는 일반적으로 이러한 결정을 내릴 수 있는 정신적 능력이 없기 때문에 이송을 거부하는 것 허용해서는 안 된다. 때에 따라 경찰이나 제삼자가 환자의 의지에 반하여 이송할 수 있는 완전한 법적 권한을 확보하기 위해 긴급 구금되는 비자발적 그 혹은 그녀의 의사에 반하여 환자를 이송하기 위한 완전한 법률적 권한을 확립하기 위해 경찰이나 제삼자가 비자발적인 강제 입원 절차를 선택할 수 있다.

공황발작/장애

공황장애는 환자들에게 고통스러운 현상이다. 진단은 다른 더 심각한 장애를 배제한 후에만 이루어져야 하므로 어렵다. 천식, 부정맥, 폐렴, 만성폐쇄폐질환, 기흉, 폐색전증, 심장막염 등은 모두 공황장애와 유사할 수 있는 질환이다. 갑상샘 발작, 크롬친화세포종, 저혈당과 같은 호르몬 장애도 반드시 고려한다.

공황장애는 미국 인구의 1~5%에서 유병률을 보이는 것으로 추정되며 남성보다 여성에게 약 2배 더 유병률이 높다. 다른 성격 장애, 조현병, 광장공포증과 같은 다른 정신 질환과 함께 나타날 수 있다.

병태생리학

공황장애의 근본적인 원인은 정신병이다. 즉 신경 자극 및 신경 전달 물질의 분비와 흡수의 불균형과 관련되는 뇌 기능 장애이다. 이것은 갑작스러운(근거 없는) 두려움이 시작된 불안의 변형이다.

증상과 징후

유사한 상황의 개인이나 가족력이 도출될 수 있다. 약물 특히 메트암페타민, 코카인, 펜사이클리딘(PCP), 엑스터시 및 리세르그산 디에틸마이드(LSD)의 남용은 증상과 발생 빈도를 악화시킬 수 있다. 카페인, 각성제, 체중 감량제와 같은 일반의약품(OTC)도 장애를 악화시킬 수 있다. 주요 소견은 다음과 같다.

- 다른 의학적 원인이 없는 공포와 불안의 갑작스러운 시작
- 두근거림
- 떨림
- 호흡곤란
- 질식할 것 같은 느낌
- 흉통 및 불편감
- 어지럼
- 경미한 어지럼
- 오한 또는 전신 열감
- 죽음에 대한 두려움

감별 진단

많은 증상이 심근경색이나 폐색전증과 같은 심혈관 질환과 유사하다. 공황발작으로 진단 범위를 좁히기 전에 급성 심장 관상동맥 증후군을 제외한다. 일반적으로 진단 검사와 장기간의 관찰 없이는 병원 전 환경에서 다른 의학적 상태를 배제할 수 없으며 그렇게 해서도 안 된다.

처치

신체검사에서는 오직 빈맥과 불안만 보일 수 있다. 환자는 과다호흡을 할 수 있지만, 극적으로 호흡하지 않는다. 평가는 생명을 위협하는 질병을 배제하기 위한 것이다. 처치는 증상에 따라 시행한다. 신체에서 제거되는 이산화탄소의 양을 제한하기 위해 환자가 종이봉투에 숨을 쉬게 하는 처치법이 사용되지만, 이 처치법은 당뇨병케토산증이나 대사산증에서 볼 수 있듯이 이산화탄소를 제거하려고 하는 환자에게 과도한 이산화탄소를 유지할 수 있으므로 더 이상 권장되지 않는다. 보충 산소가 필요할 수 있지만, 산소포화도 감소하면 다른 원인을 확인한다.

종합 정리

의식상태의 변화 또는 급성 신경학적 변화가 있는 환자는 종종 처치 제공자에게 어려움을 줄 수 있다. 환자의 정신 기능이 변하면 정확한 병력을 확보하고 신뢰할 수 있는 검사를 수행하기 어렵기 때문에 진단 단서를 찾고 얻은 정보를 해석하는 데 특히 주의 깊고 빈틈이 없어야 한다. 생명을 위협하는 환자의 기도, 호흡, 순환을 평가한 후 신속하게 처치할 수 있는 모든 환자를 확인하는 것이 매우 중요하다. SNOT 암기법이 도움이 될 수 있다. 이러한 위협에 대한 검사가 완료되면 환자의 주요 불만 사항에 따라 병력에 대한 SAMPLE/OPQRST 암기법을 사용하여 더욱 자세한 평가를 수행하고 이차평가를 수행하여 감별 진단을 개발한다. 이 단계적 과정을 통해 진단 검사 및 처치의 우선순위를 정하고 병원 전 단계에서 가장 적절한 의료기관으로 이송을 결정할 수 있다. 처치는 환자를 의료기관으로 이송할 때까지 반복적인 재평가를 통해 급성 신경학적 의식상태의 변화를 동반하는 환자에게 특히 중요하다.

시나리오 해결책

- 환자의 기도가 개방되어 있고 호흡이 적절하며 관류가 적절한지 확인한 후 활력징후를 평가한다. 전신 평가에서 동공, 시력(주변 시력 포함), 및 외안 운동에 대한 검사를 포함하며 눈부심이 있는지 물어본다. 환자의 측두부에 발적, 붓기 또는 압통이 있는지 확인한다. 얼굴의 대칭을 평가하고 목동맥에서 잡음이 들리는지 청진한다. 그리고 목경축이 있는지 확인하고 맥박, 감각 기능 및 운동 강도에 대해 팔다리를 평가한다. 외상을 입었는지를 확인하기 위해 추가 병력을 청취한다. 과거 병력에 대한 단서를 얻기 위해 환자가 복용하는 약물을 확인한다. 뇌졸중 척도를 시행하고 발견 사항에 따라 다른 진단 검사를 고려한다. 다른 원인이 명백해 보이더라도 의식상태나 행동에 변화가 있는 모든 환자의 혈당 수치를 확인한다.
- 이 환자를 위한 감별 진단에는 뇌졸중, 두개내출혈, 측두동맥염, 수막염 및 편두통이 포함될 수 있다.

요약

- 신경계 장애는 반사 저하가 기도와 기타 신체 계통을 취약하게 만들기 때문에 심각할 수 있다.
- 중추신경계는 뇌와 척수의 두 가지 중추 구조가 있으며 이는 신체의 모는 신경 조직의 98%를 차지한다.
- 뇌의 각 부분은 특정 기능을 담당한다. 후두엽은 영상을 수신하고 저장한다. 측두엽은 언어와 말하는 것을 가능하게 하고 전두엽은 자발적인 움직임을 제어하며 두정엽은 촉각과 통증을 인지할 수 있게 하는 감각을 인식하게 한다. 사이뇌 대뇌피질에서 불필요한 정보를 걸러낸다. 중뇌는 의식의 수준을 조절하는 데 도움이 되고 뇌줄기는 혈압, 맥박, 호흡수와 호흡 양상을 조절한다. 시상하부와 뇌하수체는 내분비계에서 여러 호르몬의 방출을 조절한다. 소뇌는 복잡한 운동 활동을 조절한다.
- AMLS 평가 과정은 환자의 기본 상태나 주요호소증상을 기반으로 하는 특정 감별 진단의 가능성을 평가하는 데 사용할 수 있다.
- 증상이 시작된 후 경과된 시간에 따라 이용할 수 있는 처치가 결정되기 때문에 환자가 정상적으로 행동하는 것을 마지막으로 목격한 시간을 결정하는 것이 중요하다.
- 신경학적 검사 결과는 감별 진단을 개선하는 데 도움을 줄 수 있다.
- 다양한 질병 과정은 암, 퇴행성 질환, 발달 장애, 감염 질환, 혈관 상태를 포함한 신경학적 기능 장애를 유발할 수 있다.
- 대부분의 신경학적 질병은 다인성으로 생각된다. 즉, 여러 가지 요인이 결합하여 특정 질병 과정에 대한 취약성을 유도한다.
- 신체적, 정서적 지지요법은 현장에서뿐만 아니라 의료기관으로 이송하는 중에도 필수적인 처치이다.

주요 용어

변화된 의식상태(altered mental status) 정상적인 각성 수준의 감소, 의식상태의 변화 또는 특정 환자에게 비정상적인 행동

근위축측삭경화증(amyotrophic lateral sclerosis; ALS) 상부와 하부 운동 신경 세포의 퇴행을 특징으로 하는 이 질환으로 수의근이 약화하거나 위축되는 원인이 된다. 루게릭병이라고도 한다.

실조(ataxia) 근육 조절의 조정력 소실로 보행 장애 또는 팔다리 서투름을 유발할 수 있다. 말초 신경, 척수 또는 뇌 기능 장애, 조정을 조절하는 소뇌로 인해 발생할 수 있다.

혈액 뇌 장벽(blood-brain barrier; BBB) 혈액을 뇌와 척수 조직으로 운반하는 모세혈관의 여과 기전으로 특정 물질의 통화를 차단한다.

뇌관류압(cerebral perfusion pressure) 뇌혈류(CBF)를 유도하는 압력 차이를 나타내며 산소와 대사 산물 전달한다. 이것은 평균동맥압(MAP)과 두개내압(ICP)의 차이이다. 뇌관류압 = 평균동맥압 − 두개내압

뇌척수액(cerebrospinal fluid; CSF) 뇌와 척수 주변의 거미막밑 공간에 있는 투명하고 약간 노란색을 띠는 액체

뇌혈관사고(cerebrovascular accident; CVA) 뇌졸중의 또 다른 용어

경련(convulsions) 발작의 시각적 임상 증상

쿠싱 삼 증후(Cushing's triad) 고혈압, 서맥, 깊고 불규칙한 호흡

구음 장애(dysarthria) 뇌신경 기능 장애(표현실어증 및 수용실어증과 구별)로 인해 언어가 왜곡됨(그러나 의도된 단어는 아님)

색전(embolus) 순환계를 이동하고 더 작은 동맥에 박힐 때 혈류를 방해하는 입자이다. 혈전은 가장 흔한 유형의 색전이지만, 지방(긴 뼈 골절 후), 죽상경화증 및 공기(다이빙) 색전도 발생할 수 있다.

표현실어증(expressive aphasia) 왼쪽 전두엽에 있는 대뇌 언어중추(브로카 영역)의 기능 장애(구음 장애와 구별)로 인해 의도한 단어를 말할 수 없다.

반신불완전마비(hemiparesis) 편측성 쇠약으로 일반적으로 뇌졸중의 반대쪽 신체에 발생한다.

반신마비(hemiplegia) 신체 한쪽의 마비 또는 심각한 쇠약

출혈 뇌졸중(hemorrhagic stroke) 일반적으로 동맥류나 동정맥 기형의 파혈로 인한 뇌 조직(뇌내) 또는 거미막밑 공간으로의 출혈로 인한 뇌 손상이다.

두개내압(intracranial pressure; ICP) 이것은 두개내 뇌척수액의 정수압으로 측정한다. 부기(뇌부종), 뇌척수액 배수 불량(뇌수종), 종양 및 두개내출혈은 두개내압을 증가시킬 수 있다. 두개내압이 많이 증가하면 뇌로의 관류가 손상되고 뇌 구조가 탈출하여 심각한 신경 장애 및 사망을 유발할 수 있다.

허혈 뇌졸중(ischemic stroke) 혈전이나 색전이 혈관을 막아 뇌의 일부로 가는 혈류를 감소시킬 때 발생하는 뇌졸중이다.

코르사코프증후군(Korsakoff syndrome) 장기간의 티아민 결핍으로 인한 인지 기능 장애로 특히 기억 소실과 관련된 만성적이고 비가역적인 상태이다.

루게릭병(Lou Gehrig disease) 근위축측삭경화증(ALS)을 참고한다.

평균 동맥압(mean arterial pressure; MAP) 한 번의 심장 주기 중 환자 동맥의 평균 압력으로 중요한 장기에 대한 관류 지표이다. 평균 동맥압 = (확장기 혈압 × 2) + 수축기 혈압/3

신경전달물질(neurotransmitters) 신경 자극(활동 전위)의 도달에 의해 신경 섬유의 말단에서 분비되고 시냅스나 접합부를 가로질러 확산하여 자극을 다른 신경 섬유, 근육 섬유 또는 기타 다른 구조로 전달하는 화학 물질

안근마비(ophthalmoplegia) 눈 근육의 비정상적인 기능

고유감각(proprioception) 신체의 나머지 부분에 대한 신체 부위의 위치 인식을 제공하는 감각 기능

발작(seizure) 의식 소실이나 변화, 경련 또는 떨림, 실금, 행동 변화, 지각(맛, 냄새, 공포)의 주관적 변화 등을 유발할 수 있는 뇌의 대뇌 피질에서 비정상적으로 과도하거나 동시에 발생하는 일시적인 신경 활동

뇌졸중(stroke) 뇌 발작이나 뇌혈관 사고(CVA)라고도 하는 뇌졸중은 뇌의 일부로 가는 혈류가 차단되거나 중단될 때 또는 뇌출혈로 인한 증가한 압력으로 인해 뇌세포를 손상할 때 발생하는 뇌 손상이다.

혈전(thrombus) 혈전이 혈관에 형성되어 형성되는 곳에 폐색을 일으킨다.

일과성 허혈 발작(transient ischemic attack; TIA) 때때로 "미니 뇌졸중"이라고도 하며 일과성 허혈 발작은 뇌 일부의 혈류가 감소하거나 중단되어 일시적인 허혈 및 뇌졸중과 유사한 증상을 유발하는 상태이며 24시간 이내에 해결된다. 일과성 허혈 발작은 임박한 뇌졸중의 경고 신호로 간주한다.

베르니케 뇌병증(Wernicke encephalopathy) 티아민(비타민 B1)의 결핍으로 인해 종종 발생하는 장애로 급성 혼란, 실로 및 안근마비의 세 가지 증상이 특징이다.

참고 문헌

American Academy of Orthopaedic Surgeons: *Nancy Caroline's emergency care in the streets*, ed 8. Burlington, MA, 2018, Jones & Bartlett Learning.

American Brain Tumor Association: *About brain tumors. A primer for patients and caregivers*. Des Plaines, IL, 2009, The Association. https://www.abta.org/wp-content/uploads/2018/03/about-brain-tumors-a-primer-1.pdf modified January 2015.

Arzimanoglu A, Blast T, Jaume C, et al., eds.: Prolonged epileptic seizures: Identification and rescue treatment strategies, *Educational Journal of the International League Against Epilepsy*. Suppl 1(Oct), 2014.

Baslet G: Treatment of psychogenic nonepileptic seizures: Updated review and findings from a mindfulness-based intervention case, *Neuroscience*. December 2, 2014.

Berg AT, Berkovic SF, Brodie MJ, et al.: Revised terminology and concepts for organization of seizures and epilepsies: Report of the ILAE Commission on Classification and Terminology, 2005–2009, *Epilepsia*. 51(4):676, 2010.

Borris DJ, Bertram EH, J: Ketamine controls prolonged status epilepticus, *Epilepsy Res*. 42(2-3):117–122, 2000.

Brandt J, Puente A: Update on psychogenic nonepileptic seizures: Special Reports, Cognitive Behavioral Therapy, Neuropsychiatry, Psychopharmacology, Psychotherapy, Somatoform Disorder. *Psychiatric Times*. February 27, 2015.

Buck ML: Intranasal administration of benzodiazepines for the treatment of acute repetitive seizures in children, *Pediatr Pharm*. 19(10), 2013.

Centers for Disease Control and Prevention: *Suicide: Facts at a glance*. 2015. www.cdc.gov/violenceprevention/pdf/suicide-datasheet-a.pdf

Coma. In: Simon RP, Aminoff MJ, Greenberg DA. eds. *Clinical Neurology*, ed 10. New York, NY, 2018, McGraw-Hill. http://accessmedicine.mhmedical.com/Content.aspx?bookid=2274§ionid=176231696

Devinsky O, Cilio MR, Cross H, et al.: Cannabidiol: Pharmacology and potential therapeutic role in epilepsy and other neuropsychiatric disorders, *Epilepsia*. 55(6):791–802, 2014.

England MJ, Liverman CT, Schultz AM, et al., eds.: *Epilepsy across the spectrum: Promoting health and understanding*. Washington, DC, 2012, Institute of Medicine (US) Committee on the Public Health Dimensions of the Epilepsies, National Academies Press (US).

Hackam DG, Kapral MK, Wang JT, et al.: Most stroke patients do not get a warning: A population-based cohort study, *Neurology*. 73:1074, 2009.

Headache & Facial Pain. In: Simon RP, Aminoff MJ, Greenberg DA. eds. *Clinical Neurology*, ed 10. New York, NY, 2018, McGraw-Hill. http://accessmedicine.mhmedical.com/Content.aspx?bookid=2274§ionid=176232577.

Hedegaard H, Curtin SC, Warner M: Suicide Mortality in the United States, 1999–2017. Centers for Disease Control and Prevention. NCHS Data Brief No. 330, November 2018. https://www.cdc.gov/nchs/products/databriefs/db330.htm

Hills D: The psychological and social impact of epilepsy, *Neurology Asia*. 12(Suppl 1):10–12, 2007.

Kapur J: Prehospital treatment of status epilepticus with benzodiazepines is effective and safe. *Epilepsy Curr*. 2(4):121–124, 2002.

Klein P, Tyrlikova I, Mathews GC: Dietary treatment in adults with refractory epilepsy: A review, *Neurology*. Nov 18;83(21):1978-1985, 2014.

Laccheo I, Sonmezturk H, Bhatt AB, et al.: Non-convulsive status epilepticus and non-convulsive seizures in neurological ICU patients. *Neurocrit Care*. 22(2):202–211, 2015.

Lee J, Huh L, Korn P, et al.: Guidelines for the management of convulsive status epilepticus in infants and children, *BCMJ*. 53(6):279–285, 2011.

Motor Disorders. In: Simon RP, Aminoff MJ, Greenberg DA. eds. *Clinical Neurology*, ed 10. New York, NY, 2018, McGraw-Hill. http://accessmedicine.mhmedical.com/content.aspx?bookid=2274§ionid=176233445

National Stroke Association: *National Stroke Association's complete guide to stroke*, Centennial, CO, 2003, The Association.

National Stroke Association: *What is TIA?* https://www.stroke.org/understand-stroke/what-is-stroke/what-is-tia/

Pearce JMS: Meningitis, meninges, meninx, *Eur Neurol*. 60:165, 2008. http://content.karger.com/ProdukteDB/produkte.asp?Doi=145337. doi: 10.1159/000145337.

Piscopo K, Lipari RN, Cooney J, Glasheen C: Suicidal thoughts and behavior among adults: Results from the 2015 National Survey on Drug Use and Health. Substance Abuse and Mental Health Services Administration. September 2016. https://www.samhsa.gov/data/sites/default/files/NSDUH-DR-FFR3-2015/NSDUH-DR-FFR3-2015.pdf

Ruoff G, Urban G: *Standards of care for headache diagnosis and treatment*, Chicago, IL, 2004, National Headache Foundation. https://headaches.org/2007/11/19/standards-of-care-for-headache-diagnosis-and-treatment/

Ryvlin P, Nashef L, Lhatoo SD, et al.: Incidence and mechanisms of cardiorespiratory arrests in epilepsy monitoring units (MORTEMUS): A retrospective study, *Lancet Neurol*. 12(10):966–977, 2013.

Seinfeld S, Shinnar S, Sun S, et al.: Emergency management of febrile status epilepticus: Results of the FEBSTAT study. *Epilepsia*. 55(3):388–395, 2014.

Shrestha GS, Joshi P, Chhetri S, et al.: Intravenous ketamine for treatment of super-refractory convulsive status epilepticus with septic shock: A report of two cases. *Indian J Crit Care Med*. 2015;19(5):283–285.

Silbergleit R, Durkalski V, Lowenstein D, et al.: Intramuscular versus intravenous therapy for prehospital status epilepticus, *NEJM*. 366(7):591–600, 2012.

Silbergleit R, Lowenstein D, Durkalski V, et al.: Neurological Emergency Treatment Trials (NETT) Investigators.

RAMPART (Rapid Anticonvulsant Medication Prior to Arrival Trial): a double-blind randomized clinical trial of the efficacy of intramuscular midazolam versus intravenous lorazepam in the prehospital treatment of status epilepticus by paramedics, *Epilepsia.* 52(11;Suppl 8):45–47, 2011.

Stroke. In: Simon RP, Aminoff MJ, Greenberg DA. eds. *Clinical Neurology*, ed 10. New York, NY, 2018, McGraw-Hill.

Theodore W, Spencer S, Wiebe S, et al.: Epilepsy in North America: A report prepared under the auspices of the Global Campaign against Epilepsy, the International Bureau for Epilepsy, the International League Against Epilepsy, and the World Health Organization. ILEA Report, *Epilepsia.* 1–23, 2006.

Thurman DJ, Hesdorffer DC, French JA: Sudden unexpected death in epilepsy: Assessing the public health burden, *Epilepsia.* 55:1–7, 2014.

Vespa PM, McArthur DL, Xu Y, et al.: Nonconvulsive seizures after traumatic brain injury are associated with hippocampal atrophy, *Neurology.* 75(9):792, 2010.

Warden CR, Zibulewsky J, Mace S, et al.: Evaluation and management of febrile seizures in the out-of-hospital and emergency department settings, *Ann Emerg Med.* (Feb)41:2, 2003.

© Ralf Hiemisch/Getty Images

CHAPTER 6

복부 질환

복부 불쾌감의 원인은 인체의 모든 계통에서 원인이 될 수 있다. 주어진 질병의 중증도는 해가 없는 것부터 심각한 것까지 다양할 수 있지만, 현장에서 시행할 수 있는 처치는 제한적이다. 복부 불쾌감을 진단하고 처치하려면 처치 제공자로서 모든 기술을 활용한다. 가능한 한 빨리 치명적으로 아픈 환자를 구별하는 것이 중요하다. 복부가 불편 환자는 다양한 증상과 징후를 보인다. 광범위한 감별 진단을 공식화하고 다음 실제 진단에 도달하는 것은 대부분 임상의에게 어려운 일이다. 이 장에서는 위장 관계와 소화 기관의 기능에 대한 검토를 시작으로 정확한 진단에 추가되는 단서를 검토하여 전문 지식을 높일 것이다. 현장에서 가장 흔하게 접할 수 있는 다양한 복부 질환의 증상 및 징후, 처치에 대해 논의한다. 위장 계통 이외의 신체 계통에서 발생하는 복부 불쾌감의 일반적인 원인을 검토한다.

학습 목표

이 장을 마치면 다음을 수행할 수 있다.

- 복부 질환과 관련된 심혈관, 호흡기, 위장, 비뇨 생식기, 생식계, 신경학 및 내분비계와 같은 관련된 계통의 해부학 및 생리학을 설명할 수 있다.
- SAMPLER 병력을 얻을 수 있는 효과적인 방법을 나열하고 이 정보가 환자 처치에 어떤 영향을 미치는지 결정할 수 있다.
- PQRST 압기법을 사용하여 위치, 의뢰서 및 유형(내장 또는 신체)에 따른 복부 불쾌감과 관련하여 통증 소견을 서로 연관시킬 수 있다.
- AMLS 평가를 적용하여 복부 불쾌감을 호소하는 환자에게 임상 추론 기술과 고급 임상 의사 결정을 사용하여 감별 진단을 공식화하는 데 도움이 되도록 적용한다.
- 일차, 이차 및 재평가 하는 동안 생명을 위협하는 질환에 대해 환자를 평가한다.
- 복부 불쾌감이나 복부 질환이 있는 환자의 처치, 모니터링 및 지속적인 관리를 취해 적절한 처치를 적용한다.

시나리오

당신은 도움 요청을 받고 관할 지역의 호프집으로 출동하였다. 당신이 현장에 도착했을 때 40세의 여성이 바닥에 태아 자세로 웅크리고 있다. 덩어리진 노란색 구토물이 그녀 옆에 있었으며 근처 벽에도 묻어 있었다. 그녀는 과거력상 낫적혈구병, 고혈압, 콜레스테롤이 높았다. 환자의 친구들은 그녀의 이름을 부르며 오늘 저녁에 친구가 평상시와 다르다고 말했다. 환자는 당신에게 "이것은 내가 겪었던 것 중 가장 심한 통증이다"라고 말했다. 당신이 환자를 바로누운자세를 취하자 큰 소리로 신음하며 배를 움켜잡는다. 환자의 활력징후는 혈압 98/50mmHg, 맥박 124회/분, 호흡수 24회/분이다. 당신은 환자가 창백하고 이마에 땀방울이 맺혀 있는 것을 확인하고 기록한다.

(계속)

시나리오 (계속)

- 현재 확인한 정보를 바탕으로 어떤 감별 진단을 고려하고 있는가?
- 감별 진단의 범위를 좁히려면 어떤 추가 정보가 필요한가?
- 환자 처치를 계속할 때 초기 처치의 우선순위는 무엇인가?

복통은 치료를 받는 가장 많은 이유 중 하나이다. 2012년 미국 질병통제예방센터(CDC)의 보고서에 따르면 15세 이상 환자에서 복부 관련 호소 증상이 흉통 다음으로 많이 발생하는 것으로 나타났다. 15세 미만의 소아에서는 복부 관련 호소 증상이 이보다 덜 자주 발생한다. 위장관(GI) 계통의 다양한 해부학적 구조와 생리학적 특징을 고려할 때 복부 증상과 징후의 원인은 매우 다양하고 현장에서 진단하기 어렵다.

해부학 및 생리학

위장관은 음식을 분해하고 영양소를 흡수하며 노폐물 제거와 관련된 장기를 연결한다. 입에서 시작하여 식도로 이동하고 가슴안을 통해 복부로 이동하며 직장의 다리이음뼈에서 끝난다. 이 긴 경로를 따라 많은 문제가 발생할 수 있다. 환자가 호소하는 불만은 종종 비특이적인 경우가 많으므로 전문 진단 도구를 사용하더라도 진단을 내리는 것이 어려울 수 있다.

상부 위장관

위장관 계통은 혀와 침샘이 있는 입안에서 시작된다(그림 6-1). 소화 과정은 씹기로 시작된다. 씹기는 치아와 침이 단단한 음식물을 분해하여 식도를 통과할 수 있도록 하는 과정이다. 음식물은 식도를 통해 입에서 위로 전달되며 식도는 기관 뒤에

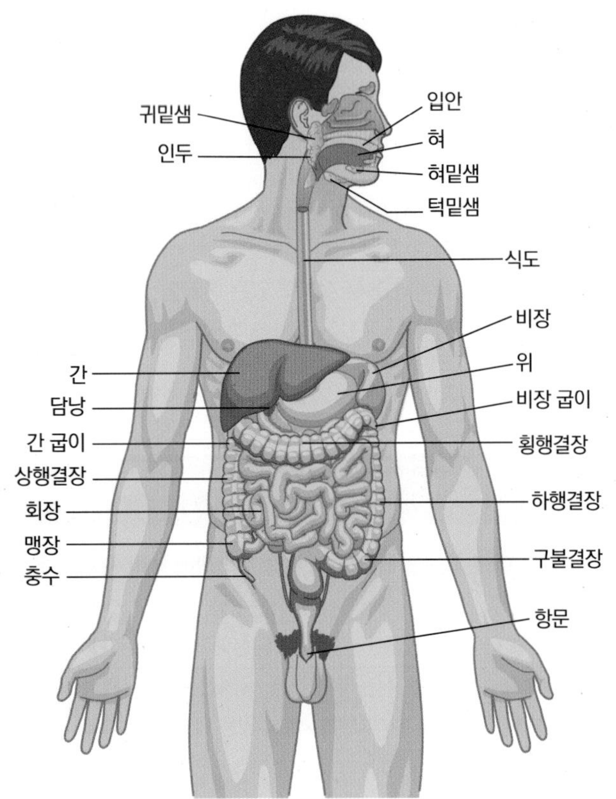

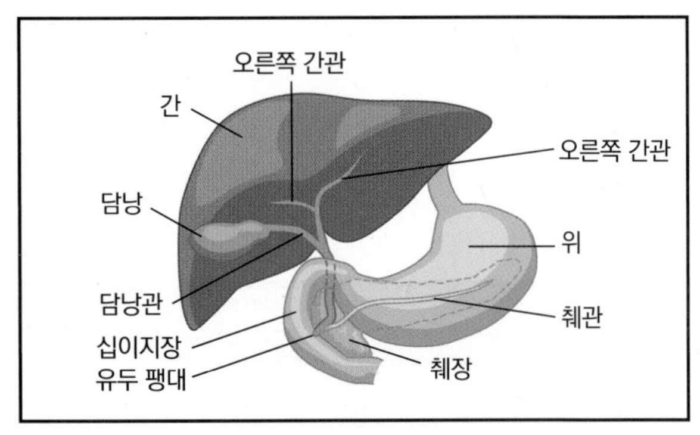

그림 6-1. 소화 기관

위치한 속이 빈 근육질의 장기로 가슴을 통해 말단부로 지나가고 가로막을 통과하여 위까지 이어진다. 식도의 근육질 벽은 음식을 입에서 위로 밀어내는 기능을 한다. 식도는 단단한 골격이 없으므로 쉽게 압축할 수 있다. 식도의 끝부분에는 위 내용물이 위에서 식도로 역류하는 것을 방지하는 근육 밴드인 하부 식도조임근이 있다.

위는 가로막 아래, 간의 왼쪽엽 바로 아래에 있으며 가슴우리에 의해 보호된다. 위가 비어 있을 때 위는 수많은 주름이 있어 1~1.5L의 음식과 액체를 수용할 수 있도록 확장할 수 있다. 세 층의 민무늬근육은 위의 확장과 음식물 처리를 향상한다. 위 내에 있는 샘은 소화효소를 생산하여 소화를 돕고 음식물과 함께 들어오는 잠재적으로 해로운 미생물로부터 인체를 보호한다. 위 배출 속도라고 하는 위 내용물이 하부 소화관으로 배출되는 속도는 섭취한 음식의 종류와 양 그리고 나이, 약물, 건강 상태와 같은 기타 요인에 따라 달라진다.

하부 위장관

음식물의 소화는 위에서 소장으로 이동하면서 계속 진행되며 소장은 하부 위장관의 첫 번째 구조이다. 펼쳤을 때 소장의 길이는 약 6.7m이지만, 신체에서는 비교적 작은 복강 내에서 단단히 상대적으로 작은 복강 안에서 단단하게 고리 모양으로 되어 있다. 십이지장, 공장, 회장은 소장의 세 부분이다. 십이지장은 위에서 뻗어 있고 길이가 30cm밖에 되지 않아 소장에서 가장 짧다. 십이지장은 간과 췌장으로부터 부분적으로 소화된 위 내용물 또는 미즙뿐만 아니라 외분비 분비물을 받는다. 공장은 길이가 약 2.4m 정도이며 대부분의 화학적 소화 및 영양소 흡수를 담당한다. 회장은 소장의 마지막 부분이고 약 4m로 가장 긴 부분이며 영양소 흡수를 담당한다. 대장은 맹장, 결장 및 직장으로 이루어져 있다. 맹장은 소장으로부터 소화의 산물을 받는 주머니이다. 맹장에는 벌레 모양의 충수가 붙어있다. 대장은 주로 물의 재흡수와 비타민 흡수를 담당하고 직장은 대변을 배출하는 역할을 한다.

보조 기관

간

간은 대부분 가로막에서 복강의 오른쪽 위 사분면에 있다. 간의 특정 기능은 광범위하다. 담즙 생산 및 대사작용과 혈액 조절을 포함한다. 간은 신체에서 200가지 이상의 기능을 수행하며 그중 일부가 표 6-1에 나열되어 있다. 간은 밀도가 높고 무게가 약 1.5kg로 무거운 기관이다. 간의 기본 구조 단위를 구성하는 세포 덩어리인 소엽으로 구성된 좌엽과 우엽으로 나뉜다. 간은 10만 개의 소엽으로 구성된 혈관 기관이다. 사실 간은 신체에서 가장 큰 혈액 저장소로서 간에 작은 열상이 있어도 광범위한 혈액 손실을 일으킬 수 있다.

표 6-1. 간의 기능

대사	혈액	다른 주요 기능
혈액에서 영양소 추출	노화되거나 손상된 적혈구 제거	담즙 분비
혈액에서 독소의 추출	알부민을 포함한 혈장 단백질 합성	호르몬의 흡수 및 분해
포도당과 같은 과잉 영양소의 제거 및 제거	응고 인자 합성	
당원생성, 당원분해 및 포도당신생성을 통한 정상적인 포도당 수준 유지		
비타민 A, 비타민 D, 비타민 B12 및 비타민 K를 포함한 비타민 저장		

담낭

담낭은 간 바로 아래에 있는 배 모양의 장기이다. 담낭의 기능은 담즙을 조절하고 저장하는 것이다. 담즙이 과도하게 침전되면 담석을 형성하여 통증을 유발할 수 있다. 담즙의 주요 기능은 지방과 지용성 비타민의 소화와 흡수를 돕는 것이다.

췌장

췌장은 십이지장의 첫 번째 부분과 명치 중간 부위 비장 사이의 위 뒤쪽에 있다. 췌관은 담관과 합쳐져 십이지장으로 분비된다. 이것은 소화 기관으로서 소화 효소, 중탄수소염, 전해질, 수분을 분비하여 소화 작용을 한다. 췌장은 아래와 같은 내용물을 분비하여 소화에 직접 관여하지 않는 내분비 기능을 수행한다.

- 포도당 수치를 올리기 위해 글루카곤 분비
- 조직 안으로 포도당의 이동을 촉진하기 위해 인슐린 분비
- 췌장소도(이자섬)에서 다른 내분비 세포를 조절하기 위해

소마토스타틴 분비

위장관의 기능

영양소를 효과적으로 처리하거나 소화하려면 위장관의 네 가지 주요 기능인 운동성, 분비, 소화 및 흡수가 손상되지 않아야 한다. 이러한 기능은 신경계, 내분비계, 근골격계 및 심혈관계의 복잡한 상호 작용이 필요하다.

운동

음식은 운동성이라는 과정에 의해 위장관을 통해 진행된다. 이 과정은 음식 성분을 혼합하고 입자 크기를 줄여 음식이 소화되고 영양분을 흡수할 수 있도록 한다. 이 과정을 성공적으로 수행하려면 연동 운동으로 알려진 구조화되고 조정된 근육 반응이 필요하다. 신경계, 특히 교감신경계와 부교감 신경계의 상호 작용을 통해 이루어진다.

부교감 신경계의 일부인 미주신경은 위장관을 횡행 결장 수준까지 자극한다. 이 신경은 조임근과 민무늬근의 수축과 확장을 조절하여 위장관의 운동성에 영향을 주어 위 배출에 중추적인 역할을 한다. 또한 신경은 분비 기능이 있어 구토를 자극하는 데 도움이 된다. 미주신경이 심장수를 조절하는 데 도움이 되므로 구토 시 서맥 종종 나타난다. 골반 신경은 하행 결장, S자 결장, 직장 및 항문관을 자극한다. 미주신경과 골반 신경은 식도의 상부 1/3에 있는 가로무늬근육과 외부 항문 조임근에 분포되어 있다.

교감 신경계는 주요 신경절(복강, 상장간막동맥, 하장간막, 아랫배)과 분비세포와 내분비 세포에 초점을 맞춘다.

분비

소화관은 운동성과 소화를 돕기 위해 체액을 분비하는 세포로 이루어져 있다. 이 세포는 24시간 동안 최대 9L의 수분, 산, 완충제, 전해질, 효소를 분비한다. 이 액체의 대부분은 재흡수되지만, 설사가 발생하고 심각하거나 확장되면 상당한 액체 손실이 발생할 수 있으며 탈수와 쇼크가 발생할 수 있다.

소화

소화는 음식을 세포 수준에서 신체의 영양에 사용되는 구성 요소로 분해하는 과정이다. 소화는 섭취한 음식의 기계적, 화학적 분해를 포함한다.

흡수

소장은 수분과 영양소의 주요 흡수 부위이고 대장은 물과 염분의 주요 흡수 부위이다.

통증

가장 흔한 위장 장애는 복통이다. 복통의 많은 빈도에도 불구하고 그 원인을 파악하는 것은 경험이 많은 처치 제공자에게도 어려울 수 있다. 종종 복통에 대한 주요 증상은 모호하고 명확하지 않았다. 환자로부터 필요한 정보를 얻고 진단을 도출해내기 위해서는 위장관계의 병태생리학을 알고 안심하게 하면서 문진하는 방법과 평가하는 방법을 알아야 한다. 정확한 진단이 항상 즉시 나타나는 것은 아니기 때문에 환자는 좌절감을 느낄 수 있고 마치 믿지 않는 것처럼 느낄 수 있다. 신뢰할 수 있는 환경을 구축하면 유발 요인 및 가능한 진단을 나타낼 수 있는 추가 증상에 대한 설명을 포함하여 꼭 필요한 정보를 얻을 수 있다.

소아나 노인은 임상의들에게 통증을 설명하는 데 어려움을 겪을 수 있다. 둘 다 통증에 대한 인식이 다르고 통증의 국소화도 다르다. 노인 환자는 통증이 실제로 시작된 것인지 혼동할 수 있으며 종종 자신의 인식에 영향을 미칠 수 있는 만성 통증을 안고 살아가게 된다. 소아 환자는 정확한 통증 위치를 제대로 파악하지 못하고 통증을 말로 표현하는 데 어려움을 겪을 수 있다.

복부 통증의 진단을 복잡하게 만드는 요인 중 하나는 불쾌감에 대한 인식이 원인과 환자의 개별 내성 수준에 따라 크게 다르다는 것이다. 또한, 복통은 시간이 지남에 따라 발전하는 경우가 많으며 질병 과정이 진행됨에 따라 더 잘 정의된다. 복통은 내장 통증, 몸 통증, 연관통의 세 가지로 나눌 수 있다.

내장 통증

내장 통증은 속이 빈 장기의 벽이 늘어나면서 발생하며 이에 따라 늘림수용기를 활성화할 때 발생한다. 이런 종류의 통증은 경미한 것에서 참을 수 없는 것까지 심부의 지속적인 통증이 특징이다. 일반적으로 경련통, 작열통, 쪼는 듯한 통증을 호소한다.

내장 통증은 복부 기관이 척수의 양쪽으로 통증 신호를 전달하므로 국소화하기 어렵지만, 일반적으로 상복부, 배꼽 주위 또는 두덩 윗부분에서 느껴진다. 상복부 내장 통증은 일반적으

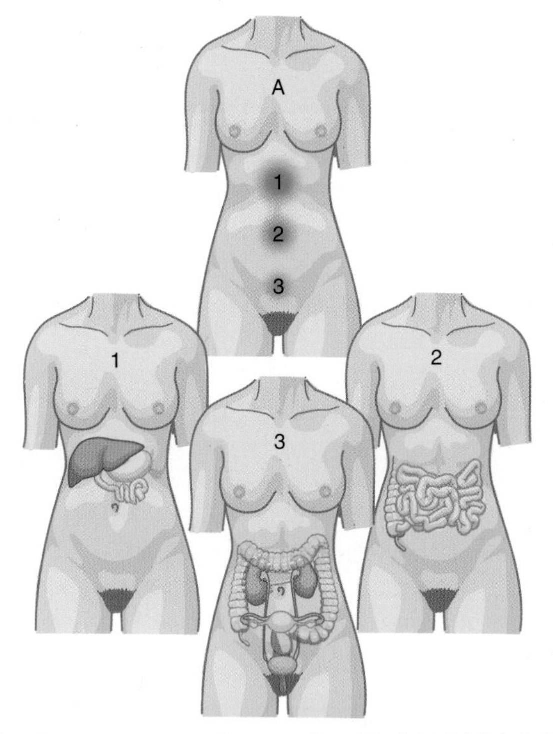

그림 6-2. 내장 통증의 국소화. 1, 2, 3에 묘사된 장기 부위에서 발생하는 통증은 A와 같이 각각 상복부, 복부 중앙, 하복부에서 느껴진다.

로 위, 담낭, 간, 십이지장, 췌장에서 발생한다. 배꼽 주위 통증은 충수, 소장 또는 맹장과 관련이 있는 경향이 있으며 두덩 위 통증은 신장, 요관, 방광, 결장, 자궁 또는 난소에서 발생한다(그림 6-2).

환자가 편안한 자세를 찾는 데 어려움을 겪을 수 있으므로 자주 움직이게 되며 이송 중에 조정할 수 있다. 복통의 원인에 따라 발한, 구역, 구토, 안절부절, 창백해질 수 있다. 표 6-2는 구역 및 구토를 하는 환자의 복부 불쾌감에 대한 가능한 몇 가지 감별 진단을 요약한 것이다.

몸 통증

몸 통증은 벽복막의 신경 섬유 또는 근골격계와 같은 다른 깊은 조직의 자극으로 인해 발생한다. 몸통의 원인은 내장 통증보다 정확히 파악하기 쉽다. 신체 소견에는 촉진시 날카롭고 불연속적이고 국소적인 통증이 있으며 이는 환부의 촉진에 대한 압통과 반동 압통을 동반한다.

몸통은 일반적으로 질병 과정의 후반부에 나타난다. 벽복막이 관련된 장기를 둘러싸고 있으므로 영향을 받은 구조가 자극을 받고 통증을 느끼는 데 더 오랜 시간이 걸린다. 척추의 뒤뿌리는 복막 통증을 활성화하므로 통증은 일반적으로 영향을 받는 기관과 같은 쪽에 있고 같은 피부 분절에 있다. 피부 분절은 척수 신경과 신경이 지배하는 신체 일부 사이의 관계를 나타낸다(그림 6-3).

표 6-2. 구역 및 구토를 동반한 복부 불쾌감 감별 진단

진단	정의	원인/기여요인	증상 및 징후	진단 검사	처치
신경학적					
뇌내 출혈	뇌 조직 내 출혈	외상, 뇌졸중, 고혈압, 흡연, 알코올 남용	반신불완전마비, 반신마비, 의식 수준 변화, 쿠싱 삼 징후	CT 혈관조영술, 전체 혈구 계산, 응고 검사, 전해질, 혈당	기도유지 정맥 라인 확보 12 리드 심전도 측정
수막염	수막의 세균, 바이러스 또는 곰팡이 감염	-	고열, 두통, 목 강직, 경련 인플루엔자와 유사 세균은 종종 1일 동안 빠르게 진행하고 바이러스 형태는 며칠에 걸쳐 진행할 수 있다.	전체 혈구 계산, 전해질, 혈액 배양, 허리 천자	기도유지 산소 투여 12리드 심전도 측정 정맥 라인 확보 등장성 용액 투여 세균성 감염이 의심되는 경우 항생제 투여 바이러스성 감염이 의심되는 경우 항바이러스제 투여

표 6-2. 구역 및 구토를 동반한 복부 불쾌감 감별 진단 (계속)					
진단	정의	원인/기여요인	증상 및 징후	진단 검사	처치
			심장성		
급성 심근경색	심장 근육의 괴사	관상동맥 질환, 흡연, 고콜레스테롤, 심근경색 병력, 당뇨병, 고혈압	가슴, 상복부 중앙, 요통 및 목 통증 구역 호흡 곤란	연속적인 12리드 심전도 측정, X-ray 검사, 전체 혈구 계산, 응고 검사, 전해질, 트로포닌	산소 투여 정맥 라인 확보 니트로글리세린 투여 아스피린, 항 혈소판 및 항응고제 투여 의료기관에서 혈관 조영술 시행
			위장관		
뵈르하베증후군	식도의 파열	폭발성 구토, 기침, 발작, 출산, 천식 상태	가슴, 목, 등 또는 복부의 통증 호흡 곤란, 빈맥, 토혈, 발열, 피부밑 기종	전체 혈구 계산, 응고 검사, 혈액형 및 교차 시험 가슴 X-ray 검사 가슴, 복부, 골반 CT 검사	기도 손상, 저산소증 및 쇼크를 처치 의료기관에서 수술 시행
말로리-와이스 열상	출혈을 일으키는 식도 점막의 세로 열상	중증의 지속적인 구토, 출혈	중증의 지속적인 구토 출혈	기관지내시경술,전체 혈구 계산, 응고 검사, 혈액형 및 교차 검사	기도 손상 및 쇼크를 처치하고 산소를 투여, 정맥 라인을 확보 위세척과 수술은 의료기관에서 시행
상부 위장관 출혈	십이지장과 공장의 접합부 근위부 출혈	토혈(밝은 적색이나 커피 찌꺼기와 유사한 혈성 구토), 알코올 남용, 비스테로이드소염제 사용, 간 질환, 정맥류	복통 붉거나 커피색의 구토물 또는 대변	가슴 및 복부 X-ray 검사, 혈관조영술 전체 혈구 계산, 응고 검사 또는 혈액형 및 교차 검사 내시경술	산소를 투여(산소포화도 > 94%로 유지) 12 리드 심전도 검사 정맥 라인 확보 저관류를 찾기 위해 호기말 이산화탄소측정 모니터링 쇼크 처치 혈액제제 투여
허혈 장 질환 (일반적으로 질병)	위장관 괴사	심방세동, 응고 항진증, 중증 말초 혈관질환, 최근 수술, 쇼크	복통(종종 압통에 비례하지 않음), 빈맥, 저혈압, 발열, 안절부절	전체 혈구 계산, 응고 검사, 전해질, 혈액형 및 교차 검사 복부 및 골반 CT 혈관 조영술	산소 투여, 산소포화도를 94~99%로 유지(노인 또는 기타 혈관 질환이 있는 사람) 12 리드 심전도 검사 정맥 라인 확보 쇼크 처치
			내분비		
당뇨병케톤 산증	고혈당, 케톤증 및 산증	당뇨병, 특히 제1형 당뇨병 그러나 질병이 있는 제2형 당뇨병 환자에서 발생할 수 있음	구역, 구토, 다음증, 다뇨증, 복통, 대사 산증	혈당, 혈청 전해질, 동맥혈가스분석, 전체 혈구 계산	산소 투여(산소포화도 > 94%로 유지) 정맥 라인 확보 호기말이산화산탄소분압 모니터링 등장액 및 인슐린 투여

ASA, Acetylsalicylic acid; CBC, complete blood count; CT, computed tomography; CTA, computed tomography angiography; ECG, electrocardiogram; GI, gastrointestinal; IV, intravenous; MI, myocardial infarction; NSAIDs, nonsteroidal anti-inflammatory drugs.

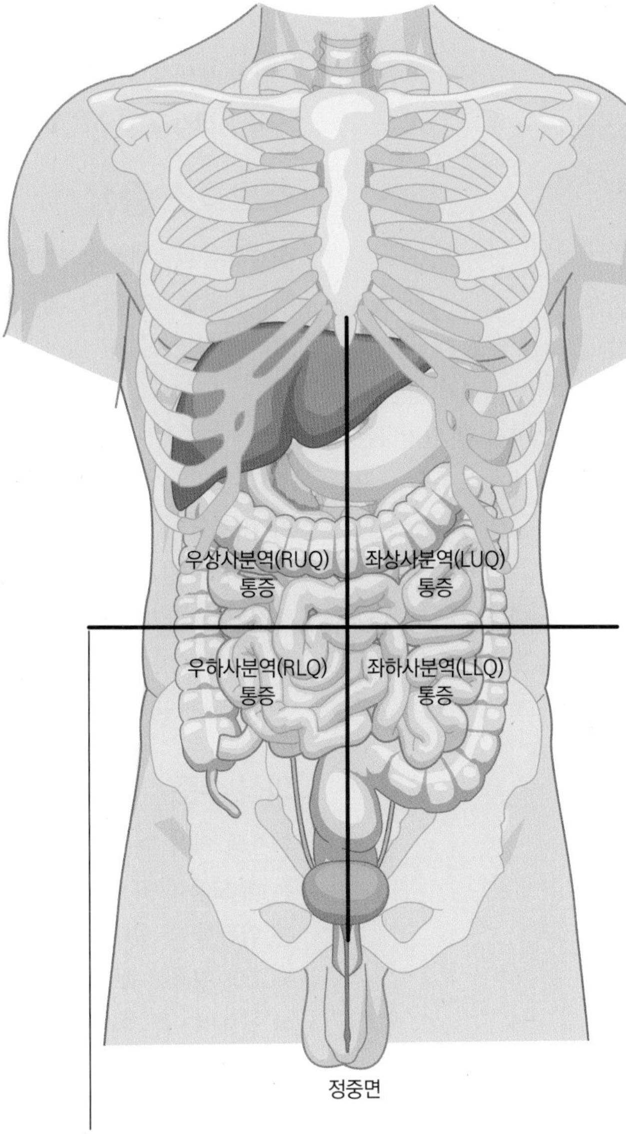

광범위 통증(Diffuse pain)
복막염
췌장염
낫적혈구 위기
조기 충수염
장간막 혈전증
위창자염
동맥류의 파열 및 박리
장폐색
당뇨병
염증 장 질환
과민 대장

우상사분역(RUQ) 통증
담석급통증
담낭염
위염
위-식도 역류 질환
간 농양
급성 간염
울혈심부전으로 인한 간비대
천공성 궤양
췌장염
맹장뒤 충수염
심근 허혈
임신 중 충수염
우하엽 폐렴

좌상사분역(LUQ) 통증
위염
췌장염
위식도 역류 질환
비장 병리
심근염
좌하엽 폐렴
가슴막 삼출

우상사분역(RUQ) 통증
좌상사분역(LUQ) 통증
우하사분역(RLQ) 통증
좌하사분역(LLQ) 통증

우하사분역(RLQ) 통증
충수염
메켈곁주머니염
맹장 곁주머니염
대동맥류
자궁외임신
난소낭
골반염증 질환
자궁내막증
요관 결석
요근농양
장간막림프절염
감금 탈장/조임 탈장
난소 꼬임
자궁관 난소고름집
난소고름집

좌하사분역(LLQ) 통증
대동맥류
구불결장 곁주머니염
감금 탈장/조임 탈장
자궁외임신
난소 꼬임
배란통
난소 낭종
골반염증 질환
자궁내막증
자궁관 난소고름집
요관 결석
요근농양
요로 감염

정중면
배꼽가로면

그림 6-3. 급성 복통의 감별 진단. 울혈심부전(CHF), 위-식도 역류 질환(GERD), 좌하엽(LLL), 우하엽(RLL)
Marx JA, Hockberger RS, Walls RM, et al.: *Rosen's emergency medicine*, ed 7, St. Louis, 2009, Mosby.

연관통

통증이 원인이 아닌 다른 부위에서 발생하는 경우 관련 연관통이라고 한다. 다시 말해 통증은 그 원인에서 다른 위치로 연관된다. 겹치는 신경 경로가 이 현상의 원인이다. 예를 들어, 연관통은 종종 환자가 오른쪽 어깨뼈 부위에서 통증을 느끼는 담낭염을 동반한다. 케르 징후(Kehr's sign) 비장 파열로 인한 통증이 왼쪽 어깨 끝에서 나타나는 것이다. 또한, 심근경색증은 목, 턱 또는 팔에서 통증을 느낀다.

AMLS 평가 과정 ▶▶▶▶▶

▼ 초기 관찰

현장 안전 고려 사항

현장 안전 고려는 복통과 관련된 출동 정보를 받을 때부터 시작된다. 다발성 환자는 위장관 환자에게 흔히 발생하지 않는다. 현장에 도착하면 현장 상황이 초기 관찰과 얼마나 잘 일치하는지 결정할 수 있다. 예를 들어, 여러 명의 환자가 복통을 보고하는 사무실 건물에 대한 지원 요청은 화학 물질 또는 생물학적 제제가 방출된 현장을 고려한다.

표준 예방 조치를 시행한다. 출혈, 구토 및 대변은 복부 질환과 관련된 위험이며 체액 노출로부터 자신을 보호하기 위해 개인 보호장비를 사용한다. 장갑, 가운, 마스크 외에도 개인의 안전을 유지하면 개인 보호장비가 필수적이다.

- 눈 보호
- 수건 및 오염물 세척
- 추가 리넨
- 흡수성 패드
- 구토용 봉지
- 일회용 봉지
- 생물학적 위험 가방
- 세척용 물

출동 중 더러워진 장비와 유니폼의 적절한 세척 및 유지 관리는 EMS 대원의 건강과 환자의 건강을 보장하는 데 필수적이다.

생명을 위협하는 명백한 응급 상황은 즉시 해결한다. 복부 불편과 관련된 주요 생명을 위협하는 다음 상황과 같이 출혈, 탈수 또는 패혈증으로 인한 쇼크이다.

- 파열된 동맥류, 위장관 출혈 또는 자궁외임신으로 인한 내부 출혈
- 다양한 원인으로 인한 구토나 설사로 인한 탈수
- 파열된 충수 또는 천공된 장, 유치 카테터로 인한 세균 혈증 또는 신우신염과 같은 상태에 이차적인 패혈증

만약 생명을 위협하는 상황이 존재하지 않는 경우 주요호소 증상에 평가를 집중할 필요가 있다.

주요호소 증상

중증, 응급, 비응급 복부 질환과 관련된 증상 및 징후는 표 6-3에 요약되어 있다. 평가하는 동안 단서를 수집하고 이를 결합하여 감별 진단을 알아볼 수 있다.

일차평가

주요 목표는 기도, 호흡, 순환의 유지와 통증 및 구역의 처치이다. 기도, 호흡 및 순환에 관해 설명하면 잠재적인 감별 진단을 좁히고 평가를 지속한다. 다음 단계는 환자의 상태에 따라 결정된다. 환자의 상태를 안정화하면서 더 자세한 평가를 수행할 수 있는 자원이 있다면 시행한다. 그러나 환자의 기도, 호흡, 순환이 안정화되기 전에 추가 평가를 수행해서는 안 된다.

의식 수준

환자의 의식 수준(LOC)을 관찰하면 문제의 심각도를 측정하는 데 도움이 될 수 있다. 혼란스럽고 창백하며 땀이 나는 환자는 위독할 수 있다. 통증으로 인해 일부 환자는 흥분하고 다른 동요의 징후를 보인다. 많은 위장관계 통증이나 출혈과 관련이 있으며 이는 환자의 의식 수준을 감소시킬 수 있다. 말을 하는 환자는 기본적인 생리학적 정보를 제공하고 있다. 말을 하는 것은 기도가 개방된 것을 의미한다. 말을 하려면 환자는 호흡하고 뇌 활동을 유지하기 위해 적절한 혈압을 유지하고 혈당 수치가 적절해야 한다.

표 6-3. 복부의 증상 및 징후가 있는 중증, 응급 및 비응급 질환

질환	증상과 징후
중증	
위장관	
뵈르하베 증후군(식도 파열)	통증, 구역/구토, 출혈
허혈장	통증, 구역/구토, 설사
장간막허혈	통증, 구역/구토, 출혈
위장관 출혈	통증, 구역/구토, 출혈
전격간부전	통증, 구역/구토, 황달
담관염(담도의 감염)	통증, 구역/구토, 황달
신경계	
뇌내 출혈	구역/구토
수막염	구역/구토
심혈관	
급성 심근경색증	통증, 구역/구토
버드-키아리 증후군(간정맥 폐쇄)	통증, 구역/구토, 황달
중증 울혈심부전	황달
폐쇄성 대동맥류	황달
내분비	
당뇨병케톤산증	통증, 구역/구토
생식계	
자간전증/용혈, 간효소상승, 저혈소판증후군(HELLP)	황달
태반조기박리	통증, 구역/구토
전치태반	질출혈
면역	
급성중증과민증	통증, 구토, 설사
응급	
위장관	
위날문폐쇄	통증, 구역/구토
장폐색	통증, 구역/구토, 변비, 설사

질환	증상과 징후
응급	
위장관	
장 천공	통증, 구역/구토, 변비
관통 내장	통증, 구역/구토, 출혈
췌장염	통증, 구역/구토
충수 파열	통증, 구역/구토
복막염	통증, 구역/구토
크론병	통증, 구역/구토
궤양결장염	통증, 구역/구토, 설사
담석증	통증, 구역/구토
말로리-와이스 파열(식도의 작은 열상)	통증, 구역/구토, 출혈
신경계	
중추 신경계 종양	구역/구토
내분비	
부신 부전	통증, 구역/구토, 설사
생식계	
입덧	극심한 구역/구토
비뇨생식	
고환 꼬임	통증, 구역/구토
비응급	
위장관	
간염	통증, 구역/구토, 설사, 황달
위장관염	통증, 구역/구토, 설사
과민대장증후군	통증, 구역/구토, 변비, 설사
곁주머니염/곁주머니증	통증, 출혈, 변비, 설사
염증장질환	통증, 구역/구토, 출혈, 설사

뇌척수액(CSF), 우상사분역(RUQ)

기도 및 호흡

기도유지는 복부 문제가 있는 환자에게서 더 적절하다. 구토하는 환자는 흡인의 가능성이 더 크다. 기도에 이물이 있는지 면밀하게 확인하고 이물이 있는 경우 제거하거나 흡인한다. 입에서 이상한 냄새가 나는지 확인한다. 장폐색이 심한 환자는 호흡시 대변 냄새가 날 수 있다. 환자의 자세를 고려한다. 환자가 저혈압이 아닌 경우 침대의 머리를 올려준다.

호흡은 위장관 질환에 의해 거의 영향을 받지 않는다. 호흡에 문제가 발생하면 일반적으로 심각한 합병증에 의해 발생한다. 기도가 확보되면 환자에게 산소를 공급하면 호흡 능력이 저하되지 않는다.

순환/관류

순환계에 대한 평가는 위장관 질환이 신체에 미치는 영향을 이해하는 데 필수적이다. 모든 환자와 마찬가지로 피부색, 체온 및 피부 상태를 평가한다. 쇼크를 의미할 수 있는 모든 증상이나 징후를 확인한다. 환자의 맥박수, 강도, 규칙성 및 동일성을 확인한다. 말초 맥박과 중심 맥박을 평가하고 비교한다.

많은 위장관 장애는 통증과 출혈을 동반한다. 환자의 혈액량이 감소하기 시작하면 신체는 보상 작용으로 카테콜라민(에피네프린, 노레피네프린)을 방출하여 말초혈관을 수축시키고 맥박수를 증가시키며 좌심실 수축력을 증가시킨다. 통증은 비슷한 신체 반응을 지극한다. 어떤 원인이든 환자에게 빈맥, 말초 맥박 감소, 땀남, 창백하고, 차갑고 피부가 축축하다.

심한 위장관 출혈 환자 평가시 많은 양의 혈액을 볼 수 있으며 출혈량을 확인하고 기록한다.

▼ 첫인상

현장에서 시행하는 기본적인 결정은 환자의 상태가 생명을 위협하는지와 비정상적인 활력 징후나 호흡 곤란이 없는지 확인하는 것이다. 어느 하나라도 나타나는 환자는 신속하게 처치하고 적절한 의료 기관으로 이송한다.

다음과 같은 내용은 현장이 안전하다는 것이 확인되고 개인보호장비를 착용한 후 생명을 위협하는 복부 증상이 있는 경우 처치에 대한 검토를 제공한다.

- 기본 소생술을 이용하여 필요에 따라 적절하게 기도를 관리한다. 적절한 방법(예; 비재호흡마스크나 코삽입관)을 이용해 추가 산소를 제공하거나 필요한 경우 보조 환기를 시행하여 산소포화도를 94% 초과할 수 있도록 유지한다.
- 심장 모니터를 적용하고 적절한 경우 연속적인 12 리드 심전도 측정을 고려한다.
- 명백한 출혈은 조절한다.
- 정맥 라인을 확보하고 결정질 수액을 투여한다. 그러나 적극적인 수액 투여는 적혈구 농도를 희석하고 출혈이 있는 경우 응고 형성을 방해할 수 있으므로 주의한다. 혈압은 주요 장기에 충분한 관류를 유지할 수 있을 만큼 적절한 수준으로 유지한다. 수축기 혈압을 80~90mmHg로 유지할 수 있도록 수액을 투여한다. 관류가 적절한지 평가하기 위해 의식상태를 평가한다.
- 지침에 따라 약물을 투여한다. 이전의 신념과는 반대로 진통제 투여는 대부분의 경우에 적절하다.
- 환자를 면밀히 모니터링하고 반응을 확인하기 위해 지속해서 재평가한다.
- 출혈이 조절되지 않거나 적절한 관류를 유지할 수 없는 경우 혈액제제를 투여할 준비를 한다.

생명을 위협하지 않는 상황이라면 환자가 발견된 위치를 자세히 살펴본다. 환자의 위치나 자세가 무슨 일이 일어났는지에 대한 힌트를 줄 수 있다. 환자가 아파서 며칠 동안 누워 있었는가? 갑작스러운 통증이 발생했을 때 직장에서 근무 중이었나요? 환자가 겪고 있는 질병의 기간과 정도에 대한 단서를 찾기 위해 주위 환경을 살펴본다.

복부 질환이 있는 환자의 첫인상 중 하나는 냄새이다. 환자에게 접근하면서 환자가 있는 공간에서 냄새가 가는지 주의한다. 종종 악취가 나는 대변은 이런 장애에 존재한다. 또한, 환자의 생활 상태를 확인한다. 이 정보는 환자의 문제가 급성인지 만성인지 확인하는 데 도움이 될 수 있으며 환자의 응급 상황이 위장관계에 국한되어 있는지를 제안할 수 있다.

많은 환자는 만성 질환을 앓고 있어서 위장관 호소증상은 초기 감별 진단을 내리는 데 도움을 줄 수 있다.

▼ 상세 평가

병력 청취

OPQRST 및 SAMPLER

정확하고 상세한 병력을 청취하는 것은 모든 환자에서 필수적이지만, 위장관 호소증상은 환자에게 특히 중요하다. 유용한 정보를 얻는 것은 어려울 수 있지만, SAMPLER 및 OPQRST와 같은 방법을 이용하면 필요한 질문을 하도는 데 도움이 될 수 있다. 인내심을 가지고 환자에게 진정한 관심을 보이는 것은 환자와의 관계를 형성하는 데 도움이 된다. 표 6-4는 복부 불쾌감이 있는 환자에 대한 신체 계통의 연관성을 나타낸다. 표 6-5는 복부 질환과 관련된 임상 징후를 나열한 것이다. 환자의 병력을 청취할 때 복부 불쾌감이 있으면 식욕, 배변 요법, 요증상 및 양과 빈도, 월경 이력과 임신 상태, 생식기 분비물을에 대해서도 물어본다.

표 6-4. 복부 불쾌감이 있는 환자 평가 기 계통별 고려 사항

계통	병력, 감별 진단 및 기타 평가 고려 사항
신경계	특히 환자의 의식 수준이 변화되었거나 구역과 구토가 있는 경우 최근의 사고나 외상에 대해 질문한다.
호흡기계	호흡 문제에 대한 증거를 확인한다. 폐렴은 상복부 불쾌감과 관련될 수 있다. 식도 파열은 호흡기 증상과 징후를 나타낼 수 있다.
심혈관계	소화불량과 상복부 불쾌감은 급성 관상동맥증후군에 대해 신속하게 환자를 평가한다.
위장관계, 비뇨생식계 및 생식계	만성 또는 급성 진단의 병력을 조사한다. 진단을 암시할 수 있는 식사, 배변 또는 배뇨 습관의 변화에 대해 환자에게 질문한다. 질 분비물, 출혈 및 월경 변화는 특정한 질병 과정을 암시한다.
근골격계 및 피부	창백, 황달, 요독증 및 기타 복통의 원인을 암시하는 피부를 변화를 관찰한다. 환자의 복부 증상의 원인을 나타내는 흉터, 투석 또는 외부 장치(예: 배액관, 튜브와 펌프)가 있는지 확인한다.
내분비계, 대사 및 환경	과거 병력을 청취한다. 혈당 수치를 측정한다. 호기말이산화탄소분압(당뇨병케톤산증에서 비정상)을 평가한다. 환자가 처한 상황을 관찰할 수 없는 경우 현장을 평가하거나 환자, 가족 및 주변 사람들에게 철저히 질문한다.
감염병 및 혈액 질환	환자의 병력, 악취 및 폴리카테터 또는 기타 침습적 배액관의 존재는 감염 과정을 가리킬 수 있다. 발열을 평가하기 위해 환자의 체온을 측정한다. 호기말이산화탄소분압(패혈증에서 비정상)을 평가한다. 복막염 및 패혈증과 관련된 장 손상에 대해 환자를 평가한다. 백혈구 수, 혈색소 및 적혈구용적률, 프로트롬빈 시간과 부분트롬보플라스틴 시간과 같은 혈액학적 진단에 유용한 검사 결과를 분석한다.
독성(핵, 생물 및 화학)	노출 문제를 조사한다. 많은 중독 증후군은 위장관계 구성 요소를 가지고 있다. 다양한 중독 증후군에 익숙해지고 높은 의심 지수를 유지하면 감별 진단에서 이를 간과하는 것을 방지할 수 있다.

표 6-5. 선택적 복부 질환과 관련된 임상 징후

징후	설명	감별 진단
토혈	구토물에 혈액	상부 위장관 출혈
커피 찌꺼기 같은 구토	부분적으로 소화된 혈액의 구토	위장관 출혈
분변성 구토	고약한 냄새나 악취가 나는 구토	장폐쇄
혈변	직장을 통한 혈변	하부 위장관 출혈
흑색변	소화된 혈액을 포함하는 검은색 변, 타르변	상부 위장관 출혈
대변의 잠혈	맨눈으로 명확하지 않은 대변 내 혈액을 검사실에서 확인	하부 위장관 출혈
흰색의 변	흰색의 백악질 변	간 또는 담당 질환
혈뇨	소변의 혈액	방광 감염 신장병 외상

이차평가

통증 평가

위장관 호소증상을 평가할 때 환자의 통증에 대한 자세한 평가가 포함되어야 한다. 복통은 종종 광범위하고 분류하기 어려우며 이를 체계적으로 기록하면 진단을 구체화하는 데 도움이 될 수 있다. 초기 과제는 통증의 원인을 확인하고 해당 부위를 결정하는 것이다(**그림 6-2, 그림 6-4 참조**). 발병 시간을 알면 통증이 어떻게 진행되었는지 평가하는 데 도움이 되며 이는 질병의 중증도를 나타낼 수 있다. 구토와 같이 일반적으로 통증을 수반하는 징후에 주의한다.

의료 전문가가 사용하는 단어보다 더 많은 것을 드러낼 수 있기 때문에 환자가 표현하는 말로 통증을 기록한다. 개방형 질문을 한다. 예를 들면, 통증은 어떤 느낌인가요?, 통증을 설명할 수 있나요? "아프다"에서 "찢어지는 것 같은 느낌이 든다"와 같이 솔직하게 대답을 할 수 있도록 격려한다. 환자가 통증을 설명할 수 없는 경우 만약 통증을 자세히 설명할 수 없다면 몇 가지 유용한 설명을 제공한다. 예를 들어, "날카롭고, 찢어지는 것 같고, 뜨겁고, 화끈거리는 듯한, 둔한 통증이 있는지 물어본다. 어떤 활동이나 움직임이 통증을 더 악화하거나 호전되는지 물어보고 집에서 복용한 약물이나 시행한 처치가 있는지 확인하고 기록한다.

통증 척도를 사용하면 시간 경과에 따른 환자의 통증을 비교할 수 있다. 사람들은 문화적 규범과 개인의 통증 역치에 따라

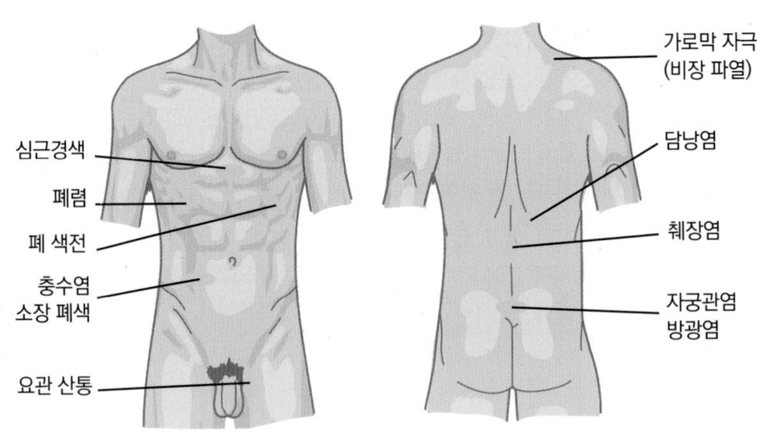

그림 6-4. 방사성 통증 양상. 이 부위의 통증이나 불쾌감은 종종 근본적인 질병 과정에 대한 단서를 제공한다.

매우 다양한 수준의 통증 내성이 있다. 따라서 통증 척도를 가장 잘 사용하는 것은 대체로 주관적인 통증의 중증도를 결정하는 것이 아니라 개선 또는 걱정스러운 경향을 추적하는 것이다. 환자의 통증을 재평가하고 반응을 기록하며 증상에 대한 환자의 설명을 신뢰한다.

신체 평가

환자의 활력징후를 분석하는 것은 신뢰할 수 있는 진단을 내리는 데 중요하다. 예를 들어 발열은 감염이 있을 수 있음을 나타내며 일반적으로 체온이 38°C 이상이면 의미가 있는 것으로 간주한다. 그러나 이는 노인이나 면역체계가 손상된 환자에게 적용하지 않는다. 이러한 환자의 경우 체온이 정상일지라도 심각한 감염이 있을 수 있다. 체온이 36°C 미만도 중요한 결과이다. 저혈압과 빠른 심박수는 저혈량증을 의미할 수 있다. 베타차단제는 심박수를 감소시키기 때문에 베타차단제를 복용하는 환자를 제외하고 체온이 상승하면 심박수가 빨라질 수 있다. 호흡수 증가는 폐렴, 심근경색, 패혈증, 대사 산증 또는 저관류와 같은 심각한 질병을 나타내는 위험 신호일 수 있다.

체계적이고 철저한 신체검사를 시행한다. 그러나 검사는 환자에게 어려운 경험이 될 수 있다. 찌르거나 찌르는 것을 좋아하는 사람은 아무도 없지만, 종종 질병이나 손상과 관련된 불안에 직면하면 불편함이나 불쾌감이 더 커진다. 이미 불편한 환자는 검사가 고통스러울 것이라고 걱정할 수 있다. 먼저 절차를 설명하여 환자를 준비시키면 불확실성을 줄이고 협력을 향상할 수 있다.

신체검사 기술에는 시진, 청진, 타진, 촉진이 포함된다.

시진

복부 검사는 항상 시진부터 시작한다. 왜냐하면 촉진하면 복부의 전반적인 모양이 바뀔 수 있고 환자의 통증을 유발할 수 있으며 그 후에는 보호로 인해 추가 촉진이 방해받을 수 있다. 사진 시 복부 팽창, 맥박 촉진, 반상출혈, 비대칭, 임신, 흉터, 종괴 및 기타 비정상적인 모든 것을 확인한다.

청진

청진은 일반 신체검사에서 두 번째 단계이다. 청진하기 전에 복부를 촉진하면 인위적으로 장음을 증가시켜 결과를 변경할 수 있으므로 촉진하기 전에 청진한다. 시간과 상황이 허락한다면 복부의 각 사분면을 약 30초 동안 청진을 한다. 정상적인 장음은 물이 콸콸 흐르는 것처럼 들린다. 경험이 없으면 이 소리가 정상적인지 비정상인지 구분하기 어렵다. 과민성 장음은 위장염이나 초기 장폐쇄를 나타낼 수 있다. 사분면에서 활동 저하 또는 조용한 장음은 장폐색을 나타낼 수 있다. 그러나 구급차 등과 같이 시끄러운 환경에서 복부를 청진하는 것은 불가능할 수 있다. 장음을 철저히 평가하려면 각 사분면에서 최대 5분까지 청진한다. 그러나 현장에서는 짧은 시간에 청진하고 비실용적이기 때문에 청진하지 않는다. 청진하는 시간이 짧다고 해서 장음이 들리지 않는 것은 아니며 청진하는 당시에 장음이 들리지 않을 수 있다는 것을 의미하는 것이다. 병원 전 처치 제공자는 청진을 수행하기 위해 현장에서 시간을 지체해서는 안 된다. 하지만 청진하는 시간이 짧아지면 장음이 저하되거나 안 들리는 것이 아니라 그 짧은 시간에 들리지 않는 경우 일 수도 있다. 병원 전 상황에서는 이 검사의 구성 요소가 유용성이 제한적이기 때문에 청진을 수행하기 위해 현장에서 시간을 허비해서는 안 된다.

타진

타진은 연습과 숙련된 강사를 통해 가장 잘 수행할 수 있다. 잘 사용하지 않는 손을 복부에 대고 자주 사용하는 손으로 손가락을 두드린다(그림 6-5). 복부 타진은 특정 부위에 더 많은 가스나 액체가 들어 있는지를 나타낸다. 타진을 통해 장기와 종괴의 경계를 결정할 수 있다. 복부 촉진이나 타진을 시행하기 전에 환자에게 무엇을 하고 있는지 설명하고 이해할 수 있도록 한다. 영향을 받지 않은 쪽에서 시작하여 불편한 부위로 진행하면 환자가 참기 쉽고 불안을 덜 느끼게 된다. 각 사분면에서 복부를 가볍게 타진하여 기체 팽만(울리는 소리)과 둔탁음을 평가한다. 기체 팽만은 일반적으로 위장관의 가스 때문에 많이 들린다. 타진에서 함께 나타나는 통증과 압통에 주의하며 타진

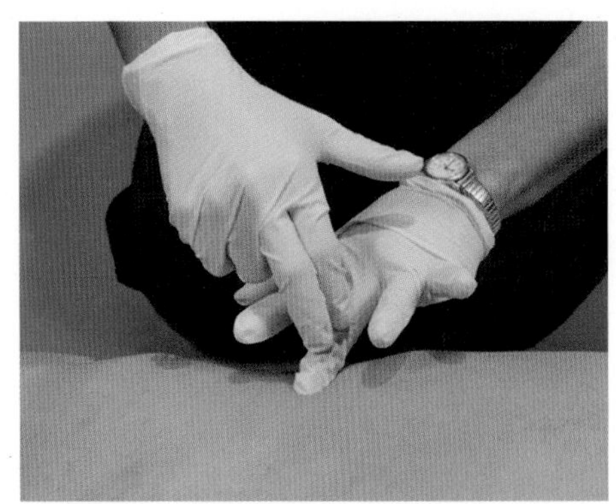

그림 6-5. 복부 타진.

은 청진처럼 연습이 필요하다.

촉진

복부의 경직과 불안으로 인한 보호는 결과의 신뢰성을 떨어뜨릴 수 있으므로 촉진하는 동안 환자의 긴장을 풀고 편안한 상태에서 시행하는 것이 중요하다. 환자가 긴장을 풀도록 격려한다. 각 사분면을 촉진하는 동안 환자의 얼굴에 나타나는 반응을 관찰하고 환자의 느낌이 어떤지 질문한다. 이상적으로는 환자가 주의를 산만하게 하고 불편한 기색을 관찰할 수 있다. 얼굴을 찡그리거나 눈물을 흘리는 것은 말로 불평하는 것보다 더 많은 것을 드러낼 수 있다. 촉진 전, 촉진 중, 촉진 후 통증의 차이를 끌어내려고 시도한다. 반동압통은 압력이 해제될 때 나타나는 통증으로 복막 자극의 전형적인 징후이지만, 비특이적 복부 주요 증상이 있는 환자의 최대 25%에서 나타난다. 일부 부위에서는 환자가 추가 복부 평가에 저항할 수 있으므로 임상의가 반동압통을 유도하는 데 어려움을 겪기도 한다. 발꿈치를 두드리거나 기침을 하면 비슷한 통증을 유발할 수 있다. 이러한 각각의 활동은 자극된 복막을 자극하여 통증을 확인할 수 있다.

진단

POS (Point-of-Service Lab) 검사실 검사가 현실화하면서 EMS 제공자는 이제 3분 안에 현장에서 검사 결과를 확인할 수 있다. 위장관계의 기능이 손상되면 노폐물을 제거하는 기능도 손상된다. 특히 나트륨과 칼륨 수치는 빠르게 변할 수 있으므로 모니터링한다. 휴대용 혈액 분석기를 이용해 구급대원들이 구급차 안에서 이러한 검사를 시행할 수 있다. 이러한 화학적 불균형을 조기에 발견하면 EMS 제공자가 예방적 처치를 시작하는 데 필요한 정보를 얻을 수 있다. 복부 주요 증상이 있는 환자에서 자주 시행하는 검사 항목은 표 6-6에 요약되어 있다. 표 6-7은 복부 질환 진단에 사용되는 방사선 검사를 요약한 것이다.

병원에서 수행되는 특정 검사실 검사에는 전체 혈구 계산, 포괄적인 대사 계수, 혈액형 및 교차 적합 검사가 포함된다. 영상 검사에는 컴퓨터단층촬영(CT)과 내시경 검사를 포함할 수 있다. 그러나 중증 환자의 경우 검사보다 소생술이 우선이다.

현장 처치 초음파(POCUS)는 병원 전 환경에서 더욱 일반적으로 사용되는 도구이다. 이 기술의 광범위한 사용에 대한 두 가지 가장 큰 장벽은 장비 비용과 교육 가능 여부이다. POCUS는 복부 대동맥류 및 파열된 자궁외임신과 같은 복부 통증의 원인을 평가하는 데 사용할 수 있다. 병원 전 환경에서 POCUS 주요 역할은 소생술을 돕는 것이어야 한다. POCUS는 중환자 이송 환경에서 더 많이 사용되어 왔다.

표 6-6. 복부 호소증상을 진단하기 위한 검사실 검사

성분 또는 지표	정상 수치	해석	적응증
포도당	70~110mg/dL	정상 수준 이상이면 당뇨병케토산증, 스테로이드 사용, 스트레스를 나타낼 수 있다. 정상 수준 이하는 저장량 감소하고 인슐린이 증가함을 나타낸다.	
혈색소/적혈구용적률	남성 Hb: 14~18g/dL(8.7~11.2mmol/L) 여성 Hb: 12~16g/dL(7.4~9.9mmol/L) 남성 Hct: 42~52%(0.42~0.52) 여성 Hct: 37~47%(0.37~0.47)	정상 수준 이하는 혈액 손실, 적혈구 파괴(낫적혈구빈혈) 또는 생산 감소(만성 질환의 빈혈)을 나타낸다. 정상 수준 이상은 혈장 손실, 탈수를 나타낸다.	모든 유형의 쇼크
위/대변 혈색소	음성	양성은 위장관 출혈을 나타낸다.	모든 유형의 쇼크
젖산	정맥: 5~20mg/dL (0.6~2.2mmol/L)	정상 수준 이상은 조직 저관류 및 산증을 나타낸다.	모든 종류의 쇼크

성분 또는 지표	정상 수치	해석	적응증
전혈구계산(CBC)	총 백혈구 수 5,000~10,000/mm3 (5~10 × 10^9/L)	백혈구의 정상 수준 이상은 감염, 패혈증, 암을 나타낼 수 있다. 감소된 수치는 자가면역 장애, 영양실조, 특정 감염에서 볼 수 있다.	패혈 쇼크에서 더욱 중요
동맥혈 가스(ABG)	pH 7.35~7.45	정상 pH 이상은 알칼리증을 나타낸다. 정상 pH 이하는 산증, 관류 장애를 나타낸다.	모든 유형의 쇼크
	$PaCO_2$ 35~45mmHg PaO_2 80~100mmHg	정상 수준 이하의 O_2는 저산소증을 나타낸다.	
	HCO_3 21~28mEq/L	정상 HCO_3 수준 이하는 대사 산증을 나타낸다.	
혈청 전해질	Na 136~145mEq/L (136~145mmol/L) K 3.5~5mEq/L (3.5~5mmol/L)	정상 수준 이하의 Na는 삼투성 이뇨제와 함께 존재할 수 있다. 정상 수준 이상의 Na는 탈수와 함께 존재할 수 있다. 구토, 설사, 이뇨제 사용시 일반적으로 K는 정상 수준 미만 산증과 당뇨병케토산등에서 흔히 K는 정상 수준 이상 정상 수준의 K보다 높거나 낮으면 비정상적인 심전도가 나타날 수 있음	모든 유형의 쇼크
신장 기능	혈청 요소 질소 10~20mg/dL(3.6~7.1mmol/L) 크레아티닌(44~97μmol/L) W: 0.5~1.1mg/dL M: 0.6~1.2mg/dL	정상 이상의 혈청 요소 질소는 심한 탈수, 쇼크, 패혈증, 상부 위장관 출혈을 나타낸다. 정상 이상의 혈청 크레아티닌은 신장 기능 장애를 나타낸다.	모든 유형의 쇼크
지방분해효소 (리파아제)	60세 미만: 10~140U/L 60세 이상: 18~180U/L	높은 수치는 췌장 및 담낭 질환, 만성콩팥병, 장질환, 소화성 궤양, 간질환, 알코올 또는 약물 남용으로 인해 발생할 수 있다.	
혈액/소변 배양	음성	양성은 감염을 나타낸다.	패혈 쇼크
빌리루빈	Total: 0.3mg/dL(5.1~17μmol/L) Indirect: 0.2~0.8mg/dL(3.4~12μmol/L) Direct: 0.1~0.3mg/dL(1.7~5.1μmol/L)	정상 수치 이상은 간 기능이상 및 황달, 담석, 간 전이, 대량 수혈, 간염, 패혈증, 경화증, 낫적혈구빈혈을 나타낸다. 알로퓨리놀, 합성대사스테로이드, 덱스트란, 이뇨제 등과 같은 특정 약물에 의해 발생할 수 있다.	패혈 쇼크
알칼리성인산염분해효소	50~120units/L	정상 수치 이상은 경화증, 담도 폐쇄, 간 종양, 부갑상샘항진증을 나타낼 수 있다. 정상 수치 이하는 갑상샘저하증, 영양실조, 악성빈혈, 복강질환, 저인염혈증을 나타낼 수 있다.	-
아밀라아제	25~80units/L	정상 수치 이상은 췌장염, 관통성 또는 천공 소화성 궤양, 괴사성 또는 천공된 창자, 급성 담낭염, 자궁외임신, 당뇨병케토산증, 십이지장 폐쇄를 나타낼 수 있다. 타액의 아밀라아제가 리파아제로 대체되어 발생하는 잘못된 상승으로 인해 일반적으로 측정하지 않음	-
암모니아	15~45μg/dL(11~32μmol/L)	정상 수치 이상은 간세포 질환, 라이증후군, 문맥 고혈압, 위장관 출혈 또는 경증 간 질환을 동반한 위장관 폐쇄, 간성 뇌병증 또는 혼수, 유전 대사 장애를 나타낸다. 간 부전이 있으면 의식상태가 바뀔 수 있으며 이는 종종 저혈당이나 급성 뇌질환으로 오진된다.	변경된 의식상태

DKA, Diabetic ketoacidosis; GI, gastrointestinal; Hb, hemoglobin; HCO_3, bicarbonate; Hct, hematocrit; K, potassium; M, men; Na, sodium; $PaCO_2$, partial pressure of carbon dioxide; PaO_2, partial pressure of oxygen; W, women.

표 6-7. 복부 장애 진단을 위한 방사선 검사

검사	기술	적응증	장점 및 단점
방사선 촬영	복부 바로선 필름은 액체 수순과 자유 공기를 보여준다. 바로누운 복부 필름은 복막의 액체나 혈액 또는 장의 가스를 검출한다.	일반적으로 첫 번째로 시행하는 검사 자유 공기, 소장 폐쇄, 장 허혈 및 이물을 보일 수 있다.	저렴함 검사하기 쉬움 최소의 불편을 유발
컴퓨터단층촬영(CT)	흉터, 종양, 전이된 암을 감지하기 위한 고형 장기의 영상	게실염, 췌장염, 충수염, 대동맥류, 무딘 손상, 췌장낭이 의심되는 경우 1차 검사	방사선 촬영과 달리 장내 공기나 가스의 양에 상관없이 좋은 영상을 얻을 수 있다. 신속한 검사 최소한의 불편함 유발 일부 병원에서는 24시간 촬영 불가
컴퓨터단층촬영 혈관 조영술(CTA)	혈관 구조 이미지	복부 대동맥류, 대동맥 박리, 장간막 허혈에 대한 1차 검사	신속한 검사
초음파	음파가 신체의 액체, 공기 및 고형 조직에 부딪힐 때 반사되고 굴절되어 장기, 조지 및 체강의 영상화 가능	우상사분역 통증에 대한 1차 검사 담석증, 담낭염, 췌장 종괴, 담관 확장을 감지할 수 있음 복부 손상이 의심되는 외상에 사용	비침습적이고 저렴함 환자가 침대에 누워 있는 상태에서 시행 가능 정확한 판독은 검사자의 능력에 따라 다를 수 있음 일부 병원에서는 24시간 이용 불가

감별 진단 구체화

일차평가와 이차평가를 통해 얻은 정보를 활용하여 감별 진단을 구체화하고 환자 상태의 중증도를 결정하는 데 도움이 된다. 평가 과정에서 나타나는 생명을 위협하는 것을 처치한다. 대부분 질병이나 상태는 한 가지 이상의 원인에 의해 발생한다는 것을 기억한다. 나중에 설명된 특정 조건과 표 6-8은 감별 진단을 결정하고 주요 결과를 인식하는 데 도움이 되는 접근 방식을 제공한다.

지속적인 관리

환자 상태의 변화를 지속해서 모니터링한다. 일반적인 모니터링에는 맥박수, 심전도, 혈압, 호흡수 및 맥박산소측정이 포함되어야 한다. 환자에게 위장관 출혈이 있는 경우 쇼크의 징후가 있는지 계속 평가한다. 처치에 대한 환자의 반응을 기록한다.

위장관계 주요 증상이 있는 환자에게 적절한 이송 방법을 선택하는 것은 복잡할 수 있다. 먼저 환자의 중증도를 확인하고 환자가 견딜 수 있는 이송 방법을 결정한다. 비행 중 고도 변화는 압력이 완화되지 않는 한, 심한 통증을 유발할 수 있다. 위장관계는 많은 양의 공기가 포함되어 있다. 정상적인 상황에서는 위장관계 압력은 외부의 압력과 같다. 일반적으로 환자는 의료용 고정익 항공기와 회전익 항공기를 이용해 안전하게 이송될 수 있다. 고도가 상승하면 가스가 팽창하여 위장관계 문제에 주요 증상이나 합병증을 유발할 수 있다는 것을 기억한다. 대부분의 가압 항공기와 헬기는 이러한 환자를 안전하게 수송할 수 있다.

최근 복부 수술을 받았거나 장폐색증을 앓고 있는 환자는 항공기를 이용하여 높은 고도로 이송할 예정이면 위관을 삽입하여 공기를 제거한다. 장 샛길 주머니를 비우고 환자를 자세히 관찰하여 과도한 가스 축적으로 인해 주머니가 파열되지 않도록 한다. 운항 및 비행 안전 고려 사항에 대한 자세한 설명은 1장을 참조한다.

표 6-8. 응급 상황을 통한 복부 질환의 감별 진단

질환	원인	병력	소견	병원 전 처치	병원 검사/처치
장간막 허혈	심근경색, 판막심장병, 부정맥, 말초혈관 질환, 응고항진증, 경구피임약 사용, 대동맥박리, 외상, 흡연, 당뇨, 고콜레스테롤혈증	심한 복부 통증, 구역, 구토, 설사의 급성 발병	심한 복통, 구역, 구토, 설사 압통에 비례하는 통증	산소 투여 환자를 편안한 자세로 유지 정맥 라인 확보 입으로 아무것도 제공하지 않음 필요에 따라 진통제 투여	컴퓨터단층촬영 혈관조영술 수술 상담
장관 폐쇄	대변, 이물질, 장중첩, 유착, 용종, 장꼬임, 종양, 궤양성대장염 또는 곁주머니염으로 인한 것일 수 있음	갑작스러운 발병: 소장 폐쇄가 의심됨 1~2일에 걸쳐 발병: 말단 폐쇄가 의심됨 장폐색, 복부 수술, 암, 방사선 요법, 화학 요법, 탈장 또는 복부 질환의 병력	경련성 복통증, 변비, 설사, 가스 배출 불능, 복부 팽만 장음이 없거나 고음의 장음	산소 투여 정맥 라인 확보 입으로 아무것도 제공하지 않음	검사실 검사 폐색의 위치와 정도를 결정하기 위한 방사선 검사 및 컴퓨터단층촬영
장 천공	소화성 궤양 질환, 곁주머니, 외상, 비스테로이드항생제 사용, 노화, 음주	상복부 통증의 급성 발병 구토	상복부 통증, 구토, 발열, 쇼크, 패혈증 백혈구 및 아밀라아제 상승	환자를 편안한 자세로 유지 정맥 라인 확보 입으로 아무것도 제공하지 않음 필요에 따라 진통제 투여	검사실 검사 천공의 위치와 정도를 결정하기 위한 방사선 검사 및 컴퓨터단층촬영
급성 췌장염	음주, 담석증, 외상, 감염, 염증, 고중성지방혈증	음주, 특정 약물 사용, 최근의 외상, 담석증	명치 중앙 부위의 복통, 미열, 구역, 구토 등으로 방사	환자를 편안한 자세로 유지 정맥 라인 확보 입으로 아무것도 제공하지 않음 필요에 따라 진통제 투여	지방 효소 수치 복부, 골반의 컴퓨터단층촬영
충수 파열	폐쇄, 감염	처음에 환자는 특히 배꼽 부위에 광범위한 통증을 느낌 나중에 통증이 우하사분역 또는 허리 부위에 집중	구역, 구토, 발열, Rovsing's sign	환자를 편안한 자세로 유지 정맥 라인 확보 입으로 아무것도 제공하지 않음 필요에 따라 진통제 투여	검사실 검사, 컴퓨터단층촬영, 초음파, 항생제 및 수술 상담

CT, Computed tomography; CTA, computed tomography angiography; IV, intravenous; NSAIDs, nonsteroidal anti-inflammatory drugs; WBCs, white blood cells.

복부 질환과 관련된 위장관 원인

상부 위장관 출혈 또는 식도 출혈

병태생리학

위장관 출혈은 질병 자체가 아니라 다른 질병의 증상이다. 급성 상부 위장관 출혈은 인구 10만 명당 50~150명에게 영향을 미치며 연간 25만 명이 입원한다. 남성과 노인은 질환에 걸릴 위험이 훨씬 더 높다. 하부 위장관 출혈은 전반적으로 발생률이 낮지만, 여성에서 더 많이 발생한다. 상부 위장관 출혈의 원인은 광범위하다. 사망률의 더 높은 위험을 나타내는 관찰에는 혈역학적 불안정성이 포함된다. 반복적인 토혈, 혈변, 위세척에도 불구하고 혈액을 제거하지 못함, 60세 이상, 심혈관계 또는 폐 질환과 같은 추가적인 기관계 질환의 존재와 같은 요소는 사망률의 더 높은 위험을 나타낸다.

위장관 출혈 및 트라넥삼산(TXA)

많은 위장관 출혈 질환의 현재 소생술은 현대 소생술의 도움을 받을 수 있다. 출혈쇼크는 출혈쇼크이다. 과거에 위장관 출혈 원인에 대해 결정질 및 혈압상승제에 의존하는 것은 아마도 최선의 방법이 아닐 것이다. 위장관 출혈에 대해 특별히 승인된 것은 아니지만, 트라넥삼산(TXA)은 출혈쇼크 환자의 출혈을 조절하는 데 효과적으로 사용되었다. 초기 연구에서는 트라넥삼산이 위장관 출혈로 인한 사망률을 줄인다고 입증했다. 현재 무작위 대조 실험은 가까운 미래에 적절한 처치를 설명하는 데 도움이 될 것이다. 또한, 현재 물류 문제로 널리 사용되지는 않지만, 병원 전 현장에서 전혈 사용이 인기를 얻고 있다. 중등도에서 중증의 위장관 출혈 상태는 전혈, 농축적혈구, 혈장 등의 혜택을 받을 수 있다. 실제로 현재 전혈을 사용하는 현장에서 환자를 이송하면서 사용하는 EMS 기관은 외상 환자보다 출혈쇼크의 내과적 원인에 더 많이 사용한다고 보고했다.

증상 및 징후

위장관 출혈을 일으킬 수 있는 많은 조건은 각각 그 자체의 질병 진행 패턴을 보인다. 예를 들어, 식도 곁주머니병은 다소 점진적으로 발병하지만, 말로리-와이스(식도의 작은 부분 파열) 증후군은 갑자기 발병한다. 많은 환자가 출혈을 보고하지만, 다른 환자들은 빈맥, 실신, 저혈압, 협심증, 쇠약, 의식 저하, 심정지와 같은 보다 모호한 초기 증상과 징후를 보이는 경우가 있다. 병력 청취를 잘하는 것이 이러한 주요 증상의 원인을 파악하는 유일한 방법일 수 있다(표 6-3 참조).

감별 진단

진단을 구체화하기 위해서는 환자의 과거 병력 및 복통의 다른 가능한 사례를 찾는 것 외에도 환자가 복용 중인 약물을 확인한다. 출혈이 급성인지 만성인지 확인한다. 출혈과 통증이 갑자기 시작되었는가? 아니면 천천히 시작되었는지 확인해야 한다. 급성 발병 위장관 출혈은 갑작스러운 대량 출혈과 저혈압 쇼크의 징후가 특징이다. 만성 출혈은 노인 환자와 신부전과 같은 만성 질환이 있는 환자에게서 더 자주 나타난다. 피로와 쇠약은 점차 환자를 지치게 하고 대변에서 혈액이 보이게 된다. 출혈이 충분히 지속하면 빈혈의 징후가 뚜렷해질 수 있다. 다음은 위장관 출혈 주요 증상과 관련된 몇 가지 질문이다. 출혈은 언제부터 시작되었나요? 점진적으로 시작되었나요? 아니면 갑자기 시작되었나요? 더 나아지거나 더 나빠지게 하는 것은 없나요? 예를 들어 구토와 같이 증가를 유발한 것은 없나요? 혈액의 모양이나 색깔은 어떤가요? 얼마나 많은 피를 흘리고 있나요? 어디서 피를 흘리고 있나요? 환자에게 상부 및 하부 위장관 출혈에 대해 질문을 한다. 예를 들어, 출혈의 정도가 증가하거나 감소하나요? 증상이 나타난 지 얼마나 되었나요? 출혈이 연속적인가요? 아니면 간헐적인가요? 환자가 통증을 호소하지 않더라도 OPQRST 방법이 도움이 된다.

처치

위장관 출혈 환자의 처치는 몇 가지 일반적인 관리 지침으로 구성된다. 수액 소생술이 일반적이다. 대부분의 환자에서 활력징후가 안정적이더라도 정맥 라인을 확보하고 수액 소생술을 시행하는 것이 현명한 처치이다. 혈액 제제 및 평형 결정질 용액이 적절할 수 있다.

소화성 궤양 질환

병태생리학

소화성 궤양 질환은 미국에서 약 5백만 명의 사람들에게 영향을 미치며 위장관 출혈의 약 60%를 차지하는 가장 흔한 원인이다. 지난 10년간 소화성 궤양 60~70%의 원인이 헬리코박터 파일로리균으로 밝혀졌다. 따라서 소화성 궤양은 더 만성 질환으로 간주하지 않는다.

십이지장, 위, 가장자리 궤양은 모두 소화성 궤양의 일종이다. 위 점막은 염산과 펩시노젠을 분비하기 때문에 위는 산성 환경이다. 이 산도는 단백질의 적절한 소화에 필요하다. 십이지

장에서 탄산수소소듐이 분비되어 섬세한 균형이 유지된다. 이 균형이 깨지고 산성 환경이 더 우세할 때 소화성 궤양이 발생한다. 궤양을 자극하거나 유발할 수 있는 몇 가지 요인에는 비스테로이드성소염제(NSAID), 흡연, 과도한 음주 및 스트레스가 있다.

증상과 징후

소화성 궤양 질환의 출혈은 심각할 수 있다. 환자는 쇼크, 창백함, 저혈압, 빈맥의 징후를 보일 수 있으며 신속하게 처치를 하고 기록한다. 환자는 식사 직후에 가라앉거나 줄어들고 2~3시간 후에 다시 나타나는 전형적인 위장 통증 증상을 경험한다. 화끈거리거나 쪼는 듯한 통증이 나타난다고 설명한다. 구역, 구토, 트림 및 속 쓰림이 일반적이다. 미란이 심하면 위 출혈의 결과로 토혈과 흑색변이 발생할 수 있다. 드물게 궤양이 천공(위나 장)되어 심한 통증과 딱딱한 판자와 같은 복부를 만든다. 궤양 조직의 부종은 급성 폐쇄를 유발할 수 있다.

감별 진단

환자의 과거 병력은 가능한 진단 범위를 좁히는 데 중요하다. 환자에게 이전 궤양, 식사 전후에 궤양 통증이 발생했는지, 환자가 정기적으로 음주를 했는지, 이전에 출혈이 있었는지에 관해 물어본다. 환자의 대답은 혈액 손실 정도를 정확하게 파악하고 현재 존재하는 저혈압을 처치할 준비를 하는 데 도움이 된다.

처치

환자의 상태가 안정된 후 환자가 아직 복용하지 않은 경우라면 프로톤펌프억제제(PPI) 복용을 시작한다. 프로톤펌프억제제가 응급 처치 및 안정화 요법으로 효과적인지에 대한 논란이 있다. 그러나 장기간 사용과 소생 후 이점에 대해서는 의문의 여지가 없다. 프로톤펌프억제제는 위산의 양을 줄임으로써 출혈을 감소시킨다. 이 약물은 처음에 정맥 라인으로 볼러스로 투여하고 그다음에 점적으로 투여한다. 더 만성적인 처치를 위해서는 프로톤펌프억제제 이외에 비스테로이드항염증제의 프로스타글란딘 억제는 점막하층으로 가는 혈류를 방해하고 점액, 중탄수소염, 위산의 분비를 최소화하여 위 점막과 십이지장 궤양을 유발할 수 있으므로 환자는 피해야 한다. 환자는 또한 아스피린, 카페인 및 알코올을 섭취하지 않는다. 헬리코박터(H. pylori) 감염을 항생제로 치료하면 치유를 촉진하고 재발 우려를 줄이지는 반면에 항생제 치료법은 치유를 촉진하고 재발 우려를 줄이지만, 흡연은 질병을 악화시키고 치유 시간을 늦추는 것으로 나타났다. 헬리코박터(H. pylori) 감염을 치료하기 위해서는 항생제의 조합이 필요할 수 있다. 항궤양제는 위산 분비를 억제하고 궤양에 장벽을 형성하는 데 사용된다. 이러한 약물은 표 6-9에 요약되어 있다.

표 6-9. 항궤양 약물

항분비제	특정 약물	작용 기전
H_2 수용체 대항제	cimetidine (Tagamet) famotidine (Pepcid) nizatidine (Axid) ranitidine (Zantac)	벽세포에서 H_2 수용체를 차단하여 위산 분비를 억제
프로톤펌프억제제(PPI)	esomeprazole (Nexium) lansoprazole (Prevacid) omeprazole (Prilosec, Zegerid) pantoprazole (Protonix) rabeprazole (AcipHex)	H, K-ATPase를 억제하여 위산 분비를 억제
무스카린 대항제	pirenzepine (Gastrozepin)	무스카린 콜린성 수용체를 차단하여 위산 분비를 억제
점막 보호제	sucralfate (Carafate)	궤양에 대한 장벽을 형성

H, K-ATPase, Hydrogen, potassium, adenosine triphosphatase; H_2, histamine-2.

미란성 위염과 식도염

병태생리학

미란성 위염과 식도염은 그 이름에서 알 수 있듯이 위 점막과 식도 점막의 미란과 염증으로 인해 발생한다. 이 질환은 급성 또는 만성 발병을 일으킬 수 있으며 잠재적인 원인은 다양하다. 비특이적 원인에는 음주, 비스테로이드항염제(NSAIDs), 부식제 및 방사선 노출 등이 있다. 미란성 위염과 식도염은 일반적으로 소화성 궤양보다 출혈을 덜 유발하며 상태는 저절로 호전된다.

증상과 징후

주요 증상과 징후는 소화불량, 속 쓰림, 트림이 있다. 일부 환자들은 구역과 구토 또는 만성 기침도 한다. 증상의 중증도는 병변의 중증도를 정확하게 나타내지는 않는다.

감별 진단

수많은 징후와 증상이 있으므로 현장에서 진단을 내리는 것이 일반적으로 어렵다.

처치

병원 전 환경에서 이 상태에 대해 할 수 있는 처치는 거의 없다. 기도, 호흡 및 순환을 유지하고 적절한 자세, 진통제, 항구토제와 같은 편안한 조치를 제공한다. 환자에게 활동성 출혈이 없으면 점성이 있는 리도카인과 제산제의 혼합물이 증상을 완화할 수 있다. 소화성 궤양과 마찬가지로 장기 처치를 위해 환자에게 프로톤펌프억제제(PPI) 투여할 수 있으며 아스피린, 비스테로이드항염제, 카페인 및 음주를 피하도록 권고해야 한다.

식도 및 위 정맥류

병태생리학

식도 및 위 정맥류는 압력이 증가하여 혈관 벽을 손상하고 정맥 구조를 약화시켜 압력이 가해져 혈관이 확장된 것이다. 정맥류는 간을 통과하는 혈류가 제한될 때 발생한다(문맥 고혈압). 이로 인해 혈액이 식도 벽의 정맥으로 역류하여 혈관이 확장된다. 만성적인 음주와 가장 흔히 관련된 문맥 고혈압은 압력 증가의 가장 흔한 원인이다. 정맥류는 파열되어 출혈이 일어나 대량 출혈을 일으킬 때까지 일반적으로 무증상이다. 정맥류에서 출혈이 발생한 환자는 다시 출혈할 확률이 70%이다. 두 번째로 출혈이 발생하면 사례의 30%가 사망한다.

증상과 징후

식도 및 위 정맥류가 있는 환자는 피로, 체중감소, 황달, 식욕부진, 복부부종, 가려움증, 복통, 구역, 구토 등의 간 질환 징후를 보인다. 질병의 과정은 점진적으로 극도의 불편함을 느끼기까지 수개월에서 수십 년이 걸린다.

감별 진단

감별 진단에는 정맥류가 파열되고 환자가 인후의 갑작스러운 불편함을 보고하지 않는 한 소화성 궤양 질환이 포함될 수 있다. 심한 삼킴곤란, 밝은 선홍색 토혈, 저혈압, 쇼크의 징후도 나타날 수 있다.

처치

병원 전 환경에서 위장관 출혈 장애와 마찬가지로 일반 지침에 따라 환자를 처치한다. 출혈 정도에 대한 정확한 평가가 중요하다. 수액 소생술과 적극적인 기도 흡인이 필요한 혈류역학적으로 불안정한 환자에 대비한다. 환자의 의식 수준이 저하되기 시작하면 흡인을 방지하기 위하여 기도 확보를 고려한다.

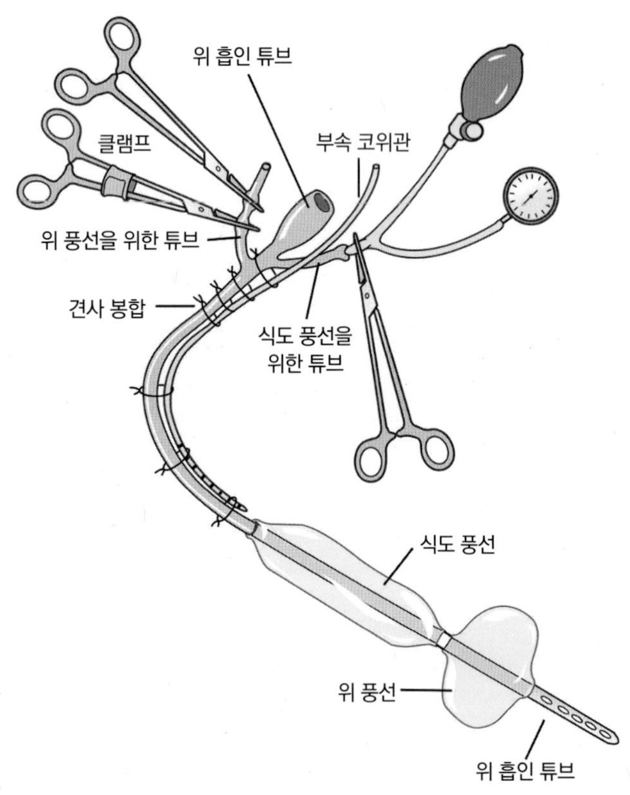

그림 6-6. 수정된 Sengstaken-Blakemore 튜브. 식도 풍선 상부의 분비물을 흡인하기 위한 부속 코위관(NG)과 위 풍선의 부주의한 감압을 방지하기 위한 두개의 클램프(하나는 테이프로 보호)를 주목한다.

This article was published in *Sabiston textbook of surgery: the biological basis of modern surgical practice*, ed 18, Townsend CM, Beauchamp RD, Evers BM, et al, Copyright Saunders 2007.

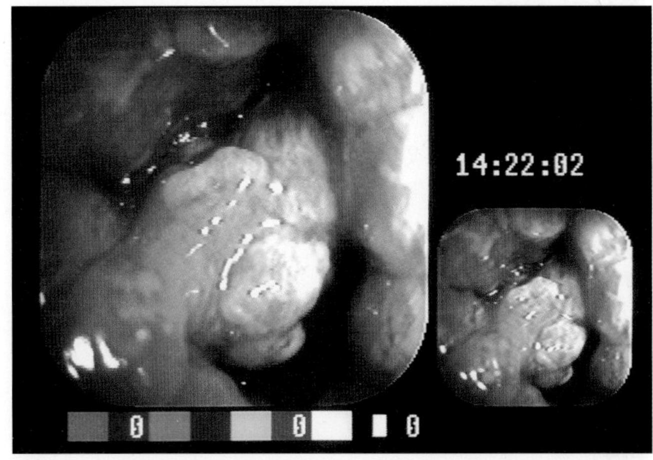

A

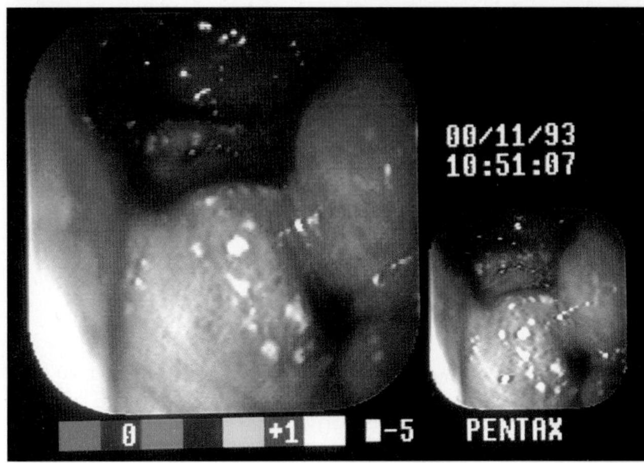

B

그림 6-7. 궤양과 관련된 정맥류 결찰 내시경 사진. A. 용종과 유사한 다발성 위 정맥류 결찰 이후 위-식도 접합부의 뒤굽은 사진. B. 4주 후 같은 환자의 상부 내시경 검사에서 이전 결찰 부위에서 다발성 궤양을 보임.

만약 출혈이 조절되지 않으면 병원에서 상스타켄블레이크모어튜브(Sengstaken-Blakemore tube)를 사용하여 출혈 정맥류에 직접 압력을 가하는 풍선 압박(balloon tamponade)을 시행할 수 있다. 이는 빈번한 모니터링이 필요한 임시적인 방법이다. 정맥류에 적절한 양의 압력을 가하려면 두 풍선 내의 압력을 적절한 수준으로 유지한다. 튜브를 환자가 착용하는 헬멧에 연결하여 1~3lb의 장력을 가한다. 낮은 압력의 간헐적 흡인은 위 및 식도 포트 모두에서 연결한다(그림 6-6). 이 절차를 수행하기 전에 환자에게 기관내삽관을 시행한다. 항공기를 이용해 다른 의료기관으로 이송이 필요한 경우 비행 중 압력 변화로부터 환자를 보호하기 위해 특별한 예방 조치를 한다. 일반적으로 풍선은 괴사의 위험을 줄이기 위해 24시간 이내에 감압하지만, 때로는 최대 72시간 동안 그대로 두기도 한다. 이 방법은 거의 사용되지 않는다.

내시경 검사는 경화제(강한 자극성 용액)를 주입하여 응고 형성을 촉진하기 위해 시행할 수 있으며 이를 "경화 요법"이라고 한다. 옥트레오타이드(Octreotide)를 투여할 수 있지만, 정맥류 출혈에 대한 효과는 제한적이다. 바소프레신 주입은 추가적인 약리학적인 선택 방법이다. 응고 형성을 촉진하는 또 다른 방법은 정맥류에 고무 밴드를 사용하는 밴드 요법이다. 정맥류는 용종과 유사하고 밴딩으로 출혈을 예방할 수 있다(그림 6-7).

말로리-바이스증후군

병태생리학

말로리-바이스증후군(Mallory-Weiss syndrome)은 위-식도 접합부에서 점막의 세로 파열로 인해 심각한 출혈이 발생할 수 있는 특수한 유형의 식도 상태이다. 심각하고 오래 지속되는 구토는 파열을 유발하여 동맥 출혈을 유발할 수 있다. 말로리-바이스증후군은 남성과 여성 모두에게 똑같이 영향을 미친다. 노인과 어린이에게 발생하는 경향이 있으며 사망률은 10% 미만이다.

증상과 징후

이 증후군은 경증에서부터 중증의 심각하고 생명을 위협하는 것까지 다양하다. 심각한 경우에는 피를 삼키면서 더 많은 구토가 유발된다. 구토는 일반적으로 출혈이 시작되기 전에 발생한다. 토혈은 말로리-바이스증후군 환자의 85%에서 발생한다. 아스피린 사용, 과도한 음주, 폭식증(폭식 후 자발성 구토와 관련된 섭식 장애)도 증후군과 관련이 있다.

감별 진단

감별 진단에는 식도 및 위정맥, 뵈르하베증후군(Boerhaave's syndrome)이 포함된다.

처치

출혈은 대개 저절로 해결되기 때문에 초기 처치는 지지적 방법이다. 병원에서는 출혈이 멈출 때까지 위세척을 시행할 수 있다. 계속되면 내시경 검사가 필요할 수 있으며 환자가 여전히 구역이나 구토한다면 항구토제를 고려한다.

장 천공

병태생리학

장 천공 또는 장 파열은 응급 상황이다. 십이지장 궤양이 장막(장의 가장 바깥층)을 침범할 때 종종 발생한다. 복막염은 장의 내용물이 복강으로 흘러 들어갈 때 발생한다. 천공과 진단 사이의 시간이 길어질수록 사망률이 증가한다. 대장, 소장, 결장 곁주머니 또는 담낭의 파열이 가능하지만 드물게 발생한다. 위험 요인에는 고령, 곁주머니 질환, 비스테로이드소염제(NSAID) 사용 및 소화성 궤양 질환의 병력이 포함된다.

증상과 징후

천공은 일반적으로 상복부 통증의 급성 발병을 유발한다. 그러나 노인 환자는 심각한 통증을 느끼지 않을 수 있다. 통증은 확산할 수 있고 보호 및 반동압통이 있을 수 있다. 단단한 복부는 늦게 나타나는 징후이고 환자의 약 절반이 구토를 경험한다. 복막염으로 인한 미열도 늦게 나타나는 징후일 수 있다. 장음이 감소하고 빈맥이 흔하며 대량 출혈 및 패혈증으로 쇼크가 발생할 수 있다.

감별 진단

감별 진단에는 맹장염과 장간막 허혈이 포함되며 이는 나중에 논의된다.

처치

병원 전 처치에서 정맥 라인 확보와 기도, 호흡 및 순환의 보조가 필수적이다. 응급실에서는 수술 전 검사실 검사와 진단 영상 검사를 시행해야 한다. 복막염으로 인해 백혈구 수치가 증가할 수 있다. 환자의 70~80%에서 직립 방사선 자진에서 궤양이 천공되면 가로막 아래에서 자유 공기가 나타난다. 컴퓨터단층촬영(CT)은 천공의 정도에 대한 더 많은 정보를 보여줄 수 있다.

뵈르하베증후군(Boerhaave's syndrome)

병태생리학

뵈르하베증후군은 과다한 음식과 음료 섭취 후 구토, 출산, 격렬한 기침, 발작, 천식 상태, 근력운동, 특정 신경 질환 또는 폭발적인 구토의 결과로 식도가 파열되는 것이다.

증상과 징후

환자는 일반적으로 가슴, 목, 등 및 복부에 광범위하고 중증이며 주의를 산만하게 하는 통증이 있을 뿐만 아니라 호흡 곤란, 빈맥, 토혈 및 발열이 있다. 목에서 파열이 발생하면 피부밑기종이 나타날 수 있다.

감별 진단

감별 진단에는 말로리-바이스 파열, 심근경색 및 소화성 궤양을 포함할 수 있다.

처치

환자에게 산소를 공급하고 환자를 신속하게 병원으로 이송한다. 조기에 수술하지 않으면 사망률이 50%에 이른다.

급성 췌장염

병태생리학

당뇨병은 췌장과 관련된 가장 흔한 질환이지만, 췌장염도 흔하다. 급성 췌장염은 췌장 효소의 활성화로 인해 췌장이 스스로 소화되기 시작하여 염증이 퍼지면서 고통과 괴사를 일으키는 염증 과정이다. 이 질환은 90% 이상의 경우에서 담석증이나 음주에 의해 유발되는 것으로 생각된다. 알코올성 췌장염은 35~45세 사이의 남성에게 더 흔하다. 도심 지역의 응급실은 이러한 상황에 더욱더 익숙하다. 추가로 고중성지질혈증과 아미오다론(항부정맥제), 카바마제핀(항 발작제), 메트로니다졸(항진균제) 및 퀴놀론(항생제 계열)과 같은 특정 약물도 췌장염을 유발할 수 있다.

증상과 징후

급성 췌장염 환자는 등으로 방사되는 지속적이고 중증의 상복부 통증을 경험할 수 있다. 일반적으로 음식 섭취로 악화시키지는 않는다. 배꼽 주위로 파란색 변색인 쿨렌 징후(Cullen sign)와 옆구리 주위의 파란색 터너 징후(Turner sign)의 징후는 출혈성 형태로 나타날 수 있다. 다른 증상으로는 미열, 구역, 구토가 포함할 수 있다. 전신 염증 반응이 나타나 쇼크 및 다발성 장기 부전으로 이어질 수 있다.

감별 진단

최종 진단은 병리학적 분석을 통해서만 가능하다. 컴퓨터단층촬영과 혈청 리파아제 수치가 진단에 도움이 될 수 있다. 리파아제는 아밀라아제보다 더 민감하고 특이적이다. 리파아제 수치는 췌장에 더 특이적이며 며칠 동안 상승한 상태로 유지한다.

처치

췌장염이 의심되는 환자는 정맥 라인을 확보하고 입으로 아무것도 주지 않으며 수액 소생술을 시행하고 진통제와 항구토제를 투여하여 처치한다. 합병증에는 췌장 출혈이나 괴사가 포함될 수 있으며 만성 췌장염의 처치는 급성 췌장염과 비슷하고 일반적으로 지지요법을 시행한다.

위 마비

병태생리학

지연된 위 배출이라고도 하는 위 마비는 위의 마비(부분 마비)로 구성되어 음식물이 비정상적으로 오랫동안 위에 남아 있게 되는 의학적 상태이다. 일반적으로 위는 추가 소화를 위해 음식을 소장으로 이동시키기 위해 수축한다. 미주 신경은 이러한 수축을 조절한다. 위 마비는 미주신경이 손상되고 위와 장의 근육이 제대로 기능하지 않을 때 발생할 수 있다. 그러고 나서 음식은 천천히 움직이거나 소화관을 통해 움직이는 것을 멈춘다. 일시적인 위 마비는 어떤 종류의 급성 질환, 소화작용에 영향을 미치는 특정 암 치료나 다른 약물의 결과 또는 비정상적인 식습관 때문에 발생할 수 있다. 위 마비를 겪는 환자는 불균형적으로 여성이 많다. 이러한 현상에 대한 한 가지 가능한 설명은 여성이 본질적으로 남성보다 위를 비우는 시간이 더 느리다는 것이다. 프로게스테론 수치가 가장 높은 월경 전 일주일 동안 위 마비 증상이 악화하는 경향이 있으므로 호르몬 관련성이 제안되었다. 그러나 어느 이론도 확실하게 입증되지 않았다.

위 마비는 자주 자율 신경병증에 의해 자주 발생한다. 이것은 제1형 또는 제2형 당뇨병이 있는 사람에게서 발생할 수 있다. 실제로 당뇨병은 높은 수준의 혈당이 신경의 화학적 변화에 영향을 미칠 수 있으므로 위 마비의 가장 흔한 원인으로 지목되었다. 미주 신경은 수년간의 고혈당 또는 세포로의 포도당 이동이 불충분해져서 위 마비를 일으킨다. 다른 가능한 원인으로는 신경성 식욕 부진 및 신경성 폭식증이 있다. 위 마비는 피부 경화증 및 엘러스-단로스 증후군(Ehlers-Danlos syndrome)과 같은 결합 조직 질환 및 파킨슨병과 같은 신경계 질환과 관련이 있다. 이 질환은 또한, 미토콘드리아 장애의 일부로 발생할 수 있다.

만성 위 마비는 복부 수술과 같은 다른 유형의 미주 신경 손상으로 인해 발생할 수 있다. 담배를 자주 피우는 것도 위벽에 손상을 주기 때문에 그럴듯한 원인이다.

특발성 위 마비(알려진 원인이 없는 위 마비)는 모든 만성 사례의 1/3을 차지한다. 이러한 경우의 대부분은 급성 바이러스 감염 때문에 유발되는 자가면역 반응으로 인한 것으로 생각된다. "위 독감", 단핵구증 및 다른 질병은 일화적으로 이 질병의 발병과 관련이 있지만, 어떤 체계적인 연구도 연관성을 입증하지 못했다.

위 마비는 또한 위산 저하증과 연결될 수 있으며 이러한 염화물, 나트륨 또는 아연 결핍으로 인해 발생할 수 있다. 이러한 미네랄은 위에서 스스로 음식물을 비우기 위해 적절한 수준의 위산 생성을 위해 필요하다.

증상과 징후

위 마비의 가장 흔한 증상은 만성적인 구역, 구토(특히 소화되지 않은 음식) 및 복통이다. 다른 증상으로는 두근거림, 속 쓰림, 복부팽만, 불규칙한 혈당 수치, 식욕 부진, 위-식도 역류, 위벽의 경련, 체중 감소, 영양실조 등이 있다. 아침에 구역질은 또한 위 마비를 나타낼 수 있다. 환자들은 소량의 음식만을 포함하도록 식단을 조정할 수 있으므로 구토가 모든 경우에 발생하지는 않을 수 있다.

감별 진단

위 마비는 방사선 촬영 및 위 배출 검사와 같은 검사로 진단할 수 있다. 위 마비에 대한 임상적 정의는 위가 비워지는 시간에만 기초하며(다른 증상이 아님) 증상의 중증도는 반드시 위 마비의 중증도와 상관관계가 있는 것은 아니다. 위 마비가 있는 일부 환자는 공장창냄술 튜브나 이식된 위 신경자극기("위 박동조율기")를 가지고 있다.

처치

위 마비를 가진 환자를 처치하려면 정맥 라인을 확보하고 진통제와 항구토제 투여하고 환자를 편안한 자세로 병원으로 이송한다.

충수염

병태생리학

충수염은 일반적으로 충수에 감염이나 체액 축적으로 인해 발생한다. 충수가 팽창하고 염증이 생기면서 파열되어 복부에 독소가 복부로 흘러 들어가 복막염을 일으킬 수 있다. 세균이 또한 혈류로 들어가 패혈증을 일으킬 수 있다. 충수가 파열되지 않더라도 괴저 가능성이 있고 외과적 응급 상황에 해당한다. 일반 인구 중 7%의 발병률에도 불구하고 충수염이 발병할 시기를 예측할 방법은 없지만, 이 상태는 20~40세 사이의 사람들에게 가장 흔하다.

증상 및 징후

충수염 환자는 우하사분역 또는 오른쪽 아래 등 부위에 통증이 국소화된다. 통증은 전통적으로 배꼽 주변 부위에서 시작하여 염증이 악화함에 따라 우하사분역으로 더욱 국소화된다. 다른 증상과 징후로는 발열, 구역, 구토 및 충수염에 매우 특정한 양성 허리근 징후 등이 있다. 이 징후를 평가하려면 환자를 왼쪽 옆누운자세에소 오른쪽 다리를 엉덩이에서 뻗는다. 우하사분역의 통증 악화는 긍정적인 허리근 징후이다. 어린이, 노인 환자, 임신부 및 사람면역결핍바이러스(HIV)/후천면역결핍증후군(AIDS) 환자는 충수염이 비정상적으로 나타나고 합병증의 위험이 더 높을 수 있다. 소아에서 충수염의 발병은 지연되고 비특이적일 수 있다. 말을 하기 이전의 어린이 환자와 의사소통의 제한과 비전형적인 표현으로 인해 오진이 일반적이다. 예상할 수 있듯이 오진은 천공의 위험을 높인다. 70세 이상에서는 오진율이 50%에 이르고 조기 파열이 흔하다. 충수염은 임신 중 자궁 외 복통의 가장 흔한 원인이며 임신부의 위장관 주요 증상을 의심한다. 사람면역결핍바이러스/후천면역결핍증후군 환자는 다른 환자와 동일한 증상을 보이지만, 합병증 위험이 훨씬 더 높다. 그들은 또한 다른 위장관 문제의 빈도로 인해 충수염에 대한 처치를 지연시킬 가능성이 더 높다.

감별 진단

충수염의 감별 진단은 여러 가지 증상과 징후에 기인할 수 있기 때문에 어렵다. 췌장염, 크론병 및 자궁내막증은 모두 유사한 증상을 나타낸다. 환자를 이송할 의료기관에서 초음파 또는 컴퓨터단층촬영을 사용하여 최종 진단이 내려진다. 전체 혈구 수 및 소변 검사와 같은 검사실 검사를 평가한다. 컴퓨터단층촬영은 환자가 충수염이 아닌 경우 다른 진단이 가능하기 때문에 가장 유용한 검사이다. 실제로 컴퓨터단층촬영의 사용은 여성의 불필요한 충수절제를 줄이는 것으로 나타났다. 그러나 임신부의 경우 자궁이 확장되어 충수염을 진단하기가 어렵다. 컴퓨터단층촬영에 의한 방사선 노출을 피하고자 초음파 또는 자기공명영상(MRI)이 진단에 도움이 될 수 있다. 충수염이 확인되면 충수를 제거하는 수술을 받는 것이 전통적인 처치 방법이었다. 최근 문헌에 따르면 일부 사례는 수술적 처치 없이 정맥라인으로 항생제 투여에 반응하는 경우도 있다.

처치

충수염이 의심되는 환자를 처치하기 위해 정맥 라인을 확보하고 수액 및 진통제와 항구토제를 투여하며 환자를 편안한 자세로 병원으로 이송한다.

장간막 허혈

병태생리학

장간막 허혈은 장간막 동맥이나 정맥의 폐쇄에 의해 발생한다. 증상으로는 일반적으로 급성 구역, 구토, 설사 및 복부 압통과 신체적 소견에 비례하지 않은 것으로 보이는 심각한 복부 중앙의 통증이 있다. 이 상태는 노인 환자, 심방세동, 심근경색, 부정맥, 판막 심장병 또는 말초혈관 질환의 병력이 있는 환자에서 더 흔하다. 흡연, 고혈압, 고콜레스테롤혈증도 장간막 허혈의 위험 요소이다. 경구 피임약 사용, 응고항진성, 대동맥 박리 및 외상은 허혈성 사건을 촉발할 수 있다. 드물지만 사망률이 60~100% 사이인 심각한 상태이다.

증상과 징후

복통의 정확한 원인에 따라 점진적이거나 갑작스럽게 발생할 수 있다. 통증의 위치는 명확하지 않고 심한 경향이 있다. 구역, 구토 및 설사도 흔하고 대변에 혈액이 보일 수 있다.

감별 진단

질병은 진단하기 어렵다. 주요 증상은 경미하거나 최소한의 복부 압통과 함께 심한 복통을 포함한다. 철저한 병력 청취가 필요하다. 혈청 젖산 증가가 임상 진단에 도움이 될 수 있지만, 검사실 검사는 구체적으로 진단되지 않는다. 비정상적인 방사선 소견은 늦게 나타나는 징후이다. 다른 위험 인자가 있고 통증의 다른 원인이 없는 환자에게서는 장간막 허혈을 의심한다.

처치

장간막 허혈은 조기에 확인되지 않으면 경색으로 진행될 수 있으며 괴저성 장, 천공 및 사망을 초래할 수 있다. 이러한 환자의 처치는 신속한 이송이 필요하다. 환자를 면밀히 모니터링하고 활력징후를 확인하면서 패혈증의 증거를 확인한다. 쇼크가 있는 경우 수액 소생술을 시작하고 진통제를 투여할 수도 있다. 병원 내 처치에는 영상 검사(혈관조영술과 컴퓨터단층촬영 혈관조영술)와 항생제 투여가 포함된다. 원인에 따라 수술, 항응고제 또는 혈관 확장제가 사용된다.

장폐쇄

병태생리학

장폐쇄는 대변, 이물질 또는 기계적 과정이 장 내용물의 통과를 방해하는 응급 상황이다. 폐쇄에 가까운 장의 압력이 높아지면 혈류가 감소하여 패혈증과 장 괴사가 발생한다. 쇼크가 발생하면 사망률이 급격히 증가한다. 장폐색, 복부 수술, 최근의 복부 질환, 암, 방사선 치료, 화학 요법 또는 탈장의 병력이 있는 환자는 장폐쇄를 경험할 위험성이 더 크다.

증상과 징후

장폐쇄 환자는 구역, 구토 및 복통이 있다. 또한, 위장(강 가스)을 통과할 수 없고 변비나 복부 팽창이 있을 수 있다. 장폐쇄에도 불구하고 장의 자연적인 연동운동은 계속되어 간헐적인 통증을 유발하여 환자가 경련을 일으키거나 매듭이 있는 것처럼 느낄 수 있다. 소장 폐쇄의 기계적인 원인은 장중첩증, 유착, 용종, 창자 꼬임, 소염 및 종양이다. 위장 꼬임은 위가 180도 이상 회전하는 상태인 위염은 미국에서 400건의 사례에서만 보고되는 드문 현상이다. 이 비틀림은 위의 양쪽 끝을 밀봉하여 혈류의 흐름과 체액 및 음식의 통과를 차단한다. 이 상태는 복통, 심한 구토 및 쇼크의 급성 발병이 특징이다. 환자는 적시에 개입하지 않으면 환자는 사망할 가능성이 높다.

장중첩증은 장의 일부가 인접한 장의 부분으로 말려 들어가 장 내용물의 통과를 차단하고 해당 부위로의 혈류를 감소시킬 때 발생한다. 장중첩증은 모든 장폐쇄의 7%를 차지한다. 이러한 상태는 성인보다 어린이에게 더 흔하다. 성인의 장중첩증의 약 80%는 소장에서 발생한다.

대장 폐쇄는 대장의 지름이 더 크기 때문에 소장 폐쇄보다 흔하지 않다. 이러한 폐쇄가 발생하면 일반적으로 암, 대변 매복, 궤양성 대장염, 구불결장염 또는 맹장 장꼬임, 곁주머니염 또는 장중첩에 의해 발생한다.

복부에 대한 주요 증상이 있으면 환자의 병력을 청취하면서 환자의 식욕과 장 요법에 대해 질문한다. 폐쇄가 있는 환자의 경우 장음 청진시 고음 또는 소리가 들리지 않는다. 소리가 복부의 한 부위에서 다른 부분으로 전달될 수 있기 때문에 소리를 듣기 어려울 수 있으므로 몇 분 동안 각 사분역을 청진한다. 타진은 과 공명음을 들을 수 있다. 촉진은 통증을 유발할 수 있으며 팽창하고 단단한 복부는 심각한 폐쇄를 나타낸다.

감별 진단

현장에서 장폐쇄에 대한 최종 진단은 불가능하지만, 그 증상이 의심되면 환자를 처치할 수 있다.

처치

생명의 위협을 해결하여 처치를 시작한 다음 정맥 라인을 확보하고 지침에 따라 구역 및 통증에 대한 약물을 투여한다. 환자가 즉각적인 수술을 받아야 할 수도 있으므로 아무것도 입으로 투여하지 않는다. 환자를 편안한 자세로 이송한다.

응급실에서는 폐쇄를 확인하기 위해 컴퓨터단층촬영 또는 복부와 가슴의 평면 및 직립 방사선 촬영을 통하여 폐쇄가 있는지 확인한다. 증가한 백혈구 수는 허혈 및 임박한 장 괴사를 나타낼 수 있다. 외과적 처치가 있을 때까지 과도한 압력을 제거하기 위해 코위관을 삽입할 수 있다.

복부 구획증후군

병태생리학

복부 구획증후군은 복강 내 정수압이 심하게 상승으로 인해 발생하며 복부 불쾌감이 있는 환자에게 중요한 증상이다. 이 상태는 드물지만, 가능한 한 빨리 발견해야 한다.

증상과 징후

환자는 긴장되고 부드러우며 팽창된 복부, 호흡 곤란, 대사성 산증, 소변량 감소, 심박출량 감소 등이 있을 수 있다. 심박출량 저하는 압력이 복부에 축적되어 심장으로의 정맥혈복귀가 감소함에 따라 발생한다.

이 질환은 외상 환자에서 더 흔하게 나타날 수 있지만, 내과 환자에게도 나타날 수 있다. 이러한 징후와 증상은 종종 저혈량증과 같은 다른 중요한 사건과 관련이 있기 때문에 구획증후군을 놓칠 수 있다. 이송 중 환자의 복부에 장비를 놓으면 상태가 악화할 수 있다.

감별 진단

감별 진단에는 충수염, 울혈심부전, 장간막 허혈, 요로 폐쇄가 포함될 수 있다.

처치

이 질환에 대한 현장 처치는 의복을 느슨하게 하고 과도한 수액 투여를 피하며 이뇨제를 투여하는 것으로 제한된다. 응급실에서는 체액을 제거하여 복부를 감압시킬 수 있다. 감압을 위한 외과적 처치가 종종 필요하다.

급성위장염

병태생리학

미국에서 질병의 두 번째 주요 원인인 급성 위장염은 묽은 설사, 구역과 구토, 경미한 복통 및 미열이 특징이다. 많은 바이러스가 급성 위장염을 일으킬 수 있다. 바이러스는 일반적으로 오염된 음식이나 물이 대변이나 경구를 통해 신체에 들어간다. 노로바이러스는 성인에서 대부분의 급성 바이러스성 위장염의 원인이 되지만 로타바이러스는 어린이에게 동일한 상태를 유발한다. 다양한 기생충이 오염된 물에서 수영하면 감염될 수 있다. 비이리스성 위장염은 쉽게 전염되며 대규모 발병을 일으킬 수 있으며 일반적으로 산발적이고 겨울에 증가하는 경향이 있다.

증상과 징후

관련된 균에 따라 환자는 오염된 음식이나 물과 접촉한 후 몇 시간 또는 며칠 안에 위장 장애와 설사를 경험할 수 있다. 이 질병은 2~3일 안에 진행되거나 몇 주 동안 지속할 수 있다.

환자는 다양한 유형의 설사를 경험할 수 있다. 설사에는 혈액 및 고름을 포함될 수 있으며 악취가 나거나 냄새가 없을 수 있다. 과도한 연동운동이 계속되면서 복부 경련이 빈번하게 일어나고 구역과 구토, 발열, 식욕 부진도 나타난다.

설사가 계속되면 탈수 및 혈역학적 불안정이 발생한다. 체액 손실량이 증가함에 따라 칼륨과 나트륨 불균형의 가능성도 증가한다. 심각한 체액 손실을 명확하게 나타내는 의식의 변화와 다른 쇼크의 징후 변화를 관찰한다.

감별 진단

가능한 진단에는 충수염과 식중독이 있다.

처치

처치는 증상이 있으면 항구토제를 투여하고 정맥 라인으로 수액을 투여한다.

패혈증

복부 통증은 전형적인 패혈증의 증상은 아니지만, 일부 환자에서는 구역과 구토가 있다. 패혈증은 쇼크와 관련된 4장과 12장에서 더 자세히 설명한다.

복부 질환과 관련된 간 질환

황달

혈류에 과도한 빌리루빈이 존재하여 피부, 점막 및 눈에 뚜렷한 노란색을 띠는 것을 황달이라고 한다. 황달은 종종 간염이나 간암과 같은 간 질환과 연관이 있으며 피로, 발열, 식욕 부진 및 혼란을 유발한다. 빌리루빈은 체내에서 제거되기 위해 간에서 결합하여야 한다. 결합하지 않은 과도한 빌리루빈이 혈액-뇌 장벽을 통과하면 뇌병증과 사망을 초래할 수 있다. 담관 폐쇄는 빌리루빈이 축적될 수 있으며 황달의 또 다른 원인이다. 황달은 종종 빌리루빈 제거 부족으로 인해 미숙아와 관련이 있는 경우가 많으며 이것은 일반적으로 양성 상태이다.

증상과 징후

황달 환자는 증상이 없거나 근본적인 원인에 따라 경미한 증상부터 생명을 위협하는 증상까지 다양한 증상을 보일 수 있다. 급성 질환이 있는 환자는 발열, 오한, 복통 및 독감 유사 증상이 나타날 수 있다. 환자의 병력에는 최근 외상, 수혈, 바이러스 질환, 만성 음주, 아세트아미노펜과 및 기타 약물 과다복용 또는 장기간 사용, 간염, 임신, 악성 종양, 뇌병증이 포함될 수 있다. 체중 감소와 가려움증도 흔하다. 신체검사 결과 우상사분역 촉진시 복통과 간비대, 복수가 나타날 수 있다.

감별 진단

간 질환의 초기 단계에서 환자는 인플루엔자나 위장염으로 진단받을 수 있다. 병원 내 진단 검사에는 컴퓨터단층촬영(CT) 또는 초음파 및 전체 혈구 계산, 혈청 빌리루빈, 알칼리성인

산분해효소, 프로트롬빈 시간(PT)/부분트롬보플라스틴시간(PTT), 혈청 아밀라아제, 암모니아 수준, 임신 테스트, 독성 검사와 같은 검사를 포함한다. 간성 뇌병증은 암모니아 수치가 상승하고 의식상태가 변화하는 간 질환의 특정 형태이며 자세 고정불능이 있다. 이러한 환자는 혼란스러워하며 종종 이송을 거부하려고 하므로 환자의 의료 결정 능력을 결정하는 것이 필수적이다.

처치

간 질환에 대한 처치는 주로 보존적이다. 위장관 문제가 있는 환자에 대한 일반적인 처치 지침을 따른다.

간염

병태생리학

간염은 간단히 간의 염증을 의미한다. 간단한 이름에도 불구하고 간염의 병인은 종종 복잡하다. 원인으로는 바이러스, 박테리아, 곰팡이, 기생충 감염, 독성 물질에 대한 노출, 약물 부작용, 면역 질환 등이 있다.

간은 알코올 분해하는 역할을 하므로 알코올은 심각한 간 질환과 간염을 유발할 수 있는 독성 물질 중 하나이다. 만성 알코올 남용은 간 질환, 영양실조, 독성 대사물의 축적 및 효소 변화를 초래할 수 있다. 아직 연구자들은 정확한 방법을 이해하지 못하지만, 이러한 기전의 상호작용이 간염을 유발하는 것으로 생각된다.

아세트아미노펜 과다 복용은 급성 간 손상의 가장 흔한 원인 중 하나이다.

바이러스는 간염의 가장 흔한 원인 중 하나이고 바이러스 간염은 A형, B형 또는 C형으로 분류된다. 모든 유형의 발병률이 감소하고 있지만, 이러한 감염병은 여전히 위협이 되고 있다. 간염의 진행은 갑자기 간부전으로 이어진다.

A형 간염

A형 간염 바이러스(HAV)는 일반적으로 배설물-경구 경로를 통해 사람에게서 사람으로 전파된다. 위생 상태가 좋지 않은 지역 특히 비위생적인 조리 시설에서 잘 자란다. A형 간염 바이러스 노출은 광범위하다. 사실, 세계의 일부 지역에서는 인구의 100%가 노출되었다. 미국에서는 노출률이 50%에 이른다. 그러나 지금까지 노출된 사람 중 실제로 병에 걸리는 사람은 거의 없다. A형 간염 바이러스를 예방하기 위해 예방 접종을 시행할 수 있으므로 A형 간염 바이러스는 만성 질환은 아니다.

B형 간염

감염된 사람의 경우 B형 간염 바이러스(HBV)는 혈액, 상처 분비물, 정액 및 질액 등에서 가장 흔하지만 침, 대변, 눈물 및 소변을 포함한 대부분의 체내 분비물에서도 발견할 수 있다. 이 바이러스는 보통 감염된 혈액에 노출되거나 성행위를 통해 퍼진다. 가장 높은 비율은 정맥으로 마약을 투여하는 남성과 성관계를 갖는 남성이다. 역사적으로 수혈은 B형 간염 바이러스 감염의 빈번한 원인이었지만, 혈액 제제의 세심한 검사로 인해 사실상 노출 위험을 제거했다. A형 간염 바이러스와 달리 B형 간염 바이러스에 감염되면 사람은 평생 보균자가 되어 항상 질병을 전염시킬 수 있다. 대부분의 의료 종사자에게 필요한 B형 간염 바이러스 백신은 이 바이러스의 확산을 현저하게 감소시켰다.

C형 간염

C형 간염은 미국에서 약 300만 명의 유병률을 보이며 수혈, 안전하지 않은 주삿바늘 공유 관행, 감염된 환자의 혈액에 우발적으로 의료 종사자가 노출되는 것과 관련이 있다. 감염의 원인은 40~57%에서는 감염의 원인을 찾지 못한다. 만성적인 형태로 지속하는 경우가 많다.

전격간부전

전격간부전은 간염이 간 괴사로 진행될 때 시작된다. 광범위한 간 괴사는 되돌릴 수 없으며 간 이식만으로 치료할 수 있다. B형 간염과 C형 간염이 가장 흔한 원인이지만 약물 독성(아세트아미노펜 과다 복용)과 대사 질환도 원인이 될 수 있다. 간 기능 검사 결과가 상승할 수 있다.

증상과 징후

간염의 증상은 다양하지만, 비특이적인 경향이 있다. 권태감, 발열, 식욕 부진, 구역, 구토, 복통, 설사, 황달 등이 나타날 수 있다. 전격간부전의 전형적인 증상으로는 식욕 부진, 구토, 황달, 복통, 자세 고정 불능 또는 "플래핑(flapping)"이 있다. 자세 고정 불능을 유발하는 기전은 알려지지 않았다. 이것을 검사하기 위해 환자에게 팔을 뻗고 손목을 구부리고 손가락을 펴고 천천히 리듬감 있게 손을 플래핑 하는 것을 관찰한다.

감별 진단

가능한 감별 진단에는 소화성 궤양 질환, 담석, 담낭염 및 소장 폐쇄가 포함된다.

처치

처치는 보조적일 뿐이다. 아세트아미노펜을 과다 복용한 환자의 경우 섭취 직후 의료기관에서 N-아세틸시스틴인 해독제를 투여한 경우 효과적인 결과를 얻을 수 있다. 아세트아미노펜 섭취 시간은 환자 처치 기준을 충족하는지를 결정하는 데 중요하다. 먼저 환자의 기도를 확보하고 필요한 경우 호흡 및 순환을 보조하며 정맥 라인을 확보한 후 항구토제와 진통제를 투여한다.

복부 질환과 관련된 염증 상태

과민대장증후군

병태생리학

과민대장증후군(IBS)은 미국 인구의 10~15%에 영향을 미치는 만성 질환이다. 비록 생명을 위협하는 질환은 아니지만, 복통, 설사, 변비, 구역질을 유발하여 삶의 질을 크게 떨어뜨릴 수 있다. 과민대장증후군은 혈액검사 및 방사선학적 검사에서 정상을 보이기 때문에 이 질환은 원래 정신과적 원인으로 여겨졌다. 그러나 현재의 생리학적 연구 결과에 따르면 이는 장운동성과 감각의 오류로 인한 것임을 시사한다. 이 상태는 우울증과 불안의 과거력이 있는 사람들에게 더 자주 발생하며 그 사람이 스트레스를 받을 때 더 악화한다. 이 질환은 또한, 여성에서 더욱 많이 나타난다.

증상과 징후

과민대장증후군은 만성 질환이다. 병원 전 단계에서 일반적으로 증상의 갑작스러운 악화를 포함한다. 환자들은 처음에 복통이나 복부 불편함을 느낄 수 있다. 이 통증은 배변으로 완화되고 통증이 시작되면 일반적으로 배변의 빈도와 굳기에 변화가 있다. 환자들은 설사, 변비, 복부팽만을 경험할 수 있다.

감별 진단

감별 진단에는 음식 알레르기, 위장염, 자궁내막증 및 장간막 허혈이 포함된다. 과민대장증후군은 우울증이나 불안과 같은 공존하는 정신 질환과 관련이 있을 수 있다.

처치

처치는 주로 지지적이며 환자의 생각과 기분을 평가하고 동정심을 나타낸다. 환자가 우울증이나 자살 충동을 보인다면 그에 따른 처치를 한다. 진통제가 투여가 필요할 수 있고 확인된 진단은 식이 요법 수정과 행동 요법 및 지지요법을 시행할 수 있다.

곁주머니 질환

곁주머니 질환은 결장의 내층이 점막벽을 통해 탈장될 때 형성되는 곁주머니라고 하는 작은 주머니 모양의 부속물이 특징이다. 곁주머니 질환은 현대 식단의 섬유질이 부족하기 때문에 발생할 수 있다. 연구자들은 적은 양의 섬유질을 포함하는 작은 크기의 대변의 형성이 결장에 압력을 가하고 장벽의 약화한 부분에 형성된다고 믿는다. 곁주머니 질환 젊은 성인보다 50세 이상에서 나타날 가능성이 훨씬 더 높다. 곁주머니가 있는 상태를 곁주머니증이라고 한다.

증상과 징후

곁주머니증은 종종 무증상이다. 이 질환으로 인해 증상이 발생하면 복부 팽만감, 경련성 복통 및 배변 습관의 변화를 포함한다. 곁주머니염은 곁주머니에 감염이 되어 출혈을 일으키고 지속적인 좌하사분역(LLQ) 통증, 미만성 압통, 구토 및 복부 팽창을 유발한다. 환자는 설사나 변비가 있을 수 있으며 더 심한 경우 농양과 천공이 생길 수 있다.

감별 진단

감별 진단에는 충수염, 장 폐쇄, 장간막 허혈 및 염증성 장 질환이 포함될 수 있다.

처치

처치는 주로 환자를 편안하게 하는 데 중점을 둔다. 잠재적인 합병에는 장 천공과 그에 따른 패혈증이 포함된다. 심각한 감염이 발생하지 않도록 환자를 면밀히 모니터링한다. 환자는 혈압을 유지하기 위해 다량의 수액 또는 혈압상승제가 필요할 수 있다. 병원 내 처치에는 항생제를 투여하고 소화기관이 쉴 수 있도록 유동식 식이요법 또는 수술이 필요할 수 있다. 심각한 곁주머니염 환자는 외과적 결장절제나 농양 배액이 필요할 수 있다.

담낭염 및 담도 질환

병태생리학

담도 질환은 담낭의 염증과 관련된 질환의 일종이다. 담관염, 담석증 및 담낭염은 지방과 지용성 영양소의 소화를 돕기 위해 담즙을 생산하는 구조인 담낭에 영향을 미치는 질병이다. 담관염은 담관의 염증이며 일반적으로 심각한 감염 과정이다. 담석증의 경우 담즙산으로 전환할 수 없는 콜레스테롤 수치가 높아지면 담석이 형성된다. 이 질환은 노인과 여성, 병적으로 비만한 사람, 빠르게 체중을 감량한 사람, 가족력이 있는 사람, 특정 약물을 복용한 사람 사이에서 더 흔하다. 담낭염은 일반적으로 담낭의 급성 염증이며 담석, 협착 또는 암으로 인한 담즙관의 완전한 폐쇄로 인해 발생한다.

증상과 징후

일부 사람들에서 담석은 증상이 없을 수 있다. 일반적으로 우상사분역(RUQ)에 심한 통증을 유발하고 때로는 오른쪽 어깨로 방사되기도 하며 구역과 구토를 동반하기도 한다. 담석급통증이라고 하는 이 통증은 일반적으로 주기적이며 지방이 많은 음식을 먹으면 악화하는 경향이 있다. 통증은 발병 후 몇 시간 이내에 사라진다.

담낭염의 증상과 징후로는 지속적인 우상사분역 통증, 구역, 구토 및 발열이 있다. 머피 징후도 존재할 수 있으며 우상사분역을 강하게 누르고 환자에게 심호흡하도록 하면 나타날 수 있다. 통증으로 인한 흡기의 중단이 양성반응이다. 이러한 경우에 항생제와 담낭절제로 신속하게 처치할 수 있다.

담도염은 담낭염과 같은 증상을 보이지만, 황달이 있다. 이 상태를 처치하지 않고 방치하면 패혈증이 발생할 수 있다.

감별 진단

감별 진단에는 맹장염, 장간막 허혈, 복부 대동맥류 및 소화성 궤양 질환이 포함된다.

처치

병원 전 단계에서 처치는 환자를 편안하게 하는 것을 목표로 한다. 담석급통증은 외래 진료를 통한 담낭절제로 처치할 수 있다. 담도염의 처치는 혈류역학적 안정성 유지, 통증 및 구역 조절, 항생제 투여 및 담도 감압에 중점을 둔다.

궤양 결장염

병태생리학

궤양 결장염은 결장에 염증을 일으키는 자가면역질환이다. 염증은 일반화되어 크론병처럼 군데군데 생기지 않는다. 이 상태에서 염증은 결장 점막에서 출혈을 일으키고 시간이 지남에 따라 결장 벽이 얇아지고 불룩해질 수 있다. 이 상태는 위장관의 대장부분에만 영향을 미친다.

증상과 징후

이 질환의 시작은 일반적으로 혈성 설사, 혈변 및 경미한 복통에서 중증의 복통으로 점진적이다. 다른 증상과 징후로는 관절통이나 피부 병변일 수 있다. 이러한 효과는 자가면역 성문의 개념에 신빙성을 준다. 환자는 감염으로 인한 발열, 피로 및 식욕 소실을 경험할 수 있다.

감별 진단

감별 진단으로는 위장염, 크론병 및 과민대장증후군이 포함될 수 있다.

처치

궤양 결장염 환자의 처치는 주로 보존적이다. 혈역학적 불안정성의 정도를 결정하고 쇼크의 징후를 확인한다. 설사와 출혈로 인해 환자의 상태가 불안정해질 만큼 충분하게 체액 손실이 발생하면 혈역학적 상태를 거의 정상적으로 회복시킬 수 있도록 수액을 투여한다. 환자는 종종 장기적으로 프리드니손이나 다른 면역억제요법으로 처치한다. 합병증으로는 심한 출혈과 독성거대결장증이 있다.

크론병

병태생리학

크론병은 궤양 대장염과 유사하지만, 위장관 전체가 포함될 수 있다. 주로 관여되는 위장관은 대장에 합류하기 전 소장의 마지막 부분인 회장이다. 원인에 대해서는 여러 가지 이론이 있지만, 결정적인 원인은 밝혀지지 않았다. 원인과 관계없이 결과는 위장관에 대한 면역체계에 의한 일련의 공격이다. 백혈구의 이러한 활동은 관련된 소화기관의 모든 층과 연관된 부위를 손상한다. 그 결과 소장의 손상 부위에 흉터가 생기고 좁아지며 뻣뻣해지고 약해진 부분에서 자주 발생한다. 이러한 손상

패치는 정상적인 장의 부위에서도 발견된다. 이렇게 좁아짐으로 인해 장폐색을 일으킬 수 있다.

증상과 징후

크론병과 궤양 대장염에서 흥미로운 점은 위장관계 외부에 증상과 징후가 나타난다는 것이다. 이것은 자가면역 성분이 질병 내에서 작용하고 있다는 이론을 뒷받침하는 데 도움이 된다. 크론병 환자는 종종 우하사분역에 만성 복통을 경험한다. 이 통증의 위치는 회장 부위에 해당한다. 직장 출혈, 체중 감소, 설사, 관절염, 피부 문제 및 발열이 있을 수도 있다. 출혈은 오랜 기간 소량으로 발생하는 경향이 있다. 크론병은 샛길과 장폐쇄의 발달로 인해 복잡해질 수 있다. 환자는 경증이나 중증의 증상과 징후가 재발하는 경우가 종종 있다.

감별 진단

크론병과 궤양 대장염을 구분하는 것은 어렵다. 검사실 검사 및 영상의학적 검사는 진단 범위를 좁히는 데 도움이 될 수 있다.

처치

설사 및 만성 출혈이 발생하면 환자는 수액 소생술이 필요할 수 있으며 구역과 통증 조절이 일반적으로 필요하다.

복부 질환과 관련된 신경학적 원인

위장관계 진단과 직접 관련이 없는 광범위한 기전이 구역과 구토를 유발할 수 있다. 이러한 기전에는 편두통, 종양 및 두개내압과 같은 신경학적 증상이 포함된다. 이러한 진단이 의심되는 경우 보다 심층적인 신경학적 평가를 시행한다. 표 6-10은 환자에게 복부 불쾌감을 줄 수 있는 신경학적 원인을 요약한 것이다. 또한, 5장에는 신경학적 증상에 대한 자세한 정보가 포함되어 있다.

뇌내출혈

뇌내출혈은 복통을 유발하지 않지만, 구역과 구토가 있을 때 고려한다. 구역과 구토가 급성으로 발병하면 이 진단을 확인하거나 배제하기 위해 추가 평가를 시행한다. 최근 머리 외상, 반불완전마비, 반신마비의 병력, 말하기 어렵거나 삼킴곤란 병력이 있고 특히 고혈압이나 고령과 같은 위험 요소를 동반하면 뇌내출혈의 가능성이 높아진다. 자세한 내용은 5장을 참조한다.

수막염

수막염은 뇌척수막의 세균성, 바이러스성 또는 곰팡이 감염을 말한다. 수막염은 위장관 장애가 아니지만, 구역이나 구토

표 6-10. 복부 불쾌감의 신경학적 원인

	기술	증상	치료
편두통	종종 전조 증상과 동반되는 반복되는 두통 3~72시간 지속	한쪽 또는 양측 박동성 또는 날카로운 두통 눈부심 구역 및 구토	지지적 처치 제공 구급차 환자칸 조명을 어둡게 함 정맥 라인 확보 항구토제 투여 냉찜질이나 온찜질 적용
중추신경계 종양	원발성 종양: 뇌에서 시작 이차성 종양: 다른 암 부위에서 퍼짐 65세 이상, 머리에 방사선 치료를 받는 사람, 흡연하거나 HIV 양성인 사람에게 흔함	재발성, 심한 두통 구역 및 구토 어지럼과 조정 부족 시력 변화 발작	구역과 구토를 감소시키고 통증을 완화하며 발작을 예방하거나 조절하기 위해 지지적 처치를 제공
두개내압 증가	뇌실의 폐쇄 또는 뇌척수액의 증가로 발생할 수 있음	두통 눈부심 구역 및 구토 발작	편한 자세 및 처치 제공 척추 손상이 없는 경우 환자의 머리 쪽을 30° 올림 항구토제 및 항경련제 투여

를 하는 경우 이 진단을 고려한다. 세균성 수막염은 사망률이 25~50%이고 전염성이 강하고 적극적인 항생제 처치가 필요하다. 바이러스성 수막염은 지지적 처치가 필요하다. 마스크를 포함한 개인 보호장비를 착용하는 것이 중요한데, 병원 전 단계에서 어떤 유형의 수막염이 있는지 파악하는 것이 사실상 불가능하기 때문이다. 자세한 내용은 5장을 참조하도록 한다.

현기증

현기증은 외상, 감염 및 두개내출혈을 포함한 다양한 상태와 관련된 어지럼이다. 현기증은 복부 질환이 아니지만, 구역과 구토를 유발할 수 있으며 말초 또는 중추성일 수 있다. 말초 현기증(예: 미로염, 양성 발작성 현기증, 전정신경염)의 경우 지지적 처치를 제공한다. 환자가 두통이나 혼란과 같은 다른 신경학적 증상이 있으면, 두개내출혈을 의심한다. 현기증에 대한 더 자세한 정보는 5장을 참조한다.

복부 질환과 관련된 심폐 원인

복부 불쾌감과 호흡 곤란이 동반되면 심폐 질환을 고려한다. 예를 들어, 급성 심근경색의 빈번한 증상과 징후에는 복통 또는 상복부 통증 및 구역 또는 구토를 포함할 수 있다. 폐색전증과 폐렴은 호흡 곤란을 동반한 복통의 다른 가능한 원인일 수 있다. 환자의 증상과 징후가 심폐 원인으로 의심되는 경우 12리드 심전도 검사를 고려한다.

복부 대동맥류

복부 대동맥류는 혈관벽의 약화로 인해 대동맥 일부가 확장된 것이다. 동맥벽의 이러한 팽창은 일반적으로 작게 시작하여 몇 개월에서 몇 년에 걸쳐 더 커진다. 대동맥 동맥류는 파열되거나 누출 또는 박리되지 않는다. 복부 대동맥류 환자 중 절반 미만은 저혈압, 복부 또는 요통, 박동성 복부 덩어리와 같은 전형적인 3가지 증상을 나타낸다. 실신이나 3가지 증상 중 하나라도 있는 환자에서 이 진단을 고려한다.

대동맥의 크기 때문에 파열은 대량 출혈을 일으키고 생존은 주로 자발적으로 출혈을 억제하는 신체의 능력에 달려 있다. 복부 대동맥류 파열이 의심되는 모든 환자는 긴급한 환자로 처치한다. 수액 소생술 필요할 수 있으며 즉시 응급 수술이 가능한 병원으로 이송한다. 환자의 복부 대동맥이 파열된 경우 수술실로 즉각적인 이송을 고려한다. 환자가 50세 이상이고 복통이나 요통을 호소하는 경우 저혈압이나 박동성 덩어리가 없더라도 복부 동맥류를 고려한다. 응급실 침대에 누워있는 상태에서 첫 번째 검사로 초음파 검사를 고려하고 필요한 경우 컴퓨터단층촬영을 실시한다. 초음파 검사로 항상 후복막 누출이나 파열을 감지할 수는 없으므로 환자가 안정적이라면 컴퓨터단층촬영을 시행할 수 있다. 환자가 안정된 상태에 있더라도 언제든지 갑자기 악화할 수 있다는 것을 기억한다. 이전에 동맥류 수술을 받은 환자라도 하더라도 동맥류 파열의 위험이 있다. 대동맥류에 대한 자세한 내용은 3장을 참조한다.

급성 관상동맥증후군

심근경색은 상복부 가운데 통증과 구역을 동반할 수 있으며 소화성 궤양이나 위염과 같은 복부 불쾌감을 유발할 수 있다. 위장관계와 심장의 원인을 구별하기 어려울 수 있으므로 급성 관상동맥증후군에 대해 환자를 평가하고 적절한 처치를 시작한다. 급성 관상동맥증후군과 심근경색의 진단 및 처치에 대해서는 3장을 참조한다.

폐색전증

급성 관상동맥증후군과 마찬가지로 상복부 통증이 있는 환자에서는 폐색전증을 의심한다. 폐색전증은 혈전(핏덩이, 콜레스테롤 플라크 또는 기포)이 혈류를 타고 이동하여 폐동맥에 박혀 발생할 수 있는 잠재적으로 생명을 위협하는 상태이다. 폐동맥의 해당 부분이 관류하는 폐영역은 더 산소가 공급된 혈액을 받지 못하여 통증과 호흡 곤란을 일으킨다.

엉덩관절이나 긴뼈 골절 환자, 앉아 있거나 최근에 장거리 비행 또는 자동차 여행을 한 사람, 흡연, 경구 피임약을 사용하는 사람, 심부정맥 혈전증 또는 암의 병력이 있는 사람, 임신 중이거나 최근에 임신한 여성 등에서 여성의 경우 폐색전증을 의심한다. 폐색전증에 대한 자세한 내용은 2장을 참조한다.

버드-키아리증후군

버드-키아리증후군은 주요 간정맥이나 아래대정맥의 폐쇄로 인해 발생하는 극히 드문 혈관 질환이다. 정맥 혈전증을 특징으로 하는 이 증후군은 혈액 질환, 응고 병증, 임신, 경구 피임약 사용, 복부 외상 또는 선천적 장애로 인한 것일 수 있다. 증상과 징후에는 급성 또는 만성 전격 간부전, 급성 복통, 간비대, 복수 및 황달이 포함된다. 진단은 대개 초음파 검사로 한다. 선택되는 처치는 폐쇄의 원인에 따라 다르지만, 일반적으로 항응고제와 보존적 지지 요법을 제공한다.

엽성폐렴

엽성폐렴은 일부 환자에서 상복부 통증을 유발한다. 통증은 전체 폐렴을 유발하는 기관지 폐렴보다 더 국소적인 경향이 있는데, 이는 종종 전폐엽의 염증을 유발하기도 한다. 엽성폐렴은 대개 발열, 흉통 및 호흡 곤란을 동반한다. 폐렴에 대해서는 2장을 참조한다.

복부 질환과 관련된 비뇨생식기 원인

태반조기박리

병태생리학

임신 후반기에는 여성의 약 4%가 질 출혈을 경험한다. 임신 2기 동안의 출혈은 임박한 태아 곤란의 신호이므로 응급 상황으로 간주한다. 자궁벽에서 태반이 조기 분리되는 태반조기박리는 임신 후반기 출혈의 약 30%를 차지한다. 외상, 모성 고혈압 또는 자간전증은 일반적으로 갑작스러운 태반조기박리를 유발한다. 다른 위험 요소에는 20세 미만의 환자, 고령 임신, 다출산, 흡연력, 이전의 유산, 이전의 태반조기박리 또는 코카인 사용 등을 포함한다.

증상과 징후

질 출혈, 수축, 자궁 또는 복부 압통이 있고 태아 움직임이 감소한 환자에게서는 태반조기박리를 고려한다. 태반조기박리 환자의 대다수(80%)에서 질 출혈이 보고되며 혈액은 대게는 어두운색을 띤다. 작은 박리의 경우 분만할 때까지 출혈이 나타나지 않을 수 있다. 혈액 소실의 양은 최소한에서 생명을 위협하는 수준까지 다양하다. 이러한 환자의 상태는 짧은 시간 내에 불안정한 상태로 진행할 수 있다. 태아 고통이나 사망은 환자의 약 15%에서 발생한다.

감별 진단

가능한 진단에는 충수염, 전치태반, 자간전증, 조기 산통 그리고 자궁 외 임신이 있다.

처치

평가에는 질 출혈, 수축, 자궁 압통과 자궁 바닥 높이 및 태아 심음을 평가에 포함한다. 태아 심음은 결손에서부터 태아 서맥, 감소까지 다양할 수 있다. 태아가 손상되면 단기적인 변동성도 감소할 수 있다. 전치태반을 배제하기 위해 초음파 검사를 완료할 때까지 질 검사를 수행해서는 안 된다. 처치는 질 출혈의 정도에 따라 결정한다. 산소 투여, 두 개의 큰 정맥 라인을 통한 수액 투여, 혈액 투여, 환자가 Rh 음성인 경우 Rh 글로불린 투여 등을 시행할 수 있다.

전치태반

병태생리학

일부 임신에서는 태반이 자궁경부가 개방하는 위에 착상하게 된다. 이러한 이상은 임신 2기 및 임신 3기 질 출혈의 주요 원인 중 하나이다. 전치태반은 임신 초기에 발견할 수 있지만, 자궁이 확장되면서 해결될 수도 있다. 그러나 만약 이 상태가 해결되지 않고 태반이 자궁경부를 완전히 막는 경우 환자는 심각한 출혈의 위험이 있다. 초음파는 태반의 위치를 파악하기 위해 사용한다. 고령 임신, 다출산, 흡연 및 이전의 제왕절개 병력은 전치태반에 걸리기 쉽게 한다.

증상과 징후

환자는 대부분 밝은 빨간색 출혈을 나타낸다. 출혈은 보통 통증이 없지만, 일부 환자(20%)는 자궁의 과민증을 동반하기도 한다. 많은 환자는 자발적으로 멈추는 출혈의 초기 에피소드를 가지고 있다가 임신 후반기에 추가 출혈이 발생한다.

감별 진단

가능한 진단에는 태반조기박리, 파종성 혈관 내 응고병증, 조기 산통 등이 있다.

처치

환자의 출혈을 모니터링하는 것 외에도 쇼크의 증상과 징후, 자궁 긴장도(대부분 부드럽고 압통이 없음) 및 태아 심음을 모니터링 한다. 질 또는 직장 검사를 시행하지 않는다. 만약 전치태반이 있는 경우 검경검사는 출혈을 유발할 수 있다. 전치태반으로 인한 모성 사망은 혈액 소실 또는 파종성 혈관 내 응고병증과 관련되어 있으므로 파종성 혈관 내 응고병증을 모니터링한다. 처치는 필요에 따라 산소 투여, 두 개의 큰 정맥 라인 확보, 수액 투여, 혈액 투여하여 혈역학적 상태를 안정화하는 데 중점을 둔다.

자간전증/ 용혈, 간 효소치 상승, 저 혈소판 수 증후군(HELLP)

병태생리학

HELLP 증후군(H는 용혈, EL은 간 효소치 상승, LP는 저혈소판 수)을 동반한 자간전증은 자간전증의 변형 또는 합병증으로 생각되는 게 흔하지 않은 생명을 위협하는 임신 합병증이다. 임신의 6~8%에서 발생하는 자간전증은 고혈압과 소변의 단백질이 특징이다. 자간전증의 위험은 20세 미만의 여성과 첫 번째 또는 다태 임신, 임신 당뇨병, 비만, 임신 고혈압 가족력이 있는 여성에서 더 높다. 임신 고혈압은 일반적으로 산후 6주 이내에 해결된다. HELLP와 자간전증은 대부분 임신 마지막 3개월 동안 또는 분만 직후에 발생한다. 자간전증은 의식상태 변화 및 발작을 포함한 중추신경계 관여로 자간증으로 진행할 수 있다.

HELLP 증후군은 몇몇 저자들에 의해서 심각하고 드문 형태의 자간전증으로 간주한다. 또 다른 사람들은 자간전증이 그 자체의 증후군일 수 있다고 제안한다. 정확한 원인은 밝혀지지 않았다. HELLP는 혈관 경련, 혈전 형성, 응고 문제를 일으키는 다기관 질환이다. 종종 오진되거나 증후군이 진행되는 과정에서 나중에 발견되기 때문에 증상과 징후에 대한 인식이 매우 중요하다. HELLP 증후군은 보통 산전에 발생하지만, 산후 기간에도 나타날 수 있다(약 3분의 1이 산후에 나타남). HELLP 증후군을 처치하지 않고 방치하면 태아의 사망뿐 아니라 산모의 말단 기관 부전으로 이어질 수 있다.

증상과 징후

우상사분역 통증, 상복부 가운데 통증, 구역과 구토, 시력 장애는 자간전증의 주요 증상이다. 환자의 반사항진과 간대 발작에 대한 모니터링을 한다. 발작은 자간증에서 발생한다.

HELLP 증후군을 앓고 있는 대부분 환자는 일반적으로 몸이 좋지 않거나 피로감을 호소한다. 복통 특히 상복부 통증, 구역, 구토, 두통 등을 호소하며 특히 핵심은 저 혈소판 수이다. 상승한 D-이합체 또한 HELLP 증후군을 확인하는 데 도움이 될 줄 수 있다.

감별 진단

자간전증의 진단은 현장에서 어려울 수 있다. 특히 이전에 측정한 혈압 측정값이 없는 경우에는 더욱 진단하기 어렵다. 진단을 구체화하려면 철저한 병력 청취와 검사에 의존한다.

처치

병원 전 처치는 지지적이며 혈압 조절, 수액 소생술, 혈액 제제 투여, 파종성 혈관 내 응고병 모니터링을 목표로 한다. 약리학적 처치에는 코르티코스테로이드(태아 폐 발달의 경우), 황산 마그네슘, 하이드랄라진 또는 라베탈롤(고혈압 치료용) 등을 포함할 수 있다. 태아와 산모 모두를 보호하기 위해 분만을 유도할 수도 있다. 임신한 환자를 좌측위를 취해줘 자궁이 대정맥을 압박하지 않도록 한다.

자궁외임신

병태생리학

자궁외임신은 수정된 난자가 자궁 외부에 착상된 것이다. 자궁외임신에서 가장 특징적인 착상 부위는 나팔관이지만, 난자는 배 안이나 다른 부위에도 착상될 수 있다. 만일 수정된 난자가 나팔관에 착상되면 배아가 분열하면서 관이 늘어나기 시작하여 통증과 출혈이 발생한다. 출혈은 내부 또는 질에서 발생할 수도 있다. 파열은 생명을 위협하는 출혈로 이어질 수 있으므로 조기 발견이 중요하다.

자궁외임신의 위험 요인으로는 이전 수술이나 자궁외임신으로 인한 골반의 흉터나 염증, 골반 염증성 질환, 난관결찰, 자궁 내 장치의 위치 등이 있다. 착상 후 5~10주 이내에 증상이 나타나기 때문에 많은 여성이 아직 자신이 임신한 사실을 알지 못한다.

증상과 징후

복통을 동반하거나 동반하지 않더라도 질 출혈이 있는 가임기 여성은 자궁외임신을 고려한다. 실신은 흔한 징후이다. 출혈은 특히 자궁 외 파열 후에 심각할 수 있어 환자를 쇼크의 위험에 빠뜨릴 수 있다.

감별 진단

가능한 진단에는 충수염, 전치태반, 유산 및 합병증이 포함된다.

처치

환자를 위한 초기 처치의 목표는 기도와 호흡이 안정적인지 확인하고 정맥 라인을 확보하는 것이다. 응급실에서는 환자의 임신 여부를 확인하기 위해 소변 또는 혈청 임신 검사를 시행한다. 임신이 확인되면 임신 단계를 결정하는 데 도움이 되는 정량적 베타 hCG(베타 사람융모생식샘자극호르몬)로 확인할 수 있다. 베타 hCG의 수치는 침신이 초기 단계로 진행됨에 따라 상승한다. 다음 단계는 임신이 자궁 내이거나 자궁외임신 여부를 확인하기 위해 질경유 초음파 검사를 시행한다. 자궁외임신이 확인되면 산부인과 진료가 필요하다.

입덧

입덧은 임신 초기에 일반적으로 발생하며 탈수, 체액 및 전해질 불균형을 일으킬 수 있다. 이는 체중 감소, 기아 대사, 지속한 케톤증으로 정의된다. 구토의 다른 원인이 배제되면 처치에는 수액 소생술, 전해질 치환, 항구토제 등이 포함된다. 입덧의 비교적 새로운 현상은 만성이거나는 증가한 대마초 섭취로 일어난다. 이것은 일반적으로 항구토제로 처치한다.

신우신염

신우신염은 콩팥의 세균 감염이다. 신우신염은 급성 또는 만성일 수 있으며 대부분 방광에서 요관으로 세균이 상승하여 신장을 감염시킨다. 증상으로는 옆구리 통증, 발열, 떨리는 오한, 때때로 악취가 나는 소변, 빈뇨 또는 급박요, 그리고 전신적인 권태감 등이 있다. 압통은 주먹으로 신장이 있는 부위를 부드럽게 두드리면 유발된다. 진단은 소변에서 백혈구와 세균을 확인할 수 있는 소변 검사를 통하여 이루어진다. 보통 혈액 내 순환 백혈구도 증가한다. 처치는 정맥 라인으로 수액 투여 혹은 해열제, 진통제와 적절한 항생제 사용이 포함된다.

신부전

병태생리학

신부전은 일반적으로 급성과 만성으로 분류된다. 급성 신부전의 경우 신장이 갑자기 작동을 멈추고 노폐물이 빠르게 축적되기 시작한다. 만약 상태가 호전되지 않으면, 만성 신부전으로 진행될 수 있다.

급성 신부전

급성 신부전은 핍뇨기, 이뇨기, 회복기의 3단계로 나눈다. 이러한 단계는 표 6-11에 요약되어 있다. 급성 신부전은 신장 전, 내인성, 신장 후 원인으로 인해 발생할 수 있다. 신부전에서 신장은 체액을 저류하여 부적절한 관류에 반응하여 사구체 여과 속도를 지연시키고 나트륨과 물의 재흡수를 촉진한다. 이 과정은 일반적으로 발병 후 24시간 이내에 걸리면 되돌릴 수 있다. 급성 신부전의 일반적인 원인은 저혈당, 저혈압 및 보상실패 심부전이다.

내인성 급성 신부전은 일반적으로 자가면역 질환, 조절되지

표 6-11. 급성 신부전의 단계

단계	기술 및 특징	치료
핍뇨기	일반적으로 10~20일 동안 지속하며 소변량은 50~400mL/day 감소 단백질 유출 저나트륨혈증 고칼륨혈증 대사 산증	뾰족한 T 파와 연장된 QRS(고칼륨혈증)를 확인하기 위해 심전도 모니터링 치명적인 수준이 존재할 수 있으므로 칼륨 수치 검사 투석을 시작할 수 있을 때까지 칼슘 및 중탄산수소소듐 투여를 준비 울혈심부전이 발생할 수 있으므로 왼쪽 및 오른쪽 심부전의 징후를 모니터링
이뇨기	24시간 동안 소변 배출이 500mL를 초과할 때 발생 소변에서 나트륨과 칼륨 소실을 유발 이뇨를 통해 24시간 안에 최대 3,000mL의 소실을 입을 수 있으므로 저혈당을 일으킬 수 있음	필요에 따라 전해질 및 수액을 투여하고 모니터링
회복기	지난 몇 주에서 몇 달 동안	수액 과부하 예방 전해질과 체액 균형을 면밀히 모니터링

CHF, Congestive heart failure; ECG, electrocardiogram.

않는 만성 고혈압, 당뇨병으로 인해 발생한다. 중금속, 중독, 신장 독성 약물은 내인성 급성 신부전의 원인이 될 수 있다. 특정한 조건에서 열 관련 응급 상황 또는 으깸손상은 횡문근융해증을 유발할 수 있으며 이 경우 손상된 근육에서 방출된 미오글로빈이 신장단위의 관 부위를 막아 조기에 발견하지 않으면 영구적인 손상을 일으킬 수 있다. 소변에 미오글로빈이 포함되면 소변 색이 홍차색을 띠며 이것이 초기 단서일 수 있다.

신장 후 부전은 소변 흐름이 차단되어 요관과 신장으로 소변이 역류하여 신장이 팽창할 때 발생한다. 이 과정은 신장 기능을 방해하여 궁극적으로 괴사를 일으킨다. 역류가 해결되지 않으면, 만성 신부전이 발생할 수 있다. 장기간 요저류 또는 후복뒤섬유증으로 인한 양쪽 요관폐쇄가 이 질환의 잠재적인 원인이다.

만성 신부전

만성 신부전은 신장 기능의 영구적인 상실이다. 이러한 대사장애의 임계값은 신장에 있는 약 100만 개의 신장단위 중 80%가 손상되거나 파괴되었을 때 도달한다. 이 시점에서 생존을 위해서 투석이나 신장 이식이 필요하다. 만성 신부전이 있는 환자를 처치하기 위해 이 질환이 일반적으로 어떻게 관리되는지 알아야 하고 특히 투석과 관련된 합병증을 알고 있어야 한다.

증상과 징후

신장 질환이 있는 환자는 배뇨 습관의 변화, 부종, 발진/가려움, 구역, 구토, 호흡곤란, 가슴 불쾌감, 또는 급성 관상동맥증후군이 있을 수 있다. 많은 신장 환자가 당뇨병을 앓고 있으므로 모든 관상동맥 증상이 가려지거나 나타나지 않을 수 있다는 것을 기억하는 것이 중요하다. 초기 신부전 환자는 아무런 증상도 없을 수 있다.

감별 진단

신장 질환은 질병의 단계와 그 원인에 따라 요 폐쇄 및 관상동맥 증상을 비롯한 다양한 증상을 나타낼 수 있다. 신부전의 진단은 혈청 요소 질소, 크레아틴 및 사구체 여과율을 측정하는 검사실 검사와 영상의학 검사에 의해 이루어진다.

처치

신장 질환이 있는 환자는 종종 구역과 구토를 경험한다. 생명을 위협하는 증상을 확인하기 위한 평가는 즉시 시행한다. 경고 징후에는 의식 수준 변화, 울혈심부전의 징후, 부정맥과 전해질 불균형을 포함한다.

급성 신부전 환자의 도움 요청을 받고 출동한 경우 급성 신부전의 가장 심각한 합병증인 폐부종과 고칼륨혈증을 확인하는 방법을 알아야 한다. 급성 신부전의 원인인 출혈, 패혈증, 울혈심부전 또는 쇼크에 대한 적극적인 처치는 현장에서 신장 전 급성 신부전을 막는 가장 좋은 방법이다. 적절하게 처치되지 않으면 급성 신부전은 신장 조직 자체가 손상되는 만성 신부전으로 진행된다.

만성 신부전 환자는 당신이 처치할 수 있는 가장 어려운 환자 중 일부가 될 것이다. 이러한 환자는 일반적으로 만성 신부전과 말기 신장 질환에 다양한 의학적 문제를 가지고 있다. 병력은 종종 광범위하고 많은 동반 질환이 있다. 이 환자들에게서 볼 수 있는 모든 증상을 다루는 것은 불가능하다. 만성 신부전의 경우 체액 불균형은 고혈압, 폐부종 또는 저혈압을 유발할 수 있다. 체액과 나트륨의 저류로 인한 혈관의 과부하는 고혈압이나 울혈심부전의 원인이 될 수 있다. 고혈압이 있는 환자의 경우 수액 투여에 주의하고 비-칼륨보전 이뇨제, 앤지오텐신 전환효소(ACE) 억제제, 말초혈관 확장제를 투여하는 것을 고려한다.

신부전 환자에 대한 몇몇 지어낸 이야기와 오해는 다음과 같다.

- 수액 투여. 수액은 수액 소생술이 필요한 신부전 환자에게 수액 공급을 중단해서는 안 되며 적극적인 수액 소생술을 시작하기 전에 의료 지도 의사의 의료 지도를 받는다. 저혈량 또는 저혈압 환자는 지시가 있을 때까지 수액을 투여해야 한다. 수액이 필요하지 않은 환자의 경우 수액 투여를 제한하는 것을 주의한다. 일반적으로 신부전 환자는 정맥 라인을 확보하기 어렵다. 정맥 라인 확보가 지시된 경우 단순히 신부전 환자라고 해서 정맥 라인 확보를 지연해서는 안 된다.
- 이뇨제 투여. 일부 말기 신부전 환자의 경우 신장 기능을 어느 정도 가지고 있다. 이러한 환자는 정상 신장 기능의 20%까지 유지할 수 있으므로 폐부종이 있는 환자는 푸로세미드(라식스)와 같은 다량의 고리작용 이뇨제에 반응할 수 있다. 환자는 여전히 소변을 보는지 아닌지를 말할 수 있을 것이고 이는 이뇨제가 소변량을 증가시키는데 효과적인

지 여부를 나타낸다. 신부전 환자는 종종 다량의 이뇨제가 필요하므로 필요한 경우가 의료 지도 의사의 의료 지도를 받는다. 푸로세마이드는 신장 배출량을 증가시켜 체액량을 줄이는 것 외에도 정맥 확장을 유발하여 체액 과부하에 대한 이차 처치 효과가 있다.

- 진통제. 신부전 환자의 75%에서 통증이 제대로 조절되지 않고 있지만, 아직 신장 환자의 진통제 투여는 매우 논란이 되고 있다. 코데인, 메페리딘(데메롤), 프로폭시펜(다르본) 및 모르핀은 신장으로 배출된다. 대사 산물은 만성 신장 질환 환자에게 축적되어 신경독성을 유발할 수 있다. 세계보건기구에 따르면 선호되는 진통제는 만성 신장 질환 환자에게 안정적이고 효과적인 것으로 증명된 펜타닐이다. 하이드로모르폰(딜라우디드)도 사용할 수 있지만, 주의한다. 세계보건기구는 코데인, 메페리딘, 프로폭시펜 및 모르핀을 사용하지 말 것을 권고하고 있다. 응급 상황(예, 폐부종, 급성 심근경색)에서는 모르핀을 투여하는 것이 안전하지만, 의심이 들 때는 항상 의료 지도 의사의 의료 지도를 받는다.

투석 환자에게 접근하고 평가할 때 다음과 같은 정보가 처치에 중요할 수 있다.

- 모든 투석 환자는 약동학과 약역학 문제가 변화되고 부작용의 가능성이 증가하기 때문에 모든 약물에 대해 특별한 고려가 필요하다. 약물과 관련 문제의 위험이 높다.
- 12 리드 심전도를 측정하고 심장 모니터링을 시작한다. 심근경색이 의심되거나 심실조기 수축을 보인다면 산소를 투여한다. 수액과 항협심증 약물 및 항부정맥제의 투여도 필요할 수 있다. 수액과 전해질 불균형의 복잡성과 다기관 침범 가능성 때문에 신장 질환 환자에게 약물을 투여할 때 의료지도 의사에게 의료 지도를 받는다.
- 생명을 위협하는 고칼륨혈증의 가능성을 간과하지 않는다. 이는 신장 질환 환자에게서 빠르게 발전할 수 있으며 쇠약만이 존재하는 유일한 징후 또는 증상일 수 있다. 환자는 치명적인 부정맥이 발생할 때까지 무증상 상태로 있을 수 있다. 심장 모니터링과 초기 검사실 검사를 통해 이 합병증을 제때 확인하는 데 도움이 되고 처치할 수 있다. 고칼륨혈증이 의심되면 칼슘, 인슐린, 알부테롤, 푸로세마이드, 카이셀레이트(폴리스타이린나트륨)을 투여한다. 칼슘 글루코네이트는 심근을 보호하고 인슐린과 알부테롤은 칼륨을 세포내로 이동시키며 푸로세마이드는 칼륨의 신장 배설을 증가시키고 카이셀레이트는 장에서 칼륨을 제거한다. 산증이 있으면 탄산수소소듐도 사용할 수 있다. 고칼륨혈증에 대한 추가 설명은 7장에서 확인할 수 있다. 환자의 의식상태 변화, 쿠스마울 호흡 또는 비정상적인 동맥혈가스 수치를 나타내는 경우 전해질 불균형, 저관류 또는 당뇨병 합병증으로 인한 산증을 확인할 수 있다. 처치에는 환기 보조, 수액 투여 및 전해질 불균형을 조절하기 위한 탄산수소소듐 투여가 포함될 수 있다.
- 투석 중 항응고제를 투여하면 출혈을 일으킬 수 있다. 이 출혈은 적혈구 생성을 감소시키는 적혈구형성호르몬 감소로 인한 빈혈로 인해 복잡해진다. 환자가 호흡곤란이나 협심증이 있는 경우 출혈을 의심한다. 출혈은 혈관 부위에 대한 외부출혈처럼 명백할 수도 있고 위장관 출혈로 인한 내부 출혈이 있는 환자에게서와 같이 명확하지 않을 수도 있다. 병원 전 우선순위는 출혈을 조절하고 적절하게 산소를 공급하며 필요한 경우 수액 소생술을 시행한다.
- 숨참, 호흡곤란, 흉통, 청색증, 저혈압의 갑작스러운 발병은 공기색전증을 나타낸다. 투석 중에 이러한 임상적 특징이 분명해지면 고유량 산소를 투여하고 환자를 좌측위로 위치시킨다. 정맥 라인을 확보하고 수액 소생술을 통해 혈압을 유지할 준비 한다. 환자를 수정된 트렌델렌부르크자세로 위치시키는 것을 고려한다. 이 자세는 우심실에 공기를 가두는 데 사용된다.
- 불균형 증후군은 혈액 투석 중 또는 투석 직후에 환자가 때때로 경험하는 신경학적 문제이다. 연구자들은 이 증후군이 혈청 요소 질소가 너무 빠르게 낮아질 때 발생하는 뇌부종으로 인해 발생한다고 생각한다. 경미한 경우 환자는 두통, 불안감, 구역, 근육 단일수축, 피로를 호소할 수 있다. 심한 경우의 증상과 징후는 고혈압, 혼란, 경련, 혼수상태를 포함하고 치명적일 수 있다. 그러나 대부분은 자기 제한적이고 몇 시간 내에 해결된다. 환자가 발작을 일으키면 항경련제 투여를 고려한다. 이런 환자는 예방이 우선순위이다. 불균형 증후군은 혈액 투석 중에 신체에서 요소가 제거되는 속도를 늦추어 예방할 수 있다.

병원에서 신장 기능을 나타내는 검사실 검사에는 혈청 요소 질소와 혈청 크레아틴이 포함된다. 둘 중 수치가 상승하면 환자의 신장 기능 저하 및 신부전에 대해 평가한다. 혈청 요소 질소 대 크레아틴의 정상적인 비율은 15:1 미만이다. 비율이 20:1 이상이면 신부전의 원인이 될 수 있으며 비율이 15:1 미만이면 내인성 신부전을 나타낸다.

신장 결석

병태생리학

신장 결석은 대사 이상으로 인한 칼슘 축적으로 인해 형성된다. 더 큰 위험에 처한 사람은 남성, 신장결석의 가족력이 있는 사람, 변비약을 남용한 사람 및 일차 부갑상샘항진증, 크론병, 신세관산증 또는 재발성 요로감염 환자이다. 신장결석에 의한 완전한 신장 폐쇄는 기형이지만, 이는 가능하고 관련된 신장이 손상을 초래하는 심각한 수신증을 초래할 수 있다. 신장결석의 크기와 위치는 요관을 통과하는 능력을 결정한다.

증상과 징후

환자는 일반적으로 복부에 방사되는 둔한 옆구리 통증이 있으며 요관 민무늬근육의 연동항진이 진행되는 동안 심각하고 날카로운 급경련통이 발생한다. 환자는 종종 통증을 완화하기 위해 주변을 걷거나 몸을 구부리거나 비틀어야 할 필요성을 느낀다. 구역, 구토 및 혈뇨가 나타날 수 있으며 발열은 감염을 나타내지만, 드물게 발견된다

감별 진단

감별 진단에는 요로감염, 충수염, 담석, 염증성 장 질환, 장 폐쇄 및 복부 대동맥류 등을 포함한다.

처치

환자에게 병원 전 처치는 도움이 된다. 환자를 편안한 자세로 이송하고 정맥 라인을 확보하여 진통제와 항구토제를 투여한다. 병원에서는 소변에서 혈액을 찾기 위하여 소변 검사를 시행한다. 혈액 요소 질소 및 크레아티닌 수치를 확인하고 컴퓨터단층촬여 또는 초음파 검사를 시행할 수 있다. 이러한 환자는 통증 완화를 위해 상당한 양의 비경구 약물이 필요할 수 있다. 정맥 라인으로 케토롤락 투여는 프로스타글랜딘 매개 통증 과정을 완화한다. 최근 문헌은 정맥 라인으로 리도카인 투여를 다루고 있다. 현재로서는 효과적이지 않지만, 또 다른 비가 잘 확립되어 있지 않지만, 또 다른 비아편제제 대안이 될 수 있다.

복부 질환과 관련된 내분비 원인

당뇨병케토산증

당뇨병케토산증은 생명을 위협하는 당뇨의 합병증이다. 다뇨증, 다음증, 고혈당, 다식증 그리고 대사 산증 외에 구역, 구토, 복통 등이 특징인 경우가 많다. 당뇨병케토산증이 제2형 당뇨병 환자, 특히 감염이 있는 사람에게서 발생할 수 있지만, 이 상태는 제1형 당뇨병의 훨씬 더 특징적이다. 더 자세한 정보는 7장에서 확인할 수 있다. 복부 불쾌감의 또 다른 내분비 원인은 7장에서도 언급된다.

특별한 고려 사항

가정용 의료기기

의료 기술이 발전함에 따라 병원 전 처치 제공자는 가정환경에서 복부 질환 환자가 사용하는 다양한 의료기기를 접하고 있다. 가장 많이 볼 수 있는 장치는 다음과 같다.

- 코위관 및 코장 영양관. 코위 및 코장 영양관은 일반적으로 코에서 위 또는 장으로 이동하는 작은 직경의 유연한 관이다. 입으로 충분한 양의 음식이나 물을 섭취할 수 없는 환자의 음식 섭취 또는 수액 공급에 사용되며 약물 주입에도 사용된다. 이러한 장치를 사용하는 환자는 암, 위 우회술 또는 뇌졸중의 병력이 있는 환자를 포함한다. 다음을 포함하는 많은 합병증이 발생할 수 있다.
  - 관의 위치가 옮겨지면 환자가 체액을 폐로 흡인할 수 있으며 빠진 관이 실제로 폐로 들어갈 수도 있다. 환자가 기침을 시작하고 질식을 하거나 말을 할 수가 없거나 관의 근위부 끝을 물에 넣었을 때 기포가 나타나는 경우에는 이 중 하나를 의심한다.
  - 관의 벽은 일반적으로 얇으며 작은 누출이 쉽게 발생할 수 있다.
  - 음식이나 약물 투여 후 튜브가 충분히 세척되지 않으면 폐쇄가 발생할 수 있다.
  - 이상이 발생하면 관의 사용을 중단한다.
- 복벽경유 영양관. 복벽튜브 영양관은 위(위창냄술 관: 그림 6-8과 6-9), 공장(공장창냄 관) 또는 둘두(위공장 연결관)로 직접 공급할 수 있는 경로를 제공하기 위해 외과적으로 배치한 튜브이다. 이 관은 음식, 액체 또는 약물을 코안에

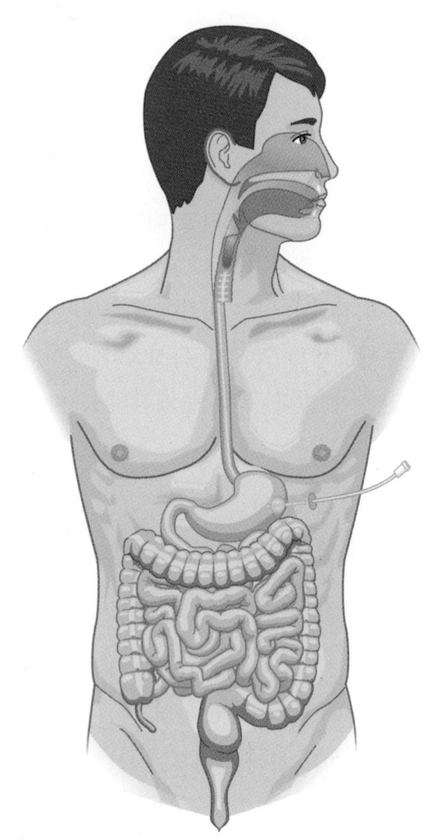

그림 6-8. 위창냄 관은 복벽을 통해 위장에 외과적으로 삽입한다.

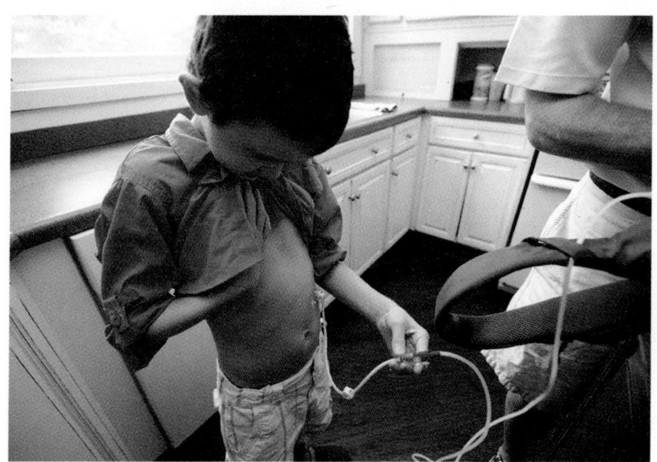

그림 6-9. 위창냄술 버튼

삽입한 튜브보다 더 오랫동안 투여할 때 사용한다.

복벽경유 영양관은 삼킴곤란, 식도 폐쇄, 식도 화상, 협착, 만성 흡수 장애 또는 심각한 성장 장애 환자에게 자주 사용된다. 잠재적인 합병증에는 다음을 포함한다.

- 장 샛길 부위가 감염될 수 있으며 주변 피부의 발적과 염증이 있는 부위에 배액이 있는지 확인한다.
- 장튜브가 너무 작으면 장 샛길에서 누출이 발생할 수 있다.
- 공급 튜브가 막히거나 빠질 수 있다.
- 환자는 복막염이나 위, 또는 결장 천공이 발생할 수 있다.
- 이상이 명백하면 공급을 중단한다.

- 장의 장 샛길. 장 샛길은 장에서 노폐물을 제거하기 위해 외과적으로 만들어지는 구멍이다. 선천적 장 이상, 암, 중증 크론병, 궤양성 대장염 또는 복부 외상이 있는 환자에게 일시적 또는 영구적으로 배치할 수 있다. 장의 모든 부분은 복벽을 통해 경로를 변경할 수 있다. 장의 구멍이 회장의 위에 더 가까우면 대변을 형성할 수 없기 때문에 환자가 설사하기 쉽다. 노폐물을 수집하기 위해 장 샛길 위에 있는 주머니를 정기적으로 비워야 대변과의 장기간 접촉으로 인한 조직 분해를 최소화할 수 있다. 이 점막은 일반적으로 분홍색이어야 하며 빛나야 한다. 어둡거나 청색이라면 이것은 우려되는 징후이다.
- 혈액투석 접근 장치. 혈액투석은 환자의 혈액을 투석기라는 기계를 통해 통과시켜 노폐물을 제거하고 환자의 체액과 전해질 균형을 안정시키는 과정이다. 여러 부위와 장치를 사용하여 혈관에 접근하여 혈액을 투석 중에 혈액을 깨끗이 하고 체내로 돌려보낼 수 있다. 여기에는 다음이 포함된다.
  - 이식은 합성 튜브 또는 사체 혈관을 이용하여 동맥과 정맥을 연결하는 수술적 연결술이다.
  - 샛길은 동맥과 정맥 사이의 직접적인 외과적 연결이다.
  - 빗장밑동맥 또는 기타 중앙 정맥에 카테터를 배치하여 혈관 접근을 얻기 위해 사용할 수 있다.
  - 버튼형 포트(헤마사이트)를 진입 부위에 배치할 수 있다.

  일반적으로 팔에서 발견되지만, 다리에 있을 수 있는 이식 또는 샛길의 개통성을 확인하기 위해 떨림이나 타박상이 있는지 평가한다. 이식이나 샛길 부위의 팔다리에서 혈압을 측정하거나 정맥 라인을 확보하지 않는 것이 중요하다.
- 복막투석 접근 장치. 복막투석 접근 장치는 복벽을 통해 복강 내로 삽입된 카테터로 체액이 복부로 주입된 다음 복부에서 배출될 수 있도록 한다. 이 과정은 노폐물을 제거하고 일시적으로 전해질과 체액 균형을 안정화한다.

노인 환자

노인 환자를 돌보는 것은 병원 전 처치 제공자에게 특별한 어려움을 안겨준다. 심장 및 폐 예비량 감소, 위 운동성 변화, 영양이 부족하므로 노인 환자는 더 빨리 병에 걸릴 수 있고 복부대동맥류, 허혈대장염, 췌장염, 담낭염, 대장 폐색과 같은 상태에 더 취약해질 수 있다.

나이가 들어가면서 더 자주 나타나게 되는 많은 복부 불쾌감은 모호한 증상을 가지고 있다. 실제로 50세 이상 환자에서 복부 통증의 원인을 진단할 때 정확도는 50% 미만이다. 이 비율은 80세 이상의 환자에서 30% 미만으로 떨어진다. 진단을 더욱 혼란스럽게 하는 것은 노인에게 자주 처방되는 많은 약물이 중증 질환의 징후를 가릴 수 있다는 사실이다. 마지막으로 기억력 부족, 치매, 청력 장애 또는 불안으로 인해 신뢰할 수 있는 완전한 병력을 청취하는 것이 복잡해질 수 있다.

비만 환자

병적인 비만은 체질량 지수(MBI)가 40 이상이거나 45kg 이상의 과체중으로 정의된다. 이 상태는 미국에서 더 널리 퍼져 있다. 이러한 환자의 복부 평가는 매우 어려울 수 있으며 병적 비만 환자의 체중 감소를 촉진하기 위해 수술적 방법을 이용할 수 있다. 제한적 방법은 위 또는 장 둘레의 크기를 축소한다. 예를 들어, 위 밴딩은 식도에서 위로 이어지는 구멍의 크기를 제한하여 환자가 먹을 수 있은 음식의 양을 줄인다. 이 밴드는 때때로 조절할 수 있으며 비만 전문의가 지시한 대로 위 용량을 늘리거나 축소할 수 있다. 또 다른 방법은 위 우회술로 달걀 크기 정도의 주머니를 통해 위와 소장 상부 주위로 음식물을 우회시킨다. 위 밴딩과 달리 이 방법은 되돌릴 수 없다.

임상의가 비만 환자에게 고려할 문제는 절차가 수행된 시기에 따라 다르다. 모든 수술과 마찬가지로 두 가지 방법 모두 감염, 출혈, 복통, 복부 탈장 및 수술 후 회복하는 동안 활동을 하지 않아 이차적으로 발생하는 다리 심부 정맥 혈전을 포함한 합병증의 위험이 있다. 비만 수술을 받은 환자에게만 발생하는 잠재적인 합병증으로는 궤양, 장폐쇄, 설사, 전해질 불균형, 영양실조를 일으키는 짧은 장 증후군이 있으며 특히 환자가 권고대로 비타민을 먹지 않을 때 더욱더 그러하다. 이러한 합병증은 수술 자체와 관련이 있을 뿐만 아니라 계속 진행 중이다. 일반적으로 비만 수술 병력이 있고 복통이 있는 환자는 응급실로 이송해서 검사를 받아야 한다.

산과 환자

가임연령 여성의 복부 불쾌감을 평가할 때 달리 입증될 때까지 임신한 것으로 가정한다. 임신의 많은 합병증은 복통으로 오인될 수 있으며 복통은 임신으로 인해 악화할 수 있다. 복부 증상을 처치하기 위해 투여하는 약물은 태아에게 해로울 수 있다는 것을 명심한다.

임신한 환자를 처치하는 동안 두 환자의 생존이 적절한 관류를 유지하는 것에 달려 있다는 것을 인식한다. 태아가 성장함에 따라 내부 장기, 가로막 및 대정맥에 압력이 증가한다. 임신 중 심박출량의 증가와 혈관 내 용적의 확장으로 인해 저관류의 징후가 지연될 수 있다. 임신 후반기에는 대정맥에 압력을 가해 저혈압을 유발하지 않도록 환자 자세에 주의한다. 예를 들어, 척추 손상이 없는 경우 이송시 환자를 좌측위를 취한다. 가능한 경우 고위험 산과 환자를 처치할 수 있는 의료기관으로 환자를 이송한다.

종합 정리

복부 불쾌감이 있는 환자의 평가는 환자가 아픈지 아닌지를 결정하기 위해 초기 관찰로 시작된다. 이 첫인상을 통해 즉시 처치할지 아니면 더 자세한 평가를 진행할지 알 수 있다. 환자가 위급하거나 긴급한 진단을 받을 수 있도록 먼저 평가한 다음 덜 위협적인 상태를 고려한다. 경험상 더 일반적이거나 가능성이 있는 진단을 고려하고 덜 흔한 진단을 내리는 것이다. 감별진단을 구성하는 조건을 확인하거나 배제하려면 SAMPLER, OPQRST, 신체검사 결과 및 검사실 검사 결과를 사용한다. 환자가 불안정해지면 기도, 호흡, 순환 보조를 항상 우선으로 시행하고 환자가 안정되면 다시 평가를 진행한다. 복부 불쾌감의 가능한 원인은 매우 다양하기 때문에 현장에서 정확한 진단을 내리지 못할 수도 있다는 것을 인지하는 것이 중요하다. 지지적 처치를 제공하고 증상과 징후를 관리하며 신속하게 이송을 제공하는 것이 복부 불쾌감을 겪는 많은 환자에게 가장 좋은 선택이다.

시나리오 해결책

- 이 환자의 복통에는 여러 가지 원인이 있을 수 있다. 그녀는 아직 가임연령이므로 자궁외임신과 같은 산과적 문제가 있을 수 있다. 그녀는 담낭염에 적합한 나이이다. 그녀가 자주 술을 마시는 경우 췌장염에 걸릴 수도 있다. 또한, 그녀가 낫적혈구 위기를 겪고 있거나 궤양이 있을 수도 있다.
- 감별 진단 범위를 좁히려면 과거 병력과 현재 질병의 병력을 모두 청취한다. 그녀의 복부에 대한 신체검사를 시행하고 산소포화도를 측정 및 12 리드 심전도 측정을 고려한다. 압통, 종괴, 보호 또는 박동성 종괴를 촉진한다.
- 환자는 임박한 쇼크의 징후가 있다. 산소를 공급하고 다시 구토한다면 기도를 흡인할 준비를 한다. 정맥 라인을 확보하고 수액을 투여한다. 혈압이 상승하면 구역이나 통증을 조절하기 위해 약물 투여를 고려한다. 추가 진단 검사와 결정적인 처치를 시행하기 위해 가장 가까운 병원으로 이송한다.

요약

- 복부 불쾌감의 원인은 셀 수 없이 많으며 진단을 내릴 때 압도적으로 보일 수 있다.
- 생명의 위협을 먼저 파악한 후 환자의 상태와 시간이 허락하는 한 진단을 내리기 위해 평가를 진행한다.
- 복부 불쾌감의 정확한 진단을 위해서는 환자 상태, 병력, 신체검사와 검사 결과가 핵심이 될 것이다.
- 복부는 여러 기관을 포함하고 있으며 각각의 기관은 단독 또는 함께 복부의 불쾌감을 유발할 수 있다.
- 복부의 불쾌감은 구역과 구토, 변비, 설사, 위장관 출혈, 황달 및 질 출혈과 같은 다른 주요 증상과 관련이 있을 수 있다. 이러한 기본적인 증상 및 주요호소증상을 고려하면 진단을 정확히 파악하는 데 도움이 될 수 있다.
- 복부 불쾌감이 있는 환자에서 진단을 내리는 것이 처치 보다 우선되어서는 안 된다.

주요 용어

항구토제(antiemetic) 구역 및 구토를 완화하거나 예방하는 물질

전격간부전(fulminant hepatic failure) 간염이 간 괴사(간세포의 사멸)로 진행될 때 발생하는 드문 질환이며 증상으로는 식욕부진, 구토, 황달, 복통 및 자세 고정불능(퍼덕 떨림)이 있다.

위장관(gastrointestinal) 위장관과 관련이 있으며 위장관은 영양소의 소비, 가공 및 영양소 제거와 관련된 기관을 연결한다. 입에서 시작하여 식도로 이동하고 가슴안에서 복부로 이동하며 직장의 다리 이음뼈에서 끝난다.

위 마비(gastroparesis) 위 마비(부분 마비)로 인해 음식이 비정상적으로 오랫동안 위에 남아 있는 의학적 상태

토혈(hematemesis) 상부 위장 출혈을 나타내는 밝고 붉은 혈액의 구토

혈변(hematochezia) 직장을 통해 붉은 혈액의 배변

장중첩증(intussusception) 장의 한 부분이 인접한 장의 내강으로 탈출한 것으로 이러한 종류의 장폐쇄는 소장, 결장, 회장 말단 및 맹장의 부분을 포함할 수 있다.

흑색변(melena) 상부 위장관 출혈의 결과로 독특한 냄새가 있고 소화된 혈액을 포함하는 비정상적인 검은색 타르 변

방사통(referred pain) 손상되거나 질병에 걸린 장기나 신체 부위와 다른 부위에서 통증이 느껴진다.

몸 통증(somatic(parietal) pain) 일반적으로 벽복막이나 기타 심부 조직(예, 근골격계)의 신경 섬유 자극으로 유발되는 잘 국소화된 통증이다. 신체 소견으로는 반동압통을 동반하는 날카롭고 불연속적인 국소 통증, 환부 보호를 포함한다.

내장 통증(visceral pain) 속이빈 장기의 벽이 늘어나서 신장 수용체가 활성화될 때 발생하는 국소적 통증이다. 이러한 종류의 통증은 경미한 것에서부터 참을 수 없는 중증의 통증까지 다양하며 일반적으로 경련, 작열감 및 쪼는 통증이 특징이다.

내장(viscus) 체강으로 둘러싸인 기관으로 식도, 위, 내장과 같은 속이 빈 장기를 지칭하는 데 사용한다.

장꼬임(volvulus) 위장관의 한 부분이 자체적으로 비틀어져 혈액의 흐름과 내용물의 통과를 차단하는 상태이다. 이것은 대장의 맹장과 S자 결장 부위에서 가장 흔하게 발생하지만, 위를 포함할 수 있다.

참고 문헌

Aehlert B: *Paramedic practice today: Above and beyond*, St. Louis, MO, 2009, Mosby.

American Academy of Orthopaedic Surgeons: *Nancy Caroline's emergency care in the streets*, ed 8. Burlington, MA, 2018, Jones & Bartlett Learning.

Bakker, R. *Placenta previa*. https://emedicine.medscape.com/article/262063-overview, updated January 08, 2018.

Becker S, Dietrich TR, McDevitt MJ, et al.: *Advanced skills: Providing expert care for the acutely ill*. Springhouse, PA, 1994, Springhouse.

Bucurescu G: *Neurologic manifestations of uremic encephalopathy*. http://www.medscapecrm.com/article/1135651-overview. Updated: Sep 17, 2018

Carale J, Azer A, Mekaroonkamol P: *Portal hypertension*. http://emedicine.medscape.com/article/175248-overview. Updated Nov. 30, 2017.

Dean M: Opioids in renal failure and dialysis patients. *J Pain Symptom Manage*. 28:497–504, 2004.

Deering SH: *Abruptio placentae*. http://emedicine.medscape.com/article/252810-overview, updated November 30, 2018.

Gould BE: *Pathophysiology for health care professionals*, ed 3. Philadelphia, PA, 2006, Saunders.

Hamilton GC: *Emergency medicine: An approach to clinical problem-solving*, ed 2. Philadelphia, PA, 2003, Saunders.

Haram K, Svendsen E, Abildgaard U: The HELLP syndrome: clinical issues and management: a review. *BMC Pregnancy Childbirth*. 9:8, 2009. doi: 10.1186/1471-2393-9-8.

Holander-Rodriguez JC, Calvert JF Jr: Hyperkalemia. *Am Fam Physician*. 73:283–290, 2006.

Holleran RS: *Air and surface patient transport: Principles and practice*, ed 3. St. Louis, MO, 2003, Mosby.

Johnson LR, Byrne JH: *Essential medical physiology*, ed 3. Boston, MA, 2003, Elsevier Academic Press.

Krause R: Dialysis complications of chronic renal failure. http://emedicine.medscape.com/article/777957-media, updated September 28, 2015.

Lehne RA: *Pharmacology for nursing care*, ed 6. St. Louis, MO, 2007, Saunders.

Mayo Clinic Staff. *Acute kidney failure*. https://www.mayoclinic.org/diseases-conditions/kidney-failure/symptoms-causes/syc-20369048

McCance KL, Huether SE: *Pathophysiology: The biologic basis for disease in adults and children*, ed 6. St. Louis, MO, 2009, Mosby.

Mosby: *Mosby's dictionary of medicine, nursing & health professions*, ed 8. St. Louis, MO, 2009, Mosby.

National Institute of Diabetes and Digestive and Kidney Diseases: *Anemia in chronic kidney disease*. https://www.niddk.nih.gov/health-information/kidney-disease/anemia

Padden MO: HELLP syndrome: Recognition and perinatal management. *Am Fam Physician*. 30:829–836, 1999.

Paula R: *Abdominal compartment syndrome: Differential diagnosis & workup*. http://emedicine.medscape.com/article/829008-diagnosis, updated February 23, 2009.

Pitts SR, Niska RW, Xu J, et al: *National hospital ambulatory medical care survey: 2006 emergency department summary*, National health statistics reports No. 7. Hyattsville, MD, 2008, National Center for Health Statistics.

Rosen P, Marx JA, Hockberger RS, et al: *Rosen's emergency medicine: Concepts and clinical practice*, ed 6. St. Louis, MO, 2006, Mosby.

Sanders M: *Mosby's paramedic textbook*, rev ed 3. St. Louis, MO, 2007, Mosby.

Silen W, Cope Z: *Cope's early diagnosis of the acute abdomen*. Oxford, 2000, Oxford University Press.

Song L-M, Wong KS: *Mallory-Weiss tear*. http://emedicine.medscape.com/article/187134-overview, updated April 16, 2008.

Taylor MB: *Gastrointestinal emergencies*, ed 2. Baltimore, MD, 1997, Williams & Wilkins.

Wagner J, McKinney WP, Carpenter JL: Does this patient have appendicitis? *JAMA*. 276:1589, 1996.

Wakim-Fleming J: Liver disease in pregnancy. In: Carey WD, ed. *Cleveland clinic: current clinical medicine*, ed 2. Philadelphia, PA, 2010, Elsevier Saunders.

Wingfield WE: *ACE SAT: The aeromedical certification examinations self-assessment test*. 2008, New Mexico: The ResQ Shop Publishers.

CHAPTER 7

내분비 및 대사 장애

이 장에서는 내분비 및 대사 장애에 대한 기본적인 이해를 제공한다. 생명을 위협하는 중증, 긴급 및 응급 상황에 대한 감별 진단을 공식화하기 위해 전문 내과 소생술(AMLS) 평가 과정에 해부학, 생리학 및 병태생리학 지식을 통합하는 방법을 배우게 된다. 또한, 병원 전 및 병원 내 상황에서 다양한 내분비 및 대사 장애에 대한 처치 전략을 시행하고 적용하는 방법을 배우게 된다.

학습 목표

이장의 학습을 마치면 다음을 수행할 수 있다.

- 일반적인 내분비 질환의 해부학, 생리학 및 병태생리학을 설명할 수 있다.
- AMLS 평가 과정을 통해 내분비 장애가 있는 환자에 대한 일차, 이차 및 지속적인 평가 전략의 개요를 설명할 수 있다.
- 광범위한 내분비 장애의 주요호소증상을 구별할 수 있다.
- 산-염기 불균형, 전해질 이상 및 내분비 장애의 증상과 증후를 나열하고 인식할 수 있다.
- 다양한 내분비 장애에 대한 평가 결과를 바탕으로 진단을 공식화한다.
- 포도당 대사, 갑상샘, 부갑상샘, 부신 장애의 원인, 진단 방법 및 처치 전략을 나열할 수 있다.
- 내분비 장애 환자에 대한 체계적이고 철저한 이차평가를 바탕으로 감별 진단을 공식화하고 개선한다.
- 평가 소견과 일치하는 효과적인 처치 계획을 수행하고 지속적인 평가를 바탕으로 처치를 계속할지 여부를 결정할 수 있다.
- 전해질 및 산-염기 이상을 일으키는 병태생리학적 과정을 설명하고 그 원인을 설명할 수 있으며 이를 처치하는 데 사용되는 일반적인 방식에 대해 논의할 수 있다.
- 정상, 비정상적인 심전도와 전해질 장애가 있는 환자의 심전도를 비교 및 대조할 수 있다.

시나리오

당신은 심한 피로와 쇠약을 호소하는 58세의 여자 환자를 처치하고 있다. 환자는 제2형 당뇨병, 류마티즘 다발근육통, 고혈압, 심부전의 병력을 가지고 있다. 환자는 메트포르민, 프레드니손, 리시노프릴, 푸로세마이드와 디곡신을 복용 중이다. 활력징후는 혈압 88/52mmHg, 맥박 58회/분, 호흡 20회/분이다.

- 현재 가지고 있는 정보를 바탕으로 어떤 감별 진단을 고려하고 있는가?
- 감별 진단의 범위를 좁히기 위해 어떤 추가 정보가 필요한가?
- 환자 처치를 계속할 때 초기 처치의 우선순위는 무엇인가?

내분비계는 신체의 대사 과정을 조절한다. 내분비샘의 주요 기능은 다음과 같다.

- 대사 조절
- 생식 조절
- 세포 외 액과 전해질(나트륨, 칼륨, 칼슘, 인산염)의 균형 조절
- 혈당 조절과 같은 최적의 내부 환경 유지
- 아동기와 청소년기의 성장 및 발달 자극

환자의 내분비계에 대한 평가를 수행하는 것은 대부분 분비샘(갑상샘과 고환을 제외한)의 위치로 인해 시진, 촉진, 타진 또는 청진할 수 없으므로 어렵다. 또한, 호르몬이 신체의 다양한 계통에 미치는 영향이 다르므로 평가하는 것이 어렵다. 내분비 기능의 평가는 자료를 수집하고 내분비 장애의 기본 패턴을 인지하는 데 달려 있다.

해부학 및 생리학

분비샘은 화학 물질을 생산하고 분비하는 기관이며 내분비 또는 외분비일 수 있다. 외분비샘은 화학물질을 신체의 외부 표면(즉, 땀과 눈물) 또는 체강(즉, 침과 췌장 소화 효소)으로 분비한다. 내분비샘은 화학 호르몬을 혈류로 분비한다. 이 화학물질은 다양한 조직으로 이동하여 적절한 수용체를 가진 표적세포에 신호를 보내고 영향을 미친다. 그런 다음 이 세포에 작용하여 특정 세포 기능을 유발한다. 신체에 호르몬을 분비하는 내분비샘의 네트워크를 총칭하여 내분비계라고 한다.

내분비계의 주요 구성 요소는 뇌하수체, 갑상샘, 부갑상샘, 부신, 췌장(내분비샘과 외분비샘 모두)과 생식 기관(남성의 고환 및 여성의 경우 난소)이다(그림 7-1). 이 분비샘에서 방출되는 호르몬은 각각의 표적 기관에 있는 수용체에 직접 메시지를 전달하여 항상성, 생식, 성장, 발달 및 대사를 조절한다. 되먹임 고리의 복잡한 체계는 모든 호르몬의 균형 수준을 유지하기 위해 함께 작용한다. 호르몬 분비의 수준은 양성 또는 음성 되먹임 기전에 의해 조절할 수 있다. 특정 호르몬의 수치가 증가하면 분비가 억제되고 특정 호르몬의 수치가 감소하면 분비가 촉진된다. 뇌하수체(그림 7-2)는 분비물이 다른 내분비샘의 활동을 조정하기 때문에 주 분비샘이라고 한다. 뇌하수체의 바로 위에 있는 시상하부는 신체의 상태를 모니터링하고 신체의 항상성을 유지하는 뇌의 부분이다. 시상하부에는 신체 기능과 감정에 대한 여러 개의 조절 센터가 있다. 내분비계와 신경계 사이의 주요 연결 고리이다.

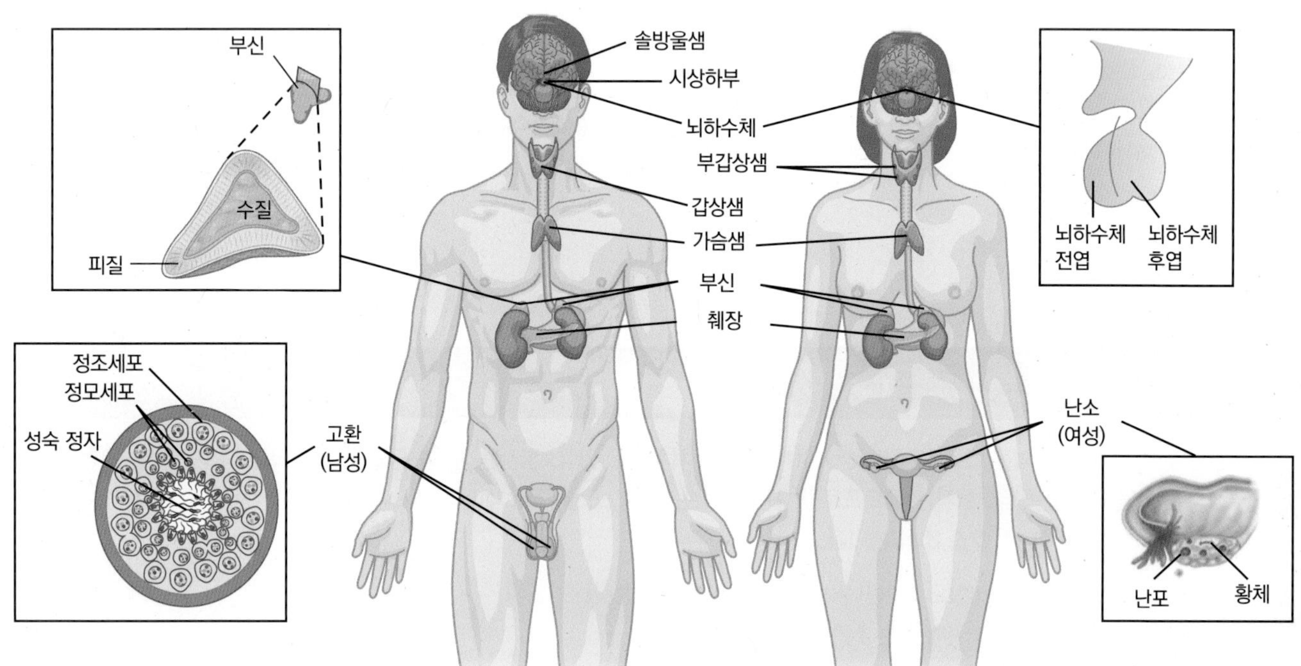

그림 7-1. 내분비계는 체내의 기관계에 화학적인 메시지를 전달하기 위해 다양한 분비샘을 이용한다.

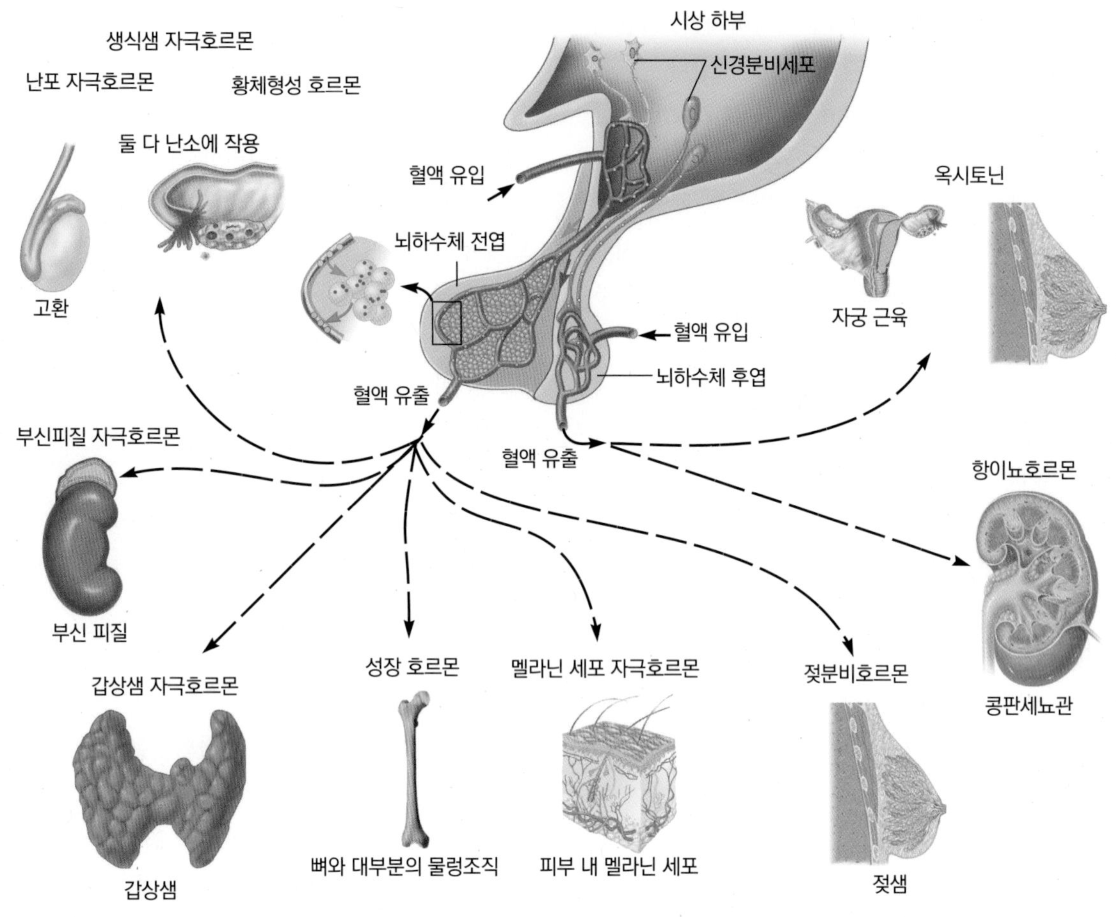

그림 7-2. 뇌하수체는 전엽과 뇌하수체 후엽의 두 영역에서 호르몬을 분비한다.

내분비샘 기능의 상호 의존적인 특성과 항상성을 유지하기 위해 작용하는 되먹임 고리를 설명하기 위해 갑상샘의 복잡한 조절을 조사한다. 갑상샘 목의 앞쪽 부분에 위치하며 후두 아래쪽의 다섯 번째 목뼈와 첫 번째 등뼈 사이의 높이에 있다. 목의 앞쪽 부분에서 만져지는 단단한 연골 아래에 있다. 두 개의 엽은 정중선을 가로질러 좁은 협부로 연결된다. 조직학적으로 분비세포, 여포 세포와 C 세포(소포곁세포)로 구성되어 있다. 갑상샘에서 분비된 호르몬(삼요오드티로닌[T3]과 티록신[T4])은 심장, 근골격계 및 신경계, 지방조직 등 인체의 많은 조직과 장기에 영향을 미친다. 시상하부에서 분비되는 갑상샘자극호르몬 방출 호르몬(TRH)은 뇌하수체에서 갑상샘자극호르몬(TSH)을 방출한다. 그런 다음 갑상샘자극호르몬은 갑상샘의 수용체로 이동하여 이를 활성화하여 갑상샘의 여포 세포에 의해 T3 및 T4의 분비를 초래하는 생화학적 연속단계를 활성화한다. T3와 T4는 많은 조직에 영향을 미치기 위해 혈류를 통과하지만, 시상하부에서 갑상샘자극호르몬 방출 호르몬의 합성을 억제하여 되먹임 고리를 닫는다. 신체의 많은 물질과 마찬가지로 갑상샘호르몬은 혈류를 순환하는 동안 운반체 단백질에 의해 결합할 것이다. "자유 T3"와 "자유 T4"라는 용어 순환 중이지만, 단백질에 결합하지 않은 갑상샘호르몬을 나타낸다. 이러한 자유 호르몬만이 표적 조직에 작용할 수 있다. 갑상샘자극호르몬 분비는 스트레스, 글루코코르티코이드 및 체온과 같은 요인에 의해 억제될 수 있다. 난포 세포보다 적은 수의 소포결 세포는 칼슘 대사를 조절하는 칼시토닌 호르몬 분비하는 역할을 한다. 칼시토닌 조절은 되먹임 과정보다는 혈청 수준에 따라 달라진다.

부갑상샘은 갑상샘의 뒤쪽에 있으며 세 가지 유형의 세포로 구성되어 있고 각각의 세포는 특정 기능이 있다. 주요 세포는 신장에서 활성 비타민 D의 생성을 자극하고 신세관에 의한 칼슘의 재흡수를 촉진하며 신장에서 인산염 재흡수를 억제하는 부갑상샘호르몬(PTH)을 생성하는 역할을 한다. 부갑상샘호르몬은 또한 뼈에서 칼슘을 유리시켜 칼슘 농도를 증가시킨다.

낮은 칼슘 농도는 부갑상샘호르몬 분비를 자극하지만, 칼슘의 증가는 부갑상샘호르몬 분비의 생성과 유리를 억제한다.

각 신장의 정점에는 높이가 약 3.8cm, 길이 약 7.6cm인 삼각형 모양의 부신이 있다. 이 두 개의 분비샘은 복부대동맥과 아래대정맥의 복막뒤 측면에 있다. 부신이 정맥 및 동맥에 혈액 공급은 각각 아래대정맥과 복부대동맥의 위 및 아래 가지에서 유래된다. 각 부신의 피질 또는 표면은 코르티솔 같은 글루코코르티코이드, 알도스테론과 같은 무기질부신피질호르몬 및 보조 성호르몬을 분비한다. 각 부신의 수질, 즉 신체는 에피네프린과 노르에피네프린을 생성한다.

시상하부는 부신피질자극호르몬 방출 인자(CRF)를 분비하여 뇌하수체를 자극하고 부신피질자극호르몬(ACTH)과 멜라닌 세포-자극호르몬(MSH)을 생성한다. 부신은 부신피질자극호르몬에 반응하여 코르티솔과 알도스테론을 생성한다. 부신에 의해 충분한 양의 코르티솔이 생성되면 시상하부는 부신피질자극호르몬(ACTH)과 멜라닌 세포-자극호르몬(MSH) 생성을 자동으로 억제한다.

포도당 대사 및 조절

포도당은 기관 특히 중추신경계(CNS)에 의해 조절되는 주요 대사 과정의 필수적인 연료이다. 중추신경계는 특히 포도당 대사에 의존하고 혈당 수치의 변화에 상대적으로 견딜 수 없다. 예를 들어, 저혈당은 의식 수준 변화를 나타내고 그 이후 저혈당이 비가역적인 뇌 손상으로 이어질 수 있는 이유를 설명한다.

세포 생존은 균형 잡힌 혈청 포도당 농도를 유지하는 데 달려 있다. 정상적인 상황에서 신체는 식후에 체내에서 70~150mg/dL(3.9~8.3mmol/L)의 비교적 좁은 범위로 혈청 포도당을 유지할 수 있다. 이 조절은 기본적으로 다음 세 가지 대사 과정에 의해 얻어진다.

- 위장관(GI) 흡수: 장을 통한 포도당의 장내 직접 흡수
- 당원 분해: 간에서 글리코겐 분해가 일어나면서 생성되는 포도당
- 포도당신생성: 피부르산, 글리세롤, 젖산 및 아미노산을 포함한 전구체로부터 새로운 포도당 생성

호르몬, 신경(자율) 및 체액(순환 또는 호르몬) 인자와 조절 매개체의 복잡한 상호 작용은 정상적인 혈청 포도당 농도를 유지하도록 한다. 혈중 포도당 수치가 불충분하면 췌장의 알파 세포에서 글루카곤이 분비되어 포도당신생성을 통해 포도당 생산을 증가시킨다. 글루카곤 분비는 또한 운동, 외상 및 감염에 의해 유발될 수 있다. 이러한 기전은 몇 분 내에 포도당 수치를 증가시키지만, 일시적으로만 증가한다. 에피네프린과 노르에피네프린은 포도당신생성과 간의 당원 분해를 가능케 하여 포도당 수치를 더 빠르게 증가시킨다. 췌장샘 세포에서 분비되는 인슐린은 포도당을 세포 내로 유도하며 효율적인 세포 포도당 이용에 필수적이다.

AMLS 평가 과정 ▶▶▶▶▶

▼ 초기 관찰

현장 안전 고려 사항

모든 잠재적인 위험 요소가 해결되었는지 확인하고 표준 예방조치를 따른다. 현장을 관찰하면 환자의 기저 질환에 대한 중요한 단서를 얻을 수 있다. 화장대 위, 냉장고 내부(인슐린), 식탁 위 및 욕실의 약품 수납장에서 약이 있는지 찾아본다. 인슐린 펌프나 존재할 수 있는 다른 의료 기기를 확인한다. 환자를 의료기관으로 이송 시 약병도 가져간다.

환자의 기본적인 설명/주요호소증상

환자의 기본적인 설명 및 주요호소증상을 확인한다. 환자의 증상과 징후를 고려한다. 호르몬 분비나 생성에 영향을 받는 증상이나 징후로 나타나는 내분비 장애를 확인한다. 많은 내분비 장애와 변화된 대사 기능으로 환자는 안절부절, 초조 및 짧은 주의력을 경험할 수 있다. 의식상태가 변화된 환자의 경우 질병 상태를 알 수 있는 환자 인식용 목걸이나 팔찌를 확인한다. 반응이 없는 환자는 즉시 ABCs를 평가한다.

일차평가

일차평가는 ABC로 시작하고 생명을 위협하는 경우 즉시 처치한다.

의식 수준

내분비 응급 상황을 겪고 있는 환자는 종종 심각한 고통을 겪을 수 있다. 환자의 자세는 그 상태의 심각성을 나타낼 수 있다.

반응이 없는 환자는 위험한 상태이며 저혈당이나 고혈당과 같은 내분비 위기를 겪고 있을 수 있다.

기도와 호흡

내분비 응급 환자는 다양한 호흡 수준을 나타낼 수 있으므로 호흡 노력을 즉시 평가한다. 증가한 호흡 노력, 비정상적인 호흡수 및 저산소증은 모두 산소 투여가 필요한 징후일 수 있다. 당뇨병케톤산증 환자에게 종종 나타나는 쿠스마울호흡과 같은 비정상적인 호흡 양상에 주의한다. 이는 혈액 내에 과도하게 축적된 산을 배출하기 위해 호흡수와 호흡량을 모두 증가시키는 신체 보상기전 중 하나이다.

순환/관류

환자의 피부색, 수분 및 온도를 평가하고 환자의 혈압을 측정한다. 창백하고, 차갑고, 축축한 피부를 가진 환자는 쇼크에 빠지거나 저혈당증 상태일 수 있지만, 뜨겁고 건조한 피부를 가진 환자는 열이나 고혈당증 상태일 수 있다. 저혈당 위기에 처한 환자는 빠르고 약한 맥박을 보인다. 내분비 응급 상황은 신체의 보상 기전에 영향을 줄 수 있으므로 정맥 라인을 확보하고 수액 투여나 혈액제제 투여가 필요할 수 있다.

▼ 첫인상

내분비 응급 환자를 평가할 때 어려운 부분은 인체 내에 여러 기관에 영향을 미치고 경향이 있고 증상의 심각성이 매우 다양하다는 것이다. 많은 환자가 일정 기간 그 상태를 가지고 있었을 것이고 이미 주치의나 전문의로부터 치료를 받고 있을 수 있다. 이러한 환자나 가족들은 내분비 문제의 병력이 있다는 것을 당신에게 설명할 것이다. 이 정보는 이 장에서 설명한 각 내분비 응급 상황과 관련된 일반적인 증상 및 징후와 함께 현재 문제의 가능한 원인을 파악하고 초기 감별 진단을 생성하는 데 도움이 될 것이다.

▼ 상세 평가

병력 청취

완전한 병력을 청취하는 것은 내분비 응급 상황을 확인하기 위해 중요하다. 특히 당뇨병 응급 상황에서 가족력은 적절한 정보를 줄 수 있다. 다른 가족이 당뇨병 병력을 가지고 있다는 사실을 아는 것은 중요한 단서이며 감별 진단에 도움이 된다.

OPQRST와 SAMPLER

OPQRST와 SAMPLER 암기법은 체계적인 접근 방법을 사용하여 환자의 전체 병력을 얻을 수 있어야 한다. 환자의 보고된 증상을 확인하는 데 도움을 줄 수 있는 징후를 찾는다. 진단되지 않았거나 잘 관리되지 않은 당뇨병 환자의 경우 다식증, 다뇨, 다음증이 나타날 수 있다. 빈맥, 조기심실수축(PVCs), 조기심방추축(PACs) 및 다른 심방 리듬 장애는 모두 갑상샘항진증 및 갑상샘 중독증으로 발생할 수 있다.

도착하기 전에 환자의 상태가 진단을 받았을 가능성이 있다. 환자는 당신에게 제공할 수 있는 상당한 양의 건강 관련 정보를 가지고 있을 수 있다. 환자가 현재 복용하고 있는 모든 약물과 환자가 요법을 잘 준수했는지 여부를 기록한다. 약물은 종종 환자의 상태에 대한 또 다른 단서를 제공한다.

갑상샘저하증이 있는 일부 환자는 월경 기간이 짧거나 무월경이 있을 수 있으므로 가임기 여성에게 마지막 월경 기간을 물어본다. 또한, 임신성 당뇨병의 병력은 임신한 여성에게 임신 후 당뇨병이 발병할 위험을 증가시키기 때문에 중요하다.

이차평가

환자가 발견된 모습과 위치 확인하여 평가를 시작한다. 발작활동과 피질제거자세 또는 대뇌제거자세도 주의해야 한다. 만약 존재한다면 둘 다 심각한 질병의 징후이다.

신체검사는 가능한 한 많은 비정형적인 소견을 확인하는 방향으로 진행되어야 한다. 환자가 일종의 외상을 유발하는 내분비 응급 상황이 아닌 한 집중 외상 평가는 일반적으로 필요하지 않다. 항상 그렇듯이 생명을 위협하는 문제를 해결한 후 신체검사를 완료해야 한다.

환자의 활력 징후를 확인할 때 두개내압의 상승을 시사하는 원인을 제거하고 고혈압과 서맥을 확인한다.

이차평가는 처치를 결정하는 데 도움이 될 미세한 이상이 나타날 것이다. 예를 들어, 환자의 피부가 차갑고 축축한 경우 인슐린 반응과 카테콜라민 분비에 의한 신체의 반응으로 인해 쇼크 또는 중증의 저혈당이 나타날 수 있다. 차갑고 건조한 피부는 진정제의 과다 복용이나 알코올 중독을 나타낼 수 있다. 뜨겁고 건조한 피부는 고혈당, 발열 또는 열사병을 나타낼 수 있다. 이차평가의 목적은 두 가지이다. 첫째, 환자의 의식 수준을 정확하게 파악하며 나중에 평가한 결과 환자의 상태가 호전되고 있는지 악화하고 있는지 쉽게 밝힐 수 있도록 한다. 둘째, 환자가 혼수상태에 빠진 경우 원인을 파악하기 위해 단서를 찾아야 한다.

진단

당뇨병 환자의 경우 병원 전 포도당이나 기타 약물을 투여하면 후속 혈액 샘플의 화학적 구성이 변하기 때문에 조기에 혈액 샘플을 채취한다. 의식상태가 변화된 환자에게 0.9% 생리식염수를 정맥 라인으로 투여한다. 환자의 혈당 수치를 즉시 평가하고 수치가 60mg/dL 미만이고 환자의 의식상태에 변화가 있는 경우 처치를 시작한다. 포도당 12.5~25g을 투여한다. 이 용량은 대부분의 저혈당 사례를 역전시킬 것이다.

▼ 감별 진단의 개선

일차 및 이차평가의의 구성 요소는 감별 진단을 구체화하고 환자 상태의 중증도를 결정하는 데 도움이 된다. 평가 중 나타나는 생명을 위협하는 상태를 즉시 처치한다. 내분비 장애를 포함한 대부분 질병이나 상태는 하나 이상의 요인에 의해 발생한다는 것을 기억한다. 나중에 나타나는 특정한 환자의 상태는 감별 진단을 결정하고 주요 결과를 인식하는 데 도움이 되는 접근 방법을 제공한다.

▼ 지속적인 관리

환자 처치의 중요한 측면은 환자의 정서적 요구를 해결하는 것이다. 내분비 장애는 환자에게 많은 스트레스를 줄 수 있다. 항상 환자의 요구에 공감하고 반응한다. 불안정한 환자의 경우 활력 징후와 의식 수준을 자주 평가하고 안정된 환자의 경우 최소 15분마다 재확인하라. 모든 환자는 적어도 2회의 활력 징후를 평가하고 기록한다.

부갑상샘, 갑상샘 및 부신 장애

부갑상샘저하증

부갑상샘저하증은 부갑상샘호르몬(PTH)의 낮은 혈청 수치 또는 그 작용에 대한 저항력을 특징으로 하는 희소 질환이다. 자가면역질환, 선천적 또는 후천적인 질환 등에 의해 발생한다.

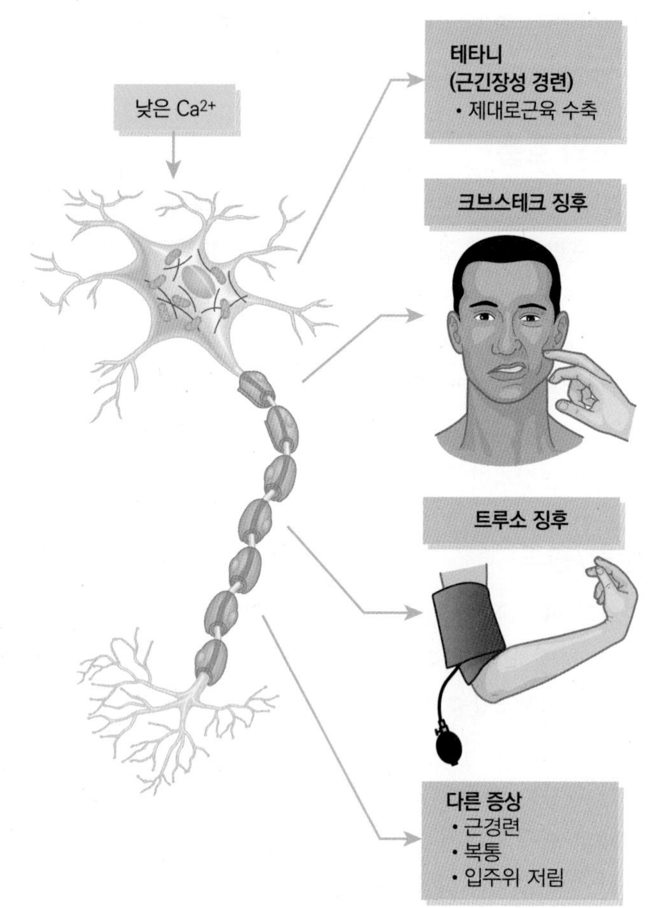

그림 7-3. 저칼슘혈증의 증상과 징후

원인과 관계없이 이 특징은 저칼슘혈증은 다음에 논의한다.

병태생리학

후천성 부갑상샘저하증의 가장 흔한 원인은 갑상샘절제술 중 부주의로 인해 샘이 제거되는 의인성 손상이다. 손상(예, 목 절개 중)은 일시적이거나 영구적일 수 있다.

증상과 징후

급성 부갑상샘저하증 환자는 근육 경련, 감각 이상과 테타니를 보고한다. 환자는 발작을 일으킬 수도 있다. 이러한 증상과 징후는 직접적인 저칼슘혈증으로 인해 나타난다(그림 7-3).

감별 진단

병원 내 환경에서 부갑상샘저하증을 즉시 확인할 수 있는 검사실 검사가 없으므로 병력 및 신체검사 소견을 바탕으로 높은 의심 지수를 가져야 한다. 최근의 목 앞부위를 수술한 경우 의인성 부갑상샘저하증의 위험 인자이다.

당신은 트루쏘 징후(Trousseau's sign, 그림 7-4)와 크브스테크 징후(Chvostek's sign, 그림 7-5)에 대해 잘 알고 있어야 한다. 두 가지 다 저칼슘혈증에 의한 근육 과민성을 감지하는 데 도움이 된다. 양성 트루쏘 징후를 얻으려면 팔에 혈압 커프를 감고 수축기 혈압보다 30mmHg 높게 공기를 주입한 후 3분간 유지한다. 이것은 손과 아래팔의 근육 연축을 유발할 것이다. 손목과 손허리손가락 관절은 굴곡지고 원위부 및 근위부 가락뼈사이 관절은 신전되며 손가락은 내전된다. 얼굴 근육의 경련을 일으키는 귀 바로 앞쪽의 아래턱뼈 바로 앞부분에 얼굴 신경을 자극해서 양성 크브스테크 징후를 유도할 수 있다. 하지만 이 징후는 트루쏘 징후만큼 민감하지 않다. 사용할 수 있는 또 다른 검사 도구는 심전도(ECG)이다. 저칼슘혈증이 있는 환자의 경우 QT 간격이 연장된다(그림 7-6).

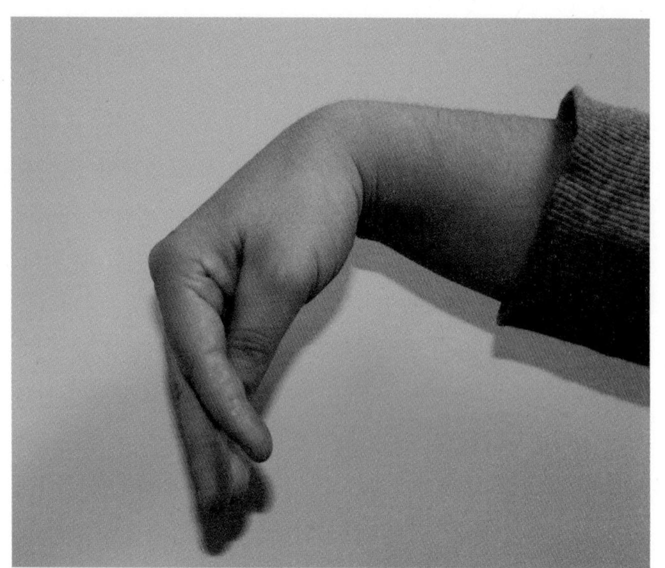

그림 7-4. 트루쏘 징후(Trousseau's sign)

그림 7-5. 크브스테크 징후(Chvostek's sign)

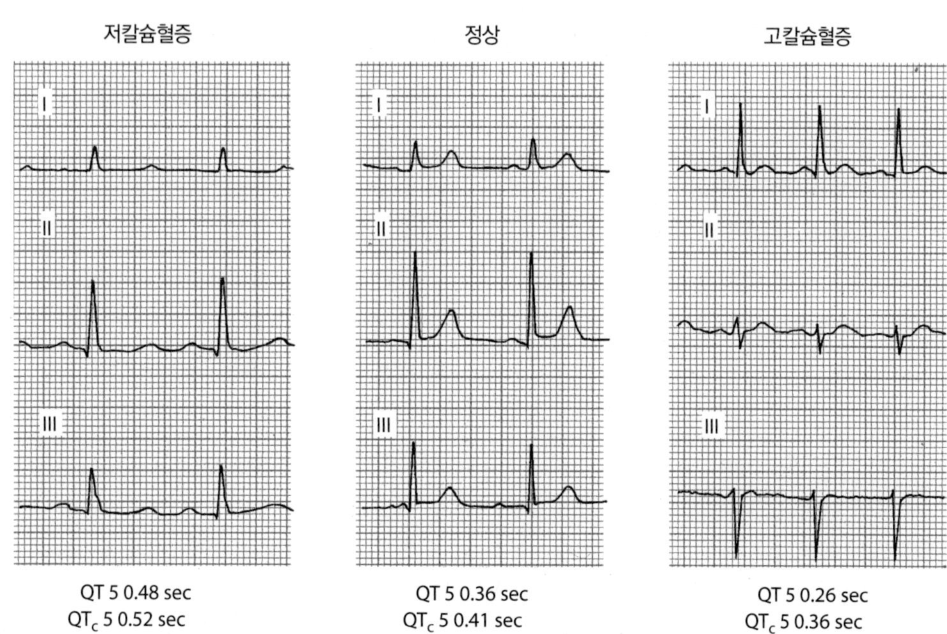

그림 7-6. 저칼슘혈증은 ST 분절을 늘려 QT 간격을 연장한다. 고칼슘혈증은 ST 분절을 단축해 QT 간격을 감소시키고 T 파가 QRS 복합체의 끝에서 직접 출발하는 것처럼 보인다.

Goldberger A: *Clinical electrocardiography: A simplified approach*, 9th edition, St. Louis, MO, © 2017, Mosby, p. 110 (Figure 11.7).

표 7-1. 갑상샘 발작의 유발 요인

의학적 유발 요인	내분비성 유발 요인	약리학적 유발 요인
감염성 질병	저혈당증	요오드 요법
심장 허혈	당뇨병케토산증	아미오다론 섭취
중증 화상	고삼투질비케토 상태	조영제 투여
혈전색전증		약물 상호작용
큰수술		
외상		

처치

모든 응급 상황에서 마찬가지로 환자의 기도, 호흡, 환기 및 혈류역학 상태를 평가하고 안정화한다. 정맥 라인을 확보하고 지지적 처치를 제공한다. 환자가 발작을 일으키면 벤조다이아제핀을 투여한다. 임상적으로 강력하게 의심되거나 검사실 분석에서 저칼슘혈증이 확인되면 환자에게 정맥 라인으로 칼슘을 투여할 수 있다. 응급 상황에서 염화칼슘이나 글루콘산칼슘을 0.5~1.0g을 1~5분에 걸쳐 정맥 라인으로 투여한다. 비응급 상황에서는 염화칼슘 10% 용액 500~1,000mg을 5~10분에 걸쳐 정맥 라인으로 투여하거나 생리식염수 또는 5% 포도당 용액(D5W)에 글루콘산칼슘 10% 용액 1,500~3,000mg을 희석하여 2~5분에 걸쳐 투여한다.

갑상샘항진증

갑상샘의 과다활동 또는 갑상샘항진증은 갑상샘 중독증이라 하는 과다 대사 상태를 초래하는 흔한 질병이다. 이를 환자의 1~2%에서만 발생하는 갑상샘항진증의 더 드문 합병증인 갑상샘 발작과 대조되지만, 혈역학적 불안정, 의식상태 변화, 위장관 기능 이상과 발열을 특징으로 하는 생명을 위협하는 상태이다.

병태생리학

광범위 독성 갑상샘종으로도 알려진 그레이브스병은 갑상샘항진증의 가장 흔한 형태이다. 이는 갑상샘자극호르몬(TSH)의 역할을 모방하는 항체가 갑상샘호르몬의 분비를 증가시키는 자가면역 질환이다. 이 상태는 중년의 여성에게 가장 흔히 발생하지만, 모든 나이에서 발생할 수 있으며 남성에게도 영향을 미칠 수 있다. 갑상샘항진증의 다른 원인에는 외인성 갑상샘호르몬의 급성 중독, 아미오다론이나 요오드화 조영제와 같은 요오드 부하가 높은 약물의 결과로 포함되며 이는 민감한 개인에서 과도한 갑상샘호르몬의 갑작스러운 방출을 촉진할 수 있다. 분비샘의 자가면역 파괴의 경우 보다 만성적인 갑상샘저하증에 선행하는 일시적인 갑상샘항진증이 나타날 수 있다.

갑상샘 발작은 당뇨병 응급 상황, 약물 부작용 또는 감염과 같은 심각한 생리학적 스트레스 요인으로 신체가 스트레스를 받을 때 발생한다. 환자가 요오드가 풍부한 항부정맥제인 아미오다론을 복용한 후 심장의 보상실패를 경험했다면 갑상샘 발작을 의심한다. 갑상샘 발작의 다른 유발 요인은 표 7-1에 요약되어 있다.

증상과 징후

갑상샘항진증 환자의 특징적인 임상 증상은 불안, 초조, 심장 두근거림과 몇 개월 사이에 18kg 정도의 체중 감소가 포함된다. 이러한 과대사 상태로 인한 열 과민증 및 발한이 빈번한 증상이다.

완전한 신체검사는 상태의 특징인 안구돌출을 포함하여 갑상샘 중독증의 증상과 징후를 나타낸다(그림 7-7). 갑상샘항진증의 다른 증상과 징후는 다음과 같다.

- 호흡 곤란
- 지남력장애
- 복통
- 설사
- 가슴 통증
- 갑상샘비대(촉진이 가능한 갑상샘종)
- 고박출 심부전

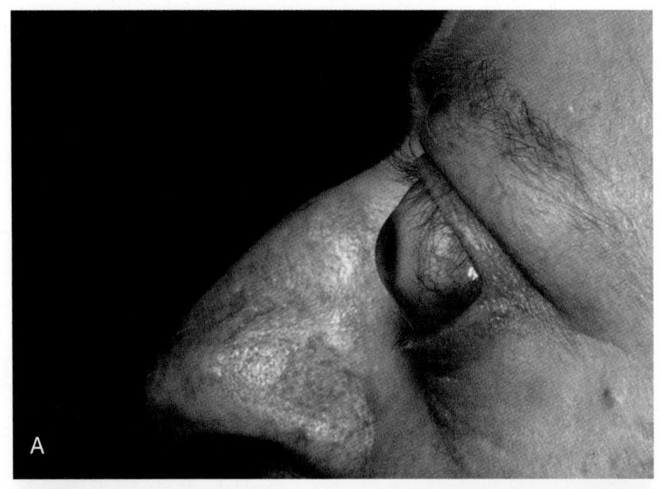

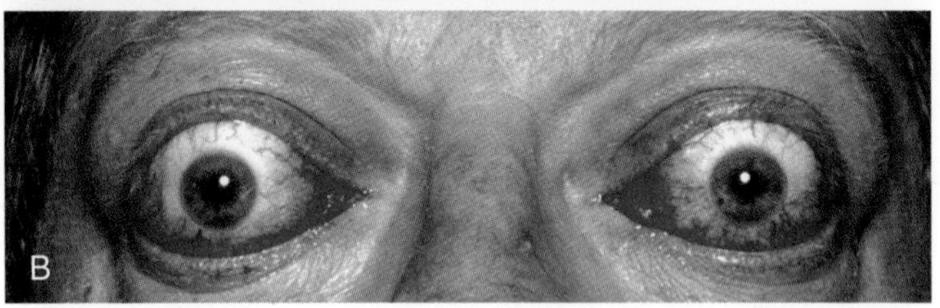

그림 7-7. 갑상샘항진증(A 및 B)이 있는 사람. 교감 신경계의 과다활동으로 인해 눈을 크게 뜨고 응시하는 것이 이 장애의 한 가지 특징이다. 안구 뒤의 느슨한 결합 조직이 축적되어 눈이 돌출되어 보인다.

A: © Science Photo Library/Science Source; **B:** ©SPL/Science Source.

- 열
- 약물 상호작용
- 의식상태 변화
- 황달
- 쇠약

무감각 갑상샘항진증은 노인에게서만 볼 수 있는 드문 형태의 갑상샘항진증이다. 이 상태에서 갑상샘항진의 특징적인 증상이 없다. 환자는 무기력하고 무감각하며 갑상샘비대가 발생하고 체중 감소를 경험한다.

감별 진단

병원 전 환경에서 갑상샘항진증이나 갑상샘 발작을 확인하기 위한 검사실 검사가 없으므로 병력 및 신체검사 소견을 바탕으로 높은 의심 지수를 가져야 한다. 임상적 판단만으로 환자를 안정시키고 조기 처치를 시작할 수 있다.

병원에서 갑상샘항진증에 대한 가장 신속하고 유용한 검사는 갑상샘자극호르몬(TSH) 혈청 수치이다. 수치가 낮고 환자에게 갑상샘항진증의 임상 징후와 증상이 있는 경우 이 검사는 근본적으로 진단적이다. 이 추정 진단을 확진하기 위해 일반적으로 T_4와 T_3의 실제 갑상샘호르몬의 수치를 얻었을 수 있다. 영상검사 및 생검은 장애의 구체적인 원인을 결정하는 데 도움이 될 수 있다.

감별 진단의 일부로 뇌졸중, 당뇨병 응급 상황, 울혈심부전(CHF), 독성 섭취(특히 교감신경 작용제 섭취) 및 패혈증을 고려한다.

처치

최적의 환자 처치를 제공하는 열쇠는 갑상샘 질환에 의해 유발되는 다양한 과대사 상태를 구별하는 것이다. 여기에는 아급성(만성) 갑상샘항진증, 급성 중증 갑상샘항진증 및 가장 치명적인 합병증인 갑상샘 발작이 포함된다. 만성 갑상샘항진증 환자를 돌보는 경우 환자는 일반적으로 지지적 요법과 증상의 조기 관리만 필요하다. 중증의 갑상샘항진증이나 갑상샘 발작이 인지되면 환자의 상태를 안정화하는 것이 필수적이다. 모든 응급 상황과 마찬가지로 기도, 호흡, 순환으로 시작한다. 급성 중증 갑상샘항진증이나 갑상샘 발작을 앓고 있는 환자는 혼수상태로 진행할 수 있는 의식상태 변화가 나타날 수 있다는 사실에 주의한다.

갑상샘 발작 환자는 과도한 설사와 발한으로 인해 중등도에서 중증의 탈수를 보이는 경우가 많다. 적극적인 수분 공급을 위해 처치 초기에 두 개의 말초 정맥 라인을 확보한다. 적극적인 수분 공급이 필요하지만, 이러한 환자는 심장의 불안정을 경험할 수 있으므로 급성 폐부종을 유발하지 않도록 주의한다.

갑상샘항진증 환자는 동빈맥, 심방세동, 심방조동과 조기심실수축(PVCs)과 같은 부정맥이 발생하기 쉽다. 이러한 이유로 진단을 의심하는 즉시 지속적인 심장 모니터링을 시작한다.

갑상샘 발작이 있는 환자는 병태생리학적 과정 자체 또는 갑상샘 발작을 촉발한 감염과 관련된 발열이 있을 수 있다. 체온을 평가하고 갑상샘 발작에서 고열을 아세트아미노펜으로 처치한다. 아스피린은 갑상샘호르몬의 단백질 결합 감소 및 그에 따라 증상을 악화시킬 수 있는 비결합한 또는 유리 T_3 및 T_4의 증가와 관련이 있으므로 사용하지 않는다.

병원 전 환경에서 약리학적 처치의 목표는 갑상샘호르몬이 유발하는 말초 아드레날린성 과다활동(빈맥, 발열, 불안, 떨림)을 차단하고 말초 조직에서 T_3와 T_4으로 전환되는 것을 억제하는 것이다. β 차단제를 투여하면 두 가지 목표를 모두 달성할 수 있다. β 차단제는 의료 지도 의사의 의료 지도의 직접적인 감독하에서만 투여한다. 선택 약물은 프로프라놀롤이며

1mg을 10분마다 총 10mg까지 정맥 내로 투여하거나 증상이 호전될 때까지 투여한다. 프로프라놀롤 투여는 기관지 천식, 만성폐쇄폐질환, 방실차단, 과민성 및 중증 심부전 환자에게 금기이다. 갑상샘 발작과 수반되는 심부전 환자는 고박출심부전을 일으킬 가능성이 가장 높다. 이것은 수축기 기능 장애를 동반한 심근병증이 있는 경우를 제외하고는 프로프라놀롤 사용에 대한 금기 사항으로 간주하지 않는다. T_4에서 T_3으로의 전환을 늦추기 위해 하이드로코르티손 100mg 정맥 내로 투여하거나 덱사메타손 10mg을 정맥 내로 투여하는 보조 코르티코스테로이드 호르몬 요법을 시행할 수 있다. 다시 말하지만, 이것은 의료 지도 의사의 의료 지도의 직접적인 감독하에서만 투여한다.

갑상샘저하증

갑상샘저하증은 갑상샘호르몬의 분비가 감소하거나 결핍되는 내분비 기능 장애이다. 미국에서의 발생률은 4.6~5.8%이지만, 이 질환을 앓는 환자의 절반은 무증상이다. 갑상생저하증은 40~50세 사이의 백인 여성에서 가장 흔하고 자가면역 질환과 매우 관련이 있다.

병태생리학

갑상샘호르몬 분비 장애는 일차 또는 이차 갑상샘저하증으로 분류된다. 각각의 원인은 표 7-2에 요약되어 있다. 일차 갑상샘저하증은 자가면역 질환이나 약물 부작용에 따른 직접적인 갑상샘 손상을 포함한다. 갑상샘항진 상태에 대해 외과적 갑상샘 절제술이나 고주파 열 치료 요법(기능성 샘 조직의 양을 줄이기 위해 방사선을 이용)을 받은 환자는 갑상샘저하증을 유발할 수 있다. 이차 갑상샘저하증에서 시상하부 또는 뇌하수체 손상은 갑상샘의 자극을 감소시키는 결과를 초래한다(특히 갑상샘 자극호르몬의 생성 및 분비 감소). 많은 합병증은 저산소증, 저체온증, 저혈당, 패혈증 및 혼수를 포함한 임상적 갑상샘저하증으로 인해 발생합니다.

표 7-2. 갑상샘저하증의 원인

일차	이차
자가면역 갑상샘저하증	사르코이드 침윤
유전성 갑상샘저하증	뇌하수체 덩이
방사선 요법	
요오드 결핍	
리튬 사용	
항갑상샘 약물 사용	
원인불명	

증상과 징후

갑상샘저하증은 외피, 대사, 신경계 및 심혈관계를 포함한 많은 신체 계통에 해로운 영향을 미친다. 이 상태를 가진 환자의 피부는 시원하고 건조하며 노란색이다. 환자는 일반적으로 눈썹, 머리카락 및 피부가 얇아지고 추위에 대한 현저한 내성이 없으며 의식상태 변화, 운동 실조 및 심부 힘줄 반사의 이완 지연과 같은 신경학적 변화가 있다. 갑상샘저하증이 만성적이고 극단적으로 변하면 저혈압, 서맥, 저혈당과 저나트륨혈증을 특징으로 하는 점액부종 혼수(그림 7-8)라 하는 생명을 위협하는 상태로 발전할 수 있다. 점액부종 혼수상태의 유발인자는 다음과 같다.

- 폐 감염
- 추위에 노출
- 심부전
- 뇌졸중
- 위장관 출혈
- 외상
- 스트레스
- 저산소증
- 전해질 장애
- 낮은 혈청 포도당 수치

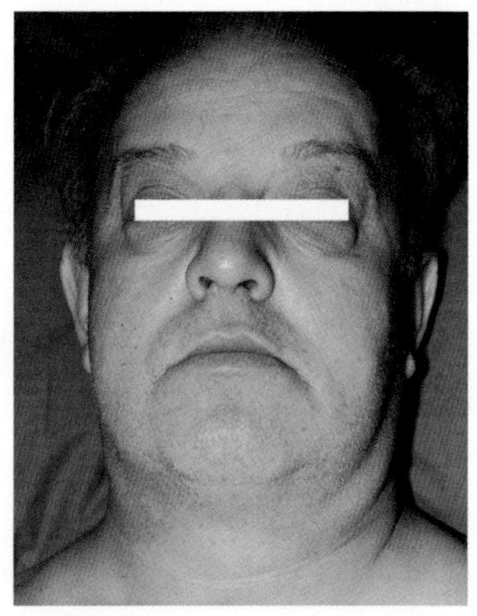

그림 7-8. 갑상샘저하 환자의 목에 국소적으로 축적된 점액성 물질

감별 진단

병원 전 환경에서 갑상샘저하증이나 점액부종 혼수를 확인하기 위해 검사실 검사는 즉시 사용할 수 없다. 병력 및 신체 검진 소견이 진단을 암시할 것이다. 안정화와 조기 처치는 오로지 임상적 판단에 근거하여 시작한다.

병원에서 갑상샘호르몬(TSH) 수치가 10μU/mL 또는(10mU/L)보다 높을 것이다. 또한 T_4의 수준에 영향을 줄 수 있는 비정상적인 단백질 수치를 평가하기 위해 유리 티이록신(FT_4) 검사를 시행할 수 있다. T_4 수치가 0.8ng/dL(10pmol/L) 이하면 갑상샘이 적절한 수준으로 호르몬을 생산하지 못하고 있음을 나타낸다. 초음파 영상은 갑상샘 크기, 모양 및 위치를 밝히고 갑상샘 기능 장애에 기여할 수 있는 낭종이나 종양을 확인하기 위해 시행할 수 있다.

처치

갑상샘 장애, 갑상샘저하증, 심각한 갑상샘저하증 그리고 가장 치명적인 합병증인 점액부종 혼수상태로 인해 유발되는 다양한 저체온증 상태를 구별할 수 있다. 갑상샘저하증 환자는 지지적 처치와 증상에 대한 조기 처치가 필요하다. 이 질환에 대해 높은 의심 지수를 가져야 한다. 병원 전 환경에서 심각한 갑상샘저하증이나 점액부종 혼수상태가 감지되면 환자의 상태를 안정시키고 적절한 의료기관으로 즉시 이송하는 것이 필수적이다.

모든 급성 응급 상황과 마찬가지로 기도, 호흡, 순환으로 처치를 시작한다. 급성 갑상샘저하증 및 갑상샘 발작과 유사한 갑상샘항진증 환자는 의식상태의 변화 또는 혼수상태를 보일 수 있다. 기도 관리 및 환기 보조가 필요할 수 있다. 심부전 환자를 평가하는 데 특별한 주의를 기울여야 한다. 보존적 수분 공급을 지원하기 위해 병원 전 처치 초기에 말초 정맥 라인을 확보한다.

환자의 의식상태가 변화되면 혈청 포도당 수치를 측정한다. 혈청 포도당 수치가 60mg/dL(3.3mmol/L) 미만이면 정맥 내로 포도당을 투여한다.

갑상샘저하증 환자는 심장 부정맥 특히 서맥을 경험하기 쉬우므로 가능한 한 빨리 지속적인 심장 모니터링을 시작한다. 그러나 서맥에 대한 표준 처치법은 갑상샘호르몬이 대체될 때까지 효과가 없을 수 있다.

점액부종 혼수를 앓고 있는 환자는 병태생리학적 과정 자체의 결과 또는 감염으로 인해 저체온일 수 있다. 항상 체온을 평가하고 담요 및 기타 가온법으로 저체온증을 처치한다. L-트라이아이오도티로닌 0.25mcg, 하이드로코티손 100mg을 정맥 내로 매 8시간 및 상태가 되돌릴 수 없는 것으로 판명되면 후속 일일 경구 대체 요법을 포함할 수 있는 최종 처치를 시행할 수 있는 의료기관으로 신속하게 환자를 이송한다.

만성 부신부전

부신부전은 부신 피질에서 충분한 양의 코르티솔을 생산하지 못하며 피질이 직접 또는 간접적으로 손상되었는지 여부에 따라 일차, 이차 및 삼차로 분류된다. 애디슨병으로 알려진 일차 부신부전은 부신 피질에 대한 직접적인 손상 또는 오작동으로 인한 대사 및 내분비 질환이다. 이것은 장기간 발병하는 만성 질환이다. 부신 피질에 직접적으로 손상을 주는 거의 모든 질환은 자가면역 질환, 부신 출혈, 후천면역결핍증후군(AIDS), 결핵, 수막알균혈증을 포함하여 일차 부신 부전을 유발할 수 있다.

병태생리학

앞서 언급했듯이 부신 피질은 코르티코스테로이드 호르몬인 알도스테론과 코르티솔을 생성한다. 알도스테론은 혈청 나트륨과 혈청 칼륨 수치의 균형을 유지하는 역할을 한다. 인체가 외상, 감염, 심장 허혈 또는 심각한 질병과 같은 스트레스를 경험할 때 부신은 신체의 요구를 충족시키기에 충분한 양의 코르티코스테로이드 호르몬을 생산할 수 없게 되어 애디슨병의 급성 악화를 유발할 수 있다.

이차 부신부전의 경우 피질 자체는 손상되지 않았으나 뇌하수체가 일반적으로 부신 피질을 자극하는 부신피질자극호르몬(ACTH)을 분비하지 못하기 때문에 부신 피질이 코르티솔을 생성하는 신호를 받지 못하므로 부신 부전이 한 단계 제거된다. 뇌하수체가 부신피질자극호르몬을 분비하지 못하는 것이 시상하부 질환으로 인해 발생하는 삼차 부신 부전은 훨씬 덜 직접적이다.

일차 부신 부전에서 환자는 멜라닌세포자극호르몬(MSH)의 과잉 생산으로 인해 피부의 과다 색소침착이 발생할 수 있다. 이러한 과잉 생산은 멜라닌세포자극호르몬과 부신피질자극호르몬이 뇌하수체에서 동일한 전구체 단백질(프로오피오멜라노코틴)에서 생산된다는 사실에서 비롯된다. 멜라닌세포자극호르몬은 피부의 멜라닌 세포를 자극하여 피부 색소 멜라닌을 생성한다. 이차 및 삼차 부신 부전은 높은 수준보다는 낮은 수준의 멜라닌세포자극호르몬을 포함하기 때문에 피부의 과다 색소침착과 관련이 없다.

증상과 징후

애디슨병 환자의 임상 양상은 질병으로 인한 내분비 및 전해질 장애와 일치한다. 환자는 만성 피로와 쇠약, 식욕 소실과 그로 인한 체중 감소, 과도한 멜라닌세포자극호르몬 생성으로 인한 피부 및 점막의 과다 색소 침착을 보인다(그림 7-9). 환자는 저나트륨혈증, 고칼륨혈증, 저혈압과 관련된 전해질 장애가 있으며 복통, 구역, 구토 및 설사와 같은 위장관 장애가 있을 수도 있다. 섬망과 변화된 의식상태도 애디슨병과 관련된 증상으로 확인되었다. 또한, 이 질병 과정을 가진 환자는 약물로 기분이 좋아지고 "치료됨"을 느낀 다음 약물을 중단하는 것으로 알려져 있으며 이것은 급성 부신 위기를 악화시킨다.

감별 진단

만성 부신부전을 진단하는 도구는 병원 전 환경에서 사용할 수 없다. 환자에게 쉽게 구할 수 있는 오래된 진단 검사 결과지를 요청하는 것이 중요하다. 대사 산증, 저나트륨혈증, 고칼륨혈증 및 저혈당과 같은 환자의 현재 임상 양상과 관련이 있는 과거의 비정상적인 전해질 소견은 위험 신호로 여겨져야 한다. 이 상태의 확실한 진단은 환자의 기준 혈청 코르티솔 수치를 측정한 다음 합성 부신피질자극호르몬(코신트로핀)을 투여하는 자극 검사를 함으로써 이루어진다. 코르티솔 수치가 잠시 상승하지 않으면 환자는 일차 부신부전으로 진단할 수 있다.

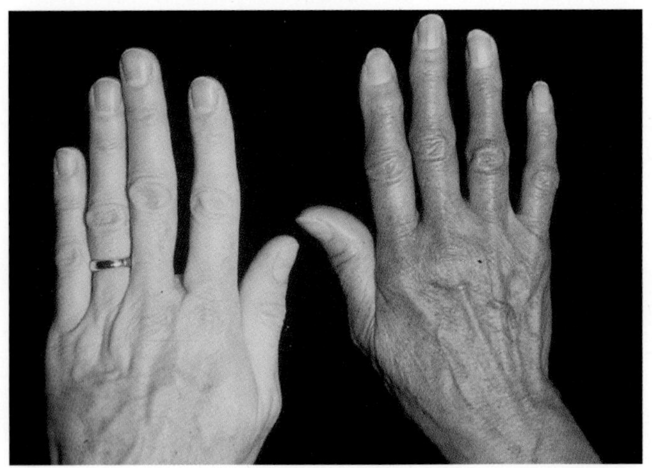

그림 7-9. 애디슨병 환자의 손(오른쪽)과 건강한 사람의 손(왼쪽)

처치

애디슨 위기로 알려진 애디슨병의 급성 악화에 대한 병원 전 처치는 지지 요법으로 한정된다. 환자가 빈맥과 저혈압이 있는 경우 생리식염수를 볼루스로 20mL/kg를 투여한다. 부신 기능의 저하를 보완하기 위해 환자의 혈 역학적 상태를 지속해서 재평가하고 하이드로코르티손(100~300mg을 정맥 내 투여 또는 EMS 지침 및 의료 지도 의사의 의료 지도)을 조기 투여와 응급실로의 신속한 이송이 이 상태를 처치하는 데 가장 중요하다. 저혈당의 교정뿐만 아니라 구역과 구토에 대한 증상 처치를 제공한다.

병원에서는 진단 검사를 통해 저나트륨혈증, 고칼륨혈증과 같은 전해질 이상 여부를 확인한다. 적혈구용적률 수치가 상승하는 것은 흔한 일이다. 처치에는 전해질 이상 교정, 대사 균형의 회복(예, 글루코코르티코이드 대체) 및 혈량 저하에 대한 볼륨 대체가 포함된다.

급성 부신부전

급성 부신부전은 당질부신피질호르몬 및 무기질부신피질호르몬에 대한 신체의 필요성이 부신에 의한 이러한 호르몬의 전달을 초과하는 상태이다. 가장 흔한 원인은 장기간 사용 후 약리학적 스테로이드 요법을 갑작스러운 중단하는 것이다. 또한 이러한 환자가 질병이나 큰 수술 또는 외상과 같은 스트레스를 받는 동안 조정된 용량을 투여받지 못할 때 발생할 수 있다.

병태생리학

만성 부신부전과 마찬가지로 급성 부전은 기능장애 내분비샘에 따라 일차, 이차 또는 삼차로 분류된다. 일차 부신부전은 부신의 기능 장애를 말하고 이차 부신부전은 뇌하수체의 기능 장애를 의미하며 삼차성 부신부전은 시상하부의 기능 장애와 관련이 있다.

증상과 징후

급성 부신부전의 임상 양상은 구역, 구토, 탈수, 복통 및 쇠약을 포함한다. 햇빛 노출을 거부하는 환자의 황갈색 피부와 같은 병력은 만성 부신부전을 나타낼 수 있다. 증상을 촉발할 수 있는 최근의 약물 변화에 대해 환자에게 물어본다. 부신부전이 저혈압과 동반되면 부신 위기라고 하며 생명을 위협하는 응급상황으로 판단한다.

감별 진단

병원 전 환경에서 이 상태를 진단하는 것은 어려울 수 있다. 확실한 검사실 검사는 현장에서 시행할 수 없으며 급성 부신부전의 증상은 위장관계 장애와 같은 더 일반적인 상태와 쉽게 혼돈될 수 있다. EMS 제공자는 부신 장애에 대한 간접적인 증거를 찾기 위해 사용할 수 있는 도구를 이용한다. 혈당측정기로 저혈당을 평가하고 심전도에서 고칼륨혈증의 증거를 찾는다. 빈혈, 저나트륨혈증 및 대사 산증과 같은 다른 이상 징후와 증상을 평가한다. 전형적인 소견에는 저나트륨혈증, 고칼륨혈증 및 저혈당의 조합이 포함된다.

활력징후 또한 중요한 단서를 제공할 수 있다. 예를 들어, 정맥 내로 수액 투여에 잘 반응하지 않는 저혈압은 부신 위기에서 나타난다. 이 질환의 확인하기 위해 코신트로핀 자극 검사를 응급실에서 시행할 수 있다.

처치

생명을 위협하는 응급 상황과 마찬가지로 우선 환자의 기도, 호흡 및 순환을 유지하는 능력을 평가한다. 저혈압의 경우 생리식염수로 즉시 수액 소생술을 시행한다. 저혈당이 있는 경우 포도당을 투여한다. 일부 EMS에서는 의료 지도 의사의 의료 지도에 따라 하이드로코르티손 100~300mg 정맥 내로 투여하여 당질부신피질호르몬 결핍을 해결한다. 나중에 코신트로핀 자극 검사를 시행하려면 하이드로코르티손이 거짓 양성 검사 결과를 초래할 수 있으므로 덱사메타손 4mg 정맥 내로 투여하는 것이 더 좋다. 최종적인 처치를 위해 환자를 신속하게 응급실로 이송한다.

부신항진증

부신항진증 또는 쿠싱 증후군은 부신 피질에서 과잉생산의 결과로 당질부신피질호르몬코티솔, 특히 코르티솔의 과도한 순환 혈청 수치에 오랫동안 노출되어 발생하는 임상적 상태이다. 특히 20~50세 여성에게 더 흔하다. 쿠싱증후군은 부신이나 뇌하수체 종양 또는 장기간의 코르티코스테로이드 사용으로 인해 발생할 수 있다.

병태생리학

원인과 관계없이 과도한 코르티솔은 다수의 신체 계통에 특징적인 변화를 일으킨다. 탄수화물, 단백질, 지방의 대사가 방해를 받아 혈당 수치가 상승한다. 단백질 합성이 손상되어 신체 단백질이 분해되어 근육 섬유의 소실 및 근육 약화로 이어지며 뼈가 약해지고 골절되기 쉽다.

증상과 징후

쿠싱 증후군 환자는 비만, 달덩이 얼굴(그림 7-10) 및 기타 주요 특징을 보이는 뚜렷한 외모를 가지고 있다. 이 장애에 수반되는 증상과 징후는 다음과 같다.

- 만성 쇠약
- 체모와 수염 증가
- 통통한 얼굴
- 목뒤쪽의 뚱뚱한 "버펄로 혹(buffalo hump)"
- 중심성 비만
- 복부, 엉덩이, 가슴 및 팔에 보라색 줄무늬
- 근위부 근육 위축

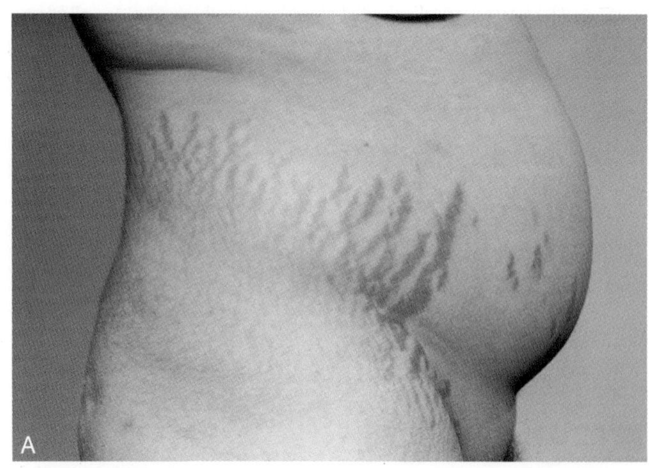

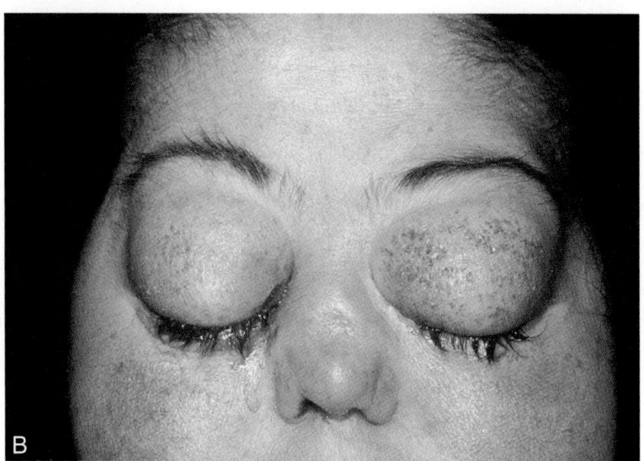

그림 7-10. 쿠싱 증후군 환자 A. 중심성 비만. B. "달덩이 얼굴"

- 얇고 연약한 피부
- 무월경
- 생식 능력 감소 및 성욕 감소
- 당뇨병
- 고혈압

감별 진단

쿠싱증후군에 대한 최종적인 진단 검사는 병원 전 환경에서 시행할 수 없다. 환자에게 최근에 퇴원한 경우 진단 검사 결과지를 가졌는지 물어본다. 환자의 현재 임상적 증상과 관련이 있는 대사 알칼리증, 고나트륨혈증, 저칼륨혈증 및 고혈당증과 같은 과거의 비정상적인 전해질 소견이 있는 경우 질병을 의심한다.

처치

쿠싱증후군 환자는 종종 만성 또는 아급성 증상을 보인다. 처치는 임상 소견에 따라 시행한다. 영향을 받는 환자는 체액 저류가 있거나 고혈당으로 인한 삼투 이뇨로 인해 탈수될 수 있다. 따라서 수액 투여는 볼륨 상태에 따라 결정되어야 한다. 고혈압은 말초 기관 기능 장애 또는 증상(예를 들어, 울혈심부전, 심장 허혈, 뇌병증, 급성 신부전)을 유발하지 않는 한 특별한 처치가 필요하지 않다. 이러한 상태가 있는 경우 항고혈압제를 투여하고 활력징후, 의식상태 및 심장 리듬을 자세히 모니터링한다.

포도당 대사 장애

대사 응급 상황은 병원 전 환경에서 사용할 수 있는 진단 도구가 거의 없으므로 기본 소생술(BLS) 제공자에게 진단과 처치에 대한 문제를 나타낸다. 많은 대사 상태가 비특이적인 증상과 관련되어 처치가 지연될 수 있다. 다음의 부분에서 신속하게 진단하고 적절한 처치를 시작하기 위해 고려할 몇 가지 기본적인 임상 원칙에 대해 논의한다.

당뇨병

당뇨병은 가장 흔한 내분비 장애이며 인슐린 생성, 인슐린 작용 또는 이 둘 모두의 결핍으로 인한 고혈당을 특징으로 하는 상태의 그룹을 말한다. 포도당은 인체에 필수적인 에너지원이지만, 포도당이 세포로 이동하기 위해서는 인슐린이 필요하다. 인슐린은 세포막을 열고 포도당이 들어갈 수 있도록 하는 열쇠와 같은 역할을 한다.

병태생리학

임상적으로 당뇨병은 높은 농도의 혈당과 불균형한 지질 및 탄수화물 대사로 나타난다. 처치되지 않은 당뇨병은 고혈당을 유발한다. 무작위 혈장 포도당 수치가 200mg/dL(> 11.1mmol/L)를 초과하거나 공복 혈청 포도당 수치가 140mg/dL(> 7.7mmol/L) 이상이면 당뇨병 진단 기준치를 충족한다. 당화 혈색소(당화 혈색소 또는 HbA1c라고도 함)의 백분율은 3개월 동안 평균 혈당 수와 관련이 있으므로 환자의 당뇨병 조절 척도로 사용한다. 만성적으로 혈당 조절이 잘되지 않으면 심장, 신장, 눈 및 신경계를 비롯한 여러 기관계에서 미세혈관 문제를 일으키는 경향이 있다. 당뇨병 환자는 관상동맥 질환 및 감염으로 인한 합병증의 위험이 높은 것으로 간주하여야 한다.

당뇨병 환자에서 저혈당은 인슐린이나 경구 혈당 강하제를 부주의하게 과다 복용한 결과로 나타난다. 포도당 수치는 좁은 범위 내에서 유지되어야 하므로 당뇨는 조절하기 어려운 질병이다. 저혈당은 가장 흔한 내분비 응급 상황이다. 당뇨병 응급 상황은 EMS 출동 요청의 3~4%를 차지하며 그중 10~12%는 고혈당과 관련된 급성 및 만성적인 의학적 문제이다.

드물게 당뇨병 약을 의도적으로 과다 복용할 수 있으며 원인을 알 수 없는 의식상태가 변화된 모든 환자의 혈당을 측정할 필요가 있다. 단순 고혈당, 당뇨병케토산증, 고혈당성고삼투압성비케톤성혼수(HHNC)가 발생할 수 있다.

증상과 징후

현재 당뇨병의 분류는 인슐린 생산 및 인슐린 저항성과 관련된 근본적인 병리학적 과정을 기반으로 한다. 당뇨병은 다음과 같이 세 가지로 분류할 수 있다.

- 제1형 당뇨병: 췌장의 β 세포 파괴로 인해 인슐린을 생산할 수 없는 것이 특징이다. 이러한 유형의 당뇨병은 일반적으로 소아기나 청소년기에 진단되며 모든 당뇨병 환자의 5~10%를 차지한다. 제1형 당뇨병 환자는 일반적으로 생명을 유지하기 위해 매일 인슐린 투여가 필요하다.
- 제2형 당뇨병: 진행성 세포 인슐린 저항성과 췌장 β 세포 인슐린 생산의 점진적인 실패를 특징으로 한다. 제2형 당뇨

병은 모든 당뇨병 진단의 90~95%를 차지하며 신체 활동 부족 및 비만과 관련이 있다. 제2형 당뇨병 환자는 증상과 징후를 보이기 시작하기 전에 몇 년 동안 무증상 상태를 유지하는 것이 일반적이다. 제2형 당뇨병은 초기에 경구 혈당 강하제로 치료되는 경우가 많지만, 결국 적절하게 혈당을 조절하고 유지하기 위해 인슐린 요법이 필요할 수 있다. 제2형 당뇨병으로 진단을 받는 소아 환자의 수가 많이 증가하고 있다. 소아 비만율의 증가와 신체 활동 감소가 원인으로 보인다.

- 임신 당뇨병: 임산부에게 발생할 수 있는 포도당 불내성을 특징으로 한다. 전형적으로 제2형 당뇨병과 임상 증상이 동일하다. 환자는 보통 고혈당이 있지만, 산증은 없다. 임신 당뇨병은 여성이 제2형 당뇨병에 걸리기 쉽다.

당뇨병의 전형적인 임상 증상은 다뇨, 다음증 및 다식증이며 이를 3P라고 한다. 혈류에서 포도당 농도가 증가함에 따라 포도당을 재흡수하는 신장의 기능이 압도되어 소변에서 포도당이 유출되고 삼투 이뇨를 유발할 수 있다. 일반적으로 포도당은 소변에서 발견되지 않으므로 소변에 포도당이 존재하는 것은 비정상적 소견이다. 체중 감소, 갈증, 흐린 보임, 피로가 나타날 수 있다.

감별 진단

고혈당은 그 자체로 응급 상황은 아니지만, 호르몬 종양, 약물, 간 질환, 근육 장애로 인해 발생할 수 있다. 고혈당은 또한 감염 과정, 외상, 관상동맥 이상에 의해 촉발될 수 있다. 당뇨병 진단 절차는 복잡하며 철저한 병력 청취, 신체검사, 소변검사 및 혈액 검사를 포함된다.

처치

혈당 측정기를 사용하여 환자의 혈당을 측정하는 것은 현대 EMS 처치의 표준이 되었다. 과거에는 혈당을 먼저 측정하지 않고 의식상태가 변경된 모든 환자에게 경험적으로 포도당을 투여했다. 나중에 연구자들은 그러한 처치 방법으로 혜택을 입은 환자가 거의 없다는 것을 발견했다. 혈당 측정기는 병원 내뿐만 아니라 병원 전 환경에서 사용하는 것이 안전하고 결과가 정확한 것으로 밝혀졌다. 이상적으로는 정맥 라인을 확보하는 동안 얻은 정맥혈이 아니라 모세혈관 혈액 샘플을 사용하여 혈당을 측정한다. 정맥 라인 확보시 얻은 정맥혈은 혈당 수치가 부정확할 수 있다. 많은 혈당 스트립은 정확성과 신뢰성을 보장하기 위해 구급차 내에서 온도 조절이 가능하고 밀폐된 공간에 보관한다.

저혈당

당뇨병의 흔한 합병증인 저혈당은 가장 흔한 내분비 응급 상황이다. 저혈당은 일반적으로 혈당 수치가 70mg/dL(3.3mmol/L) 미만으로 정의되지만, 많은 EMS 프로토콜은 60mg/dL 미만으로 더 낮은 기준을 사용한다. 혈당 수치에 대한 개인별 반응은 다양하며 여기에서 논의되는 수준은 평균을 나타낸다. 일반적으로 혈장 포도당 농도가 60mg/dL(3.3mmol/L) 아래로 떨어지면 다음과 같은 일련의 현상이 연속적으로 발생한다.

- 첫째, 인체는 혈당 수치의 감소를 막기 위해 인슐린 분비를 감소시킨다.
- 다음으로 에피네프린 및 노르에피네프린과 같은 역 조절 호르몬 분비가 증가한다.
- 마지막으로 인지 장애를 포함한 증상과 징후가 분명해진다. 혈당 수치가 50mg/dL(2.8mmol/L) 미만으로 감소하면 심각한 의식상태 변화가 발생한다.

치료되지 않은 저혈당은 심각한 이환율 및 사망률과 관련이 있다. 이러한 위험을 줄이려면 증상과 징후를 인지하고 신속하고 효과적으로 처치를 시작할 수 있도록 준비를 한다.

병태생리학

인슐린 의존 당뇨병을 앓고 있는 사람의 저혈당은 종종 인슐린을 너무 많이 섭취하거나 음식을 너무 적게 섭취하거나 두 가지 모두에 의한 결과이다. 중추신경계의 조직(뇌를 포함)은 일반적으로 당 이외에 지방이나 단백질을 대사시킬 수 있는 다른 조직과 달리 에너지원으로 포도당에 전적으로 의존한다. 혈당 수치가 급격히 감소하면 뇌는 말 그대로 굶주린다. 저혈당의 유발 원인은 표 7-3에 나와 있다.

당뇨병 병력이 없는 환자의 저혈당은 공복 또는 식후 저혈당이라고 한다. 공복 저혈당은 일반적으로 포도당 이용과 생산 사이의 불균형에 의한 결과이다. 식후 저혈당은 소화 고인슐린혈증이 특징이며 위 수술을 받은 환자에서 흔히 볼 수 있다. 여러 가지 조건이 공복 저혈당을 유발할 수 있다. 그중 가장 흔한 것은 중증 간 질환, 췌장 종양(인슐린종), 효소 결함, 약물 과

표 7-3. 저혈당의 요인	
음식 섭취 감소	체액량 고갈
외인 인슐린 투여(인위적인 저혈당)	신장 질환
■ 약물 처치 ■ 경구 혈당강하제 ■ 베타차단제 ■ 항말라리아제	간 질환
알코올 남용	췌장 종양
고혈당의 적극적 처치 ■ 당뇨병케토산증 ■ 고삼투질비케톤 상대 ■ 조절되지 않는 혈당 추치 ■ 과량의 치료용 인슐린 투여	내분비병증 ■ 갑상샘 질환 • 갑상샘항진증 • 갑상샘저하증 ■ 부신 질환 • 애디슨병
영양실조	
투약 조절	
인슐린 펌프 기능상실	
패혈증	

다복용(예; 인슐린, 설포닐유레아) 및 중증 감염이다. 임상적 특징은 당뇨병성 저혈당과 유사하다.

증상과 징후

저혈당의 임상 증상은 일반적으로 빠르게 진행된다. 환자는 발한, 빈맥, 떨림, 창백하고, 차갑고, 축축한 피부를 포함하여 내부 스트레스 호르몬의 분비와 직접적으로 관련된 수많은 증상과 징후에 대한 처치를 받을 것이다. 저혈당을 처치하지 않으면 의식상태의 변화와 전신 발작이 발생할 수 있다. 저혈당을 배제하기 위해 발작이 있는 모든 환자의 혈당을 측정하는 것이 중요하다. 저혈당의 정의는 혈당 수치가 70mg/dL 미만이지만, 증상과 징후가 나타나는 절대적인 수준은 환자의 병력, 나이, 성별 및 전반적인 건강 상태에 따라 달라질 수 있다. 예를 들어, 복잡한 병력이 있는 노인은 50mg/dL(>2.8mmol/L) 이상의 혈당 수준에서 중증의 저혈당 징후가 나타날 수 있다. 그러나 젊은 성인의 경우 50mg/dL(<2.8mmol/L)보다 훨씬 낮은 수준에서 중증의 저혈당 징후가 나타날 수 있다.

저혈당 대부분의 임상 증상은 낮은 혈당 수치에 반응하여 분비되는 역 조절 호르몬(예; 에피네프린)의 분비로 발생한다. 저혈당의 증상과 징후는 다음과 같이 나타날 수 있다.

- 땀남
- 떨림
- 신경과민
- 빈맥
- 의식 수준 및 행동 변화
- 발작
- 혼수

환자가 베타 차단제와 같은 약물을 복용하고 있을 수 있다는 것을 고려한다. 이 약물의 효과는 초기에 저혈당의 징후를 가린다. 이러한 환자는 저혈당의 초기 증상 없이 빠르게 의식을 잃거나 발작을 일으킬 수 있다.

감별 진단

감별 진단에는 애디슨병, 불안 장애, 심장성 쇼크, 부신 위기 및 인슐린 저항성이 포함될 수 있다. 저혈당이 의심되는 포괄적인 병력 및 신체검사는 혈당 검사로 확인할 수 있다. 일차평가 일부로 완전한 활력징후를 측정한다.

처치

당뇨병의 약리학적 처치는 엄격한 혈당 조절을 강조한다. 이는 피부밑 인슐린 주사, 경구 혈당강하제 또는 둘의 조합을 사용하여 안전하게 혈당을 정상에 가깝게 유지하는 것을 의미한다. 이러한 엄격한 조절은 심장병 및 신부전과 같은 장기적인 합병증의 위험을 줄이는 데 도움이 된다. 그러나 이러한 약물을 사용하는 환자는 저혈당의 위험이 증가한다. 발작이나 영구적인 뇌 손상 같은 추가 합병증을 예방하려면 저혈당 증상이 나타나면 즉시 포도당을 제공한다. 가장 간단한 방법은 작은 스낵, 당을 포함한 음료 또는 설탕 젤 형태로 경구 포도당을 제공하는 것이다. 이 방법은 항상 삼킬 수 있고 의식이 있는 환자에게 고려한다. 의식상태에 변화가 있거나 흡인의 위험으로 안전하게 삼킬 수 없는 환자의 경우 $D_{50}W$ 50mL를 투여하는 것이 처치의 표준이지만, 이러한 고농도의 포도당이 혈관외유출 또는 침윤과 같은 심각한 합병증을 일으킬 수 있으므로 이 방법은 현재 강조되지 않는다. 최근 EMS는 $D_{10}W$의 사용을 받아들이기 시작했다. 연구에 따르면 두 용액을 비교했을 때 저혈당 환자가 의식을 회복하는 데 필요한 시간에 차이가 없었다. 환자에게

$D_{10}W$를 투여하면 상당히 적은 양의 포도당으로 동일한 치료 반응을 보이고 치료 후 고혈당이 될 가능성이 적다.

정맥 라인을 빠르게 확보할 수 없으면 근육 내로 글루카곤 투여가 효과적인 대체 방법이 될 수 있다. 그러나 글루카곤은 저장 글리코겐이 고갈된 만성 질환 환자(예; 만성 간 질환 및 알코올 중독)에게는 효과가 없을 수 있다. 글루카곤을 사용하여 회복하는 시간은 정맥 라인으로 포도당을 사용할 때 보다 훨씬 길며 글루카곤은 구역이나 구토와 같은 부작용을 일으킬 수 있다. 사용할 때 표준 용량은 1~2mg을 근육 내로 투여한다.

당뇨병 환자가 아닌 환자에서 저혈당 관리는 당뇨병 환자의 상태 관리와 유사하다. 그러나 당뇨병이 아닌 환자의 저혈당은 특히 약물 과다복용 환자에서 재발할 수 있다. 이러한 환자는 1회 이상의 포도당 또는 연속적인 투여가 필요할 수 있다.

환자는 EMS 처치 제공자에 의해 저혈당을 성공적인 처치한 후 병원으로 이송을 거부할 수 있다. 이 관행을 뒷받침하는 문헌이 있지만, 환자가 지속성 항고혈당제(인슐린 또는 경구용 약물)를 복용하는 경우 재발성 저혈당의 위험이 있으므로 극도의 주의를 기울인다. 실제로 특정 환자의 경우 의학적 관리 상담 없이 거부하는 것은 권장되지 않는다. 이러한 환자에는 미성년자, 경구 혈당강하제를 복용 중인 환자, 음식 섭취를 참을 수 없는 환자와 혼자 사는 환자가 포함될 수 있다. 또한, 저혈당의 원인에 대한 주의 깊은 평가가 이루어져야 한다. 일부 환자는 약물 요법의 변화나 해결할 수 있는 경구 섭취 부족과 같은 명백한 원인이 있을 수 있다. 설명할 수 없는 저혈당은 신체의 대사 요구(예, 감염, 외상)의 첫 번째 징후일 수 있다.

당뇨병케토산증

당뇨병케토산증(DKA)은 인슐린 결핍과 과도한 글루카곤 수치가 결합하여 고혈당, 산증, 체액량이 감소하는 급성 내분비 응급 상황이다. 이 상태는 종종 전해질 불균형과 관련어 있다. 이는 혈당 농도가 350mg/dL(>19.4mmol/L) 초과, 케톤 생성, 혈청 탄수소염 농도가 15mEq/L 미만 및 음이온 차이 대사 산증을 특징으로 한다. 당뇨병케토산증의 사망률은 9~14%이다.

병태생리학

당뇨병케토산증는 감염, 심근 경색, 외상 및 때로는 임신과 같은 특정 대사 스트레스 원인에 의해 유발될 수 있다. 이러한 상태 중 일반적인 유발 원인은 당뇨병 환자가 인슐린 요법을 중단하는 것이다. 인슐린이 부족하면 포도당이 세포에 들어가는 것을 막고 결과적으로 세포는 세포 대사를 위해 포도당이 부족해지고 지방과 같은 다른 에너지원으로 전환된다. 결과적으로 포도당이 혈류에 축적되기 시작한다.

신세관으로의 포도당 과다 유출은 물, 나트륨, 칼륨, 마그네슘 및 기타 이온을 소변으로 이동시켜 상당한 삼투 이뇨를 생성한다. 이러한 이뇨는 구토와 함께 체액량 감소, 전해질 불균형 및 결과적으로 쇼크를 일으킨다. 이러한 삼투압 변화는 당뇨병케토산증 환자의 의식상태가 변화하는 원인이 되며 특히 어린이에게 위험하다. 당뇨병케토산증의 임상적 특징은 대사산증이며 이는 나중에 논의된다. 생리학적으로 신체는 더 빠르고 깊은 호흡(쿠스마울 호흡)과 더 많은 탄산수소염을 사용하여 산을 제거하고 보상하려는 시도를 한다. 산증은 칼륨이 혈류로 이동하는 것을 촉진하고 신장에서 발생하는 삼투 이뇨에 의해 칼륨이 제거된다. 이 과정은 가성고칼륨혈증 또는 당뇨병케토산증의 처치로 저칼륨혈증으로 빠르게 변화하는 초기 고혈당을 초래한다.

증상과 징후

당뇨병케토산증 환자는 탈수되고 병에 걸린 것처럼 보일 것이다. 그들은 일반적으로 다음, 다식증 및 다뇨를 보인다. 중증 당뇨병케토산증 환자는 초기 검사하는 동안 의식상태가 변화될 것이다. 빈맥, 빠른 호흡 및 기립성 변화가 나타날 수 있다. 또한 호기말이산화탄소는 당뇨병케토산증의 대사 산증 및 보상 호흡성 알칼리증을 반영하여 낮을 것이다. 당뇨병케토산증의 증상과 징후는 다음과 같다.

- 구역 및 구토
- 복통(특히 소아에게 흔함)
- 빠른 호흡/과다호흡
- 호흡 시 과일 냄새
- 피로와 쇠약
- 이뇨 증가
- 의식 수준 변화
- 기립 저혈압
- 심장 리듬장애
- 발작
- 중증의 경우 혈류역학적 쇼크

감별 진단

여러 조건이 당뇨병케토산증와 임상적 유사하며 병원에서 사용하는 진단 검사 없이 현장에서 구별하는 것이 어려울 수 있다. 예를 들어, 패혈증과 같은 산증을 유발하는 조건은 당뇨병케토산증처럼 보일 수 있다. 적절하게 식사를 하지 않는 임신 3기 환자나 수유 중 장기간 음식을 먹지 않은 경우 당뇨병케토산증과 유사할 수 있다. 알코올을 남용하는 사람은 알코올 케토산증으로 인해 과일 냄새와 빠른 호흡 속도를 보일 수 있다. 빠른 호흡은 신체가 대사 산증을 보상하려고 한다는 것을 기억한다. 감별 진단의 범위를 좁히기 위해서는 환자의 혈당을 확인하는 것이 중요하다.

당뇨병케토산증이 의심되는 경우 반드시 12 리드 심전도를 측정한다. 심전도에서 제공하는 정보는 처치 방법을 바뀔 수 있다(예, 심전도에서 심근경색이 나타나는 경우). 또한 전해질 이상은 종종 당뇨병 응급 상황을 동반할 수 있고 12 리드 심전도는 걱정할 수 있는 이상을 보일 수 있다. 당뇨병케토산증과 유사하게 나타날 수 있는 많을 때도 있지만, 초기 처치는 대부분 동일하다.

치료

중증 당뇨병케토산증 환자는 위독해 보이며 즉각적인 처치가 필요하다. 의식 수준이 변화된 환자는 구토로 인해 흡인의 위험이 있다. 기도를 유지하기 위해 삽관이 필요한 경우 당뇨병케토산증 환자는 대사 산증을 보상하기 위해 빠르게 호흡한다는 것을 기억한다. 따라서 이러한 환자에게 삽관할 경우 산-염기 상태의 악화를 방지하기 위해 과호흡을 유지한다. 말초에 두 개의 정맥 라인을 확보하고 0.9% 생리식염수를 투여하여 적극적인 수액 소생술을 시작한다. 당뇨병케토산증 성인 환자는 일반적으로 초기 수액 소생술 동안 3~6L의 수액이 필요하다. 소아는 비슷한 수액 부족이 있을 수 있지만, 빠른 전해질 이동으로 인한 중증 합병증을 예방하기 위해 훨씬 더 신중하게 처치한다. 당뇨병케토산증 환자의 상태가 빠르게 보상되지 않을 수 있으므로 면밀히 모니터링한다. 심부전 병력이 있는 환자는 쉽게 수액 과부하가 발생할 수 있기 때문에 정맥 내로 수액을 투여할 때 주의한다. 심근경색과 같은 당뇨병케토산증의 근본적인 원인을 고려하고 적절한 처치를 제공한다.

인슐린 요법은 수액 소생술과 전해질 교정과 함께 당뇨병케토산증 처치의 중심이다. 그러나 일반적으로 인슐린은 병원 전 상황에서 투여되지 않는다. 인슐린을 투여하면서 환자를 이송하는 EMS(병원 간)는 이송 중 해당 환자의 처치 지침을 마련한다. 지속적인 인슐린 처치의 잠재적이고 일반적인 부작용을 인식할 수 있어야 한다. 예를 들어, 고용량의 인슐린은 의원성 저혈당과 저칼륨혈증과 관련이 있다. 이것은 인슐린 투여 후 포도당과 칼륨이 세포로 이동하여 발생한다. 당뇨병케토산증 환자는 처음에는 고칼륨혈증으로 보이지만, 이는 산증으로 인해 세포에서 혈류로 칼슘이 일시적으로 이동했기 때문이다. 이는 일반적으로 칼륨이 전신에 결핍되어 있다. 비정상적인 칼륨 농도는 치명적인 심장 부정맥을 초래할 수 있으므로 이송하기 전에 환자의 가장 최근 칼륨 수치를 확인한다.

당뇨병케토산증 또는 고혈당성고삼투성비케톤성혼수(HHNC) 환자의 주요 처치 고려 사항은 다음과 같다.

- 환자에게 삽관된 경우 산증의 악화를 예방하기 위해 과호흡을 유지한다. 이것은 중증 당뇨병케토산증 환자를 처치하는 가장 중요한 내용 중 하나이다. 이러한 환자에게 과호흡하지 않고 호기말이산화탄소분압을 모니터링하지 않는다면 환자가 산증을 보상하지 못하고 잘못된 처치로 인해 빨리 사망할 수 있다.
- 수액 소생술을 시행한다. 1~2L의 생리식염수를 빠르게 투여할 수도 있다. 수액 소생술로 인해 혈당이 감소할 수 있으므로 정기적으로 혈당을 모니터링한다.
- 고칼륨혈증의 징후(뾰족한 T 파, 넓어진 QRS 복합체, P파 소실, 서맥 또는 사인파 형태)가 심전도에 나타나는지 평가하고 이에 따라 처치한다.
- 소아 환자의 경우 초기 수액 소생술을 20mL/kg로 시행한다. 추가 수액 투여는 의료 지도 의사의 의료 지도에 따라 투여한다.
- 항구토제가 종종 필요하다.

중증 환자의 이송이 지연되는 경우 다음과 같이 처치를 고려한다.

- 혈당이 300mg/dL(<16.6mmol/L) 미만으로 감소하면 정맥 라인으로 투여하는 수액을 0.45% 생리식염수에서 D_5W로 변경한다.
- 의료 지도 의사의 의료 지도에 따라 전해질을 교정한다.
- 칼륨. 칼륨 수치가 낮으면 농도가 낮으면 먼저 환자의 신장 기능이 적절한지 확인한 후 투여되는 수액 1L에 염화칼륨

20~40mEq/L를 희석한다.

- 마그네슘. 마그네슘 수치가 낮으면 처음 투여하는 수액 2L에 황산마그네슘 1~2g을 희석하여 투여한다.
- 산증. pH가 7 미만으로 감소하면 정맥 내로 투여하는 수액 첫 1L에 탄산수소염 44~88mEq/L을 희석하여 투여한다.
- 합병증. 저칼륨혈증 및 저혈당과 같은 인슐린 투여의 잠재적인 합병증에 주의한다.
- 지속적인 모니터링은 필수이며 가능하다면 근본적인 원인을 처치하고 환자를 중환자실이 있는 의료기관으로 이송한다.

당뇨병케토산증 처치에서 중요한 고려 사항은 소아 환자의 수액 투여와 관련이 있다. 당뇨병케토산증 소아 환자의 일부에서 수액 및 전해질 균형의 급격한 변화는 치명적인 뇌부종을 일으킬 수 있다. 뇌부종 발병에 대한 특정 위험 요인에 대한 명확한 답은 아직 없지만, 합의된 지침은 소아 당뇨병케토산증에서 수액 소생술에 대한 측정된 접근 방법을 권장한다. 이러한 환자는 체액 용량이 감소하지만, 저혈량 쇼크 상태인 경우는 거의 없으며 혈 역학적 불안정성이 없는 한 초기 일시 투여량은 1~2시간에 걸쳐 10~20mL/kg을 초과해서는 안 된다. 현재 연구는 이러한 문제에 의문을 제기하고 있지만, 우리의 지식 체계에서는 명확히 밝혀지지 않았다.

당뇨병케토산증 처치의 합병증

당뇨병케톤산증의 처치는 어렵고 복잡하여 여러 분야의 의료 전문가들이 참여한다. 그런데도 환자에게 합병증이 생길 수 있다. 다음과 같은 다섯 가지 주요 합병증은 당뇨병케토산증에서 이환율과 사망률을 증가시킨다.

- 저칼륨혈증: 적극적인 인슐린 처치가 칼륨을 세포 내로 이동시키기 때문에 처치 중 부적절한 칼륨 대체의 결과로 발생할 수 있다.
- 저혈당: 적극적인 처치와 포도당을 자세히 관찰하지 못하기 때문에 일어날 수 있다. 혈당이 300mg/dL 미만으로 감소하면 D_5W 용액 투여를 시작하는 것이 중요하다.
- 체액 과부하: 울혈심부전 환자의 적극적인 수액 소생술로 인해 발생할 수 있다.
- 알칼리증: 탄산수소염으로 지나치게 적극적으로 처치하면 발생할 수 있다. 알칼리증은 특히 칼륨이 신체 세포로 이동하면서 칼륨 요구량을 증가시킴으로써 전해질 불균형을 더 복잡하게 만들 수 있다.
- 뇌부종: 당뇨병케토산증 처치의 가장 두려운 합병증이며 이것은 빠른 삼투압 이동의 결과로 발생한다. 뇌부종은 일반적으로 처치를 시작한 후 6~10시간 후에 나타나며 사망률은 90%이다. 당뇨병케토산증 처치 중 산증이 회복된 후 환자가 혼수상태에 이르면 이 합병증을 의심한다.

고혈당성고삼투압성비케톤성혼수

고삼투질고혈당 상태(HHS) 또는 고혈당성고삼투압성비케톤성혼수(HHNC)는 심각한 당뇨병 응급 상황으로 사망률이 10~50%에 이른다. 현장에서 당뇨병케토산증와 고삼투질고혈당 상태 또는 고혈당성고삼투압성비케톤성혼수를 구별하지 못할 수도 있지만, 환자의 병력, 극도로 높은 혈당과 낮은 호기말이산화탄소분압의 부재에 근거하여 의심한다. 고혈당성고삼투압성비케톤성혼수는 제2형 당뇨병 환자에서 더 흔하게 나타나며 당뇨병케톤산증을 유발하는 동일한 스트레스 원인에 의해 유발되며 다음과 같은 특징이 있다.

- 혈당이 종종 600mg/dL(>33.3mmol/L)를 초과
- 케톤 생성이 없음
- 일반적으로 혈청 무게삼투질농도가 315mOsm/kg 이상으로 증가

고혈당성고삼투압성비케톤성혼수는 상당한 탈수와 의식상태 감소와 관련이 있으며 종종 완전한 혼수상태로 진행한다. 당뇨병케토산증과 달리 산증과 케톤증은 일반적으로 존재하지 않기 때문에 호기말이산화탄소분압은 감소하지 않는다. 근본적인 패혈증이나 호흡기 기능 장애와 같은 다른 요인이 여전히 호기말이산화탄소분압을 변화시킬 수 있다는 것을 인식하는 것이 중요하다.

병태생리학

고삼투질고혈당 상태 또는 고혈당성고삼투압성비케톤성혼수의 병태생리학은 복잡하지만 당뇨병케토산증과 유사하다. 이 상태는 일반적으로 갑자기 발생하는 것이 아니라 며칠에 걸쳐 진행된다. 기간은 환자의 전반적인 건강 상태에 따라 다르다. 고혈당성고삼투압성비케톤성혼수는 보통 노인과 동반 질환으로 쇠약해진 환자에게서 발생한다. 당뇨병케토산증과 마찬가지로

특징은 인슐린 작용이 감소하여 혈당을 증가시키는 역조절반응을 일제히 유발하는 것이다. 혈장 포도당을 증가시키는 대응조절 기전의 공세를 일으키는 인슐린 작용 감소가 주요 특징이다. 일단 인슐린 기능이 감소하면 포도당신생성(인체의 포도당 생성), 글리코겐 분해(글리코겐으로 저장된 포도당의 방출) 및 말초에서의 포도당 흡수 감소가 우세해지기 시작한다. 그런 다음 고혈당은 세포 외 공간으로 수액을 끌어당겨 삼투 이뇨를 유발하여 차례로 저혈압과 체액 부족을 유발한다. 환자는 처음에 일정한 수분 섭취로 혈관 내 부피를 유지할 수 있지만, 결국 이뇨가 이 체계를 압도한다. 패혈증과 같은 조건이 더 많은 체액 부족을 일으킬 수 있다는 것을 명심한다. 고혈당성고삼투압성비케톤성혼수의 일반적인 원인은 다음과 같다.

- 외상
- 약물
- 심근경색증
- 쿠싱증후군
- 패혈증
- 뇌혈관 사고(뇌졸중)
- 투석
- 중추신경계 손상(예, 경막밑혈종)
- 출혈
- 임신

증상과 징후

고삼투질고혈당 상태 또는 고혈당성고삼투압성비케톤성혼수 환자는 일반적으로 급성 질환으로 체액 부족, 의식상태 변화, 구역, 구토, 복통, 빠른 호흡 및 빈맥이 있다. 이러한 환자는 25%의 체액 결핍을 겪는 것이 일반적이다. 또한, 국소 신경학적 결손과 발작 또는 뇌졸중 징후가 있을 수 있다. 고혈당성고삼투압성비케톤성혼수의 증상과 징후는 다음과 같다.

- 발열
- 탈수
- 구토 및 복통
- 저혈압
- 빈맥
- 빠른 호흡
- 갈증, 다뇨 또는 소변 감소 및 다음증
- 국소 발작
- 의식 수준 변화
- 국소 신경학적 결손

감별 진단

많은 조건은 당뇨병케토산증(이전 논의 참조)와 고혈당성고삼투압성비케톤성혼수와 유사한 증상과 징후를 가지고 있다. 대부분의 초기 처치는 이러한 모든 가능한 질병에 대해 유사하지만, 심근경색과 패혈증과 같은 당뇨병케토산증와 고혈당성고삼투압성비케톤성혼수를 유발할 수 있는 시간에 민감한 기저질환을 주의한다.

고혈당성고삼투압성비케톤성혼수를 당뇨병케토산증와 구별하기 위해 전자는 일반적으로 극심하게 저하된 의식상태를 동반한다는 것을 기억한다. 또한, 호기말이산화탄소분압은 대사산증의 유무를 구별하는 데 도움이 될 수 있다. 고혈당성고삼투압성비케톤성혼수의 증상과 징후는 저혈당과 유사할 수 있기 때문에 혼동될 수 있다. 혈당을 신속하게 평가할 수 없다면, 그렇지 않다는 것이 입증될 때까지 저혈당을 가정한다.

처치

고혈당성고삼투압성비케톤성혼수 환자의 초기 처치는 당뇨병케토산증 환자의 초기 처치와 동일하다. 즉시 기도, 호흡 및 순환을 안정시키기 위한 처치를 한다. 환자는 상당한 체액 결핍을 겪을 수 있다. 즉시 정맥 라인을 확보하고 수액 소생술을 시작한다. 초기 수액은 등장성 결정질 액이나 0.9% 생리식염수이다. 환자를 혈 역학적으로 안정화하기 위해 조기에 볼루스로 투여가 필요할 수 있다. 그러나 환자가 심부전과 같은 동반질환이 있으면 주의한다. 수액 투여만으로 고혈당의 대부분을 교정할 수 있다는 것을 기억한다. 당뇨병케토산증 처치의 논란은 고혈당성고삼투압성비케톤성혼수에도 적용된다. 예를 들어, 혈청 삼투압 농도를 빠르게 교정하면 특히 소아 환자에서 뇌부종이 발생할 수 있다.

산–염기 장애

앞서 논의한 바와 같이 내분비 장애는 신체의 특정 호르몬 과잉 생산이 또는 저생산과 관련이 있다. 이에 비해 산–염기 장애는 특정 영양소와 비타민의 처리하는 신체의 능력에 영향을 미친다.

산-염기 불균형

인체는 최적의 기능을 유지하기 위해 섬세한 균형 또는 항상성이 필요하다. 체액, 전해질 및 pH는 모두 항상성을 유지하는 데 중요한 역할을 한다. 산-염기 안정성은 생명과 건강의 유지하는 데 중요한 역할을 한다. 산-염기 균형은 다양한 완충계와 보상 기전을 통해 이루어진다. 체액, 신장 및 폐는 이 균형을 유지하는 데 중추적인 역할을 한다. 산-염기 균형은 pH(수소의 농도)를 검사하여 측정하며 좁은 안전범위(혈청 pH 7.35~7.45)와 관련이 있다. 산-염기 균형은 pH 변화의 정도에 따라 중증도가 달라질 수 있다. pH 7.35 미만은 산증이고 pH 7.45 이상은 알칼리증이 된다. 이러한 pH 이상은 주요 원인에 따라 대사 또는 호흡기로 분류된다. 혈청 pH가 6.8 이하로 감소하거나 7.8 이상으로 상승하면 사망할 수 있다. 감염, 장기 부전 및 외상 등 다양한 원인으로 인해 변화가 일어날 수 있다. 많은 경우 산-염기 변화는 원인이 되는 질환보다 더 많은 부정적인 영향을 미칠 수 있다. 따라서 결과적인 산-염기 불균형은 선행 상태를 처치하기 전에 교정된다.

두 가지 인체 계통(신장 및 호흡기)은 pH 불균형을 보상할 수 있다. 불균형의 원인이 이러한 계통 중 하나에서 발생하면 다른 계통이 주요 보상 기전이 되어야 한다. 기관계는 자체 문제를 해결할 수 없다. 따라서 문제가 폐에서 시작되면 신장이 이를 관리할 것이다. 문제가 폐 이외에서 발생하면 폐가 이를 관리한다(표 7-4).

완충제

완충제는 산이나 염기와 결합하여 pH의 변화에 저항하는 탄산수소염화학물질이다. 완충은 장기간의 보상이 확립될 때까지 pH 변화에 대한 즉각적인 반응이다. 신체에는 탄산수소염, 탄산 시스템, 인산염 시스템, 혈색소 시스템 및 단백질 시스템의 네 가지 주요 완충 기전이 있다.

호흡기 조절

호흡계는 날숨의 이산화탄소(산 분비)의 양을 변경하여 pH의 편차를 관리한다. 호흡을 빠르게 하면 이산화탄소가 더 많이 배출되어 산성이 감소하고 호흡을 느리게 하면 이산화탄소 배출이 줄어들어 산성이 높아진다. pH 변화를 감지하는 화학 수용체가 호흡 패턴의 이러한 변화를 유발한다. 폐가 산을 제거할 수 있는 유일한 방법은 탄산에서 이산화탄소를 제거하는 것이다. 폐는 다른 산을 제거할 수 없다. 호흡계는 또한 pH 불균형에 빠르게 반응할 수 있는 기전이지만, 이 빠른 작용은 오래 가지 못한다. 호흡계는 12~24시간 이내에 최대 보상 반응에 도달하지만, 피로해지기 전까지 제한된 시간 동안만 호흡 패턴의 변화를 유지할 수 있다. 환자는 오랫동안 과호흡을 할 수 없다.

신장 조절

신장계통은 pH 변화에 반응하는 가장 느린 기전으로 완충 효과를 얻기 위해 몇 시간에서 며칠이 걸리지만, 가장 오래간다. 신장은 수소(산) 또는 탄산수소염(염기)의 배설 또는 보유를 변화함으로써 반응한다. 신장계통은 신체에서 영구적으로 수소를 제거하여 pH 수준의 균형 맞추는 역할을 한다. 또한, 신장은 산이나 염기를 재흡수하고 탄산수소염을 생성하여 pH 불균형을 교정할 수 있다.

보상

항상성을 유지하기 위해 신체는 pH 변화에 대해 보상하기 위한 조치를 한다. 신체는 절대 과잉 보상하지 않고 pH를 정상

표 7-4. 산-염기 장애

산-염기 장애	pH	이산화탄소분압 (PCO_2)	탄산수소염 (HCO_3^-)	신체의 보상 반응	시기
대사 산증	감소	증가	감소	과호흡 및 감소된 이산화탄소분압을 통한 호흡 보상	즉시
호흡 산증	감소	증가	증가 또는 중립	신장에서 탄산수소염을 보유하여 보상	지연
대사 알칼리증	증가	증가	증가	저환기 및 이산화탄소분압 증가를 통한 호흡 보상	즉시
호흡 알칼리증	증가	감소	감소 또는 중립	신장에서 탄산수소염 소실을 보상	지연

범위 내로 유지되도록 조정한다. 불균형의 원인은 종종 보상 변화를 결정한다. 예를 들어, 가스 교환(예, 폐기종)을 제한하는 폐 질환으로 인해 pH가 더 산성화되면, 신장계는 더 많은 탄산수소염을 방출하고 더 많은 수소를 배출함으로써 문제를 보상하기 위해 작동한다. 폐 질환이 pH를 증가시키는 이산화탄소 배출(예: 과다환기)을 증가시키면 신장은 탄산수소염 생산과 수소 배출을 감소시켜 보상한다. 이와는 대조적으로 문제가 폐의 외부에서 발생하면 폐는 이를 보상할 수 있다. 예를 들어, 어떤 상태가 산의 소실을 증가(예, 구토)시킨다면 폐는 더 많은 이산화탄소를 보유하기 위해 호흡의 속도와 깊이를 감소시킬 것이다. 만약 어떤 상태가 염기의 소실(예, 설사)을 증가시킨다면 폐는 더 많은 이산화탄소를 배출하기 위해 호흡의 속도와 깊이를 증가시킬 것이다. 신장과 폐가 pH 수준을 정상 범위로 회복하기 위해 보상할 수 없다면 세포 활동이 영향을 받아 질병 상태로 이어진다. 예상되는 보상 반응의 수준을 계산하고 어떤 상태가 급성이거나 만성적인지 결정하는 데 도움이 되는 다양한 수학적 공식이 있다.

호흡 산증

호흡 산증은 병원 전 환경에서 발생하는 가장 흔한 산-염기 문제 중 하나이다. 호흡 산증은 이산화탄소 잔류의 결과로 pH가 감소하는 것이 특징이다. 저환기는 이산화탄소 잔류 초래하는 임상 문제의 전형적인 예이다. 호흡 산증은 급성 또는 만성으로 분류할 수 있다. 이 상태를 구별하는 유일한 방법은 신체가 산증을 보상하기 위해 탄산수소염을 보유하기 시작했는지를 결정하는 것이며 이는 검사실 검사와 기간 경과에 따른 이러한 값의 추세를 통해서만 가능하다. 급성기 동안에는 혈청 탄산수소염 수치가 정성이다. 신체가 일단 탄산수소염을 유지하기 시작하면 만성 상태로의 전환을 의미한다.

병태생리학

저환기를 유발하는 모든 장애(예, 일차 폐 질환, 기도 폐쇄, 호흡 충동을 억제하는 질병)는 호흡 산증을 일으킬 것이다. 호흡 산증의 유발 원인은 표 7-5에 요약되어 있다.

표 7-5. 호흡 산증의 요인

급성	만성
약리학적 중추신경계 억제	**폐 질환**
■ 마약 ■ 벤조디아제핀 ■ 알코올 남용 ■ 감마-하이드록시뷰티르산(GHB) 독성	■ 만성기관지염 ■ 만성폐쇄폐질환 ■ 폐 섬유증
폐 질환	**신경근 질환**
■ 사이질 부종 ■ 폐렴	■ 근위축증 ■ 중증근무력증
기도 문제	**비만**
■ 이물 ■ 흡인 ■ 기관지 연축 ■ 무호흡	■ 수면 무호흡
저환기	
■ 기흉 ■ 동요가슴 ■ 중증근무력증 ■ 길랭-바레증후군 ■ 일차 중추신경계 장애 ■ 뇌 손상	

증상과 징후

일차 문제의 중증 따라 다른 임상적 시나리오를 접할 수 있다. 일반적인 증상과 징후로는 쇠약, 호흡 곤란 및 의식 수준의 변화 등이 있다. 의식 수준의 변화는 호흡 산증이 의심되는 환자의 중등도를 나타내고 전문 기도유지의 필요성을 나타낼 수 있으므로 평가할 때 매우 중요하다. 예를 들어, 의식상태가 저하된 만성폐쇄폐질환 환자의 경우 높은 수준의 이산화탄소가 의식 수준 변화의 원인일 가능성이 가장 높다. 이러한 환자는 흡인 같은 합병증의 위험이 더 높음으로 보다 적극적인 처치가 필요하다.

감별 진단

많은 환자 상태가 저환기 및 가스 교환을 방해하여 호흡 산증을 유발할 수 있다(표 7-4 참조).

처치

표준 모니터링 장비에는 심전도 모니터, 산소포화도(SpO_2) 측정기 및 호기말이산화탄소분압($ETCO_2$) 측정기를 포함하여 처치 제공자 수준에 따라 사용한다. 호기말이산화탄소분압 측정은 이산화탄소분압($PaCO_2$)의 대략적인 측정이며 일반적으로 5~10mmHg 이내로 정확하다고 생각된다. 초기의 평가와 환자의 기도, 호흡 및 순환을 안정화 후 처치는 이산화탄소 농도를 감소시켜 산증을 교정하기 위해 분당 환기를 교정하는 데 초점을 맞춰야 한다. 원인에 따라 환기를 보조하거나 약리학적 처치를 제공함으로써 이를 달성할 수 있다. 환기 보조는 기도 유지에서부터 코인두기도기나 입인두기도기를 사용한 백밸마스크 환기, 지속기도 양압(CPAP), 이상기도 양압(BiPAP) 또는 기관내삽관 후 인공호흡기를 이용한 방법까지 다양하다. 날록손 투여와 같은 약리학적 처치는 아편제제 과다 복용의 독성 효과로 인한 저환기 환자의 호흡 억제를 역전시킬 수 있다. 알부테롤, 이프라트로퓸 및 기타 약물은 만성폐쇄폐질환 환자의 저환기를 향상할 수 있다.

모든 저산소 환자는 보조 산소를 투여한다. 그러나 만성폐쇄폐질환 또는 폐기종을 앓고 있는 환자의 경우 맥박산소측정 수치를 적극적인 교정을 할 때는 주의한다. 만성적으로 상승한 이산화탄소 농도(즉, 만성적으로 이산화탄소를 유지하는 만성폐쇄폐질환 환자)는 정상 고이산화탄소혈증 호흡 충동에 의존하는 것에서 저산소 충동에 의존으로 것으로 전환했을 수 있으며 보충 산소를 투여할 때 호흡 노력이 감소하는 것을 모니터링한다. 고이산화탄소혈증 및 저산소증 충동에 대한 설명은 2장을 참고한다.

호흡 알칼리증

분당 환기의 증가는 호흡 알칼리증의 원인으로 이산화탄소분압($PaCO_2$) 감소와 pH가 증가하는 것이 특징이다. 급성 및 만성 호흡 알칼리증을 구분하는 유일한 방법은 혈청 탄산수소염을 측정하는 것이다. 급성 호흡 알칼리증 환자의 혈청 탄산수소염 농도는 정상이고 만성 호흡 알칼리증 환자의 혈청 탄산수소염 농도는 감소한다.

병태생리학

호흡 알칼리증은 일반적으로 일차 대사 문제에 대한 이차 보상기전으로 간주하지만, 일차적인 장애일 수 있다. 일차 호흡 알칼리증의 원인에는 아스피린 과다 복용, 불안 반응 및 폐색전증 등이 있다. 때에 따라 정상적인 생리적 반응일 수도 있다. 전형적인 예는 pH가 7.46~7.5인 임신 중 알칼리혈증이다. 이 상태는 주로 호흡이 원인이며 이산화탄소분압이 31~35mmHg인 것이 특징이다. 호흡 알칼리증의 원인은 표 7-6에 요약되어 있다.

표 7-6. 호흡성 알칼리증의 요인

폐
■ 폐색전증 ■ 폐렴(세균 또는 바이러스) ■ 급성 폐부종 ■ 무기폐 ■ 보조 과다환기
감염
■ 패혈증
약물 유도
■ 혈압 상승제 ■ 티록신 ■ 아스피린 또는 카페인 독성
저산소증
■ 환기-관류 불균형 ■ 고도 변화 ■ 중증 빈혈
과다환기
■ 히스테리/불안 ■ 정신성 장애 ■ 중추신경계 종양 ■ 뇌졸중
대사성 및 전해질 장애
■ 간 부전 ■ 뇌병증 ■ 저나트륨혈증

증상과 징후

환자의 임상 양상은 호흡 알칼리증이 만성인지 급성인지에 따라 다르다. 대부분의 증상과 징후는 비특이적이며 얼굴이나 입술의 감각 이상, 경미한 현기증, 어지럼 및 근육통 또는 근 경련과 같은 말초 또는 중추신경계 호소 증상과 관련이 있다.

감별 진단

호흡 알칼리증의 진단은 그 증상과 징후 중 일부는 저칼륨혈증과 같은 특정 전해질 응급 상황과 거의 동일하기 때문에 명확하지 않을 수 있다. 철저한 병력 및 신체검사를 통해 호흡 알칼리증의 근본적인 원인에 대한 단서를 얻을 수 있으며 이는 처치 방법을 안내할 수 있다. 아스피린 과다 복용과 같은 생명을 위협하는 독성 원인을 간과하지 않도록 주의한다.

처치

저산소혈증 환자에게 바로 산소를 투여하고 기도, 호흡 및 순환을 유지할 수 있는 처치를 시행한다. 불안으로 인해 과다환기를 하는 경우 환자를 지지하고 안정화하기 위한 조치를 한다. 입술을 오므리고 호흡을 하도록 지시하다. 저산소증을 예방하려면 봉투나 비재호흡 마스크를 사용하지 않는다.

대사 산증

대사 산증은 탄산수소염 이온(염기)의 결핍과 수소 이온(산)의 과잉에 의해 발생한다. 급성 상태에서 신체의 생리적 반응은 과호흡하고 동맥혈이산화탄소분압($PaCO_2$)을 감소시켜 보상하는 것이다. 이것은 때때로 "이산화탄소 배출"이라고 한다. 신장 계통이 대사 산증을 보상하기 위해 탄산수소염을 재흡수하기 시작할 때 만성 상태에 도달한다.

병태생리학

대사 산증은 신장에서 산 배출 감소, 산의 생산 또는 섭취 증가, 신체의 완충 기전의 상실이라는 세 가지 기전에 의해 생성된다.

증상과 징후

대사 산증의 임상 증상은 대사 문제의 중증도와 직접적으로 관련이 있다. 대부분 환자는 구역, 구토, 복통, 빠르고 깊은 호흡 양상(쿠스마울 호흡)을 보이며 더 심한 경우 의식 수준의 변화와 쇼크가 나타난다.

감별 진단

대사 산증은 음이온 차이 변화 없는 산증 또는 음이온 차이 산증으로 분류된다. 음이온 차이는 다음과 같은 공식을 사용하여 계산한다.

$$\text{AG(aniongap; 이온차)} = Na^+ - (Cl^- + HCO_3^-)$$

이 정보는 처치 제공자에게 혈장에서 측정되지 않는 음이온의 추정치를 제공한다. 12~15 사이의 음이온 차이는 정상으로 간주한다. 차이가 벌어지면 산증을 유발할 수 있는 상태를 나타낸다. 연상기법 CAT MUDPILES는 고음이온 차이 대사 산증의 유발 원인을 기억하는 데 도움이 될 수 있다. 연상기법 F-USED CARS는 정상 음이온 대사 산증의 원인을 떠올리는 데 도움이 된다.

처치 제공자는 음이온 차이를 계산하는 데 필요한 검사 결과를 사용하지 못할 수 있다. 따라서 처치 결정은 종종 건전한 임상적 판단, 철저한 병력 및 신체검사 결과에 근거하여 이루어진다. 환자를 병원 간 전원을 하는 처치 제공자는 음이온 차이를 계산하기 위한 검사실 검사 결과를 사용하여 그에 따라 감별 진단을 조정할 수 있다. 호기말이산화탄소분압 측정은 주요 정보를 제공할 수 있다. 빠른 호흡과 이산화탄소분압이 낮은 환자는 이전에 논의된 바와 같이 대사 산증이나 일차 호흡 알칼리증을 의심한다.

환자가 산증의 임상적 징후를 나타낼 때 다음과 같은 다섯 가지 상태를 고려한다.

- 당뇨병케토산증(DKA). 이 장의 앞부분에서 논의한 바와 같이 당뇨병케토산증은 순응도가 낮거나 필요량이 증가하여 인슐린을 부적절하게 사용함으로써 발생한다. 당뇨병 환자는 감염 기간, 외상 후 또는 대사 요구량을 증가시키는 다른 상황에서 더 높은 인슐린 투여량이 필요할 수 있다. 당뇨병케토산증이 시작되면 포도당 이용이 감소하고 지방산이 대사되어 수소 이온을 생성하는 케톤체가 형성된다. 신체의 완충 시스템이 견딜 수 있는 것보다 더 많은 산이 생성되면 산증이 발생한다.
- 신부전. 신장은 최적의 산-염기 균형을 유지하는 데 중요하다. 대부분의 신부전 환자는 신장이 산 부산물을 분비할 수 없으므로 요독증이 있다. 신세관은 수소 이온을 제거하는 일차적 책임이 있다. 이 기능은 사구체여과율(GFR)로 알려진 신장의 여과율과 직접적인 관련이 있다. 이 과정을 변화시키는 병리학은 특히 황산수소염(HSO_4) 및 HPO 형태의 수소 이온의 농도를 증가시켜 음이온 차이를 증가시킨다. 만성 신부전 환자는 어느 정도의 음이온 차이 대사 산증을 나타낼 수 있지만, 그 차이는 25를 초과하지 않는다. 그러나 급성 신부전 환자는 고염소혈증 비-음이온-차이 산증이 더욱더 흔하다.
- 젖산 산증. 젖산은 신체 상당수의 세포가 부적절하게 관류할 때 주로 생성된다. 관류저하는 세포 대사를 유산소 대사에서 무산소 대사로 전환한다. 무산소 대사는 젖산을 가장 많이 생성한다. 이 반응은 관류저하와 관련된 시간에 민감

한 의학적 상태(예: 패혈증, 허혈, 극심한 신체 활동 상태, 장기간의 발작, 순환 쇼크)에서 발생한다. 젖산산증은 젖산이 신체가 완충할 수 있는 양보다 더 많이 축적될 때 발생한다.

- 독소 섭취. 대사 산증을 유발하는 독성 대사 산물은 아세틸살리실산(ASA), 에틸렌글리콜, 메탄올 및 아이소니아지드와 같은 독소 섭취의 부산물일 수 있다. 독소에 의해 유발된 대사 산증이 있는 환자는 어느 정도의 호흡 보상을 보인다. 해독제를 사용하여 추가 부작용을 예방할 수 있으므로 가능한 한 빨리 독소를 확인한다.
- 알코올 케토산증. 이는 상당한 양의 알코올 장기간 섭취한 후 갑자기 섭취를 중단하면 발생한다. 주요 문제인 케토산 축적은 탈수, 호르몬 불균형 및 만성 영양실조로 인해 촉발된다. 이 상태는 당뇨병케토산증과 유사하지만, 혈당 수치는 정상이거나 낮다. 알코올 케토산증 환자는 종종 알코올 금단을 동반하는 구토와 관련된 산-염기 장애가 혼합되어 있다.

빠른 암기법

CAT MUDPILES

높은 음이온 차이 대사 산증 유발 원인 기억법

C 이산화탄소 또는 시안화물 중독
A 알코올 중독 또는 알코올 케토산증
T 톨루엔 노출
M 메탄올 노출
U 요독증
D 당뇨병케토산증
P 파라알데히드 섭취
I 이소니아지드 또는 철 중독
L 젖산 산증
E 에틸렌글리콜 중독
S 살리실산염(ASA) 중독

ASA, Acetylsalicylic acid.

빠른 암기법

F-USED CARS

정상 음이온 차이 대사 산증 유발 원인 기억법

F 누공, 췌장
U 요관장 통로
S 식염수 투여(0.9% 생리식염수)
E 내분비 기능 장애
D 설사
C 탄산 탈수효소 억제제 섭취
A 아르지닌, 라이신(비경구 영양)
R 신세관산증(RTA)
S 스피로SH락톤(이뇨제) 섭취

처치

대사 산증이 있는 환자의 대부분은 상당한 양의 수액 소생술이 필요하다. 수액을 투여하기 위해 정맥 라인을 신속하게 확보한다. 적절하게 기도를 유지하고 산소를 공급하며 호흡과 순환을 보조한다. 심부전 또는 신부전의 병력이 있는 환자의 경우 정맥 내 수액 투여 시 폐부종을 일으키지 않도록 주의한다. 환자가 인공호흡기 지원이 필요한 경우 과다환기를 유지한다. 대사 산증이 있는 환자는 호흡 보상 기전으로 과다환기를 하고 있으며 기관내삽관을 시행하기 위해 진정 또는 마비시키면 대사 산증이 악화한다. 일차 병인에 근거하여 보조 처치를 시작한다. 예를 들어, 당뇨병케토산증으로 인한 높은 음이온 차이 대사 산증 환자는 인슐린 투여로 처치를 시작할 수 있다.

탄산수소 소듐 사용은 급성 대사 산증을 유발하는 특정 상태에 필요할 수 있지만, 탄산수소염의 투여는 저칼슘혈증, 용적 과부하, 중추신경계 산증, 저칼륨혈증 및 산소 전달 장애를 비롯한 합병증을 유발할 수 있다. 그 사용을 둘러싼 논란에도 불구하고 탄산수소 소듐의 신속한 투여는 생명을 위협하는 특정 조건을 처치하는 데 유용할 수 있다. 처치 제공자는 탄산수소염 투여 여부를 결정하기 위해 동맥혈 가스 및 혈장 전해질 수치를 사용한다. 이러한 정보가 병원 전 환경에서 이용할 수 있는 것 같지는 않지만, 다음과 같은 상황에서 탄산수소염 투여가 보장된다.

- 고칼륨혈증과 관련된 산증으로 인한 심정지(예, 동정맥루를 시각화)
- 삼환계 항우울제 과다 복용(심전도에서 QRS 파파 확장 > 0.10초)
- 고칼륨혈증(병력 및 심전도 소견에 근거하여 추정 진단)

대사 알칼리증

대사 알칼리증은 용적, 칼륨 및 염화물 손실을 유발하는 질병과 같이 혈청 탄산수소염의 수준을 높이거나 체내 수소 수준을 감소시키는 질병에 의해 발생한다.

병태생리학

대사 알칼리증은 두 가지 기전 중 하나에 의해 발생한다. 신체는 수소 및 염화물 손실에 대한 반응으로 탄산수소염을 보유하거나 신장 손상이 탄산수소염 배설이 불가능하다. 표 7-7은 대사 알칼리증을 유발할 수 있는 특정 상태의 목록을 제공한다.

증상과 징후

대사 알칼리증에 영향을 받는 환자의 일반적인 증상과 징후는 식욕부진, 구역, 구토, 착란, 저혈압, 감각 이상 및 쇠약이다. 철저한 평가는 제산제(예, 소듐과 칼슘 탄산수소염), 티아자이드와 같은 고리 작용 이뇨제 및 코르티코스테로이드의 사용을 나타낼 수 있다. 쿠싱증후군 및 신장 질환과 같은 기저 질환이 흔하다.

환자는 느리고 얕은 호흡을 한다. P파와 병합되는 낮아진 T파의 심전도 변화는 저칼슘혈증 및 저칼륨혈증을 나타내는 것이고 저혈압도 나타난다. 많은 환자가 근육 단일 수축과 반사소실 및 팔다리의 저림과 무감각을 보인다. 철저한 신경학적 검사를 시행한다. 동맥혈가스 분석은 7.45 이상의 혈액 pH와 상승한 HCO_3^-를 나타낸다. 호흡 보상이 발생하는 경우 이산화탄소분압($PaCO_2$) 수치가 45mmHg 이상일 수 있다.

표 7-7. 대사 알칼리증의 요인	
생리식염수 반응 대사 알칼리증	생리식염수 미반응 대사 알칼리증
용적 감소 ■ 구토 ■ 코위 흡인 ■ 이뇨제 사용 ■ 낮은 염화물 섭취	무기질부신피질호르몬 과다
	외인성 섭취 ■ 씹는 담배 ■ 감초
	일차 알도스테론증
	쿠싱증후군
	바터증후군

감별 진단

대사 알칼리증의 정확한 진단을 위해서는 혈청 탄산수소염 농도와 동맥 이산화탄소 수치를 알아야 한다. 혈청 탄산수소염 수치의 상승은 만성적인 호흡 산증에 대한 신장의 보상 반응일 수 있다. 이 정보는 혈액가스 검사를 통해서만 얻을 수 있다.

처치

대사 알칼리증의 관리는 근본 원인을 교정하는 방향으로 이루어진다. 포괄적인 병력 청취와 신체검사가 중요하다. 주요 원인이 체내용적이 감소하면 정맥 내 수액 투여가 필수적이다. 등장액은 일차적으로 선택하는 수액이다. 저칼륨혈증은 칼륨 보충으로 교정할 수 있다.

복합 장애

환자는 종종 산-염기 장애가 혼합되어 있으며 경험이 풍부한 많은 응급의학과 의사 및 중환자 전문 치료사에게도 진단이 어려울 수 있다. 혼합 장애는 혈액가스 분석과 결합한 임상 병력을 기반으로 확인된다. 환자가 아픈지 아닌지에 대한 당신의 초기 임상적 인상이 특히 중요하다. 항상 그렇듯이 기도, 호흡 및 순환 지원하는 데 필요한 즉각적인 처치를 취한다.

전해질 장애

전해질 불균형은 응급 상황에 부닥친 환자에게서 흔히 볼 수 있는 소견이다. 건강한 전해질 균형은 세포 기능을 수행하는 데 필수적이다. 전해질 장애는 일반적으로 임상 검사만으로 진단할 수 없지만, 철저한 병력 및 검사를 통해 진단 가능성이 있다. 심각한 전해질 장애는 치명적일 수 있다. 대부분 환자는 생명을 위협하는 징후가 나타날 때까지 비특이적인 주요호소증상만을 보일 수 있다. 다음 부분에서는 현장에서 발생할 수 있는 가장 중요한 전해질 문제에 관해 설명한다.

저나트륨혈증

소듐은 체내 수분 균형을 유지하는 데 있어 가장 중요한 전해질이다. 세포외액의 주요 양이온인 소듐은 염화물 및 탄산수소염과 함께 삼투압(세포 안팎으로 수분 흐름)을 조절한다. 수분 균형은 뇌와 신장에 의해 조절되는 호르몬 조절로 유지된다.

저나트륨혈증은 혈청 소듐 농도가 135mEq/L 미만으로 정의된다. 처치를 위해 저나트륨혈증은 용적 상태에 따라 다음과 같이 세 자지로 분류된다.

- 혈량과다 저나트륨혈증은 소듐의 양에 비해 과도한 양의 수분이 유지될 때 발생한다. 이 상태는 일반적으로 울혈심부전과 같은 부종이 있는 환자에게서 발생한다. 심인성 다음증과 같이 수분을 과도하게 섭취하는 환자나 의도적으로 단기간에 다량의 수분을 섭취한 때도 발생할 수 있다.
- 혈량저하 저나트륨혈증은 수분과 소듐 소실로 인해 발생하며 소실된 수분의 양에 비해 소듐 소실이 더 많다. 일반적인 유발 요인에는 구토, 설사, 위장관 문제, 코위 관 및 체액의 3번째 공간으로 이동이 포함된다. 3번째 공간(혈관 및 세포 내 수분이 간질 공간으로 이동)은 화상, 췌장염 및 패혈증 환자와 이뇨제와 같은 특정 약물을 복용하는 환자에서 발생할 수 있는 현상이다.
- 정상 혈량 저나트륨혈증은 농축된 소변이 있음에도 불구하고 혈청 삼투압 농도가 낮을 때 발생한다.

증상과 징후

저나트륨혈증의 임상 양상은 나트륨 농도가 얼마나 빠르게 감소하는지에 달려 있다. 혈청 소듐 수치가 급격히 감소하는 환자는 종종 125~130mEq/L 정도에서 증상을 보이기 시작한다. 그러나 만성 저나트륨혈증 환자는 증상 없이 120mEq/L 이하의 수준을 견딜 수 있다.

저나트륨혈증 대부분 증상과 징후는 초조, 환각, 쇠약, 졸음증 및 발작과 같은 중추신경계 증상과 관련이 있다. 복통, 경련 및 두통도 발생할 수 있다. 심한 저나트륨혈증 환자는 매우 아프고 발작을 일으키거나 의식상태가 변화할 수 있다.

마라톤이나 철인 3종 경기와 같은 운동 종목은 운동 유발 저나트륨혈증을 유발할 수 있다. 이 현상을 일으키는 기전이 완전히 이해되지는 않았지만, 땀으로 인한 탈수에서 지속해서 증가한 바소프레신 수치와 사구체 기능의 감소가 관련될 수 있다. 운동 유발 저나트륨혈증은 협응력 소실, 폐부종 및 발작과 혼수를 초래하는 두개내압 변화를 유발할 수 있다.

매우 높은 포도당 수치(또는 혈액 내 과도한 지질이나 단백질)를 가진 환자는 측정한 소듐 수치가 상당히 낮아 보이는 거짓저나트륨혈증을 보일 것이다. 이 낮은 소듐 측정은 실제 소듐 수치를 확인하기 위한 공식을 사용하여 정정한다.

감별 진단

저나트륨혈증의 감별 진단과 근본 원인의 확인은 종종 복잡하며 병원의 전문가에게도 어려운 업무일 수 있다. 병원 전 환경에서 병력과 검사는 저나트륨혈증을 고려하는 데 도움이 된다.

처치

병력과 신체검사를 기반으로 환자가 저나트륨혈증 및 가장 가능성 있는 원인으로 고통받고 있는지 결정한다. 혈역학적으로 불안정한 환자는 등장성 결정질액 또는 0.9% 생리식염수로 수액 소생술을 시작한다. 그러나 모든 수액 특히 혈역학적으로 안정적인 환자의 경우와 저나트륨혈증 환자에게 각별히 주의하여 투여한다. 혈청 소듐 수치가 알려지고 총체액량 부족이 계산될 때까지 적극적인 수액 소생술은 소듐을 너무 빨리 교정하여 심각한 합병증(다리뇌 말이집용해)을 초래할 위험이 있다.

일부 상황에서는 현장 진단 검사가 가능하지만, 병원 전 환경에서 처치를 위해 혈청 소듐을 수치를 측정하는 경우는 거의 없다. 일반적으로 저나트륨혈증은 매우 천천히 교정한다. 권장되는 교정 속도는 시간당 1~2mEq/L보다 빠르지 않다. 이 규칙의 예외는 의식상태의 변화나 발작과 같은 중증의 신경학적 증상이 있는 환자이다. 이 환자의 경우 증상을 완화하기 위해 신속한 교정이 필요할 수 있다. 이것은 3% 염화소듐(고장식염수) 100mL를 볼루스로 투여할 수 있다. 소듐 수치를 너무 적극적으로 교정하면(생리식염수 또는 고장식염수) 삼투성 말이집탈락의 결과로 중증의 신경학적 합병증을 유발할 수 있다.

저칼륨혈증

칼륨은 신체에서 다음과 같은 중요한 기능을 담당한다.

- 모든 세포에서 정상적인 전기적 및 삼투성 변화 유지
- 신경 전달 및 심장 자극 전도 촉진
- 산-염기 항상성 유지하는 데 도움이 되는 세포막의 완충 기전으로 작용

정상 혈청 칼륨 농도는 3.5~5mEq/L이지만, 대부분 칼륨이 세포 내에 저장되어 있으므로 양이온의 전체 저장을 정확하게 반영하지 못한다. 저칼륨혈증은 비정상적으로 낮은 혈청 칼륨 농도이며 보통 3.5mEq/L 미만이다. 저칼륨혈증은 상당히 흔하며 일반적으로 섭취 감소 또는 배설 증가로 인해 이차적으로

발생한다.

증상과 징후

저칼륨혈증은 초기에 증상이나 징후 없이 종종 나타난다. 그것이 진행하고 칼륨 농도가 2.5mEq/L 이하로 떨어지면 저칼륨혈증의 증상과 징후가 신경계, 위장관계 및 심혈관계를 포함하여 여러 기관계통에서 분명해진다. 일반적인 증상은 쇠약, 구역, 구토, 졸음증, 혼동 및 말단 감각 이상 등이 있다.

중증 저칼륨혈증(<2mEq/L) 환자는 심하게 아픈 것처럼 보이며 심부정맥과 근육 마비가 있을 수 있다. 빈번한 심혈관 증상에는 심장 두근거림, 저혈압, 심장 차단, 심실조기수축(PVC) 및 심실위빈맥과 같은 심장 전기 장애가 포함된다. 심실세동 및 심장 무수축과 같은 치명적인 유형의 부정맥도 발생할 수 있다(그림 7-11).

감별 진단

12 리드 심전도에서 명백한 저칼륨혈증의 징후는 평평한 T 파, U 파 및 ST분절 하강이 있다. 저칼륨혈증의 임상 증상은 고칼륨혈증과 유사하다.

처치

저칼륨혈증의 처치는 탈수를 위해 정맥 내 수액 투여가 필요할 수 있다. 정맥 내로 칼륨 투여의 잠재적인 부작용 때문에 경구용 칼륨 대체(용량당 20~40mEq)가 선호된다. 경구 대체를 할 수 없거나 중환자는 시간당 10~20mEq의 속도로 정맥 내로 칼륨을 투여한다. 중환자(호흡근 약화)는 더 많은 용량을 투여할 수 있지만, 중심정맥도관으로 투여한다. 정맥 라인으로 칼륨을 너무 빠르게 투여하면 심정지를 유발할 수 있다. 정맥 라인으로 투여하는 동안 일반적으로 호소하는 것은 주입 부위의 화끈거림이며 이는 일반적으로 투여 속도를 늦춤으로써 해결할 수 있다. 고칼륨혈증은 칼륨 투여의 합병증으로 특히 신장 질환이 있는 환자에게서 발생하기 쉽다. 따라서 칼륨을 투여하기 전에 환자의 신장 기능 상태를 아는 것이 중요하다.

고칼륨혈증

혈청 칼륨 수치가 5.5mEq/L를 초과하는 고칼륨혈증은 칼륨 보충제 섭취, 급성 또는 만성 신부전, 수혈, 패혈증, 애디슨병, 산증 및 으깸증후군(횡문근 융해증)으로 발생할 수 있는 전해질 장애이다.

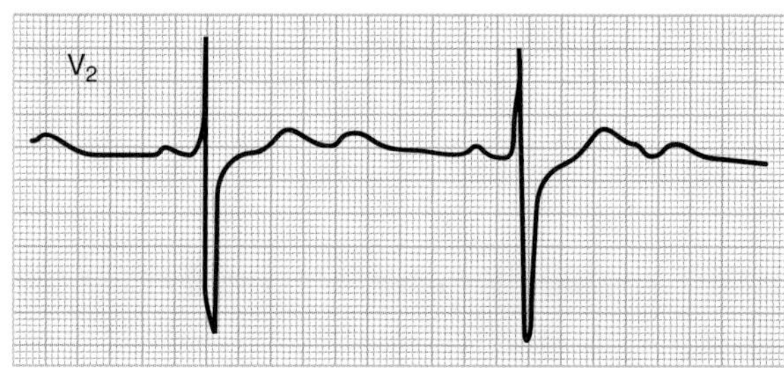

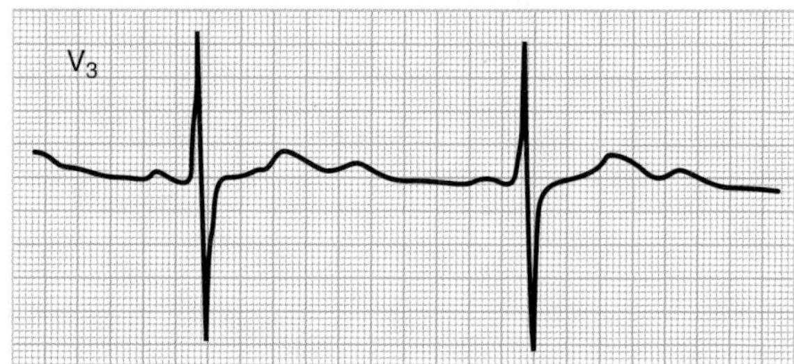

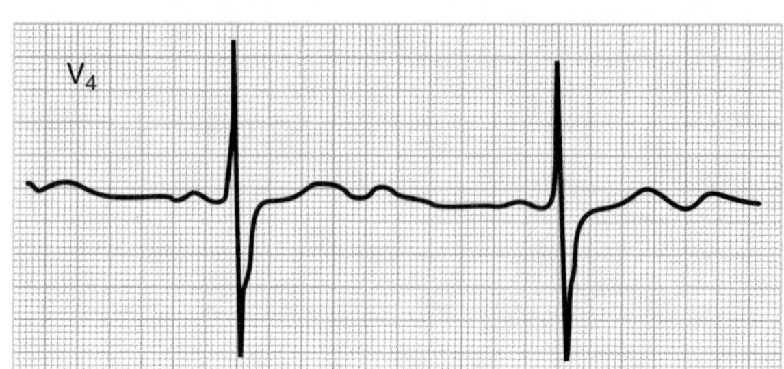

그림 7-11. 저칼륨혈증의 심전도 징후. 혈청 칼륨 농도는 2.2mEq/L 이었다. ST분절은 주로 T파에 뒤따르는 U파 때문에 연장되었고 T파는 평평해진다.

Cecils textbook of medicine, ed 23, Goldman L, Ausiello D, Copyright Saunders 2007.

증상과 징후

고칼륨혈증은 주로 신경계 및 심혈관 기능 장애 장애로 나타난다. 환자는 전신 쇠약, 근육 경련, 테타니, 마비 또는 심장 두근거림이나 부정맥이 있을 수 있다.

감별 진단

병원 전 환경에서 고칼륨혈증 진단을 위한 유일한 진단 검사는 환자에게 관련 부정맥이 있는지를 결정하는 데 도움이 되는 심전도이다. 일반적으로 고칼륨혈증 환자의 심전도에서 첫 번째 변화는 뾰족한 T 파의 발생이다. 혈청 칼륨이 계속 증가함에 따라 P파가 사라지고 QRS 복합체가 넓어진다. 고칼륨혈증이 교정되지 않으면 심전도는 서맥으로 진행한 다음 사인파 형태나 심장무수축으로 종료된다(그림 7-12).

처치

고칼륨혈증의 근본 원인을 평가하고 신속하게 적절한 처치를

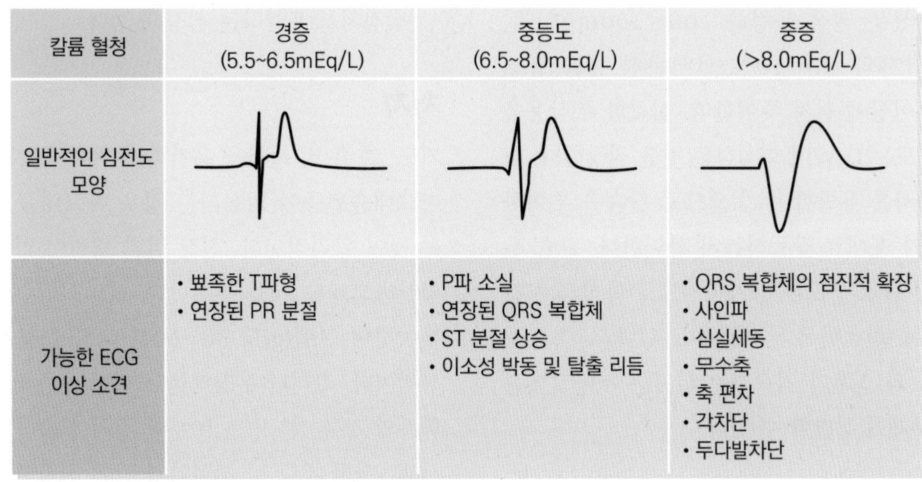

칼륨 혈청	경증 (5.5~6.5mEq/L)	중등도 (6.5~8.0mEq/L)	중증 (>8.0mEq/L)
일반적인 심전도 모양			
가능한 ECG 이상 소견	• 뾰족한 T파형 • 연장된 PR 분절	• P파 소실 • 연장된 QRS 복합체 • ST 분절 상승 • 이소성 박동 및 탈출 리듬	• QRS 복합체의 점진적 확장 • 사인파 • 심실세동 • 무수축 • 축 편차 • 각차단 • 두다발차단

그림 7-12. 고칼륨혈증과 관련된 심전도 소견

시행하며 환자를 의료기관으로 이송한다. 고칼륨혈증 처치는 다음과 같은 세 가지 목표가 있다.

- 세포막 안정화 및 심장 과민성 감소. 항상 환자에게 심장 모니터를 부착시킨다. 환자의 심전도에서 고칼륨혈증, 저혈압 또는 부정맥의 징후가 나타나면 10% 염화칼슘 용액 5mL를 투여한다. 환자가 이미 심정지 상태가 아니라면 의료 지도 의사의 의료 지도가 필요할 수 있다.
- 칼륨이 세포로 이동. 탄산수소소듐 44mEq/L을 정맥 내로 투여하여 칼륨을 세포 내 및 혈청 밖으로 유도할 수 있다. 분무된 알부테롤 5~20mg은 칼륨을 세포로 이동시켜 혈청 칼륨 농도를 낮춘다. 알부테롤은 일반적으로 최소한의 효과를 나타내므로 투여 우선순위가 낮아야 한다. 일반 인슐린 10단위와 정맥 라인으로 포도당을 병용 투여하면 유사하게 칼륨이 세포로 이동한다.
- 신체에서 칼륨 제거. 제한된 데이터로 뒷받침되지만, 신체에서 칼륨을 제거하는 데 도움이 되도록 교환 수지를 사용하는 것이 일반적이다. 20g의 폴리스타이린설폰산나트륨을 경구 투여할 수 있지만, 이 약물은 심각한 부작용 때문에 선호되지 않는다. 그러나 심장 환자에게 교환 수지를 사용할 때는 체액 과부하를 유발할 수 있으므로 주의한다.

저칼슘혈증

부갑상샘저하증에 대한 부문에서 이전에 논의한 바와 같이 칼슘은 근육 수축, 신경 전달, 호르몬 분비, 장기의 성장, 면역 및 혈액학적 반응을 비롯한 여러 신체 기능에 필수적이다. 성인 대부분의 칼슘은 뼈의 무기질 성분으로 저장된다. 저칼슘혈증은 이온화된 칼슘 수치가 4mEq/L 이하로 감소할 때 발생한다. 이 상태는 칼슘 소실의 증가 또는 칼슘 섭취 감소의 결과로 발생한다. 저칼슘혈증은 저장된 혈액 성분에서 발견되는 구연산염 방부제로 인해 수혈을 받는 환자에게서 나타난다.

증상과 징후

증상이 있는 저칼슘혈증이 있는 환자는 발작, 저혈압, 테타니 또는 심장 부정맥이 있을 수 있다.

감별 진단

증상과 징후에 외에도 투루소 징후(Trousseau's sign, **그림 7-3**), 보스텍 징후(Chvostek's sign, **그림 7-4**)의 두 가지 징후가 있을 수 있다.

처치

저칼슘혈증의 처치는 주로 검사 결과에 따라 이루어지지만, 저칼슘혈증이 환자의 증상 원인으로 추정되는 경우 경험적 처치를 시작하는 것이 합리적일 수 있다. 비경구 칼슘은 저칼슘혈증의 증상이 있는 환자의 일차 처치 방법이다. 다음 두 가지 방법의 하나를 사용한다.

- 360mg 칼슘이 포함된 10% 염화칼슘 10mL
- 93mg 칼슘이 포함된 10% 글루콘산 칼슘 10mL

성인 환자의 칼슘 성분 권장 용량은 100~300mg의 칼슘 성분이다. 소아 환자의 경우 10% 글루콘산 칼슘 용액 0.5~1mL/kg를 5분 이상에 걸쳐 투여한다. 심각한 부작용을 피하고자 생리식염수 또는 D_5W에 희석하는 것을 권장한다. 혈관 외 유출은 조직 괴사를 유발할 수 있으므로 칼슘을 투여하기 전에 말초 카테터가 제대로 작동하는지 확인한다. 칼슘 투여는 단기간만 칼슘의 혈청 농도를 증가시키므로 특히 장시간 이송 또는 병원 간 이동 중에 반복 투여할 수도 있다.

적절한 처치 후 증상과 징후가 지속하는 환자는 저마그네슘혈증과 같은 전해질 문제를 동반할 수 있다.

저마그네슘혈증

마그네슘은 인체에서 두 번째로 풍부한 세포 내 이가 양이온이다. 그것은 수많은 효소 반응의 활성화에 보조 인자이다. 중추신경계에 대한 생리적 효과는 칼슘과 유사하다. 마그네슘은 독특한 방식으로 신체 전반에 분포한다. 마그네슘 총량(2,000mEq/L)의 절반은 뼈의 무기질 성분으로 저장되며 40~50%는 세포내 저장된다. 체내 마그네슘의 1~2%만이 세포 외 액에 존재한다. 따라서 혈청 마그네슘 농도는 신체의 총 마그네슘 함량을 잘 반영하지 못한다.

저마그네슘혈증은 임상에서 볼 수 있는 가장 흔한 전해질 장애 중 하나이다. 영양실조, 알코올 중독, 탈수, 설사, 신장 질환, 이뇨 또는 기아와 관련된 상태를 종종 동반하고 저칼륨혈증 및 저칼슘혈증을 유발하는 질병과 공존하는 경향이 있다. 마그네슘은 또한 칼륨 흡수를 위한 보조 인자 역할을 한다. 만성적으로 저칼륨혈증이 있는 환자는 마그네슘 투여가 도움이 될 수 있다.

증상과 징후

환자는 일반적으로 1.2mg/dL(0.06mmol/L) 이하의 마그네슘 농도에서 증상이 나타난다. 일반적으로 나타나는 증상과 징후는 다음과 같다.

- 떨림
- 반사항진
- 테타니
- 구역 또는 구토
- 의식 수준 변화 및 혼동
- 발작
- 염전성 심실빈맥(torsades de pointes), 다형 심실빈맥 및 심정지를 포함하는 심장 부정맥

처치

기도, 호흡 및 순환을 유지하기 위해 즉각적인 조처를 한다. 저마그네슘혈증이 의심되는 경우 마그네슘 대체 요법을 시작하는 것이 합리적이다. 신장 질환 병력이 없는 환자에게는 50% 황산마그네슘 2g을 투여한다. 생리식염수 또는 포도당과 함께 투여하며 그램(g)당 30~60분 이상에 걸쳐 투여하는 것이 이상적이다. 그러나 부정맥을 포함한 중증의 증상과 징후가 있는 환자의 경우 5분 또는 10분에 걸쳐 신속하게 투여할 수도 있다. 서맥, 심장 차단 및 저혈압과 같은 심각한 부작용과 관련이 있기 때문에 황산마그네슘을 볼루스로 투여하지 않는다.

횡문근융해증

횡문근융해증은 근육 조직이 파괴되어 미오글로빈이 혈류로 방출되어 신장 손상을 유발한다. 이 근육 손상은 일반적으로 장기간의 고정, 특정 대사 손상 또는 조직에 대한 압력이나 으깨는 힘으로 인해 발생한다. 아편유사제 과다복용 환자, 산업 기계에 눌리거나 끼인 사람, 마라톤 선수 또는 낙상 후 몇 시간 동안 바닥 누워 있는 노인 같은 환자는 모두 횡문근융해증을 앓을 수 있다. 조직에 대한 특정 손상과 관계없이 각 사례의 최종 결과는 개별 근육 세포가 파열되어 죽을 때 세포 내 내용물이 방출되는 것이다. 골격근 세포에서 발견되는 주요 단백질 중 하나인 미오글로빈은 신장으로 이동하여 손상을 입히고 심지어 신부전을 일으킨다. 일반적으로 세포 내에서 정상적으로 격리된 전해질도 방출되어 동시에 신장 손상으로 인해 악화하는 대사 장애를 일으킬 수 있다. 극단적인 경우 환자는 심각한 고칼륨혈증을 일으켜 치명적인 심장부정맥을 유발할 수 있다.

병태생리학

횡문근융해증은 일차 문제가 아니라 또 다른 손상의 결과로 발생한다. 횡문근융해증을 유발할 수 있는 일반적인 원인은 다음과 같다.

- 대사 문제
- 열사병 및 기타 중증 열 관련 응급 상황
- 외상
- 으깸 손상
- 약물 남용

- 독소 섭취/과다 복용
- 감염(드물게)
- 전해질 이상
- 많은 약물도 관련이 있음

Na^+/K^+ − ATPase 펌프의 기능 장애로 인해 조절되지 않은 칼슘이 골격근 세포로 유입된다. 증가한 세포 내 칼슘 함량은 세포 괴사 및 미오글로빈, 칼륨과 크레아티닌인산화효소(CPK)와 같은 세포 내 효소의 방출을 유발한다. 미오글로빈이 혈장으로 들어가면 여과되어 신장을 통해 배설된다. 과량의 미오글로빈은 신세관에 직접적으로 독성을 나타내거나 특히 일차적인 문제의 결과로 저혈량 또는 산증 환자의 경우 신세관을 막을 수 있다. 정맥 라인으로 수액 소생술을 적극적으로 시행하지 않으면 횡문근융해증이 중증 신장 손상과 신부전을 유발할 수 있다.

증상과 징후

횡문근융해증 환자는 광범위하거나 국소화된 쇠약이나 근육통증을 호소한다. 횡문근융해 과정이 시작되면 환자는 어두운 색(예, 갈색, 홍차색 등)의 소변을 볼 수 있다. 환자에게 고칼륨혈증이 생기면 앞에서 언급한 증상이나 징후가 나타날 수도 있다.

감별 진단

횡문근융해증은 응급실에서 미오글로빈뇨(근육 분해로 인해 소변으로 방출되는 단백질인 미오글로빈 존재)와 혈중 크레아틴키나아제 수치의 상승을 확인하여 응급실에서 진단한다. 그러나 포괄적인 병력(일차적인 조건 포함)과 신체검사 소견을 토대로 이 진단을 의심한다. 환자는 처음에 횡문근융해가 없을 수도 있지만, 응급 상황이 나중에 유발할 수 있다. 철저한 신체검사는 잠재적인 원인 확인하는 열쇠이다. 예를 들어, 횡문근융해증의 존재를 나타내는 강력한 지표는 어두운색이거나 콜라 색의 소변을 확인할 수 있다.

처치

적극적인 수액 소생술이 중요하다. 횡문근융해증의 합병증을 완화하기 위해 정맥 내로 수액을 투여한다(저체온이 발생하지 않도록 주의). 일반적인 처치 외에 다음과 같은 사항을 고려한다.

- 특히 외상이나 으깸 손상을 입은 환자의 경우 초기에 적극적으로 생리식염수를 투여한다. 생리식염수 투여는 횡문근융해증 처치에 필수적이다.
- 소변 배출량을 200~300mL/hr로 유지할 수 있도록 생리식염수를 투여한다. 악성 심장부정맥을 유발할 수 있는 잠재적인 전해질 합병증(예, 저칼슘혈증을 동반한 고칼륨혈증과 같은)을 주의한다. 합병증이 발생하면 즉시 적극적으로 처치한다.

논란의 여지가 있는 병원 내 처치 방법은 다음을 포함할 수 있다.

- 삼투성 이뇨제인 만니톨 투여
- 환자의 일차 진단을 이미 알고 있는 경우(예를 들어, 병원 간 이송을 시행하는 경우) 소변을 알칼리화하기 위해 탄산수소염(중탄산염) 투여를 시작한다.

종합 정리

내분비 및 대사 장애가 있는 환자는 의료제공자가 직면하는 가장 어려운 문제 중 일부일 수 있다. 주요호소증상/기본 표현의 유사점과 차이점은 때로는 미묘하고 근본적인 진단을 결정할 수 있는 능력에 영향을 주어 적절한 처치가 지연될 수 있다. AMLS 평가 과정을 사용하면 포괄적인 병력 및 집중 신체검사를 시행하는 데 도움이 된다. 평가 기반 접근 방식은 해부학, 생리학 및 병태생리학에 대한 지식을 바탕으로 이러한 다양한 질병 과정의 공통적인 원인과 비공통적인 원인을 도두 파악할 수 있도록 지원한다. 패턴 인식을 사용하면 환자의 임상적 증상을 주요호소증상과 비교하여 실제 진단을 공식화하는 데 도움이 될 수 있다. 이러한 환자를 안전하고 효율적이며 효과적으로 처치하기 위해 정보를 분석하고 종합하는 데 능숙해지는 것은 노력할 가치가 충분히 있을 것이다. 당신은 EMS 팀원으로 이바지하는 것은 항상 환자 결과를 개선하는 데 중요한 연결고리이다.

시나리오 해결책

- 감별 진단에는 저칼륨혈증 또는 고나트륨혈증과 같은 대사알칼리증(쿠싱증후군과 관련) 또는 대사산증(메트포르민 처치와 관련), 고혈당, 저혈당, 디곡신 독성, 패혈증, 심부전과 같은 전해질 불균형을 포함할 수 있다.
- 감별 진단을 좁히려면 과거와 현재의 질병에 대한 병력 청취를 완료한다. 탈수에 대한 평가, 심음 및 호흡음 평가, 의식상태를 포함하는 신체검사를 시행한다. 진단 검사에는 혈당, 심전도 모니터링 및 12 리도 심전도, 산소포화도(SaO_2), 호기말이산화탄소분압측정($ETCO_2$) 및 가능한 경우 혈액 화학 검사가 포함되어야 한다.
- 환자는 쇼크, 감염 또는 전해질 불균형을 나타낼 수 있는 징후가 있다. 쇼크의 징후는 프레드니손 처치로 가려질 수 있으며 디곡신의 존재는 쇼크를 보상하기 위해 심박수의 증가를 막을 것이다. 산소를 투여하고 정맥 라인을 확보하여 수액을 투여한다. 심전도를 지속해서 모니터링하고 신속하게 환자를 가장 가까운 적절한 병원으로 이송한다.

요약

- 내분비계는 항상성, 생식, 성장, 발달 및 대사를 포함한 호르몬 조절을 담당하며 뇌하수체, 갑상샘, 부갑상샘 및 부신 및 췌장, 난소, 고환으로 구성된다.
- 호르몬은 몸 전체의 성장과 발달을 자극, 세포 안팎으로 수분의 흐름을 조절, 근육 수축을 돕고 혈압과 식욕을 조절하며 수면주기를 조절하고 다른 많은 기능에 영향을 미친다.
- 내분비샘은 서로 상호 의존적이다.
- 부갑상샘은 세 가지 유형의 세포로 구성되며 부갑상샘호르몬(PTH)을 생성하고 세포 외 칼슘 농도의 변화를 감지하며 칼시토닌 분비를 억제하는 역할을 한다.
- 부갑상샘저하증은 부갑상샘호르몬의 혈청 농도가 낮은 것이 특징이며 이 상태의 특징은 저칼슘혈증이다.
- 갑상샘은 분비 세포, 여포 세포 및 C 세포로 구성되어 있다.
- 갑상샘항진은 갑상샘항진증과 잠재적으로 및 잠재적인 갑상샘 발작을 유발할 수 있다.
- 부신은 글루코코르티코이드, 무기질부신피질호르몬 및 보조 성호르몬을 분비한다.
- 애디슨병 또는 일차 부신부전은 부신 지필에 대한 직접적인 손상 또는 기능 장애로 인한 대사 및 내분비 질환이다.
- 급성 부신부전은 당질부신피질호르몬 및 무기질부신피질호르몬에 대한 신체의 필요가 부신에 의해 이러한 호르몬의 전달을 초과하는 상태이다.
- 부신항진증 또는 쿠싱증후군은 부신 피질의 과잉 생산으로 인해 당질부신피질호르몬 특히 코르티솔의 과도한 순환 혈청 수준에 오랫동안 노출되어 발생한다.
- 포도당은 장기 특히 중추신경계(CNS)의 주요 대사 과정에 필수적인 에너지이다.
- 세포의 생존은 혈청 포도당 농도를 유지하는 데 달려 있다.
- 당뇨병은 가장 흔한 내분비 장애이며 당뇨병 처치 시 발생하는 흔한 합병증인 저혈당은 가장 흔한 내분비계 응급 상황이다.
- 당뇨병은 인슐린 생산 또는 이용의 결함, 높은 혈당 수준, 불균형한 지질 및 탄수화물 대사를 특징으로 한다. 당뇨병을 처치하지 않고 방치하면 고혈당이 발생한다.
- 당뇨병 환자의 저혈당은 외인성으로 투여한 인슐린, 포도당 대사 및 포도당 섭취의 상호 의존적인 요소들 사이의 정교한 균형이 붕괴한 결과이다.
- 저혈당은 경구 혈당강하제만 복용하는 환자에서 발생할 수도 있지만, 새로 발병한 신부전과 같은 근본적인 병태생리학적 상태의 잠재적인 존재를 처치 제공자에게 알려야 한다.
- 제1형 당뇨병은 췌장의 베타 세포가 파괴되어 신체가 세포 대사를 수행하는 데 필요한 인슐린을 생산할 수 없게 만드는 특징이 있다.
- 제2형 당뇨병은 세포의 인슐린 저항성과 췌장의 인슐린 생산의 점진적인 실패가 특징이다.
- 임신 당뇨병은 임신부에게서 발생할 수 있는 포도당 불내성의 한 형태이다.
- 건강한 세포의 기능은 신체에서 정확한 산-염기 균형과 직접적인 관련이 있으며 신장과 폐는 pH로 측정되는 균형을 유지한다.
- 저혈당은 인슐린 분비의 감소와 에피네프린과 같은 역 조절 호르몬의 분비를 유발한다. 증상은 인지 장애를 포함하고 처치하지 않으면 저혈당은 심각한 이환율과 사망률을 초래할 수 있다.

요약 (계속)

- 비 당뇨병 환자의 저혈당은 위 수술을 받은 환자 또는 포도당 이용과 생산 사이의 불균형 결과로 흔히 나타나는 식사 고인슐린증을 특징으로 한다.
- 당뇨병케토산증은 인슐린 결핍과 과도한 글루카곤 수준이 결합하여 고혈당, 산증, 용적 감소 상태를 만드는 급성 내분비 응급 상황이다.
- 고삼투질 고혈당비케토산혼수(HHNC)는 사망률이 10~50%에 이르는 심각한 당뇨병 응급상황이다.
- 호흡산증은 이산화탄소 잔류로 인한 결과로 pH가 감소하는 것이 특징이다. 분당 환기의 증가는 이산화탄소분압($PaCO_2$)의 감소와 pH 증가를 특징으로 하는 호흡 알칼리증의 원인이다.
- 대사산증은 신체의 완충 능력을 초과하여 산이 축적되어 발생한다. 대사산증의 가장 흔한 심각한 원인은 당뇨병케토산증, 신부전, 젖산산증, 독성 섭취 및 알코올 케토산증이다.
- 대사 알칼리증은 용적, 포타슘 및 염화물의 소실을 유발하는 질병과 같이 혈청 탄산수소염의 농도를 높이거나 체내 수소 농도를 감소시키는 들에 의해 생성된다.
- 유익한 전해질 균형은 세포 기능을 수행하는 데 기본이. 전해질 불균형에는 저나트륨혈증, 저칼륨혈증, 고칼륨혈증, 저칼슘혈증 및 저마그네슘혈증이 포함된다.
- 횡문근융해증은 잠재적으로 급성 신부전 및 고칼륨혈증을 유발할 수 있는 세포 내용물 특히 미오글로빈의 방출을 특징으로 하는 골격근의 손상이다.

주요 용어

애디슨병(Addison's disease) 부신 피질에서 생성되는 코르티코스테로이드 호르몬의 결핍으로 인한 발생하는 내분비 질환이며 이는 구역, 구토, 복통 및 피부 색소침착을 특징으로 한다.

부신위기(adrenal crisis) 부신 피질에서 생성되는 코르티코스테로이드 호르몬의 결핍으로 인한 내분비 응급 질환이며 이는 구역, 구토, 저혈압, 고칼륨혈증 및 저나트륨혈증이 특징이다.

당뇨병케토산증(diabetic ketoacidosis, DKA) 인슐린 부족으로 인한 급성 내분비 응급 상황으로 이 상태는 혈당 상승, 케톤 생성, 대사 산증, 탈수, 구역, 구토, 복통 및 빠른 호흡이 특징이다.

고삼투질 고혈당비케토산혼수(hyperosmolar hyperglycemic non-ketotic coma, HHNC) 높은 혈장 포도당 농도, 케톤 생성 부재 및 혈청 삼투압 증가(>315mOsm/kg)를 특징으로 하는 내분비 응급 상황이다. 이 증후군은 중증의 탈수, 구역, 구토, 복통 및 빠른 호흡을 유발한다.

저혈당(hypoglycemia) 혈장 포도당 농도가 70mg/mL 미만인 상태로 이는 종종 발한, 차가운 피부, 빈맥 및 의식상태 변화와 같은 증상과 징후와 관련이 있다.

점액부종(myxedema) 추위 불내성, 체중 증가, 쇠약 및 의식상태 저하와 관련된 중증의 갑상샘저하증

갑상샘발작(thyroid storm) 갑상샘 기능항진을 특징으로 하는 내분비 응급 상황으로 이 장애는 발열, 빈맥, 신경과민, 의식상태 변화 및 혈 역학적 불안정성과 관련이 있다.

갑상샘항진증(thyrotoxicosis) 갑상샘 호르몬 농도가 상승 상태로 종종 빈맥, 진전, 체중 감소 및 고박출 심부전의 증상과 징후를 유발한다.

참고 문헌

American Academy of Orthopaedic Surgeons: *Nancy Caroline's emergency care in the streets*, ed 8. Burlington, MA, 2018, Jones & Bartlett Learning.

Hamilton GC, Sanders AB, Strange GR: *Emergency medicine*, ed 2. St. Louis, MO, 2003, Saunders.

Kumar G, Sng BL, Kumar S: Correlation of capillary and venous blood glucometry with laboratory determination. *Prehosp Emerg Care*. 8(4):378, 2004.

Marx JA, Hockberger RS, Walls RM: *Rosen's emergency medicine*, ed 7. St. Louis, MO, 2009, Mosby.

Mistovich JJ, Krost WS, Limmer DD: Beyond the basics: Endocrine emergencies. *EMS Mag*. 36(10):123–127, 2007.

Mistovich JJ, Krost WS, Limmer DD: Beyond the basics: Endocrine emergencies, Part II. *EMS Mag*. 36(11):66–69, 2007.

Pagan KD, Pagana TJ: *Mosby's manual of diagnostic and laboratory tests*, ed 4. St. Louis, MO, 2010, Mosby.

Sanders MJ: *Mosby's paramedic textbook*, ed 3. St. Louis, MO, 2005, Mosby.

Story L: *Pathophysiology: A practical approach*, ed 2. Burlington, MA, 2015, Jones & Bartlett Learning.

U.S. Department of Transportation National Highway Traffic Safety Administration: *EMT-paramedic national standard curriculum*. Washington, DC, 1998, The Department.

U.S. Department of Transportation National Highway Traffic Safety Administration: *National EMS education standards*, Draft 3.0. Washington, DC, 2008, The Department.

CHAPTER 8

감염병

처치 제공자로서 당신은 광범위한 질병 및 감염을 앓고 있을 수 있는 환자와 매일 접촉하게 되며 그중 일부는 전염성이 있을 수 있다. 환자는 자신이 전염병에 걸렸다는 사실을 모를 수도 있고 여부를 알릴 수 없을 만큼 의식 수준이 변경되었을 수도 있으며 그러한 정보를 당신에게 공개하지 않을 수도 있다. 이 장에서는 전염병의 특성과 전염성을 인식하고 이해하는 데 더 많은 전문 지식을 제공할 것이다. 여러 전염병의 증상과 징후 및 처치뿐만 아니라 안전한 관행과 표준 예방 조치에 대해서 검토할 것이다.

학습 목표

이장의 학습을 마치면 다음을 수행할 수 있다.

- 감염병과 관련 있는 특정 용어를 정의할 수 있다.
- 다양한 지방자치단체와 정부 기관이 마련한 규제안을 통해 처치 제공자와 일반인을 감염병으로부터 자신을 어떻게 보호하는지 설명할 수 있다.
- AMLS 평가 과정을 이용하여 전염병 환자를 위한 일차평가, 이차평가 및 지속적인 평가 전략에 대한 개요를 설명할 수 있다.
- 감염의 사슬에서 연결 고리를 확인하고 박테리아, 균류, 기생충과 바이러스가 어떻게 질병을 일으키는지 설명할 수 있다.
- 병원균에 대한 노출이 감염으로 진화하는 방법을 설명하고 각 신체의 계통이 어떻게 반응하는지 설명할 수 있다.
- 감염성 질병, 혈액 매개 질환, 장 질환, 성병, 기생충, 동물의 감염병(동물 병원균), 매개체 질환, 다약제 내성균감염, 소아기의 전염성 질병 및 신종 유행 질병에 대한 감염병학, 병태생리학, 전염 방법, 임상 증상, 처치 및 예방 프로토콜 및 전략을 확인하고 논의한다.
- 다양한 종류의 개인 보호 장비의 근거를 설명하고 환자 처치 장비의 적절한 소독 방법을 설명할 수 있다.
- 감염병 및 감염병 예방 및 환자 기밀 유지에 대한 처치 제공자의 책임에 관해 설명할 수 있다.
- 각종 감염병에 대한 평가 결과를 토대로 잠정 진단을 내릴 수 있다.
- 감염병을 보고하고 기록하기 위한 프로토콜을 확인하고 분석할 수 있다.

시나리오

구급대원은 버스 정류장에서 가슴이 답답하고 숨 가쁨과 전신 쇠약을 호소하는 56세 여성의 도움 요청을 받고 현장으로 출동했다. 현장에 도착해서 당신은 건물 벽에 기대 인도에 앉아 있는 환자를 발견했다. 환자는 몇 블록 떨어진 여성 보호소에서 약 두 달 동안 머물렀다고 한다. 환자는 지난 2주 동안 건강 상태가 점점 나빠져 "숨을 쉬고 신선한 공기를 마시기" 위해 오늘 밤 대피소를 나왔다고 말한다. 환자는 잦은 기침을 하면서도 완전한 문장으로 말을 할 수 있었고 병력을 청취하는 동안 기침을 심하게 시작한다. 환자는 이제 40회/분의 빠르고 얕은 호흡으로 눈에 호흡이 눈에 띄는 호흡곤란, 어지럼과 흉통의 현저한 증가를 호소하기 시작한다.
평가는 다음과 같았다.

- 혈압: 104/64mmHg
- 맥박 수: 106회/분
- 호흡: 40회/분으로 얕은 호흡
- 산소포화도: 94%
- SAMPLER
  - 흉통, 호흡곤란, 젖은기침, 쇠약감 악화 × 2주
  - 알레르기: 앤지오텐신 전환효소(ACE) 억제제, 페니실린, 돼지풀
  - 약물: 트리멕, 메토프롤롤, 심발타, 메타돈
  - 과거 병력: 사람면역결핍바이러스(HIV), 고혈압, 정맥 라인으로 약물 사용 이력, 메타돈 요법 준수 × 3개월, 우울증, 만성 요통
  - 환자는 2시간 전에 보호소에서 간단한 저녁을 먹었다.
  - 환자가 2주 동안 상태가 더 나빠졌으며 가벼운 운동으로 증상이 악화하였다. 그녀는 다시 보호소로 돌아갈 수 없을 것 같은 느낌이 들었고 가슴 압박감이 악화하면서 119에 도움을 요청하였다.
  - 위험 요소: 노숙자, 사람면역결핍바이러스 감염 여부, 정맥 라인으로 약물 사용 이력
- 현재 가지고 있는 정보를 바탕으로 어떤 감별 진단을 고려하고 있는가?
- 감별 진단 범위를 좁히기 위해 추가로 필요한 과거 병력 및 신체검사 정보는 무엇인가?
- 환자 처치를 계속할 때 초기 처치의 우선순위는 무엇인가?
- 이 환자를 처치하는 동안 혈액이나 체액에 노출되면 감염 위험을 어떻게 줄일 수 있는가?

세계화와 한때 근절된 것으로 여겨졌던 질병의 재발로 인해 감염 및 전염성 질병의 발생률이 증가하고 있다. 처치 제공자는 환자와 그들의 환경을 평가할 때 질병 전파 위험에 대한 인식을 유지한다. 도움 요청을 받고 출동할 때 EMS는 일반적으로 통제되지 않은 환경에 도착한다. 전염병의 전파는 기숙사, 군부대, 대피소 및 교도소와 같이 사람들이 밀접한 공간에 함께 생활하는 상황에서 더 쉽게 발생할 수 있다. 처치 제공자는 환자가 전염병에 걸렸다는 사실을 모를 수 있으므로 처치 제공자가 환자를 처치할 때마다 위험 평가를 수행하는 것이 중요하다. 현장에 도착하기 전 출동 관련 정보는 잠재적인 감염 상태의 존재에 대한 단서를 제공하고 적절한 예방 조치를 신속하게 고려할 수 있다.

그러나 도움을 요청하는 모든 사람에게 가능한 한 최선의 처치를 제공해야 하는 의무로 인해 주의가 완화되어야 한다. 질병의 이환 과정에 대한 기본적인 지식을 알고 감염 유기체의 전염 가능성을 이해하며 표준 예방조치를 준수하면 처치 제공자는 과도한 위험 없이 처치를 시행할 수 있다.

감염 및 전염병

감염병은 박테리아, 바이러스, 균류, 기생충 및 드물게는 프리온이라고 하는 단백질 사슬과 같은 병원성 유기체에 의해 유발되는 질병이다. 일반적인 감기나 위장관 바이러스와 같은 대부분 전염병은 건강한 환자에게 생명을 위협하지 않는다. 전염병은 사람에게서 사람으로 전염될 수 있는 질병으로 구성된 감염병 일부이며 이는 처치 제공자에게 잠재적인 위협이 된다. 모든 감염병이 사람 대 사람으로 직접 전염되는 것은 아니다. 감염병은 몇 가지 특정 기전에 의해 전파된다.

- **접촉 전파**: 감염된 환자를 만지는 직접적인 접촉은 짧은 시간일 수 있다. 감기 대부분은 일상적인 직접 접촉을 통해 전염되는 것으로 생각된다. 매독이나 임질과 같은 감염은 주로 직접적인 성적 접촉 때문에 전염된다. 직접 접촉에는 오염된 바늘이나 다른 날카로운 도구에 의해 찔림이나 한 환자에서 다른 환자로 오염된 혈액 제제를 수혈하는 것도 포함된다. 간접 접촉은 감염을 옮기는 물체를 만지거나 취급하거나 다른 사람의 배설물에서 나온 병원체에 오염된 사람과 접촉함으로써 발생한다. 간접 전파가 발생하면 유기체는 인간 숙주 외부에서 적어도 짧은 기간 동안 생존한다.
- **비말 전파**: 전염병의 비말 감염은 약 1~2m만 이동할 수 있는 감염된 사람의 비말이 가까운 사람과 사람이 접촉(예: 키스, 포옹 또는 기타 접촉)하는 동안 퍼질 때 발생한다. 음식이나 음료수를 공유하여 먹는 것 또는 약 1m 이내의 사람과 이야기하는 것, 공기 중 전파와 달리 비말 전파를 통해 전달되는 입자는 더 크고 멀리 이동하지 않는다. 무거운 입자는 에어로졸화 되지 않으므로 상당한 시간 동안 공기 중에 떠 있을 수 없다. 비말 전파에 의해 전염되는 질병에 대한 노출은 환자의 코 분비물과 직접 접촉하는 것으로 정의되며 이는 예를 들어 보호 장비를 착용하지 않고 입 대 입 인공호흡, 흡인 또는 기관내삽관 중에 얼굴 보호 장비 없이 삽관을 시행하는 입안의 분비물과의 직접 접촉으로 발생할 수 있다.
- **공기 전파**: 전염성 폐 질환의 일반적인 전염은 공기 중 병원체의 흡인을 통해 발생한다. 이 감염성 입자의 증기는 오랫동안 공기 중에 부유한 상태로 있을 수 있으며 오염원으로부터 멀리 떨어진 위치로 이동할 수 있다. 면역 체계가 손상된 환자와 인구 밀도가 높은 지역에 거주하고 일하는 사람은 이러한 유형의 질병이 걸릴 위험이 있다. 처치 제공자는 이러한 유형의 질병의 잠재적 위험에 대한 경계심을 유지하고 적절한 개인보호장비(PPE)와 환기 시설(예: 음압실)을 활용한다.
- **매개 전파**: 매개체는 유기체에 무해하지만 인간 숙주에 질병을 일으키는 병원균을 보유하고 있는 유기체이다. 예를 들어, 웨스트나일바이러스에 감염된 모기가 민감한 사람을 물면 질병을 전염시킬 수 있다.

감염 통제는 항상 숙련된 평가를 통한 조기 인식에 중점을 둔다. 처치 제공자는 환자를 처치하는 동안 감염 위험으로부터 자신과 다른 사람을 보호할 의무가 있다. 전염성 질환을 앓고 있는 환자를 처치할 때는 항상 질병 과정이 감염된 환자뿐만 아니라 지역 사회에 미치는 영향을 고려한다. 다음과 같은 간단한 예방 조치함으로써 전염의 위험을 제한할 수 있다.

- 예방접종을 받는다.
- 감염병의 증상과 징후, 전염 방식에 맞는 개인보호장비(PPE)를 착용한다.
- 노출 후 의료 보고 및 후속 조치를 따른다.
- 일반적인 질병의 진행에 대한 폭넓은 이해와 환자가 처치를 원하는 조건에 대한 지원 관리를 권장한다.

감염원

세균

세균은 물, 인체 내부, 유기물, 무기물 표면 또는 물체(포미트)에 서식하는 단세포 미생물이다. 항생제는 대부분의 세균 감염에 효과적이지만 항생제 내성에 대한 문제가 증가하고 있다. 결핵과 흑사병을 일으키는 것과 같은 유산소균은 산소가 있어야만 생존할 수 있다. 그러나 보툴리누스 중독과 파상풍을 일으키는 클로스트리듐 균주와 같은 무산소균은 산소 없이도 세포 기능을 수행한다.

대부분의 세균은 놀라울 정도로 까다로워 성장, 번식 및 번성하기 위해 특정 조건이 필요하다. 예를 들어, 특정 세균은 좁은 온도 범위에 국한되어야 하며 생존을 위해 특정 영양소를 공급받아야 한다.

바이러스

가장 작은 질병 인자 중 하나인 바이러스는 숙주의 살아있는 세포 내에서 성장하고 증식한다. 바이러스는 일반적으로 감기와 같은 경미한 질병이나 후천면역결핍증후군(AIDS) 및 천연두와 같은 생명을 위협하는 질병을 유발할 수 있다.

대부분의 바이러스 질병을 처치하기 위해서는 지지 요법만 필요하다. 일반적으로 바이러스는 항생제에 취약하지 않다. 항바이러스제가 공식화되었으며 치명적인 바이러스 감염을 예방하거나 증상의 중증도를 완화하고 질병의 기간을 줄이기 위해 더 많은 백신이 개발되고 있다.

균류

균류(곰팡이)는 식물과 유사한 미생물로 대부분 병원성이 없다. 효모, 곰팡이, 흰곰팡이와 버섯은 균류의 일종이다. 인간에게 특히 중요한 것과 그로 인한 질병은 다음과 같다.

- 피부사상균(백선이라고도 하는 전신 백선과 같은 피부 감염)
- 아스페르길루스 종(누룩곰팡이) 종(폐 아스페르길루스증 및 외이, 부비동 및 피부밑 조직의 감염)
- 피부염분아균(피부 및 피부밑 조직의 농양을 유발하는 분아 진균)
- 히스토플라스마 캡슐라툼(히스토플라스마증)
- 칸디다종(질 칸디다증 및 구강 칸디다증, 아구창이라고도 함)

이러한 감염의 대부분을 처치하기 위해 항진균제가 개발되었다.

기생충

기생충은 선진국에서 여전히 발견되지만, 일반적으로 개발도상국에서 위생이 좋지 않은 질병의 흔한 원인이다. 바이러스와 달리 기생충은 살아있는 유기체이다. 그러나 바이러스와 마찬가지로 생존하고 번식하기 위해서는 살아있는 숙주가 있어야 한다. 기생충은 숙주 내부 또는 숙주 위에서 살면서 숙주를 먹거나 숙주가 공급하는 영양분의 일부를 소비한다.

기생충에 따라 자극과 감염은 국소적이거나 전신적일 수 있다. 처치는 자극적인 증상을 완화할 뿐만 아니라 발달 중인 알과 살아있는 기생충을 박멸하는 약제에 중점을 둔다. 두드러기 완화하기 위해 항히스타민제를 처방할 수 있다. 살충제, 아세틸콜린에스터라제 억제제, 쥐약, 살충제가 효과적일 수 있다.

감염 과정의 단계

질병의 진행은 병원체 용량(존재하는 유기체의 수), 유기체의 독성 및 숙주의 감수성에 따라 크게 달라진다. 감염이 일어나기 위해서는 몇 가지 조건이 충족되어야 한다.

감염 통제의 핵심 개념은 병원체에 대한 노출이 감염과 동일하지 않다는 것이다. 이는 단순히 병원체가 숙주에 들어갔다는 것을 의미한다. 감염 여부는 앞에서 설명한 요인에 따라 다르다. C형 간염이 이 규칙의 한 가지 예외임에도 불구하고 노출 후 예방은 감염의 가능성을 감소시킬 수 있다.

전염병은 잠복기, 배양기, 전염성 기간 및 질병 기간(표 8-1)과 같이 전염 과정의 구성 요소를 식별하는 단계 또는 기간이 있다.

잠복기

잠복기는 병원체가 피부나 산성 점액 분비물과 같은 숙주의 가장 바깥쪽 방어막을 피해 몸속으로 들어가면서 시작된다. 이 기간에 감염은 전염성이 없으며 증상이 나타나지 않는다. 이 기간은 몇 달 또는 몇 년 동안 지속할 수도 있고 하루처럼 짧을 수도 있다. 이 잠복기는 잠복 감염이나 잠복 질병과 동일하지 않다. 잠복 감염은 비활성이지만 미래의 어느 시점에 증상이 나타날 수 있는 전염성이 있는 감염이고 잠복 질병은 증상과 징후가 악화할 때 발생한다고 한다. 헤르페스바이러스 군은 종종 잠복기에 들어가는 병원체의 한 예이다. 이 단계에서 증상이 사라지고 병원균이 재활성화되면 다시 나타난다.

표 8-1. 감염 과정의 구성 요소

단계	시작	끝
잠복기	침입으로 시작	병원체를 제거할 수 있는 경우
배양기	침입으로 시작	질병의 과정이 시작할 때
전염성 기간	잠복기가 끝나면	병원체가 존재하고 다른 사람에게 전파할 수 있는 한 계속됨
질병 기간	배양기를 따름	다양한 지속 시간

배양기

배양기는 병원체에 노출된 후 증상이 나타나기까지의 간격이다. 잠복기의 길이와 마찬가지로 배양기는 유기체에 따라 다르며 몇 시간에서 몇 년까지 다양하다. 배양기 동안에 병원체는 숙주에서 번식하여 신체의 면역체계를 동원하여 특정 질병 항체를 생성한다. 이 시점에서 항체가 검출할 수 있는 수준에 도달하고 감염된 사람의 혈액이 병원체 노출에 대해 양성 반응을 나타내기 시작하는 것을 의미하는 혈청 전환이 발생할 수 있다. 감염 후 혈액에서 질병의 특이 항체가 검출되지 않는 기간이 생길 수 있다.

전염성 기간

전염성 기간은 잠복기를 따른다. 이 단계는 병원체가 체내에 남아 있고 다른 사람에게 퍼질 수 있는 한 지속한다. 이 기간은 다양하며 독성, 전염되는 유기체의 수, 전염 방법 및 숙주의 저항력에 따라 다르다. 노출 전 개인의 나이와 일반적인 건강 상태는 감염병에 걸릴 위험 요소와 민감성에 영향을 미친다.

질병 기간

질병의 기간은 배양기를 따르며 기간은 특정 병원체에 따라 다르다. 이 단계는 증상이 없거나 피부 병변이나 기침과 같은 명백한 증상을 유발할 수 있다. 신체는 결국 병원체를 파괴하여 질병을 제거할 수 있다. 그러나 일부 집요한 병원체는 면역 체계가 최선의 노력을 다했음에도 불구하고 새로운 환경에서 제거할 수 없다. 병원체는 잠깐 잠복해 잠복 감염을 일으킬 수 있지만, 사람면역결핍바이러스(HIV) 및 헤르페스바이러스와 같은 병원체는 감염이 발생하면 무기한으로 체내에 남아 있다.

공중 보건 및 안전 규정

공중 보건 및 안전 시스템은 교육, 질병 감소, 감시, 위생 및 오염 통제를 통해 인구의 일반적인 건강을 보장할 책임이 있다. 공중 보건의 중요한 부분은 인구에서 질병의 원인, 분포 및 통제를 연구하는 의학 분야의 역학이다. 응용 역학은 또한 공중 보건 공무원이 감염병 확산 추세를 확인하고 예방하거나 통제하는 데 도움이 된다.

공중 보건을 보호하는 것은 다음과 같이 구성된 다각적인 과정이다.

- 예방접종 프로그램 수립 등 예방조치 시행
- 깨끗한 음식, 공기, 물 확보와 같은 건강과 관련된 환경 문제를 감독
- 금연 및 비만 감소 프로그램과 같은 교육 활동 추구

기관들

지역 차원에서 소방서, EMS 제공자와 정부 기관, 보건 관련 부서, 의료 시설과 연구소를 포함한 기관은 질병 감시, 발병 확인 및 전염병 계획의 첫 번째 방어선이 된다. 지역 기관은 또한 질병 및 손상과 관련된 자료를 수집하고 공유함으로써 발생률을 줄이고 감염병 확산을 방지하기 위한 노력을 지원한다. 인종, 나이, 성별 및 민족에 따라 구성하고 지역 사회 교육과 같은 우선적인 활동을 구현한다.

국제적 차원에서 세계보건기구(WHO)는 세계 보건 문제에 대한 리더십과 보건 연구에 대한 기술 및 물류 지원을 제공함으로써 유엔 회원국을 위한 전 세계 질병 예방 노력을 조정한다. 세계보건기구는 또한 건강 경향과 관련된 증거 기반 표준을 수립한다. 많은 국가에서 감염병 발병률을 모니터링하고 치료 기준을 제공하는 자체 기관이 있다. 이것에 지역 및 지자체 기관도 참여할 수 있다. 미국의 질병통제예방센터(CDC)는 보건복지부 및 노동성 산하 직업안전위생국(OSHA)과 같은 다른 기관과 함께 이러한 지침을 제공한다.

미국의 특정 요구사항

미국에서는 국가 차원의 공중 보건 및 안전 계획이 주로 보건복지부에 의해 수행된다. 다음 기관은 후원으로 운영된다.

- 조지아주 애틀랜타에 있는 미국 질병통제예방센터는 감염병과 관련된 이환율과 사망률을 추적하고 예방하는 책임이 있는 최고 국가 기관이다. 국제 의료계에서 가장 눈에 띄는 역학 기관이다. 질병통제예방센터는 국가 감염병 데이터를 모니터링하고 이 정보를 인터넷(www.cdc.gov)과 이환율 및 사망률 주간 보고서(MMWR) 및 신종감염병과 같은 간행물을 통해 모든 의료제공자와 지역 사회에 배포한다.
- 공중보건국(OSG)은 미국 공중보건 서비스를 감독하고 아동 예방 접종을 홍보하는 것과 같은 위험 활동을 주도한다. 생물 테러 공격에 대한 대중의 준비를 보장하고 다양한 인종,

민족 및 사회 경제적인 환자 집단 간의 감염 질병 발생률 및 치료 접근성의 불균형을 해결한다.

- 미국 식품의약국(FDA)은 유치 카테터와 같은 감염성 질병의 전파와 관련된 것을 포함하여 처방전 및 처방전 없이 구매할 수 있는 의약품과 의료 기기의 안전을 보장할 책임이 있다.

또한 국토 안보부의 미국 연방재난관리청(FEMA)은 질병 예방 대응본부(ASPR), 공중보건국(OGS) 및 기타 기관과 협력하여 다양한 질병의 발생을 일으키는 허리케인, 지진 및 기타 자연 재난에 대한 비상사태 대비를 조정한다. 감염병은 홍수, 하수관 파손 및 대피소의 혼잡한 생활 조건과 관련이 있다.

표준, 지침 및 규정

노동성의 직업 안전위생국(OSHA)은 작업장에서의 감염 통제 관행과 관련된 준수, 집행, 검사, 추적 및 보고를 감독한다. 이 기관은 공기매개 및 혈액 매개 병원체의 전염을 방지하기 위한 지침을 수립하고 직업 환경에서 사용하기 위한 노출 후 프로토콜을 개발한다. 직업안전위생국 표준 1910.120은 주어진 직업 환경에서 사용할 수 있는 개인보호장비(PPE)를 지정하고 직원이 정상적인 업무 과정에서 발생할 수 있는 위험으로부터 자신을 보호할 수 있도록 교육한다.

의료 종사자에게 가장 중요한 직업 안전위생국 규정 중 하나는 29 CFR 1910.1030으로 혈액 또는 기타 잠재적으로 전염성이 있는 물질과 눈, 입 및 기타 점막과의 비경구적 접촉을 통해 혈액 매개 병원체의 전염으로 정의되는 노출 사고의 수를 줄이기 위한 것이다.

1990년 미국 의회를 통과되고 2009년 9월에 재조정된 라이언 화이트 법안은 법의 파트 G를 구성한다. 여기에는 각 비상대응 기관에 노출 발생 시 통보받든 감염관리 책임자를 지정하도록 하는 조항이 포함되어 있다. 지정된 감염 관리 담당자는 노출된 직원과 의료기관 사이의 연락 담당자 역할을 하여 적절한 통보와 검사 및 보고가 이뤄질 수 있도록 한다.

예방 접종 일정

권장 예방 접종 일정은 미국 질병통제예방센터에서 얻을 수 있다. 2018년 성인 예방 접종 일정은 그림 8-1을 참조한다. 2018년 10월 식품의약국은 사람유두종바이러스(HPV) 9가 백신 재조합에 대한 추가 신청을 승인하여 27세에서 45세 사이의 여성과 남성을 포함하도록 승인된 백신 사용을 확대했다.

직업 안전위생국 혈액 매개 병원체 표준

혈액 매개 병원체(29 CFR 1910.1030) 및 개인보호장비(29 CFR 1910 Subpart Ⅰ)에 대한 직업 안전위생국 표준은 고용주가 근로자를 감염원에 대한 직업적 노출로부터 보호할 것을 요구한다. 이 기준은 작업자가 직업상 사람의 혈액 또는 기타 감염 가능성이 있는 물질(OPIM)에 노출된 경우에 적용된다.

1991년 이후 직업 안전위생국이 의료 인력을 혈액 노출로부터 의료인을 보호하기 위해 혈액 매개 병원체(BBP) 표준을 처음 발표했을 때 규제 및 입법 활동의 초점은 공학적 통제를 개발하고 사용하여 날카로운 위험을 제거하는 것을 포함하여 그러한 통제 조치를 시행하는 데 있었다.

혈액 매개 병원체 표준 및 질병통제예방센터의 권장 표준 예방 조치에는 모두 글러브, 가운, 마스크 및 눈을 보호할 수 있는 개인보호장비가 포함된다.

1991년부터 각 소방/구조 부서는 이러한 문제를 해결하기 위한 종합적인 계획을 수립해야 하며 노출 관리 계획은 표 8-2에 요약되어 있다.

표 8-2. 기관의 노출 통제 계획의 구성요소

- 건강 유지 및 감시를 위한 정책
- 감염 관리 책임자를 지정하여 기관과 의료기관 간의 연락을 담당
- 병원체에 노출 위험이 존재할 때의 작업 기능 확인
- 의료 종사자의 개인보호장비의 사용 및 개인보호장비 가용성에 대한 정책
- 노출을 확인하고 평가하기 위한 절차와 노출 후 상담, 치료 및 문서화를 위한 절차(이언 화이트 법의 파트 G에서 요구)
- 직원의 오염 제거 및 장비 소독과 보관을 위한 효과적인 계획
- 질병 전파, 세척 및 소독 절차, 개인보호장비 사용 및 예방 접종 목적에 관한 교육
- 의료 폐기물 규정 준수 단계
- 지침 준수 모니터링 전략
- 기록 보관 정책 및 절차

표 1 2019년 미국 건강 상태 및 기타 징후에 따른 성인 권장 예방 접종 일정

백신	19~21세	22~26세	27~49세	50~64세	≥ 65세
Influenza inactivated (IIV) or **Influenza recombinant** (RIV) 또는 **Influenza live attenuated** (LAIV)	연 1회 또는 연 1회				
Tetanus, diphtheria, pertussis (Tdap or Td)	10년마다 Tdap 및 Td 1회 추가 투여				
Measles, mumps, rubella (MMR)	적응증에 따라 1회 또는 2회 접종(1957년 이후 출생자)				
Varicella (VAR)	2회 접종(1980년 이후 출생자)				
Zoster recombinant (RZV) *(preferred)* 또는 **Zoster live** (ZVL)				2회 또는 1회	
Human papillomavirus (HPV) **여성**	초기 접종 시 연령에 따라 2~3회 접종				
Human papillomavirus (HPV) **남성**	초기 접종 시 연령에 따라 2~3회 접종				
Pneumococcal conjugate (PCV13)					1회
Pneumococcal polysaccharide (PPSV23)	적응증에 따라 1회 또는 2회 접종				1회
Hepatitis A (HepA)	백신에 따라 2~3회 접종				
Hepatitis B (HepB)	백신에 따라 2~3회 접종				
Meningococcal A, C, W, Y (MenACWY)	적응증에 따라 1~2회 접종 후 5년마다 추가 접종				
Meningococcal B (MenB)	백신 및 적응증에 따라 2~회 접종				
***Haemophilus influenzae* type b** (Hib)	적응증에 따라 1회 또는 3회 투여				

- 연령 요건을 충족하거나 예방 접종 기록이 없거나 과거 감염의 증거가 부족한 성인에게 권장되는 예방 접종
- 추가 위험 인자 또는 다른 징후가 있는 성인을 위해 권장되는 예방 접종
- 권고사항 없음

그림 8-1. 성인 예방 접종 일정

Recommended Adult Immunization Schedule for ages 19 years or older, Centers for Disease Control and Prevention, Retrieved from https://www.cdc.gov/vaccines/schedules/downloads/adult/adult-combined-schedule.pdf

표 2 2019년 미국 건강 상태 및 기타 징후에 따른 성인 권장 예방 접종 일정

백신	임신	면역저하 (HIV 감염 제외)	HIV 감염 CD4 수 <200	HIV 감염 CD4 수 ≥200	무기력증, 보체 결손증	혈액 투석 중 말기 신장 질환	심장 또는 폐 질환, 알코올 중독[1]	만성 간질환자	당뇨병	의료 종사자[2]	남자와 성관계 하는 남자
IIV or RIV	연 1회										
또는 LAIV	금기					예방법					
Tdap or Td	각 임신마다 1회 복용 Tdap	Tdap 1회 투여 후 10년마다 Td 추가 투여									
MMR	금기			적응증에 따라 1회 또는 2회 투여							
VAR	금기			2회							
RZV (*preferred*)	지연				2회 접종 ≥ 50세						
또는 ZVL	금기				1회 접종 ≥ 60세						
HPV 여성	지연	26세까지 3회 접종			26세까지 2~3회 접종						
HPV 남성		26세까지 3회 접종			21세까지 2~3회 접종						26세까지 2~3회 접종
PCV13		1회									
PPSV23		연령 및 적응증에 따라 1, 2 또는 3회 접종									
HepA	백신에 따라 2~3회 접종										
HepB	백신에 따라 2~3회 접종										
MenACWY	적응증에 따라 1~2회 접종 후 5년마다 추가 접종										
MenB	예방법	백신 및 적응증에 따라 2~3회 접종									
Hib		HSCT[3] 받은 자만 3회 접종	1회								

- 연령 요건을 충족하거나 예방 접종 기록이 없거나 과거 감염의 증거가 부족한 성인에게 권장되는 예방 접종
- 추가 위험 인자 또는 다른 징후가 있는 성인에 위한 권장 예방 접종
- 예방 조치 – 보호의 이점이 부작용의 위험을 능가하는 경우 백신을 접종할 수 있음
- 예방 접종이 필요한 경우 임신 후까지 예방 접종 연기
- 금기 – 심각한 부작용의 위험이 있으므로 백신을 투여해서는 안 됨
- 권고사항 없음

1. LAIV에 대한 예방 조치는 알코올 중독에 적용되지 않는다. 2. 인플루엔자, B형 간염, 홍역, 유행성 이하선염 및 풍진 그리고 수두 예방 접종에 대한 참고 사항을 참고한다. 3. 조혈모세포 이식.

그림 8-1. 성인 예방 접종 일정 (계속)

감염 관리

표준 예방 조치

고용주와 근로자는 감염 통제에 대한 다음과 같은 접근 방식에 익숙해야 하며 혈액 및 체액에 대한 노출을 보호하기 위해 설계된 예방 조치를 알고 있어야 한다.

- 보편적 지침: 1980년대에 권장되었으며 모든 혈액 및 체액을 감염성으로 알려진 것처럼 취급하는 접근 방식이다.
- 표준 지침: 질병통제예방센터의 1996년 병원 격리 예방 지침에 도입된 이 감염 통제 접근 방식은 보편적 지침에 추가되었다. 표준 지침에는 손 위생, 예상 노출에 근거한 특정 유형 또는 수준의 개인보호장비 사용, 안전한 주사 관행, 오염된 환자 환경 및 오염된 장비의 안전한 관리가 포함된다.
- 전염 기반 지침: 접촉, 비말 및 공기 중 전염병에 대한 전염을 차단하기 위한 추가적인 통제로 이러한 지침은 환자에 대해 알려지거나 의심되는 사항을 기반으로 적용된다.

개인보호장비를 사용하는 것 외에도 안전한 작업 관행은 노출로부터 점막과 손상되지 않은 피부를 보호하는 데 도움이 될 수 있다. 여기에는 오염될 수 있는 글러브를 낀 손과 글러브를 끼지 않은 손으로 입, 코, 눈 또는 얼굴을 만지지 않게 하는 것과 환자로부터의 비말과 분무가 당신의 얼굴에 튀지 않도록 위치하는 것이 포함된다. 환자와 직접 접촉하기 전에 적절한 개인보호장비를 선택하는 것은 사용 중 개인보호장비를 다시 조절하지 않게하여 얼굴이나 점막이 오염될 가능성을 줄이고 환자와 접촉하기 전에 글러브를 오염시킬 가능성을 줄일 수 있다. 소생술의 필요성을 예측할 수 없는 지역에서는 마우스피스, 일방향 밸브가 있는 포켓마스크 및 기타 환기 장치는 입 대 입 인공호흡의 대안으로 사용하여 환자의 입안 및 호흡기 분비물에 처치 자의 코와 입이 노출되는 것을 방지한다.

주삿바늘 찔림

2000년 11월에 법으로 제정된 연방 주삿바늘 안전 및 예방법은 직업 안전위생국이 혈액 매개 병원체 표준을 개정하여 안전공학 날카로운 장치의 사용을 더욱 명시적으로 요구하도록 승인했다.

바늘에 찔린 후 감염 위험은 관련된 병원체, 면역 상태, 바늘에 찔린 손상의 심각성, 원인 환자의 순환 바이러스의 양, 적절한 노출 후 예방 조치의 이용 가용성 및 사용에 따라 달라진다.

2000년 바늘 찔리면 안전 및 예방법이 통과됨에 따라 자체 개폐 정맥 라인 확보 카테터 바늘, 바늘 없는 정맥 라인 튜브, 재삽입 메스 및 약물 투여용 안전 주사기를 비롯한 많은 공학적 제어 장치가 개발되었다. 직업 안전위생국은 날카로운 물건 및 기타 폐기 용기나 사용 장소에서 쉽게 접근할 수 있도록 요구한다.

날카로운 것에 의한 손상 방지

날카로운 것에 의한 손상은 B형 및 C형 간염 바이러스(HBV, HCV) 및 HIV가 의료진에게 전파되는 것과 관련이 있다. 날카로운 것에 의한 부상의 예방은 항상 표준 예방 조치의 필수 요소였다. 바늘 및 기타 날카로운 장치는 절차 중 또는 후에 장치를 접할 수 있는 사용자 및 다른 사람의 손상을 방지할 수 있는 방식으로 다루어야 한다.

장비 세척

질병통제예방센터 지침에 따라 오염된 장비의 오염을 제거한다.

특별한 고려 사항

메티실린 내성 황색포도상구균(MRSA)과 반코마이신 내성 장구균(VRE) 환자는 미국 장애인 법에 따라 보호를 받을 수 있으므로 일부에서는 차별적이라고 생각할 수 있는 불필요한 개인보호장비를 사용하여 세심함을 발휘하는 것이 중요하다.

부서 구성원은 전년도 질병, 기술, 장비 개조, 부서 노출률 및 감염병 및 결핵(TB) 환자 접촉 건수에 대한 새로운 정보를 매년 업데이트 한다. 이 정보는 적절한 관점에서 위험을 제기하는 역할을 한다. 질병 전염의 위험은 존재하지만, 의료제공자가 적절한 보호 조치를 취한 경우 위험은 감소한다. 직업 안전위생국은 이러한 위험 감소 및 교육 요구 사항을 알 권리문제로 규정했다.

의료제공자의 책임

고용주는 직무를 수행하는 동안 직원을 보호하기 위한 구체적인 정책과 절차를 수립한다. 그러나 직원과 자원봉사자들은 자신을 보호하는 행동을 한다. 직원의 자기 보호책임에는 다음과 같은 내용이 포함된다.

- 예방 접종/예방 접종 프로그램 참여를 충분히 고려
- 필수 교육 및 훈련 프로그램 참석
- 개인보호장비의 올바른 사용
- 신속한 노출 보고
- 부서의 노출 통제 계획의 모든 측면을 준수

손 씻기

감염원의 전파를 예방하는 가장 좋은 방법은 가장 기본적인 방법인 효과적인 손 씻기이다. 어떤 장벽도 100% 효과적이지 않기 때문에 각 환자를 처치하기 전과 후에 그리고 글러브를 벗은 후에는 손을 씻어야 한다. 심한 오염이 보이지 않거나 기존의 비누와 물을 사용할 수 없는 경우 알코올 기반 항균 제품은 사용할 수 있다.

개인보호장비

보호 장벽은 병원균의 침입을 막기 위한 두 번째 방어선을 제공한다. 이러한 장벽에는 글러브, 가운, 마스크 및 기타 보호안경, 날카로운 물건을 담을 용기 그리고 주삿바늘 찔림을 제한하는 기술적 통제 장치가 포함된다. 글러브는 손의 오염을 줄이지만 주삿바늘이나 다른 날카로운 물체로 인한 찔림 손상을 예방하지 못한다. 가운은 술기 절차 및 환자 처치 중에 의복과 접촉 및 피부가 체액과 접촉하는 것을 방지한다. 마스크, 얼굴 가리개 및 기타 보호안경은 눈, 코 및 입의 점막이 오염될 가능성을 줄인다.

개인보호장비의 선택은 작업에 따라 다르며(표 8-3) 프로토콜, 정책 및 절차를 따라야 한다.

청소 및 오염 제거 절차

게시된 지침과 현지 요구 사항에 따라 감염된 장비의 오염을 제거한다. 장비의 오염 제거는 지정된 구역에서만 수행한다. 각 구역에는 적절한 환기 시스템과 적절한 배수 시설이 있어야 한다. 제공자는 항상 글러브를 착용하고 유니폼이 오염될 수 있는 경우 가운을 착용하며 장비의 오염을 제거할 때 혈액 또는 기타 감염 가능성이 있는 물질이 튈 수 있는 경우 보호안경 또는 얼굴 가리개를 착용한다.

비누와 다량의 물로 심한 먼지와 파편을 제거하여 오염을 제거한 후 적절하게 소독한다. 각 장비에 대한 제조업체의 권장 사항을 따르는 것이 중요하다.

노출 후 절차

근무 중 감염성 질병이나 전염병에 노출되면 프로토콜에 따라 바로 관리자에게 보고하고 조직 검사 절차 및 가능한 예방 또는 경험적 치료 절차를 따른다. 환자 처치는 적절하게 계속되어야 한다. 손 씻기와 오염된 물건의 적절한 처리는 계속되어야 한다.

유행병 및 세계적 유행

풍토병은 헤르페스 또는 수두와 같이 시간이 지남에 따라 주어진 기준 수준에서 지역 사회에 존재하는 질병이다.

유행병은 감염된 여행자와 같이 외부 원인에 의해 질병이 새로운 지역 사회로 유입되었기 때문에 또는 병원체(이 경우에는 세균 또는 바이러스)가 면역 체계를 회피하거나 더 독성이 있는 방식으로 돌연변이를 일으켰기 때문에 지역 사회 또는 지역의 일반적인 수보다 많은 사람이 동일한 질병에 걸리는 질병 발생이다. 일부 유행병은 사람면역결핍바이러스(HIV) 및 중증급성호흡증후군(SARS)과 같이 완전히 새로운 질병이 발생할 때 발생합니다. 다른 것들은 신종 인플루엔자 A 변종 H1N1과 H5N1의 경우와 같이 오래된 질병의 새로운 버전이 다시 나타날 때 시작된다.

1918년 치명적인 인플루엔자 세계적 유행은 전 세계를 휩쓸었던 감염병이다. 예상할 수 있듯이 세계적 유행은 일반적으로 많은 사망자를 초래한다. 유행병과 마찬가지로 세계적 유행은 천연두나 가래톳 흑사병과 같은 오래된 질병이나 새로운 질병이나 새로운 형태의 오래된 질병의 발생으로 인해 발생할 수 있다.

세계적 유행의 원인이 치명적인 새로운 병원체 또는 새로운 형태의 유해한 오래된 병원체인 경우 질병에 대한 내성을 갖게 하는 항체가 있는 사람은 극소수에 불과하다. 결과적으로 효과적인 예방 전략이 신속하게 개발되고 실행되지 않는 한 질병 및 사망률은 치명적일 수 있다. 예방 접종은 종종 효과적인 예방 전략이지만, 백신을 개발하고 인간에 대한 안전성과 효능을 보장하는 것은 오래 걸리는 과정이다. 예방 접종의 목적은 백신을 접종받은 건강한 개인의 질병에 걸리는 것을 예방하기 위해 오래가는 방어 면역 반응을 유도하는 것이다. 진화하는 기술로 인해 새로운 백신을 개발하고 제조 및 배포에 필요한 시간은 단축하기 시작했다.

표 8-3. 병원 전 환경에서 처치 제공자를 사람면역결핍바이러스 및 간염바이러스 감염으로부터 보호하기 위해 권장되는 개인보호장비의 예

작업 또는 활동	일회용 글러브	가운	마스크	보호안경
분출되는 출혈 조절	예	예	예	예
최소한의 출혈로 출혈 조절	예	아니오	아니오	아니오
응급 출산	예	예	예, 튀는 가능성이 있는 경우	예, 튀는 가능성이 있는 경우
헌혈 운동	특정한 경우+	아니오	아니오	아니오
정맥 내(IV) 주사 시작	예	아니오	아니오	아니오
기관내삽관, 성문외기도기 삽입	예	아니오	아니오, 튀는 경우가 아니라면	아니오, 튀는 경우가 아니라면
입안 흡인, 코안 흡인, 수동으로 기도내 이물질 제거	예+ +	아니오	아니오, 튀는 경우가 아니라면	아니오, 튀는 경우가 아니라면
미생물에 오염된 기기 취급 및 세척	예	아니요, 오염될 가능성이 있는 경우가 아니면	아니오	아니오
혈압 측정	아니오	아니오	아니오	아니오
체온 측정	아니오	아니오	아니오	아니오
주사	예	아니오	아니오	아니오

HBC, Hepatitis B virus; HIV, human immunodeficiency virus.

* 이 표에 제공된 예는 일반적으로 표준예방조치라고 하는 보편적인 예방 조치의 적용을 기반으로 한다. 보편적인 예방 조치는 손의 심한 미생물 오염(예: 소변 또는 대변의 접촉)을 방지하기 위해 손 씻기 및 글러브 사용과 같은 일상적인 감염 관리에 대한 권장 사항을 대체하기보다는 보완하기 위한 것이다.

+ 혈액 또는 기타 감염 가능성이 있는 물질과 손이 닿을 것으로 예상할 수 있는 작업을 수행할 때는 글러브를 착용한다.

++ 혈액이 존재하지 않으면 사람면역결핍바이러스 또는 B형간염바이러스 전염을 예방하는 데 분명히 필요한 것은 아니지만 다른 인자(예: 단순포진)의 전염을 방지하기 위해 글러브를 착용하는 것이 좋다.

Department of Health and Human Services(NIOSH), Centers for Disease Control and Prevention, Guidelines for Prevention of Transmission of HIV and HBV to Health Care and Public-Safety Workers, Morbid Mortal Weekly Rep(MMWR), Vol 38, No. S-6, June 23, 1989. http://wonder.cdc.gov/wonder/prevguid/p0000114/p0000114.asp

AMLS 평가 과정 ▶▶▶▶

▼ 초기 관찰

감염성 질환이 의심되는 환자에 대한 AMLS 평가 과정은 관련 응급 상황을 진단하고 처치하기 위한 철저하고 포괄적이며 효율적인 접근 방법에 달려 있다.

현장 안전 고려 사항

모든 환자를 평가할 때 처치 제공자는 환자에서 처치 제공자뿐만 아니라 처치 제공자에서 환자로 감염병의 전파 위험에 대한 예리한 인식을 유지한다. 적절한 개인보호장비(PPE) 및 기타 감염 대응 전략 선택하여 질병 전염 위험을 최소화하기 위해 적절한 예방 조치를 따라야 한다.

환자의 기본적인 표현/주요호소증상

환자와 현장 및 상황을 평가하기 시작할 때 환자의 증상과 징후의 특성과 심각성을 감염 과정의 가능한 존재에 대한 단서로 기록한다. 일반적인 주요호소증상은 열, 구역, 기침, 발진, 가슴막염 통증, 호흡곤란 등이 있다. 다양한 감염병의 기본적인

표현/주요호소증상을 인식하고 가장 효과적으로 처치하거나 예방하는 방법을 알 수 있어야 한다. 다음 부분에서는 증상과 징후, 진단 연구, 감염병에 대한 평가 및 처치 전략을 통해 이를 수행할 수 있다.

일차평가

일차평가를 시작할 때 노출 가능성에 대한 위험을 평가하고 적절한 표준 예방 조치를 한다. 그런 다음 처치 제공자는 환자에게 기도유지, 효과적인 호흡 및 적절한 관류를 보장하는 것을 포함하여 즉각적인 생명의 위협하는 요소를 평가하고 처치한다.

▼ 첫인상

환자가 얼마나 아픈지 확인한다. 생명을 위협하는 상황을 해결하는 데 집중한다. 생명을 위협하는 것과 가장 일반적인 것에 초점을 맞춘 기본 표현과 주요호소증상을 기반으로 감별 진단을 한다.

▼ 상세 평가

병력 청취

감별 진단 및 후속 진단은 다음을 기반으로 개선되어야 한다.

- OPQRST 및 SAMPLER를 사용하여 사고 및 과거 병력 청취
- 집중 신체검사
- 진단 결과의 해석

OPQRST 및 SAMPLER

OPQRST는 환자의 주요호소증상을 자세히 설명하는 데 도움이 된다. 환자가 현재 복용하고 있는 약물, 오늘의 문제로 이어지는 사건, 최근 감염 또는 노출, 현재 문제로 이어지는 사건 및 환자가 최근에 여행을 다녀왔는지에 특히 주의를 기울여 SAMPLER 기록을 얻는다. 면역 체계의 손상, 나이, 동반 질환 또는 신체 내에 삽입된 장치와 같은 위험 요소도 병력 청취 시 고려한다.

이차평가

감염병이 의심되는 환자에 대한 이차평가는 다른 환자와 같은 방법으로 접근한다. 환자의 전반적인 안정성을 결정하기 위해 활력징후를 평가한다. 특정 신체 기관의 기능을 평가하기 위해서 1장에서 자세히 설명한 대로 머리끝에서 발끝까지 검사를 수행한다.

진단

임상적 추론과 처치에 대한 환자의 반응은 최종 진단에 도달하기 위해 잠재적인 감염병 과정을 확인하거나 배제할 수 있는 실험실 검사 또는 방사선 진단 방법을 결정하는 데 도움이 되어야 한다.

▼ 감별 진단 개선

재평가를 수행할 때 당신은 감별 진단 목록에서 특정 조건을 결정하거나 배제하기 위해 지속해서 노력할 것이다. 모든 환자 정보를 수집하고 새로운 결과에 따라 감별 진단을 수정할 때 모든 가능성을 고려한다. 진단적 인상을 만들 때 암묵적인 편견과 조기 결정을 피한다.

▼ 지속적인 관리

환자의 상태를 계속 모니터링한다. 필요에 따라 다른 활력 징후를 측정하고 이를 처치의 예상 결과와 비교한다. 모든 결과를 각 재평가와 함께 정확하게 기록하여 응급실에서 의료진에게 인계될 수 있도록 한다. 항생제나 기타 감염병 처치가 필요한 경우 귀중한 기간을 낭비하지 않도록 감염이나 패혈증이 의심되는 증상을 환자를 인계하는 의료진에게 보고하는 것이 중요하다는 것을 기억한다.

감염 경로

감염은 전염병이 퍼지는 일련의 사건들을 포함한다. 질병을 일으키지 않고 인체에 존재하는 미생물은 신체의 정상 균주의 일부이며 숙주 방어막의 한 층을 구성한다. 정상 균주는 숙주로부터 영양분을 얻으면서 질병을 유발하는 미생물인 병원체가 살기 어려운 환경 조건을 만들어줌으로써 숙주 질병을 자유롭

게 유지하는 데 도움이 된다.

병원소/숙주

병원체는 사람, 동물 숙주 또는 기타 유기 물질에서 살고 번식할 수 있다. 일단 감염되면 인간 숙주는 질병의 임상 징후를 보이거나 감염에 대해 알지 못하지만, 병원체를 다른 사람에게 전염시킬 수 있는 무증상 보균자가 될 수 있다. 병원체의 수명주기는 숙주의 인구 통계(예: 나이), 유전적 요인, 온도 및 감염이 확인된 후 취한 처치의 효능과 같은 몇 가지 요인에 따라 달라진다.

출구통로

병원체가 한 숙주를 떠나 다른 숙주를 침입하려면 출구통로가 필요하다. 유기체는 비뇨생식기, 장, 입안, 호흡기 또는 개방 병변과 같은 단일 통로를 통해 신체를 빠져나갈 수 있다.

전파

직접 또는 간접 전파는 출구통로와 입구 통로를 통해 발생할 수 있다. 직접 및 간접 전파 방식과 각각의 예는 표 8-4에 나와 있다.

입구 통로

입구 통로는 병원체가 새로운 숙주에 들어가는 장소이다. 유기체는 섭취, 흡입 또는 피부를 통해 주입되거나 점막, 태반 또는 손상되지 않은 피부를 통과할 수 있다. 병원체가 들어간 후 새로운 숙주에서 감염 과정이 시작되는 데 걸리는 시간은 유기체와 숙주의 감수성에 따라 다르다. 사실 감염원에 대해 노출되면 건강한 사람은 면역 체계가 감염을 일으키기 전에 이를

표 8-4. 감염병의 전파 방식

방법	접촉이 발생할 수 있는 방법의 예	이 방법으로 전염되는 감염병 종류
직접 전파		
감염자 접촉	악수	인플루엔자, 수두, 감기 바이러스, 옴
구강 전파	키스	볼거리, 백일해, 전염단핵구증, 단순 포진 바이러스
비말 전파	기침이나 재채기를 유발하고 새로운 숙주가 공기 중 점액 입자를 흡입함	풍진, 볼거리, 백일해, 수두, 호흡기 세포융합 바이러스, 중증급성호흡증후군, 세균성 뇌수막염, 인플루엔자
대변 오염	대변 접촉	장바이러스성 뇌수막염, A형 간염, 거대세포바이러스(CMV)
성적 접촉	콘돔 없는 성관계	사람면역결핍바이러스, 단순 포진 바이러스, 클라미디아, 임질, 매독, 사람유두종바이러스(HPV)
간접 전파		
음식	생 조개류 섭취	A형 간염, 비브리오
생물학적 물질	주삿바늘 공유, 주삿바늘 찔림 손상, 문신 및 바디 피어싱	사람면역결핍바이러스(HIV), B형 간염, C형 간염
	침대 레일과 같은 감염된 표면을 만지는 경우	풍진, 호흡기 세포융합 바이러스, 메티실린내성황색포도알균
	수건, 린넨과 같은 오염물질과 접촉	옴
	감염된 환자와 접촉한 의료인이 손을 씻지 않고 다른 환자를 만지는 경우	클로스트리디움 디피실리
토양/지면	찔린 상처, 손상되지 않은 피부와 들판의 접촉	파상풍, 메티실린내성황색포도알균(MRSA)
공기	감염된 설치류 배설물이 있는 지하실이나 창고 청소	한타바이러스

거대세포바이러스(Cytomegalovirus, CMV), 사람면역결핍바이러스(human immunodeficiency virus, HIV), 사람유두종바이러스(human papillomavirus, HPV), 메티실린내성황색포도알균(methicillin-resistant *Staphylococcus aureus*, MRSA); 중증급성호흡증후군(severe acute respiratory syndrome, SARS, 코로나 바이러스에 의해 발생).

파괴할 수 있기 때문에 질병을 일으키지 않는다. 숙주에서 감염을 일으키는 데 필요한 노출 기간과 병원체의 양은 병원체마다 다르다.

숙주 감수성

건강한 사람의 면역 체계는 일반적으로 병원체를 억제하고 감염으로부터 숙주를 보호한다(그림 8-2). 그러나 특정 요인은 병원체에 노출된 후 감염을 예방하는 면역 체계의 능력을 손상시켜 일부 사람들은 다른 사람들보다 감염에 더 취약해진다. 이러한 요소는 표 8-5에 요약되어 있다.

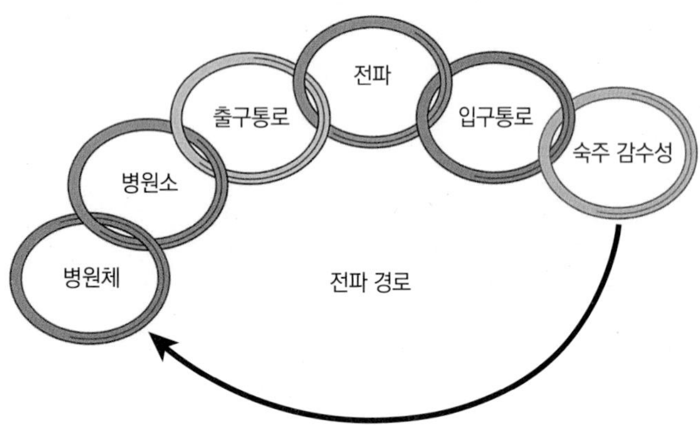

그림 8-2. 감염에 대한 전파 경로. 감염이 다른 숙주로 전송 되려면 사슬이 손상되지 않아야 한다. 감염은 사슬의 아무 연결 고리를 끊는 것으로 제어할 수 있다.

표 8-5. 감염에 대한 숙주 민감도를 증가시키는 요인

- **나이**. 아주 어리거나 아주 나이가 많은 사람들은 감염병에 걸릴 위험이 더 크다.
- **약물 사용**. 면역억제제, 스테로이드 또는 기타 약물을 복용하면 면역 반응에 영향을 미칠 수 있다.
- **영양실조/비만**. 영양 부족은 면역 체계를 약화한다. 비만은 종종 여러 만성 질환 과정과 관련이 있으며 손상된 면역 체계가 손상되어 감염 위험이 있다.
- **만성 질환**. 당뇨병과 신장 질환 그리고 겸상적혈구 빈혈과 같은 만성 질환은 면역 기능을 손상시켜 기능적 면역 결핍을 유발할 수 있다.
- **외상**. 이것은 일반적으로 정상적인 피부의 보호 장벽의 붕괴를 포함한다.
- **흡연**. 흡연은 폐의 보호적인 점액 섬모 청소 기전을 손상하는 것으로 나타났다.

신체의 자연 방어

체내에는 병원체의 침입을 억제하는 방어 무기를 갖추고 있다. 입구 통로를 통해 병원체가 도착하면 복잡한 면역체계 반응이 발생한다. 첫째, 비특이적 염증 반응이 발생한다. 그것은 병원체를 억제하고 비활성화하기 위한 노력으로 호중구의 이동과 염증 물질의 방출을 포함한다. 그런 다음 T 림프구가 병원체의 특정 항원에 대한 수용체를 개발하는 보다 구체적인 반응이 시작된다. 이것은 T 세포가 병원체에 부착하여 병원균을 포식하게 한다. B 림프구가 활성화되어 특정 항원과 친화력이 있는 항체(자유 부유 단백질)를 생성하기 시작한다. 이러한 순환 항체는 병원체의 항원에 결합하여 병원체를 비효율적으로 만들거나 다른 신체 방어기전이 비활성하거나 파괴하도록 한다. 항원은 바이러스, 기생충, 집먼지진드기 또는 신체에 수혈된 혈액 제제와 같은 병원체의 구조적 구성 요소일 수 있다. 항원은 면역체계가 자기의 것으로 인식하지 못하는 분자이다. 면역체계는 주로 외인성 항원에 반응하여 활성화된다. 즉 외부에서 체내로 유입되는 항원에 반응하여 활성화된다. 면역체계는 자신과 타인을 구별하는 능력이 필수적이다. 그것이 없다면 신체가 무차별적으로 자신의 세포를 포위해서 공격할 것이다.

복제된 일부 B 세포는 기억 세포가 되어 재노출 시 신속하게 특정 항체를 생성한다. 이 반응은 특정 항원에 초점을 맞추고 항원이 다시 나타날 때 특정 항원을 무력화시킴으로써 특정 질병에 대한 면역을 지원한다.

인체에는 유기체를 포획하는 피부, 점액 및 섬모와 같은 많은 다른 비특이적 보호 기전이 있다(그림 8-3). 장내 분비물과 같은 산성 분비물은 유기체의 성장을 억제한다. 몇몇 신체 계통에는 면역에 영향을 미치는 기전을 가지고 있다(표 8-6).

신체 계통에 의한 감염에 대한 생리적 반응

호흡계통

다양한 유기체가 호흡계통을 감염시킬 수 있다. 감기, 인후염, 편도염, 부비동염, 후두염, 후두개염 및 크룹과 같은 호흡기 감염은 미국에서 질병의 주요 원인이다. 급성 호흡기 감염은 전 세계적으로 5세 미만 어린이의 주요 사망 원인이다. 그런데도 건강한 인체는 일반적으로 심각한 감염으로부터 자신을 방어할 수 있다.

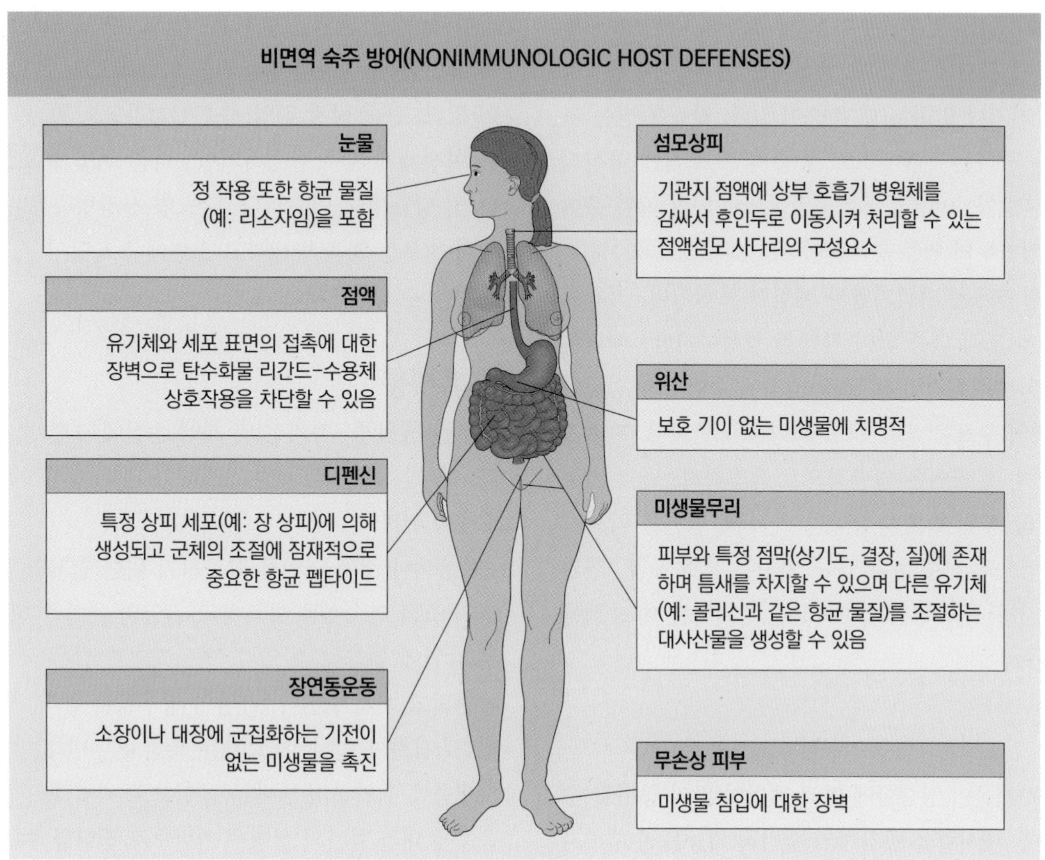

그림 8-3. 인체에는 감염을 예방하기 위한 여러 방어 기전이 있다.

표 8-6. 면역을 위한 신체 계통의 역할

계통	역할
피부계통	면역 체계의 첫 번째 방어선은 온전한 피부이다. 유기체는 손상되지 않은 피부를 통과할 수 없으며 피부의 정상적인 분비물은 살균 작용을 하여 많은 침입자를 죽인다. 반면에 손상되지 않은 피부는 병원체의 진입 통로 역할을 한다.
안구계통	결막은 두 가지 방식으로 보호된다. 첫째, 병원체가 눈에 들어오기 전에 눈을 깜박인다. 둘째, 눈물막은 존재하는 유기체의 농도를 희석한다.
호흡계통	폐에 내장된 보호 장치에는 흡입 중에 들어오는 유기체를 잡는 습기가 있는 점막과 섬모가 있다. 기침 반사는 병원체를 몸 밖으로 내보낸다.
위장관	위산과 위액은 위장관에 사는 유용한 미생물과 함께 또 다른 방어선 역할을 한다. 포식 세포는 박테리아의 섭취와 소화를 돕는다.
비뇨생식계통	비뇨생식계통은 세포의 두꺼운 층과 비뇨생식기 내벽 점막의 산성 분비물에 의해 보호된다.
면역 체계	백혈구는 포식 작용으로 비특이적 염증 반응을 시작하는 반면, T 림프구(T 세포)는 세포 면역을 시작하고 B 림프구(B 세포)는 침입하는 유기체에 특이적인 항체를 생성하여 체액 반응을 일으킨다.

상기도 질환에는 코, 인후, 부비동 및 후두의 감염이 포함된다. 상부 호흡기 감염의 증상 및 징후에는 인후통, 발열, 오한, 코 배액, 삼키거나 말하는 데 통증이 있다. 진료를 받는 가장 흔한 이유 중 하나는 인두염으로 종종 림프 조직에 국한되어 편도의 종창, 발열, 인두고실관의 막힘으로 인한 이차 중이염을 유발하는 입인두의 염증 증후군이다.

하부 호흡기 감염에는 기관지염과 폐렴이 포함된다. 기관지염은 발열이나 폐 조직 염증 없이 가래를 생성하지만, 폐렴은 일반적으로 발열과 직접적인 폐 조직 염증을 수반하며 검사에서 폐 기관지 내의 수포음 또는 거품 소리를 동반한다. 기관지염의 경우 청진시 폐 영역은 일반적으로 깨끗하다. 면역 기능이 손상된 환자의 경우 호흡기 감염은 기저 폐 질환을 악화시키고 심각한 감염으로 진행할 수 있다. 처치는 산소 공급, 환기 및 수분 공급을 지원하고 병원체의 확산을 방지하는 데 중점을 두어야 한다.

심혈관계

감염이 시작되고 체온이 상승함에 따라 맥박이 많이 증가할 수 있다. 발열은 신진 대사량을 증가시켜 생리적 기능을 수행하기 위해 더 많은 산소와 영양소가 필요하다. 패혈 쇼크와 같이 탈수, 혈관 확장 또는 둘 다로 인해 저혈압이 발생할 수 있다.

신속하게 저혈압을 확인하고 적극적으로 처치한다. 선택하는 처치 방법은 병인에 따라 다르다. 환자의 폐에 특별한 문제가 없으며 탈수, 구토 또는 설사로 인한 혈량저하증이 의심되는 경우 정맥 라인으로 적극적인 수액 투여가 필요할 수 있다.

신경계

신경계 감염은 바이러스나 세균에 의해 유발될 수 있으며 그 심각성은 거의 해가 없는 것으로부터 생명을 위협하는 것까지 다양하다. 중추신경계(CNS) 바이러스 감염의 증상은 뇌척수액에 국한된 염증을 포함하는 바이러스성 뇌수막염에서 볼 수 있는 것처럼 경미하고 자체 제한적일 수 있으며 또는 공수병과 단순포진 바이러스를 동반하는 직접적인 뇌 조직 침범이 있는 뇌병증에서와 같이 심각한 뇌 조직 손상을 유발할 수 있다. 뇌 조직 손상은 영구적인 신경학적 결손을 일으킬 수 있으며 환자가 더 나은 예후를 얻으려면 조기 진단과 처치가 필수이다.

비뇨생식계통

비뇨생식계통의 감염은 염증과 관련된 특정 구조의 증상을 유발한다. 방광 감염은 배뇨통, 빈뇨, 혈뇨 또는 소변에서 악취를 유발한다. 신장이 관련되면 일반적으로 등이나 옆구리 통증이 있다. 단순 방광 감염(종종 UTI라고도 함)은 성생활이 활발한 여성에게 자주 발생하지만, 다른 위험 요소로는 유치 카테터 및 당뇨병이 있습니다. 당뇨병 신경병증은 종종 방광을 완전히 비우는 것을 방해하고 소변에 포도당이 존재할 때 세균이 번성할 수 있다(당뇨).

피부계통

피부는 병원체, 자외선 및 체액 손실에 대한 보호벽 역할을 한다. 피부는 또한 체온을 조절하고 내부 항상성을 유지하는 데 도움이 된다.

화상이나 정맥 라인을 확보하기 위한 천자와 같은 상처는 피부 구조의 연속성을 파괴하고 감염의 유입을 허용함으로써 피부 감염에 취약할 수 있다. 연조직염과 같은 국소 감염은 쉽게 발견되고 처치가 된다. 감염의 징후로는 발적, 압통, 온기, 배액 및 경화가 있다. 노숙자는 특히 옴, 빈대, 이와 같은 외부 기생충에 취약하며 밤에는 육안으로 직접 확인하고 심한 가려움증에 대한 환자의 설명을 기반으로 진단할 수 있다.

일반적인 감염병 – 호흡기

인플루엔자

인플루엔자는 인플루엔자 A 또는 B 바이러스에 의해 유발되는 급성 호흡기 질환이며 주로 겨울철에 전 세계적으로 발병 및 유행병이 발생한다. 질병통제예방센터(CDC)에 따르면 2017~2018년 독감 시즌 동안 약 80,000명의 미국인이 독감과 그 합병증으로 사망했고 한다. 이는 1976년 이후 지난 40여 년 만에 가장 치명적인 계절이었다는 것을 의미한다.

병태생리학/전파

전파는 주로 1.8 m 이내의 호흡기 비말과 호흡기 비말로 오염된 표면과의 접촉에 의해 이루어지며 잠복기는 1~4일이다. 바이러스가 몸 안으로 들어가면 호흡기의 상피 숙주세포에 부착되어 기관과 기관지에 염증을 일으킨다.

증상 및 징후

가래를 동반하지 않은 기침, 인후통, 콧물과 같은 상기도 및 하기도 관련 증상 및 징후와 함께 갑작스러운 발열, 두통, 근육통 및 쇠약과 같은 전신 질환의 징후가 나타난다. 신체적 징후는 거의 없으며 목구멍이 충혈되었을 수 있으며 폐는 일반적으로 청진으로 명확하게 폐음을 확인할 수 있다. 급성으로 쇠약해지더라도 인플루엔자는 일반 인구에서 자체 제한적인 감염이다(단순 인플루엔자). 그러나 특정 고위험군(복합 인플루엔자)의 이환율 및 사망률 증가와 관련이 있다.

인플루엔자의 주요 합병증은 폐렴으로 급성 인플루엔자의 초기 증상이 호전된 후 며칠 내에 발열과 호흡기 증상의 악화로 나타나는 경우가 많다.

인플루엔자 합병증 발생 위험이 높은 환자는 표 8-7과 같다.

진단

대부분의 임상 현장에서는 검사하는 데 15분 정도 소요되며 민감도는 약 53%인 신속 인플루엔자 항원 검사를 사용한다. 알려진 인플루엔자 발생 기간 대부분의 환자는 임상적으로 인플루엔자에 걸린 것으로 진단될 수 있다. (증상과 징후 참조).

처치

중증 질환(입원) 또는 합병증의 위험이 있는 모든 소아와 성인(표 8-7)은 가능한 한 빨리 그리고 증상 발현 후 48시간 이내에 항바이러스제 투여를 받아야 한다. 자가 회복 질환이 있는 젊고 건강한 사람에게 항바이러스제로 처치하는 것은 제한적인 이점이 있다는 것을 명심한다.

표 8-7. 인플루엔자 합병증 발생 고위험군
소아 < 5세, 특히 < 2세
성인 ≥ 65세
임산부 또는 분만 후 2주 내의 여성
요양원 및 장기요양시설에 입원한 환자
다음과 같은 질병을 가진 사람들 ▪ 천식 ▪ 만성폐질환(예: 만성폐쇄폐질환, 낭성섬유증) ▪ 심장질환(예: 선천심장질환, 울혈심부전, 관상동맥질환) ▪ 혈액 장애(예: 낫적혈구병) ▪ 내분비 장애(예: 당뇨병) ▪ 질병(예: HIV, AIDS, 암) 또는 약물 복용(예: 만성 글루코코티코이드)으로 인한 면역체계 약화 ▪ 극도로 비만인 환자[체질량지수(BMI) ≥ 40]

Adapted from: Centers for Disease Control and Prevention. People at high risk of developing flu-related complications. www.cdc.gov/flu/about/disease/high_risk.htm(Accessed on August 27, 2018.)

예방

인플루엔자 백신은 예방을 위한 최고의 공중 보건 조치 중 하나이다. 연간 인플루엔자 예방 접종은 병원 전 처치 제공자의 고용 조건 및 요구 사항의 필수 구성 요소여야 한다.

인플루엔자 발생 시 기침을 하는 환자에게 노출될 수 있으므로 환자를 처치하는 동안 수술용 마스크와 글러브를 착용하고 얼굴을 만지지 않도록 주의한다. 환자에게도 마스크를 착용하도록 요청하는 것이 좋다.

폐렴

지역 사회성 폐렴(CAP)은 전 세계적으로 이환율과 사망률의 주요 원인이며 병원 외부에서 감염된 폐 조직의 급성 감염을 말한다. 지역 사회성 폐렴은 매년 약 450만 명의 외래 환자와 응급실 내원을 차지한다.

폐렴은 열, 기침, 가래 생성, 호흡곤란 또는 가슴 통증을 유발하는 숙주 염증 반응을 수반하는 폐 조직의 미생물(바이러스, 세균 또는 곰팡이) 침입을 포함한다.

위험 요인에는 노년기, 흡연, 알코올 남용 및 폐 질환, 당뇨병, 울혈심부전 및 면역 저하와 같은 합병증을 포함한다.

증상 및 징후

기침, 호흡곤란, 가슴막염 통증이 가장 지역 사회성 폐렴과 관련된 가장 흔한 증상이다. 또한, 빠른 호흡, 호흡 노력의 증가, 폐음 청진에서 수포음과 건성수포음이 들릴 수 있다. 오한, 불쾌감, 식욕 감퇴가 나타날 수 있다. 지역 사회성 폐렴은 패혈증의 주요 원인이기 때문에 초기 증상에는 저혈압과 의식상태 변화가 포함될 수 있다. 이러한 징후 중 일부는 덜 발달하여 노인에게 더 민감할 수 있다. 지역 사회성 폐렴의 임상 양상은 매우 다양하므로 거의 모든 호흡기 질환의 감별 진단 시 고려한다.

병원성 폐렴 및 비정형 폐렴과 같은 많은 추가 유형의 폐렴이 존재한다. 특정 임상 특징은 현장에서 이것을 구별하는 데 도움이 될 수 있지만 정확한 진단을 내리기 위해서는 종종 배양 및 중합효소사슬반응(polymerase chain reaction, PCR) 검사가 필요하다. 그런 다음 표적 항생제 처치를 시작할 수 있다.

호흡기 세포융합 바이러스

호흡기 세포융합 바이러스(RSV)는 영아, 노인 및 면역이 저하된 사람의 하기도 감염의 주요 원인이다. 호흡기 세포융합 바이러스는 2장에서도 다루지만, 그 중요성은 여기서 더 논의할 가치가 있다. 바이러스는 병원 환경과 지역 사회에 퍼진다. 지역사회 환경에서 발병은 일반적으로 늦가을, 겨울 및 초봄에 발생한다.

대부분의 건강한 성인은 1~2주 안에 호흡기 세포융합 바이러스 감염에서 회복된다. 미국에서 호흡기 세포융합 바이러스는 1세 미만 어린이의 하기도 감염의 가장 흔한 원인이다.

병태생리학/전파

호흡기 세포융합 바이러스의 전파는 오염된 표면과의 직접적인 접촉뿐만 아니라 공기 중 비말에 의해서도 발생한다. 침입 통로는 일반적으로 눈, 코 또는 입이다. 호흡기 세포융합 바이러스는 90cm 정도밖에 이동을 못 하는 큰 입자의 바이러스이다. 범위가 제한적일 수 있지만, 호흡기 세포융합 바이러스는 매개체에서 잘 살아남음으로써 보상한다. 예를 들어, 바이러스는 침대 레일과 같은 불침투성이 표면으로 옮겨진 후 5시간 이상 배양될 수 있으며 잠복기는 2~8일이다.

증상 및 징후

호흡기 세포융합 바이러스의 증상으로는 발열, 재채기, 쌕쌕거림, 기침, 식욕 저하, 코막힘 등이 있다. 저산소혈증과 무호흡은 호흡기 세포융합 바이러스가 있는 영아에서 흔히 발생하며 입원의 주요 원인이 된다. 호흡기 세포융합 바이러스 감염이 의심되는 환자는 환기 및 호흡음 평가와 바이러스에 노출된 병력을 평가한다.

감별 진단

검사는 보통 호흡기 세포융합 바이러스가 유행하는 동안 중등도에서 중증의 증상과 하기도와 관련이 있는 환자의 질병을 진단하는 데 사용된다. 검사는 주로 생후 6개월에서 2세 사이의 영아, 고령자, 폐 질환 및 장기 이식을 받은 환자와 같이 면역체계가 손상된 환자에게 시행한다.

예방

예방을 위해서는 손을 자주 씻고 오염된 표면을 세척하는 것을 포함한 표준 예방 조치를 따라야 한다.

결핵

결핵(TB)은 결핵균에 의해 발생한다. 2017년 미국에서 보고된 활동성 결핵 감염 사례는 9,105건이었다. 결핵 감염과 결핵 질환은 구별한다. 결핵 감염 또는 잠복 결핵은 결핵에 대한 노출이 발생했음을 의미한다. 노출된 사람은 활동성 질병이 없으며 절대 발병하지 않을 수도 있다. 세계 인구의 4분의 1이 결핵에 걸려 있다. 결핵에 걸린 사람은 다른 사람에게 위협이 되지 않는다. 결핵은 실험실 검사와 흉부 방사선 검사에서 양성으로 확인된 활동성 결핵 질환을 말한다. 면역 증상이 손상된 개인은 활동성 결핵의 발병 위험이 가장 높다.

약물 내성 결핵에는 다음과 같은 유형이 포함된다.

- 다제내성 결핵
- 광범위 약제내성 결핵(XDR-TB)

병태생리학/전파

결핵은 전염성이 높은 질병이 아니다. 감염은 치료되지 않은 활동성 질병이 있는 사람이 기침할 때 공기 중 입자를 통해 발생한다. 일반적으로 이러한 접촉은 감염자와 지속해서 친밀한 접촉을 하는 사람 중에서 발생하는 데 주로 같은 가정에서 생활하는 사람들이다. 현장에서 일하는 의료인의 경우 이러한 노출은 치료되지 않은 활동성 결핵 환자에게 입 대 입 환기를 제공하는 경우에만 발생할 가능성이 높다. 환자는 치료 14일 후에 결핵은 더는 전염되지 않으며 잠복기는 4~12주이다. 결핵의 주요 증상은 폐에서 나타나지만, 폐 이외의 감염(뼈, 신장, 림프절 등)도 있을 수 있으며 폐 이외의 결핵은 전염되지 않는다.

증상 및 징후

결핵 질환(약물 내성 유형 포함)의 증상과 징후에는 2~3주간 지속하는 기침, 야간 땀, 체중 감소, 객혈, 가슴 통증 등이 있다. 환자에게 결핵의 증상과 징후가 있는 경우 환자에게 수술용 마스크를 착용하여 이송한다.

감별진단

투베르쿨린(PPD) 피부반응 검사는 결핵 노출 여부를 결정하기 위해 수행되는 가장 일반적인 검사이다. 혈액 검사인 인터페론 감마 혈액검사(IGRA)도 투베르쿨린에 유사한 민감도를 가지고 있다. 두 검사 중 하나라도 양성이면 흉부 엑스레이에 나타난다.

처치 제공자에 대한 결핵 검사는 직장에서의 위험 평가에 따라 다르다. 검사는 새로 채용된 직원과 결핵에 노출된 것으로 알려진 처치 제공자를 대상으로 시행한다. 그러나 병원 전 처치 환경에서는 매년 검사를 의무화하는 경우가 많다.

예방

환자에게 수술용 마스크를 씌운다. 환자가 마스크를 착용할 수 없는 경우 당신이 마스크를 착용한다. 이송 중에는 N95 마스크를 착용하고 차량 환기 시스템을 사용할 수 있다. 예방 조치를 하지 않았다면 처치 제공자는 노출되었을 수 있다. 자신이 결핵에 노출된 것으로 의심되는 처치 제공자는 자신이 근무하는 부서의 담당자에게 보고하여 8~10주 이내에 재검사를 받아야 한다.

오염되고 접촉이 많은 표면(예: 들것) 및 재사용할 수 있는 의료 장비(예: 혈압계 커프)는 환자 처치가 끝나면 승인된 방법으로 오염을 제거한다.

수막염

수막염은 뇌와 척수를 덮고 있는 막에 염증이 생기는 것이다. 일반적으로 수막염은 바이러스성 또는 세균성 두 종류로 구분된다. 수막염은 비말을 통해 전염되는 질병이다. 수막염과 관련된 가장 흔한 세균 유기체는 나이세리아수막염균, B형 인플루엔자균(Hib) 및 폐렴사슬알균이다. 바이러스성 및 세균성 수막염은 전 세계적으로 발생한다. 수막염 사례의 90% 이상이 바이러스 원인을 가지고 있으며 생후 첫해에 바이러스성 수막염이 가장 발생률이 높다. B형 인플루엔자균 및 폐렴사슬알균의 세균성 수막염은 백신 접종으로 예방할 수 있다. 예방 접종이 시작된 이후 세균성 수막염의 발생률은 많이 감소했다.

일반적인 세균 유기체는 아래에서 자세하게 논의된다.

나이세리아수막염균(수막알균수막염)

나이세리아수막염균은 많은 사람들의 코인두의 정상적인 균주에 속하는 그람 음성균이다. 약화한 숙주 내성과 같은 특정 상황에서 세균이 혈류로 들어가 수막을 포함한 중추신경계에 접근하여 수막알균수막염을 일으킨다. 수막알균수막염은 계절적 특징으로 이른 봄과 가을에 발생하는 경향이 있으며 전 세계적으로 특히 사하라 사막 이남의 아프리카에서 발생한다. 전 세계적으로 수막알균수막염은 치료하지 않으면 50%의 경우 치명적이다. 미국에서는 매년 2,500~3,500명의 나이세리아수막염 감염이 진단되며 그중 10~14%가 치명적이다. 수막알균수막염에 걸릴 위험이 높은 사람으로는 영아, 소아, 혼잡하거나 비위생적인 환경에 거주하는 난민, 군 신병, 처음으로 기숙사에 사는 대학생, 고등학생 및 질병에 걸린 사람의 가족 접촉자이다.

병태생리학/전파

수막알균수막염의 전염은 감염된 사람의 코안 분비물에서 나오는 비말과 직접적인 접촉에 의해 발생한다. 이 병원체는 공기를 통해 전파되지 않는다. 나이세리아수막염균의 내독소는 숙주의 세포 수용체와 결합하여 염증 반응을 유발한다. 일반적으로 면역 체계로부터 뇌를 보호하는 혈액-뇌 장벽은 수막알균수막염에서 손상되어 유기체가 뇌와 수막에 도달할 수 있다.

증상 및 징후

수막구균수막염의 전형적인 증상은 자반으로 빠르게 진행되는 출혈점열, 두통 및 수막증을 동반한다(그림 8-4). 다리 통증, 차가운 손과 발 그리고 창백함은 그 상태가 패혈쇼크로 진행되었음을 나타낼 수 있다. 질병이 발생한 후 48시간 이내에 발생할 수 있는 수막알균수막염의 신경학적 증상에는 의식상태 변화, 발작 및 혼수상태가 포함된다. 환자 또는 그 가족에게 예방접종 상태에 관해 물어본다. 통증, 발진 및 독감 같은 증상과 초기 감염의 증거를 확인한다.

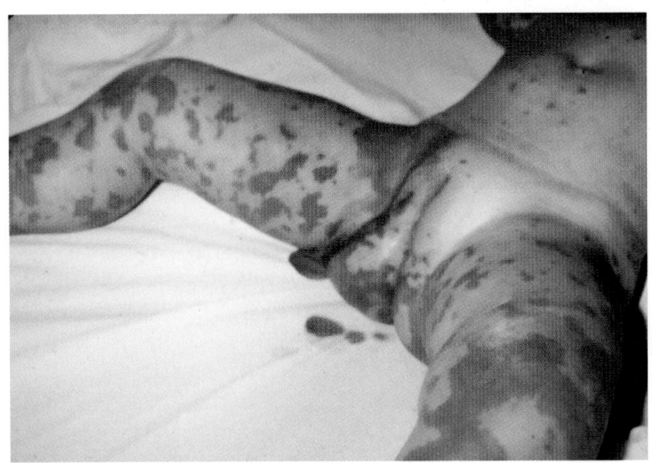

그림 8-4. 수막알균수막염 패혈증이 있는 소아의 자반

Courtesy of Ronald Dieckmann, MD.

감별진단

다른 형태의 수막염은 거미막밑출혈이다.

예방

고위험군인 2~18세, 기숙사 생활을 하는 대학교 1학년, 신병 등은 예방접종이 권장된다. 노출 후 치료는 2일 동안 경구 리팜핀 또는 경구 시프로플록사신 1회 투여한다. 예방은 노출 후 24시간 이내에 예방을 시작한다(확진된 사례의 경우).

B형 인플루엔자균 수막염

인플루엔자균은 사람에게만 감염되는 병원체인 것으로 보인다. 영아의 경우 B형 인플루엔자균은 세균혈증, 폐렴, 급성 세균성 수막염 때로는 연조직염, 골수염, 후두개염 및 관절염을 유발한다. 백신 접종이 가능해진 1985년 이전에는 200명 중 1명의 영아가 생후 2개월까지 B형 인플루엔자균 수막염에 걸린 것으로 여겨졌다. 미국에서 아동기 예방접종 비율이 높기 때문에 B형 인플루엔자균 수막염은 1985년 이후 거의 발생하지 않았다.

병태생리학/전파

B형 인플루엔자균 수막염의 잠복기는 알려지지 않지만 대략 2~4일이다.

증상 및 징후

B형 인플루엔자균 수막염의 증상 및 증상은 다음과 같이 다른 유형의 수막염과 유사하다.

- 발열
- 중증 두통
- 과민성과 울음(영아와 소아에게 흔함)
- 숫구멍 팽윤
- 강직된 목(영아와 소아에게 흔하지 않음)
- 눈부심(영아와 소아에게 흔하지 않음)
- 피로, 졸음 또는 깨우기 어려움
- 구토
- 음식과 음료 거부
- 경련 또는 발작
- 의식 소실

수막염을 동반할 수 있는 위험한 감염인 B형 인플루엔자균 후두개염은 시끄럽고 힘든 호흡을 유발하며 6~8세 사이의 소아에서 종종 크루프로 오진된다. 수막염을 앓고 있는 환자의 최대 50%는 장기간 신경학적 침범이 있을 수 있다.

감별진단

다른 형태의 수막염이다.

예방

소아는 생후 2개월부터 B형 인플루엔자균에 대한 일련의 예방접종을 받는다. 사용하는 백신의 종류에 따라 2, 4, 6개월에 접종하고 12~15개월 사이에 다시 접종한다. 세균성 수막염이 의심되는 어린이를 치료할 때는 손을 깨끗이 씻어야 한다. 성인의 경우 노출 후 치료는 필요하지 않거나 권장되지 않는다.

폐렴사슬알균(폐렴알균수막염)

폐렴사슬알균(종종 폐렴알균이라고 함)은 대부분의 건강한 사람들의 코인두에서 배양된 세균이다. 코인두에 폐렴알균이 존재하는 것을 보균이라고 한다. 대부분의 사람은 삶의 어느 시점에서 폐렴사슬알균의 보균자였다. 이런 현상은 어린이에서 더 흔하지만, 일반적으로 질병을 일으키지 않는다.

전 세계적으로 폐렴사슬알균은 세균성 수막염, 지역 사회에서 유행하는 폐렴, 세균혈증 및 중이염의 가장 흔한 원인이다. 90가지 이상의 폐렴사슬알균의 혈청형이 확인되었다. 2000년에 전 세계적으로 5세 미만의 소아에게서 심각한 폐렴알균 질환이 약 1.450만 건 발생했으며 그 결과 약 82만 6천 명이 사망했다. 알래스카 원주민을 포함한 미국의 특정 인구는 폐렴알균 질환의 발생률이 높다.

병태생리학/전파

폐렴사슬알균은 호흡기 비말 전파를 통해 사람에게서 사람으로 전염되는 독점적인 사람 병원체이다. 폐렴사슬알균의 보균자는 일반적으로 자신은 건강하지만, 종종 다른 사람을 감염시킨다. 폐렴사슬알균은 때때로 정착한 사람의 코인두에서 중이(중이염), 코안(부비동염) 및 폐와 같은 신체의 다른 부위로 퍼져 질병을 일으킨다. 수막염은 세균이 뇌와 척수에 집락형성 때 생기는 결과이다. 세균이 혈류에 도달하면 세균혈증이 발생할 수 있다.

증상 및 징후
폐렴알균 수막염의 증상과 징후에는 두통, 오한을 동반한 발열, 정신 활동 감소, 발작 그리고 경직된 목을 포함한다.

감별진단
수막염이나 뇌염의 다른 형태이다.

예방
올바른 손 씻기를 포함한 표준 예방 조치를 준수한다. 폐렴알균 백신 접종은 폐렴알균 수막염의 발생률을 감소시키는 것으로 나타났다.

비세균성 수막염
바이러스성 수막염의 형태는 다음 섹션에서 자세히 설명되어 있다.

병리생리학
바이러스성 수막염은 감염된 대변이나 코 및 인후의 분비물과 직접적인 접촉으로 전파되는 흔하고 비교적 경미한 질병이며 잠복기는 2~10일이다. 이 바이러스는 어린아이들과 집단생활을 하는 사람들 사이에서 가장 빠르게 퍼진다. 이것은 보통 여름과 초가을에 발생한다. 고등학교와 대학교는 계절에 따라 바이러스성 수막염이 발생하는 일반적인 장소이다. 대부분 어린이와 성인은 10~14일 이내에 바이러스성 수막염에서 완전히 회복된다. 누구나 이 질병에 걸릴 수 있지만, 40세 이상의 대부분 사람은 이 병에 대한 면역력이 있다.

증상 및 징후
증상과 징후로는 갑작스러운 두통, 빛에 대한 민감성, 열, 경직된 목 및 구토가 포함된다. 바이러스성 수막염의 일부 균주는 발진을 일으키며 발진은 신체 대부분을 덮거나 팔과 다리만 덮을 수 있다. 발진은 붉고 대부분 평평하지만, 일부 부위에서는 융기될 수 있다. 이것은 신체 대부분을 덮고 있는 작고 밝은 붉은색의 핀포인트 반점이 특징인 수막알균수막염에서 보이는 발진과는 다르다.

바이러스성 수막염의 임상 증상은 양성으로 보일 수 있다. 환자는 일반적으로 열, 두통, 구역 및 구토를 보인다. 발작, 파종혈관내응고(DIC), 부정맥 및 두개내압 증가에 대해 환자를 지속해서 모니터링한다.

감별진단
비세균성 뇌수막염의 가장 흔한 원인은 엔테로바이러스이다. 다른 원인으로는 볼거리, 라임, 사람면역결핍바이러스(HIV), 크립토코쿠스(특히 HIV 감염자), 결핵 및 매독이 있다.

예방
예방 접종을 통한 예방은 수막염을 예방하는 가장 이상적인 방법이다. 철저한 손 위생을 포함하여 표준 예방 조치를 따른다. 바이러스성 수막염이 의심되는 환자를 처치할 때는 적절한 개인보호장비를 사용한다.

혈액 매개 질환

사람면역결핍바이러스(HIV)와 후천면역결핍증후군(AIDS)
AIDS를 유발하는 바이러스인 HIV 바이러스는 1983년에 처음 확인되었지만 1959년부터 인간 표본에서 발견되었다. HIV 바이러스는 이중가닥 RNA 레트로바이러스로 CD4 림프구를 감염시키고 파괴하여 면역체계를 공격하여 감염을 막을 수 있는 능력을 감소시킨다. 사람들은 일단 HIV에 걸리면 HIV 바이러스를 전염시킬 수 있는 것으로 간주한다.

병태생리학/전파
건강한 사람은 500~1,500개의 CD4 세포/mm³을 가지고 있다. CD4 세포는 또한 보조 T-세포라고도 한다. 이러한 특수 림프구는 신체의 세포 면역계의 중요한 구성 요소이다. HIV 감염 후 처음 6주 동안은 질병 과정의 초기 단계라고 하는 바이러스의 통제되지 않은 복제로 인해 사람의 CD4 수가 감소한다. 이와 관련된 인플루엔자와 유사한 상태는 종종 일차 HIV 감염이라고 한다. 이 단계는 HIV의 존재에 대한 세포 및 체액 반응으로 이어진다. 감염을 치료하지 않고 방치하면 CD4 세포의 수가 몇 년에 걸쳐 서서히 감소한다. 항체가 혈액에서 검출될 수 있음을 의미하는 혈청 전환은 일반적으로 일차 HIV 감염 후 처음 3개월 이내에 발생한다. 진단 검사를 통해 HIV RNA는 감염 후 7~14일 사이에 발견할 수 있다.

AIDS는 HIV에 의해 유발되는 말기 질병 과정이다. AIDS 환자는 면역 체계가 손상되지 않은 사람에게 영향을 미치지 않는 수많은 기회감염에 매우 취약하다. AIDS의 잠복기는 CD4 세포 수와 기회감염의 존재에 의해 결정되는 문서화된 감염(즉,

HIV 감염됨)과 진행성 HIV 감염의 발병 사이의 기간에 걸쳐있다.

증상 및 징후

일차 HIV 감염은 보통 임상적으로 무증상이지만 발열, 두통, 발진, 구강 궤양 및 부은 림프절을 볼 수 있다. 일차 감염 후 감염은 충분한 CD4 고갈이 발생할 때까지 일반적으로 수년간 무증상이다. 이 잠복기 동안 단순 포진이나 대상 포진의 발병이 더 자주 발생할 수 있다. 이 임상적으로 무증상 단계 동안 광범위한 HIV 복제와 물론 전염 가능성도 있다.

감별 진단

원발성 HIV 감염은 단핵구증과 혼동될 수 있다. 진행된 HIV 감염은 모든 신체 계통에 영향을 미치기 때문에 수많은 감별의 차이가 있다.

처치

항레트로바이러스제를 사용한 HIV 치료는 전염병과 질병의 징후를 극적으로 변화시켰다.

예방

HIV는 인간 숙주 외부에서 생존할 수 없다. 감염은 정맥주사 약물 사용자가 주삿바늘을 공유할 때 발생하는 것처럼 주로 감염된 혈액이 감염되지 않은 사람의 혈류에 직접 접촉하거나 성적 접촉하는 동안 발생한다. HIV 감염으로부터 자신을 보호하려면 환자의 손상되지 않은 피부, 점막, 혈액 또는 기타 잠재적 감염 물질과 접촉할 때 글러브를 착용한다. 바늘 안전장치를 사용하고 환자에게 삽관하거나 기도를 흡인할 때 보호안경, 마스크, 얼굴 보호대 등을 착용한다.

마스크의 일상적인 사용은 필요하지 않다. 그러나 올바른 손씻기는 위험 감소의 중요한 부분이다. 환자의 혈액에 대한 노출이 발생하면 의료기관에서 원인 환자에 대해 신속한 HIV 검사를 수행한다. 이러한 검사는 1시간 이내에 신속하게 결과가 나오며 검사는 정확하다.

노출 후 신속한 HIV 검사를 권장한다(미국에서는 산업안전보건청에서 시행한다). 원인 환자가 HIV에 대해 결과가 음성이면 노출된 처치 제공자에 대한 검사는 필요하지 않거나 권장되지 않는다. 그러나 원인 환자가 양성 반응을 보이면 예방 조치로 항레트로바이러스 약물을 투여 받을 수 있다. 그러나 이러한 약물은 상당한 부작용이 있기 때문에 그러한 치료는 특정 위험 기준을 충족하는 환자에게만 적용한다. 노출된 처치 제공자는 치료의 위험과 이점에 대해 전문의에게 상담을 받아야 한다.

2014년부터 매일 1개의 트루바다 알약을 사용하는 노출 전 예방(Pre-P)이 제공되었으며 성관계를 통한 HIV 전파를 극적으로 줄일 수 있다.

B형 간염 바이러스 감염

B형 간염은 전 세계적인 문제이다. 세계보건기구는 만성 B형 간염에 감염자가 2억 4천만 명에 이르는 것으로 추정된다. B형 간염 바이러스의 전파는 주로 혈액 및 혈액 제제, 성적 접촉 또는 출생 전후기 노출을 통해 발생한다. B형 간염 바이러스의 감염에 대한 위험 활동에는 정맥 내로 사용과 다중 성적 접촉이 포함된다.

병태생리학/전파

문신과 침술에 사용되는 바늘과 때로는 공유 면도기와 같은 다른 물건이 B형 간염 바이러스 전파와 관련되어 있다. 주삿바늘을 공유하여 정맥 내로 약물을 투여하는 사람에게 특히 일반적입니다.

제한된 데이터에 따르면 B형 간염 바이러스는 건조된 혈액 배지에서 7일 동안 체외에서 생존할 수 있으며 잠복기는 30~200일까지 다양하다. 전염성 기간은 첫 번째 증상이 나타나기 몇 주 전부터 시작되며 만성 보균자에서는 수년간 지속할 수 있다. B형 간염바이러스에 감염된 모든 사람의 약 2~10%가 만성 보균자가 될 것이다.

증상과 징후

B형 간염 바이러스 감염의 증상과 징후는 두 단계로 나타난다. 첫 번째 단계에서 환자는 발열, 구역, 설사 및 복통을 포함한 독감과 유사한 증상을 보인다. 순환하는 혈액에는 많은 양의 바이러스가 존재한다. 두 번째 단계에서 환자의 피부와 눈에 황달이 발생하며(그림 8-5) 대변은 희끄무레해지고 소변은 거의 갈색이 된다. 바이러스 부하가 감소하는 만큼 항체가 혈액에 나타난다. B형 간염 바이러스 감염자의 약 10%가 만성 감염이 되며 간부전이나 간암으로 진행될 수 있다.

감염의 두 단계 모두에서 평가는 주로 시각적으로 진행하지만, 철저한 병력 검사에 따라 달라진다. 환자에게 언제 증상이

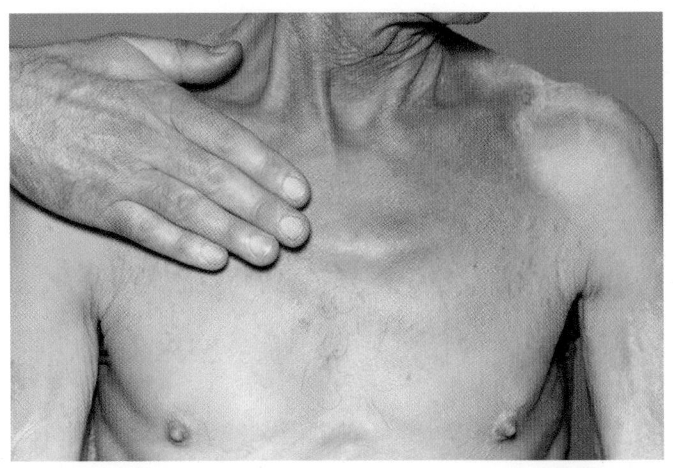

A

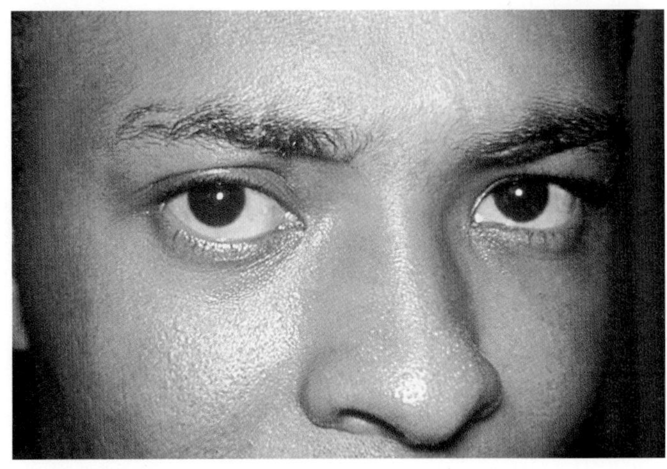

B

그림 8-5. B형 간염 바이러스 감염의 징후. A. 황달. B. 공막황달.

A. © SPL/Photo Researchers, Inc; B. Courtesy of Dr. Thomas F. Sellers/Emory University/CDC.

시작되었는지, 통증의 양상과 위치를 물어본다.

감별 진단

B형 간염의 감별에서 간염이나 간부전의 다른 원인을 고려한다.

처치

만성 B형 간염 바이러스 감염 환자의 경우 약물처치가 가능하다.

예방

처치 제공자는 혈액이나 혈액이 섞인 액체와 접촉할 때 표준 예방 조치를 준수함으로써 B형 간염 바이러스 감염으로부터 자신을 보호할 수 있다. 그러나 B형 간염 바이러스 예방 접종은 예방 접종이 보편적인 미국의 모든 사람을 위한 기본 보호 방법이다. 1991년 이후 모든 신생아는 출생 후 12시간 이내에 예방 접종을 받았다. 2000년부터는 중학교, 고등학교와 대학교는 모두 학교에 입학하기 전에 예방 접종을 받아야 한다. 대부분의 처치 종사자는 1982년부터 예방 접종을 받았다. B형 간염 예방 및 관리를 위한 권장 사항은 세계보건기구에서 얻을 수 있다. 예방접종 시행 이후 미국에서 B형 간염 바이러스의 위험과 발생률이 급격히 감소했다. 예방 접종은 질병으로부터 평생 보호를 제공하므로 부스터 또는 일상적인 역가 검사가 필요하거나 권장되지 않는다.

C형 간염 바이러스 감염

C형 간염 바이러스(HCV)는 미국에서 가장 흔한 만성 혈액 매개 감염이며 간 이식의 주요 원인이다. 이 바이러스는 1988년에 처음 확인되었으며 1992년에 검사가 가능해졌다. C형 간염 바이러스는 미국 인구의 약 1.5%와 세계인구의 3%를 감염시키는 단일 가닥 RNA 바이러스이다. 1990년 이후 미국에서 80% 감소했다.

병태생리학/전파

C형 간염 바이러스 전파는 주로 주삿바늘을 공유하여 정맥 내로 약물을 투여하는 사람 중 오염된 혈액의 주사를 통해 발생하지만, 때로는 다음과 같은 다른 방법으로 발생한다.

- 문신 또는 바디 피어싱
- 주삿바늘에 찔린 손상
- 장기 이식
- 혈액 또는 혈액 제제 수혈
- 성적 접촉

점막이나 손상되지 않은 피부 노출을 통한 전파는 드물다. 이 바이러스는 혈액을 통한 접촉을 제외한 모든 전염 수단에도 위험을 초래할 정도로 환경에서 오래 생존할 수 없다. 잠복기는 6~7주이지만 수혈을 통해 노출되면 더 짧은 것으로 보인다.

증상 및 징후

C형 간염 바이러스 감염의 초기 증상과 징후는 피로, 복통 및 간비대를 포함한 B형 간염 바이러스 감염의 증상 및 징후와 동일하지만, 일반적으로 일차 B형 간염 바이러스 감염이 더 경미하다. 발열을 확인한다. C형 간염 바이러스 감염 환자의 20%

만이 황달, 희끄무레한 대변 및 어두운 소변과 같은 간염의 두 번째 단계와 관련된 증상을 경험한다. 만성 감염은 이 환자의 약 20%에서 발생하며 30%는 질병의 보균자가 된다.

감별 진단

바이러스성 원인 및 약물을 포함한 간염의 다른 원인을 고려한다.

처치

C형 간염 바이러스에 대한 처치는 현재 매우 단순화되었다. 처치는 C형 간염 바이러스의 유전자형을 기반으로 12주 정도로 짧을 수 있으며 일반적으로 완전히 효과적인 경우 약물로만 구성된다.

예방

환자의 혈액 또는 기타 감염 가능성이 있는 물질과 접촉할 때 올바른 손 씻기를 포함한 표준 예방 조치를 따르면 C형 간염 바이러스에 걸릴 위험을 줄일 수 있다. 오염원에 노출된 환자를 즉시 보고하여 감염의 원인이 될 수 있는 환자를 검사할 수 있도록 한다. 감염의 원인이 될 수 있는 환자 C형 간염 바이러스에 양성 반응을 보이는 경우 다음과 같은 조치를 한다.

- 감염의 원인이 될 수 있는 환자에 대해 항 C형 간염 바이러스에 대한 기준 검사를 수행한다.
- 환자에게 노출된 사람에 대해 항 C형 간염 바이러스와 알라닌 아미노전이효소 활성 기준선 검사와 4~6개월 후 추적 검사를 포함하는 기준 검사를 수행한다. C형 간염 바이러스 감염의 조기 진단이 필요한 경우 4~6주에 C형 간염 바이러스 RNA 검사를 시행할 수 있다.
- 진단을 확인하려면 효소 면역 분석에서 양성으로 보고된 모든 항 C형 간염바이러스 결과에 대해 주가 항 C형 간염 바이러스 검사를 수행한다.

현재 노출 후 예방을 위한 약물은 제공되지 않으며 C형 간염 바이러스 백신도 개발되지 않았다. 노출 후 4주에 C형 간염 바이러스 양성 반응을 보이는 경우 전문의 진료가 필요하다.

장 질환

노로바이러스

위장염은 세균 또는 바이러스 병원체, 기생충, 화학 독소, 알레르기 또는 면역장애로 인해 발생할 수 있다. 염증은 위장관의 점막층에 출혈과 미란을 일으켜 수분과 영양소의 흡수에 영향을 줄 수 있다.

일반적으로 급성 위장염 또는 "위 독감(stomach flu)"이라고 하는 것은 위와 장의 바이러스 감염으로 복부 경련, 구토, 설사를 유발한다. 노로바이러스는 급성 위장염의 가장 흔한 원인으로 균주는 1~3일 동안 증상을 유발하며 가장 중요한 처치는 수분 유지이다.

노로바이러스는 국제적인 문제이며 전염성이 매우 강하다. 학교, 유람선, 요양원, 병원, 호텔 및 레스토랑과 같은 일부 제한된 공간에서 주로 발병한다.

병태생리학/전파

"겨울 구토 질환"으로도 알려진 노로바이러스 또는 노워크와 같은 바이러스는 노로바이러스 속의 외피가 없는 단일 가닥 RNA 바이러스에 의해 발생한다. 노로바이러스가 체내에 들어오면 소장에서 증식하기 시작한다. 노로바이러스의 잠복기는 12~48시간이며 감염된 사람, 오염된 음식이나 물 또는 오염된 표면을 만짐으로써 전염될 수 있다. 바이러스는 감염 후 몇 주가 지나면 사라질 수 있다.

증상 및 징후

환자는 복통, 구토, 분출성 구토, 설사 및 발열을 포함한 위장관의 불쾌감을 호소할 것이다. 증상은 일반적으로 1~2일 정도 지속하며 그 후 환자는 완전하게 회복된다. 노로바이러스는 어린 소아와 노인에게 치명적일 수 있다.

감별진단

진단은 환자의 증상과 징후, 철저한 병력 청취, 대변 검체를 배양으로 이루어진다. 유사한 증상이 나타날 수 있는 다른 상태로는 급성 위염, 캄필로박터 감염, 크론병, 식품 알레르기, 대장균 감염, 곁주머니염 및 과민대장 질환이 있다.

처치

처치는 지지요법과 입안 또는 정맥 내로 수액을 보충하는 것을 목표로 한다. 장운동 억제제는 3세 미만의 어린이에게 권장되지 않는다. 더 나이가 많은 어린이와 성인의 경우 장운동 억제제와 항구토제가 수분 공급에 유용할 수 있다. 항생제는 노로바이러스에 의한 위장염을 치료하는데 유용하지 않으며 백신을 사용할 수 없다. 사람들은 평생 여러 번 노로바이러스에 감염될 수 있다.

예방

올바른 손 씻기를 포함한 표준 예방 조치를 따르면 노로바이러스에 감염될 위험을 줄일 수 있다. 물 공급이 안전하고 배설물 처리를 위한 적절한 시설이 있는지 확인한다. 방, 차량과 장비는 프로토콜에 따라 철저히 청소하고 소독한다. 미국 질병통제예방센터(CDC)는 소독을 위해 고농도의 가정용 표백제(약 4L의 물에 표백제 5~25 큰 숟가락)를 사용할 수 있다고 말한다. 더러워진 의류는 사용할 수 있는 최대 시간으로 세탁하고 건조기에서 고온으로 건조한다. 유람선과 같은 일부 격리된 환경에서는 질병의 확산을 방지하기 위해 환자를 격리할 수 있다.

A형 간염 바이러스 감염

감염성 간염으로 알려진 A형 간염 바이러스(HAV)는 미국에서 가장 흔한 유형의 간염이다. A형 간염 바이러스는 감염된 사람의 대변에서 발견되는 단일 가닥 RNA 바이러스이다. 이 바이러스는 간에서 복제하지만, 일반적으로 간을 직접적으로 손상하지는 않는다. A형 간염 바이러스 감염은 A형 간염 바이러스 감염은 A형 간염 바이러스에 감염되면 평생 면역을 제공하기 때문에 종종 양성 질환으로 설명된다.

1995년 A형 간염 바이러스 백신이 출시된 이후 미국의 감염률은 약 90% 감소했다. 2008년에 미국에서 2,585건의 사례가 보고되었으며 이는 미국에서 보고된 가장 낮은 수치이다. A형 간염 바이러스는 발생률은 잘 추적대지 않지만 전 세계에 존재한다. 급성 A형 간염 발병은 보호받지 못하는 노숙자와 관련이 있다.

병태생리학/전파

A형 간염 바이러스의 전파는 배설 경로를 통해 발생한다. A형 간염 바이러스는 위장관에 대량 서식하고 증상이 나타나기 4주 전에 혈액에서 검출할 수 있으며 잠복기는 2~4주이다. 전염 가능 기간은 잠복기가 끝날 때까지 시작되어 환자가 황달에 걸린 후 며칠 동안 계속된다.

증상 및 징후

A형 간염 바이러스 환자는 처음에 불쾌감, 피로, 식욕 부진, 구역, 구토, 설사, 발열 또는 복부 불편함을 나타낼 수 있다. 질병의 두 번째 단계에서 나타나는 증상과 징후는 황달, 어두운색 소변 및 희끄무레한 대변과 같은 모든 유형의 간염과 동일하다.

감별진단

진단을 구체화하는 데 도움이 되도록 환자에게 최근 국외 여행을 다녀왔는지 질문하고 오염된 물이나 조개류와 같은 음식을 날것으로 섭취했는지를 물어본다. 실험실 검사는 노출 후 3주 이내에 항 A형 간염 바이러스와 면역글로불린 M(IgM) 항체의 존재를 감지할 수 있다.

처치

처치는 지지요법을 시행하며 좋은 영양 공급과 정맥 내로 수액 투여에 중점을 둔다.

예방

환자의 대변과 직접 접촉하는 경우 올바른 손 씻기를 포함한 표준 예방 조치를 따른다. A형 간염 바이러스 백신 접종은 미국 이외의 지역에서 근무할 수 있는 연방 비상 재난관리청(FEMA) 구성원에게 권장되지만 다른 처치 제공자에게는 권장되지 않는다.

대장균 감염

대부분의 대장균은 무해하지만, 일부 균주는 어떤 변종들은 식중독 질환을 유발한다. 대장균은 식품을 오염시킬 수 있는 가축의 집락형성(정착)과 감염을 일으키는 주요 원인으로 인식되어 왔다. O157:H7 하위 유형으로 인한 첫 번째 심각한 발병은 1993년 워싱턴주의 패스트푸드점에서 발생했다. 유행병학자들은 이 균이 매년 75,000명 이상의 환자를 발생시켜 3,000명 이상이 병원에 입원하고 60명 이상의 사망을 초래한다고 추정한다. 질병은 주로 어린이와 노인에게 발생한다. 이 질병은 개발도상국에서 잘 추적대지 않아 발생률에 대한 데이터가 제한적이지만, 전 세계적으로 문제가 되고 있다.

병태생리학/전파

대장균은 장내세균과에 속하는 그람음성세균이며 대장

균의 30가지 이상의 혈청형이 확인되었다. 이 중 대장균 O157:H7은 부적절하게 조리된 육류, 도시의 상수도, 우유, 생채소, 살균되지 않은 사과식초, 상추 및 가축 배설물로 오염된 제품에서 발견되어 최근 몇 년 동안 가장 주목을 받았다. 그 균의 잠복기는 1~9일이다. 시가 독소를 생성하는 대장균 O157:H7의 균주는 인간에게 알려진 가장 강력한 독소 중 하나이다.

증상 및 징후

대장균 O157:H7의 감염은 복통과 압통, 근육통, 두통으로 시작된다. 구토가 발생할 수도 있으며 그 뒤에 대변에서 혈액이 보이는 출혈성 대장염이 발생할 수 있다. 이 단계는 3~7일 동안 지속할 수 있으며 대부분 65세 이상의 사람들에게 발생한다. 이 질병의 심각한 합병증은 대장균 O157:H7에 감염된 사람 중 약 10%에서 발생하고 생명을 위협하는 용혈요독증후군이다. 그 결과 용혈요독증후군은 현재 영아나 어린 소아에서 급성신부전의 가장 흔한 원인으로 인식되고 있다. 청소년과 성인도 감염되기 쉽고 고인은 종종 이 질병에 걸린다.

감별진단

진단을 구체화하기 위해 환자에게 익히지 않았거나 덜 익힌 고기를 먹었는지 물어본다. 환자에게 대변 모양에 대해 질문한다. 묽은 황록색이거나 혈변 또는 고름이 포함된 대변은 이 질병의 단서이다. 탈수나 쇼크의 징후가 있는지 확인한다. 진단은 대변 배양에 근거하여 이루어지고 혈변의 90%가 대장균 세균 검사 결과 양성이다.

처치

대장균 O157:H7 균주에 대해 항생제가 효과적이지 않기 때문에 보조적 처치가 제공된다. 환자가 중증의 빈혈인 경우 수혈이 필요할 수 있으며 급성신부전의 경우 투석이 필요할 수 있다.

예방

최선의 예방은 손 씻기, 익히지 않은 음식의 적절한 준비, 조리된 음식의 준비, 모든 음식의 적절한 보관에 대한 교육이다. 의복을 보호하기 위해 가운을 사용하는 것을 포함하여 표준 예방 조치가 권장된다. 항상 그렇듯이 철저한 손 씻기를 실천한다. 방, 차량 및 처치에 사용하는 장비는 프로토콜에 따라 철저히 청소하고 소독한다.

세균성 이질

세균성 이질은 대장과 소장에 영향을 미치는 전염성이 강한 급성 세균성 장염이다. 감염을 일으키기 위해서는 소수의 세균(10~100개 정도)만 필요하다. 이 질병으로 인해 매년 전 세계적으로 60만 명 이상이 사망하는 것으로 알려져 있다. 대부분의 감염과 사망은 10세 미만의 어린이에게서 발생한다.

병태생리학/전파

세균성 이질은 대장균 및 살모넬라와 밀접한 관련이 있는 그람음성, 비-포자 형성, 막대 보양의 세균 종류이다. 이질균은 대변이 구강 경로를 통해 전파된다. 배변 후 손을 씻지 않는 것은 이 감염을 확산시키는 쉬운 방법이다. 잠복기는 12시간 정도로 짧을 수 있지만 96시간까지 연장될 수 있으며 사람은 최대 4주 이상 지속할 수 있다.

증상 및 징후

이질균 균주는 장 독소, 세포 독성 및 신경독성 효과가 있는 세 가지 다른 장 독소를 생성할 수 있다. 이 질병에 걸린 환자는 설사, 발열, 구토 및 경련을 일으킨다. 수분 보충이 필요할 수 있으며 경련은 어린아이에서 가끔 나타나는 합병증이다. 질병은 약 4~7일 동안 지속하고 경미한 감염의 경우 유일한 징후는 묽은 설사일 수 있으며 다른 증상으로는 구역, 고열, 복통 및 경련이 있다.

감별진단

진단은 환자의 병력, 증상 및 징후, 대변 검체 배양으로 이루어진다.

처치

환자는 3일간의 수분 공급과 항생제 처치 후 개선을 보일 것이다.

예방

올바른 손 씻기를 포함하여 표준 예방 조치를 따르면 이질균 감염의 위험을 줄일 수 있다. 물 공급이 안전하고 적절한 분변 처리 시설이 있는지 확인한다. 상수도 염소화도 위험을 감소시킨다.

클로스트리듐 디피실리(거짓막대장염)

미국에서 클로스트리듐 디피실리 감염률은 2000년 이후 3배 증가했으며 사망률도 증가했다. 독성 균주는 현재 북미와 유럽에 널리 퍼져 있다.

이 질병은 위장관의 정상적인 균주를 억제하고 클로스트리듐 디피실리가 우세하게 하는 항생제 처치의 직접적인 결과이다. 따라서 병원감염(HAI)으로 분류되지만 외래 항생제 처치와도 관련이 있다. 고위험 환경에는 급성 및 장기 편의시설이 포함된다. 면역이 저하된 소아 환자와 제왕절개술을 받은 분만 전후의 여성에서 발병률이 증가하는 것으로 보고되었으며 노인에서 발생률이 가장 높다.

병태생리학/전파

클로스트리듐 디피실리는 두 개의 큰 독소인 A와 B를 생성하는 그람 음성 포자형성 혐기성 막대균이다. 포자 생성은 주변 환경의 표면을 심하게 오염시킨다. 결과적으로 처치 제공자의 씻지 않은 손은 클로스트리듐 디피실리의 주요 전파 수단이다.

증상 및 징후

이 질병에 걸린 환자는 혈변은 아니지만, 특유의 역한 냄새가 나는 설사를 한다. 복통과 경련은 환자의 약 22%에서 나타나며 이러한 징후가 있으면 환자에게 최근 입원이나 항생제 처치에 관해 물어본다. 드물게 독성 거대결장증과 같은 잠재적으로 생명을 위협하는 합병증이 발생할 수 있다(그림 8-6).

감별진단

진단을 구체화하려면 대변 냄새를 확인하고 환자의 발열 여부를 평가한다.

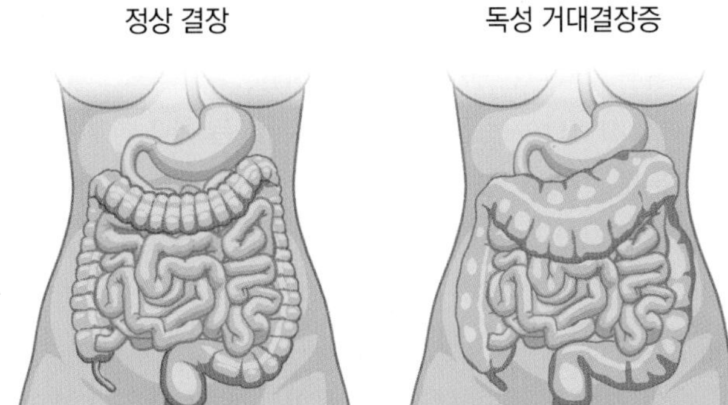

그림 8-6. 오른쪽 그림은 독성 거대결장증과 관련된 확장된 결장을 보여준다.

진단은 철저한 병력 청취, 집중 신체검사, 증가한 의심 지수(환자가 최근 3개월 동안 항생제를 복용한 사실을 알고 있음)를 기반으로 의심된다. 또한, 증가한 백혈구 수를 흔히 볼 수 있으며 양성 대변 검사가 결정적이다.

처치

불필요한 항생제를 투여를 중단하고 일반적으로 10일 동안 경구 메트로니다졸(Flagyl) 또는 반코마이신(Vancocin)으로 처치한다. 어떤 경우에는 증상이 30일 이내에 다시 나타나며 일반적으로 동일한 클로스트리듐 디피실리 균주에 의해 발생한다. 환자의 대변 미생물로 처치하여 장 생태를 회복시키는 것이 매우 효과적인 처치 방법으로 떠오르고 있다.

예방

비누로 올바르게 손을 잘 씻는 것을 포함하여 표준 예방 조치를 따른다. 알코올을 기반으로 만들어진 손소독제는 포자를 박멸하지 않으며 설사 환자를 처치할 때 이에 의존해서는 안 된다. 클로스트리듐 디피실리는 포자를 형성하는 균이기 때문에 장비를 세척하고 소독할 때는 염소 기반의 용액을 사용한다. 불필요한 항생제 사용을 피하는 것이 중요하다.

체외기생충

옴

옴은 기생하는 옴진드기에 의해 발생한다. 옴 감염은 실제로 유기체 자체에 감염된다. 옴진드기는 다른 감염의 전염을 일으키는 매개체가 아니다.

옴은 전 세계적으로 문제이며 치료를 받지 않으면 치명적인 영향을 미칠 수 있으며 이것은 개발도상국에서 특별히 그렇다. 옴은 빈곤과 인구 밀도가 높은 덥고 열대성 기후에서 가장 흔하다. 2010년에 개발도상국에서 옴이 직접적으로 피부에 영향을 미치면 150만 년 이상의 장애가 발생하고 신장 및 심혈관 합병증과 같은 간접적인 영향을 미치는 것으로 추정된다. 옴에 감염되면 가족과 어린이, 성 파트너, 만성 질환이 있거나 입원 중인 환자, 대가족이 같이 살거나 이웃에 사른 사람들에게 영향을 줄 수 있다.

병태생리학/전파

옴의 전파는 직접적인 피부 접촉으로 발생한다. 감염되지 않은 사람이 속옷, 수건 및 침구류와 같은 감염된 사람이 사용한 매개물과 접촉할 때도 발생할 수 있다. 이전에 노출되지 않은 사람의 잠복기는 2~6주이다. 이 질병은 처치로 진드기와 알이 파괴될 때까지 전염된다. 조기에 처치하면 합병증은 거의 나타나지 않는다. 이 질병이 지속한다면 궤양, 패혈증, 심혈관 및 신장 합병증을 유발하는 피부 감염이 발생할 수 있다.

증상 및 징후

옴 감염으로 인한 증상과 징후로는 야행성 가려움증과 발질이 있다(그림 8-7).

- 손과 손가락 사이
- 손목의 굽힘근 측면
- 겨드랑 부위
- 발목 또는 발가락
- 생식기 부위
- 볼기
- 복부

감별진단

진단은 진드기의 현미경 검사를 통해 이루어진다. 피부에 파고든 진드기를 제거하기 위해 바늘이나 메스를 사용하는 표본을 채취한다.

처치

퍼메트린(Elimite)은 옴의 국소적 치료제이다. 어린이의 감염을 효과적으로 처치하려면 재복용이 필요할 수 있다. 린덴(대장) 로션은 이차 치료제로 처방할 수 있지만 린덴 독성은 과용으로 보고되고 있다.

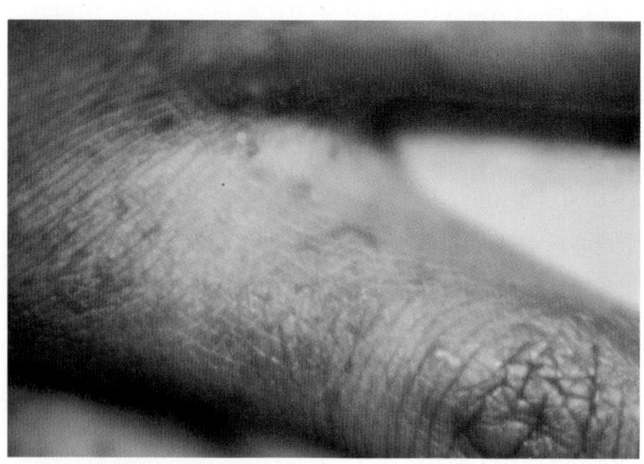

그림 8-7. 옴에 의해 생성되는 발진
Courtesy of Centers for Disease Control and Prevention.

예방

예방을 위해서는 글러브를 착용하고 손을 잘 씻는 습관이 필요하다. 린넨의 세척은 뜨거운 물(50°C에서 10분)로 일상적인 세척이 필요하다. 환자와 접촉한 후 방이나 차량을 정기적으로 청소하는 것으로 충분하다. 처치 제공자가 노출되었다고 우려하는 경우 일상적인 신고 지침을 따른다. 처치 제공자가 노출된 경우 처치가 지시되면 환자 처치에 대한 업무에 제한이 필요할 수 있다. 생활 조건과 감염에 따라 전체 가족의 처치가 필요할 수 있으며 이는 제도적으로 신고한 경우에도 해당한다.

이 감염증

머릿니, 몸니(옷엣니) 및 사면발이는 옴처럼 실제 감염보다는 감염을 일으키는 기생충이다. 각 유형의 이가 다르며 일반적으로 신체의 다른 부위에 출몰한다. 이는 대가족이 거주하거나 위생 상태가 좋지 않거나 여러 명의 성 파트너가 있는 사람들에게 흔하다.

병태생리학/전파

이의 전파는 신체적 접촉을 통해 발생한다. 잠복기는 알이 부화한 후 약 8~10일 정오이다. 이가 감염된 옷을 입은 것을 포함하여 모든 진드기와 알이 처치로 파괴될 때까지 전파된다. 인간은 이가 있는 유일한 병원소이고 몸의 이는 질병을 옮기는 것으로 알려져 있다.

증상 및 징후

이에 감염된 증상과 징후로는 중증 가려움과 머리카락에 달라붙어 있는 이와 눈으로 보이는 알이 있다. 머릿니는 머리와 목에서 발견되고 몸니는 몸에서 발견되지만, 일반적으로 옷에 알을 낳는다. 사면발이는 음모, 항문 주위 또는 회음부에서 발견되며 속눈썹, 눈썹, 겨드랑, 두피 및 기차 체모로 덮인 다른 신체 부위에 서식할 수 있다.

감별진단

이의 감염 진단은 머리카락에 붙어 있는 흰색 알을 육안으로 관찰함으로써 이루어진다(그림 8-8).

그림 8-8. 위 사진은 머리카락에 알이 육안으로 관찰된다.
© khunkorn/Shutterstock.

처치

손으로 이의 알을 제거하고 이 살충제를 사용하는 것이 치료 방법이다. 린덴 샴푸(1%)는 부화하는 유충을 죽이기 위해 7~10일 동안 사용한다. 이 샴푸는 지시에 따라 사용하지 않으면 독성이 있을 수 있으므로 어린이에게는 닉스(Nix)와 같은 1% 페메트린 크림 린스를 사용한다. 이 크림은 한번 바르면 이와 알이 모두 죽는다.

예방

예방을 위해서는 글러브를 착용하고 손을 잘 씻는 습관이 필요하다. 접촉 후 실내와 차량을 정기적으로 청소하고 소독하는 것으로 충분하다. 실제 노출이 발생하면 처치를 위해 페메트린 크림을 처방할 수 있으며 환자 처치를 제한할 수 있다.

동물 매개 감염병(인수공통전염병)

광견병

광견병 바이러스는 말초신경을 통해 중추신경계에 도달하는 총알 모양의 단일 가닥의 RNA 바이러스이다. 감염은 거의 항상 치명적인 진행성 뇌척수염을 유발한다. 미국에서 광견병은 스컹크, 너구리, 박쥐, 여우, 개, 고양이 등 야생 동물과 가축에서 흔하다. 그러나 동물 예방 접종 프로그램은 광견병 발생률과 그 질병으로 인한 사망자 수를 연간 1~2명으로 줄였다. 하와이는 동물 개체에 광견병이 없는 유일한 주입니다. 광견병은 남극 대륙을 제외한 모든 대륙에서 발견되며 대부분이 아프리카와 아시아에서 사망자가 발생한다. 대부분의 경우 광견병은 개가 물거나 긁힌 결과로 발생한다. 박쥐는 아메리카 대륙에서 대부분의 사례를 차지한다. 전 세계적으로 대부분의 광견병 사망은 공중 보건 자원이 부족하고 예방 처치에 대한 접근이 제한적이며 진단 시설이 거의 없고 광견병 감시프로그램이 거의 존재하지 않는 국가에서 발생한다. 전 세계적으로 매년 약 6만 명이 광견병으로 사망하고 대부분 광견병이 풍토병인 아프리카와 아시아 국가에서 발생한다.

병태생리학/전파

광견병은 주로 동물에 영향을 미치는 중추신경계의 급성 바이러스 감염이다. 그러나 감염된 동물의 바이러스가 많은 타액을 통해 사람에게서 전파할 수 있다. 사람에게서 사람으로의 전파는 기록된 적이 없다. 자연 서식지 밖에서 발견되거나 비정상적이거나 공격적으로 행동하는 모든 동물은 감염된 것으로 추정한다.

증상 및 징후

광견병은 흥분성과 마비성 두 가지 형태의 증상으로 발생할 수 있다. 격노한 형태로 피해자는 과잉 행동, 흥분된 행동, 불안, 혼동, 물공포증, 공기공포증의 징후를 보인다. 이 중 환자의 3분의 1은 마비성 광견병으로 나타난다. 이러한 유형의 질병은 점차 나타나고 더 오래간다. 근육은 물린 부위나 긁힌 부위에서 시작해서 점점 마비되고 혼수상태가 발생하며 사망이 발생한다. 이러한 유형의 광견병은 종종 오진되어 질병이 제대로 보고되지 않는다. 초기 증상은 발열, 두통, 전신 불쾌감으로 구성되어 비특이적이다. 환자는 질병이 진행되고 질병 유형에 따라 불면증, 불안, 혼동, 경미하거나 부분적인 마비, 자극, 환각, 흥분, 과다침분비 및 삼킴 곤란 등을 포함한 신경학적 증상이 나타난다. 일반적인 믿음과 달리 광견병에 감염된 사람이 물을 두려워하게 만들지 않는다. 그러나 환자는 인후 경련이 유발되기 때문에 물을 마시는 것을 싫어하게 된다. 이 상태는 이전에 광견병 자체와 동의어였던 물공포증(hydrophobia)이라고 한다. 증상이 나타난 후 수일 이내에 사망할 수 있다.

감별 진단

사람은 감염된 동물의 물린 자국이나 긁힌 자국이 타액에 노출된 후 광견병 바이러스 감염에 매우 취약해진다. 감염의 치사율은 상처의 심각성과 위치, 균의 독성을 비롯한 몇 가지 요인에 따라 달라진다. 정확한 진단을 위해 환자에게 최근 동물과 접촉한 이력에 관해 물어본다. 진단은 환자의 병력, 노출 이력 및 임상 증상을 기반으로 한다.

처치

상처 부위를 비누와 물, 세제, 요오드 또는 광견병을 죽이는 것으로 알려진 용액으로 적어도 15분 동안 깨끗이 씻는다. 현재 지침에 따라 광견병 예방 접종을 한다. 일반적으로 손상 당일 또는 10일 이내에 근육 내 주사를 시행하고 3일, 7일, 14일, 28일에 후속 주사 투여를 한다. 광견병 면역 글로불린도 1차 백신 접종과 함께 투여하며 투여량은 체중을 기준으로 결정한다.

예방

광견병 바이러스의 잠복기는 9~30일이고 1%의 경우 잠복기는 1년 이상이 될 수도 있으며 25년도 가능할 수 있다. 가축의 백신 접종은 필수이다. 광견병에 노출된 것으로 의심되는 환자를 처치할 때는 글러브를 착용하고 손을 위생적으로 관리하며 표준 예방 조치를 준수한다. 광견병 예방 접종은 공중 보건 프로그램을 통해 가능하지만, 이 백신을 투여하기 위한 기준은 이용률 감소로 인해 변경되었다. 예방 조치로서 처치 제공자의 백신 접종은 권장되지 않는다.

한타바이러스

설치류를 매개로 하는 바이러스의 한타바이러스 종류는 전 세계적으로 분포되어 있으며 한타바이러스 폐 증후군 및 신장 증후군을 동반한 출혈성 열을 포함한 관련된 여러 가지 한타바이러스 질병을 유발한다. 이 바이러스는 사슴쥐, 흰발쥐, 목화쥐 그리고 다양한 종류의 도시 쥐에 의해 전파된다.

한타바이러스는 아시아, 러시아 서부, 유럽, 미국 및 중남미에서 발생한다. 전 세계적으로 연간 15만~20만 건의 사례가 보고되고 있다. 이 질병은 1950년대 초 한국에서 처음 발견하였다. 거의 모든 한타바이러스 발병에는 두 가지 계절적 유행이 있다. 봄에 규모가 작은 발병이 나타나고 가을에 질병이 더 많이 발생한다. 역학자들은 이러한 상승이 농사 주기와 이 질병을 옮기는 설치류의 감염이 계절에 따라 증가하는 것과 일치한다고 의심한다.

병태생리학/전파

한타바이러스의 전파는 에어로졸화된 설치류 배설물을 흡입함으로써 발생한다. 이 바이러스는 만성적으로 감염된 설치류의 소변, 대변 및 타액으로 배출된다. 잠복기는 보통 12~16일 정도지만, 적게는 5일 정도이거나 길게는 42일까지 걸릴 수 있다. 한타바이러스의 사람 간의 전파는 아르헨티나와 칠레에서 보고된 바 있지만, 이 질병은 사람 간에 전파되는 경우가 드물어서 전염성이 있는 기간은 없다.

증상 및 징후

신장증후군 증상과 징후를 동반하는 출혈열은 갑작스럽게 발열이 시작되며 3~8일간 지속한다. 발열은 두통, 복통, 식욕감퇴, 구토를 동반한다. 얼굴홍조가 특징이며 점상 발진이 일반적으로 나타난다(일반적으로 겨드랑이에 국한됨). 4일째의 갑작스럽고 심각한 알부민뇨가 나타나는 것은 한타바이러스의 주요 징후이다. 환자는 또한 반상출혈과 공막주사(충혈된 눈)가 있을 수도 있다. 추가 증상으로는 저혈압, 쇼크, 호흡 곤란 또는 호흡부전, 신장 손상 또는 신부전이 있다. 신장 수질에 대한 특징적인 손상은 한타바이러스에만 있다. 신장증후군을 동반한 출혈열은 치사율이 최고 15%에 이른다.

한타바이러스 폐증후군은 열성 질환이며 초기에는 발열, 근육통, 두통, 기침, 오한, 근육 통증, 복통, 설사, 불쾌감을 포함하는 독감 유사 증상이 특징이다. 초기 발병 후 4~10일 후의 후기 단계에서 증상은 호흡 곤란과 빠른 호흡이 나타날 수 있다. 폐가 체액으로 가득 차고 환자는 가슴이 답답하고 질식할 것 같은 느낌을 호소한다. 한타바이러스와 일치하는 증상을 관찰하면 환자에게 쥐나 다른 설치류 배설물에 노출이 되었었는지에 대해 질문한다. 한타바이러스 폐증후군의 치사율은 50%에 이른다.

감별진단

한타바이러스 폐증후군에 대한 감별진단에는 중증의 일반화된 폐렴, 사이질폐렴, 호산구폐렴이 있다. 진단은 IgM 항체반응이나 IgG 역가의 상승 또는 중합효소연쇄반응 검사로 확인한다. 흉부 방사선 사진에 광범위 사이질 침윤물을 나타낼 수 있다.

처치

산소 투여, 호흡 상태 모니터링, 체액 및 전해질 균형 유지, 혈압 유지를 포함하는 지지 요법 외에는 특별한 처치 방법이 없다.

예방

표준 예방 조치를 따른다. 한타바이러스는 사람에게서 사람으로 전파되지 않는다. 차량을 정기적으로 청소하는 것으로 충분하다. 공중 보건 담당자는 설치류가 만연한 지역을 청소할 필요성을 평가할 것이다.

파상풍(입벌림장애)

미국 질병통제예방센터(CDC)에 따르면 2009~2015년까지 미국에서 파상풍으로 인한 총 197건의 발병사례와 16건의 사망이 보고되었는데 이는 2001~2008년 감시 기간 보고된 233건의 발병 사례와 26명의 사망자보다 감소했다. 파상풍은 농업 지역과 저개발 지역에서 동물 배설물과의 접촉이 흔하고 예방 접종이 불충분한 곳에서 더 흔하다. 파상풍은 그람 양성 무산소균인 클로스트리디움 테타니에 의해 발생하는 질병이다. 파상풍은 전 세계적으로 발생하며 모든 연령대에 영향을 미치며 신생아와 젊은 사람들에게 가장 높은 유병률을 보인다. 파상풍은 세계보건기구(WHO)의 예방 접종 프로그램의 대상 질병 중 하나이다. 전체적으로 파상풍의 연간 발병률은 50만~100만 건이다. 이 중 약 60%는 60세 이상의 사람들에게서 발생한다. 그들은 일반적으로 동물 배설물과의 접촉이 일반적이며 예방 접종이 불충분한 시골 지역에 떨어져 있다. 파상풍균은 말과 다른 동물의 내장과 오염된 토양에서 발견된다. 파상풍의 일부 사례는 정맥 내 약물 사용과 관련이 있다.

병태생리학/전파

파상풍의 전파는 파상풍 포자가 동물의 배설물, 거리 먼지 또는 토양으로 오염된 개방 상처를 통해 신체에 들어가거나 오염된 길거리에서 정맥 내로 마약을 투여하거나 적절한 멸균 절차를 이용할 수 없는 집에서 분만한 신생아에게서 발생한다. 때로는 처치하지 않고 방치한 경미한 손상 후에 발생한 사례도 있다. 잠복기는 노출 후 약 14일로 생각되지만, 3일 정도로 짧은 기간이 보고되었다. 짧은 잠복기는 더 높은 수준의 오염과 관련이 있다. 파상풍은 사람에게서 사람으로 전염성이 없기 때문에 전염 기간이 없다.

증상과 징후

박테리아가 자라기 시작하면서 방출되는 신경 독소로 인해 나타나는 증상과 징후는 상처 부위에서 시작하여 목과 몸통 근육에 고통스러운 근육 수축으로 이어진다. 가장 일반적인 초기 징후는 입을 벌릴 수 없는 턱의 경련이다. 이것이 파상풍을 입벌림장애라고 부르는 이유이다. 또 다른 주요 징후는 복부 경련이고 발작, 발열, 발한, 고혈압 및 빈맥이 나타날 수 있다.

감별진단

파상풍의 진단은 증상과 징후를 토대로 이루어진다. 파상풍에 대한 실험실 검사는 개발되지 않았다.

처치

상처를 세척하고 필요하면 외과적으로 죽은 조직을 제거한다. 필요한 경우 항생제를 처방할 수 있다. 파상풍에 걸리기 쉬운 상처가 있는 사람은 파상풍 예방 접종 상태를 확인하고 필요한 경우 예방 접종을 받아야 한다. 파상풍 발병률은 예방 접종 프로그램의 시행으로 인해 전 세계적으로 감소한다.

예방

배액 상처가 있는 환자를 다룰 때는 글러브를 착용한다. 파상풍을 예방하기 위해서는 소아기에 예방 접종을 시행하고 10년마다 추가 접종을 한다. 파상풍 환자를 처치한 후에는 방이나 차량을 특별히 청소하거나 소독할 필요는 없다. 환자가 어렸을 때 일차 예방 접종을 받지 않은 경우 면역글로불린을 투여할 수 있다.

벡터 매개 질병

라임병

라임병은 미국에서 가장 흔한 진드기 매개 질병이다. 신고 건수는 국가 신고체계가 구축된 1982년 이후로 증가 추세를 보인다. 라임병은 전 세계적으로 발견되며 대부분의 경우 아시아의 산림지역, 북서부, 중부, 동부 유럽 그리고 미국에서 지역적으로 발생하고 있다. 라임병은 스피로헤타 보렐리아균(Borrelia burgdorferi)에 의해 발생한다. 이 질병은 10세 미만의 어린이와 중년 성인에게서 가장 흔하게 발생한다.

병태생리학/전파

라임병은 진드기에 물려서 전염된다. 성충 진드기는 사슴을 숙주로 선호하기 때문에 사람에게 질병을 전파할 가능성이 적다. 6월~8월 사이에 가장 많이 발생하고 초가을에는 발병률이 감소하며 잠복기는 3~32일이다. 이 질병은 사람에게서 사람으로 전파되지 않기 때문에 전염성이 없다.

증상 및 징후

라임병은 주로 피부, 심장, 관절 및 신경계에 영향을 미치고 일부 환자는 무증상이다. 이 질병은 일반적으로 다음과 같은 세 단계로 나뉜다.

1. 초기 국소화. 초기 국소화 단계에서는 진드기에 물린 후 3~32일 후에 이동성 홍반이라 하는 둥글고 약간 불규칙한 붉은 피부 병변이 나타난다. 이 병변은 중심에 괴사 지점이 있으면서 주변에 밝은 홍반과 함께 짙은 붉은색 고리가 나타나므로 종종 '황소 눈 발진'으로 묘사하기도 한다(그림 8-9). 발진의 지름은 5cm 이상이며 이것은 대개 서혜부, 넓적다리, 겨드랑 등의 피부에 나타나며 놓치기 쉽다. 피부는 만졌을 때 따뜻하고 물집이 생기거나 딱지로 덮여 있을 수 있다.
2. 조기 확산기. 두 번째 조기 전파 단계는 수일 내에 발생할 수 있다. 이 단계는 이차 병변, 발열, 오한, 두통, 불안감, 근육통 등과 같은 이차 병변 및 인플루엔자 유사 증상이 특징이다. 환자는 또한 환자는 비생산적인 기침, 인후통, 비장 확대, 림프절 확대가 있을 수 있다. 신경계 침범은 처치를 받지 않은 환자의 15~20%에서 8주 이내에 발생한다. 일반적으로 심장계 증상은 처치를 받지 않은 환자의 약 10%에서 나타난다.
3. 후기 징후. 두 번째 단계 이후 며칠 또는 몇 년 후에 발병할 수 있는 질병의 마지막 단계에서 관절염은 처치를 받지 않은 환자의 약 60%에서 발생한다. 며칠 또는 몇 달 동안 지속하는 간헐적인 관절 통증은 환자의 약 절반에서 발생하며 만성적인 신경계 증상은 드물다.

감별진단

라임병 진단은 일반적으로 간단한 병력과 신체검사로 이루어진다. 간단한 병력 및 검사로 라임병이 명백하게 진단된 경우 라임 항체가 발생하는 데 몇 주가 걸릴 수 있고 음성 결과가 임상의를 혼란스럽게 하고 처치를 지연시킬 수 있으므로 항체를 확인하지 않고 처치한다.

처치

환자는 10~21일 동안 경구용 독시사이클린 또는 아목시실린

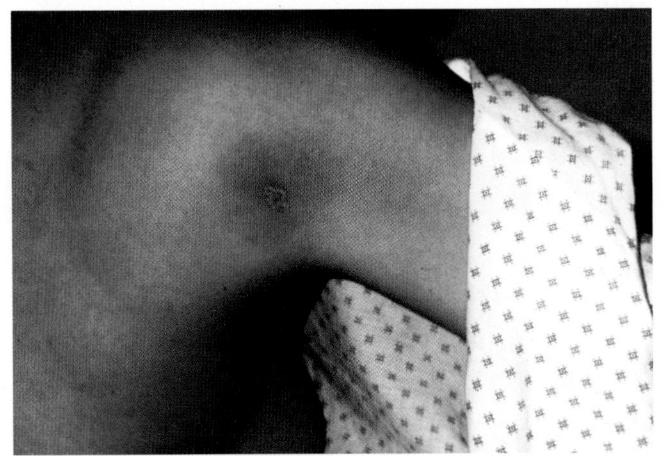

그림 8-9. 라임병의 황소 눈 발진은 서혜부, 넓적다리 또는 겨드랑 부위에서 가장 흔하다.
Courtesy of CDC.

을 부여받을 수 있다. 주로 후기 진단을 받고 항생제 처치를 받은 환자 중 최대 20%는 경구 항생제 처치에 반응하는 지속적이거나 재발하는 증상(처치 후 라임병 증후군이라고 함)이 있을 수 있다. 신경계 또는 심장 질병 형태를 앓고 있는 환자는 세프트리악손이나 페니실린과 같은 약물로 정맥 내 처치가 필요할 수 있다.

예방

항상 그렇듯이 손을 잘 씻는 것이 중요하지만 라임병은 사람 간에 전파되지 않는다. 진드기가 많은 지역에서 작업할 때는 긴 소매와 긴 바지를 입는다. 디에틸톨루마이드(DEET) 같은 퇴치제는 곤충을 억제할 수 있지만 이러한 화학 물질은 독성이 있을 수 있으므로 어린이에게 신중하게 사용한다. 12세 이상의 사람을 대상으로 한 무작위 대조 시험에서 사슴 진드기를 제거한 후 72시간 이내에 독시사이클린 200mg을 1회 투여한 결과 87%(95% 신뢰 구간, 25~98)의 라임병 예방 효과가 나타났다.

웨스트 나일 바이러스

웨스트 나일 바이러스는 플라비바이러스 속에 속하며 아프리카, 유럽, 중동, 북미 및 서아시아에서 흔히 발견된다. 이 질병은 나일강을 따라 발병한 곳에서 유래되었다. 웨스트 나일 바이러스는 1930년대 우간다에서 처음 발견되었지만, 1999년 뉴욕시에서 발견되었을 때 서반구에서 처음 나타났고 미국 역사상 모기 매개 질병의 시초가 되었다. 웨스트 나일 바이러스

는 또 다른 지역인 러시아, 이스라엘, 루마니아에서 보고되었다. 대부분의 경우 이 질병은 경미하고 특별하지 않다. 실제로 감염자의 약 80%는 자신이 이 질병에 걸렸다는 사실을 모르고 있다.

병태생리학/전파

웨스트 나일 바이러스의 전파는 사람이 바이러스를 옮기는 모기에 물렸을 때 발생한다. 모기의 약 1%만이 이 병원체의 매개체이다. 이 질병은 사람에게서 사람으로 전파되지 않는다. 웨스트 나일 바이러스는 기증자 혈액, 장기 이식 및 바이러스를 다루는 실험실 직원이 주삿바늘에 찔리면 상처를 통해 전파된다. 잠복기는 물린 후 2~14일이고 이 기간에 바이러스는 혈류로 들어가기 전에 림프절에서 증식하며 증상은 일반적으로 3~6일 정도 지속한다.

증상 및 징후

웨스트 나일 바이러스에 감염된 사람의 약 80%는 무증상이고 나머지 20%는 발열, 두통, 전신발진, 림프샘이 붓는 등 경미한 증상과 징후가 나타난다. 150명 중 1명 정도는 뇌염이나 수막염과 같은 중증의 증상과 징후가 나타나게 되는데 이것은 신경학적 합병증과 사망을 초래할 수 있다.

감별진단

증상과 징후를 예리하게 관찰하는 것이 예비 진단의 핵심이다. 해당 지역에서 사례가 보고된 경우 환자에게 최근 모기에 물린 적이 있는지 물어본다. 노출의 위험이 있는 지역에서 업무를 보았거나 여행한 이력이 있는지 물어본다. 의식 소실, 혼동, 목의 강직, 근력 약화와 같은 뇌염이나 수막염을 암시하는 중증의 증상이나 징후가 있는지 환자를 모니터링한다.

실험실 진단은 혈청 또는 뇌척수액 검사를 통해 웨스트 나일 바이러스 특히 IgM 항체를 확인함으로써 수행된다. 웨스트 나일 바이러스는 특히 IgM에 대한 면역 분석은 보건환경연구원이나 전문 업체를 통해 이용할 수 있다.

처치

질병에 대한 지지적 처치를 제공한다. 웨스트 나일 바이러스에 대한 처방된 처치 방법은 없다.

예방

오염된 주삿바늘에 의한 손상을 예방하기 위해 바늘 안전장치 시스템을 사용한다. 주삿바늘에 노출되면 특별한 의학적 후속 처치는 권장되지 않는다. 또한 웨스트 나일 바이러스 감염이 의심되는 환자를 이송한 후 차량이나 장비의 특별한 소독이 필요하거나 권장되지 않는다.

사람들은 고여 있는 물웅덩이의 물을 배수하고 방충제를 사용하며 해가진 후 긴 소매를 착용하고 조류는 웨스트 나일 바이러스의 매개체이므로 죽은 새들을 지역 당국에 보고함으로써 감염의 확산을 통제하는 데 도움을 줄 수 있다. 이러한 예방 조치는 번식 능력과 노출 위험을 감소시킬 것이다.

로키산 발진열

로키산 발진열은 숙주의 세포 내부에서 자라는 작은 박테리아인 리케차리케치에 의해 발생하는 진드기 매개 질병이다. 이 질병은 1896년 아이다호의 스네이크강 유역에서 처음 발견되었다. 최초 이 질병은 검은 홍역이라는 불길한 이름이 붙여졌다. 로키산 발진열 1920년대 이후부터 미국에서 보고되는 질병이었다. 그 이름에도 불구하고 이 질병은 콜롬비아 지역과 남대서양의 주(델라웨어, 메릴랜드, 버지니아, 웨스트버지니아, 노스캐롤라이나, 사우스캐롤라이나, 조지아, 플로리다), 태평양(워싱턴, 오리건, 캘리포니아) 및 서부 중남부(아칸소, 루이지애나, 오클라호마, 텍사스)지역을 포함한 미국 전역에서 발견될 수 있다. 전 세계적으로 아르헨티나, 브라질, 콜롬비아, 코스타리카, 멕시코 및 파나마에서 리케차리케치 감염 사례가 보고되었다.

로키산 발진열 발견 사례의 약 3분의 2는 15세 미만의 어린이에서 발생하며 5~9세 사이에서 가장 많이 발생한다. 종종 개 주변에 있거나 나무가 우거진 지역이나 풀이 무성한 풀밭 근처에 사는 사람들도 감염 위험이 높다. 아메리칸 인디언은 로키산 발진열의 발병률이 가장 높다. 로키산 발진열로 진단을 받은 사람 중 약 60%만이 진드기에 물린 흔적을 발견했다.

병태생리학/전파

현재 20종 이상이 리케차종으로 분류되어 있지만, 모든 종이 사람에게 질병을 일으키는 것으로 알려지지는 않았다. 발진열을 유발하는 리케차에는 세포질이나 숙주 세포의 핵에서 자란다. 이 유기체는 세포를 증식하고 손상하거나 파괴하며 혈관벽의 작은 구멍을 통해 혈액이 인접한 조직으로 누출되도록 한다. 이 기전은 질병과 관련된 특징적인 발진을 일으킨다. 잠복기는 진드기에 물린 후 3~14일이며 질병은 사람에서 사람으로 전파되지 않는다.

증상 및 징후

로키산 발진열의 초기 증상으로는 발열, 구역, 구토, 심한 두통, 근육통 및 식욕 부진이 있을 수 있다. 발진은 발열이 시작된 지 2~5일 후에 나타나며 종종 처음에는 손목, 팔뚝, 발목에 작고 평평하며 분홍색이고 가렵지 않은 반점으로 나타난다.

리케차리케치가 몸 전체의 혈관을 둘러싸고 있는 세포를 감염시키기 때문에 로키산 발진열은 생명을 위협하는 질병일 수 있다. 이 질병의 심각한 징후는 호흡기 또는 신장계통, 중추신경계 또는 위장관에서 발생할 수 있다. 병원 처치가 필요할 정도로 중증의 질병을 앓고 있는 사람은 다음과 같은 장기적인 영향을 미칠 수 있다.

- 다리의 부분 마비
- 손가락, 발가락, 팔 또는 다리를 절단해야 하는 괴저
- 난청
- 장 또는 방광 조절 상실
- 운동 또는 언어 장애

감별진단

진단은 종종 증상과 징후에 근거하여 이루어지지만, 간접 면역형광 측정은 IgG 또는 IgM 항체를 검출할 수 있다. 발진이 있는 환자에게 진드기에 물릴 가능성이 있는지 물어보고 발열 여부도 확인한다.

다른 세균 감염도 리케차 IgM 항체 역가를 상승시킬 수 있기 때문에 IgG 항체는 더 구체적이고 신뢰할 수 있다.

처치

독시사이클린(성인의 경우 12시간마다 100mg, 45kg 미만 어린이의 경우 하루 2회 복용량으로 4mg/kg)은 로키산 발진열 환자에게 선택되는 약물이다. 처치는 발열이 가라앉은 후 적어도 3일 동안 지속되며 일반적으로 최소 5~10일 동안 임상적 개선의 명백한 증거가 있을 때까지 계속된다. 심각하거나 복잡한 질병은 더 긴 처치 과정이 필요할 수 있다.

그림 8-10. 적절한 진드기 제거 방법.
Courtesy of CDC.

예방

올바른 손 씻기는 처치 제공자에게 필수적이다. 진드기에 대한 노출을 줄임으로써 질병에 걸릴 위험을 제한할 수 있다. 진드기에 노출된 사람에게는 기어 다니거나 붙어 있는 진드기를 주의 깊게 검사하고 제거하는 것이 간단하지만 질병을 예방하는 중요한 방법이다.

진드기의 존재가 확인되면 제거한다. 진드기는 핀셋이나 집게로 쉽게 제거할 수 있다. 사람이나 동물의 피부에 매우 가까이 있는 입을 확인하고 진드기 전체를 부드럽게 제거한다. 추가적인 오염을 방지하기 위해 진드기의 몸통이 터지지 않도록 주의해서 제거한다(그림 8-10). 진드기를 제거하고 나면 해당 부위를 세척하고 소독한다.

다제내성 유기체 감염

메티실린 내성 황색포도알균

세계적인 문제인 메티실린 내성 황색포도알균(MRSA)은 단순한 의료 관련 감염이 아니라 지역사회 감염(CA)이 될 수 있는 유기체로 부상했다. 메티실린 내성 황색포도알균 감염은 일반적으로 여러 신체 계통에 영향을 미치며 나프필린, 옥사실린, 세팔로스포린, 에리트로마이신 및 아미노글리코사이드를 포함한 여러 항생제에 내성이 있다.

병태생리학

병원감염(HA) 황색포도알균과 지역사회 감염 황색포도알균은 서로 다른 유기체에 의해 발생한다. 지역사회 감염 황색포도알균는 가정용 애완동물, 오염된 체육관 장비, 들판과 손상 닿지

않는 피부 사이의 접촉, 부적절한 손 씻기 또는 손을 씻지 않으면 감염될 수 있다. 2011년 미국 질병통제예방센터 연구에 따르면 손 위생이 개선되어 병원감염의 증거가 황색포도알균과 병원 내 감염 황색포도알균 사망이 감소한 것으로 나타났다.

증상 및 징후

황색포도알균 환자는 발열, 발적, 국소화된 통증, 붉은색의 작은 융기 또는 뼈, 관절, 심장 판막 및 혈류에 영향을 미칠 수 있는 깊은 농양을 앓을 수 있다. 지역사회 감염 황색포도알균은 유전적 구성이 다르며 주로 농양과 연조직염과 관련이 있다. 농양은 절개와 배농으로 처치되며 일반적으로 항생제가 투여가 필요하지 않다.

감별진단

황색포도알균의 진단은 그람염색 또는 배양으로 확인한다. 황색포도알균에 대한 신속한 검사는 2시간 안에 결과를 알 수 있으며 배양은 48~72시간이 걸린다.

처치

분비물이 배출되는 상처와 직접 접촉할 때는 글러브를 사용하고 꼼꼼하게 손 씻기를 한다. 황색포도알균에 노출된 후에는 의학적 처치가 권장되지 않는다. 치료하기 어려운 황색포도알균 감염 처치에 사용하는 약물에는 트리메토프림-설파메톡사졸, 클린다마이신, 반코마이신 정맥 내 투여 또는 기타 항생제를 정맥 내 투여한다.

예방

황색포도알균은 느리게 성장하는 세균이며 일반적으로 승인된 세척제에 의해 쉽게 파괴된다. 실내, 차량과 환자에게 사용한 장비를 매번 사용한 후에 청소한다. 신체 활동 후 샤워를 하고 사용하기 전에 운동 기구를 청소한다. 개방 상처 부위에 드레싱을 시행한다.

반코마이신 내성 장알균(VRE)

장알균은 위장관, 요로 및 비뇨생식기의 정상적인 세균의 일부를 구성하는 일반적인 유기체이다. 이 종류는 400종 이상의 종으로 구성되어있으며 그중 많은 종은 종종 항생제에 내성이 있다. 빈틈이 없는 유기체로 산소가 부족하거나 풍부한 환경에서도 똑같이 잘 자란다. 이 유기체가 장알균 감염을 처치하기 위해 사용되는 일차 약물인 반코마이신에 내성이 생기면 환자는 반코마이신 내성 장알균을 가지고 있다고 하며 이것은 주로 병원감염이다.

병태생리학/전파

이 유기체는 위장관에서 발견되며 요로 또는 혈류 감염이 있는 환자에게 나타날 수 있다. 병원 밖에서 반코마이신 내성 장알균으로 확인된 환자는 종종 요양원에 거주하거나 혈액 투석을 할 수 있는 의료기관에서 시간을 보낸다. 반코마이신 내성 장알균은 표면에서 오랫동안 생존할 수 있으므로 의료 환경에서 사용되는 장비를 철저히 세척하고 소독하는 것이 중요하다.

전파는 오염된 표면이나 장비와 직접 접촉하거나 개방 상처나 궤양과 배액 상처의 직접적인 접촉에 의해 발생한다.

증상 및 징후

증상과 징후에는 상처 감염, 발적, 압통, 발열 또는 오한, 요로 감염(비정상적인 소변색이나 냄새 배뇨 시 통증이 나타남)이 있다.

감별진단

진단을 구체화하기 위해 환자에게 병력, 특히 수술을 위해 병원에 입원 및 장기간의 항생제 처치에 대해 질문한다. 진단은 상처, 소변, 혈액 또는 대변을 배양하는 방법으로 진행한다.

처치

이 질병은 옥사졸리디논이라는 항생제 계열에 속하는 합성 항생제인 리네졸리드(자이복스)로 처치할 수 있다.

예방

글러브를 착용하고 상처 배액과 접촉했을 때 올바른 손 씻기 기술을 사용하는 것을 포함하여 표준 예방 조치를 따른다. 가운은 배액 물이 처치 제공자의 유니폼에 닿을 수 있는 경우에만 필요하다. 환자가 접촉한 모든 부위를 세척하고 특수 세척액이 필요하지 않다. 개방 상처와 반코마이신 내성 장알균에 감염된 체액의 직접적인 접촉은 조직 감염 규정에 따라 보고한다. 노출 보고서를 작성해야 하지만 노출 후 처치는 필요하지 않다.

소아기 전염병

예방 접종은 어린이와 성인의 전염병 발병률을 극적으로 감소시켰지만, 여전히 발생한다. 적절한 개인보호장비 및 처치를 시행하기 위해 이러한 질병의 임상 양상을 이해하는 것이 중요하다.

홍역볼거리풍진백신(MMR)과 홍역볼거리풍진수두백신(MMRV)은 약화된 살아있는 바이러스 균주를 사용하여 이 세 가지 소아기 질병에 대한 면역성을 부여한다. 1971년에 처음으로 혼합 백신으로 허가받은 홍역볼거리풍진백신은 각 백신의 가장 안전하고 효과적인 형태가 포함되어 있다. 적절한 백신 투여에 대한 고려는 환자의 특정 병력 및 기저 건강 요인에 의해 결정된다. 예방 접종은 면역의 증거가 없는 모든 처치 제공자에게 권장된다. 그러나 임신부에게 예방 접종이 권장되지 않으며 홍역볼거리풍진백신(MMR)을 접종받은 가임기 여성은 예방 접종 후 3개월 동안은 임신하지 않도록 권고한다.

홍역

홍역은 홍역 바이러스에 의한 발생하는 질병으로 감염된 사람의 혈액, 소변, 인두 분비물 등에서 발견할 수 있다. 최근에 예방 접종을 받지 않은 어린이와 관련된 홍역이 발생했다.

병태생리학/전파

홍역 바이러스는 감염된 사람의 코와 목의 점액에 존재한다. 사람이 재채기나 기침할 때 비말이 공기 중으로 흩어진다. 이 바이러스는 감염된 표면에서 최대 2시간 동안 활성 상태를 유지하고 전염성이 있다. 이 질병은 약 9일 동안 지속한다. 일반적으로 감염된 호흡기 분비물과의 접촉을 통해 직접 또는 간접적으로 전염된다. 중증의 경우 발작이 일어나거나 치명적일 수 있으며 심각한 합병증은 5세 미만의 어린이와 20세 이상의 성인에서 더 흔하다.

증상 및 징후

홍역의 첫 징후 중 하나는 종종 바이러스에 노출된 후 약 10~12일에 발생하는 고열이다. 홍역의 주요 징후는 코플릭 반점(볼 점막에 보이는 희끄무레한 회색 반점)의 존재이다. 홍역의 다른 증상과 징후로는 설사, 결막염, 기침, 코감기(코막힘 및 분비물), 얼룩덜룩한 붉은 발진 등이 나타난다. 보고된 홍역 환자의 약 20%에서 중이염, 폐렴, 심근염, 뇌염과 같은 합병증이 발생한다.

감별진단

홍역 바이러스와 항원에 대한 혈청 검사는 진단과 처치에 도움이 된다. IgM 혈액 검사가 양성이면 바이러스 배양을 시행한다. IgM은 면역반응에서 처음 생성되는 항체이다.

처치

홍역에 대한 처치는 수분 유지에 중점을 두고 관련된 귀와 눈 감염 또는 폐렴이 발생할 경우 항생제를 투여한다. 개발도상국에서 어린이는 24시간 간격으로 2회분의 비타민 A 보충제를 먹어야 한다. 비타민 A 투여는 홍역으로 인한 사망률을 50% 감소시키는 것으로 나타났다.

예방

홍역 환자를 돌보고 있으며 예방 접종을 받지 않았거나 홍역에 면역이 없는 경우 환자에게 수술용 마스크를 착용시킨다. 당신이 면역력이 있는지 확실하지 않은 경우 혈청 검사를 수행하고 그 결과 면역이 없는 것으로 나타나면 예방 접종을 고려한다.

풍진

독일 홍역이라고도 하는 풍진도 호흡기 분비물에서 발견되는 바이러스에 의해 발생하고 이 질병은 약 3일 정도 지속한다. 임신 중에 풍진에 감염되면 유산, 조산 또는 저체중아를 유발할 수 있다. 풍진이 임신 초기 3개월 동안 모체에서 태아로 전파되면 생후 6개월 이내에 지적 장애, 난청, 선천성 심장질환 및 패혈증 위험 증가를 포함하여 태아 발달에 이상이 생길 수 있다. 종합적으로 이러한 발달 이상을 "선천풍진증후군(CRS)"이라고 한다.

병태생리학/전파

전파는 감염된 사람의 코인두 분비물과 직접 접촉(비말 전파 또는 환자의 분비물에 새로 오염된 물건)하여 발생한다. 풍진은 전염성이 매우 강하며 발진이 나타나기 4일 전부터 발진이 나타난 후 최대 4일까지 전파될 수 있다.

증상 및 징후

풍진의 증상과 징후는 미열, 발진, 귀 뒤와 머리뼈 기저부의 부어오른 림프샘을 포함한다. 증상의 시작은 일반적으로 노출 후 2~3주부터 시작된다.

감별진단

항체를 확인하기 위해 혈청검사를 시행한다. 중합효소사슬반응(PCR) 확인은 바이러스를 분리하기 위해 수행한다.

처치

지지 요법이 풍진 환자 처치의 핵심이다.

예방

표준 예방 지침을 시행한다. 환자에게 수술용 마스크를 착용시키는 것과 같은 호흡기 예방 조치를 하면 풍진에 걸릴 위험을 줄일 수 있지만, 처치 제공자에게는 예방 접종이 감염의 위험을 감소시키는 핵심이다. 홍역과 마찬가지로 풍진에 대한 유일한 예방 방법은 면역이다.

볼거리

볼거리는 볼거리 바이러스에 의해 발생하는 급성, 전염성, 전신 질환이다. 이것은 겨울과 봄에 가장 많이 발생하며 백신 접종을 받지 않은 사람은 누구나 이 질병에 걸릴 위험이 있다.

병태생리학/전파

볼거리 바이러스는 비말 전파 또는 감염된 사람의 침과 직접적인 접촉에 의해 감염된다. 이 바이러스의 잠복기는 12~26일이고 증상 발현 후 7~9일까지 전염성이 있다.

증상 및 징후

볼거리는 목의 한쪽 또는 양쪽에 영향을 미치는 귀밑 침샘의 부기와 압통이 특징이다. 환자는 또한 열이 나고 볼거리에 걸린 다른 사람에게 노출되었을 수 있다. 사춘기 이전에 감염이 발생할 경우 볼거리 고환염이 드물게 나타난다. 영향을 받은 고환 중 30~50%는 고환의 위축이 나타난다. 드문 합병증으로는 수막염, 수두증, 난청, 길랭-바레 증후군, 췌장염, 심근염이 있다.

감별진단

귀밑 부기에 대한 평가는 환자가 볼거리를 앓고 있는지를 결정하는 도움이 되기 때문에 평가를 시행한다. 혈청 검사는 홍역이나 볼거리를 확인하는 데 필요한 것은 아니다.

처치

처치는 지지 요법을 시행하고 필요한 경우 진통제와 해열제를 투여한다.

예방

처치 제공자는 볼거리가 의심되는 환자를 이송할 때 호흡기 비말 예방 조치(환자에게 수술용 마스크 착용)를 한다. 예방 접종은 처치 제공자의 위험을 감소시킬 수 있는 핵심 요소이다.

백일해

그람 음성 세균인 백일해균은 백일해를 일으키는 유기체이며 2012년에는 미국에서 48,277건이 발생하였으며 2017년에는 18,975건이 보고되었다.

병태생리학/전파

백일해는 서서히 발병하며 자극적인 기침이 특징이다. 백일해를 일으키는 유기체는 짧은 기간 동안 호흡기 밖에서 생존할 수 있다. 호흡기로 들어가면 섬모에 달라붙어 고정한다. 이 세균은 전신 질환을 일으키는 독소를 생성한다. 잠복기는 7~10일이며 입 또는 코 분비물과 직접 접촉하여 전파된다. 주요 위험 집단은 어린이와 청소년이다. 그러나 성인의 백일해 발병률이 우려할만한 상승이 보고되었다. 합병증으로는 폐렴, 발작이 흔하게 발생하고 드물게 뇌염이 발생한다.

증상과 징후

카타르 단계로 알려진 백일해의 첫 번째 단계에서 나타나는 증상과 징후로 발열, 불쾌감, 재채기 및 식욕부진이 나타나고 이 단계는 며칠 동안 지속한다. 이 질병의 두 번째 단계인 발작 기침 단계는 백일해를 확인할 수 있는 열쇠이다. 환자는 하루에 50회 이상의 경련성 기침을 할 수 있다. 경련성 기침이 가라앉을 때마다 큰 소리(와하는 소리)가 들린다. 아주 어린 환자의 경우 기침 후에 무호흡이 나타날 수 있다. 구토, 낮은 산소포화도, 경련 및 혼수상태를 평가한다. 세 번째 단계인 회복기 동안 기침이 가라앉기 시작하여 덜 빈번하고 덜 강렬해진다. 이 질병은 몇 주 동안 지속할 수 있다.

감별진단

진단을 내리기 위해서는 항체 상승에 대한 실험실 검사가 필요하다.

처치

처치는 주로 지지 요법을 사용하고 호흡 상태를 자세히 모니터링하며 필요에 따라 환기 보조를 시행한다. 처치는 일반적으로 아지트로마이신을 사용한 항생제 요법에 중점을 두지만, 이는 주로 진단이 내려지기 전인 카타르 단계에서 효과적이다.

예방

백일해 백신은 1940년에 출시되었으며 소아기 예방 접종은 예방 및 통제의 주요 수단으로 남아 있다. 백일해가 의심되는 환자를 처치할 때는 비말 예방 조치를 시행한다. 수술용 마스크 또는 산소 공급용 마스크를 환자에게 착용시키고 표준 예방 조치를 따른다.

예방 접종은 이전에 믿었던 것처럼 백일해에 대한 평생 면역을 제공하지 않으므로 모든 처치 제공자는 Tdap(파상풍, 디프테리아, 백일해)의 1회 추가 접종을 받아야 한다. 가능한 한 빨리 모든 노출을 보고하여 노출 후 14일 과정의 항생제 처치를 받아야 한다.

수두대상포진 바이러스 감염(수두)

수두는 포진바이러스 계열의 일종인 수두대상포진바이러스에 의해 발생하는 접촉 전염병이다. 수두는 전 세계적으로 발생하며 모든 인종, 나이 및 남녀 모두에게 영향을 미치지만 10세 미만의 어린이에게 더 흔하다. 매년 세계적으로 약 6천만 건의 환자가 발생한다. 수두는 종종 어린이들에게는 경미하고 성인들에게는 더 중증이다. 수두대상포진바이러스는 수두나 대상포진을 일으킬 수 있다.

수두에 걸린 사람은 감염이 대부분의 사람에게 평생 면역력을 제공하기 때문에 그 사람은 다시 그 질병에 걸리지 않을 것이다. 바이러스에 노출된 면역체계가 손상된 사람은 병력과 관계없이 바이러스에 취약하므로 질병의 진행을 예방하거나 조절하는 조치를 한다.

어떤 사람들은 수두를 앓은 후 척수 등쪽 신경뿌리에 바이러스가 남아 있으며 나중에 대상포진 감염으로 다시 나타난다(그림 8-11). 이 바이러스의 재활성화는 신체적 또는 정서적 스트레스가 있는 기간에 발생할 수 있다. 대상포진 병변은 살아있는 바이러스를 배출하고 매우 고통스럽다.

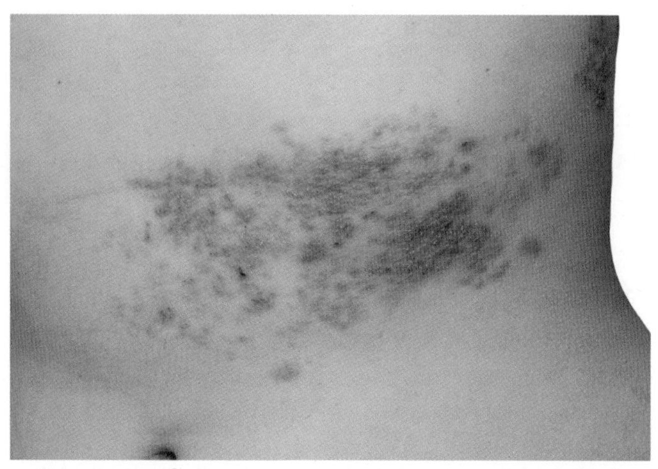

그림 8-11. 대상포진

© Franciscodiazpagador/iStock.

병태생리학/전파

이 바이러스의 전파는 공기 중 호흡기 비말 흡입 또는 소포에서 나오는 배액물과 접촉의 두 가지 방법 중 하나로 발생할 수 있다. 질병의 침입구는 보통 결막 또는 상부 호흡기 점막이다. 질병은 단계적으로 발생하고 바이러스 복제는 노출 후 2~4일 후에 국소 림프절에서 발생하며 그 후 일차 바이러스 혈증이 발생한다(침범 후 4~6일). 그런 다음 바이러스는 간, 비장 및 다른 장기에서 복제된다. 2차 바이러스 혈증은 초기 노출 후 14~16일 사이에 발생하며 바이러스 입자가 피부로 퍼지는 것이 특징이며 이는 전형적인 잔물집을 유발한다. 발진은 처음에 신체의 가려진 부위에 나타나고 얼굴, 두피, 때로는 입이나 성기의 점막으로 퍼진다. 얕은 잔물집은 더 깊은 고름물집으로 진행된다. 이것이 치유되면서 병변이 마르고 껍질이 벗겨져 딱지가 남는다. 수두대상포진의 일반적인 잠복기는 10~21일이다. 발진이 나타나기 전 1~2일 동안 환자는 모든 병변이 건조해지고 딱지가 생길 때까지 접촉 전염성이 있다.

증상 및 징후

수두의 전구증상으로는 발열, 불쾌감, 식욕부진, 두통 등이 있으며 물집이나 가려운 발진이 발생한다.

감별진단

고름딱지증, 연조직염, 괴사 근막염 및 관절염을 포함한 중복 감염의 징후가 있는지 환자를 평가한다. 일반적으로 실험실 검사는 시행하지 않으며 진단은 임상적 증상을 기반으로 한다.

처치

수두 환자는 증상 관련 처치를 시행한다. 가려움증을 완화하기 위해 경구용 항히스타민제나 로션을 처방할 수 있다. 소아의 경우 하이 증후군의 위험을 피하고자 아스피린을 사용하지 않고 발열을 내려야 한다. 피부를 긁어 찰과상이 생기지 않도록 손톱을 자를 수 있고 증상의 지속시간을 단축하기 위해 항바이러스제와 코르티코스테로이드를 처방할 수 있다. 환자에게 피부 감염 및 폐렴이 나타나는지 모니터링한다.

예방

예방 접종은 환자와 처치 제공자 모두에게 수두대상포진으로부터 보호하는 주요 수단이다. 가능하면 환자에게 수술용 마스크를 착용시켜 비말 감염 예방 조치를 한다. 환자가 마스크를 착용할 수 없는 경우 마스크를 착용한다. 배액물이나 병변과 직접 접촉할 때는 글러브를 착용한다. 차량, 방 또는 장비는 정기적으로 청소하고 소독하는 것이 적절하며 차량을 환기할 필요는 없다. 노출이 발생하면 노출 후 처치가 필요할 수 있으므로 추적 관찰이 필요하다. 노출 후 예방 접종을 받은 처치 제공자는 노출 후 10~28일까지 업무 복귀를 제한할 수 있다. 연구에 따르면 이 질병에 걸리지 않은 가족 구성원에게 전파될 가능성이 매우 높다(감염 발생률 90%).

예방 접종은 돌발성 수두를 유발할 수 있으며 감염된 환자는 접촉 전염성이 있다.

생물테러증후군

탄저

탄저는 그람 양성 막대 모양의 세균인 탄저균에 의해 발생한다. 토양에서 자연적으로 발견되며 일반적으로 동물에 더 영향을 미치는 탄저는 생물학적 테러 무기로 사용되었다. 탄저에는 4가지 유형(피부, 흡입, 위장 및 주사)이 있지만, 이 책에서는 다음의 세 가지 주요 증후군에 초점을 맞출 것이다.

1. 피부: 가장 흔하고 가장 치명적이지 않은 형태의 피부 탄저병으로 탄저균의 포자가 감염된 동물이나 동물 제품(양모, 가죽 등)을 취급할 때 발생한 상처를 통해 피부밑으로 유입될 때 일반적으로 감염된다. 미국 질병통제센터에 따르면 잠복기는 보통 1~7일 정도이다.

   피부 탄저병의 90% 이상이 노출된 피부 부위, 주로 팔과 얼굴에서 발생한다. 처음에 이 질병은 작고 통증이 없는 가려움증이 있는 구진으로 나타나며 24~48시간에 걸쳐 확대되어 중앙에 물집이 생기고 그다음 미란이 발생하여 검은색의 함몰된 가피가 있고 통증 없는 괴사 궤양을 남긴다. 광범위한 주변 부종이 있는 가피는 피부 탄저병의 특징이다.

   구진 이외에도 환자는 림프절 병증을 경험할 수 있으며 이는 상기도 부위에 호흡기 손상을 유발할 수 있다. 때로는 발열, 불쾌감, 두통을 포함한 전신 증상이 피부 병변을 동반할 수 있다. 대부분의 피부 탄저병은 항생제 처치로 완치될 수 있지만, 적절하게 처치를 시행하지 않으면 사망률이 20%까지 높아질 수 있다.
2. 흡입: 흡입 탄저는 탄저균 포자를 포함한 입자의 흡입으로 인해 발생한다. 양모, 머리카락 또는 가죽과 같은 오염된 동물 제품을 사용하는 무드질, 도살장 또는 양모 공장에서 일하는 사람들은 포자를 들이마실 수 있다. 감염은 또한 무기화되고 의도적으로 방출된 포자 제제의 흡입으로 인해 발생한다. 증상 발현까지 걸리는 시간은 몇 시간에서 2개월까지 광범위하다. 2001년 미국에서 발생한 생물테러 사건에서 알려진 노출과 증상 발현 사이의 시간은 평균 4.5일로 4~6일 사이였다.

   질병의 진행은 두 단계로 나뉜다. 흡입 탄저병의 전구 증상은 모호하고 비특이적이어서 평가와 진단이 복잡해질 수 있다. 근육통, 발열, 불쾌감과 같은 초기 증상은 인플루엔자의 증상과 유사할 수 있다. 그러나 구역, 객혈, 호흡곤란, 삼킴통증, 혼동, 삼킴곤란 또는 흉통과 같이 인플루엔자를 덜 암시하는 다양한 증상이 나타날 수도 있다. 전구증상은 평균 4~5일 동안 지속하며 심한 호흡곤란, 고열, 청색증, 저산소혈증 및 쇼크를 포함한 진행성 호흡기 증상이 발생하는 초급성 단계가 이어진다.
3. 위장관: 위장관 탄저는 입인두 탄저 또는 위장관 탄저의 두 가지 임상 형태 중 하나로 나타난다. 탄저균은 입에서 상행결장에 이르기까지 소화관의 모든 부위를 감염시키는 것으로 보고되었다. 환자는 주변 부종과 함께 궤양을 일으키는 여러 개의 표재성 병변을 일으킨다. 어떤 경우에는 병변에서 출혈이 발생해 사망하는 경우도 있다. 이 질병은 탄저에 감염된 동물의 덜 익은 고기를 섭취한 후 발생하며 가족 집단이나 고정오염원에 의해 발생하는 경향이 있다.

두창

두창 바이러스는 두창의 원인균으로 발열, 발진 및 높은 사망률을 특징으로 하는 전염성이 강한 질병이다. 1980년 제33차 세계보건총회에서 세계적으로 두창 박멸을 선언함으로써 현대 의학의 가장 위대한 업적 중 하나가 되었다.

박멸 이후 보고된 사례는 없지만, 두창을 생물테러의 잠재적 인자로 우려되어 백신 및 진단 검사에 관한 연구가 계속되고 있다.

임상적 특징

두창은 대두창과 덜 일반적인 소두창이라는 두 가지 임상 형태가 있다. 대두창은 일반, 변형, 편평 및 출혈의 네 가지 유형이 있다. 전 세계적으로 두창 사례의 70% 이상이 일반 유형이었고 발진 유형에 따라 세 가지로 더 세분화되었다(그림 8-12).

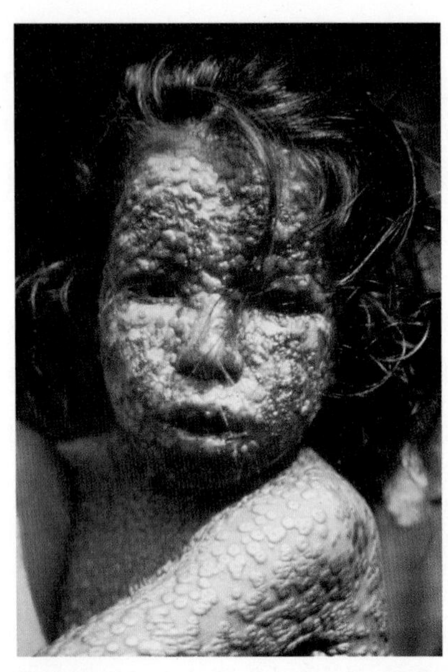

A

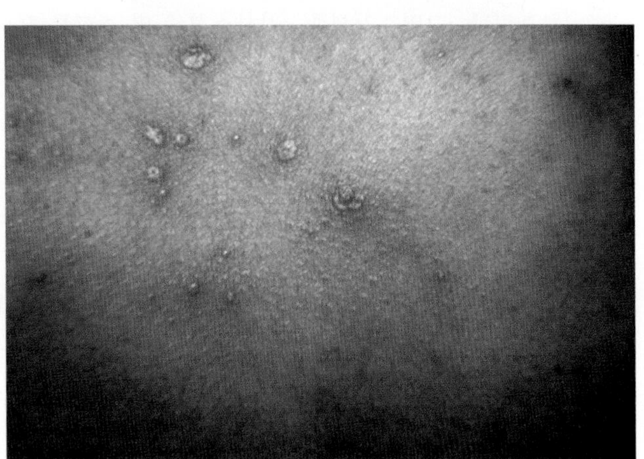

B

그림 8-12. 두창의 수포(A)는 모두 같은 단계에서 수포가 발생하는 반면, 수두의 수포(B)는 다양한 단계에서 구진, 수포 및 딱지가 형성된다.
Courtesy of CDC.

- 얼굴과 팔뚝에 나타나는 융합 발진
- 얼굴에 반융합 발진이 있고 다른 곳에서는 별개의 발진이 있음
- 고름물집 사이에 정상 피부가 있는 모든 관련 부위에 개별 발진

일반유형의 두창 임상 결과는 수반되는 발진의 유형과 밀접한 관련이 있다. 예를 들어, 예방 접종하지 않은 환자에서 사망률은 융합 감염의 경우 62%, 반융합 감염의 경우 37%, 개별 발진의 경우 9%였다. 두창으로 인한 사망은 응고 장애, 저혈압 및 다기관 부전에 의한 이차적이었다.

특별한 환자

노인 환자

나이가 들수록 면역체계의 기능이 저하되기 때문에 노인은 젊은 환자보다 감염에 더 취약하고 감염병으로 인한 이환율과 사망률이 높다. 노화는 일차 항체 반응과 세포 면역을 저하하고 감염 및 자가 면역질환에 대한 감수성을 증가시킨다. 다음과 같은 요인은 노인의 감염 위험을 증가시킨다.

- 당뇨병 및 신경계 질환과 같은 동반 질환이 빈번하게 발생
- 요양 시설과 같은 집단생활 상황에 내재하는 생활 조건
- 이 인구 중 입원율이 높을수록 병원감염(HAI)에 걸릴 위험이 상당히 증가
- 면역 반응을 직접적으로 손상하는 영양실조의 발생률 증가

감염이 있는 노년의 평가는 철저하고 정확한 병력을 청취하기 어렵고 세균 감염이 있는 노인 환자의 거의 1/2에서 발열이 없기 때문에 어려울 수 있다. 노인 환자는 체온 조절의 어려움과 면역체계의 기능 저하 또는 생리학적인 반응을 둔화시킬 수 있는 약물의 복용으로 인해 감염의 전형적인 증상과 징후를 나타내지 않을 수도 있다. 침습적인 도구(예: 정맥 내 처치, 기관내삽관, 폴리도관삽입)는 종종 감염과 관련이 있다. 처치를 통한 이익이 감염에 대한 위험보다 커야 한다. 노인 환자에게서

폐렴, 요로감염, 패혈증은 더 자주 발생하며 폐렴은 이 환자 사망 및 입원의 주요 원인 중 하나이다.

비만 환자

비만은 한때 부유한 개인 및 국가와 관련이 있었지만, 이재는 모든 소득계층 및 모든 국가의 사람들에게 문제가 되고 있다. 감염 중 고혈압, 뇌졸중, 심장병, 당뇨병과 같은 비만 합병증은 면역체계에 영향을 미치고 심각한 질병을 악화시킬 수 있다.

기술에 의존하는 환자

오늘날 많은 환자는 집에서 처치를 받으며 치료, 위안 및 생존을 위해 의료 기술에 의존하고 있다. 부담스러운 병원비, 입원 기간에 따른 보험 제한 및 병원감염의 위험을 줄이기 위한 목적으로 인해 가정에서 이러한 환자를 돌보는 것이 증가하고 있다. 이러한 환자의 의학적 요구는 대부분 신경근과 호흡기 장애가 원인이며 기계 환기, 기관절개 관리, 정맥 내로 약물 투여, 영양관 유지, 산소 투여, 상처 관리 등이 있다. 욕창 궤양은 움직이지 않는 환자, 면역 체계가 손상된 환자에게 더 많이 발생하며 감염에 대한 환자의 위험 요소를 증가시킨다.

호스피스 케어 환자

병원 밖에서 연명 치료를 하는 것은 중요한 선택 사항이 되고 있다. 호스피스 케어는 환자의 집이나 호스피스 센터에서 제공할 수 있다. 혈관 접근 장치, 폴리도관 및 화학요법 같은 처치로 인한 손상된 면역 체계는 일반적인 바이러스와 세균 감염에 대한 이러한 환자의 저항력을 감소시킨다. 열을 내리고 통증을 조절하려는 조치를 할 수 있으며 임종 환자의 안위를 증진하기 위해 모든 노력을 기울일 것이다. 이러한 환자를 돌보는 경우 소생술에 관한 사전 의향서와 관련하여 환자와 가족의 의견을 고려한다. 특히 통증 관리를 위해서는 지지적인 처치나 안위를 위한 처치가 필수적이다.

종합 정리

다양한 전염병 과정의 역학 및 병태생리학을 이해하는 것은 질병의 원인을 조기에 파악하는 데 필수적이다. 또한, 비슷한 주요 증상을 보이는 환자 발병률이 급격히 증가한다는 사실을 알게 지자체 및 정부 관련 기관에 보고해야 지리적 추세를 정확하게 파악하는 데 도움이 될 것이다.

환자의 주요 양상이나 주요호소증상, 철저한 병력, 집중 신체검사 및 진단 결과의 평가는 전염병 또는 감염병을 인식하는 데 도움이 된다. 조기 인식은 환자 접촉 초기에 적절한 개인보호장비를 선택하여 질병의 확산을 예방하는 데 도움이 된다. 의료팀의 평가와 조기 처치는 감염병의 전파를 막는 중요한 전략이다. 그러나 의료 환경은 예측할 수 없는 경우가 많으며 처치를 마칠 때까지 질병이 확인되지 않을 수도 있다. 다행히도 전염병을 확인하고 새로운 백신, 약물 및 처치 프로토콜을 개발하는 데 있어 연구가 계속 진행되고 있다.

시나리오 해결책

- 감별 진단에는 폐색전증, 심근경색, 선천성 심부전, 폐부종, 가슴막삼출, 폐렴, 흡입 손상, 결핵 및 인플루엔자가 포함될 수 있다.
- 감별 진단의 범위를 좁히려면 환자의 과거 및 현재 질병의 병력 청취를 완료한다. 환자의 체온을 측정하고 최근에 아픈 다른 사람을 만난 적이 있는지 물어보는 것이 중요하다. 또한, 거주지에서 비슷한 증상을 보이는 다른 사람들에 대해서도 질문할 수 있다. 환자의 예방 접종 이력(인플루엔자, 폐렴)에 대해 질문한다. 추가로 얻을 수 있는 정보에는 불면증, 수면 장애 또는 앉아 숨쉬기를 하는지 여부가 포함된다. 환자의 가래는 무슨 색인가? 환자는 결핵 병력이나 처치 또는 진단을 받은 적이 있는가?
- 환자는 코삽입관으로 보충 산소를 제공 받을 수 있다. 12-리드 심전도 모니터링을 시행하면서 환자를 적절한 의료기관으로 이송한다.
- 모든 환자에게 표준 예방 조치를 사용한다. 환자에게 수술용 마스크를 착용시키고 만약에 환자에게 마스크를 착용시킬 수 없는 경우 당신이 마스크를 착용한다. 이송 장치(환기팬)에서 신속한 공기 교환을 시행한다. N95 마스크를 착용할 수 있지만, 필수는 아니다. 환자를 이송할 의료기관의 의료진에게 노출 즉시 보고하고 감염 관리 담당자에게 알려 필요한 보고서를 작성과 후속 조치를 한다. 손을 잘 씻고 오염된 장비를 세척하고 소독하는 것이 필수이다.

요약

- 감염원에 노출되었다고 해서 사람이 질병에 걸리고 다른 사람에게 전파할 수 있다는 의미는 아니다.
- 개인보호장비는 신체가 이미 제공하는 보호의 이차 장벽이다.
- 의료 환경에서 위험 감소를 위해서는 예방 접종이 필수적이다.
- 개인보호장비는 당신이 직면할 것으로 예상되는 질병의 전파 방식을 이해하고 선택한다.
- 수막염은 일반적으로 비말 흡입과 감염된 사람의 호흡기나 코 분비물과의 직접 접촉함으로써 전염된다. 수막알균 수막염에 노출된 경우에만 예방적 항생제 투여가 필요하다.
- 처치 제공자는 표준 예방 지침과 손 씻기를 시행하여 감염병에 노출될 위험을 줄인다.
- 지역 및 정부 기관은 처치 제공자와 해당 지역사회의 감염 위험을 줄이기 위한 표준과 지침을 수립한다.
- 감염병의 전파 예방은 감염병 및 전염병에 대한 병태생리학, 임상 증상 및 처치 전략에 대한 이해에서 비롯될 수 있다.

주요 용어

항체(antibodies) 세균, 바이러스 또는 기타 항원 물질에 대한 반응으로 림프구에 의해 생성되는 면역글로불린이다.

항원(antigen) 신체가 이물질로 인식하고 면역 반응을 일으킬 수 있는 물질(일반적으로 단백질)이다.

혈액 매개 감염(bloodborne pathogens; BBP) 사람의 혈액을 통해 전파되어 사람에게 질병을 일으키는 병원성 미생물이며 예로는 B형 간염 바이러스(HBV) 및 사람면역결핍바이러스(HIV)가 있다.

전염병(communicable diseases) 배설물이나 신체의 기타 분비물과의 접촉으로 한 사람이나 동물에서 다른 사람에게 직접 전염되는 모든 질병 또는 간접적으로 오염된 음료수 잔, 장난감, 물과 같은 물질이나 무생물, 파리, 모기, 진드기, 기타 곤충과 같은 매개체를 통해 전염되는 모든 질병을 말한다.

오염(contaminated) 오염, 얼룩, 접촉, 유해 물질에 노출되어 의도한 대로 또는 차단 기술 없이 사용하기에 잠재적으로 안전하지 않게 만드는 상태이고 예를 들면, 감염 또는 독성 물질이 이전에 깨끗했거나 멸균된 환경으로 유입시키는 것이다.

오염 제거(decontamination) 혈액, 체액, 방사능과 같은 이물질을 제거하는 과정으로 이는 미생물을 제거하지는 않았지만, 소독이나 살균에 앞서 필요한 단계이다.

풍토병(endemic) 포진 또는 수두와 같이 시간이 지남에 따라 주어진 기준 수준에서 지역 사회에 존재하는 질병

유행병(epidemic) 동시에 상당히 많은 수의 사람들에게 영향을 미치고 인구의 인구 통계학적 부분을 통해 빠르게 확산하는 질병

역학(epidemiology) 인구에서 질병 사건의 결정 요인에 대한 연구

노출 사고(exposure incident) 힘이나 영향을 받거나 받는 상태(예: 바이러스 노출, 열 노출)

병원감염(hospital-acquired infection; HAI) 입원 후 최소 72시간으로 정의되는 의료 시설에서 감염원에 노출되어 발생한 감염

감염병(infectious diseases) 다른 사람에게 전파될 수도 있고 그렇지 않을 수도 있는 다른 살아있는 유기체 또는 바이러스에 의해 유발되는 질병

병원내감염(nosocomial infection) 병원감염을 참조

범유행병(pandemic) 전 세계 대부분의 인구에서 발생하는 질병이다.

비경구(parenteral) 소화기 계통 이외의 처치에 관한 것

레트로바이러스(retrovirus) 바이러스 입자에 역전사효소(reverse transcriptase)라는 효소를 함유하는 리보핵산(RNA) 바이러스 계열이며 예를 들면, 사람면역결핍바이러스(HIV1, HIV2) 및 사람 T세포 림프친화바이러스(HTLV)가 포함된다.

표준 예방 조치(standard precautions) 병원에서 혈액 매개 및 기타 병원체의 전파 위험을 줄이기 위해 질병통제예방센터에서 권장하는 지침이다. 표준 예방 조치는 (1) 혈액, (2) 혈액 함유 여부와 관계없이 땀을 제외한 모든 체액, 분비물, 배설물, (3) 손상된 피부 (4) 점막에 적용된다.

발병력(virulence) 질병을 일으키는 미생물의 힘

참고 문헌

Aehlert B: *Paramedic practice today: Above and beyond*. St. Louis, MO, 2009, Mosby.

The AIDS Institute: *Where did HIV come from?* http://www.theaidsinstitute.org/education/aids-101/where-did-hiv-come-0.

Alter MJ, Kuhnert WL, Finelli L, et al.: Guidelines for laboratory testing and result reporting of antibody to hepatitis C virus, *MMWR Recomm Rep*. 52(RR-3):1–13, 2003.

American Academy of Orthopaedic Surgeons: *Nancy Caroline's emergency care in the streets*, ed 7. Burlington, MA, 2013, Jones & Bartlett Learning.

American Academy of Pediatrics Committee on Infectious Diseases and Committee on Fetus and Newborn: Revised indications for the use of palivizumab and respiratory syncytial virus immune globulin intravenous for the prevention of respiratory syncytial virus infection, *Pediatrics*. 112(6 Pt 1):
1442–1446, 2003.

Association for Professionals in Infection Control and Epidemiology, Inc: *APIC text of infection control and epidemiology*. Washington, DC, 2009, APIC.

Baeten JM et al. Antiretroviral prophylaxis for HIV prevention in heterosexual men and women. *N Engl J Med*. 367(5):399–410, 2012.

Centers for Disease Control and Prevention: 2007 Guideline for isolation precautions: Preventing transmission of infectious agents in healthcare settings. http://www.cdc.gov/hicpac/2007IP/2007isolationPrecautions.html

Centers for Disease Control and Prevention: *Chickenpox (varicella), clinical overview*. http://www.cdc.gov/chickenpox/hcp/clinical-overview.html, updated August 22, 2013.

Centers for Disease Control and Prevention: *Controlling tuberculosis in the United States*. http://www.cdc.gov/mmwr/preview/mmwrhtml/rr5412a1.htm, published 2005.

Centers for Disease Control and Prevention: *Fight the bite!* www.cdc.gov/ncidod/dvbid/westnile/index.htm.

Centers for Disease Control and Prevention: *Guidance on H1N1 influenza A*. www.cdc.gov/h1n1.

Centers for Disease Control and Prevention: *Guideline for hand hygiene in health-care settings: recommendations of the Healthcare Infection Control Practices Committee and the HICPAC/SHEA/APIC/IDSA Hand Hygiene Task Force*. 2002. http://www.cdc.gov/Handhygiene

Centers for Disease Control and Prevention: *Hantavirus*. http://www.cdc.gov/hantavirus/hps/index.html, reviewed February 6, 2013.

Centers for Disease Control and Prevention: *HPV and men—fact sheet*. http://www.cdc.gov/std/hpv/stdfact-hpv-and-men.htm, updated January 28, 2015.

Centers for Disease Control and Prevention: *HPV vaccination*. http://www.cdc.gov/vaccines/vpd-vac/hpv/default.htm, updated July 31, 2015.

Centers for Disease Control and Prevention: *Immunization schedules*. http://www.cdc.gov/vaccines/schedules/

Centers for Disease Control and Prevention. *Interim guidance on the use of influenza antiviral agents during the 2010-2011 influenza season*. http://www.cdc.ov/flu/professionals/antivirals/guidance/summary.htm

Centers for Disease Control and Prevention: *Lyme disease*. http://www.cdc.gov/lyme/, updated May 4, 2015.

Centers for Disease Control and Prevention: *The national plan to eliminate syphilis from the United States*. http://www.cdc.gov/stopsyphilis/SEEPlan2006.pdf, May 2006.

Centers for Disease Control: *Parasites: Lice*. http://www.cdc.gov/parasites/lice/, updated September 24, 2013.

Centers for Disease Control and Prevention: *Pertussis*. https://www.cdc.gov/pertussis/surv-reporting.html, updated August 7, 2017.

Centers for Disease Control and Prevention: *Rocky Mountain spotted fever (RMSF)*. http://www .cdc.gov/rmsf/, updated November 21, 2013.

Centers for Disease Control and Prevention: *Rabies*. http://www.cdc.gov/rabies/

Centers for Disease Control and Prevention: *Special pathogens branch: Viral hemorrhagic fevers*. http://www.cdc.gov/Ncidod/dvrd/spb/mnpages/dispages/vhf.htm, reviewed June 19, 2013.

Centers for Disease Control and Prevention: *Syphilis & MSM (men who have sex with men)—CDC fact sheet*. http://www.cdc.gov/std/syphilis/stdfact-msm-syphilis.htm, updated December 16, 2014.

Centers for Disease Control and Prevention: Trends in tuberculosis—United States, 2008, *MMWR Morb Mortal Wkly Rep*. 58(10):249–253, 2009.

Centers for Disease Control and Prevention: *Tuberculosis: Data and Statistics*. https://www.cdc.gov/tb/statistics/default.htm

Centers for Disease Control and Prevention: *Updated U.S. public health service guidelines for the management of occupational exposures to HBC, HCV, and HIV, recommendations for postexposure prophylaxis*. 2005. http://www.cdc.gov/mmwr/preview/mmwrhtml/rr5011a1.htm

Centers for Disease Control and Prevention: *Viral hepatitis - hepatitis C information, hepatitis C FAQs for health professionals*. http://www.cdc.gov/hepatitis/HCV/HCVfaq.htm#c2, updated May 31, 2015.

Centers for Disease Control and Prevention, Division of Bacterial and Mycotic Diseases: *Streptococcus pneumoniae* disease prevention and control of meningococcal disease: Recommendations of the Advisory Committee on Immunization Practices (ACIP). *MMWR Recomm Rep*. 49(RR-9):1–35, 2000.

Cohen J, Powderly WG: *Infectious diseases*, ed 2. St. Louis, MO, Mosby, 2004.

Cross JR, West KH: Clarifying HIPAA and disclosure of disease information, *JEMS*. August, 2007. http://www.jems.com/articles/2007/07/clarifying-hipaa-and-disclosur.html

Faulkner AE, Tiwari TSP: *Chapter 16: Tetanus. Centers for Disease Control – Manual for the Surveillance of Vaccine-Preventable Diseases*. Updated November 17, 2017.

Hall AJ, Lopman B: *Travelers' health, Norovirus*. Updated August 1, 2013. http://wwwnc.cdc.gov/travel/yellowbook/2014/chapter-3-infectious-diseases-related-to-travel/norovirus

Henderson DA: The looming threat of bioterrorism. *Science*. 283(5406):1279, 1999.

Inglesby TV, O'Toole T, Henderson DA, et al., Working Group on Civilian Biodefense: Anthrax as a biological weapon, 2002: updated recommendations for management. *JAMA*. 287(17):2236, 2002.

Institute of Medicine: *Respiratory protection for healthcare workers in the workplace against novel H1N1 influenza A: A letter report*. 2009. https://www.ncbi.nlm.nih.gov/books/NBK219940/

Jefferson T, Rivetti A, Di Pietrantonj C, Demicheli V: Vaccines for preventing influenza in healthy children. *Cochrane Database Syst Rev*. 2:CD004879, 2018.

Kretsinger K, Broder KR, Cortese MM, et al.: Preventing tetanus, diphtheria, and pertussis among adults: Use of tetanus toxoid, reduced diphtheria toxoid, and acellular pertussis vaccine; Recommendations of the Advisory Committee on Immunization Practices (ACIP) and recommendation of ACIP, *MMWR Recomm Rep*. 55(RR-17):1–37, December 15, 2006.

Kushel M: Hepatitis A outbreak in California – addressing the root cause. *NEJM* 378;3, 2018.

Lessa FC, Gould CV, McDonald LC: Current status of *Clostridium difficile* infection epidemiology, *Clin Infect Dis*. 55(suppl 2):S65–S70, 2012. http://cid.oxfordjournals.org/content/55/suppl_2/S65.full

Masarani M, Wazait H, Dinneen M: Mumps orchitis. *J R Soc Med*. 99(11):5730–5575, 2006.

Mast EE, Weinbaum CM, Fiore AE, et al.: A comprehensive immunization strategy to eliminate transmission of hepatitis B virus infection in the United States: Recommendations of the Advisory Committee on Immunization Practices (ACIP) part II; Immunization of adults, *MMWR Morb Mortal Wkly Rep*. 56(42):1114, 2007.

McCance KL, Huether SE: *Pathophysiology: The biologic basis for disease in adults and children*, ed 5. St. Louis, MO, 2006, Elsevier.

Memoli MJ, Athota R, Reed S, et al.: The natural history of influenza infection in the severely immunocompromised vs nonimmunocompromised hosts. *Clin Infect Dis*. 58(2):214, 2014.

Meningitis Research Foundation: *Hib meningitis*. http://www.meningitis.org/disease-info/types-causes/hib-meningitis

Monto AS, Gravenstein S, Elliott M, et al.: Clinical signs and symptoms predicting influenza infection. *J Arch Intern Med*. 160(21):3243, 2000.

Nadelman RB, Nowakowski J, Fish D, et al.: Prophylaxis with single-dose doxycycline for the prevention of Lyme disease after an Ixodes scapularis tick bite. *N Engl J Med* 345:79–84, 2001.

Needlestick Prevention Act, public law 106-430, U.S. Congress, March 2000.

Occupational Safety and Health Administration: 29 CFR 1910.1020 Medical records standard.

Occupational Safety and Health Administration: 29 CFR 1910.1300 Bloodborne Pathogens standard.

Occupational Safety and Health Administration: *CPL 2-2.69, Enforcement procedures for the occupational exposure to bloodborne pathogens*, Washington, DC, Occupational Safety and Health Administration, November 27, 2001.

Occupational Safety and Health Administration. *OSHA's bloodborne pathogens standard. OSHA Fact Sheet.* https://www.osha.gov/OshDoc/data_BloodborneFacts/bbfact01.html

Roome AJ, Hadler JL, Thomas AL, et al.: Hepatitis C virus infection among firefighters, emergency medical technicians, and paramedics—selected locations, United States, 1991–2000, *MMWR Morb Mortal Wkly Rep.* 49(29):660–665, 2000.

Ryan White CARE Act, S. 1793, part G, §2695, notification of possible exposure to infectious diseases, September 30, 2009—reauthorization.

Sanders MJ: *Mosby's paramedic textbook*, ed 3 revised. St. Louis, MO, 2007, Mosby.

Shankar SK, Mahadevan A, Dias Sapico S, et al.: Rabies viral encephalitis with proable (sic) 25-year incubation period! *Ann of Indian Acad Neurol.* 15(3):221–223, July–September 2012. http://www.ncbi.nlm.nih.gov/pmc/articles/PMC3424805/

Siegel JD, Rhinehart E, Jackson M, et al.: *2007 guideline for isolation precautions: Preventing transmission of infectious agents in healthcare settings.* www.cdc.gov/ncidod/dhqp/pdf/guidelines
/Isolation2007.pdf

Tiwari T, Murphy TV, Moran J, et al.: Recommended antimicrobial agents for treatment and postexposure prophylaxis of pertussis, *MMWR Recomm Rep.* 54(RR-14):1–16, 2005.

U.S. Department of Transportation National Highway Traffic Safety Administration: *EMT-paramedic national standard curriculum*, Washington, DC, 1998, The Department.

U.S. Department of Transportation National Highway Traffic Safety Administration: *National EMS education standards, draft 3.0*, Washington, DC, 2008, The Department.

U.S. Food and Drug Administration (FDA). *FDA approves expanded use of Gardasil 9 to include individuals 27 through 45 years old.* FDA News Release. https://www.fda.gov/NewsEvents/Newsroom/PressAnnouncements/UCM622715.htm?utm_campaign=10052018, October 5, 2018.

West KH: *Infectious disease handbook for emergency care personnel*, ed 3. Cincinnati, OH, 2001, ACGIH.

Workowski KA, Berman SM: *Sexually transmitted diseases treatment guidelines, CDC.* 2006. http://www.cdc.gov/mmwr/preview/mmwrhtml/rr5511a1.htm

World Health Organization: *10 facts on obesity.* 2014. http://www .who.int/features/factfiles/obesity/en/

World Health Organization: *Global alert and response (GAR): Hepatitis C.* http://www.who.int/csr/disease/hepatitis/whocdscsrlyo2003/en/index4.html

World Health Organization: *Global incidence and prevalence of selected curable sexually transmitted infections, 2008.* Geneva, Switzerland, World Health Organization, 2012.

World Health Organization: *Global tuberculosis control, WHO report.* 2008. http://data.unaids.org/pub/Report/2008/who2008globaltbreport_en.pdf

World Health Organization: *Immunizations, vaccines and biologicals: Pneumococcal disease.* http://www.who.int/immunization/topics/pneumococcal_disease/en/, updated October 2011.

World Health Organization: *Immunization, vaccines and biologicals: WHO Consultation on respiratory syncytial virus (RSV) vaccine development.* http://www.who.int/immunization/research/meetings_workshops/rsv_vaccine_development/en/, March 23–24, 2015.

World Health Organization: *International travel and health: Hantavirus diseases.* http://www.who.int/ith/diseases/hantavirus/en/

World Health Organization: *International travel and health: Lyme borreliosis (Lyme disease)*, http://www.who.int/ith/diseases/lyme/en/

World Health Organization: *International travel and health: Mumps.* http://www.who.int/ith/diseases/mumps/en/

World Health Organization: *Measles, Fact sheet No 286.* http://www.who.int/mediacentre/factsheets/fs286/en/, reviewed February 2015.

World Health Organization: *Media centre: Immunization coverage*, Fact sheet 378. http://www.who.int/mediacentre/factsheets/fs378/en/, reviewed April 2015.

World Health Organization: *Media centre: Rabies*, Fact Sheet 99. http://www.who.int/mediacentre/factsheets/fs099/en/, updated September 2014.

World Health Organization: *Media centre: Tuberculosis*, Fact sheet 104. http://www.who.int/mediacentre/factsheets/fs104/en/, reviewed March 2015.

World Health Organization: *Media centre: West Nile virus*, Fact sheet 354. July 2011. http://www.who.int/mediacentre/factsheets/fs354/en/

World Health Organization: *Neglected tropical diseases: Scabies.* http://www.who.int/neglected_diseases/diseases/scabies/en/

World Health Organization. *Rabies: Epidemiology and burden of disease.* https://www.who.int/rabies/epidemiology/en/, accessed May 6, 2019.

World Health Organization: *Tetanus.* March 7, 2012. http://www.wpro.who.int/mediacentre/factsheets/fs_20120307_tetanus/en/

World Health Organization: *WHO launches guidelines for the treatment of persons with chronic hepatitis B infection.* 2012. http://www.who.int/hiv/en/

CHAPTER 9

환경 관련 장애

이 장에서는 추위, 더위, 압력과 관련된 질병 및 손상에 대해 논의한다. 환경 응급의 특수성은 직접적으로 피해를 주거나 처치 및 이송 고려 사항을 복잡하게 만드는 조건이다. 바람, 비, 눈, 극한의 온도 및 습도는 모든 환경에 적응하는 인체의 능력에 영향을 줄 수 있다. AMLS 평가 과정은 당신의 결정을 안내하고 다양한 환경에서 응급 상황이 발생한 환자를 인식하고 효과적으로 처치할 수 있도록 도와준다.

학습 목표

이장의 학습을 마치면 다음을 수행할 수 있다.

- 환경 응급 상황의 병태생리학, 평가 및 처치에 관해 설명할 수 있다.
- 다양한 환경 관련 장애에 대한 평가 결과를 기반으로 감별 진단을 공식화할 수 있다.
- 한랭 손상과 그 원인에 관해 설명할 수 있다.
- AMLS 평가 과정을 사용하여 한랭 손상과 관련된 응급 상황의 환자에게 처치를 제공하는 과정을 설명할 수 있다.
- 열 노출로 인한 증상과 징후를 포함하여 질병의 범위를 설명할 수 있다.
- AMLS 평가 과정을 사용하여 열과 관련된 응급 상황의 환자에게 처치를 제공하는 과정을 설명할 수 있다.
- 익사, 다이빙, 고도와 관련된 응급 상황을 정의하고 처치 방법을 설명할 수 있다.

시나리오

당신은 스노모빌을 타다가 얼음이 깨져 물에 빠진 30세 남자 환자를 처치하고 있다. 그는 사고 후 스스로 담요로 몸을 감싸고 집으로 걸어서 갈 수 있었다. 그는 당신이 도착했을 때 거실 바닥에 누워있었고 의식을 잃고 떨고 있었다. 환자의 활력징후는 혈압 80/40mm/Hg, 맥박 104회/분, 호흡 10회/분으로 느리고 얕았다.

- 이 환자에 대한 평가를 어떻게 시작해야 하는가?
- 이 환자가 겪을 수 있는 임상 상태와 손상은 무엇이며 이 상황에서 현재 상태를 결정하기 위해 어떤 정보가 필요한가?
- 환자의 처치를 계속할 때 조기 처치 우선순위는 무엇인가?

특히 당신이 도시 환경에서 근무하는 경우 환경과 관련된 응급 상황을 자주 마주칠 것이라고 예상하지 못할 수도 있다. 그러나 환경과 관련된 응급 상황은 예상보다 더 흔하다. 사회경제적 요인은 도시 지역에서도 놀랍도록 많은 수의 환경과 관련된 응급 상황 발생에 영향을 미친다. 예를 들면 미국에서 1999년~2011년까지 매년 평균 1,301명이 저체온으로 사망했다. 환경과 관련된 응급 상황은 기상, 지형, 높은 고도 또는 수중에서 존재하는 독특한 대기 조건으로 인해 발생하거나 악화하는 의학적 상태가 포함된다(표 9-1). 10장에서는 독성학과 유독 동물독소 중독의 처치에 대해 자세히 설명한다.

표 9-1. 환경 응급 상황의 원인

환경 조건	결과에 따른 질병 상태
저온	저체온증, 동결되지 않은 손상(침수발, 동창), 동결 손상(동상)
열	고열: 이것은 경미한 열 관련 탈수 및 경미한 전해질 장애부터 열탈진(생리학적으로 좋지 않지만 체온 조절은 유지됨)과 열사병(생리학적으로 체온 조절 소실로 인해 좋지 않음)까지의 범주
압력변화	다이빙 관련: 압력 손상, 감압병 고도 관련: 고지성 뇌부종(HACE), 고지 폐부종(HAPE)
침수	익사(익수라는 용어는 더는 사용하지 않음)

HACE, High-altitude cerebral edema(고지성 뇌부종)
HAPE, high-altitude pulmonary edema(고지 폐부종)

해부학 및 생리학

체온조절 및 관련 질환

대부분의 열 및 한랭 관련 응급 상황은 계절 변화에 따른 급격한 온도 변화에 노출되는 동안 발생한다. 환경 관련 응급 상황을 야외 활동과 연관시킬 수도 있지만, 그러한 문제는 노숙자나 적절한 거주환경이 적절하지 않은 노인과 같은 도시 지역의 특수한 인구집단에서도 흔히 발생한다. 많은 의학적 상태와 약물은 체온을 조절하는 신체의 능력을 손상하고 사람들을 환경의 온도 변화에 더 취약하게 만든다.

신체가 체온 변화를 보상하는 과정을 체온조절이라고 한다. 정상 체온은 36°C~37.5°C) 사이에서 유지하며 신체는 체온 변화의 범위를 약 화씨 1도 내에서 조절하기 위해 행동(온도 불편 방지) 및 생리학적 기전을 모두 사용하여 조절하고 유지한다. 생리학적 조절은 시상하부에 집중되어 있으며 조절 기전(온도 조절 장치와 같은 온도 설정점 선택)뿐만 아니라 온도 변화를 감지하는 데 필요한 감각 기전을 포함한다. 신체는 호르몬과 신경 조절을 사용하여 설정점과 실제 온도 사이의 차이에 반응하여 열 생산과 소실, 유지에 변화를 일으킨다. 예를 들어, 발한은 거의 정확하게 37.6℃의 피부 온도에서 시작하고 피부 온도가 상승함에 따라 빠르게 증가한다. 체온 측정은 디지털 또는 아날로그 체온계를 사용하여 입안, 겨드랑, 이마 표면, 고막, 직장 또는 식도 경로를 통해 측정할 수 있다. 심장, 폐, 뇌, 복부 장기를 포함하는 신체 부위의 심부 체온은 실제 체온을 가장 잘 나타내는 것으로 간주한다. 역사적으로 직장 체온은 중심 체온을 가장 잘 나타내는 것으로 간주하였다 그러나 직장 체온은 실제 중심 체온보다 낮기 때문에 식도 체온을 많은 EMS 체계에서 표준으로 간주하며 일부 모니터에는 지속해서 식도 체온을 측정할 수 있는 장치가 장착되어 있다.

체온이 시상하부에서 설정한 온도 아래로 낮아지면 신체는 다음과 같은 조절 기전을 사용하여 체온을 유지하려고 시도한다.

- 피부의 복사열 소실을 줄이기 위해 혈관 수축
- 발한 중단
- 열 생산을 증가시키기 위한 근육의 떨림
- 열 생산을 증가시키는 노르에피네프린, 에피네프린, 티록신의 분비

체온이 시상하부에서 설정한 온도 이상으로 상승하면 신체는 혈관 확장과 발한을 통해 과도한 열을 방출하려고 시도한다. 사람들이 극심한 환경에서 열에 노출되더라도 기초 대사 과정에서 신체의 열 생산은 거의 일정하게 유지된다.

감염의 경우 시상하부의 온도 설정점을 일시적으로 조정하여 체온을 높이고 침입하는 병원체에 대한 신체의 쾌적함을 떨어뜨린다. 그 결과 새로운 설정점을 달성하기 위해 열 발생이 일시적으로 증가한다. 신체가 이러한 조절을 함에 따라 환자는 열을 생산하는 동안 떨리거나 오한을 느끼고 발열이 가라앉으면서 땀을 흘려 열을 잃는 것을 볼 수 있다. 10장에서 검토한 것처럼 많은 약물과 독소가 이온도 설정점을 변경할 수도 있다.

AMLS 평가 과정 ▶▶▶▶

▼ 초기 관찰

환경 조건은 환자에게 있을 수 있는 문제(차가운 바람이 불고 기온이 낮으며 습하거나 건조한지 아닌지)에 대해 반드시 기록한다. 당신이 도움 요청을 받고 출동한 이유가 의학적 또는 외상으로 인한 응급 상황을 나타낼 수 있지만, 추위 또는 열과 관련된 질병은 그 일부일 수 있다. 특히 바깥 날씨가 더울 때 환자의 질병에 영향을 줄 수 있으며 추위와 더위로부터 자신을 보호하는 것을 기억한다.

현장 안전 고려 사항

도착 시 현장의 안전을 확인한다. 빙판길이나 매우 뜨거운 포장도로와 같은 잠재적인 위험 요소를 고려한다. 추운 날씨는 특히 눈사태와 같은 위험이 존재하는 경우 당신과 환자에게 특별한 문제를 일으킬 수 있다. 특히 눈사태 같은 위험이 존재하는 경우 더욱더 그러하다. 적절한 표준 예방 조치를 시행하고 현장에 있는 환자 수를 기록한다. 더운 날씨에도 혈액 및 기타 체액이 튀는 것을 방지하기 위해 긴소매 옷을 입는 것이 더 적절할 수 있다. 수색구조대와 같은 추가적인 도움이 필요한지 확인하고 가능한 한 빨리 도움을 요청한다.

환자의 주요 증상/주요호소증상

한랭 응급상황에서 환자의 주요 표현 및 주요호소증상은 자신이 춥다는 것일 수도 있고 추위가 기존의 의학적 또는 외상 상태의 합병증일 수 있다. 국립보건원은 비틀거림(stumbles), 중얼거림(mumbles), 실수(bumbles), 불평(grumbles)하는 것을 감시하라는 대중 인식 캠페인을 시작했다. 이러한 행동은 저체온의 초기 단계에서 추위가 환자의 뇌 및 인지 기능에 어떤 영향을 미치는지 보여주는 좋은 지표이다.

열 관련 응급상황에서 환자의 주요 표현 및 주요호소증상은 열 질환을 일차 문제로 나타내거나 열이 의학적 또는 외상 상태의 악화 요인이 될 수 있다. 환자는 의식 수준 감소, 근육경련, 오심, 구토 및 소발작, 발한과 같은 특정 증상 및 징후를 보고할 수 있다.

일차평가

의식 수준

환자의 의식상태를 평가한다. 체온 변화가 심해질수록 환자의 의식 수준은 감소한다.

기도 및 호흡

환자의 기도, 호흡, 순환을 평가하고 즉각적으로 생명을 위협하는 요인에 대처한다. 한랭 또는 열 관련 질병이 의심되는 경우 환자 평가는 발생하는 생리학적인 변화를 고려한다. 추가 열 소실을 최소화하기 위해 가능한 한 빨리 환자를 추운 곳에서 따뜻한 구급차나 다른 통제된 환경으로 옮긴다. 가능하면 재가온에 도움이 될 수 있도록 환자에게 따뜻하게 가습한 산소를 공급한다.

열 관련 환자나 기도를 보호할 수 없는 환자의 경우 오심과 구토가 발생할 수 있음으로 환자의 기도를 보호할 수 있는 자세를 취해준다. 호흡은 중심 체온의 영향으로 빠를 수 있다(빠른 호흡은 체온 상승에 따른 직접적인 반응이며 냉각 기전이기도 하다). 반응이 없는 환자의 경우 삽관을 시행하고 프로토콜에 따라 백밸브마스크로 환기를 제공한다.

순환/관류

환자의 맥박을 촉지하여 순환을 평가한다. 저체온증 환자의 경우 극심한 서맥을 보일 수 있다는 것을 기억한다. 더 극심한 고열이나 저체온증에서는 환자의 관류가 손상될 수 있으며 현저한 혈 역학적 불안정이 나타날 수 있다. 이 두 가지는 모두 후기 징후에 속한다.

환자의 맥박이 적절하면 환자의 관류 상태 및 출혈을 평가한다. 환자의 피부 상태는 일차적인 문제에 대한 단서를 제공하고 환자가 겪고 있는 환경 상태의 유형을 구별하는 데 도움이 될 수 있다.

즉각적으로 생명을 위협하는 요인이 모두 해결되면 일차평가에서 발견되지 않았을 수 있는 손상이나 정보를 찾기 위해 더욱 포괄적인 평가를 수행할 수 있다.

▼ 첫인상

환자를 안정시키고 생명을 위협하는 상황을 처치한 후에 환자의 상태에 대한 일반적인 인상을 형성하고 가능한 감별 진단을 작성한다. 중증도(생명을 위협하는 것, 치명적인 것, 생명을 위협하지 않는 것)와 가능성에 따라 분류하여 감별 진단으로 우선순위를 결정한다. 환자의 기본적인 설명 및 주요호소증상에 기여했을 수 있는 기본적인 조건을 고려한다.

▼ 상세 평가

병력 청취

환경 응급 상황에서 환자의 병력을 청취하는 것은 어려울 수 있지만, 시도한다. 환자가 추위나 더위에 얼마나 오래 노출되었는지 확인한다. 환자의 병력을 얻으려면 환자의 가족이나 목격자와 이야기할 수도 있다.

OPQRST와 SAMPLER

OPQRST와 SAMPLER 암기법은 체계적인 접근 방법을 사용하여 환자의 전체 병력을 얻는 데 사용한다. 가능하면 환자에게 처치에 영향을 줄 수 있는 기저 질환이 있는지 확인한다. 중요한 정보에는 복용하는 약물과 마지막 경구 섭취도 포함된다. 환자가 노출 전에 무엇을 하고 있었는지 확인하여 문제의 원인을 파악한다. 노인들은 일반적으로 더위에 잘 적응하지 못한다는 것을 기억한다. 그들은 땀을 덜 흘리고 탈수에 대한 반응으로 갈증을 덜 느끼며 더 천천히 적응한다. 또한, 심혈관 질환 같은 만성 질환을 앓을 가능성이 더 크다. 젊고 건강한 사람 중 영유아는 더운 환경에 노출되었을 때 열 스트레스에 가장 취약하다.

감별 진단에서 조건을 배제하는 데 도움이 되도록 질문을 조정한다.

이차평가

활력징후

환자의 활력징후는 추위나 열에 노출로 영향을 받을 수 있다. 활력징후는 환자 상태의 중증도를 나타내는 좋은 지표이다. 호흡이 느리고 얕으면 신체의 산소포화도가 낮다. 저혈압과 느린 맥박은 중증의 저체온증을 나타낼 수 있다. 열에 노출되면 환자는 빈맥과 서맥이 나타날 수 있다. 열 관련 질환이 심해지면 혈압이 떨어지기 시작하고 환자는 쇼크 상태에 빠질 수 있다. 환자의 활력징후를 면밀하게 모니터링한다.

신체검사

구급차 내에서 시간이 허락하는 경우 상세 평가는 추위에 노출로 직접적으로 영향을 받은 신체 부위를 평가하는 데 중점을 두어 평가하고 손상 정도를 결정한다. 신체 전체가 관련되었는가 아니면 일부만 추위에 노출되었는가? 환자가 떨고 있다면 열이 발생하고 있다. 떨림이 멈추고 환자가 추위에 노출되면 손상이 더 심각하다. 의식상태와 심혈관 상태에 특히 주의를 기울여야 한다.

열 노출의 경우 신체검사는 환자의 신진대사, 근육 및 심혈관계에 초점을 맞추어야 한다. 근육경련을 일으키는 부위를 검사한다. 환자의 의식상태, 피부 온도 및 피부 상태를 계속 모니터링한다. 시간이 허락한다면 신경학적인 검사를 한다.

진단

체온계를 사용하여 환자의 중심 체온을 측정할 수 있다. 저온 체온계는 일반적으로 직장 또는 가능한 경우 식도를 통해 저체온 환자의 체온을 측정할 수 있다. 맥산산소측정기 측정값은 팔다리의 관류가 부족하기 때문에 종종 부정확하다. 심전도는 서맥이나 오스본파와 같은 저체온증의 징후와 전해질 이상을 보일 수 있다.

> **TIP BOX**
>
> **체온 측정**
>
> 측정 부위와 사용하는 체온계의 유형에 따라 환자의 측정 온도에 변화가 발생한다. 환자의 체온을 측정하는 이상적인 방법은 중심 체온을 측정하는 것이다.
>
> 정확하게 체온을 측정할 수 있어 수술실에서 사용하는 식도 측정이나 직장 체온계는 현장에선 실용적이지 않다.
>
> 현장에서 사용할 수 있는 가장 적절한 두 가지 방법은 전자 구강 체온계와 적외선 고막 체온계이다(그림 9-1). 전자 체온계는 일반적으로 사용할 수 있고 저렴하며 매우 신뢰할 수 있다. 일회용 프로브는 혀 밑이나 직장에 사용할 수 있다. 적외선 고막 체온계는 신뢰할 수 있고 효율적일 분만 아니라 상대적으로 저렴하다.
>
> 관자동맥 스캔 체온계와 원적외선 스캔 모니터는 덜 이상적인 체온계이다.

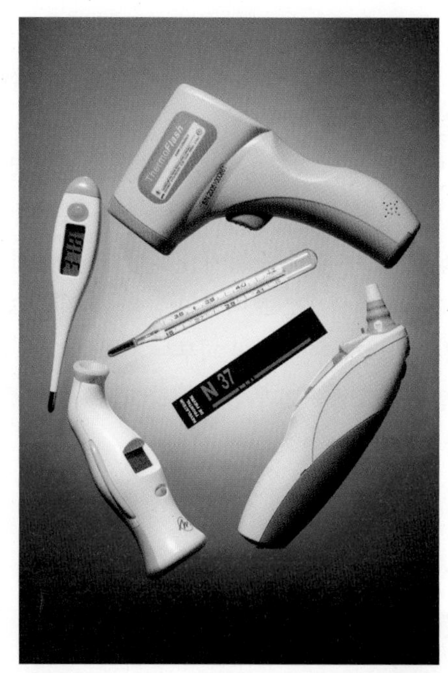

그림 9-1. 체온계
© Phanie/GARO/Medical Images

▼ 감별 진단 수정

이차평가에서 얻는 정보를 사용하여 감별 진달을 수정한다. 한랭 손상은 노출의 중증도와 관계없이 적절한 처치를 제공할 수 있도록 기본 의학적 상태의 지표를 찾아야 한다는 것을 기억한다.

환자의 체온 상승의 원인이 확실하지 않고 열 관련 질병이 의심되는 경우 환자를 열사병으로 처치하고 필요한 경우 의료 지도 의사의 의료 지도를 받는다.

▼ 지속적 처치

경미한 저체온증을 포함한 모든 한랭 손상을 입은 환자는 평가와 처치를 위해 즉각적인 이송이 필요하다. 피부에 통증이나 추가 손상이 발생하지 않도록 환자를 부드럽게 다룬다. 환자의 의식이 명료하고 떨고 있는 경우 따뜻한 곳으로 옮기고 복사열을 사용하여 체온을 회복하는 데 도움을 주어 능동적인 재가온을 시작할 수 있다. 일차평가를 시행하는 동안 산소 투여를 지속하거나 환자가 저산소 상태($SpO_2 < 92\%$)이거나 호흡 곤란의 징후가 있는 경우 산소 투여를 보이면 산소 투여를 시작하거나 고려한다.

환자가 중등도 또는 중증의 저체온증이면 수동적 재가온만으로는 불충분하므로 능독적으로 재가온을 시작한다. 이것은 병원 전 환경에서 구급차의 내부 온도를 높이거나 겨드랑이와 고샅 부위에 핫 팩을 적용하고 블랭킷으로 덮어주고 정맥 라인으로 따뜻한 수액을 병원 전 환경에서 투여할 수 있다. 차가운 말초 혈액이 중심 순환계로 순환하면서 발생하는 잔류저체온(afterdrop) 현장이 우려되므로 팔다리 전 중심 부위를 따뜻하게 하는 데 중점을 두어야 한다.

열 관련 질병이 있는 환자는 일차평가 기간 수행하지 않았다면 더운 환경에서 신속하게 이동시킨다. 최소한 5분마다 활력징후를 모니터링하여 환자의 상태를 재평가하고 악화하는 것을 기록한다. 떨림은 더 많은 열을 발생시키므로 냉각 중에 환자에게 떨림을 유발하지 않는다. 열사병 환자는 현장에서 가능한 경우 얼음 목욕을 포함하여 즉각적인 냉각을 시행한 다음 지속해서 냉각을 시행하면서 의료기관으로 신속하게 이송한다.

한랭 관련 질환 및 손상

야생에서 추위 노출과 관련된 저체온증은 일차 저체온증으로 간주하는 반면 사회경제적(예: 노숙, 가정 난방이 어려운 경우) 또는 동반되는 의학적 요인과 관련된 저체온증은 이차 저체온증으로 간주한다. 추위와 관련 질병에는 체온 저하로 인한 손상(예: 동상 및 저체온증)을 포함한다. 추운 날씨와 관련된 손상은 날씨가 따뜻하지만, 물에 잠겨 사람이 젖었을 때도 발생할 수 있다. 처치 제공자로서 추운 환경에서 일하는 경우 위험에 처할 수 있다. 근무하는 지역에서 추운 날씨에 수색 및 구조 작업이 가능한 경우 자신을 보호하고 적절한 처치를 제공하기 위해 적절한 전문 교육을 받는다.

동상

국소적인 한랭 손상은 보통 빙점 이하의 낮은 온도에서 시작된다. 동상은 노출된 부위의 국소 조직 내에 얼음 결정이 형성되는 것이다. 이것은 일반적으로 말단 신체 부위, 특히 발가락, 발 및 코에서 발생하지만 팔 또는 다른 부위에서도 영향을 미칠 수 있다. 한랭 손상에 걸릴 가능성을 증가시킬 수 있는 개별적인 요인으로는 중심 체온 저하, 장기간 노출, 바람에 노출, 젖은 옷을 입는 것, 활동하지 않거나 움직이지 않는 것, 알코올 섭취, 기존의 의학적 상태 및 말초 순환을 감소시키는 약물 등이 있다. 가장 위험한 신체 부위는 팔다리와 코, 귀이다.

동상은 여러 임상 단계로 나눌 수 있다. 동창은 동상의 첫 번

표 9-2. 동상의 분류

정도	재가온 후 상태
1도	물집이나 홍반 없고 무감각하거나 저림
2도	맑은 물집, 부종, 홍반
3도	출혈성 물집, 피부밑 침범, 각질 및 조직손실
4도	전층(뼈, 근육)의 조직 소실, 괴사 및 변형

째이자 가장 중증의 발현이다. 처치의 목적으로 동상은 표면 또는 깊은 동상으로 분류한다. 그러나 화상과 마찬가지로 동상은 대부분의 동상 손상이 초기에 유사하게 나타나기 때문에 재가온 후 손상의 정도에 따라 분류한다(표 9-2).

병태생리학

동상의 병태생리학은 복잡하고 여러 단계의 한랭 손상을 포함한다. 조직 파괴의 양은 추위에 노출되는 정도와 직접적으로 관련이 있다. 전신 저체온증은 신체가 팔다리의 차가운 온도에 저항할 수 없기 때문에 환자가 더 중증의 손상을 입기 쉽다. 취약한 조직 세포에 얼음 결정 형성되면 염증 반응이 유발되어 세포 사멸로 이어진다. 얼음 결정은 세포 외 영역에서 형성되는 경향이 있어 결정이 인접한 세포의 수분을 끌어당겨 국소 전해질 불균형을 일으켜 세포 기능 장애와 사망을 초래한다. 영향을 받은 부위가 계속 추위에 노출되면 결정이 더 커지고 이는 혈관의 국소적인 기계적 폐쇄를 일으킬 수 있다.

동상의 병태생리학에서 가장 중요한 개념 중 하나는 해동이다. 동결된 조직이 해동되면 일시적으로 국소 모세혈관에 혈액 공급이 회복된다. 그러나 국소 세동맥과 정맥이 작은 색전을 방출하여 국소 혈관계 내에 저산소증과 혈전증을 유발함에 따라 혈액 공급이 급격히 감소한다. 영양분이 부족하면 국소 조직이 죽기 시작하여 염증 물질과 전해질이 더 방출된다. 해동과 재냉동의 과정은 초기 한랭 손상보다 더 위험하고 해롭다.

증상과 징후

동상은 처음에는 믿을 수 없을 정도로 정상으로 보일 수 있지만, 동상과 피부 표면이 추위로 인해 손상을 입은 동상을 혼동하지 않는 것이 중요하다. 환자는 팔다리의 어색함이나 무거움을 호소할 수 있으며 영향을 받은 부위의 차가움과 무감각, 통증과 가벼운 접촉에 대한 민감성을 호소할 것이다. 환자는 또한 저림, 박동, 일시적인 무감각을 호소할 수 있으며 이는 재가온으로 상당히 빠르게 해결된다. 신경과 혈관이 추위에 가장 취약하기 때문에 고통스럽고 차가운 팔다리의 완전한 무감각은 중증 손상의 적신호이다.

초기의 임상 검사는 동상의 정도와 중증도를 결정하는 데 도움이 되지만, 조직 손상의 전체 범위를 확인하는 데 몇 주 또는 몇 달 이상 걸릴 수 있다는 점에 유의한다. 동상에 걸린 조직은 흰색 또는 청백색으로 보이고 만졌을 때 차갑고 여전히 얼어붙은 경우 단단할 수 있으며 피부는 감각이 없을 수 있다. 표 9-3은 표면 동상(그림 9-2)과 심부 동상(그림 9-3)의 증상과 징후를 설명한 것이다.

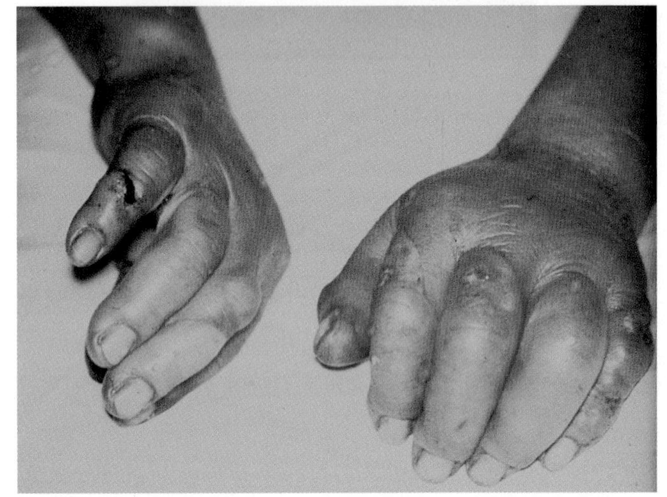

그림 9-2. 추위 노출 및 동상과 관련된 물집 형성

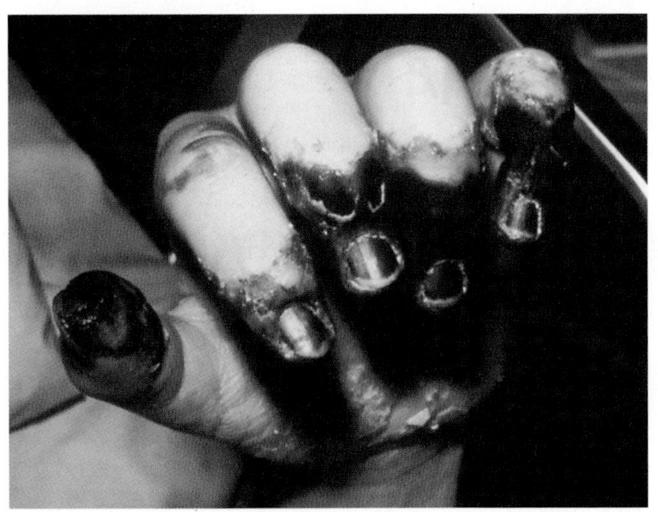

그림 9-3. 3도 및 4도 동상의 예

Courtesy of Dr. Jack Poland/CDC.

표 9-3. 표면 동상과 심부 동상의 초기 평가 비교

표면 동상	심부 동상
무감각	출혈성 수포
감각 이상(재가온 중 극심한 통증)	운동 범위 감소
미세 운동 조절 불량(어색함)	괴사, 괴저
가려움	차갑고 얼룩덜룩한 회색 부분(가온 후)
부종(보통 재가온 후)	움직이지 않는 조직(탄력 소실)
차가움	

처치

병원 전 처치는 주로 중요한 기능을 지원하고 영향을 받은 팔다리를 보호하는 것으로 제한된다. 항상 전신 저체온증이나 외상을 먼저 확인 후 처치한다. 다리가 동상에 걸린 경우 환자를 걷지 못하게 한다. 조직을 압박할 수 있는 장신구나 의복을 제거하고 젖거나 차가운 옷을 제거한다. 담요나 수건으로 지속해서 따뜻함을 유지하며 신체 표면과 접촉이 제한된 단단한 물체는 사용하지 않는다. 마찰이나 마시지는 효과가 없으며 손상된 조직을 손상할 수 있다. 가장 효과적인 처치는 동상 부위를 따뜻한 물(40°C)에 30~40분 동안 담가 얼어붙은 부위를 빠르게 다시 재가온 하는 것이다. 그러나 이 처치는 재동결의 위험이 있는 경우 권장하지 않는다. 재가온 하는 것은 극도로 고통스러울 수 있고 종종 아편제제 진통제가 필요하다. 환자를 적절한 의료기관으로 신속하게 이송한다. 환자는 파상풍 추가 접종, 항생제, 특수 상처 처치 및 때에 따라 절단이 필요할 수 있다.

TIP BOX

재가온

당신이 따뜻한 환경을 유지할 수 있는 환경에 있다는 확신이 들 때까지 손상을 입은 팔다리의 재가온을 시작하지 않는다. 영하의 온도는 혈관 수축을 일으켜 조직에 얼음 결정을 형성하고 미세순환 혈전도 형성될 수 있다. 동결된 팔다리의 말단이 부분적으로 해동된 후 다시 동결되면 환자의 팔다리 손상이 악화할 수 있다. 해동할 수 있고 다시 얼 위험이 없는 확인하는 것이 좋다.

침수발

병태생리학

"참호발" 또는 "비동결 한랭 손상"으로도 알려진 침수발은 제1차 세계 대전 중에 참호 안에 서서 많은 시간을 보낸 군인들에게서 가장 잘 알려졌다. 이 장기간의 추위와 습한 환경에 노출은 혈관 수축과 발 조직의 허혈을 조래하여 결국 괴사로 이어지는 것으로 생각된다. 오늘날 이러한 상태는 자연 재난 발생 시 활동하는 구조대원, 건축업자, 등산객, 익스트림 스포츠 애호가, 경비원과 야영객에게서 발생할 수 있다.

증상과 징후

침수발은 영향을 받는 발의 국소적인 불편함으로 시작한다. 저리거나 무딘 감각으로 설명된다. 발은 얼룩덜룩하고 차가우며 피부에 탄력이 없어지고 주름진 모습을 보일 수 있다. 재가온하면 불편함이 증가하고 조직이 붉게 변하고 결국 물집이 생기고 피부가 벗겨질 수 있다.

처치

침수발의 병원 전 처치는 춥고 습한 환경에서 환자를 이동시키는 데 중점을 두어야 하며 통증 조절이 필요할 수 있다. 장기적인 처치에는 위생 관리, 감염 발생 시 항생제 투여하고 발을 따뜻하며 건조하게 유지하는 것이 포함된다.

전신 저체온증

전신 저체온증은 중심 체온 35°C 미만으로 정의되며 일반적인 환경 관련 응급 상황이다. 저체온증은 열 소실과 열 생산 감소 또는 이 둘 다의 조합으로 인해 발생한다. 이 상태는 다양한 대사, 외상, 환경 및 감염의 원인에 기인할 수 있지만, 추운 환경에 노출된 환자에게서 가장 자주 발생한다. 특정 위험 요소(노출 시간 연장, 바람에 노출, 젖은 옷 착용, 활동하지 않거나 움직이지 않음, 알코올 섭취)가 있는 경우 영하의 온도에서 저체온증이 촉발될 수 있음을 기억하는 것이 중요하다. EMS 제공자는 전신 저체온증의 증상과 징후를 인식할 수 있어야 한다.

병태생리학

열 소실은 복사(전자기 에너지 방출에 의해 신체에서 대기로 직접 소실), 전도(피부에서 차가운 바위와 같은 다른 고체 물체로 직접 소질), 증발(물이 수증기로 상태 변화를 통한 소실), 대류(몸에서 공기 또는 몸과 접촉하는 액체로 열이 직접 전달)

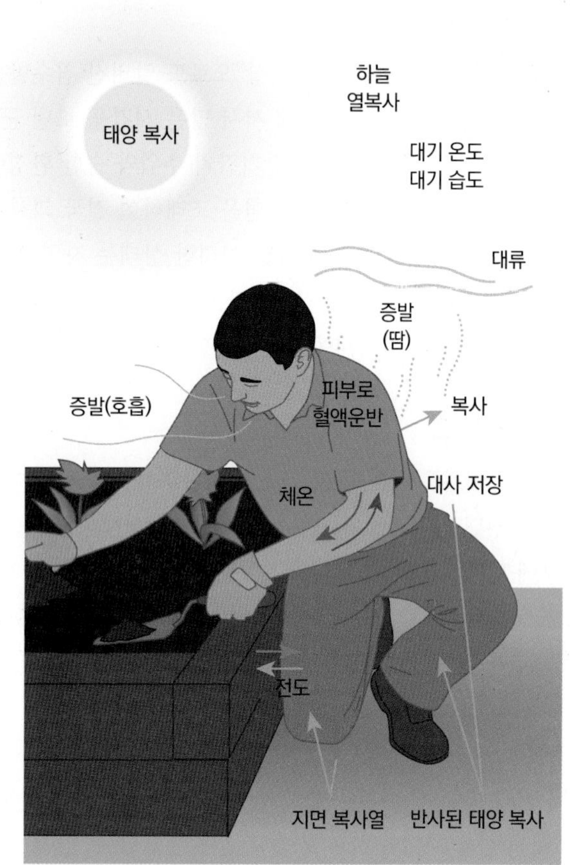

그림 9-4. 사람이 환경과 열에너지를 교환하는 방법

기전을 통해 발생한다(그림 9-4). 신체의 열 생산 능력이 열 손실 때문에 압도될 때마다 환자는 저체온증의 위험이 있다. 저체온증의 병태생리학은 심혈관계, 신장계, 신경계, 호흡계를 포함하며 복잡하다. 신체의 중심 체온이 떨어지면 이러한 각 시스템은 열을 보존하기 위해 다음과 같은 기전이 반응한다.

- 혈관 수축. 첫째 말초혈관은 더 많은 혈액을 중요한 장기로 공급하기 위해 수축한다. 다른 결과는 열이 소실될 수 있는 주변부의 따뜻한 혈액의 양을 감소시킨다는 것이다. 나중에 중증 저체온증에서는 신장과 같은 장기 전체로의 혈류가 최대 50%까지 감소하여 신장 기능을 위협하고 전해질 불균형을 초래할 수 있다.
- 이뇨. 혈관 수축은 소변량을 증가시키고 찬물에 침수되면 소변 배출량이 초대 3.5배 증가하며 알코올 섭취는 이뇨 작용을 더 증가시킨다.
- 호흡 산증. 호흡수가 감소하고 신진대사가 감소하여 분당 환기량이 감소한다. 이는 주요 일차 원인이 아니지만, 호흡을 통한 소실을 덜 초래한다. 중증 저체온증에서 이산화탄소 저류는 호흡 산증을 유발한다.
- 빈맥과 서맥. 동빈맥은 저체온증의 초기 단계에서 우세하다. 이후 중증 저체온증이 발생하면 심장 더 심해지는 경우 박동조율기 세포의 탈분극이 감소하여 서맥이 발생한다. 이러한 유형의 서맥에서 아트로핀 투여는 종종 효과가 없고 전반적인 신진대사가 감소하기 때문에 필요하지 않다.
- 심방 또는 심실세동과 심장무수축. 경증에서 중등도의 저체온증에서 휴지막전위를 감소시키는 전도 변화의 결과로 심방 또는 심실부정맥이 발생할 수 있다. 저체온증이 악화하면 심실세동과 심장무수축의 위험이 증가한다.
- 심전도 이상. 몇 가지 독특한 심전도 발현은 저체온증의 진단을 내리는 데 도움이 된다. 오스본(J)파는 QRS 복합체와 ST 분절 사이의 교차점에서 나타난다(그림 9-5). 오스본파는 33°C 미만의 온도에서 뚜렷하게 나타난다. 상태가 악화하면 모든 간격 특히 QT 간격이 연장된다. 환자의 떨림에 의해 생성된 허상으로 인해 심전도를 분석하는 데 어려움을 겪을 수 있다.

증상과 징후

EMS 제공자는 저체온에 대해 높은 수준의 의심을 유지한다. 어떤 경우에는 환자가 저체온증 원인에 노출되었을 때 진단이 명확하지만 다른 경우에는 임상 소견이 명확하지 않을 수 있다. 오한, 구역, 배고픔, 구토, 호흡곤란, 어지럼과 같은 비특이적인 증상이 초기 징후일 수 있다.

병원 전 환경에서 정확한 체온을 신속하게 측정하는 것은 종종 어려울 수 있다. 일반 가정용 체온계로는 극도로 낮은 체온을 정확하게 측정할 수 없다. 고막, 직장 및 식도 체온 측정과 같은 사용 가능한 방법은 모두 정확성과 가용성에 어려움이 있다. 이 때문에 병원 전 환경에서 전신 저체온증의 진단은 이상적인 체온 측정보다는 다른 병력과 증상에 근거하여 진단하는 것이 종종 필요하다. 전신 저체온증은 체온에 따라 경증, 중등도, 중증으로 분류한다. 특정 임상 소견과 중심 체온은 각 단계의 특징이지만, 증상과 징후는 다양하고 단계가 중복되는 경우가 종종 있다.

경증 저체온증

경증 저체온증(32°C~35°C)에서는 대부분의 사람이 심하게 떨게 된다. 이는 어지럼, 혼수, 구역 및 쇠약과 같은 비특이적인

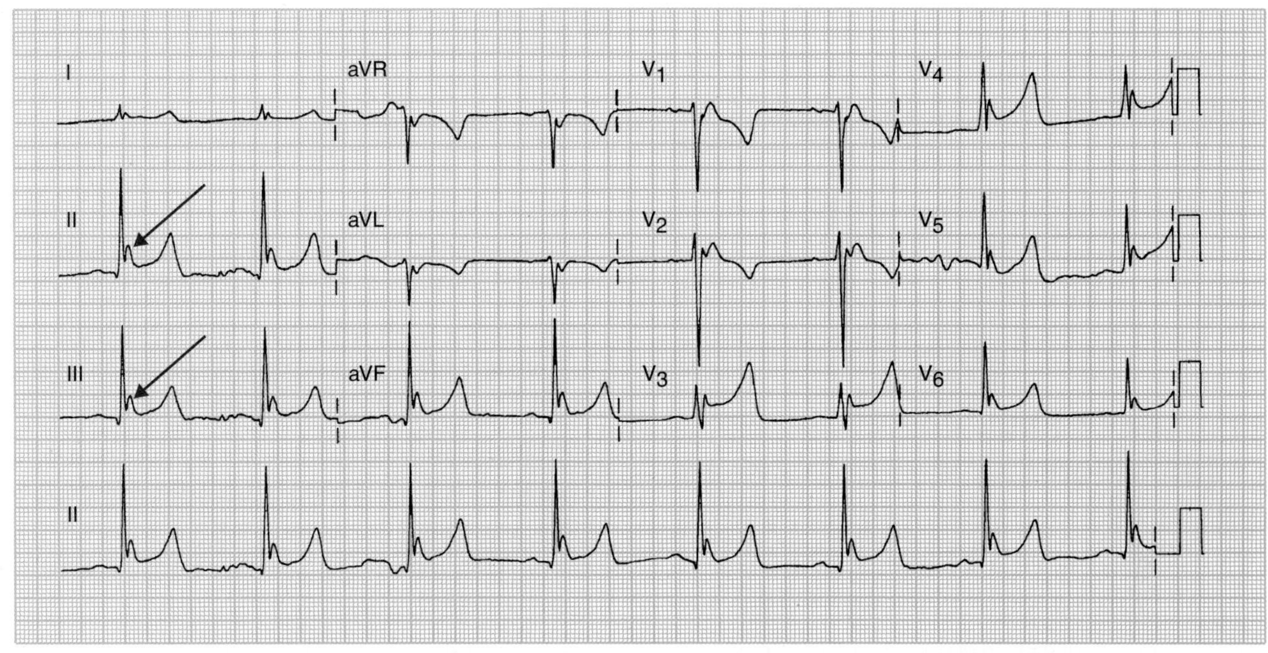

그림 9-5. 전신 저체온증은 J 지점(ST분절의 맨 처음)의 뚜렷한 돌출과 관련이 있다. 저체온증이 있는 현저한 J 파(화살표)를 오스본 파라고 한다.

증상을 동반한다. 신체가 더 많은 열을 생산하려고 할 때 이 범위에서 신진 대사율 증가가 발생한다. 체온이 33°C 이하로 떨어지면 실조증(조정되지 않은 움직임)과 같은 더 중증의 신경학적 징후가 나타난다. 다른 징후로는 다음과 같은 것들이 있다.

- 과다환기
- 빠른 호흡
- 빈맥

이 단계에서 신체는 일반적으로 추위로부터 빨리 벗어나고 적절한 에너지 보유량을 사용할 수 있는 경우 스스로 가온할 수 있다.

중등도 저체온

중등도 저체온증(28°C~32°C)이 진행됨에 따라 악화의 임상 징후가 분명하게 나타난다. 호흡과 심박수가 느려지고 의식상태가 저하된다. 환자는 32°C의 체온에서 혼미해지고 중심 체온이 31°C에 가까워지면 환자는 떨림 반사를 잃게 되며 다음과 같은 증상과 징후가 나타난다.

- 판단력 저하
- 심방세동
- 서맥, 느린 호흡
- 이뇨(소변 배출량 증가)

이 단계에서 신체는 자가 재가온을 위해 열을 생산하는 능력이 거의 없다.

중증 저체온증

중증 저체온증(20°C~28°C) 동안 생명을 위협하는 심혈관 질환이 나타난다. 저혈압과 심실부정맥이 명확해지고 심전도 모니터링에서 J 파가 보일 수 있다. 환자는 일반적으로 의식이 없으며 동공이 확대되고 최소한의 반응을 보인다. 이 단계에서 신체는 자가 재가열 능력이 없다. 의료기관에서 가능하다면 심장-폐 우회 또는 체외막산소공급(ECMO)과 재가온을 시작할 수 있다. 이것은 일반적으로 환자를 재가온시키는 가장 효과적인 방법이며 더 많은 의료기관에서 사용할 수 있게 되었다.

감별 진단

저체온증의 다른 원인으로 기초대사율 감소와 관련된 대사 장애가 있으며 갑상샘, 부신 또는 뇌하수체의 기능 장애와 관련될 수 있다. 독성 응급 상황도 저체온증의 또 다른 일반적인 원인이다.

처치

병원 전 처치는 저체온증의 중증도와 환자를 재가온할 수 있는 방법에 따라 이루어져야 한다. 최우선 순위는 일반적으로 추운 환경에서 환자를 옮기고 젖은 옷을 제거하여 더 이상의 열 손실을 막는 것이다. 춥고 외진 환경에 있는 환자는 따뜻한 환경으로 즉시 대피시켜야 한다. 환자를 재가온하고 더 이상의 열 소실을 방지하며 합병증을 유발할 수 있는 행동을 피한다. 예를 들어, 심한 저체온 환자를 거칠게 다르면 심장부정맥을 유발할 수 있다.

저체온증의 중증도와 관계없이 필요에 따라 기도, 호흡, 순환을 지원하는 데 집중하며 중심 체온이 더는 떨어지는 것을 방지하기 위해 차갑고 젖은 옷을 제거(중증 저체온증 환자의 옷을 잘라내어 과도한 움직임을 방지)한다. 또한, 거의 모든 저체온증 환자는 수분 고갈 상태에 있다. 수액을 투여하기 전에 수액을 40°C~42°C로 데운다. 저체온증 환자의 도움 요청을 받고 자주 출동하는 EMS 시스템은 수액 가온기를 사용할 수 있어야 한다.

경증 저체온증

경도 저체온증(32°C~35°C)의 대부분 수동적 재가온 방법(예: 환자 자신의 체온을 유지하기 위해 담요 사용)으로 해결된다. 앞서 언급한 일반적인 처치 지침 외에도 환자가 안전하게 삼킬 수 있고 기도에 문제가 없는 경우 따뜻한 액체(당분이 함유된 것이 바람직)와 음식을 제공한다. 그러나 카페인이 함유된 음료는 이뇨 작용을 촉진할 수 있으므로 피하는 것이 좋다. 술과 담배도 피해야 하며 가능한 경우 부드러운 운동을 권장한다. 환자를 자주 재평가하여 개선되거나 악화하는 상태를 평가한다. 경증의 저체온증 환자는 빠르게 악화하여 중등도 또는 중증 저체온증으로 변화할 수 있다.

중등도 저체온증

의식상태 변화는 중등도의 저체온증(28°C~32°C) 환자에게서 더 분명해진다. 처치는 기도, 호흡, 순환을 유지하고 중심 체온의 즉각적인 안정화에서 시작된다. 환자를 반듯이 눕히고 불필요한 움직임을 최소화하면 심장부정맥을 예방할 수 있다. 열원(예: 가열 패드나 팩)이 있는 저체온증 랩으로 환자의 몸통을 감아 더는 냉각되는 것을 방지한다. 정맥 라인을 확보하고 따뜻하게 가온된 수액으로 소생술을 시작한다. 환자를 지속해서 재가온하고 모니터링할 수 있도록 환자의 움직임을 최소화하면서 신속하게 의료기관으로 이송한다.

표 9-4. 중증 저체온증 치료의 주요 고려 사항
저체온증 환자에서 시반과 고정되고 확장된 동공은 심폐소생술을 보류하는 신뢰할 수 있는 기준이 아니다.
환자의 맥박이 촉지되지 않을 수 있으므로 활력징후 및 심전도의 추적 평가가 어려울 수 있다. 혈액 순환의 징후를 확인하기 위해 평소보다 더 긴 시간(최대 60초)을 사용하여 확인한다. 의심스럽거나 맥박을 촉지할 수 없으면 즉시 심폐소생술을 시작한다.
중증의 저체온증 환자는 종종 서맥을 보인다. 느린 심장박동이 저체온 상태에서 충분한 산소를 전달할 수 있기 때문에 이것은 보호 기전일 수 있다. 이 경우 페이싱을 사용하는 경우는 드물다.
중증 저체온증 환자는 대사율이 현저하게 감소하여 심장 소생술에 사용하는 약물의 독성이 축적된다. 환자의 심장이 이 온도에서 약물에 반응할 가능성이 작고 재관류 시 약물의 축적이 극도로 위험할 수 있기 때문에 중심 체온이 30°C 미만이면 환자에게 약물 사용 중단을 고려한다.
가능한 경우 따뜻하게 가습한 산소로 환기를 보조하기 위해 조기 기관내삽관을 고려한다.
제세동은 중심 체온이 30°C 미만에서 효과적이지 않을 수 있다. 중심 체온이 이온도 이상으로 올라갈 때까지 반복적으로 제세동을 시행하지 않는다.
중증 저체온증에서는 위 팽창과 위 운동 감소가 나타날 수 있다. 복부의 신체검사는 곧은근의 경직으로 인해 신뢰할 수 없으므로 중등도 또는 중증의 저체온증 환자는 기관내삽관을 시행한 후 코위관을 삽입한다.

중증 저체온증

중증 저체온증(20°C~28°C)에서 환자는 일반적으로 의식이 없다. 더 이상의 악화를 방지하기 위해 기도, 호흡 및 순환의 안정화가 필수적이다. 맥박이 촉지되면 환자를 부드럽게 다루고 갑작스러운 움직임을 피한다. 중증 저체온증 처치의 주요 고려 사항은 표 9-4에 설명되어 있다.

저체온증으로 인한 심정지

환자가 심정지 상태인 경우 즉시 심폐소생술을 시작한다. 우선순위는 능동적 재가온을 시행하는 동안 양질의 가슴압박을 제공하는 것이다. 정맥 내 약물 투여와 제세동은 이러한 온도에서 이점이 제한적이다. 능동적 재가온 방법에는 담요를 이용한 보온, 정맥 라인으로 따뜻한 수액 투여, 방광 세척 등이 있다.

더욱 침습적인 능동적 재가온 방법에는 더 적극적인 방법으로는 가슴안, 복막강을 따뜻한 액체로 세척하는 것이 포함된다. 체외막산소공급(ECMO)은 환자를 따뜻하게 하고 순환 및 호흡 지원을 제공하는 궁극적인 방식이다. 일부 외딴 지역에서는 심정지 상태로 발견되는 저체온증 환자에 대한 소생 노력이 현장에서 종료된다. 그러나 대부분의 관할 지역에서 저체온증은 소생술의 현장 종료에 대한 금기 사항이다.

열 질환

열 질환은 열 노출과 관련된 다양한 범위의 조건을 구성한다. 열사병으로 알려진 가장 중증 형태의 열 질환은 신체의 체온 조절 기전이 압도되어 고열이 발생할 때 발생한다. 이것은 열에 대한 과도한 노출, 과도한 열 생산 또는 열 소실 장애에 대한 반응으로 발생할 수 있다. 열 질환 발병 위험이 높은 환자는 노인, 허약한 사람, 지적 장애가 있는 사람, 움직일 수 없는 사람, 만취한 사람, 영양실조, 손상을 입은 사람 또는 어린이가 포함된다. 고열을 유발할 수 있는 여러 가지 의학적 상태와 약물 과다 복용이 있지만, 이 장에서는 특히 환경적 고열에 관한 것이다.

열 질환은 각 유형 간에 일부 증상과 징후가 교차하는 장애의 범위라는 것을 기억하는 것이 중요하다. 고열은 전형적이거나 운동적인 것으로 분류할 수 있다. 이 두 가지 처지 방법이 유사하므로 현장에서 이러한 조건을 구별하는 것이 중요하지 않지만, 여기에서는 별도로 논의한다.

전형적인 고열(비운동성 열사병)은 적당히 높은 환경 온도 및 습도에 장시간 노출되는 것과 관련이 있다. 이것은 일반적으로 에어컨이 부족하거나 이뇨제, 항콜린제, 신경 이완제와 같은 열 스트레스에 대한 내성을 손상하는 약물을 사용하는 만성 질환자, 병상에 누워 있는 환자, 노인 또는 정신과 환자와 관련이 있다. 무한증 환자들이 적절한 에어컨 사용이 어렵거나, 더위 먹는 것에 취약하게 만드는 이뇨제, 항콜린작용약물, 그리고 신경 이완성 약물 투약에 원인이 있다. 땀없음증(발한 부족)은 극심한 탈수, 피부 질환 또는 약물 부작용으로 인해 발생한다.

대조적으로 운동성 열 질환은 신체가 열을 발산할 수 있는 것보다 중심 체온이 더 빨리 상승하는 고온 다습한 조건에서 훈련하는 운동선수와 같은 젊은이와 관련이 있다. 이 환자 중 상당수는 중증의 고열이 발생하더라도 계속해서 땀을 흘릴 것이다.

병태생리학

인체는 높은 체온보다 낮은 체온을 훨씬 더 잘 견딜 수 있으며 체온이 정상보다 4.5°C만 올라가도 장기 기능 장애가 발생한다. 저체온증을 유발하는 이전에 설명된 기전은 또한 고열을 예방하는 역할을 한다. 여기에는 열 방출에 가장 효과적인 기전인 증발 외 복사, 전도, 대류도 포함된다. 열 생산이 증가함에 따라 팔다리 및 신체 표면 근처의 혈관이 확장되어 환경으로 열전달을 쉽게 하려고 이 부위로 더 많은 혈류를 활성화한다. 그러나 주변 온도가 체온보다 높으면 복사, 전도, 대류 기전이 작동하지 않으며 상대 습도가 약 75% 이상이 되면 증발이 비효율적이다.

체온이 상승하면 신진대사가 증가하고 산소 소비가 증가하며 빈맥이 발생하고 분당 환기가 증가한다. 증발은 탈수와 전해질 소실로 이어진다. 체온이 42°C에 도달하면 세포 호흡과 효소 기능이 손상되어 장기 부전으로 이어진다. 간, 혈관, 신경계의 세포가 가장 먼저 영향을 받지만, 결국 모든 조직이 손상되어 신장 손상과 근육 붕괴(횡문근융해증)로 이어진다. 응고인자의 기능 이상으로 파종혈관내응고를 초래하고 중추신경계(CNS) 손상은 종종 발작 및 중증 의식상태의 변화로 이어진다.

운동성 열 질환의 형태

열경련(운동 관련 근육 경련)

근육 경련은 높은 온도에서만 발생하는 것이 아니라 시원한 온도에서 활발하게 일하거나 운동하는 사람들에게 흔히 발생한다. 근육 경련을 일으키는 생리학적 기전은 잘 알려지지 않았지만, 탈수, 전해질 불균형, 신경성 피로, 극한의 환경 조건 및 새로운 형태의 운동 수행을 포함할 수 있다. 이러한 고통스러운 근육 수축은 신체 활동 중 또는 직후에 발생한다.

증상과 징후

환자는 특히 운동 중인 근육에 심한 근육통과 경련이 나타나지만, 체온이 높게 상승하지 않고 더 심각한 형태의 열 질환의 증상과 징후가 나타나지 않는다.

처치

처치는 염분이 함유된 용액으로 수분 공급(경구 공급도 정맥라인으로 투여하는 만큼 효과적)과 수동적 스트레칭 및 마사지를 포함한 관련 근육의 국소 요법이 있다. 일부 임상 전문의는 심한 경우 근육 이완 효과를 위해 디아제팜(발륨)이나 마그네슘과 같은 벤조다이아제핀을 투여한다. 증상이 위에서 설명한 초치 처치에 반응하지 않으면 저나트륨혈증 및 횡문근융해증과 같은 원인을 고려한다.

열실신 및 운동 관련 허탈

열실신은 일반적으로 순응하지 않은 사람이 고온 환경에 노출되어 발생하는 실신 또는 현기증이다. 이것은 장시간 앉아 있거나 누워있다 서 있을 때 가장 잘 발생한다. 생리학적 기전은 혈관 확장을 통해 열을 방출하여 혈관 내 공간을 증가시키려는 신체의 노력을 포함한다. 이처럼 서 있으면 다리에 저류가 발생하고 정맥혈복귀가 감소하며 뇌 및 주요 장기에 대한 관류 부족이 발생한다.

운동선수의 경우 격렬한 운동이나 지구력 운동 상황(예: 마라톤)과 관련된 유사한 현상을 운동 관련 허탈(EAC)이라고 한다. 이것은 일반적으로 운동을 중단한 직후에 발생한다. 특히 개인이 열실신과 동일한 기전으로 직립 자세를 유지하는 경우에 발생한다.

열실신과 운동 관련 허탈은 정맥혈복귀 및 심박출량이 회복됨에 따라 환자가 쓰러지거나 바로누운자세로 도움을 받으면 의식이 빠르게 회복될 것이다. 지속적인 의식상태 변화 또는 체온 상승은 열사병에 대한 우려를 유발한다.

증상과 징후

열실신 및 운동 관련 허탈이 있는 환자는 특히 장기간 서 있을 때 또는 장기간 서 있고 난 후 현기증을 호소할 것이다. 이것은 터널 시야 또는 시야의 어두워짐과 그에 따른 바닥으로 쓰러지는 것을 동반할 수 있다. 일부 신체 경련(근간대 경련)이 발생할 수 있지만 진정한 발작은 드물다. 환자의 피부색은 창백하고 일반적으로 땀을 흘린다. 심박수는 빈맥이거나 서맥일 수 있다. 중심 체온은 정상이거나 최소한으로 상승(일반적으로 39ºC를 넘지 않음)한다. 증상은 호전되어야 하고 의식은 누운 자세를 취한 후 곧 회복되어야 한다.

처치

지지요법으로 필요에 따라 냉각시키고 누운 자세 또는 반좌위 자세에서 휴식을 취할 수 있으며 포도당 및 전해질을 함유한 액체를 경구로 공급하거나 정맥 라인으로 수액을 투여하는 것이 포함된다. 많은 지구력이 필요한 운동 경기에서는 수액 소생술을 시작하기 전에 나트륨 수치를 측정할 것을 권장한다.

열탈진

열탈진은 열과 관련된 질환의 범위 안에 포함된다. 근로자, 운동선수, 군인과 같이 더운 환경에서 일하는 사람들은 충분한 물을 마시지 않고 그늘에 있지 못하면 위험에 노출되게 된다. 처치하지 않고 방치하면 열탈진이 열사병으로 진행할 수 있다.

증상과 징후

열탈진의 임상 증상은 비특이적이다. 중심 체온이 약간 상승할 수 있지만(최대 40°C), 심각하지는 않다. 경미한 혼동과 같은 경미한 중추신경계 이상이 나타날 수 있지만, 처치하면 빠르게 해결된다. 가장 일반적인 증상과 징후는 다음과 같다.

- 쇠약, 불쾌감
- 두통
- 어지럼 및 실신
- 구역 및 구토
- 운동실조
- 빈맥 및 저혈압
- 과다 발한 및 창백함
- 비특이적 복통/경련
- 근육경련

처치

환자를 시원하고 그늘진 곳이나 에어컨이 설치된 실내 환경으로 이동시키고 바로누운자세를 취해주고 다리를 올려준다. 환자의 의복을 제거하고 스프레이를 이용해 시원한 물을 피부에 뿌려주고 젖은 시트로 머리와 몸을 덮어 적극적으로 냉각시킨다. 환자 위로 공기 흐름이 있는지 확인한다. 냉각은 직장 체온을 38.3°C 이하로 낮출 수 있을 때까지 시행한다.

대부분의 열탈진 환자는 수분과 염분 고갈로 탈수 증상을 보인다. 의식이 정상적이고 구토를 하지 않는 환자에게는 경구 수분 공급이 적절하고 선호된다. 희석한 포도당과 전해질 용액을 사용한다. 환자가 용액을 삼킬 수 없거나 의식이 감소하면 결정질 용액(젖산 링거액 또는 생리식염수)을 정맥 라인으로 투여한다. 지속적인 처치는 활력징후를 포함하여 체온을 모니터링하면서 처치에 대한 환자의 반응을 기반으로 시행한다. 한 시간 이내 빠르게 회복하지 않는 환자는 응급실로 이송한다.

열사병

열사병은 가장 극심한 형태의 열 질환으로 신체가 온도 조절 능력을 소실하여 중추신경계 기능장애, 중심체온 상승 및 다기관 부전을 유발할 때 발생한다. 중심체온은 40°C를 초과하며 손상의 체온이 얼마나 높고 얼마나 오래 유지하는지에 따라 결정된다.

병태생리학

중증 고열이 있는 환자의 거의 보편적인 소견은 의식상태의 변화, 두통, 발작 및 손수 상태를 포함한 신경학적 기능 장애이다. 신체 기능의 궁극적인 붕괴에 주요 원인이 될 수 있는 심혈관계에 대한 수요가 현저하게 증가하고 있다. 지속적인 열 노출은 말초혈관 확장을 유발하고 후속적으로 내장 및 신장 순환 혈관 수축 일으키고 때로는 간 기능 장애를 동반한다. 지속적인 열 노출은 혈 역학적 불안정, 피부의 관류저하, 중심 체온의 추가 상승, 급성 신장 손상, 간부전, 횡문근융해 및 파종성 혈관 내 응고를 포함한 다기관 부전을 유발할 수 있다.

증상 및 징후

열사병이 다른 형태의 열 관련 질환과 구별되는 주요 특징은 중추신경계 기능 장애이다. 이것은 두통, 지남력 장애/혼동, 행동 및 정서적인 과민 반응/변화된 각성, 반응 및 발작을 비롯한 여러 가지 방식으로 나타날 수 있다. 일부 교과서에서 설명하는 것처럼 대부분의 환자는 건조하지 않고 땀을 흘리리라는 것을 아는 것이 중요하다. 열사병의 가장 일반적인 증상과 징후는 다음과 같다.

- 의식상태 변화/실신/발작/혼수
- 과다환기
- 빈맥/저혈압
- 구역/구토/설사
- 탈수/구강 건조
- 근육 경련
- 대부분 땀을 많이 흘림

감별진단

운동과 관련된 열 질환은 종종 환경 조건으로 의심을 받는다. 이러한 환자는 일반적으로 갑작스러운 허탈을 나타낸다. 고려할 다른 조건으로는 갑작스러운 심장마비, 운동 관련 저나트륨혈증 및 악성 고열이 포함된다. 악성 고열은 일반적으로 마취제와 관련이 있지만, 극단적인 운동으로 설명되어 있다. 악성 고열은 운동성 열사병에서 볼 수 있는 이완성 쇠약보다는 근육 경직의 존재에 의해 구별할 수 있다.

처치

처치의 첫 번째 단계는 잠재적으로 치명적인 상태를 인식하는 것이다. 기도, 환기 및 순환을 유지하고 즉시 냉각 조치를 시작하며 환자를 신속하게 응급실로 이송한다. 환자에게 심장 모니터를 부착하고 두 개의 말초 정맥 라인을 확보한 후 산소포화도가 94% 미만이거나 호흡 곤란의 징후를 보이면 보조 산소를 투여한다.

냉각 조치를 즉시 인식하고 시작하면 생명을 구할 수 있다. 정맥 라인을 확보하거나 다른 지역으로 이동하기 위한 능동적인 냉각 조치를 지연시키지 않고 일단 냉각을 시작한다.

환자의 옷을 제거하고 즉시 냉각을 현장에서 시작한다. 가장 효과적인 방법은 얼음물에 담그는 것이다. 이것이 불가능하면 얼음물에 적신 수건으로 환자를 덮어준다. 선풍기나 에어컨을 이용하는 것도 도움이 된다. 되도록 직장이나 식도 탐침으로 5분마다 중심 체온을 확인하고 기록한다. 중심 체온이 39°C로 떨어지면 적극적으로 냉각 조치를 중단하고 이송 준비를 시작한다. 저혈량 쇼크의 증거가 있는 경우 필요에 따라 수액 소생술로 환자를 소생시킨다. 차가운 수액을 정맥 라인으로 투여한다. 혈 역학적 안정성을 재평가하고 평균 동맥압 60mmHg를 유지한다. 환자가 고출력 심부전 및 폐부종이 발생할 위험이 있으므로 수액 과다 투여를 피한다. 발작이 있으면 경우 국소 프로토콜에 따라 벤조다이아제핀을 투여한다. 이송 중 의식상태, 호흡 상태, 심장 리듬 및 활력 징후를 지속해서 모니터링한다.

운동 관련 저나트륨혈증

중등도에서 중증의 고열에서 나타나는 나트륨 고갈과 밀접한 관련이 있는 장애는 운동 관련 저나트륨혈증이라고 한다. 이것은 마라톤 달리기와 같은 지구력 운동에 참여하는 젊고 건강한 운동선수의 가장 흔한 사망 원인 중 하나이다.

병태생리학

운동 관련 저나트륨혈증의 가장 흔한 원인인 저장성 용액으로 인한 과다수분공급이다. 운동선수는 운동 중에 상당한 속도로 땀을 통해 수분과 나트륨을 모두 잃게 된다. 적절한 나트륨 섭취 없이 물을 대신 사용하면 환자의 혈청 나트륨 수치가 낮아진다. 이것은 중추신경계 부종, 신경학적 증상 및 사망으로 이어질 수 있다. 마라톤 환경에서 운동과 관련된 저나트륨혈증의 위험을 증가시키는 원인으로 과도한 수분 공급, 비스테로이드 소염제(NSAID) 사용, 여성, 4시간 이상의 소요 시간 및 낮은 체질량 지수가 있다.

심인성 다음증으로 알려진 유사한 장애는 물을 과도하게 마시는 정신질환 환자에게 발생하며 체액 과부하와 나트륨혈증을 유발한다.

증상과 징후

환자는 혈중 나트륨 농도보다는 증상에 따라 분류되어야 하지만 상대적인 기준은 아래와 같다.

- 경증: 어지럼, 구역, 구토, 두통(나트륨 135~130mmol/L)
- 중등도: 의식상태 변화(혼란, 지남력장애), (나트륨 130~125mmol/L)
- 중증: 의식 변화, 졸음증, 폐부종, 경련, 혼수(나트륨 <125mmol/L)

감별진단

운동 관련 저나트륨혈증의 증상은 이전에 논의한 바와 같이 비특이적일 수 있다. 열사병의 증상 및 징후와 겹치는 부분이 많기 때문에 이러한 유형의 열 관련 질환을 진단하는 것은 어려울 수 있다. 두 가지 상태를 구별하는 데 도움이 되도록 열사병은 항상 체온 상승을 동반한 의식상태가 변화되는 반면 운동 관련 저나트륨혈증은 심각한 고열이 동반되지 않고 발생할 수 있다는 것을 기억한다.

처치

대부분의 상황과 마찬가지로 위험에 처한 사람들의 교육을 통한 예방이 최선의 방법이다. 운동선수에게 운동 중 저장성 용액을 과도하게 섭취하는 것을 피하도록 지도한다. 시중에서 판매되는 스포츠음료에도 저나트륨혈증을 예방할 수 있는 충분한 나트륨이 함유되어 있지 않다. 짠 간식은 수분과 함께 먹어야 한다. 경증에서 중등도의 증상이 있는 환자의 경우 수분 섭취 제한을 시작하고 나트륨 농도 결과가 나올 때까지 짠 간식이나 죽을 먹을 수 있게 한다. 정맥 라인으로 수액을 투여하는 것은 일반적으로 금기이다. 중증 증상이 있는 환자의 경우 병원 전 처치는 평소와 같이 ABC로 시작한다. 고장성(3%) 생리식염수로 처치를 시작할 수 있지만, 적절한 전문 지식과 혈청 나트륨 농도를 모니터링할 수 있는 능력이 없으면 매우 위험하다. 고장성 생리식염수를 사용한 처치는 혈청 나트륨 농도를 빠르게 교정하여 중추신경계에 돌이킬 수 없는 손상인 중추 다리뇌 말이집용해를 유발할 수 있으므로 극도로 통제된 조건에서 의료 지도 의사의 지시에 의해서만 시행한다. 중증의 증상이 있는 환자는 중환자실이 있는 의료기관으로 신속하게 이송한다.

기타 일반적인 환경 응급

익사

익사는 물에 잠기거나 침수되어 호흡 장애가 발생하는 과정이다. 익사의 결과에는 사망, 병적 상태 및 거의 질병에 걸린 상태가 포함된다. 이러한 환자를 설명하는 용어는 계속해서 발전하고 있다. 건식 익사, 습식 익사 및 이차 익사와 같은 용어는 혼란스럽고 이전에는 많이 사용하였지만, 이제는 유용하지 않은 것처럼 보인다.

병태생리학

익사 연속체는 호흡 유지에서부터 후두경련(후두의 심한 수축), 이산화탄소 축적 및 폐에 산소를 공급하지 못하여 그 이후 조직의 저산소증으로 인한 다기관 부전으로 인한 대사 및 호흡으로 산이 축적되어 심정지로 진행된다. 환자는 이 연속체를 따라 어느 시점에서나 소생할 수 있으며 일반적으로 조기에 소생술이 이루어질수록 성공률이 높아진다.

증상 및 징후

대부분의 익사는 목격되지 않기 때문에 사람의 몸은 물에 잠겨 있거나 물에 떠 있는 채로 발견된다. 유아는 일반적으로 욕조에서 익사하고 학령기 어린이는 수영장에서 익사하며 10대는 호수나 강에서 익사한다. 발작 장애, 의학적 또는 신체적 장애와 같은 동반 질환도 욕조와 같이 안전해 보이는 환경에서 익사하는 원인이 될 수 있다.

처치

익사 사고 희생자의 소생은 호흡이나 심정지 환자와 동일하지

표 9-5. 익사의 처치
수중 구조에 대해 훈련을 받은 구조대원은 적절한 경우 구조에 참여한다.
명백한 외상, 다이빙, 워터슬라이드, 알코올 중독의 경우 목뼈 손상을 고려한다. 그러나 목보호대를 착용하는 것은 우선순위가 아니며 소생술이나 초기 처치를 방해해서는 안 된다.
기도유지와 산소 공급에 중점을 두고 기본생명유지술 처치가 수행되고 있는지 확인한다.
구토를 예상하고 필요한 경우 즉시 흡인을 시행한다.
폐부종을 예상한다. 흡인은 일반적으로 도움이 되지 않으며 부종이 산소 공급을 방해하는 경우 호기말초고압(PEEP)이 2.5~5cmH_2O인 백밸브마스크 장치를 이용해 보조 환기를 시행한다.
보조 산소를 투여하고 필요한 경우 기관내삽관을 시행한다.
정맥 라인을 확보한다.
중심 체온 측정하고 저체온증 예방 및 처치를 시행한다.
쌕쌕거리는 소리가 들리는 경우 베타-2 아드레날린 약물을 투여한다.
호기말이산화탄소를 모니터링하고 산소포화도를 측정한다.
기관내삽관을 시행한 환자에게 코위관을 삽입한다.
모든 익사 환자는 관찰 및 모니터링 기간이 필요하다. 현장에서 회복되는 것 같은 환자를 포함하여 병원으로 이송하는 것이 가장 적절한 방법이다.

만, 먼저 희생자에게 접근한다. 수중 구조에 대한 전문적인 훈련과 경험을 가진 처치 제공자는 구조를 가장 잘 수행할 수 있다. 익사의 처치는 표 9-5에 나와 있다.

익사로 인해 심정지가 발생한 환자의 경우 적절한 심폐소생술에 중점을 둘 필요가 있지만, 초기에 환기를 최적화하는 것에 주의를 기울여야 한다. 소생술 시 가능한 한 빨리 기관내삽관을 시행한다(성문외기도 또는 백밸브마스크 환기는 기도에 압력이 과하게 가해져 비효과적임). 약물 처치는 우선순위가 낮아야 한다. 생존자는 일반적으로 양호한 심폐소생술 및 산소 공급만으로 10~15분 이내에 자발 순환이 회복된다.

다이빙 관련 응급

다이빙 및 고도 관련 응급 상황은 수심 또는 고도에서 극단적인 압력으로 인해 발생할 수 있다. 다이버들은 오랫동안 감압병을 뜻하는 용어로 밴즈(Bands)를 두려워해 왔다. 감압병, 부비동이나 중이 손상과 같은 직접적인 압력손상 그리고 동맥기체색전증 스쿠버 다이빙과 같은 극한의 고압 환경과 관련된 주요 질병이다.

모든 다이버는 다이빙 유형과 관계없이 수중에서 발생하는 증가한 압력에 노출된다. 손상은 이러한 압력이 신체에 미치는 물리적 영향으로 인해 발생한다. 이러한 변화를 이해하려면 특정 물리적 조건에서 기체가 어떻게 작용하는지 검토하는 것이 중요하다.

병태생리학

다이빙 압력손상은 압력을 받는 기체의 성질을 지배하는 물리학 법칙으로 설명된다. 압력 변화는 공기로 채워진 공간의 부피에 영향을 미친다. 대부분 액체로 채워진 인체의 경우 이러한 공간은 폐, 장, 부비동 및 중이이다. 보일의 법칙에 따르면 이 공간은 하강할 때 압축되고 상승할 때 팽창한다. 왜냐하면 압력이 증가함에 따라 기체 부피가 감소하고 반대로 압력이 완화되면 기체 부피가 증가하기 때문이다(그림 9-6).

또한, 액체에 있는 기체의 용해도는 그 기체에 가해지는 압력의 양에 의해 결정되므로 기체는 다이빙하는 동안 신체가 상

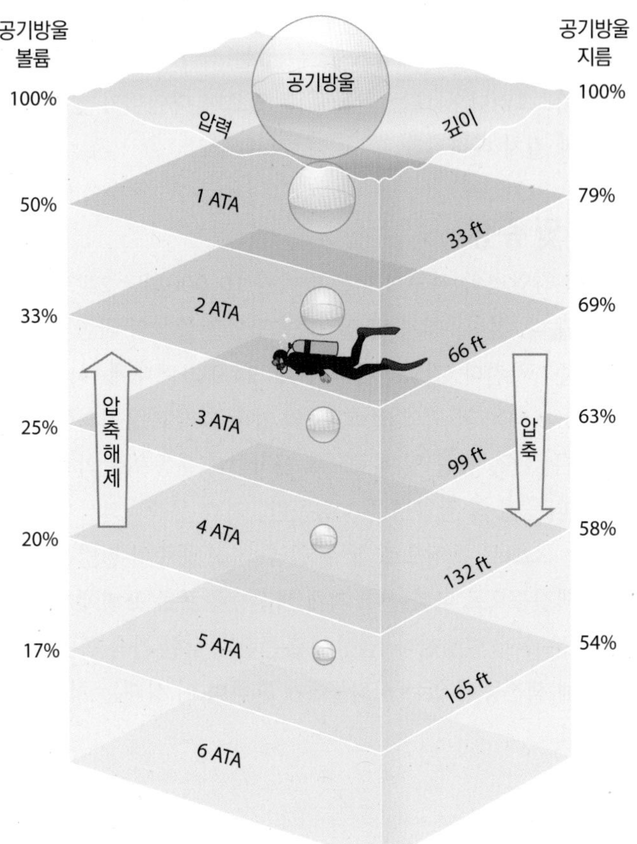

그림 9-6. 보일의 법칙. 일정한 온도에서 주어진 양의 기체의 부피는 압력에 반비례 한다.

승함에 따라 액체(즉, 혈액)에 점차 용해된다. 혈액에서 분리되는 기체의 양이 숨을 내쉴 수 있을 정도로 적으면 신체는 이를 견딜 수 있다. 상승 속도가 빠르면 많은 양의 기체가 방출되고 생명을 위협하는 기포가 순환을 막을 수 있으며 이러한 현상을 감압병이라고 한다.

기포의 위치와 크기에 따라 임상적 효과가 결정된다. 근육이나 관절에 갇힌 기포는 해당 부위에 통증을 유발한다. 척수의 기포는 마비, 감각 이상, 무감각의 원인이 될 수 있다. 동맥 순환계의 기체 색전은 팔다리 허혈을 일으킬 수 있고 폐동맥은 폐 기체 색전증을 일으킬 수 있으며 대뇌 동맥은 뇌졸중을 일으킬 수 있다.

다이빙 중 의식상태의 변화인 질소 마취는 약간 다른 임상적 본질이다. 그 효과는 알코올이나 벤조다이아제핀 중독과 유사하다. 이 상태는 얕은 수심에서 발생할 수 있지만, 다이빙이 30m를 초과하지 않으면 일반적으로 설정되지 않는다. 그 효과는 더 높은 압력에서 질소의 용해도가 증가하여 결과적으로 인지, 운동 기능 및 감각 이는 높은 압력 아래에서 질소의 용해성 증가로 설명되는데 인지, 운동기능 및 감각 지각의 손상으로 설명된다. 질소 마취는 또한 판단력과 조정력을 손상해 잠재적으로 수중 안전을 위태롭게 할 수 있는 심각한 오류를 일으킬 수 있다. 그러나 상태는 되돌릴 수 있으며 다이버가 상승하면 몇 분에 걸쳐 해결된다.

징후 및 증상

심각한 감압병의 평균 위험은 다이빙 10,000회당 2건보다 약간 더 높다. 천식, 폐포 및 열린타원구멍은 증상의 위험과 중증도를 증가시킨다. 감압병은 잠수 후 24시간 이내에 나타날 수 있으며 부비동 및 귀의 압력, 등의 압박 그리고 움직임에 따라 악화하는 관절 통증 및 통증으로 시작하여 운동으로 악화할 수 있다. 더 중증의 감압병은 호흡곤란, 가슴 통증, 의식상태 변화 또는 쇼크로 특징으로 할 수 있다. 가장 중증의 질병은 동맥 기체 색전증으로 나타난다. 기체 색전증은 종종 표면에 나타난 후 몇 분 후에 발생한다. 급성 호흡곤란과 심한 가슴 통증은 급성 기체 색전증이 있는 사람들에게 흔하며 이 상태는 치명적일 수 있다.

처치

신체검사는 기체 색전증을 포함한 응급 증상을 발견하는 데 중점을 두어야 한다. 완전한 심혈관 검사를 수행하는 데 특히 주의를 기울이고 호흡음 감소, 심음 감소, 심장 잡음이 들리는지 확인한다. 머리나 목의 목정맥 팽창이나 점상출혈은 더 심각한 감압병을 나타낼 수 있다. 피부를 촉지하여 비빔소리(피부밑 가스)를 검출하고 모든 맥박을 촉지한다.

응급처치에는 보충 산소로 기도를 유지하는 데 주의를 기울이는 것이 포함된다. 수축기 혈압을 유지하기 위해 정맥 라인을 확보하고 수액을 투여한다. 요도 카테터를 삽입하면 신장 기능을 모니터링하는 데 도움이 될 수 있다. 기흉이 발생하면 가슴관삽입이 필요하다. 신경학적 증상, 불안정한 혈압, 호흡 저하 또는 의식상태 변화가 있는 환자에게는 고압산소요법을 고려한다. 프로토콜에 따라 고압산소 처치를 시행할 수 있는 시설로 이송한다.

고산병

병태생리학

높은 고도로 올라가는 것과 관련된 질병은 낮은 대기압과 결과적으로 낮은 산소 분압의 조합에 의해 촉발된다. 즉, 산소는 모든 고도에서 대기 가스의 21%를 차지하지만, 상승하면 보일의 법칙에 따라 대기 가스의 총 압력이 감소하고 공기는 각 공기의 리터에 더 적은 산소 분자로 "희박"해진다. 이 상태는 때때로 저산소증을 유발하는 저압 저산소증이라고 한다. 신체는 호흡수, 심박출량 및 뇌혈관 확장을 증가시켜 이러한 감소하는 산소 가용성을 보상하려고 시도한다. 대기압이 낮으면 폐와 뇌에서 모세혈관 누출을 유발한다. 저산소증은 광범위한 폐혈관 수축(신체가 인지된 환기-관류 불일치를 극복하려고 시도할 때)을 유발하여 폐고혈압 및 부종을 초래한다. 이러한 적응 및 부적응 반응은 급성 고산병, 고지성 뇌부종 및 고지 폐부종의 발생을 초래할 수 있다. 이러한 질병은 중복되고 공존할 수 있다.

빠른 상승 속도, 사전 순응 부족, 열악한 체력 수준, 많은 약물 및 마취성이 있는 약물은 모두 고지대 응급 상황의 위험을 증가시킬 수 있다. 놀랍게도 50세 미만의 사람들은 고산병에 걸릴 위험이 더 높다.

증상 및 징후

급성 고산병

급성 고산병(AMS)은 일반적인 피로, 탈수, 후유증 또는 인플루엔자와 혼동될 수 있는 비특이적인 증후군이다. 가장 흔한 불만은 두통이고 증상은 일반적으로 등반 후 24~48시간 이내에 시작되고 3~5일 후에 해결된다. 결정적인 신체검사 결과가 없으므로 높은 의심 지수가 매우 중요하다.

고지성 뇌부종

고지성 뇌부종(HACE)은 종종 급성 고산병에 의해 선행되는 더 중증의 질병을 나타내고 증상도 마찬가지로 더 중증이며 구역과 구토, 운동실조, 의식상태 변화, 발작 및 마비 등을 포함한다. 고지성 뇌부종은 종종 상승 후 3일까지 발생하지 않지만, 훨씬 더 일찍 발생할 수 있다. 고지성 뇌부종은 적절하게 처치하지 않으면 치명적일 수 있다.

고지 폐부종

고지 폐부종(HAPE)은 주로 고도 상승 후 두 번째 밤에 가장 흔하게 발생한다. 경미한 경우 마른기침과 운동에 대한 내성 감소가 나타날 수 있다. 더 심각한 경우 운동 시 호흡곤란, 저산소증 및 청색증이 등이 모두 발생할 수 있다.

처치

경미한 급성 고산증을 넘어선 모든 고지대 질환의 경우 처치의 기본은 산소 공급과 즉각적인 하강이다. 신속하게 하강할 수 없는 경우 가능한 경우 휴대용 고압 챔버를 사용할 수 있다. 다음과 같이 다른 처치법을 사용할 수 있다.

- 지속기도양압(CPAP), 이뇨제 및 칼슘통로차단제는 모두 고지 폐부종(HAPE)의 처치에 사용할 수 있다.
- 덱사메타손과 이뇨제는 고지성 뇌부종(HACE) 처치에 사용된다.
- 비스테로이드성 항염증제(SAIDs) 및 아세타졸아마이드는 경미한 급성 고산병에서 증상 조절을 위해 사용할 수 있다.

고지대 관련 질병의 모든 경우 전문가의 상담을 받아야 한다.

종합 정리

환경 응급 상황에서 환자를 돕는 것은 처치 제공자가 직면하는 가장 어려운 문제 중 하나일 수 있다. 임상 양상과 주요호소증상의 유사점과 차이점은 때로는 미묘하며 근본적인 진단이 모호하여 적절한 처치가 지연될 수 있다. AMLS 평가 과정을 활용하면 적절한 감별 진단을 내리고 포괄적인 병력 및 집중적인 신체검사를 받고 감별 진단을 개선하는 데 도움이 된다.

시나리오 해결책

- 감별 진단에는 경증, 중등도 또는 중증 저체온증이 포함될 수 있다.
- 감별 진단을 좁히려면 외상 손상에 대한 평가를 포함한 신체검사를 수행한다. 환자는 노동맥이 약하고 빠르다. 따라서 처치의 우선순위는 외상 손상의 처치와 수동적 재가온에 중점을 둔다.
- 환자가 떨고 있기 때문에 저체온증을 나타낼 수 있는 징후가 있다.

요약

- 체온은 주로 시상하부를 통해 작동하는 신경 피드백에 기전에 의해 조절된다. 시상하부는 체온 설정점을 유지하는 제어 기전뿐만 아니라 체온 변화를 감지하고 이에 대응하는 데 필요한 감각 기전을 포함한다.
- 한랭 응급상황에는 동창, 동상 및 전신 저체온증을 포함한다.
- 열 응급 상황에는 경미한 열 관련 체액 및 전해질 장애(경련이나 실신으로 나타날 수 있음)에서 체온 조절 능력 상실을 동반한 생리적 불안정에 이르기까지 다양한 증상이 포함된다.
- 익수는 물에 잠기거나 침수되어 호흡 장애가 발생하는 과정이다. 익사는 호흡 중지, 후두경련, 호흡 및 심정지로 진행된다.
- 압력손상은 신체 내부와 외부 대기 사이의 기압 불균형으로 인해 다이빙 후 너무 빠른 상승으로 인해 발생할 수 있다.
- 고산병은 저압성 저산소증으로 인해 발생한다.

주요 용어

고산병(acute mountain sickness) 고지대 환경에 노출되어 두통, 쇠약, 피로 및 신체 통증을 포함한 다양한 경증에서 중등도의 증상을 나타내는 질병이다.

압력손상(barotrauma) 일반적으로 다이빙 후 급격한 상승으로 인한 기압의 심각한 변화로 인한 손상

보일 법칙(Boyle's law) 일정한 온도에서 기체의 부피는 압력에 반비례한다(기체의 압력을 두 배로 늘리면 부피가 반으로 줄어든다. PV = K, P = 압력, V = 부피, K = 상수)

감압병(decompression sickness) 상승할 때 용액에서 나오는 혈액과 조직의 질소 기포로 인해 발생하는 광범위한 증상과 징후이다.

익사(drowning) 침수 또는 액체에 잠기는 호흡 장애를 경험하는 과정

운동 연관 저나트륨혈증(exercise-associated hyponatremia) 더운 환경에서의 장기간 운동으로 인한 상태는 구역, 구토 심한 경우 의식상태 변화 및 발작(운동성 저나트륨증리라고도 함)을 유발하는 과도한 저장성 액체 섭취에 의한 상태이다.

동상(frostbite) 극한의 추위에 장기간 노출되면 조직에 국소적인 손상이 발생한다.

동창(frostnip) 심각한 조직 손상 없이 무감각과 창백함을 특징으로 하는 초기 동상

열질환(heat illness) 발진과 경련부터 일사병과 열사병에 이르기까지 과도한 열 노출 또는 일 발생과 관련된 다양한 질병이다.

고지성 뇌부종(high-altitude cerebral edema, HACE) 높은 고도에 노출되는 것과 관련된 뇌부종 및 기능 장애

고지 폐부종(high-altitude pulmonary edema, HAPE) 높은 고도에서 발생하는 비심인성 형태의 폐부종(폐에 체액이 축적됨)이다.

고열(hyperthermia) 비정상적으로 높은 체온

저체온증(hypothermia) 중심 체온은 35°C 미만이다. 낮은 온도에서는 심장 부정맥을 유발하고 의식상태의 저하를 촉진할 수 있다.

질소혼수(nitrogen narcosis) 높은 주위 압력에서 혈액에 용해된 질소 가스에 의해 생성되는 알코올 중독과 유사한 상태이다.

체온조절(thermoregulation) 신체가 극단적인 환경에 대해 보상하는 과정

참고 문헌

American Academy of Orthopaedic Surgeons: *Nancy Caroline's emergency care in the streets,* ed 8. Burlington, MA, 2018, Jones & Bartlett Learning.

Centers for Disease Control and Prevention: *Trench food or immersion foot.* Disaster recovery fact sheet. https://www.cdc.gov/disasters/trenchfoot.html, last reviewed September 8, 2005.

Cone D, Brice JH, Delbridge TR, et al: *Emergency medical services: clinical practice and systems oversight.* Hoboken, NJ, 2015, Wiley.

Department of Health and Social Services, Division of Public Health, Section of Community Health and EMS, Juneau, AK, 2003, State of Alaska.

DiCorpo JE, Harris M, Merlin MA: Evaluating temperature is essential in the prehospital setting. *JEMS.* November 2, 2017. https://www.jems.com/articles/print/volume-42/issue-11/features/evaluating-temperature-is-essential-in-the-prehospital-setting.html

Hamilton GC, Sanders AB, Strange GR: *Emergency medicine,* ed 2. St. Louis, MO, 2003, Saunders.

Kumar G, Sng BL, Kumar S: Correlation of capillary and venous blood glucometry with laboratory determination, *Prehosp Emerg Care.* 8(4):378, 2004.

Mallet ML: Pathophysiology of accidental hypothermia, *QJ Med.* 95:775–785, 2002.

Marx JA, Hockberger RS, Walls RM: *Rosen's emergency medicine,* ed 7. St. Louis, MO, 2009, Mosby.

Mistovich JJ, Krost WS, Limmer DD: Beyond the basics: Endocrine emergencies, Part I, *EMS Mag.* 36(10):123–127, 2007.

Mistovich JJ, Krost WS, Limmer DD: Beyond the basics: Endocrine emergencies, Part II, *EMS Mag.* 36(11):66–69, 2007.

Pagan KD, Pagana TJ: *Mosby's manual of diagnostic and laboratory tests,* ed 4. St. Louis, MO, 2010, Mosby.

Plaisier BR: Thoracic lavage in accidental hypothermia with cardiac arrest—report of a case and review of the literature, *Resuscitation.* 66:95–104, 2005

Sanders MJ, McKenna K, American Academy of Orthopaedic Surgeons. *Sanders' paramedic textbook,* ed 5. Burlington, MA, 2019, Public Safety Group.

Thomas R, Cahill CJ: Case report: Successful defibrillation in profound hypothermia (core body temperature 25.6°C), *Resuscitation.* 47:317–320, 2000.

U.S. Department of Transportation National Highway Traffic Safety Administration: *EMT-paramedic national standard curriculum,* Washington, DC, 1998, The Department.

U.S. Department of Transportation National Highway Traffic Safety Administration: *National EMS education standards,* Draft 3.0, Washington, DC, 2008, The Department.

Walpoth BH, Walpoth-Aslan BN, Mattle HP, et al.: Outcome of survivors of accidental deep hypothermia and circulatory arrest treated with extracorporeal blood warming, *N Engl J Med.* 337:1500–1505, 1997.

Xu J: Number of hypothermia related deaths—by sex: National Vital Statistics System, United States, 1999–2011, *MMWR.* 61:1050, 2013.

CHAPTER 10

독성학, 유해 물질, 대량살상무기

이 장은 자연과 인간이 만든 독소가 인체에 미치는 치명적인 영향에 대해 알아보도록 한다. 항상 그러하듯이 그 중심에는 철저한 현장 평가, 숙련된 환자 평가 및 생명 위협의 상황을 빨리 안정화하는 것에 중점을 둔 AMLS 평가 과정에 근거한다. 약물치료 및 약물 남용에 대해 상세히 다루고자 한다. 이 장에서는 가정 및 산업장 내 독성 물질에 대해 다루고 위험 물질에 노출시 안전하고 효과적으로 인식하며 대응하는 방법에 대해 다루고자 한다. 또한, 절지동물, 뱀 그리고 식물 독소를 포함한 육상과 해상 환경 독성학을 다루고자 한다. 방화 장치 및 이에 따른 화재와 화학적 위험을 포함한 테러 무기 사용으로 발생하는 생물학적, 화학적 및 방사선학적 오염을 다루도록 한다. 관련 관리기관은 오염단계별 구역 설정, 오염제거 및 개인 보호 장비와 같은 필수 정보를 공유한다.

학습 목표

이장의 학습을 마치면 다음을 수행할 수 있다.

- 중독 또는 약물 과다 복용환자에 대한 기본 접근 방식을 이해할 수 있다.
- 흔한 중독증후군(toxidromes)에 대해 이해하고 설명할 수 있다.
- 중독으로 인한 호흡 부전 및 부정맥의 위험이 있는 환자를 식별할 수 있다.
- AMLS 평가 과정을 사용하여 독성에 의한 의학적 위험 상황이 발생한 환자의 주요호소증상, 심혈관 증상, 평가 및 치료에 대해 논의할 수 있다.
- 독성학적 응급 상황을 치료할 때 독성물질 통제가 필요한 이유를 설명할 수 있다.
- 다양한 위험 물질 및 대량살상무기에 폭로된 환자에 대한 평가 및 관리의 일반 원칙을 설명할 수 있다.
- 독소 유발 부정맥의 치료 방법을 알 수 있다.
- 화학적, 생물학적, 방사성 물질에 피폭된 환자의 증상과 징후, 평가 및 치료 방법을 설명할 수 있다.
- 유해 물질 및 대량살상무기에 폭로될 위험이 있는 의료진과 환자의 안전 문제에 관해 설명할 수 있다.
- 독성물질에 노출된 환자와 의료진의 일반적인 오염제거 절차를 설명할 수 있다.

시나리오

24세 팔다리 마비가 있는 남자가 초조해하며 약간 공격적인 모습을 보인다. 그의 활력 징후는 혈압 188/104mmHg, 맥박 136회/분, 호흡 28회/분이다. 그는 직장에서 돌아온 룸메이트에 의해 발견되었다.

- 지금까지의 정보를 바탕으로 어떤 감별진단을 고려할 수 있는가?(고려할 수 있는 중독 증후군 또는 특정 약물을 포함)
- 감별진단의 범위를 좁히기 위해 어떤 추가 정보가 필요한가?
- 이 환자에게 고려할 수 있는 치료법은?

우발적 또는 의도적인 노출로 인해 발생한 의한 독성학적 응급 상황은 미국에서 발병률과 사망률의 주요 원인이다. 중독은 미국에서 의도하지 않은 원인에 의한 사망 원인으로 자동차 사고를 넘어섰다. 2017년에는 70,237건의 약물 과다 복용 사망자가 발생했으며(하루평균 약 192명) 그중 77% 이상이 비의도적 사고에 의한 사망자이다. 나머지는 자살 시도 또는 의도성 여부가 알려지지 않은 사고에 의한 결과이다. 질병통제예방센터(CDC)에 따르면 하루 약 1,500명의 환자가 약물 남용 또는 오용으로 응급실에서 치료를 받았다. 그 숫자는 지속해서 증가하고 있다. 미국 독극물 통제통합센터(United Association of Poison Control Centers)의 국립 독성 데이터 시스템 연례 보고서는 심각한 결과를 초래하는 사건의 지속해서 증가뿐만 아니라 2017년 2,115,186건의 독극물 중독이 보고되었다. 독성학적 응급 상황은 구급대원(병원 전 단계의 전문가)과 의료인이 자주 접하게 된다. 이러한 긴급 상황에는 의도적 과다 복용, 비의도적 중독, 직무에 따른 폭로, 환경위험, 실험, 생화학전 및 방사선 질환이 모두 포함된다. 신속한 독성상황 인지와 원인 물질 확인은 적절한 치료를 시작하고 자신과 환자 및 대중의 안전 상태를 유지하는 데 도움을 주며 동료들에게 모든 수준에서의 필수 정보를 제공하는 데 도움을 줄 수 있다. 이러한 독성 물질에 의한 응급 상황은 광범위한 질병을 유발하며 원인 물질의 종류와 상관없이 위험한 환경과 생명을 위협하는 환자의 증상을 조기에 인지하고 관리함으로써 절차에 따라 확실한 기본 원칙을 따라야 한다.

독성학적 질환을 효율적으로 진단하고 치료하기 위해서는 신경계, 심혈관 및 호흡계의 생리학에 대한 확실한 이해가 필요하다. 이 장에서는 약물 및 중독증후군에 대한 신체의 반응을 중심으로 다룰 것이며 수많은 특정 물질을 분석하지 않는다. 중요하게 다루어야 할 항목은 다음과 같다.

- 과거력 등 병력 청취 습득
- 원인 물질 식별
- 독성의 병리 생리학적 특성에 대한 이해
- 일차평가하기
- 일반적인 치료 개념 적용
- 적절한 치료 선택

AMLS 평가 절차는 중독된 환자에 대한 효율적이며 포괄적인 평가를 제공한다. 어떤 경우 생명을 위협하는 후유증의 예방은 기도 확보와 심폐소생 약물을 투여 등 처치를 즉시 시작하는 것을 의미한다. 환자의 생명을 가장 위협하는 상황을 먼저 확인 후 상세한 기록, 현장 조사와 검사를 수행하면 진단 범위가 크게 좁아지므로 잠재적으로 생명을 구하기 위한 치료 방법을 빠르게 마련할 수 있다.

AMLS 평가 과정

▼ 초기 관찰

일단 현장에 도착하면 현장 도착 초기부터 많은 유용한 정보를 모을 수 있다. 환자의 신체적 위치에 따라 독성이 질병의 주요 원인으로 간주 될 수 있다. 예를 들어, 헤로인 남용이 발생한 것으로 알려진 가정에서 의식상태가 변한 환자가 발견된다면 그 환자에게 적절한 치료를 할 수 있다. 또한, 환자를 찾은 위치와 상황은 근본적인 독성과 예후에 대한 단서를 제공한다. 예를 들어, 방이나 집에서 쉽게 접근할 수 있는 곳에서 약병을 찾았다면 검사를 시작하기 전에 유용한 정보를 얻을 수 있다.

현장 안전 고려 사항

먼저 현장 안전을 확보한다. 약물 과다 복용환자는 극도로 위험할 수 있다. 이러한 상황에서는 경찰 등 공권력의 지원 요청을 주저하지 않는다. 많은 가스와 독소가 의료진을 다치게 하거나 무력화시킬 수 있다. 현장에 출동한 처치 제공자는 현장 안전에 관한 철저한 질문을 하고 모든 이들에게 정보를 전달한다. 이 정보는 다수의 환자가 발생할 때 중요하다. 사실, 한 명 이상의 환자가 발생한 경우 독성이 빠르게 증상을 유발할 수 있는 가스와 관련이 있을 수 있는데 심각해질 때까지 발견하기 어렵다. 노출의 원인 물질을 알 수 없는 경우가 많다. 위험 물질이 의심될 경우 위험 물질(Hazmat) 대응팀을 요청하는 것을 고려한다. 독성 물질을 식별하고 안전하게 취급하는 데 도움이 되는 자료는 이장의 "위험 물질" 부분에서 다루고자 한다.

환자의 주요 증상/주요호소 증상

독성학적인 응급 상황을 겪고 있는 환자들은 의식 수준의 변화가 있을 수 있다. 일반적인 중독 증상과 징후는 표 10-1에 나와 있다.

표 10-1. 중독의 일반적인 증상과 징후

증상 또는 작용 신체 부위	종류	가능한 원인 물질
냄새	쓴 아몬드	- 사이안화물
	마늘	- 비소, 유기인산염, 인
	황	- 황화수소
	아세톤	- 아세톤, 아스피린, 이소프로필알코올, 메탄올
	윈터 그린	- 메틸 살리실산염
	배	- 염화 수산화물
	제비꽃	- 테레빈유
	장뇌	- 장뇌
	알코올	- 알코올(에탄올)
동공	축소	- 클로니딘, 니코틴, 넛맥(육두구), 오피오이드(아편류마취제), 유기인산염
	확대	- 암페타민 유사 물질, 아트로핀, 바비튜레이트산염, 일산화탄소, 코카인, 청산가리, 글루테티미드(진정제, 최면제), 흰독말풀, 리세르그산, LSD
입	침샘분비	- 비소, 수은, 유기인산염, 살리실산염, 스트리키닌
	입 건조	- 아트로핀(belladonna), 암페타민, 디펜히드라민(Benadryl)
	작열감	- 산, 알칼리, 포름알데히드, 요오드, 가성소다, 페놀, 인산, 소나무 오일, 질산은, 독성식물
피부	가려움증	- 벨라도나, 붕산, 흰독말풀, 독 담쟁이, 넝쿨 옻나무
	건조하고, 열감	- 항콜린제, 항히스타민제, 아트로핀(Bella donna 또는 안약에 들어있는)
	피부 발한	- 암페타민, 비소, 아스피린, 바비튜레이트산, 버섯, 나프탈렌, 유기인산염
호흡기계	호흡저하	- 바비튜레이트산, 보툴리눔독소증, 클로니딘, 에탄올, 감마히드록시부티르산 (GHB), 아편유사제
	호흡수 증가	- 암페타민, 아스피린, 붕산, 등유, 메탄올, 니코틴
	폐부종	- 베타 차단제, 칼슘통로차단제, 염소, 유기인산염, 석유제품
심혈관계	빈맥	- 알부테롤, 암페타민, 비소, 아스피린, 카페인, 코카인, 에탄올/진정 수면제 금단 증후군
	서맥	- 베타 차단제, 칼슘통로차단제, 염소, 사이안화물, 디곡신, 버섯, 니코틴, 아편유사제, 겨우살이, 철쭉
	고혈압	- 암페타민, 알부테롤, 카티논, 납중독, 니코틴, 합성대마초 제제/에탄올/진정 수면제 금단 증후군
	저혈압	- 바비튜레이트산, 베타 차단제, 칼슘통로차단제, 클로니딘, 니트로글리세린, 아편유사제, 삼환계 항우울제, 관용식물, 겨우살이

표 10-1. 중독의 일반적인 증상과 징후 (계속)		
증상 또는 작용 신체 부위	종류	가능한 원인 물질
중추신경계	발작	- 암페타민 및 유사 물질, 항우울제, 장뇌, 코카인, 이소지아니드, 스트리키닌, 합성 대마초제(bath salts), 트라마돌, 삼환계 항우울제
	혼수	- 모든 중추신경계 억제 약물(항경련제, 바비튜레이트산, 벤조다이아제핀, 에탄올, 근이완제, 마약유사제), 일산화탄소. 사이안화물
	환각	- 아트로핀, LSD, 버섯, 유기용제, 펜시클리딘(PCP), 넛맥(육두구)
	두통	- 일산화탄소, 디설피람(antabuse), 에탄올, 니트로글리세린
	떨림	- 알부테롤, 암페타민, 일산화탄소, 코카인, 유기인산염
	쇠약 또는 마비	- 보툴리눔, 독미나리독, 신경작용제(Sarin), 유기인산염, 복어
위장관계	경련, 구역, 구토 또는 설사	- 흔히 독약, 중금속, 야생버섯을 섭취하는 경우

빠른 암기법

ABCDEE 평가

A 기도(Airway)
B 호흡(Breathing)
C 순환(Circulation)
D 장애(Disability)
E 노출(Exposure)
E 환경(Environment)

일차평가(Primary Survey)

모든 긴급 상황에서 환자의 기도, 호흡, 순환 및 관류의 평가가 평가의 중추가 된다. 일차평가 방법은 모든 환자에게 동일하게 적용된다. 빠른 암기 방법은 ABCDEE 평가에 따른다. ABC를 확인하는 것 외에도 관류와 관련하여 의식상태의 변화에 따라 나타내는 장애, D가 있는지 확인한다. 의식 변화는 혈청 포도당 이상에 의해서도 일어날 수 있으므로 신경학적 증상을 보이는 환자들에게 혈당 측정을 하는 것은 매우 중요하다. 또한, E(노출)를 염두하고 환자가 발진, 혹, 주삿바늘 자국, 물린 자국, 찔린 곳과 같은 비정상적인 피부 손상에 대해 눈으로 확인할 필요가 있다. 추가로 E(환경)는 환자가 주변 환경에 의해 체온이 너무 내려가거나(체온 저하) 너무 올라가는지(고체온) 확인한다.

▼ 첫인상

환자가 아프거나 아프지 않은지 확인한다. 여기에서 "아프다"는 말은 환자가 즉시 처치를 받지 않으면 환자의 질병이 생명을 위협할 수 있음을 의미한다. 약하거나 불규칙한 활력 징후 및 비정상적인 의식상태가 일반적으로 이 상황에 해당한다. 독성학적 응급 상황이 있는 환자의 경우 의식상태의 변화는 흥분과 정신병에서 혼수상태에 이르기까지 다양하다. 어느 쪽이든 극단은 위험하다. 혼수상태는 호흡곤란과 기도를 확보할 수 없는 것과 관련이 있다. 흥분과 섬망은 심각한 대사 이상을 나타내는 지표일 수 있으며(예, 흥분성 섬망) 폭력적인 행동이나 급성 발작을 유발하거나 치명적일 수 있는 심각한 심혈관 질환을 유발할 수 있다. 독성학적 응급 상황에서 "활력징후는 필수적이다"라는 격언은 사실이다. 환자의 비정상적인 활력징후를 평가하고 안정화하는 것은 초기 치료에 매우 중요하다. 지속해서 평가를 자주 시행하면 중독환자 독성의 특성과 심각성을 확인하는 데 도움이 될 수 있다. 환자에게 바로 기도유지 및 ACLS 프로토콜을 시작한다.

▼ 상세평가

병력 청취

대부분의 중독 및 과다 복용 경우 환자의 의학적 상태가 중요하기에 OPQRST 질문과 SAMPLER 기록 원칙에 따라서 환자 또는 보호자(목격자)가 호소하는 주요호소증상을 상세히 기록한다. 과거력은 종종 독성학적 진단과 치료에 있어 중요하다. 의도적으로 자신을 해할 목적인 사람들은 자신이 먹은 약을 이야기하지 않을 수가 있다. 따라서 의식상태에 변화가 있는 아동이나 환자를 치료할 때 가족 구성원 또는 목격자들을 면담하는 것이 중요할 수 있다. 원인 물질이 파악할 때(가능하다면 약물의 독성 작용 발생에 있어 촉발성 대 지연성의 비율과 관련이 있는 약물의 제형을 포함하여) 다음 사항을 확인하고 질문한다.

- 복용 시기
- 추정 용량
- 약물 또는 화학물질에 대한 환자의 접촉 정도
- 환자가 어디에서 어떤 모습으로 있었는가, 환자 근처에 약물들이 있었는가? 또는 다른 중독 환자가 있었는가 같은 상황 정보

가끔 현장 대응 요원으로서 당신이 가장 정확한 정보를 수집할 수 있는 위치에 서 있을 수도 있다. 그러나 병력 청취를 신뢰할 수 없는 경우가 많다. 이럴 땐, 신체검사 중 확인된 정보가 더 신뢰성을 높일 수도 있다.

이차평가

일차 및 이차평가는 특정 독소 노출과 관련된 생명을 위협하는 응급 상황을 파악 및 관리에 중점을 둔다. 중재 요법은 환자의 의식상태 변화와 관류 이상을 처치하는 것을 목표로 한다. 외상에 의해 쓰러진 것이 아니라면, 중독환자가 쓰러졌을 때 환자의 먼 쪽의 맥박, 운동 및 감각 기능 그리고 운동 범위를 평가하도록 한다. 중독으로 의심되는 경우 지역 중독 통제 센터, 1- (800) 222-1222로 신고한다. 진단 및 치료 권장 사항은 환자 치료에 최적화되어 있을 뿐만 아니라 지역 및 전국적으로 중독환자를 실시간으로 감시하고 응급실에서 환자를 계속 관찰하고 필요한 경우 지속적인 추적관찰을 한다.

▼ 감별 진단 수정

독성 물질의 범위와 특정한 치료법은 방대하지만, 좋은 소식은 몸에 들어오는 많은 약물이 유사한 증상과 징후를 일으킨다는 것이다. 유사한 독성 물질의 종류나 집단에서 나타나는 증후군과 유사한 증상들은 중독증후군(Toxic syndrome, 또는 Toxidrome)이라고 불린다. 중독증후군은 같은 임상 군 아래에 있는 다양한 물질의 평가와 관리를 기억하는 데 유용하다. 환자의 병력과 신체검사 결과는 활력 징후와 함께 적절한 처치를 제공할 수 있는 진단에 도움이 된다.

빠른 암기법

독극물 센터 및 EMS 제공자의 역할

전국적으로 독성 물질 전문가자격을 가진 약사, 의사, 임상 간호사, 간호사들이 전국 55개 독성 물질센터에서 24시간 근무하고 있다. 이들은 EMS 제공자와 집이나 건강관리시설로부터 오는 전화에 대해 전문적인 의료처방을 무료로 지원하고 있다. 2018년 독성 물질센터는 병원 전 요원들로부터 31,500통의 전화를 받았다. 독성 물질센터는 HIPAA(미국 건강 보험 양도 및 책임에 관한 법) 중 개인정보 보호법에 보호되고 있으며 보건관리팀의 일원으로 간주하고 있다. 전국 독성 물질센터 핫라인은 (800) 222-1222이고 HIPAA를 준수한다. 통화내용과 고객정보는 보안 유지되며 독성 물질센터는 다른 의료 기관과 같이 HIPAA의 요구사항을 따른다. 독성 물질센터로 오는 전화는 데이터베이스에 저장되고 공중건강의 위협 여부를 8분마다 업로드하여 사건, 전반적인 사항 및 위협 등을 분석한다.

독성 물질센터 다음 사항을 포함한 중요한 실시간 정보를 응급의료요원에게 제공한다.

- 독성 물질의 용량 범위
- 과다 복용, 중독, 독성 노출, 독물주입 증상 및 징후
- 중독 증후군 확인
- 적절한 처방 및 오염제거 권고
- 독성 물질 해독제와 항 뱀 독소 사용지원
- 약물 확인
- 약물상호작용 정보
- 응급의료요원에게 위험할 수 있는 화학물질 파악

▼ 지속적 처치

지속적인 처치는 환자의 상태를 모니터링하고 필요한 경우 환자 상태의 우선순위를 재조정하는 데 중점을 둔다.

환자의 초기 평가 및 안정화를 완료한 후에는 먹은 독소의 위장 흡수를 제한하기 위한 치료 전략을 고려하도록 한다. 토근시럽과 활성탄을 이용한 위장관 오염제거는 수십 년간 연구되고 논의되어 왔다. 현재의 치료 기준은 어떤 환자에게도 토근시럽을 투여하지 않으며 드물게 활성탄 투여가 허용되었다. 활성탄 사용은 잠재적 독성 노출이 확인된 시간과 투여 시간 사이가 1시간 미만인 경우에만 사용이 권장된다. 그런데도 흡입

의 위험 때문에 활성탄은 의식상태에 변화가 있거나 메스꺼움이 있거나 구토 환자들에게는 금기된다.

바디 스터퍼의 경우에서는 활성탄 사용 금기 사항에 대한 주목할 만한 예외 상황이다. 스터퍼는 법률 집행자 또는 관련 관계자들로부터 약물을 숨기기 위해 약물을 삼킨다. 만일 제대로 포장되지 않은 약물을 삼킨 후 의식 수준이 비교적 괜찮다면 1회 용량의 활성탄 투여가 권장된다.

활성탄은 여전히 일부 약물 중독(예, salicylate) 시 중요한 역할을 하지만, 활성탄 사용과 관련된 위험이 치료 이점보다 너 클 수도 있다. 어떤 경우에는 여러 번의 활성탄 투여도 고려할 수 있다. 이러한 치료를 시작하기 전에 반드시 독성전문가 또는 독성 물질 관리 센터와 논의한다. 전체 위장관 세척은 흡입 물질 배출률을 높이는 강력한 완화제이다. 전체 위장관 세척은 바디 패커뿐만 아니라 확실한 잔류 혈관 내 독소(예: 리튬, 납 또는 기타 중금속)가 있는 환자의 치료에도 사용되나 당신은 이러한 치료에 대한 책임은 없다.

병원으로 이동하는 도중 환자 처치에 대한 반응 모니터링은 필수이며, 항상 그렇듯이 병원과 빠른 정보교환은 처치의 연속성을 보장할 수 있게 해 준다. 환자 이송 중 지속적인 원격측정과 활력징후 모니터링한다. 특히 중추신경계 억제제에 노출된 환자는 호기말이산화탄소 모니터링을 시행하는 것이 중요하다.

중독을 의심할 수 있는 상황

혼수

혼수는 환자가 외부 자극에 반응하지 못하는 무의식상태 또는 깊은 진정 상태이며 중독 후 흔히 나타나는 증상이다. 중독이라는 용어는 신체에 독 또는 독소가 존재함을 의미하며 의식 소실과는 관련은 없지만, 의식 수준의 변화가 있거나 의식이 저하된 환자에게 자주 사용된다. 의식을 소실 환자의 경우 목격자, 가족 또는 신체 검진만이 병원 전 단계에서의 진단에 도움을 줄 수 있는 유일한 자료일 수 있다. 따라서 환자 상태에 따른 원인 물질을 확인하기 위해 환경변수, 손상 기전, 환자의 자세 및 냄새를 파악하는 통찰력 있는 전문가가 되어야 한다. 혼수상태의 환자 치료는 주로 지지적 처치가 주를 이루며 전문기도 관리를 포함한다. 대부분의 최신 권고 사항들은 우선 기도를 확보하고 호흡을 유지하며 순환을 확보한 다음 약물 처치를 고려할 것을 제안하고 있다. 혼수상태를 되돌리기 위해 사용되는 치료제에는 포도당 및 날록손을 사용한다. 티아민과 플루마제닐은 과거에는 관심이 있었으나 오늘날 병원 전 약물로 사용하지 않는다.

날록손

날록손은 혼수상태에 빠진 환자들의 관리에 중요한 역할을 한다. 날록손은 아편의 효과를 억제하는 μ-아편제제 수용체 길항제이다. 주요 적응증으로는 호흡 억제가 있으며 이것은 호흡수 감소, 고이산화탄소혈증 또는 저산소혈증에 사용하는 것으로 최근 밝혀졌다. 날록손 처치는 호흡 억제를 복원시키고 뇌와 주요 장기에 적절한 산소 공급을 통해 환자가 깨어날 수 있도록 한다. 날록손의 과잉투여는 만성 아편 중독환자에 나타나는 급성 아편 금단현상을 야기할 수 있다. 날록손은 또한 고혈압과 급성폐손상과 관련이 있으며 이는 아마도 갑작스러운 금단현상과 관련된 카테콜라민 방출에 의한 것으로 추정된다. 많은 임상의는 여전히 2~10mg의 높은 용량의 날록손 투여가 유효하다고 믿는다. 많은 연구가 날록손 투약을 지지하고 있다. 만일 초회 용량이 효과가 없으면 신속한 증량 투여가 권장된다. 또한, 날록손은 호흡 저하 또는 마비에 적합한 치료법이지만, 심장마비 발생 시에는 ACLS 프로토콜에 따른 치료를 시행한다. 정상 호흡이 없으나 맥박이 있는 아편 중독자로 알려져 있거나 의심되는 환자에 있어서는 적절한 훈련을 받은 처치 제공자에 의해 코안 또는 근육 내로 날록손을 투여하는 것이 바람직하다.

저혈당

저혈당은 빠르게 되돌릴 수 있으며 생명을 위협할 수 있는 의식 수준 변화의 원인이다. 신속 시약 스트립을 사용하여 혈당 검사를 시행하여 포도당을 투여하기 전에 저혈당을 신속하게 검사 할 수 있다. 포도당을 정맥 내로 투여하는 것은 안전하며 권장되는 처치 방법이다.

초조

많은 약물과 독소는 중추신경계(CNS)의 초조, 흥분 또는 정신병을 유발할 수 있고 원인과 관계없이 초기 처치는 동일하다. 초조한 환자의 처치 목표는 흥분, 관련된 대사 장애, 심혈관 독성으로 인한 조직 손상 및 자해로부터 환자를 보호하기 위해 중추신경계를 억제하는 것이다.

빠른 암기법

플루마제닐(Flumazenil)

플루마제닐은 진정 작용을 효과적으로 억제하는 감마아미노부티르산 벤조다이아제핀 수용체 길항제이다. 그러나 그 사용과 관련된 위험을 알고 있어야 한다. 약물 중독으로 치료받는 많은 환자는 벤조다이아제핀을 다른 약물과 함께 복용하고 있는 경우가 많다. 특히 벤조다이아제핀을 복용하는 환자가 삼환계 항우울증약을 복용했을 때 벤조다이아제핀은 종종 보호 효과를 나타낸다. 이런 경우 플루마제닐 사용은 중독 상태를 악화시키며 환자에게 악영향을 끼칠 수 있다. GABA 효능 제제의 사용 중지는 심각한 생체 신호의 이상, 발작, 정신착란 및 사망과 연관이 있다. 벤조다이아제핀 중독환자들은 만성인 경우가 많으며 이때 플루마제닐의 투여는 급성 금단 증상을 촉발할 수 있다. 플루마제닐은 병원 전 처치에 거의 사용되지 않는다.

빠른 암기법

티아민 결핍

티아민 결핍은 만성 영양실조가 있는 환자, 주로 알코올 중독 환자에서 베르니케 뇌병증을 유발할 수 있다(베르니케-코르사코프증후군에 대한 자세한 내용은 5장을 참조). 비록 이런 상황이 흔하지는 않지만, 티아민 1회 투여 시 효과가 있고 정맥 내로 투여한 100mg의 표준 용량도 위험이 없다. 널리 퍼진 우려에도 불구하고 포도당 주입 전 티아민을 반드시 투여할 필요는 없다. 티아민 결핍에 의한 뇌병증은 만성 저혈당에 의해 악화할 수는 있지만, 건강한 사람에게 저혈당과 같은 급성 상황이 발생하여 포도당 투여 시 베르니케-코르사코프증후군은 유발되지 않는다. 티아민 결핍 처치보다 저혈당 처치가 우선된다. 병원 전 처치에 티아민은 거의 사용하지 않는다.

초조 환자 대응: 벤조다이아제핀

벤조다이아제핀은 초조 환자의 주요 치료제이다. 벤조다이아제핀은 비교적 안전하고 치료 지수가 광범위하므로 이 계통의 약은 중독환자와 의료진의 손상을 예방하기 위해 널리 사용된다. 벤조다이아제핀은 또한 경련 및 발작을 방지하고, 교감신경계의 활동성을 감소시켜 심한 흥분과 관련된 다른 질환(예: 횡문근융해)을 감소시키는 이점이 있다.

벤조다이아제핀은 중추신경계를 억제하지만, 환자를 통제하기 위해 법이나 의료진에 의한 육체적 억제가 필요할 수 있다. 그러나 육체적 억제를 위해 약물학적 억제 방법을 사용할 경우 이를 최소화하도록 주의를 기울여야 한다. 육체적 억제는 대사산증, 횡문근융해와 때로는 호흡기 손상 및 사망과 관련이 있다.

응급 처치 상황에서 급성으로 초조하고 흥분한 환자의 진정에 가장 일반적으로 사용되는 벤조다이아제핀은 다이아제팜(발륨), 로라제팜과 미다졸람이다. 미다졸람은 정맥 내 주사, 근육 내 주사, 경구로 이용할 수 있으며 다이아제팜은 정맥 내 주사, 경구 및 직장 내로 이용할 수 있다. 환자를 적절히 진정시키는 데 필요한 약물의 양은 환자 신체의 크기, 흥분 정도, 벤조다이아제핀 내성의 과거력, 복용한 각성제의 양에 따라 크게 다르다. 비록 벤조다이아제핀은 진정 작용과 기도 보호 반사 신경의 잠재적 손실과 관련이 있지만, 이 약물 자체가 호흡을 억제하지는 않는다. 아편, 에탄올 그리고 바비튜레이트산와 같은 다른 진정제와 함께 사용하면 벤조다이아제핀은 상승작용으로 인해 호흡 억제를 일으킨다. 어떤 상황과 관계없이 모든 진정 처치를 받는 환자는 호기말이산화탄소를 포함하여서 철저한 심폐의 모니터링이 필요하다.

초조한 환자의 처치: 정신병약

항정신병 약물, 특히 할로페리돌 그리고 새로운 약물인 올란자핀과 지프라시돈은 흥분한 환자의 응급 처치에 흔히 사용된다. 할로페리돌은 도파민 D2 수용체에 강력하게 대항하는 항정신병 약물이다. 투여할 경우 원하는 부작용은 진정이다. 지프라시돈은 조현병 환자에서 급성 흥분 상태에 대한 치료제로 승인을 받았다. 이 작용 기전은 알려지지 않았지만, 할로페리돌과 같이 지프라시돈의 항정신병 약물 활성은 주로 도파민 D2 수용체에 대한 대항작용에 의해 매개된다. 올란자핀 또한 급작스럽게 흥분된 환자의 처치에 일반적으로 사용된다. 근육주사가 효과적이나 정맥주사가 효과적이라는 논쟁도 여전히 존재한다. 처치에 협조적인 환자에게는 입에서 녹는 경구용 약이 있다. 새로운 비정형 항정신병 약물들은 덜 강력한 도파민 길항제일 뿐만 아니라 무스카린 수용체 차단과 같은 대체 수용체에 강한 효과가 있다. 그러나 할로페리돌은 사용이 필요하게 될 때 선호되는 항정신성 약물이다.

잠재적 부작용 가능성에도 불구하고 벤조다이아제핀과 함께 투여되는 항정신병 약물 사용이 흥분한 환자 처치에 중심적인 역할을 차지하고 있다. 부작용은 피라밋 바깥로 증상과 QT 간격 연장을 포함한 항정신병 약물 사용과 관련이 있다. 매우 흥분한 환자에게는 어렵겠지만 항정신병 약물을 투여하기 전에 심전도를 고려한다. 과도한 도파민 자극을 일으키는 중독환자는 급성 정신병을 나타내며 시각 및 촉각, 환각 또는 비정상적인 반복적, 비자발적 운동으로 나타낼 수 있다. 항정신병 약물은 이러한 특정 독성 영향을 처치하는 데 효과적이다.

초조한 환자의 처치: 케타민

케타민은 초조한 환자, 특히 심각한 부작용(산독증, 횡문근융해, 호흡곤란, 사망)의 위험이 큰 흥분한 정신착란 환자를 빠르고 안전하게 진정시키는 해리마취이다. 케타민은 노르에피네프린, 도파민, 세로토닌의 흡수를 억제하는 대항 수용체인 N-methyl-D-asparate(NMDA)다. 이것은 기도확보 및 호흡조절에 영향을 미치지 않고 환자를 빨리 진정시킨다. 이것은 병원 전 처치에 더 흔히 사용되고 근육주사로 투여되며 흥분한 환자의 중추신경 자극과 육체적 발작을 방지한다. 케타민 사용 시 호흡곤란이 흔치는 않지만 다른 저해제 또는 진정제와 함께 사용 시 무호흡이 될 수 있다. 따라서 지속적인 호기말이산화탄소와 맥박산소측정이 바람직하다.

발작

중추신경계 자극은 발작을 일으킬 수도 있다. 대부분 독소에 의한 발작은 전신 긴장간대발작(GTC)으로 예외 경우가 있지만, 간질 지속상태는 거의 진행되지 않는다(예: 이소니아지드 독성). 5장에서 발작에 대한 추가적 정보는 제공하였다. 발작 시 항상 환자의 혈당치를 평가하거나 포도당을 예방적으로 투여하도록 하여야 한다. 그렇지 않은 경우 벤조다이아제핀을 사용하여 발작의 예방과 치료를 하도록 한다. 만약 환자가 떨림이 나타나고 특히 빈맥과 불안을 동반한 경우 발작을 예방하기 위해 벤소다이아제핀을 투여한다.

일단 발작이 일어나면 높은 용량의 벤조다이아제핀 투여가 필요하다. 벤조다이아제핀 투여에도 발작을 멈추지 않는다면 저혈당증, 이소니아지드 독성 및 저산소혈증을 발작의 원인으로 고려한다. 이러한 상황은 포도당, 피리독신 및 산소와 연관성이 있다. 벤조다이아제핀이 발작에 효과가 없다면 바비튜레이트산를 사용하도록 한다. 일반적으로 페노바비탈(Luminal) 10~20mg/kg를 정맥 내로 투여한다. 바비투르산 부하용량의 투여가 필요한 환자의 경우 사전에 기도확보와 저혈압을 교정한다. 극도로 불안한 환자이지만 기관내삽관이 필요하지 않을 수 있다. 또 다른 강력한 진정제로는 신속히 적용될 수 있는 감마아미노부티르산 작용제 및 NMDA(N-methyl-D-aspartate) 길항제인 프로포폴(Diprivan)이 있지만, 기관내삽관에 필요하다. 페니토닌(Dilantin)과 다른 대표적인 항경련제는 독소 유도 발작 처치에는 효과적이지 않다.

마지막으로 난치성 발작 치료는 피리독신(비타민 B6)을 고려한다. 고전적으로 피리독신은 이소니아지드(Nydrazid) 독성에 의한 발작 해독제로 사용되었지만, 다른 원인에 의한 간질지속상태에서도 보조적 치료제로 사용할 수 있다. 일반적으로 5g을 정맥 내 경험적 투여를 권장하며 최대 용량은 70mg/kg이다. 만약, 근육 활동이 명확히 정지되었는데도 발작이 지속될 경우 병원에 입원해 있는 동안 지속적 뇌파도(EEG) 모니터링을 고려한다.

온도 변화

비록 종종 간과되기는 하지만, 특히 병원 전 단계에서 정확한 체온측정이 독성학적 응급 상황 관리에 매우 중요하다. 흥분제 중독 또는 중독은 고열을 동반할 때 사망률 증가와 관련이 있다. 온도 변화는 세로토닌증후군, 신경 이완 악성 증후군 및 악성 고열과 같은 일부 독성학적 진단시 중요한 증상 중 하나이다. 이러한 환자들의 치료 목표는 체외 냉각법, 약물 투여 및 유해 물질의 차단을 통해 체온의 빠른 정상화이다. 저체온증은 진정제 또는 아편제를 복용한 후에 발생할 수 있다.

환자의 체온이 상승하거나 하강하였다면, 심각한 체온 변화를 인지한 즉시 처치를 시작한다.

심박수 이상

독성학적 응급 상황에서 발생하는 불규칙한 맥박과 부정맥은 환자의 상태를 진단하고 처치하는 방법을 결정하는 데 도움을 주기도 한다. 환자의 맥박수가 비록 정상과 다르더라도 전반적인 환자 상태를 파악하는 것이 맥박수 자체를 처치하는 것보다 우선되어야 한다. 대부분 경우 심장 리듬장애로 인한 말단 장기 손상의 증거가 없다면 미약한 빈맥 또는 서맥은 즉각적이고 적극적인 처치가 필요하지 않다.

빈맥

독성학적 응급 상황에서 빈맥은 혈액량 소실 보다 직접적인 약물 효과에 의해 유발될 수 있다. 다양한 약리학적 기전에 의해 교감신경 흥분 약물 독성, 도파민 수용체 작용제 및 칼슘통로차단제 등은 혈관 확장 및 반사성 빈맥을 유발할 수 있다(표

10-2). 많은 독소가 하나 이상의 수용체 부위에서 활성화되어 처치 알고리즘을 복잡하게 만들 수 있다. 이러한 약리학적 효과 외에도 약물, 식물 또는 화학물질의 독성으로 인해 음식물 섭취량 감소, 장기간의 고정 자세, 구토, 설사 또는 이러한 요인의 복합으로 인해 혈액량 소실을 일으킬 수 있다.

원인과 관계없이 정맥 내로 등장성 용액 투여를 통한 초기 처치가 필요하며 이것이 필요한 처치 전부일 수 있다. 많은 환자에서 빈맥과 불안, 떨림이 동반된다. 이러한 환자들에게 벤조다이아제핀을 투여하면 활력 징후를 완화하고 불안을 진정시키는 등 증상 완화에 도움이 된다. 그렇지 않은 경우 처치는 심박수, 혈압 및 특정 약물 활동의 평가에 따라 달라진다. 예를 들어, 코카인 중독환자에게 에스모롤(Brevibloc)과 같은 베타 차단제를 사용하여 베타-아드레날린 독성을 처치할 수 있지만, 관상동맥 질환을 악화시킨다.

혈압이 조절되고 집중적인 지원 치료가 이루어졌다면 어느 정도의 빈맥은 허용되지만, 관상동맥 증후군이나 심근경색의 증거가 있는 환자들은 특별한 주의가 필요하다. 이러한 환자는 심박수와 혈압을 더욱 적극적으로 조절한다.

서맥

다양한 식물, 약물 독성 및 화학물질 폭로로 인해 서맥이 발생할 수 있다(표 10-3). 많은 환자 경우 처치가 필요하지 않으며 목표는 말단기관의 재관류 유지이다. 중심 정맥 카테터 또는 폐동맥 카테터 삽입과 같은 침습적인 기법을 사용하여 환자를 면밀하게 모니터링한다. 소변량, 의식상태, 신장 기능 및 체내 산성 정도는 재관류의 지표이다.

독소에 의한 서맥의 처치는 복잡하다. 아트로핀은 일반적으로 효과가 있지만, 그 효과가 일관성이 없고 일시적이다. 글루카곤은 특히 베타 차단제의 독성 처치 시 합리적인 선택이지만, 효과는 제한적이고 초기 투여는 정맥 내로 5~10mg을 투여한다(구토 위험이 증가하니 주의할 것). 불행하게도 최근 글루카곤 부족과 가격상승으로 인하여 병원 전 치료에서 투약은 어렵게 되었다. 도파민 및 에피네프린과 같은 혈압상승제가 종종 필요하고 이러한 약물에 대해서는 나중에 자세히 설명하도록 한다. 서맥이 동반된 고혈압 환자에게서 심박수를 높이면 혈압이 급격히 상승하여 두개내출혈과 같은 이차 장기나 기관 손상이 발생할 수 있다.

표 10-2. 중독에 의한 빈맥의 발생 기전

중독 기전	예	처치
교감신경 중독	코카인, 암페타민, 카티논, 에페드린, 펜사이클리딘	정맥 내 수액 투여, 벤조다이아제핀
말초 α 억제	항정신병약, 삼환계 항우울제, 독사조신	정맥 내 수액 투여, 페닐레프린
말초 칼슘 채널 억제	칼슘통로차단제(니페디핀, 암로디핀)	정맥 내 수액 투여, 페닐레프린
무스카린 수용체 억제	삼환계 항우울제, 디펜히드라민, 사이클로벤자프린, 항정신병제	정맥 내 수액 투여, 본제디아제핀, +/- 피조스티그민
니코틴 수용체 억제	담배, 독미나리 빈랑, 카르바산염, 유기인산염	정맥 내 수액 투여, 벤조다이아제핀
세로토닌 수용체 흥분	세로토닌 재흡수억제제, 삼환계 항우울제, 코카인, 트라마돌, 메페리딘	정맥 내 수액 투여, 벤조다이아제핀
도파민 수용체 작용	아만타딘, 부프로피온, 브로모크립틴, 암페타민, 코카인	정맥 내 수액 투여, 벤조다이아제핀, +/-할로페리돌
감마아미노부티르산 작용제 금단/감마아미노부티르산 길항제	에틸알콜 또는 벤조다이아제핀 금단현상, 독미나리, 플루마제닐	정맥 내 수액 투여, 벤조다이아제핀, 바비튜레이트
아데노신 수용체 길항제	메틸잔틴 (테오필린, 카페인)	정맥 내 수액 투여, 벤조다이아제핀, 에스모롤
β 수용체 작용제	알부테롤, 클렌부테롤, 테르부탈린	정맥 내 수액 투여, 에스모롤

표 10-3. 중독에 의한 서맥의 발생 기전

중독 기전	예	처치
심장 나트륨 채널 개방	베라트룸 알칼로이드, 아코나이트(백부자), 그라야나톡신, 시구아테라	아트로핀, 도파민
심장 나트륨 채널 차단	삼환계 항우울제, 카바마제핀, 디펜히드라민, 프로프라노롤, 트라마돌, 주목	탄산수소소듐, 고장성 식염수, 혈관수축제
베타 아드레날린 수용체 차단	아테놀롤, 메토프라놀롤, 프로프라노롤,	글루카곤, 에피네프린, 고용량 인슐린과 포도당, 아트로핀,
칼슘 채널 길항제	베라파밀, 딜티아젬	칼슘염, 에피네프린, 고용량 인슐린과 포도당, 아트로핀
Na^+/K^+ -ATPase 비활성화	디곡신, 디기탈리스, 협죽도, 은방울꽃	디곡신 특정 항체(Fab), 아트로핀
무스카린 및 니코틴 활성화	카바메이트, 깔때기버섯, 신경독물, 유기인산염, 담배(늦게)	아트로핀, 혈관수축제, +/-프랄리독심
말초 알파 수용체 작용제	이미다졸린(예, 클로니딘 초기 활성화)	지지적 치료, +/- 펜톨라민 vs 니트로푸로시드
중추 알파 수용체 작용제	이미다졸린(예, 클로니딘 이차 활성화)	아트로핀, 도파민(저혈압 동반 시)
마약제	헤로인, 펜타닐, 하이드로코돈, 옥시코돈	보통 불필요; 지지적 치료, +/- 혈관수축제

ATPase(아데노신삼인산 분해 효소), K^+(칼륨), Na^+(나트륨)

심장 리듬 이상

환자의 심박수 모니터링 외에도 중독환자의 정확한 진단과 초기 안정화를 위해 심전도 리듬과 간격의 변화를 인지하는 것은 매우 중요하다. 독소에 의해 유발되는 심실부정맥은 과도한 교감신경 활성화, 심근 민감성 증가 또는 심근 활동 전압과 이온 채널 활동 변화의 결과일 수 있다.

빠르게 나트륨 채널로 나트륨 유입은 심근세포의 빠른 탈분극을 유발한다. 이 탈분극은 심선노(ECG)의 QRS 간격에 해당한다. 칼륨 채널이 열리면 칼륨이 유출되면서 재분극이 일어나고 이는 심전도상 T 파로 보인다. 나트륨 채널 차단은 QRS 간격이 연장되며 결국 서맥, 저혈압, 심실부정맥 및 사망으로 이어질 수 있다. 삼환계 항우울제를 비롯한 많은 약물과 독소가 나트륨 채널 차단을 유도하며 이러한 약물 중 일부는 **표 10-3**에 나열되어 있다.

처치 적응증으로는 QRS 간격이 넓거나(> 120ms, 새로운 우각차단) 심혈관계 독성일 경우이다. 리드 aVR에서 높은 R파는 나트륨 채널 차단을 암시한다. 처치는 혈청 알칼리화로써 수분에 걸쳐 탄산수소염 용액(1~2mEq/kg)을 bolus로 투여한다. 모니터에서 종종 QRS 간격이 좁아지는 것이 나타나지만, 반복적인 bolus 투여가 필요할 수 있다. 탄산수소나트륨 투여의 필요성이 확인되면 탄산수소나트륨 주입은 일반적으로 필요하다. 적절한 알칼리화가 이루어졌지만, 완전한 처치가 이루어지지 않았거나 임상적으로 악화하는 경우 고장식염수(3% 식염수) 투여를 고려할 수 있다. 전형적으로 0.5~1cc/kg/hr로 투여한다.

염화칼륨은 알칼리화에 따른 세포 내 칼륨 유출의 보완으로 사용할 수 있으나 병원 전 환경에서 칼륨을 투여하는 경우는 드물다. 적절한 심전도 모니터링 없이 칼륨을 투여하는 것은 환자에게 치명적일 수 있다. 칼륨투여의 양과 시기에 대해서는 지침에 따른다. 많은 약물과 독소는 칼륨 채널 차단 특성이 있으며 칼륨 유출의 억제는 심박수로 보정되는 QT 간격(QTc 간격)을 연장하여 다형 심실빈맥(torsades de pointes; TdP)으로 이어진다. QTc 간격이 >500ms인 경우 예방적 처치로 정맥내 마그네슘 투여를 고려한다. 환자에게 불안정한 다형 심실빈맥이 나타나는 경우 제세동을 실시한다. 심실세동 또는 무맥성 심실빈맥에 황산마그네슘의 무분별한 사용은 권장되지 않는다. 재발성 다형 심실빈맥 환자의 경우 심박수가 증가함에 따라 QTc 간격이 짧아지기 때문에 아이소프로테레놀(Isuprel) 또는 기계적 심박조율기(목정맥 또는 경피)를 사용한 오버 드라이브 페이싱을 시행할 수 있다.

심혈관계의 불안정성 증거가 있는 중독환자의 경우 QRS 및 QTc 간격을 평가하는 것은 매우 중요하다. 만약 환자의 QTc 간격 연장되어있는 경우 황산마그네슘을 투여하여 빈맥 유도를 고려한다. 모든 유형의 독소 유발성 심실부정맥 환자에게 탄산수소염 용액을 투여한다. 표준 처치 요법만으로는 효과적이지 않을 경우 ACLS 프로토콜을 따라 처치를 시행한다.

독성학의 범위 내에서 ACLS 지침에 대한 주목할 만한 예외는 독소 유발 심실부정맥에서 아미오다론(코다론)은 피해야 하고 흡입제 중독이 의심되는 환자에게 에피네프린을 피해야 한다. 다른 작용 기전 중 아미오다론은 칼륨 채널 차단의 역할을 한다. 이미 칼륨 채널에 영향을 줄 수 있는 독소에 의한 독성 반응을 앓고 있는 환자의 QTc 간격을 연장해 부정맥을 악화시킬 수 있다. 따라서 리도카인이 대안으로 권장된다.

흡입성 할로겐화탄화수소는 카테콜라민에 대한 심근 강도를 높이고 급성 흡입 사망 증후군을 유발할 수 있다. 이 증후군에서 사망 원인은 환자의 내인성 카테콜라민 방출로 인한 심실부정맥이다. 이러한 부정맥은 에피네프린의 투여로 악화할 수 있으며 베타 차단제 투여로 효과를 볼 수 있다. 그러나 심혈관계 독성의 원인에 대한 정확한 진단에는 어려움이 따른다. 흡입에 대한 증거가 없다면 표준 ACLS 프로토콜에 따른 심혈관계를 안정화할 방법을 사용한다.

혈압 이상

정상 혈압의 현저한 변화와 기저 고혈압의 가능성 때문에 혈압의 변화는 급성 독성을 판단하는 잘못된 매개 변수가 될 수 있다. 그런데도 매우 낮거나 높은 혈압은 중독을 확인하고 처치를 결정하는 데 매우 중요하다. 중독 물질에 노출된 경우 약물의 독성에 따라 매우 낮은 저혈압이나 고혈압을 유발할 수 있다. 어떤 경우(예: α-2 작용제)에는 복용한 시간 경과에 따라 고혈압과 저혈압이 모두 나타날 수 있으며 혈압의 이상 정도에 따라 처치 방법이 결정된다.

고혈압

독소로 인해 유발된 고혈압은 다양한 약물로 인해 발생한 것일 수 있다. 코카인이나 암페타민과 같은 교감신경 작용제의 독성이 가장 흔한 원인이다. 이들 제제는 말초 알파 아드레날린 수용체(α-1 및 α-2 아형 모두)의 자극을 통해 전신 혈관 저항을 증가시킴으로써 고혈압을 유발한다. 이것은 또한 베타 아드레날린 효과를 통해 심박출량을 증가시켜 더욱 혈압을 상승시키는 경향이 있다.

알파 수용체 자극은 알파 2 작용제에 의한 독성 과정의 초반기에 나타나는 것처럼 고혈압 및 반사성 서맥을 초래한다(예를 들면, 클로니딘(Catapres) 및 옥시메타졸린(Afrin). 항콜린성 약물 및 환각제와 같은 다른 약물은 경미한 고혈압을 일으킬 수 있지만, 중증 고혈압은 거의 발생하지 않는다.

독소에 의해 유발된 고혈압의 처치는 중증도와 기전에 따라 다르다. 경미한 고혈압은 종종 교감신경 자극제 중독환자에게 투여하는 벤조다이아제핀을 포함한 지지적 처치에 잘 반응한다. 그러나 환자의 혈압이 현저히 증가한 경우 혈관작용 약물을 추가로 투여해 처치할 필요가 있다.

처치가 필요한 혈압 이상은 정확히 알려지지 않았지만, 환자마다 다르다. 많은 환자는 부작용 없이 현저한 혈압상승을 견딜 수 있고 정맥 내로 약물 투여를 통해 신속하게 혈압을 낮추는 것은 병원 전 현장이나 병원 내 상황에서 보기 어렵다. 고혈압 상태에서의 급격한 혈압 감소는 저관류 및 신경학적 기능 저하로 이어질 수 있다. 고혈압으로 인한 말단기관 손상이 나타나면 처치를 시작하라는 신호일 수 있다.

일반적으로 독성에 의해 유발된 고혈압 처치에서 베타 아드레날린 길항제는 알파 아드레날린 자극을 유발하여 고혈압을 악화시키고 이러한 문제는 관상동맥 혈관연축을 일으키며 말초 기관 손상을 초래할 수 있으므로 좋은 선택이 아니다. 빠르게 작용하는 알파 1 길항제, 디하이드로피리딘 칼슘 채널 차단 활성(예: 니카르디핀(Cardene)) 또는 직접적 혈관확장 약물(예: 니트로글리세린[Nitro-Dur, Nirrol] 또는 니트로프루사이드((Niprode))의 특성을 가진 속효성 혈관 확장제가 일반적으로 선호된다. 이러한 약물은 기존 약물에 의한 독성을 악화시키지 않으면서 혈압을 필요에 따라 조절할 수 있다. 독소로 인해 유발된 고혈압은 일반적으로 지지 요법과 적절한 진정제로 잘 조절할 수 있지만, 중증의 조직 손상을 유발할 수 있으므로 적절한 속효성 혈관 확장제로 처치한다(표 10-4).

저혈압

독소로 인해 유발된 저혈압 처치는 복잡하다. 이 상태는 여러 약물의 개별적인 독성학적 기전 또는 여러 약물의 조합으로 인

표 10-4. 독소로 인해 유발된 고혈압

약물 종료	예	임상양상	치료
교감신경작용제	암페타민, 코카인, 에페드린, 모노아민 산화 효소 억제제, 메틸페니데이트, 펜터마인	빈맥, 동공확장, 땀남, 고혈압, 초조, 떨림, 경련, 섬망	벤조다이아제핀, 바비튜레이트, 펜톨라민, 나이트레이트, 칼슘채널길항제
α_1 작용제	맥각알칼로이드, 페닐에프린	고혈압, 반사성 빈맥, 팔다리 허혈	펜톨라민, 나이트레이트, 칼슘통로차단제
α_2 작용제	클로니딘, 옥시메타졸린, 테트라히드로졸린	정신상태 억제, 축소된 동공, 초기 고혈압을 동반한 서맥 이후 서맥과 저혈압을 동빈	초기 고혈압시, 필요시 니트로퓨로사이드 또는 니트로글리세린
α_2 길항제	요힘빈	빈맥, 고혈압, 동공확장, 땀남, 눈물흘림, 침분비, 구역, 구토, 홍조	벤조다이아제핀, 클로니딘, 나이트레이트
항콜린제	디펜히드라민, 싸이클로벤자프린, 벤즈트로핀, 독시라민	빈맥, 홍조, 동공확장, 요저류, 섬망	지지적 처치 (혈관확장제 거의 필요하지 않음)
환각제	덱스트로메톨판, LSD, 메스카린	동공확장, 빈맥, 경미한 고혈압, 환각	지지적 처치 (혈관확장제 거의 필요하지 않음)

해 발생할 수 있다(표 10-5). 독소에 의한 저혈압을 처치하기 위해 독소 유도 해독 처치가 선호되는 방법이기는 하지만 일반적인 처치 원칙도 적용된다.

독성 반응을 보이는 환자에서 저혈압의 일반적인 원인은 알코올 중독에서 볼 수 있듯이 경구 섭취 감소, 구토 및 설사로 인한 위장관계 손실, 발한에 의한 과도한 무감각 손실, 빠른 호흡 또는 삼투성이뇨 등 다양한 기전과 관련된 체액량 감소이다.

혈압상승 약물 투여 전에 생리식염수와 같은 등장성 수액을 이용한 적극적인 수액 요법은 저혈압 치료의 가장 중요한 첫 단계이다. 독소에 유발된 심부전 환사도 결정질 수액의 초기 처치는 적절하다. 그러나 특히 서맥과 저혈압 환자에서 투여하는 총량과 폐부종 악화 위험을 신중하게 고려한다. 빈맥 및 저혈압 환자는 일반적으로 훨씬 더 큰 용량이 허용된다.

노르에피네프린(Levophed)과 페닐에프린(Neo-Synephrine)은 독소에 의해 유발된 저혈압에 권장되는 치료제이다. 심한 빈맥 및 저혈압의 환자는 선택적으로 알파 수용체에 작용하여 전체적으로 혈관 저항을 증가시키는 페닐레프린을 선호하는 반면에 서맥 또는 정상 맥박 환자의 경우 노르에피네프린을 사용할 수 있다. 심각한 서맥, 심박출량의 감소 및 이와 관련된 저혈압 환자는 에피네프린(아드레날린) 투여로 치료할 수 있다. 혈압상승 약물을 사용 시 일반적인 오류는 불충분한 사용량이다. 독소에 유발된 저혈압에서 종종 환자는 과량으로 투여된 약물의 독성 작용과 경쟁해야 하므로 다량의 혈압상승제가 필요하다. 이 경우 명시된 최대 투여량보다 더 많은 약물을 투여할 필요가 있을 때도 있다. 만약, 소위 최대 용량을 투여하고도 예상되는 임상 반응이 나타나지 않는다고 혈압상승제를 이용한 처치가 실패한 것으로 판단하지 않는다. 대체 약물로 전환하지 않고 원래 약물을 계속 사용하도록 한다.

또 다른 일반적인 오류는 도파민 단일 요법의 사용이다. 도파민은 혼합 작용하는 교감 신경작용제로서 혈압상승제 활성은 주로 시냅스 선 흡수 및 내인성 노르에피네프린 방출에 의존한다. 저용량 투여 시 도파민 수용체 활성화는 심박수와 수축을 증가시키지만, 내장 혈관 확장 및 저혈압 악화를 초래할 수 있다. 많은 약물(예: 삼환계 항우울제)의 시냅스 전 채널의 차단이 특히 중독의 경우에 나타난다. 도파민은 나트륨 채널 개방제와 알파 2 작용제의 독성과 관련된 경미한 저혈압 및 서맥의 처치에서 베타 차단제 또는 칼슘통로차단제로 인한 심부전 후 더욱 강력한 혈압상승제와 병용하는 보조 처치로 효과적일 수 있다.

표 10-5. 독소로 인해 유발된 저혈압

약물 종류	예	임상 양상	처치
나트륨 채널 개방	베라트룸 알칼로이드	구역, 구토, 서맥, 저혈압, 감각이상, 무감각, 정신상태 저하, 마비, 경련	• 정맥 내 수액 투여 • 아트로핀 • 에피네프린, 노르에피네프린 또는 도파민
나트륨 채널 차단	삼환계 항우울제, 카르마제핀, 디펜히드라민, 퀴닌, 택신	구역, 구토, 서맥. 넓은 QRS, 저혈압, 혼수, 경련(대부분 항콜린제를 사용)	• 정맥 내 수액 투여 • 탄산수소염 용액 • 고장식염수 • 에피네프린, 노르에피네프린 또는 페닐에프린
α_1 길항제	독사조신, 프라조신, 삼환계 항우울제, 항정신병약	정신상태 저하, 저혈압, 반사성 빈맥	• 정맥 내 수액 투여 • 노르에피네프린 또는 페닐에프린
α_2 작용제	클로니딘, 옥시메타졸린, 테트라하이드로졸린	정신상태 저하, 축소된 동공, 초기 고혈압을 동반한 서맥과 이후 서맥과 저혈압을 동반	• 정맥 내 수액 투여 • 아트로핀 • 도파민, 에피네프린 또는 노르에피네프린 • 요힘빈과 날록손 투여 효과에 대한 사례 보고
베타 차단제	아테노롤, 라베타롤, 메타프로롤, 프로프라노롤, 소타롤	서맥, 저혈압, 의식저하	• 아트로핀, 글루카곤, 에피네프린 또는 인슐린
베타 작용제	알부테롤, 크렌부테롤, 터부탈린	심실위빈맥, 저혈압	에스몰롤, +/-페닐레프린
아데노신 길항제	카페인, 테오필린	심실위빈맥, 저혈압, 정신상태 변화, 떨림, 경련	• 벤조다이아제핀, 에스모롤 +/- 페닐레프린, 투석
칼슘통로차단제	딜티아젬, 베라파밀, 암로디핀, 펠로디핀, 니페디핀	서맥을 동반한 저혈압(딜티아젬, 베라파밀, 고용량) 또는 반사성 빈맥 (-pine)	• 정맥 내 수액 투여 • 아트로핀, 칼슘염 • 에피네프린, 노르에피네프린 또는 인슐린
진정 수면제 및 아편제제	헤로인, 몰핀, 바비튜레이트산	진정, 동공수축(아편제제), 호흡 억제	• 정맥 내 수액 투여, 지지요법, 혈압상승제(드물게 필요)
Na^+/K^+ -ATPase 억제제	디곡신, 디지털리스, 은방울꽃, 협죽도, 두꺼비, 섬소	구역, 구토, 방실결절 차단, 조기심실수축, 심실부정맥	• 디곡신특정항체(Fab), 아트로핀
전자 전달계 독소	사이안화물, 시안배당제(예, 아미그달린), 일산화탄소, 황화수소, 살리실산염	저혈압, 반사성 빈맥, 심한 대사산증, 고온(짝풀림제;산화적 인산화 반응 저해제) 의식 변화, 경련	• 포도당, 정맥 내 수액 투여, 탄산수소소듐, 하이드록소코발라민(CN, HS), 고압산소(CO), 에피네프린 vs 노르에피네프린 vs 페닐레프린, • 아질산아밀+아질산나트륨 + 티오황산나트륨(하이드록소코발라민의 가용성으로 인해 미국에서는 더 이상 일반적으로 사용하지 않음)
내피 파괴/ 분포 쇼크를 일으키는 약물	계면활성제 함유 제초제(예, 글구포시네이트(basta), 페놀, 부식제	저혈압, 빈맥, 폐부종, 체액 소실, 정신상태 변화, 경련	• 정맥 내 수액 투여 • 벤조다이아제핀 • 노르에피네프린 또는 페닐레프린

비정상적인 호흡수

종종 간과되거나 부정확하게 기록되는 활력징후 중 하나가 호흡수이다. 이를 평가하는 것은 중독환자를 진단하고 처치를 결정하는 데 있어 중요한 단서가 될 수 있다. 호흡수 감소(느린 호흡) 또는 호흡량 감소(호흡 저하)는 독소에 따라 복잡하게 나타난다. 예를 들어, 아편제제는 일반적으로 호흡 억제와 관련이 있다. 그러나 베타 차단제 독성, 강력한 진정제-수면 독성 및 알파 2 작용제 독성도 호흡 억제와 관련이 있다. 신체검사, 혈액가스 분석 또는 호기말이신화탄소를 통한 저환기의 조기 인식은 중독환자의 적절한 처치에 중요하다. 호기말이산화탄소 분압측정은 병원 전 환경에서 사용할 수 있고 중독된 환자에게 일반적으로 사용한다. 아편제제의 영향에 대한 부작용은 이장의 앞부분에서 이미 논의하였다. 또한, 환기 보조나 기관내삽관과 같은 지지적 처치가 필요할 수 있다.

동맥혈 또는 정맥혈 가스 분석을 통해 복합적인 대사산증과 호흡알칼리증에서 대사성산증과 호흡 보상을 구분할 수 있다. 독소에 의한 대사산증은 일반적으로 음이온차에 의해 발생한다. 그러나 탄산탈수효소억제제(예: 아세타졸라마이드[Diamox]와 토피라메이트[Topamax])는 비음이온차이에 의한 대사산증을 일으키지만, 높은 음이온차가 대사산증 발생이 더 일반적이며 신중한 병력 검사 및 추가적인 검사를 통해 신속하게 문제의 범위를 좁힐 수 있는 다양한 차별적인 진단을 한다. 이 차별 진단을 위한 고전적이지만 아마도 시대에 뒤떨어진 기억법은 MUDPILES이며 광범위한 독성학적 원인을 포함하여 CAT MUDPILES로 확장할 수 있다(7장 참조). 최근 업데이트된 기억법으로 GOLDMARK와 CUTE DIMPLES가 제시되었다(빠른 암기법 참조).

빠른 암기법

높은 음이온차에 의한 산증

- G 글리콜(Glycols, 에틸렌과 프로필렌)
- O 옥소프롤린(Oxoproline, 아세토아미노펜 독성에서 관찰됨)
- L 젖산염(lactate)
- D D-lactate D 젖산염
- M 메탄올(Methanol)
- A 아스피린(Aspirin)
- R 신부전(Renal failure)
- K 케토산증(Ketoacidosis)

빠른 암기법

높은 음이온차에 의한 산증

- C 사이안화물(Cyanide)
- U 요독증(Uremia)
- T 톨루엔(Toluene)
- E 에틸렌글리콜 (Ethylene glycol)
- D 당뇨병케토산증(Diabetic ketoacidosis)
- I 아이소나이아지드(Isoniazid)
- M 메탄올(Methanol)
- P 프로필렌글리콜(Propylene glycol)
- L 젖산산증(Lactic acidosis)
- E 에탄올(Ethanol)
- S 살리실산염(Salicylates)

빠른 호흡

빠른 호흡은 심각한 대사산증 또는 폐렴과 같은 급성 호흡기 질환의 지표가 될 수 있다. 대사산증이 있는 경우 과다호흡은 이산화탄소(PCO_2) 분압을 감소시켜 신체의 pH를 상승시키는 보상기전이다. 일부 환자의 실제 호흡 속도는 크게 빠르지 않지만, 일회 호흡량 및 분당호흡량을 약간 증가시키는 효과가 있다.

과다호흡

호흡의 깊이가 증가하는 것을 과다호흡이라고 한다. 대사산증의 경우 빈맥, 과다호흡 또는 둘 다를 초래할 수 있다. 환자는 호흡곤란의 변화 정도에 따라 호흡 패턴의 변화를 인지하거나 인지하지 못할 수 있다. 과다호흡의 또 다른 원인은 환자 호흡중추의 직접적인 활성화이다. 전통적으로 살리실산 독성은 대사산증이 없는 상태에서 빠른 호흡이나 과다호흡을 일으킬 수 있다. 사실, 초기 독성은 호흡알칼리증을 동반할 수 있다.

산소포화도 이상

산소포화도는 모든 급성질환자에게서 측정되어야 한다. 환자의 정상 산소포화도는 문제가 없지만 폐 질환, 혈색소 장애 또는 신체 조직으로의 산소 전달 장애 가능성을 배제하지 못한다. 예를 들어 비침습적 맥박산소측정으로 측정한 산소포화도는 조직에 산소를 전달하지 못하는 심한 일산화탄소 중독에도 불구하고 정상으로 보일 수 있다. 흡인은 종종 중독 응급 환자를 처치할 때 발생한다. 섭취와 관련된 독성 응급은 구토의 발병률이 높을 수 있으며 이는 흡인의 위험 요소이다. 비심인성 폐부종 및 폐렴은 아편제제 독성 및 금단증상, 살리실산 독성 및 독소 흡입의 과정을 복잡하게 할 수 있으며 모두 저산소증 및 미만성 폐포 질환을 유발할 수 있다. 또한 기흉은 담배 또는 흡입 독소 환자에게서도 보고되고 있다. 그러나 산소포화도 및 더욱 중요한 것은 산소분압(PO_2)은 중독환자에게 유용한 지표가 될 수 있다.

비정상적 산소포화도는 메트혈색소증 또는 황혈색소혈증와 같은 혈색소병증에 수반된다. 메트혈색소증이 더 일반적으로 나타난다. 이것은 일반적으로 혈색소의 Fe^{2+}가 Fe^{3+} 상태로 전환해 산소와 혈색소와의 결합력 약화로 인해 조직으로 산소 공급이 감소한다. 맥박산소측정기는 일반적으로 절단되는 보충 산소의 양과 관계없이 80~90%로 낮은 산소포화도를 나타낸다. 환원제인 메틸렌블루로 처치하면 철을 환원시켜 조직으로 산소 전달 능력을 회복할 수 있다.

다양한 독소는 혈색소와의 결합력에 큰 변화를 유도하지 않으면서 상대적으로 조직의 저산소증을 유발한다. 비산화적 인산화 차단제 및 억제제는 아데노신삼인산(ATP)을 합성하는데 산소를 이용하는 전자 전달계의 기능을 방해한다. 그 결과 에너지 생산이 저해되고 세포 손상이 발생하게 된다. 살리실산염과 같은 산화적 인산화 차단제는 전자 전달계 과정을 통해 산소 소모량을 증가시킴으로써 활성화되지만, ATP 합성을 억제하고 생성된 에너지는 열로 없어지게 된다. 고체온은 산화적 인산화 차단에 의한 독성에서 늦게 나타난다. 동맥 산소포화도는 일반적으로 정상이지만 정맥 산소포화도에서 정맥 산소량은 산소에 대한 세포 요구가 높아짐에 따라 현저히 감소한다. 반면 사이안화물과 같은 산화적 인산화 억제제는 세포 산소 요구량을 억제하고 정맥 산소량을 높이며 ATP 생산을 감소시킨다. 두 종류의 독소 모두 대사산증, 의식상태 변화, 발작 및 심혈관 질환을 유발한다. 위의 두 종류 독소에 의한 중독 발생 시 탄산수소소듐으로 환자를 처치하면 산증이 완화되고 살리실산염의 경우 조직분포와 독성이 감소한다.

사이안화물 독성은 사이안화물 해독제 키트로 처치하고 역사적으로 환자는 일련의 처치를 받았다. 흡입된 아질산아밀과 정맥 내로 투여한 아질산나트륨은 메트혈색소증을 유발하여 사이안화물을 세포 밖으로 끌어낸다. 그다음 티오황산나트륨 정맥 내 투여를 통해 티오시안산염을 생성하여 신장으로 배출된다. 최근에는 비타민 B_{12} 전구체인 하이드록소코발라민이 사이안화물 독성 치료제로 승인되었다. 하이드록소코발라민 내부의 코발트는 사이안화물과 결합하여 사이아노코발라민(비타민 B_{12})을 형성하고 신장으로 배출된다.

일반적인 맥박산소측정법 및 혈액가스 측정법으로 측정한 동맥 및 정맥 산소량은 중독환자의 다양한 해부학적 및 생리학적 변화에 따라 달라질 수 있다. 근본적인 원인을 인식하고 확인하여 감소한 혈액 산소량과 감소한 조직으로의 산소 공급을 빠르게 역전시키는 것이 효과적인 독성 처치에서 중요하다. 호흡기 문제 또는 환기에 문제가 있는 모든 환자에게 고유량 산소를 투여한다.

중독증후군

중독증후군(독소 및 증후군의 합성어)은 일반적으로 특정 독소에 대한 노출과 관련된 증상, 활력징후 및 검사 결과의 복합체이다. 이와 함께 환자의 병력과 중독증후군은 종종 약물의 종류를 확인하거나 때에 따라 환자의 질병을 유발하는 특정 독소를 확인하는 데 도움이 될 수 있다. 일반적으로 독소의 종류를 알면 처치가 동일하기 때문에 특정 약물은 중요하지 않다. 다양한 중독증후군에 대한 설명은 표 10-6에 나와 있다.

약물의 독성

많은 처방 의약품 및 일반 의약품(OTC)은 부적절하게 사용되는 경우 독성으로 인해 영향을 받을 수 있다. 특히 아주 어린이나 신장 또는 간 손상으로 인해 약물 제거율이 감소한 사람과 같이 취약한 사람들에게 약물을 부적절하게 사용하면 독성 작용이 나타날 수 있다(표 10-7).

아세트아미노펜

아세트아미노펜(N-아세틸-p-아미노페놀[APAP] 또는 타이레놀)은 일반적으로 사용하는 일반 의약품(OTC)으로 해열 및 진통제이다. 치료 용량으로 약물을 안전하게 사용할 수 있는 범위는 전문 의약품 및 일반 의약품, 진통제, 기침 및 감기약, 알레르기 약물을 포함한 다양한 약물에 포함되어 있다. 이 약물은 광범위하게 이용할 수 있고 쉽게 구할 수 있다.

아세트아미노펜은 처치 용량을 복용하면 안전하지만, 과다복용은 상당한 위험을 수반하며 일차적인 위협은 간 독성이 있다. 실제로 아세트아미노펜 관련 간 손상은 미국에서 급성 간부전의 주요 원인으로 급성 바이러스 간염 보다 훨씬 더 흔한 간 기능 부전의 원인이다. 2017년 독극물 관리 센터에 아세트

표 10-6. 중독증후군		
중독증후군	약물 예	증상과 징후
흥분제	암페타민, 메스페타민, 코카인, 다이어트보조제, 코 충혈제거제, 합성 대마초, 합성 대마제제(목욕소금)	안절부절, 초조, 말이 많아짐, 불면증, 식욕부진, 동공 확장, 빈맥, 빠른 호흡. 고혈압 또는 저혈압, 편집병, 경련, 심정지
아편 및 아편유사제	펜타닌, 헤로인, 하이드로코돈, 하이드로모르핀(Dilaudid), 모르핀, 아편, 옥시코돈	동공수축, 현저한 호흡 억제, 주삿바늘 자국(정맥 내 약물 남용자) 졸림, 혼미, 혼수
교감신경작용제	암페타민, 메타암페타민, 페닐에프린, 페닐프로파놀라민, 슈도에페드린	고혈압, 빈맥, 발한, 동공 확장, 초조, 경련, 고열
진정/수면제	바르비투르산(페노바르비탈, 티오펜탈), 벤조다이아제핀(다이아제팜(발륨), 로라제(아티반), 미다조람(Versed)), 에탄올	졸림, 탈억제, 운동 실조, 불분명한 연설, 정신 혼동, 저혈압, 호흡 억제, 진행성 중추신경계 억제
콜린제	아세페이트(Orthene), 디아지논 (Basudin, knox out, Spectracide), 말라티온(Celthion, Cythion), 파라티온, 사린, 타분, VX	침 분비 증가, 눈물 흘림, 위장장애, 설사, 호흡 억제, 무호흡, 발작, 혼수
항콜린제	항히스타민제, 정신병약, 아트로핀, 스콜라민	붉고 건조한 피부, 고열, 동공 확장, 흐려 보임, 빈맥, 경미한 환각, 현저한 섬망, 요저류

아미노펜 단독 또는 다른 약물과 함께 복용한 보고된 중독 사례는 131,265건이었다.

병태생리학

아세트아미노펜은 여러 경로를 통해 대사되며 대부분 대사산물은 독성이 없다. 그러나 과량 투여 후 주요 대사 경로로 대사되고 독성 대사산물인 N-아세틸-p-벤조퀴논 아민(N-acetyl-p-benzoquinone imine, NAPQI)이 과량 생성된다. 글루타티온이 불충분하면(정상 저장소의 30% 미만) N-아세틸-p-벤조퀴논 아민은 일련의 반응을 일으켜 세포 사멸을 유도한다. 사이토크롬 P450 효소 시스템(예를 들어, 간 및 신장 세포)가 수로 영향을 받아 간 중심 소엽 괴사와 신장 근위 세관 괴사를 유발한다.

증상과 징후

아세트아미노펜 독성의 임상적 설명은 복용량과 복용 시기에 따라 크게 다를 수 있다. 150mg/kg 이상의 단일 용량은 독성으로 간주하지만, 과다 복용한 경우 복용량을 신뢰할 수 없으며 복용량의 임계값은 불규칙한 복용 또는 의도하지 않은 반복적인 처치 상 복용을 설명할 수 없다. 그런데도 이것은 위험할 수 있는 약물의 단일 복용량을 구성하는 것이 무엇인지에 대한 아이디어를 제공한다. 70kg인 사람의 경우 아세트아미노펜 10.5g을 복용하거나 강력한 정제 21알을 복용하면 독성을 유발할 수 있다. 복용 시간은 증상 평가와 혈청 농도의 판독에 모두 중요하다. 임상 증상은 복용 후 지나간 시간에 따라 다음과 같은 단계로 나눌 수 있다.

- Ⅰ 단계 (< 24시간). 증상은 특별히 없으며 구역, 구토, 불쾌감 등이 있을 수 있다. 대량으로 과량 투여한 경우 환자는 의식 수준의 변화와 산증을 유발할 수 있다. 환자는 독성물질 복용 후에도 매우 경미하거나 증상이 없을 수 있다.
- Ⅱ 단계 (24~36시간). 이 단계는 복부 통증, 구역 및 구토 악화, 간 효소 증가 및 혈액 응고 시간 지연을 특징으로 하는 간 손상이 발생한다.
- Ⅲ 단계 (48~96시간). 이 기간에 최대 간 손상은 아마도 전격 간부전으로 진행할 수 있다. 간 효소 검사는 일반적으로 상당히 증가하지만, 임상적으로 관련이 있는 것은 환자의 혈액 응고 시간, 의식상태, 산증 및 신장 기능이다. 패혈 쇼크와 유사한 전신 염증 반응 증후군이 발생할 수 있으며 다발성 장기 부전, 급성호흡곤란증후군, 패혈증 또는 뇌부종의 결과로 사망할 수 있다.
- Ⅳ 단계 (> 96시간). 환자가 생존하면 간은 빠르게 재생되며 만성 손상을 나타내지는 않는다.

표 10-7. 약물의 독성 효과

약물 또는 독성	중독 임상 현상	특별 통합관리
• 아세트아미노펜	• 경증 단계/초기 단계 - 무증상일 수 있음 - 식욕부진, 구역, 구토, 창백 • 12시간에서 4일 후 간독성 징후가 발생할 수 있음 - 간 효소, 빌리루빈, 프로트롬빈 시간 증가, 우상사분면 통증 - 점진적으로 정상으로 회복할 수 있음 • 말기: 간부전 징후 - 식욕부진, 구역, 구토, 황달, - 간비장비대 - 간성 뇌병증의 임상 징후: 혼동 및 혼수 - 출혈 - 저혈당 - 급성 신부전으로 발전 - 리듬장애와 쇼크가 발생할 수 있음	• 환자가 복용 후 6시간 이내에 응급실에 도착한 경우 활성탄을 투여할 필요가 없다. (1) 함께 복용한 약물이 없고, (2) N아세틸시스테인(NAC)을 사용할 수 있으며, (3) 복용한 시간을 확실히 알 수 있어야 한다. N아세틸시스테인은 복용 후 8시간 이내에 투여하면 간독성을 효과적으로 감소시킨다. • 정맥 내로 N아세틸시스테인(아세타도트)을 1시간 동안 150mg/kg 투여하고 4시간 동안 50mg/kg, 16시간 동안 100mg/kg를 투여한다(21시간 총 300mg/kg). 처치가 끝날 때까지 16시간 동안 투여량을 반복해서 투여한다. • 경구로 N아세틸시스테인(Mucomyst)을 초기에 140mg/kg를 투여하고 이후 4시간마다 70mg/kg × 17회 투여하여 총 1,330mg/kg를 투여하거나 환자에 따라 투여한다. • 입으로(PO) 투여하는 경우 주스나 탄산음료에 희석하고 코위관 또는 십이지장 관을 통해 투여하는 경우 물로 희석한다. • 식욕 부진, 구역, 구토가 발생할 수 있으며 한 시간 이내에 구토가 발생하면 반복 투여한다. • 특히 간부전이 발생하면 비타민 K를 처방할 수 있다. • 포도당(예, $D_{50}W$)이 필요할 수 있다. • 항부정맥약물이 필요할 수 있다.
• 암페타민	• 빈맥 • 고혈압 • 빠른 호흡 • 부정맥 • 고열, 땀남 • 동공이 확대되었지만 반응 • 마름입안 • 요저류 • 두통 • 편집증적 정신병적 행동 • 환각 • 과다활동, 불안 • 과민성 심부건반사, 떨림, 발작 • 혼동, 혼미, 혼수	• 안정되고 조용한 환경 유지 • 환자에게 과도한 자극을 피함 • 큰 소리고 말하거나 빠르게 움직이지 않음 • 뒤에서 접근하지 않음 • 먼저 안전을 확신할 수 없는 경우 환자에게 말하거나 만지지 않음 • 흥분 시 다이제팜, 로라제팜, 미다졸람을 투여 • 초조한 경우 다이아제팜, 로라제팜 또는 미다졸람 투여 • 고혈압에 펜톨라민(Regitine) 투여 • 발작에 대한 항경련제(예: 다이아제팜 또는 기타 벤조다이아제핀, 페노바비탈) • 심실부정맥에 대한 항부정맥제(예: 리도카인) • 급성 정신병인 경우 할로페리돌(Haldol)을 투여한다. • 저체온 담요, 얼음 팩, 온열요법을 위한 목욕
• 바비튜레이트, 진정제, 수면제, 신경안정제	• 서맥, 심부정맥, • 저혈압 • 저체온 • 호흡억제에서 호흡정지 • 두통 • 안진, 불균형적 안구 움직임 • 구음장애 • 운동실조 • 심부건반사 감소 • 혼동, 혼미, 혼수 • 출혈성 물집 • 위 자극(클로랄수화물) • 폐부종(메프로바메이트)	• 페노바비탈: 소변 알칼리화와 바비튜레이트 배설 속도를 증가시키는 소변의 pH를 >7.50 유지하기 위해 탄산수소소듐을 투여 • 칼륨, 칼슘 및 마그네슘 수치를 모니터링한다. • 금단 증상으로 경련이 발생한 경우 항경련제(예: 다이아제팜, 페노바비탈) 투여 • 혈액 투석이나 혈액 관류가 필요할 수 있음

표 10-7. 약물의 독성 효과 *(계속)*		
약물 또는 독성	**중독 임상 현상**	**특별 통합관리**
• 벤조다이아제핀	• 저혈압 • 기도 보호 반사 소실(호흡 충동을 억제하지 않음) • 장음 감소 또는 부재 • 심부건반사 감소 • 혼동, 졸림, 혼미, 혼수	• 벤조다이아제핀 수용체 길항제인 플루마제닐(Romazicon)은 소아 또는 의인성 노출과 같은 극히 드문 경우에 투여할 수 있다. 그렇지 않으면 사용은 금기이다. • 플루마제닐의 부작용으로 발작, 초조, 홍조, 구역, 구토가 있는지 모니터링한다. • 삽관 및 기계적 환기가 필요할 수 있다.
• 베타 차단제	• 동성 서맥, 심정지, 차단 • 방실경계 이탈율동, 방실결절 차단 • 각차단(보통 오른쪽) • 저혈압 • 심부전 • 심장성쇼크 • 심정지 • 의식 수준 저하 • 발작 • 호흡 억제, 무호흡 • 기관지연축 • 고혈당 또는 저혈당	• 복용 후 1시간 이내에 위세척과 활성탄 투여를 고려 • 글루카곤 5~10mg 정맥 내, 근육 내, 파하로 투여하고 추가로 1~5mg/hr 투여 • 서맥 및 저혈압에 대한 에피네프린, 도파민 또는 아트로핀을 투여하고 일시적인 조율이 필요할 수 있음 • 저혈당 시 $D_{50}W$을 투여 • 발작 발생시 항경련제(예, 다이아제팜, 페노바르비탈)를 투여하고 페니토닌은 금기
• 칼슘통로차단제	• 동성 서맥, 심정지, 차단 • 동방결절 차단 (딜티아젬) • 방실결절 차단 (베라파밀) • 저혈압 • 심부전 • 혼동, 초조 현기증, 졸음, 불분명발음 • 발작 • 구역, 구토 • 마비성 장폐색 • 고혈당 • 대사 산증	• 복용 후 1시간 이내에 활성탄 투여를 고려할 수 있음 • 염화칼슘 5 (500mg)~10% (1g)mL을 투여 • 글루카곤을 정맥 내, 근육 내, 피하로 3~5mg을 투여하거나 추가로 1~5mg/hr 투여 • 발작 발생시 항경련제(예, 다이아제팜, 페니토인, 페노바르비탈) 투여 • 서맥 발생시 아트로핀 투여나 일시적 조율 • 에피네프린, 노르에피네프린 및 페닐에프린을 투여하여 혈관 수축 • 고인슐린혈증 시 정상 혈당 처치가 필요
• 일산화탄소 참고: 일산화탄소와 혈색소 사이의 친화력은 산소와 혈색소 사이의 친화력보다 200배 큼	• 10%~20%: 경미한 두통, 홍조, 격렬한 운동시 호흡곤란 또는 협심증, 구역, 현기증 • 20%~30%: 박동성 두통, 구역, 구토, 쇠약, 중등도 운동시 호흡곤란, ST분절 하강 • 30%~40%: 심한 두통, 시각장애, 실신, 구토 • 40%~50%: 빠른 호흡, 빈맥, 가슴통증, 실신 악화 • 50%~60%: 가슴통증, 호흡부전, 쇼크, 발작, 혼수 • 60%~70%: 호흡부전, 쇼크, 혼수, 사망 • 심부정맥 • 청각 또는 시력 손상 • 창백: 검붉은색으로 보일 수 있음(늦게)	• 오염지역에서 이동한다. • 산소 공급: 처음에 100% 산소를 마스크로 공급하고 필요한 경우 지속기도양압(CPAP)을 시행 • 환자가 반응이 없으면 삽관과 기계적 환기를 하고 필요한 경우 호기말양압(PEEP) 시행 • 근색소뇨가 있는 경우 수액, 이뇨제를 투여하여 소변을 알칼리화한다. • 발작 발생시 항경련제(예: 다이아제팜 또는 기타 벤조다이아제핀, 페노바르비탈) 투여 • 다음과 같은 경우 가능한 한 빨리 고압 산소(2~3기압) 치료 – 일산화탄소혈색소(COHB) > 25%(상대적 표시) – 일산화탄소가 유발되는 경우 급성 심전도 변화 또는 지속적인 중추신경계 증상

약물 또는 독성	중독 임상 현상	특별 통합관리
• 부식성 독물 • 산(예: 전지 산, 배수구 세정제, 염산) • 알칼리(예: 배수구 세정기, 냉매, 비료, 사진 현상액)	• 구강, 인두, 식도 부분의 작열감 • 삼킴곤란 • 호흡곤란: 호흡곤란, 협착, 빠른 호흡, 쉰 목소리 • 비누 거품 백색 점막 • 산: - 입안 궤양 또는 물집 - 쇼크의 징후가 있을 수 있음 • 알칼리: - 식도 천공의 징후가 있을 수 있음 (예: 흉통, 피부밑기종)	• 희석: 다량의 물, 음료수 또는 우유(약 250mL)로 입 안을 씻어 낸다. • 구토를 유도하거나 위세척을 하지 않음 • 손상 평가를 위한 식도위내시경술 • 산이나 알칼리를 중화시키는 약제를 제공하지 않음(발열 반응을 일으킬 수 있음)
• 코카인	• 빈맥, 부정맥 • 고혈압 또는 저혈압(말기) • 빠른호흡 또는 과다호흡 • 코카인으로 인한 심근경색 • 창백함 또는 청색증 • 과흥분, 불안 • 두통 • 고체온, 땀남 • 구역, 구토, 복통 • 동공이 확대되고 반응 • 혼란, 섬광, 환각 • 발작 • 혼수 • 호흡정지	• 코카인을 코로 흡입한 경우 잔류 약물을 제거하기 위해 코안 쪽을 면봉으로 세척 • 보디 스터퍼용 일회용 활성탄을 투여 • 보디 패커를 위한 장세척 • 발작 발생시 항경련제(예, 다이아제팜 또는 기타 벤조다이아제핀, 페노바르비탈) 투여 고려 • 항부정맥제, 일반적으로 리도카인, 칼슘 채널차단제를 사용할 수 있음(관상동맥 경련에 도움이 될 수 있음) • 항고혈압제: 알파차단제(예: 펜토라민) 또는 혈관확장제(예: 니트로프루사이드) 투여 • 얼음물에 담그는 것을 포함하여 체온을 신속하게 낮춤 • 저체온 발생시 담요를 이용하여 체온 유지, 고체온 발생시 아이스팩, 얼음물을 이용하여 체온을 내림 • 근색소뇨가 있는 경우 수액, 이뇨제를 투여하여 소변을 알칼리화
• 사이안화물	• 초기에 불안, 안절부절, 과다호흡 • 빈맥 이후 서맥 • 저혈압 이후 고혈압 • 심부정맥 • 호흡 시 쓴 아몬드 향 • 암적 점막 • 구역 • 호흡곤란 • 두통 • 현기증 • 동공 확장 • 혼란 • 혼미, 발작, 혼수, 사망	• 초기에 마스크를 이용하여 100% 산소를 투여 • 삽관과 기계적 환기가 자주 필요 • 불안, 안절부절, 과다환기만 나타나는 경우 지지요법 실시 • 문제가 될 수 있는 약물(예: 나이트로프러사이드) 투여 중단 • 더 심각한 증상이 나타나는 경우 해독제 투여 • 하이드록소코발라민을 정맥 내로 투여할 수 없는 경우 흡입으로 아질산아밀을 투여하고 아질산나트륨, 티오황산나트륨을 정맥 내로 투여 • 사이안화물 복용한 지 한 시간 이내인 경우 위세척을 고려 • 피부에 오염되거나 눈에 들어간 경우 물로 세척하고 옷을 제거한 두 다시 세척한다. • 혈압을 유지하기 위해 수액 및 혈압상승제 투여 • 발작 발생시 항경련제(예: 다이아제팜 또는 기타 벤조다이아제핀, 페노바르비탈) 투여 • 심실부정맥 발생시 항부정맥제(예: 리도카인), 서맥시 아트로핀을 투여

표 10-7. 약물의 독성 효과 (계속)

약물 또는 독성	중독 임상 현상	특별 통합관리
• 디지탈리스제제	• 식욕부진 • 구역 • 구토 • 두통 • 안절부절 • 시각변화 • 동성서맥, 차단, 심정지 • 방실 차단이 있는 발작성 심방빈맥(PAT) • 방실접합부빈맥 • 방실 차단: 1도, 2도 Ⅰ 형, 3도 • 심실조기수축(PVCs): 이단맥, 삼단맥, 사단맥 • 심실성빈맥: 특히 양방향성 • 심실세동	• 활성탄 복용 후 한 시간 미만인 경우 콜레스티라민 투여 • 저산소증 및 전해질 불균형(특히 칼륨) 교정 • 부정맥 처치 • 증상이 있는 서맥 및 차단의 경우 - 아트로핀 - 체외박동조절기 • 증상이 있는 빈맥성 부정맥의 경우 - 리도카인 - 페니토인 • 저마그네슘혈증 또는 고칼륨혈증이 있는 경우 마그네슘 투여 • 생명을 위협하는 부정맥이 있는 경우에만 가장 낮은 유효전압으로 심장율동전환 시행 • 심실세동 발생시 제세동 시행 • 관류저하나 생명을 위협하는 부정맥인 경우 디곡신 면역 항체(Digibind)를 투여 • 상대적 적응증에는 >10mg 복용(성인), 혈청 디곡신 >10ng/mL 또는 혈청 칼륨 >5.0mEq/L이다. • 기저 질환의 악화(예: 심박수 증가, 심부전 악화)에 대해 자세히 모니터링한다.
• 에탄올	• 에탄올 농도(mg/dL) < 25: 따뜻하고 행복한 느낌, 수다스러움, 자신감, 경미한 조화운동불능 - 25~50: 행복감, 판단력 및 통제력 감소 - 50~100: 감각 감소, 협응력 약화, 운동실조, 반사 및 반응 시간 감소 - 100~250: 구역, 구토, 운동실조, 복시, 불명확한 언어, 시각장애, 안진, 감정적 불안정, 혼란, 혼미 - 250~400: 혼미 또는 혼수, 실금, 호흡 억제 - > 400: 호흡마비, 보호 반사 소실, 저체온, 사망 - 참고: 이러한 증상 및 징후, 혈중 에탄올 수치는 매우 다양하고 이러한 증상과 징후는 알코올에 의존하지 않는 사람을 위한 것이다. • 또한: - 호흡 시 알코올 냄새 - 저혈당 - 발작 - 대사 산증	• 수액 및 전해질 투여(칼륨, 마그네슘, 칼슘 투여가 필요할 수 있음) • 저혈당 발생시 포도당 및 티아민과 엽산을 포함하여 종합 비타민을 투여 • 참고: 티아민은 뇌가 포도당을 이용하는 데 필요하고, 알코올 중독 환자의 티아민 결핍은 베르니케 뇌병증을 유발할 수 있다. 이것은 매우 드문 사건이며 일반적으로 환자의 병원 전 처치에서 다룰 필요가 없다. • 발작 발생시 항경련제(예: 다이아제팜 또는 기타 벤조다이아제핀, 페노바르비탈) 투여

약물 또는 독성	중독 임상 현상	특별 통합관리
• 에틸렌글리콜	• 복용 후 처음 12시간 – 숨을 쉴 때 에탄올 냄새가 나지 않고 취한 것처럼 보임 – 구역, 구토, 토혈 – 국소 발작, 혼수 – 안진, 반사운동 저하, 테타니 – 초기: 높은 음이온 차이나 낮은 음이온 차이로 대사 산증 발생 – 말기: 높은 음이온 차이나 낮은 음이온 차이 • 복용 12~24시간 후 – 빈맥 – 경증 고혈압 – 폐부종 • 복용 24~72시간 후 심부전 – 옆구리 통증, 갈비척추 압통 – 급성 신부전	• 가능한 경우 포메피졸(Antizol)을 사용한다. • 혈청 에탄올 수준을 100~200mg/dL로 유지하기 위해 D5W 용액에 10% 에탄올을 희석하여 정맥 내로 투여 • 수액과 전해질(특히 칼슘, 칼륨, 마그네슘도 필요할 수 있음)을 투여 • 중증 대사산증이 발생한 경우 탄산수소소듐 투여 • 저혈당 발생시 포도당 및 티아민, 엽산, 피리독신을 포함하여 종합비타민을 투여 • 참고: 티아민은 뇌가 포도당을 이용하는 데 필요하고, 알코올 중독 환자의 티아민 결핍은 베르니케 뇌병증을 유발할 수 있다. 이것은 매우 드문 사건이며 일반적으로 환자의 병원 전 처치에서 다룰 필요가 없음 • 발작 발생시 항경련제(예: 다이아제팜 또는 기타 벤조다이아제핀, 페노바르비탈) 투여 • 혈액 투석이 필요할 수 있음
• 환각제 (예: LSD)	• 빈맥, 고혈압 • 고체온 • 식욕부진, 구역 • 두통 • 어지럼 • 불안, 초조 • 판단력 저하 • 왜곡 및 강화 • 독성 정신병 • 동공확장 • 두서없는 연설 • 다뇨	• 안심시킴 • 부드러운 조명과 조용한 환경을 조성 • 초조 및 불안 시 벤조다이아제핀(예: 다이아제팜, 로라제팜, 미다졸람) 투여. • 발작 발생시 항경련제(예, 다이아제팜, 페노바르비탈) 투여
• 이소프로필 알코올	• 위장장애(예: 구역, 구토, 복통) • 두통 • 중추신경계 억제, 무반사, 운동실조, • 호흡 억제 • 저체온, 저혈압	• 저관류 시 수액 및 혈압상승제 투여 • 위염 발생시 H_2 차단제 또는 양성자 펌프 억제제(PPI) 투여
• 리튬	• 경미한 증상: 구토, 설사, 쇠약, 졸음, 다뇨, 다음증, 안진, 미세한 떨림 • 중증 증상: 저혈압, 심한 갈증, 이명, 반사항진, 심한 떨림, 운동실조, 발작, 혼동, 혼수, 묽은 소변, 신부전, 심부전	• 수분 공급 • 나트륨 농도를 유지하기 위해 충분한 수분 공급 • 발작 발생시 항경련제(예: 다이아제팜 또는 기타 벤조다이아제핀, 페노바르비탈) 투여 • 드물게 혈액 투석이 필요할 수 있음

표 10-7. 약물의 독성 효과 *(계속)*

약물 또는 독성	중독 임상 현상	특별 통합관리
• 메탄올	• 구역 및 구토 • 과다호흡, 호흡곤란, • 흐릿함에서 실명에 이르는 시력장애 • 언어장애 • 두통, • 중추신경계 억제, • 강직, 경직 및 운동저하를 동반한 운동기능 장애 • 음이온 차이로 인한 대사산증	• 위세척(복용 직후에 특히 효과적) • 포메피졸 15mg/kg를 정맥 내로 초기 투여 후 유지용량이 필요한 경우 에탄올보다 선호됨 • 혈청 에탄올 수준을 100~200mg/dL로 유지하기 위해 D5W 용액에 10% 에탄올을 희석하여 정맥 내로 투여 • 중증 대사산증 발생 시 탄산수소소듐 투여 • 시력장애, 대사산증, 신부전, 혈중 메탄올 농도 >30mmol/L인 경우 혈액 투석
• 아질산염, 질산염, 설파제 등으로 인한 메트혈색소혈증	• 빈맥 • 피로 • 구역 • 어지럼 • 정상적인 동맥혈산소분압 상태에서 청색증: 산소 투여로 청색증 해결되지 않음 • 암적색 또는 갈색인 혈액 • 메트혈색소 수치 상승 • 두통, 허약, 호흡곤란(30%~40%) • 혼미, 호흡억제(60%)	• 산소 공급 • 노출에서 제거 • 니트로글리세린, 니트로프루사이드, 설파제, 마취제, 또는 기타 원인 물질은 사용 중지 • 메틸렌블루 사용 • 혼미, 혼수, 협심증, 호흡 억제가 있거나 수치가 30%~40% 이상인 경우 메틸렌블루 2mg/kg을 5분에 걸쳐 투여하고 30~60분 후에도 환자의 증상이 지속하는 경우 1mg/kg 반복 투여 • 아스코르브산을 고용량으로 투여할 수 있음 • 메틸렌블루 투여가 금기인 경우 교환수혈
• 아편유사제 및 아편제제	• 호흡부전/호흡 정지 • 서맥 • 저혈압 • 의식 수준 저하 • 저체온 • 동공수축 • 장음 감소 • 주삿바늘자국, 고름집 • 발작 • 폐부종(특히 헤로인의 경우)	• 보디 패커의 경우 장세척 실시 • 날록손(Narcan) 0.4~2mg을 정맥 내, 근육 내, 코안 또는 기관을 통해 투여하거나 날메핀(Revex) 0.5mg을 정맥 내로 투여 • 날록손의 작용 지속 시간은 45~60분인 반면, 날메핀의 작용 지속 시간은 4~8시간(헤로인과 모르핀은 4~6시간). • 발작 발생시 항경련제(예: 다이아제팜 또는 벤조다이아제핀, 페노바르비탈) 투여 • 삽관 및 기계적 환기가 필요할 수 있으며 폐부종시 호기말양압(PEEP) 시행
• 유기인산염 및 카르밤산염 (콜린에스테라제 억제제)	• 구역, 구토, 설사 • 복통 및 경련 • 분비물증가(위장관계, 비뇨기계, 폐, 외피) • 실금 • 서맥 • 호흡곤란 • 불분명한 말투 • 동공수축 • 시력변화 • 불안정 보행 • 운동조절 부족 • 단일수축 • 의식 수준 변화 • 발작	• 복용한 경우 위세척 고려 • 의복을 제거하고 위험 물질 세척 • 비누와 물로 피부 세척 • 아트로핀 1~5mg을 정맥 내 투여하거나 근육 내로 3~5분마다 필요 시 반복 투여 • 유기인산염 중독시 염화프랄리독심(Protopam) 1~2g을 정맥 내로 15~10분에 걸쳐 투여한 후 10~20mg/kg을 추가로 투여할 수 있음 • 발작 발생 시 항경련제(예: 다이아제팜 또는 벤조다이아제핀, 페노바르비탈) 투여

약물 또는 독성	중독 임상 현상	특별 통합관리
• 석유 증류물질	• 피부 홍조 • 고체온 • 구토 • 설사 • 복통 • 빠른호흡 • 호흡곤란	• 의복을 제거하고 비누와 물로 피부를 세척 • 산소 투여, 기관지 확장제, 기계적 환기가 필요할 수 있음
	• 청색증 • 기침 • 호흡음 변화: 거품소리, 기관지내 수포음, 호흡음 감소, 갈짓자걸음 • 혼동 • 중추신경계 억제 또는 흥분	• 톨루엔 관련 저칼륨혈증 시 칼륨 보충 • 할로겐화탄화수소 독성과 관련이 있는 것으로 추정되는 심실부정맥 발생시 베타 차단제 사용을 고려
• 펜사이클리딘 (PCP)	• 빈맥 • 고혈압 위기 • 고체온 • 초조, 과다활동 • 안진 • 멍하니 바라봄 • 저혈당 • 폭력적, 정신병 행동 • 운동실조 • 발작 • 근색소뇨, 신부전 • 졸음, 혼수 • 심정지	• 조용한 환경 유지 • 초조 및 불안 시 벤조다이아제팜(예: 다이아제팜) 투여 • 부정맥 발생시 베타 차단제 투여 • 항고혈압제: 혈관확장제(예: 니트로프루시드(Nipride)) 투여 • 저체온 발생시 담요를 이용하여 체온 유지, 고체온 발생시 아이스팩, 얼음물을 이용하여 체온을 내림 • 발작 발생시 항경련제(예, 다이아제팜, 페노바르비탈) 투여 • 급성 정신병 발생시 할로페리돌(Handol) 투여 • 근색소뇨 발생 수액, 이뇨제를 투여하고 소변의 알칼리화는 펜사이클리딘의 소변 제거를 방해하므로 탄산수소소듐 투여는 금기
• 살리실산염	• 초기: - 고체온 - 입이나 목구멍의 작열감 - 의식 수준 변화 - 점출혈, 발진, 두드러기 • 후기: - 과다환기(호흡알칼리증) - 구역, 구토 - 갈증 - 귀울림 - 발한 • 말기: - 청력소실 - 운동 쇠약 - 혈관확장 및 저혈압 - 호흡 억제에서 호흡정지 - 대사 산증	• 1시간 이내에 많은 양을 복용한 경우 위세척 고려 • 활성탄을 투여하거나 증상이 지속할 경우 위세척 • 장용 코딩된 살리실산염을 복용하여 지속적인 흡수와 독성이 나타나는 경우 장세척을 고려 • 포도당 수액(D_5W) 투여 • 저체온 발생시 담요를 이용하여 체온 유지, 고체온 발생시 아이스팩, 얼음물을 이용하여 체온을 내림 • 탄산수소소듐을 투여하여 혈청 알칼리화하고 조직 분포를 방지하여 살리실산 배출 속도를 증가시킴(혈청 pH >7.50으로 유지) • 칼륨, 칼슘, 마그네슘 수치를 관찰한다. • 발작 발생시 항경련제(예: 다이아제팜 또는 벤조다이아제핀, 페노바르비탈) 투여 • 필요한 경우 혈액 투석

표 10-7. 약물의 독성 효과 (계속)		
약물 또는 독성	중독 임상 현상	특별 통합관리
• 순환 항우울제 (CA)	• 항콜린제 - 빈맥, 두근거림 - 부정맥 - 고체온 - 두통 - 안절부절 - 동공확대 - 마른 입안 - 구역, 구토 - 삼킴곤란 - 장음 감소 - 요저류 - 심부건반사(DTR) 감소 - 안절부절, 이상행복감 - 환각 - 발작 - 혼수 - 항 알파 아드레날린성 - 저혈압 - QT 연장 및 퀴니딘 유사 리듬장애(비틀림 심실빈맥 포함) - 방실결절과 각차단(BBB) - 심부전의 임상 징후	• 환자가 의지가 있다면 복용 후 1시간 이내에 활성탄 투여 고려 • 조직 분포 및 독성을 줄이기 위해 탄산수소소듐 투여 (혈청 pH > 7.50으로 유지) • 칼륨, 칼슘, 마그네슘 수치를 모니터링 • 알칼리증을 완화하기 위해 과다환기를 시행할 수 있음 • 피조스티그민(Antilirium)은 삼환계 항우울제(TCA) 독성시 발작의 위험이 있음으로 투여하지 않음 • QRS 연장(QRS >110ms) 및 심실부정맥 발생시 탄산수소소듐 +/-고장식염수를 투여 • 불응성 광범위 심실부정맥은 리도카인 투여 • 부정맥 발생시 필요한 경우 심율동전환, 제세동 및 심박조율을 시행하고 퀴니딘이나 디기탈리스는 사용하지 않음 • 다형성 심실빈맥(torsades de pointes) 발생시 황산마그네슘 투여 및 고박동조율 시행 • 발작 발생시 항경련제(예: 다이아제팜 또는 벤조다이아제핀, 페노바르비탈) 투여 • 저혈압 발생시 수액 및 혈압상승제 투여

AV(심방방실, Atrioventricular), CNS(중추신경계, central nervous system), COHb(일산화탄소혈색소, carboxyhemoglobin), CPAP(지속기도양압, continuous positive airway pressure), DTR(심부건반사, deep tendon reflexes), ECG(심전도, electrocardiogram), GI(위장관, gastrointestinal), GU(비뇨생식기, genitourinary), HIE(고인슐린혈증 정상혈당, hyperinsulinemia euglycemia), IM(근육 내, intramuscular), IN(코안, intranasal), IO(골내, intraosseous), IV(정맥 내, intravenous), MI(심근경색증, myocardial infarction), NAC(N-아세틸 시스테인, N-acetylcysteine), PaO_2(동맥혈산소분압, partial pressure of oxygen), PAT(돌발심방빈맥, paroxysmal atrial tachycardia), PEEP(호기말양압, positive end-expiratory pressure), PO(경구, per os), PVCs(심실조기수축, preventricular contractions), SA(굴심방, sinoatrial), SQ(피부밑, subcutaneous), TCA(삼환계 항우울제, tricyclic antidepressant),
This article was published in Pass CCRN, 3e, Dennison RD, p. 717, Copyright Elsevier 2007.

신독성(신장 손상)은 간 손상과 함께 수반되거나 그렇지 않을 수도 있다. 혈액 투석이 필요한 신부전은 일반적으로 상당한 간 독성(간 손상)을 입은 환자에게서 발생하지만, 그렇지 않으면 정맥 내로 수액 투여 및 시간이 지나면 신장 손상은 호전된다. 장기간의 신기능 장애는 급성 아세트아미노펜 독성으로 예상되는 후유증이 아니다.

임상 소견을 혼동할 수 있는 또 다른 변수는 병용 복용이다. 아세트아미노펜은 종종 항콜린성 및 아편유사제(예: 하이드로코돈[Vicodin])와 혼합하여 사용된다. 다른 약물의 독성이 아세트아미노펜에 의해 유발된 독성 징후를 가릴 수도 있다. 또한, 과다 복용한 경우 아세트아미노펜 복용은 광범위한 이용 가능성과 초기 증상이 상대적으로 없기 때문에 환자에게 구체적으로 질문한다. 의도하지 않은 과다 복용의 경우 환자는 지속하는 통증(가장 흔히 치통, 두통, 복통)을 완화하기 위해 반복적으로 권장량 이상을 복용했을 수 있다. 또한, 환자가 무의식적으로 아세트아미노펜이 함유된 약물을 아세트아미노펜과 함께 복용하여 의도하지 않은 과량투여를 초래할 수 있다. 철저하고 정확한 병력을 청취하는 것은 진행된 간독성을 예방하는 데 매우 중요하다.

감별진단

응급실에 도착하면 진단 검사로 4시간 동안 아세트아미노펜 수치 확인, 간 기능 검사, 혈액 응고 검사(PT/INR), 전해질, 혈액 요소 질소(BUN) 및 크레아티닌 측정을 포함하여 시행한다. 중증 독성의 경우 대사산증으로 인한 산혈증은 이환율과 사망률의 신뢰할만한 예측 인자이기 때문에 젖산 수치, 동맥혈 또는 정맥혈 가스 분석도 할 수 있다.

혈청 아세트아미노펜 함량은 복용 시간에 따라 변한다. Rumack-Matthew 모노그램은 1,000IU/L 이상의 아스파르트산염 아미노기전달효소(AST) 수준으로 정의되는 중증의 간 손상이 발생할 수 있는 환자를 예측하는 데 사용할 수 있다. 모노그램은 4시간에 150ug/mL에서부터 24시간에 약 5ug/mL에 이르는 확립된 처치 방법을 가지고 있다. 복용 후 혈청 농도와 시간을 기준으로 개별 환자의 데이터를 그래프에 나타낼 수 있다. 이 그래프 라인 위에 환자의 표시가 나타나면 처치가 필요하다. 이 임계값 아래로 떨어지면 추가 처치는 필요하지 않다. 표준 처치 방법은 150ug/mL을 초과하는 경우 4시간 수준에서 처치를 시작하는 것이다. 그러나 이 경계는 단일 중독으로 한 번에 복용한 경우에만 유효하다. 만성 또는 다중 복용량 복용에는 유효하지 않다.

처치

처치의 결정은 주로 약물의 복용 시점과 철저하고 정확한 병력 청취에 중점을 둔다.

병원 전 단계

의식상태를 기준으로 필요에 따라 기도 관리를 포함한 집중적인 지지요법을 제공한다. 적극적으로 정맥 내 수액 소생술을 시행하고 해독제가 효과적이기 때문에 활성탄은 투여하지 않는다. 증상 조절을 위해 정맥 내로 항구토제를 투여할 수 있다.

병원 내 단계

아세트아미노펜 독성의 처치는 정맥 또는 경구용 아세틸시스테인(NAC)이다. 경구용 아세틸시스테인은 N-아세틸-p-벤조퀴논 아민(N-acetyl-p-benzoquinone imine, NAPQI)을 해독하고 글루타티온을 재합성하며 염증 독성을 감소시키고 아세트아미노펜을 무독성 대사산물로 대사를 촉진하는 다양한 방법으로 작용한다. 복용 후 8시간 이내라면 글루타티온 함량이 고갈되기 전으로 심각한 간 손상을 피할 수 있다. 이는 재차 복용 시간을 정확히 확인하는 것이 중요하다는 것을 보여준다. 그러나 시간 경과의 정도 관계없이 아세틸시스테인는 플라시보(속임약)보다 효과적이다. 아세틸시스테인 처치는 세 가지 시점 중 하나의 시점에 도달할 때까지 계속한다.

1. 증상 및 검사 결과상 호전
2. 간이식을 수행
3. 환자가 사망

독성의 진행이 없는 환자의 경우 처치 프로토콜은 일반적으로 최소 20시간 이상 진행된다. 아세틸시스테인 처치의 부작용은 일반적으로 경미하고 흔하지 않으며 쉽게 처치할 수 있다. 경구용 아세틸시스테인은 썩은 계란 냄새가 나기 때문에 구역과 구토의 발생률이 높다. 정맥 내 아세틸시스테인은 IgE가 매개하지 않는 알레르기 반응인 유사급성중증과민 반응과 관련이 있다. 증상은 일반적으로 발진, 가려움증 때로는 쌕쌕거림과 상부기도 부종을 포함한다. 아세트아미노펜 설명서에 따르면 가려움 10%, 저혈압 4%, 기관지 경련 6%, 혈관 부종 8%가 발생한다. 이러한 증상이 나타나는 경우 항히스타민제, 기관지 확장제 및 에피네프린으로 처치를 받는 환자는 필요에 따라서 이 중독 처치를 일시적으로 중단한다. 증상이 재발하면 경구용 아세틸시스테인을 사용할 수 있다. 소아 환자는 아세트아미노펜의 해독 대사량이 증가하여 성인과 비교하여 아세트아미노펜 독성으로부터 다소 보호된다. 임산부의 진단과 치료는 표준 처치와 다르지 않다. 만성 알코올 남용이나 영양실조(아마도 저장된 글루타치온 함량 감소) 환자는 간 독성의 위험이 증가할 수 있다. 그런데도 Rumack-Matthew 노모그램과 아세틸시스테인 처치 방법 변경을 뒷받침하는 증거가 없기 때문에 이러한 환자 그룹에서 동일하게 적용된다.

살리실산염

아스피린(아세틸살리실산, ASA)과 같은 살리실산염은 일반의약품인 진통제이다. 또한 많은 독성학적 응급 상황과 관련이 있다. 살리실산염 과다 복용은 다른 약물과 종종 함께 복용하기 때문에 복잡하다.

병태생리학

살리실산염은 시클로옥시게나제(COX-1 및 COX-2)를 아세틸화하여 프로스타글란딘 합성을 억제함으로써 치료제로 작용한

빠른 암기법

한 알의 약물이 병에 걸리거나 죽일 수 있다.

어린이들이 흔히 입에 뭔가를 넣는 행동은 많은 위험을 초래할 수 있다. 미국에서 2017년 6세 미만 어린이와 관련된 956,000건 이상의 의도하지 않은 위험 노출이 미국에서 보고되었다. 보고된 모든 노출의 45% 이상은 독극물 센터와 관련된 것이다. 노출 위험률이 높음에도 불구하고 이 어린이들은 모든 노출 관련 사망의 약 0.8%를 차지했다. 일부 약물은 복용하면 위험하고 작은 어린이(10kg 미만)에게 치명적일 수 있다. 아래의 표는 한두 알의 알약을 먹으면 치명적일 수 있는 일반적인 약물이다.

한 알 또는 두 알의 알약을 복용하면 10kg 미만 어린이의 사망을 유발할 수 있는 약물

약물 종류	예	독성 기전	독성 증상 및 징후
항부정맥제	플레카이니드, 퀴니딘	나트륨 채널 차단	PR/QRS 연장, QT (Class 1A agents), 두통, 구역/구토
항말라리아제	클로로퀸, 키니네	나트륨 채널 차단, 직접적인 망막 손상	PR/QRS 연장, 다형성, 저혈압, 이명, 시력소실, 두통, 현기증
칼슘통로차단제	딜티아젬, 베라파밀	심근 억제	서맥성 부정맥, 저혈압, 울혈심부전
아편유사제	코카인, 메타돈, 몰핀	호흡 억제	중추신경계 저하, 호흡 억제, 동공 축소
경구 설포닐유레아(항고혈당제)	글리피자이드, 글리부라이드	인슐린 분비 활성화	저혈당, 과민성, 졸음, 발작, 혼수
살리실산염	윈터그린(노루발풀) 오일	산증, 혈액뇌장벽(BBB)을 통과해 세포 대사를 방해	혼합 호흡 알카리증/대사산증, 귀울림, 의식상태 변화, 혼수, 폐부종
삼환성 항우울제	아미트립틸린, 이미프라민	나트륨 채널 차단, α1 차단	빈맥, 혼수, 발작, 저혈압, 서맥성 부정맥, 심실부정맥
주의해야 할 약물			
α 작용제(1&2)	클로니딘, 옥시메타졸린, 테트라하이드로졸린	대부분 α2 작용의 활성화	일과성 고혈압 중추신경계 억제, 혼수, 서맥, 저혈압
액체 니코틴	전자담배, 전자담배 용액	저용량에서 니코틴성 아세틸콜린 수용체(AChR)에 작용하고 고용량에서 무스카린 아세틸콜린 수용체에 작용	이중 패턴: 구토, 빈맥, 자율신경절 차단, 서맥, 저혈압, 혼수

AMS, Altered mental status; BBB, blood-brain barrier; CHF, congestive heart failure; CNS, central nervous system.
Modified from: Koren G, Nachmani A. (2018). Drugs that Can Kill a Toddler with One Tablet or Teaspoonful: A 2018 Updated List. Clinical drug investigation, 1-4. Bar-Oz B, Levichek Z, Koren G. Medications That Can Be Fatal For a Toddler with One Tablet or Teaspoonful: A 2004 Update. Pediatric Drugs, 2004; 6(2): 123-126, 2004.

다. 과량의 살리실산은 산화적 인산화를 분리하여 ATP 생성을 감소시키고 음이온차에 의한 대사산증을 유발한다. 또한 숨뇌 호흡중추의 자극은 또한 과다호흡 및 빠른 호흡으로 인한 일차 호흡 알칼리증을 유발한다.

증상과 징후

급성 살리실산염 중독의 초기 증상은 위장 자극, 구토 및 통증이 포함된다. 증상은 귀울림 또는 청력 감소, 과다호흡/빠른 호흡, 고열, 의식상태 변화 및 발작으로 진행할 수 있다. 아스피린은 매우 효과적인 진통제이기 때문에 현재는 심장 보호를 위한 일일 예방 목적으로 저용량으로 처방하고 있기 때문에 만성 중독이 아스피린으로 인해 발생할 수 있다. 위장 자극 및 통증과 같은 만성 중독 증상은 급성 중독의 초기 증상과 유사하지만, 의식상태 변화는 급성 중독 시에 더 흔하게 발생한다. 살리실산염 중독은 정신과적 문제를 호소하는 사람을 포함하여 모든 획일적인 의식상태 변화가 있는 환자에게서 고려한다.

감별진단

살리실산염 독성에 대한 실험실 평가는 동맥 및 정맥혈에서 살리실산염 수치와 혈액가스의 즉각적인 평가가 포함된다. 그 후 처치 효과를 적절하게 모니터하고 흡수 정도를 평가하기 위해 초기에는 2시간마다 일련의 수치와 혈액가스를 검사한다. 과량으로 투여한 경우 살리실산염은 흡수가 지연되고 제거가 감소하여 예측할 수 없는 약동학을 나타낸다.

처치

살리실산염 중독에는 직접적인 해독제가 없다. 일차 처치는 탄산수소소듐 투여를 통한 알칼리화이고 활성탄은 의식이 명료하며 협조적인 환자에게 투여할 수 있다.

병원 전 단계

정맥 내로 수액을 투여하고 병원 전 단계에서 거의 나타나지 않지만, 대사산증이 발생하면 탄산수소소듐을 볼루스 투여를 통해 적극적으로 처치한다. 지지요법과 기도 관리가 가장 중요하다. 가능하면 아스피린 과다복용 환자에게 삽관하지 않는다. 절대적으로 필요한 경우 고유 대사산증에 대한 환자의 호흡 보상을 제거하지 않도록 삽관 전 호흡수를 일치시킨다. 혈당검사를 하여 저혈당을 배제하고 호흡 구동 및 보상작용을 추적하기 위해 호기말이산화탄소분압 모니터링을 고려한다.

병원 내 단계

탄산수소소듐 투여는 살리실산염의 이온화된 상태를 변화시키고 체내 분포에 영향을 미치므로 사망률 증가와 관련된 중추신경계 침투를 제한한다. 혈청 알칼리화의 이차적 이점은 소변 알칼리화 및 제거 향상이다. 탄산수산염에 의한 저칼륨혈증은 신장에서 수소 재흡수를 증가시키고 산증을 악화시키므로 칼륨 보충이 중요하다. 혈액 투석은 최대 알칼리화 노력에도 불구하고 신부전, 혈청 살리실산염 검사에서 증가, 중증 대사산증, 중추신경계 독성 또는 심장 기능장애로 나타난다.

베타 차단제

베타 차단제는 고혈압, 관상동맥 질환, 울혈심부전, 부정맥, 편두통 예방 및 불안 장애의 처치를 위해 자주 처방되는 약물이다. 일반적으로 처방된 베타 차단제에는 메토프로롤(Lopressor, Toprol), 카베디롤(코레그), 프로프라노롤(Inderal) 및 아테노롤(Tenormin)이 있다. 티몰롤(Timoptic)을 포함한 국소 안과용 제제는 녹내장에 처방할 수 있으며 이러한 제제의 복용 및 사용으로 전신 중독이 보고되었다.

의도적이거나 의도하지 않은 복용으로 인한 베타 차단제의 중독이 자주 보고되고 있다. 2017년에는 베타 차단제 복용으로 인해 26,431건이 독극물 관리 센터에 보고되었으며 이로 인해 4,466건이 의료기관을 방문했다. 이렇게 많은 사례에도 불구하고 2017년 베타 차단제 독성으로 인한 사망자는 18명에 불과했다. 그런데도 베타 차단제 복용은 병원 전 단계에서 흔히 볼 수 있는 위험한 상황이다.

병태생리학

베타 차단제는 종종 각각의 약리학적 구조에 따라서 $\beta 1$ 특이적 작용제 또는 비특이적 작용제로 분류된다. $\beta 1$ 특이적 약물의 예로는 아테노롤(Tenormin)과 메토프로롤(Lopressor, Toprol)이 있다. 프로프라노롤(Inderal)은 비특이적 베타 차단제이다. 일반적으로 $\beta 1$ 수용체 억제는 G 단백질과 연결된 2차 메신저 시스템을 조절하여 심박 및 심근 수축력을 감소시킨다. 이러한 수용체는 주로 심장 조직에서 발견되고 말초 $\beta 2$ 수용체 작용제는 근육 이완과 혈관 확장을 일으킨다. 베타 차단제는 천식이나 만성폐쇄폐질환 환자(COPD)와 같이 기관지 수축 경향이 있는 환자에게서 호흡곤란을 유발할 수 있다.

증상과 징후

베타 차단제 독성이 의심되는 환자의 경우 모든 약물 복용과 마찬가지로 약물 노출, 약물 제형(즉시형/지속형), 대략적인 복용량, 복용 시간 및 가능한 한 함께 먹은 물질에 대해서도 자세하게 이력을 청취한다. 처방된 베타 차단제를 복용한 환자의 경우 처방이 필요한 기저 질환에 대한 정보를 얻는 것이 처치를 결정하는 데 도움이 될 수 있다. 예를 들어, 중증 관상동맥 질환, 울혈심부전 또는 부정맥의 병력은 환자의 장기 처치에 대한 결정에 영향을 미칠 수 있다. 천식이나 만성폐쇄폐질환과 같은 과거의 폐 질환에 관해 확인한다.

환자는 일반적으로 베타-아드레날린 길항제를 복용한 후 서맥과 저혈압이 나타난다. 서맥은 동서맥일 수 있으며 드물지만, Ⅰ도, Ⅱ도 또는 Ⅲ도 방실차단을 나타낼 수 있다. 의식상태 저하는 복용한 특정 약물과 심혈 관계 독성에 따라 나타날 수도 있고 없을 수도 있다. 서맥이 발생하면 의식상태 변화는 대가 발생하면 뇌 관류저하 또는 약물의 직접적인 중추신경계 억제 효과, 특히 프로프라놀롤과 같은 친유성 약물에 의해 유발될 수 있다. 발작은 일부 환자 특히 프로프라놀롤 중독 환자에서 발생한다. 중추신경계 억제 환자는 호흡 억제를 일으킬 수 있다.

감별진단

베타 차단제 중독이 의심되는 환자의 경우 심혈관계의 집중적인 신체검사를 통해 호흡수 감소 및 급성 폐부종으로 인한 양쪽 거품소리 또는 쌕쌕거림이 나타날 수 있다. 모세혈관 재충혈 평가는 조직 관류를 평가하기 위한 보조 수단으로 사용한다. 베타 차단제 중독은 경미한 저혈당이나 칼륨 수치가 약간 상승하는 것과 같은 대사 장애를 유발할 수 있으며 이는 소아에서 임상적으로 중요할 수 있다. 경미한 저혈당이나 정상혈당은 베타 차단제 독성을 칼슘통로차단제 독성으로 인한 서맥 및 저혈압과 구별하는 것을 도울 수 있다. 다음 장에서 논의된 바와 같이 칼슘통로차단제의 독성은 일반적으로 고혈당을 동반한다.

베타 차단제 중독이 의심되는 환자의 평가는 말단 기관 기능 장애 및 관류저하를 확인하는 데 중점을 둔다. 의식상태, 심폐 기능, 모세혈관 재충혈 반응 및 소변 배출량에 대한 신체검사 외에 몇 가지 보조 검사를 종종 수행한다. 동맥혈 또는 정맥혈 가스 검사는 신속한 가스 교환 측정으로 알 수 있으며 조직 관류저하 및 저산소증에 따른 대사산증의 지표로 이용할 수 있다. 심전도는 심장 리듬을 평가하고 심근허혈을 배제하는 데 사용한다. 심장 효소(troponins)는 저혈압 및 불충분한 심근의 산소 전달로 인한 심근 손상을 나타낸다.

혈청 탄산수소염 수치의 감소와 혈청 요소 질소 및 크레아티닌 증가는 조직 관류 감소의 지표이다. 도뇨카테터를 삽입하고 소변 배출량을 측정하면 관류 상태를 실시간으로 가장 잘 측정할 수 있다. 중독의 중증에 따라 동맥관, 중심 정맥압 감시를 포함한 침습적 혈류역학적 모니터링을 시작할 수 있다.

처치

병원 전 단계

환자의 기도를 유지하고 정맥 라인을 확보한 후 알부테롤(Proventil, Ventolin)과 같은 베타 수용체를 흡입시키는 것은 쌕쌕거림이 있는 환자에게 사용한다. 베타 아드레날린 길항제의 심근 수축력 감소 효과 때문에 저혈압 환자에게 정맥 내로 생리식염수를 볼루스로 투여할 때 주의한다. 적극적인 수액 소생술은 폐부종을 유발할 수 있다. 환자의 의식상태 변화, 모세혈관 재충혈 지연 또는 허혈의 증후로 나타나는 것처럼 관류 상태를 유지할 수 없는 경우 약리학적 처치를 제공한다. 아트로핀은 관류저하와 관련된 서맥에 선택적으로 사용하지만, 그 효과는 미미하고 일시적일 수 있고 추가 처치가 필요한 경우가 많다.

글루카곤은 종종 베타-아드레날린성 길항제 독성에 대한 해독제로 언급된다. 베타-아드레날린 수용체와 같은 심장 글루카곤 수용체는 G 단백질과 결합하여 세포 내 고리형 아데노신 1인산(cAMP)을 증가시킨다. 동시에 글루카곤은 포스포디에스테라아제를 억제한다. 글루카곤은 혈관 확장제이므로 이에 상응하는 혈압 상승을 일으키지 않을 수 있다. 글루카곤의 효능에 관한 인체 데이터는 사례 보고 및 사례 연구로 제한되고 부작용으로는 구토, 고혈당 및 경미한 저혈당 등이 있다.

이러한 처치 방법이 실패하면 카테콜라민과 같은 혈압상승제를 사용한다. 심박동조율 처치가 실패한 환자에게는 거의 효과가 없다.

병원 내 단계

베타 차단제 중독 환자의 초기 응급실 처치는 병원 전 처치와 동일한 알고리즘을 따른다. 일차 처치를 실패한 경우 혈관작용 약물의 투여가 필요하다. 에피네프린(아드레날린) 투여는 심장 기능 개선 및 말초 혈압상승 효과를 향상할 수 있다. 노르에피네프린(levophed)과 페닐에프린(Neo-Synephrine)과 같은 일차 혈관수축제는 후부하를 증가시키지만, 심장 기능이 상대적으로 거의 개선되지 않기 때문에 덜 효과적일 수 있다. 이 처치는 심부전 및 폐부종을 더 악화시키거나 위험을 초래한다. 투여한 카테콜아민과 관계없이 처치 제공자는 복용한 약물을 해독하기 위해 고용량의 카테콜아민 투여(종종 권장 최대 복용량보다 높은 용량)가 필요할 수 있다는 것을 알고 있어야 한다.

새로운 처치 방법은 고인슐린 및 포도당(고인슐린혈증-정상혈당, HIE) 요법이다. 1~10units/kg의 인슐린을 일시에 투여한 후 1~10 unit/kg/hr를 투여하면 칼슘통로차단제 또는 베타 차단제 투여 결과로 저혈압 환자의 혈압, 심박출량 및 심근혈류를 개선할 수 있다. 고인슐린혈증-정상 혈당(HIE) 요법은 중독된 심근에 의한 포도당 이용 및 에너지 생산을 증가시키고 직접 혈관 수축 특성을 가질 수 있으며 심장의 지방산 대사 및 칼슘통로차단제 및 베타 차단제 중독에 유용하다는 것을 입증했다. 투여 후 처음에는 15분마다 환자의 혈당 수치를 확인하고 교정하며 이후에는 환자의 반응에 따라 확인한다.

베타 차단제 중독 처치의 기본적인 처치 개념은 모든 베타 차단제에 일반화될 수 있지만, 일부 약물은 고유한 성질을 가지고 있어 맞춤형 처치 전략이 필요하다. 예를 들어, 프로프라놀롤(Inderal)은 베타 차단제 중에서 가장 강력한 막 안정화 특성이 있다. 결과적으로 독성은 나트륨 채널 차단, QRS 연장 및 심실부정맥을 유발할 수 있다(나트륨 채널 차단은 고리형 항우울제에서 자세히 논의된다). 표준 요법 이외에도 프로프라놀롤 독성 처치에는 탄산수소소듐 투여가 필요할 수 있다. 또한, 프로프라놀롤은 가장 친유성 베타 차단제이므로 다른 베타 차단제보다 발작을 포함한 심각한 중추신경계 독성을 유발한다. 벤조다이아제핀은 프로프라놀롤에 의해 발생한 발작의 일차 치료제이다.

칼슘통로차단제

칼슘통로차단제는 미국 독극물 통제 센터에 보고된 심혈관 약물 노출의 약 40%와 심혈관 약물로 인한 사망의 65% 이상을 차지한다. 다음과 같은 미국에서 일반적으로 처방되는 세 가지 종류의 칼슘통로차단제가 있다.

1. 페닐알킬아민(예, 베라파밀[Calan, Isoptin])
2. 벤조다이아제핀(예, 딜티아젬[Cardizem, Cartia, Dilacor])
3. 디하이드로피리딘(예, 암로디핀[norvasc)과 펠로디핀(plendil])

베라파밀과 딜티아젬은 특징적인 심혈관 활동이 디히드로피리딘(Dihydropyridine)계열과 다르기 때문에 종종 논디히드르클래스(nondihydropyridines)로 불린다.

병태생리학

칼슘통로는 심장 세포, 혈관 민무늬근 및 췌장 베타 섬 세포에서 발견된다. 칼슘통로가 열리면 심근 수축과 혈관 민무늬근 수축에 기여한다. 췌장 세포에서 칼슘 유입은 인슐린 분비를 유발한다. 심장 근육, 관상 동맥 민무늬근 및 말초혈관에서 세포 내 칼슘 감소는 심박동수와 심근 수축력을 모두 억제하고 말초혈관 수축을 억제한다. 안정막전위 차이로 인해 디히드로피리딘 칼슘통로차단제는 말초혈관 칼슘통로에 우선 작용하여 말초혈관 저항을 감소시키지만, 처치 용량으로 심장 칼슘통로에는 거의 또는 전혀 영향을 미치지 않는다. 이 종류의 칼슘통로차단제는 일반적으로 반사성 빈맥을 유발하여 혈관을 확장해 혈압을 낮춘다.

증상과 징후

칼슘통로차단제가 유발하는 독성의 증상과 징후에는 복용한 칼슘통로차단제의 종류에 따라 가슴 통증, 호흡곤란, 어지럼, 실신, 저혈압, 서맥 또는 빈맥이 포함될 수 있다. 1도, 2도, 3도 심장 차단이 나타날 수도 있다. 이전 장에서 논의한 바와 같이 고혈당증은 일반적으로 칼슘통로차단제 독성을 동반하여 베타차단제 독성과 구별된다.

감별진단

칼슘통로차단제 복용 후 시행한 병력 및 신체검사는 베타차단제 복용 후 시행한 병력 및 신체검사와 유사하다. 특히 심혈관 질환에 관한 상세한 병력과 복용량, 유형 및 형태, 복용 시간 및 가능한 한 함께 복용한 물질을 확인하는 것이 중요하다.

환자의 기도와 호흡을 평가하고 안정화한 후 심혈관 평가는 환자의 혈압과 관류 상태를 종종 침습적 모니터링으로 시작한다. 환자의 의식상태가 변화되었거나 기도 반사가 감소한 환자의 경우 폐부종 및 흡인성 폐렴을 평가하기 위해 흉부 방사선 검사를 정기적으로 시행하도록 한다. 급성 폐부종은 폐음 청진 시 양쪽에서 거품소리가 들리고 산소 공급 없이 맥박산소측정시 산소포화를 감소시킬 수 있다. 의식상태는 보통 칼슘통로차단제에 의해 직접적으로 영향을 받지는 않지만, 뇌 관류저하는 환자의 의식 수준을 변화시킬 수 있다. 베타차단제 독성에서와 같이 모세혈관 재충혈 검사를 이용해 관류 상태를 평가할 수 있다. 중독의 증거가 있는 환자의 경우 도뇨카테터를 삽입하고 신장 관류 상태의 간접지표로 소변 배출량을 평가한다. 리듬 이상 및 허혈을 평가하기 위해 심전도를 측정한다. 전해질, 혈청 요소질소, 크레아티닌 및 심장 효소 검사를 시행하여 신상 손상, 대사산증 및 허혈성 심근 손상으로 인한 장기의 관류저하 가능성을 평가하기 위한 추가 지표로 활용한다. 동맥혈 또는 정맥혈 가스 측정은 산-염기 상태의 신속한 평가에 도움이 될 수 있지만, 흔히 필요하지는 않다. 반응이 없거나 장기간 움직이지 않은 환자는 혈청 크레아티닌 포스파키나제 검사 및 근육 구획 검사를 통해 횡문근융해증 유무를 평가한다.

처치

병원 전 단계

베타차단제 중독과 마찬가지로 칼슘통로차단제 중독의 초기 처치는 환자의 기도유지와 호흡을 조절하는 데 중점을 둔다. 저혈압을 교정하기 위해 식염수를 볼루스로 투여할 수 있지만, 그 효과는 심근 수축력 감소와 및 칼슘통로차단제와 관련된 폐부종이 발생할 수 있어 제한될 수 있다. 증상이 있는 서맥 환자에게는 아트로핀을 투여하지만, 종종 효과가 없거나 일시적으로만 효과가 있다. 베타차단제 중독에서 연구된 것과 유사한 용량의 글루카곤을 정맥 내로 투여할 수 있으나 효율은 떨어진다. 칼슘염의 투여는 결과를 향상할 수 있지만, 이 요법은 증상이 있는 고칼슘혈증으로 인해 사용이 제한될 수 있다. 정맥 내로 글루콘산칼슘 투여는 환자에게 위험을 초래하지 않으며 특히 여러 앰풀을 투여할 때 효과적일 수 있다. 염화칼슘은 글루콘산칼슘보다 3배 이상 많은 칼슘을 함유하고 있지만, 말초 정맥 자극 및 기타 부작용을 유발할 수 있다. 디곡신을 복용하는 환자의 경우 디곡신 독성을 증가시킬 위험이 있으므로 칼슘염을 사용하지 않는다.

병원 내 단계

정맥 내로 수액을 볼루스로 투여한 후 글루콘산칼슘이나 염화칼슘을 투여한다. 약물의 처방이나 투여가 지연되는 경우 처치 알고리즘에 따라 가능한 한 빨리 정상 혈당을 유지하면서 고용량 인슐린 요법을 시행한다. 그러는 동안 한편으로는 혈압상승제 정맥 내로 투여한다. 베타차단제의 독성과 마찬가지로 혈압상승제의 사용은 여러 약물 사용의 성공과 실패에 대한 보고와 함께 광범위하게 논의되었다. 도파민은 간접적인 교감신경 활성 때문에 사용할 수 있는 약물로 추천되지 않는다. 아트로핀 및 글루카곤을 투여하는 것이 합리적이지만, 중독된 심근에는 영향을 미치지 않을 수 있다.

중증 디히드로피리딘 칼슘통로차단제의 독성은 비디히드로피리딘(non-dihydropyridine) 칼슘통로차단제와 마찬가지로는 서맥과 저혈압을 유발할 수 있지만, 독성물질 복용은 일반적으로 반사빈맥으로 말초혈관 확장 및 저혈압을 유발한다. 결과적으로 정맥 내 수액을 투여한 후 선택되는 처치는 노르에피네프린(levophed) 또는 페닐에프린(neo-Synephrine)과 같은 말초혈관 수축제를 투여하는 것이다.

표준 요법이 실패하면 대동맥 내 풍선 펌프, 체외 막 산소 공급(ECMO) 또는 심폐우회술을 임시 처치로 고려할 수 있으며 제한적인 성공이 보고되고 있다.

삼환계 항우울제

삼환계 항우울제는 역사적으로 독성학적 응급 상황은 의도적인 과다 복용의 주요 원인이었다. 이 약물은 처치 지수가 좁아서 효과가 없는 저용량과 과다 복용량 사이에 미세한 차이가 있음을 의미한다. 더 새롭고 안전한 대한이 도입됨에 따라 삼환계 항우울제의 사용이 최근 감소했다.

병태생리학

삼환계 항우울제는 중추신경계에서 이용할 수 있는 노르에피네프린과 세로토닌의 양을 증가시켜 치료적으로 작용한다. 이러한 신경 전달물질의 재흡수를 차단하여 작용 기전을 연장한다. 또한, 삼환계 항우울제는 세포 이온 채널과 알파 아드레날린, 무스카린, GABA-A 및 히스타민 수용체를 차단한다. 삼환계 항우울제 중독의 특징은 심장 독성이다.

증상과 징후

삼환계 항우울제 독성은 심근에서 칼륨 유출 억제와 소듐통로 억제의 결과이다. 조기 증상과 징후에는 입안건조, 빈맥, 요저류, 변비, 동공 확대 및 흐려 보임과 같은 대표적인 항콜린성 독성 효과가 있다. 지연 증상과 징후에는 호흡 억제, 혼동, 환각, 고체온, 심실부정맥(다형성 심실빈맥 및 넓은 QRS 복합체 등) 및 발작이 있다.

감별진단

삼환계 항우울제의 혈청 농도는 중독의 중증도와 관련이 거의 없다. 아세트아미노펜 및 살리실산염과 같은 약물을 동시에 투여하는 것에 대한 평가를 수행한다. 다른 실험 연구에 따르면 필요 검사로는 전해질, 혈장 요소질소 및 크레아티닌, 음이온차이 분석, 일반혈액검사(CBC), 정맥혈 가스분석(VBGs)이 포함된다. 정성적인 소변 면역분석도 가능하다. 그러나 삼환계 항우울제 선별검사는 거짓 양성 결과를 초래할 수 있으며 독성을 정확하게 진단하는 데 의존해서는 안 된다. 환자의 임상적 및 심전도 평가를 통해 직접 처치한다. 흡인이 발생하거나 다른 호흡기 증상이 나타나면 흉부 영상에 나타날 수 있다.

처치

심장 합병증이 주요 사망 원인이기 때문에 삼환계 항우울제 과다 복용이 의심되는 환자에서 심장 모니터링이 중요하다. 과다 복용 후 수일 내에 갑작스러운 심장마비가 발생할 수 있다. 갑자기 심장 마비가 과다 복용 후 며칠 후 발생할 수 있다. 삼환계 항우울제 중독에 대한 해독제는 없다. 복용 후 1시간 이내에 적절한 환자에게 활성탄을 투여하면 효과가 있을 수 있다.

병원 전 단계

지지요법을 시행하고 특히 심장 모니터링을 한다. QRS 연장 또는 발작의 증거가 있는 경우 정맥 내로 탄산수소소듐을 볼루스로 투여한다(그림 10-1). QRS <110ms를 유지하기 위해 종종 4 앰풀 보다 다량의 탄산수소소듐을 투여할 가능성을 예상한다. 초조, 떨림, 발작은 벤조다이아제핀의 투여량을 증가시켜 처치한다.

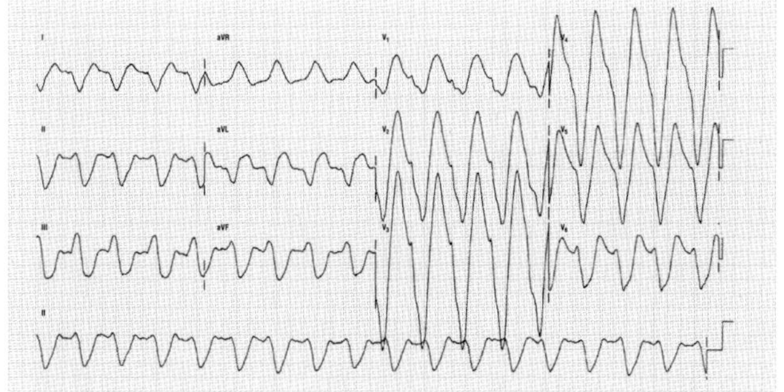

그림 10-1. aVR에서 연장된 QRS(>110ms) 및 R파를 나타내는 빈맥 심전도이고 이러한 결과는 주기적인 항우울제 과다복용으로 인한 중독을 시사한다.

병원 내 단계

무증상 환자는 후유증을 배제하기 위해 최소 6시간 동안 관찰한다. 탄산수소염 투여로 알칼리화 혈청(pH 7.50~7.55)을 유지하는 것은 심장 전도를 방해한다. 이 처치는 넓은 QRS(>120ms) 또는 심실 전위가 발생하는 경우 실시한다. 항콜린 작용으로 인해 빈맥이 예상된다. 심박수가 감소는 강력한 소듐통로 차단, 심장 독성 악화 및 탄산수소소듐 처치의 필요성을 나타낸다.

리튬

리튬은 조울증으로도 알려진 양극성 장애를 치료하는 데 사용하는 약물이다. 리튬은 효과적인 치료제이지만, 치료 계수가 좁기 때문에 우발적이거나 의도적인 중독의 가능성이 커진다. 우발적인 치료 중독을 피하고자 필요에 따라 환자의 리튬투여량을 조절하기 위해 정기적인 혈액 검사가 필요하다.

급성 대 만성 복용, 혈청에 수준에 비례하는 용량, 과다 복용량을 포함한 몇 가지 변수가 약물의 독성에 영향을 미친다. 독성은 탈수, 이뇨제 사용 및 신장 기능 장애로 악화한다.

병태생리학

리튬은 적은 양이온으로 나트륨과 유사하고 나트륨 대신 작용하지만, 효과는 다르다. 약물이 신경 세포막 기능, 세포 내 나트륨 및 에너지 균형, 호르몬 반응의 변화를 변화시키는 것으로 생각되지만, 리튬이 약 효과를 나타내는 정확한 기전은 아직 알려지지 않았다. 이러한 효과는 영구적인 중추신경계 손상을 일으킬 수 있다. 리튬은 신장 기능을 감소시키고 신장에 의해 거의 완전히 제거된다. 약물의 이러한 특성으로 인해 때로는 의도하지 않은 리튬 재흡수를 유발한다.

증상과 징후

리튬 중독의 증상과 징후는 복용량과 독성의 급성, 만성상태에서 급성 또는 만성 복용과 관련이 있는지에 크게 의존한다. 혈청 농도는 독성 정도를 예측하는 데 오류를 일으킬 수 있다. 이전에 리튬에 노출되지 않은 환자는 포화 조직 분포가 없기 때문에 혈청 중 수치가 높고 나타나는 증상이 적을 것으로 예상된다. 이는 포화 농도가 조직에 분포되지 않았기 때문이다. 그러나 만성 복용의 경우 기존 중추신경계 리튬 수치로 인해 더 낮은 수준에서 더 심각한 독성을 보일 수 있다. 경미한 증상으로는 구역, 구토, 과도한 갈증 및 근육 경련 등이 있다. 진행성 독성으로 인해 떨림, 근간대경련, 고나트륨혈증을 유발하는 요붕증, 혼동, 섬망, 혼수 및 드물지만 심각한 경우에는 저혈압, 심전도 이상 및 리듬장애가 발생한다.

감별진단

리튬 독성이 의심되는 환자의 정밀 검사는 증상이 해결될 때까지 소변 검사와 혈청 리튬 및 소듐 수치의 연속적인 모니터링을 시행한다. 심장 모니터링이 필요할 수 있다. 정확한 결과를 얻으려면 혈액 샘플을 리튬이 함유되지 않은 튜브에 넣어야 한다. 갑상샘 기능검사, 아세트아미노펜 수치 분석 및 허리천자는 다른 원인을 배제하는 데 유용할 수 있다. 독성 물질을 함께 복용할 수도 있다는 것을 항상 고려한다.

처치

병원 전 단계

현장에서 처치는 주로 보조적이다. 기도, 호흡 및 순환을 유지하고 정맥 라인을 확보한다. 체액 소실이 심혈관계 및 신장시스템에 미치는 영향 때문에 리튬 중독환자에게 수액 소생술은 특히 중요하다. 일부 연구에 따르면 소듐 요법은 신장에서 리튬 제거를 촉진한다.

병원 내 단계

리튬 중독의 병원 처치는 체액량을 정상으로 회복시키고 정상 소듐 수준을 유지하는 데 중점을 둔다. 만성 리튬 중독은 일반적으로 탈수 및 관련 신장 손상이 나타난다. 리튬 중독환자의 대다수는 수액 소생술만으로 처치할 수 있다. 급성 리튬 중독은 주로 위장관 내 독성과 관련이 있으며 증상에 따라 처치한다. 혈액 투석은 영구적인 신부전, 중증 심혈관 질환 또는 중증 신경계 증상과 관련된 중증 중독의 드문 경우에 시행한다.

암페타민

암페타민은 심각한 독성을 유발할 수 있고 일반적으로 남용되는 다양한 종류의 합법적이고 불법적인 약물이다. 이러한 약물은 특히 주의력 결핍 과다활동 장애(ADHD) 처치에 사용되는 약물을 남용하는 것은 흔한 이리며 부분적으로는 점점 더 많은 청소년에게 처방되고 있기 때문이다. 1980년대 이후 주의력 결핍 과다활동 장애에 대한 각성제 처방 건수는 4배 증가했다. 한 익명의 설문 조사에서 미국의 12학년 학생 중 15%가 처방된 암페타민을 남용했다고 인정했다.

처방된 암페타민에는 메틸페니데이트(Ritalin, Concerta), 암페타민/덱스트로암페타민(Adderall), 펜터민(Adipex-P), 아토목세틴(Strattera) 및 덱스메틸페니데이트(Focalin)가 포함된다. 이러한 약물은 일반적으로 주의력 결핍 과다활동 장애를 치료하는 데 사용되지만, 때에 따라 다이어트약으로도 사용된다. 또한, 파킨슨병 치료에 사용되는 셀레기린(Eldepryl)은 l-메스암페타민으로 대사된다.

암페타민, 메스암페타민, 메틸렌다이옥시메타암페타민(MDMA 또는 "엑스터시"), 메스케치논("cat" 또는 "Jeff")을 비롯하여 다양한 종류의 불법 암페타민이 남용되고 있다. 대부분 사용자는 단순히 기분이 좋아지기 위해 남용하지만, 일부 사용자는 신체 기능 향상제로 사용한다. 메스암페타민 남용은 약물의 놀라운 효능 때문에 특히 위험하다. 약물 남용 경고 네트워크에 따르면 메스암페타민 사용과 관련된 응급실 방문은 2007년 67,954건에서 2011년 102,961건으로 증가했다.

카티논은 카트(khat) 잎에 있는 활성 화합물로 동부 아프리카의 사람들이 일반적으로 각성 효과를 위해 씹었던 물질이다. 카티논의 화학 구조는 메틸메스케치논 및 메틸렌다이옥시피로발론(MDPV)과 같은 더 새롭고 강력한 각성제를 만들기 위해 변경되었으며 남용된 각성제의 구성 성분은 목욕용 소금이라고 한다. 또한 화학 구조를 기반으로 하는 2C, 2C-I, 25I 및 25C-NBOMe 화합물로 불리는 암페타민 특성을 보인 새로운 각성 환각제는 일반적으로 산성 또는 N 폭탄(N-bomb)이라고 불리며 인기를 얻고 있다. 화학자들이 암페타민, 카티논 및 기타 약물을 변형시켜 개발하는 합성 물질의 수는 끝이 없다.

플로리다와 다른 지역에서 "플라카(Flakka)"로 널리 알려진 알파-피롤리디노펜티오페논(알파 - PVP)이라는 위험한 합성 카티논 약물의 사용이 급증했다. 이것은 많은 것 중 단지 일례일 뿐이다. 알파-피롤리디노펜티오페논는 목욕용 소금이라고 불리는 합성 카티온 약물과 화학적으로 유사하며 전자 담배 또는 이와 유사한 장치에서 먹거나 코로 흡입, 주사, 증발시킬 수 있는 흰색 또는 분홍색의 악취가 나는 결정 형태를 취한다. 약물을 혈류로 매우 빠르게 보내는 증발은 특히 과다복용을 쉽게 만들 수 있다.

이러한 유형의 다른 약물과 마찬가지로 알파-피롤리디노펜티오페논는 과도한 자극, 편집증 및 환각을 수반하는 흥분성 섬망 상태를 유발하여 폭력적인 행동과 자해를 유발할 수 있다. 이 약물은 심장 마비뿐만 아니라 자살로 인한 사망과 관련이 있다. 또한 위험할 정도로 체온을 상승시켜 신장 손상이나 신부전을 유발할 수 있다.

처방된 암페타민과 불법 암페타민은 모두 다양한 방법으로 남용된다. 경구로 복용할 수 있고 충분히 정제된 경우 잘게 부수어 흡입하거나 주사 또는 태워 연기를 흡인할 수 있다. 이러한 약물 중 일부는 표 10-8과 같이 거리의 이름을 사용한다.

일반적으로 스터퍼(stuffers)로 알려진 경찰을 피하면서 포장된 약물을 복용하는 사람은 상대적으로 많은 양의 약물을 복용하고 포장이 위장관을 통과하도록 설계되지 않았기 때문에 중증 중독이 발생할 수 있다. 이들은 종종 경찰에게 조기에 발견되며 경찰은 그들이 포장된 약물을 삼키는 것을 볼 수 있다. 이러한 환자에게는 잠재적으로 독성을 약화하기 위해 활성탄 투여가 권장된다. 독성 효과가 항상 발생하는 것은 아니지만 이러한 환자는 지연된 흡수 및 독성의 위험 때문에 응급실에서 지속적 모니터링을 받아야 한다. 그렇지 않은 경우 평가 및 처치는 중독물 복용과 동일하게 시행한다.

다량의 약물을 복용하여 밀반입하는 패커들은 신원이 확인되면 중환자실에 입원한다. 포장 실패 위험은 상대적으로 낮지만, 이러한 많은 양의 약물이 위장관에 존재하기 때문에 약물의 방출로 인해 처치와 관계없이 중증 독성, 위장관 허혈 및 사망이 빠르게 발생할 수 있다. 실제로 포장된 약물의 외과적 제거는 이러한 환자에서 독성의 징후가 나타난 후에 시행된다.

불법 암페타민 사용 및 밀매와 관련된 또 다른 문제는 약물 오염의 가능성이다. 많은 암페타민은 그 자체로 손상을 유발할 수 있는 화학 반응을 일으킬 수 있다. 예를 들어, 납 및 수은 독성의 발생은 메타암페타민 오염으로 추정된다. 암페타민은 또한 코카인, 헤로인 및 마리화나와 같은 다른 약물과 함께 사용되어 독성 및 임상 증상을 변화시킬 수 있다.

병태생리학

암페타민은 내인성 카테콜라민과 구조적으로 유사하다. 이것은 시냅스 전 신경 말단에서 작용하여 시냅스 틈에서 생체 아민(노르에피린, 도파민 및 세포토닌)의 재흡수를 억제하고 이러한 신경전달물질의 분비를 촉진한다. 결과적으로 과도한 시냅스 후 자극은 이러한 자극은 약물 사용과 관련된 행복감뿐만 아니라 독성의 임상 증상을 초래한다. 화학적 치환은 암페타민의 효능을 변화시키고 독성에 약간의 변화를 일으킨다. 예를 들어, 메틸렌디옥시-메스암페타민은 주로 약물의 특징적인 임상 효과를 담당하는 세로토닌 특성이 있다.

증상과 징후

암페타민 남용은 교감신경 독성을 유발한다. 빈맥, 고혈압, 흥분 및 떨림이 대표적이다. 중증 중독은 발작, 두개내출혈, 심근 경색, 심실부정맥 또는 사망을 유발할 수 있다. 환자는 근력의 현저한 증가와 둔감한 통증 인식을 보일 수 있다. 과도한 도파민 분비로 암페타민 중독은 정신병과 비자발적인 움직임을 유발할 수 있다.

감별진단

복용량이나 복용 시간에 대한 기록을 얻는 것이 도움이 될 수 있지만, 이 정보는 처치에 큰 영향을 미치지는 않을 것이다. 약물 확인은 환자의 병력에서 가장 중요한 요소이다. 약물의 거리 이름을 알면 약물을 확인하는 데 도움이 될 수 있다(표 10-8 참조). 심혈관 질환, 발작 장애 또는 뇌졸중의 과거 병력에 대한 추가 정보를 수집하는 것은 처치에 도움이 될 수 있다.

신체검사는 종종 교감신경 자극의 결과인 동공 확대와 땀이 난다. 메틸렌디옥시-메스암페타민을 복용한 환자의 경우 이갈이를 관찰할 수 있다. 특히 광란의 파티에서 메틸렌디옥시-메스암페타민 사용은 의식상태 변화 또는 발작을 일으킬 수 있는 저나트륨혈증과 관련이 있다. 암페타민 과다 복용으로 인해 반사항진 및 과도한 운동이 근육 파괴와 횡문근융해를 유발하여

표 10-8. 일반적인 길거리 약물의 명칭

약물	길거리 이름
메스암페타민(Methamphetamine)	Crank, speed(경구 또는 주사제), ice, crystal meth(연무형)
메틸렌디옥시-메스암페타민 (Methylenedioxy-methamphetamine, MDMA)	Ecstasy, E, XTC, Adam, 007, B-bomb, care bear, Deb, go Jerry Garcia, love pill, playboy, wafer, white diamond
메카티논(Methcathinone)	Cat, Khat, Jeff, ephedrine, Flakka

미오글로빈뇨 신부전을 일으킬 수 있다. 고열은 늦게 나타나고 불길한 징후이다. 사실 모든 활력징후 중 고열은 암페타민 과다복용 환자에서 심각한 이환율과 사망률을 가장 잘 예측할 수 있게 한다.

처치

벤조다이아제핀 투여, 정맥 내 수액 소생술 및 신속한 외부 냉각 처치가 암페타민, 카티논 또는 유사한 교감신경 자극 독성 처치의 핵심이다.

병원 전 단계

교감신경작용제 중독 환자의 병원 전 처치는 적절한 기도 관리와 지속적인 심장 모니터링으로 시작된다. 혈당을 측정하는 것은 의식상태 변화와 빈맥의 원인인 저혈당을 배제하는 데 중요하다. 그렇지 않으면 정맥 라인을 확보하고 수액을 볼루스로 투여한다. 발한, 활동 증가 및 체액 소실로 인해 암페타민 중독 환자는 종종 탈수되어 수액 소생술 필요하다. 또한, 정맥 내로 수액을 투여하면 횡문근융해로 인한 신장 손상으로부터 환자를 보호할 수 있다. 이러한 개인은 신속하고 적극적인 외부 냉각이 필요할 수도 있다. 중심체온을 신속하게 측정하고 지속해서 모니터링한다.

초조하고 공격적인 환자에게는 벤조다이아제핀(다이아제팜, 로라제팜 또는 미다졸람)을 투여한다. 진정 작용에 필요한 용량은 환자마다 다르지만, 처치의 목적은 진정을 유도하고 과도한 운동 활동을 억제하는 것이다. 벤조다이아제핀은 또한 교감신경차단제로 작동하여 빈맥과 고혈압을 치료한다. 때로는 적절한 진정 작용에도 불구하고 환자는 과도한 도파민 자극으로 인해 리드미컬하거나 비자발적인 움직임을 보일 수 있다. 할로페리돌(Haldol)은 이 운동 장애를 치료하는 데 사용할 수 있지만, 발작의 위험이 있으므로 가능한 벤조다이아제핀을 투여할 때까지 할로페리돌 투여를 보류한다.

케타민은 최근 암페타민 독성과 관련해서 발생하는 흥분된 섬망 처치하는 데 선호되는 약물이다. 현재의 증거는 부족하지만, 과도한 신체적 활동의 환자를 적극적으로 관리하거나 통제하는 데 도움이 된다. 환자의 심폐 상태를 모니터링하는 것이 필수적이다.

흉통을 호소하거나 심각한 중독의 증거가 있는 환자는 12-리드 심전도를 검사를 시행한다. 아스피린이나 나이트로글리세린을 투여하는 것을 고려할 수 있지만, 의식상태가 변화된 환자의 경우 뇌 컴퓨터 단층촬영(CT)을 통해 두개내출혈을 배제할 수 있을 때까지 아스피린을 투여하지 않는다. 벤조다이아제핀으로 근본적인 독성을 치료하면 심혈관 후유증도 처치할 수 있다. 심근 허혈은 혈관 폐쇄성 질환보다 혈관연축과 더 일반적으로 관련이 있다. 마지막으로 고체온 환자의 경우 외부 냉각을 시행한다.

병원 내 단계

초기 안정화 후 응급실에서 환자 평가는 암페타민 중독으로 인한 말초 기관 손상을 확인하는 데 중점을 둔다. 가장 일반적으로 영향을 받는 것은 중추신경계 및 심혈관계이다. 조영제를 사용하지 않은 뇌 컴퓨터단층촬영은 종종 출혈, 뇌부종 또는 허혈의 초기 증거를 평가하기 위해 수행한다. 심전도 및 심장효소 검사는 심근 허혈 및 심실부정맥의 위험 때문에 처방할 수 있다.

혈액 검사에는 CBC, 신장 기능 검사, 전해질 농도 및 총 크레아틴 키나아제 측정이 포함된다. 대사산증은 주로 정신 운동 활동의 증가로 인한 심각한 교감신경작용제 중독에서 흔하므로 정 아픈 환자에서 정맥혈 가스분석검사(VBG)를 시행한다. 임상 증상에 따라 추가 검사가 필요할 수 있다.

소변 검사는 암페타민의 유무 확인할 수 있지만, 가능하지만, 급성 관리를 유도해서는 안 된다. 교감신경작용제 독성과 일치하는 환자의 임상 증상 및 주요호소증상이 처치를 시작하기에 충분한 근거가 될 수 있다. 또한, 처방 약물 및 일반 의약품(예: 슈도에페드린[Sudafed])은 표준 소변 약물 검사에서 거짓 양성 결과를 나타낼 수 있다.

응급실에서 처치는 병원 전 단계와 유사하다. 중증의 경우 프로포폴(Diprivan) 또는 페노바르비탈 (Luminal)을 이용한 기관내삽관 및 진정이 필요할 수 있다. ST 분절 상승 심근경색(STEMI)을 포함한 활동성 심근허혈 환자는 심장내과 진료가 필요할 수 있으나 이 환자에서 심장도관삽입 여부는 명확하지 않다. 일반적으로 급성 약물 독성은 일단 환자가 혈류역학적으로 안정되면 후속 심장 검사를 시행한다. 그러나 심전도 또는 심초음파에서 심근 경색이나 심근 손상의 중심 영역은 잠재적인 심장동맥 병변을 의심한다. 혈관 독성, 고혈압 및 혈전증을 뒷받침할 증거가 없기 때문에 교감신경 자극제 중독을 보이는 환자에게 혈전용해제를 투여하지 않는다. 환자는 초기 안정화 후 중환자실에서 치료가 필요할 수 있다.

바비투르산염

바비투르산염은 1903년부터 상업적으로 이용할 수 있었다. 페노바르비탈(Luminal)은 새로운 항경련제가 등장하기 전에 발작 장애를 처치하기 위해 광범위하게 사용되었으며 여전히 불응성 또는 조절되지 않은 발작 장애를 처치하는 데 사용되고 있다. 일부 환자는 수년간 페노바르비탈로 성공적으로 치료되고 있다. 페노바르비탈로 대사되는 프리미돈(Mysoline)은 항경련제로 사용된다. 카페인과 아스피린(Fiorinal) 또는 아세트아미노펜(Fioricet)과 결합한 부탈비탈은 주로 편두통 처치에 사용되는 바비투르산염이다. 일반적으로 알려진 다른 바비투르산염은 사용할 수 있지만 거의 처방되지 않는다. 바비투르산염는 치료 지수가 좁고 모든 진정제 중 이환율과 사망률이 가장 높다.

병태생리학

바비투르산염는 주로 GABAA 수용체 결합을 통해 작용한다. GABAA 수용체 작용은 염화물 유입 기간을 연장하고 세포막을 과분극시킨다. 따라서 GABAA 작용제는 신경 억제 및 진정 작용을 유발한다. 이러한 기전은 주로 바비투르산염의 치료 및 독성 효과를 담당하게 된다. 진정 작용은 NMDA 수용체에서 흥분성 신경 전달물질인 글루탐산염의 억제에 의해 더욱 강화된다.

증상과 징후

진정 작용은 바비투르산염 중독의 주요 임상 효과이다. 심각한 바비투르산염 과다 복용의 징후에는 저체온, 서맥, 저혈압 및 혼수가 포함될 수 있다. 나중에 논의되는 벤조다이아제핀과 달리 바비투르산염만으로는 저환기, 호흡 억제 및 때로는 무호흡을 유발한다. 다른 진정-최면제, 알코올 또는 아편유사제를 함께 복용하는 것은 호흡 구동의 상승작용 억제를 유발한다.

바비투르산염 복용 후 이차 손상은 저산소혈증, 저혈압 및 조직 내 저관류로 인해 종종 발생한다. 신장 손상 및 간 효소 수치 상승이 일반적인 검사 소견이고 저산소성 뇌 손상도 발생할 수 있다. 바비투르산염 중독의 또 다른 일반적인 효과는 기도 반사 소실과 및 흡인 폐렴으로 심한 경우 급성호흡곤란증후군을 유발할 수 있다. 또한, 혼수상태에서 장기간 부동 상태를 유지하면 환자의 위치에 따라 피부 손상, 횡문근융해증 및 구획증후군을 유발할 수 있다. 혼수 환자에서 발견되는 욕창은 바비투르산염 과다 복용환자의 합병증으로 오래전부터 유행했기 때문에 미늘 수포라고 불리지만, 이 별명은 오해의 소지가 있다. 이러한 액체로 채워진 물집(그림 10-2)은 움직일 수 없는 상태에서 지속적인 압력이 피부에 가해진 직접적인 영향이며 어떤 이유로든 움직일 수 없는 환자에서 발생할 수 있다. 이러한 현상은 바비투르산염 독성의 직접적인 결과는 아니다.

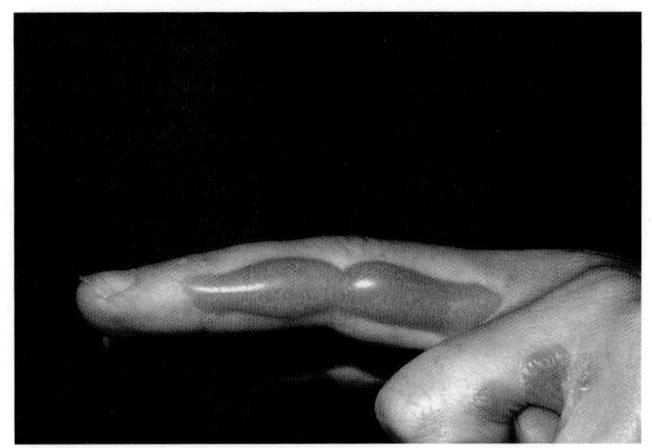

그림 10-2. "바비 물집". 고정화로 인한 피부 변화는 바비튜르산염 과다복용 환자에게서 볼 수 있다.

감별진단

관련된 의식상태 감소는 종종 바비투르산염 과다 복용환자에서 정확한 병력을 청취하기 어렵게 만든다. 반응이 없는 것으로 발견된 환자의 경우 발견 시 환자의 위치와 독성 지속 시간 추정치가 치료 및 예측 결과를 안내하는 데 도움이 될 수 있다. 이 정보는 일반적으로 친구나 가족으로부터 얻을 수 있다.

기도, 호흡 및 활력징후에 대한 일차평가 후에 뇌신경 및 심부건 반사는 평가를 포함하여 철저한 신경학적 검사를 한다. 이러한 반사가 없으면 심각한 독성을 나타낸다. 환자는 또한, 감소한 장음 감소와 복부 팽만이 있을 수 있다. 폐 검사는 거품 소리의 유무와 관계없이 느린 호흡을 나타낼 수 있지만, 이 검사는 독성이 약한 환자에게서는 정상일 수 있다. 근골격 검사 시 피부 물집에 특히 주의하고 팔과 다리의 근육 구획을 촉진한다. 구획증후군의 조기 발견은 환자의 전반적인 결과를 크게 향상할 수 있다.

처치

병원 전 단계

병원 전 환경에서 바비투르산염 중독 처치는 주로 지지요법을 시행한다. 환기 보조 및 고유량 산소 공급에도 불구하고 심각한 호흡 저하, 불응성 저산소혈증, 호기말이산화탄소분압에서 고이산화탄소혈증 또는 기도 보호 능력이 없는 환자에게는 호흡 보조 및 기도관리가 필요하다. 기도를 확보하고 환기가 적절한 경우 환자에게 산소를 공급하고 흡인을 방지하기 위해 침대의 머리 쪽을 약 30° 들어 흡인을 방지하고 상기도 연부조직 폐쇄가 있는 환자가 버틸 수 있는 경우 비강관을 사용한다. 경구 복용이 감소하고 경미한 저혈압 및 횡문근융해증 가능성으로 인한 체액 고갈을 처치하기 위해 정맥 라인을 확보하고 식염수를 볼루스로 투여한다.

병원 내 단계

응급실에서 바비투르산염 중독환자에 대한 평가는 기도 및 호흡의 평가로 시작한다. 여기에는 고칼슘혈증 및 산증에 대한 정맥혈 가스 검사와 흡인성 폐렴을 배제하기 위한 흉부 방사선 검사가 포함될 수 있다. 호흡 상태를 안정화한 후 소변 약물 검사를 통해 바비투르산염 노출을 확인할 수 있다. 혈청 페노바비탈 수치의 정량적 평가는 대부분의 병원에서 가능하지만, 결과가 반드시 독성과 관련이 있는 것은 아니며 임상 처치에 영향을 미치지 않는다. 환자의 약물에 대한 내성과 만성적 사용은 약물 수치가 아닌 환자의 임상 상태를 나타낸다. 일반적으로 80mg/L 이상의 페노바비탈 수치는 치명적인 것으로 간주한다.

이차 독성 평가에는 신장 및 간 기능 검사, 심전도 검사, 심장 효소 분석, 저산소 손상의 증거를 확인하기 위한 뇌 영상 검사가 포함된다. 종종 독성을 복잡하게 하는 근육 파괴와 그에 따른 횡문근융해는 신장 손상 유무와 관계없이 크레아틴키나아제 수치의 상승으로 나타난다. 일련의 크레아틴키나아제 측정 및 신장 기능 검사는 증상의 과정 및 회복을 추적하기 위해 자주 수행한다. 뇌파검사에서 뇌파는 심하게 억제될 수 있으며 뇌사의 깊은 진정 작용과 일치하는 결과와 유사하다. 그러나 바비투르산염 독성이 해결될 때까지는 뇌사 평가를 수행해서는 안 된다.

기관내삽관을 포함한 기도 관리는 심각한 중독 시 필요하지만, 경증 또는 중등도의 독성은 보충 산소 공급 및 지속적인 맥박산소측정만 필요로 할 수 있다. 저혈압은 초기에 정맥 내로 생리식염수를 볼루스로 투여하여 처치할 수 있고 불응성 저혈압은 혈압상승제를 투여한다. 노르에피네프린이 가장 일반적으로 사용되지만, 무작위 대조 연구에서 바비투르산염 중독환자에게 사용되는 다른 약물과 비교하여 혈압상승제의 이점을 보여준다. 호흡 및 순환 지원 외에도 일반적인 지지적 치료(수분 공급, 머리 높이기, 상처 처치, 재발 방지)가 처치의 주요 요소이다.

바비투르산염의 신속한 제거는 탄산수소소듐 투여를 통한 소변 알칼리화로 입증되었다. 투여 용액은 150mEq의 탄산수소소듐(3 앰플)을 1L의 5% 포도당(D5W) 용액에 첨가하여 준비한다. 30mEq의 염화칼륨을 추가하면 탄산수소염 투여와 관련된 중증의 저칼륨혈증을 예방할 수 있다. 처치의 최종목표는 특정 혈청 약물 수치보다는 의식상태의 개선이다. 표준 처치에 충분히 반응하지 않는 중증 중독의 경우 회복을 촉신하기 위해 혈액 투석이 효과적일 수 있다.

처치 제공자는 또한 초조하거나 불안해하는 환자에서 바비투르산염 금단현상을 인지한다. 모든 GABA 작용제의 금단 증상과 마찬가지로 환자는 빈맥, 고혈압, 진전, 발작 또는 섬망을 일으킬 수 있다. 처치는 문제의 원인에 상관없이 동일하다. 지속성 바비투르산염(예: 페노바비탈[Luminal]) 또는 벤조다이아제핀(예: 다이아제팜[Valium] 또는 로라제팜(Ativan))은 금단 증상을 예방하고 치료하기 위해 사용된다. 지속성 바비투르산염은 반감기가 길기 때문에 금단 증상이 흔하지 않다.

벤조다이아제핀 및 진정 수면제

진정-수면제는 바비투르산염 외에 다양한 종류의 약물이 포함된다. 이러한 약물은 유사성 때문에 장에서 벤조다이아제핀이라는 용어는 모든 진정-수면제를 포함한다. 벤조다이아제핀은 1960년대에 도입되어 안전성 프로파일이 개선되고 중독 가능성이 낮기 때문에 바비투르산염을 대체하였다. 벤조다이아제핀 계열의 약물은 자주 처방되고 과량 복용에 의한 중독이 일반적이지만, 벤조다이아제핀 단독 복용으로 인한 심각한 이환율과 사망은 드물다. 이환율과 사망률은 벤조다이아제핀을 알코올, 아편유사제 또는 바비투르산염과 같은 다른 중추신경계 억제제와 함께 먹을 때 높게 나타난다. 벤조다이아제핀은 그 자체로 호흡 억제를 일으키지 않지만, 기도를 보호하는 능력 감소의 원인이 될 수 있다. 방금 언급한 다른 약물은 호흡에 유사한 영향을 미친다.

벤조다이아제핀은 모 화합 물질의 반감기, 예상 작용 기간 및 활성 대사산물의 존재에 의해 서로 구별된다. 표 10-9는 일반적인 벤조다이아제핀에 대한 정보뿐만 아니라 벤조다이아제핀 유사 약물 같은 졸피뎀(Ambien)에 대한 정보를 나열한다.

표 10-9. 선택된 벤조다이아제핀의 지속 시간 및 반감기

지속시간 (추정)	벤조다이아제핀/ 벤조다이아제핀계약물	반감기 (시간)
단기	졸피뎀(ambien)	1.4~4.5
	트리아졸람(halcion)	1.5~5.5
중간	옥사제팜(serax)	3~25
	테마제팜(restoril)	5~20
	알프라졸람(xanax)	6.3~26.9
	로라제팜(ativan)	10~20
장기	클로디아제폭사이드(librium)	5~48
	클로나제팜(klonopin)	18~50
	다이아제팜(valium)	20~80

병태생리학

벤조다이아제핀은 GABAA 수용체에 영향을 미치므로 염화물 채널 개방의 빈도를 높인다. 이 기전은 중추신경계 억제 작용을 하여 불안을 완화한다. 보다 최근에는 졸피뎀, 잘레플론, 에스조피클론(Ambien, Sonata, and Lunesta, respectively)과 같은 비벤조다이아제핀 수면 보조제가 벤조다이아제핀을 사용을 능가했으나 이 약물은 불안을 해소하는 능력이 더 적다. 이 모든 약물의 주요 활성은 GABAA 작용제이다.

증상과 징후

벤조다이아제핀 과다복용 환자는 다양한 임상 양상을 보인다. 가장 주목할만한 것은 벤조다이아제핀을 단독으로 다량 복용 시 일반적으로 호흡 억제가 발생하지는 않는다. 일부 환자는 경미한 서맥이 나타나지만, 임상적으로 유의한 저혈압은 거의 발생하지 않는다. 그러나 흡인 폐렴증 또는 다른 진정제 또는 아편유사제를 함께 복용한 경우 저산소혈증이 나타날 수 있다. 만성폐쇄폐질환과 같은 기저 호흡기 질환도 호흡기 합병증을 유발할 수 있다. 장기간의 고정 후에 압력 궤양이 발생할 수 있지만, 미늘(barb) 수포와 마찬가지로 벤조다이아제핀에만 국한되지 않는다. 근육 구획의 단단한 정도는 근육 손상 및 구획 증후군의 가능성을 나타낸다.

신경학적 증상 및 징후는 진정 정도에 따라 다르다. 벤조다이아제핀에 대한 경미한 중독은 운동 실조, 불분명한 발음, 졸음, 안진을 유발한다. 중증의 중독은 깊은 진정을 유도하지만, 환자는 본질적으로 정상적인 활력징후를 보인다. 환자는 반사 저하와 느린 뇌신경 반사를 보일 수 있다. 환자는 종종 유해한 자극에 약간 반응하지만, 일부는 반응이 없다.

벤조다이아제핀 금단현상은 병원 전 처치 제공자가 인식해야 하는 중요한 증후군이다. 증상과 징후는 알코올 금단 증상과 유사하며 빈맥, 고혈압, 발한, 떨림, 발작 및 섬망을 포함한다. 이러한 증후군은 속효성 또는 중간정도로 작용하는 벤조다이아제핀 특히 알프라조람(Xanax)에서 만성적으로 의존하는 환자에게서 가장 흔하게 나타난다. 지속형 벤조다이아제핀을 투여한 후 용량을 줄이는 것이 이 질환에 대한 선택적 처치 방법이다.

오래전부터 비벤조다이아제핀 진정-수면제 독성은 특이한 특징을 보일 수 있다. 카리스프로돌(Soma)은 중추신경계에 작용하는 근이완제로 처방된다. GABA 작용제의 효과로 진정 작용을 일으키는 것 외에도 독성은 동빈맥과 근간대경련을 일으킬 수 있다. 중독의 정확한 기전은 명확하지 않다. 클로랄 수화물은 모든 할로겐 탄화수소와 마찬가지로 내인성 카테콜라민에 심근 민감화를 일으킬 수 있다. 결과적으로 환자는 베타 차단제 처치에 반응할 수 있는 심실 부정맥 환자의 경우 위험이 있다. 졸피뎀, 자일레플론, 에스조피클론(각각 Ambien, Sonata 및 Lunesta)은 GABA 작용제이지만, 벤조다이아제핀은 아니다. 그런데도 독성 효과는 유사하고 호흡 억제를 일으키지 않으며 플루마제닐(flumazenil)과 마찬가지로 가역적이다. 전반적으로 이러한 약물은 독성 및 금단 현상과 관련이 있다.

감별진단

바비투르산염 독성과 마찬가지로 벤조다이아제핀 유발 중독을 앓고 있는 환자의 병력은 일반적으로 파악하기 어렵다. 약물 사용 이력과 현장 조사가 진단에 도움이 될 수 있다. 벤조다이아제핀에 대한 현재의 처방은 단순히 이 약물을 사용할 수 있다는 것을 확인하기 때문에 복용 가능성을 증가시킨다.

의식상태 변화의 원인을 알 수 없는 경우 뇌 CT 검사, 암모니아 수치 측정, 간 기능 검사, CBC 및 소변 약물 검사를 포함하여 광범위한 검사를 시행한다. 대부분 일반 소변 약물 검사에는 벤조다이아제핀 검사가 포함되지만, 거짓음성 결과가 나올 수 있다. 확인을 위해 처치 제공자는 환자에게 다른 진정제가 나타나지 않는다면, 벤조다이아제핀 독성과 일치하는 노출 이력과 임상 경과에 의존한다.

처치

벤조다이아제핀 중독의 처치는 일차적으로 지지요법을 시행한다. 환자에게 정맥 내 수액 투여, 전해질 보충, 머리 올리기, 보충 산소 투여, 체온 유지 및 크레아틴키나아제와 신장 기능의 지속적 평가는 대부분 환자에게 유리한 결과를 가져온다.

병원 전 단계

가장 중요한 병원 전 처치는 적절한 자세를 취해 흡인으로부터 환자를 보호하는 것이고 보조 산소를 투여한다. 환자가 고골이나 호기말이산화탄소 수치의 상승과 같은 상부기도 폐쇄의 증거가 있는 경우 입인두기 또는 코인두기를 삽입할 수 있지만, 많은 환자는 이러한 처치를 견디기 어려워한다.

정맥 라인을 확보하고 생리식염수를 투여하는 것이 경계 혈압 또는 장기간의 혈압 저하의 증거가 있는 환자에게 도움이 될 수 있다. 환자는 때때로 경증의 저혈압을 보일 수 있지만, 일반적으로 수액 소생술에 반응하기 때문에 대부분 혈압상승제의 투여는 필요하지 않을 것이다. 벤조다이아제핀 복용 후 활성탄 사용은 일반적으로 의식상태 변화가 악화하고 그에 수반되는 흡인의 위험 때문에 권장되지 않는다.

병원 내 단계

환자의 기도 및 심혈관계 상태를 확인한 후 응급실에서 평가는 함께 복용한 약물, 특히 아세트아미노펜과 살리실산염을 확인하고 독성으로 인한 이차 장기 손상을 평가하는 것으로 구성된다. 모든 진정제와 마찬가지로 횡문근융해증으로 인한 신장 손상이 우려된다. 총 크레아틴키나제, 전해질, 혈청 요소 질소 및 크레아티닌의 측정을 일반적으로 시행한다. 저환기가 우려되는 경우 정맥혈 가스 측정을 시행할 수 있다.

기도를 보호하기 위한 기관내삽관이 때로는 필요하지만 환자에게 지속적인 환기는 거의 필요하지 않다. GABA 길항제, 플루마제닐의 일상적인 사용은 권장하지 않는다(약물에 대해서는 이전 장을 참조).

아편유사제와 아편제제

아편제제 및 아편유사제는 중추신경계 억제제이다. 펜타닐(Duragesic, Sublimaze), 모르핀(Duramorph, MS Contin), 메타돈(Dolophine), 옥시코돈(Percodan), 하이드로코돈(Vicodin, Norco, Lortab), 메페리딘(Demerol), 프로포시펜(Darvon), 헤로인, 코데인 및 아편이 이 약물 종류에 속한다.

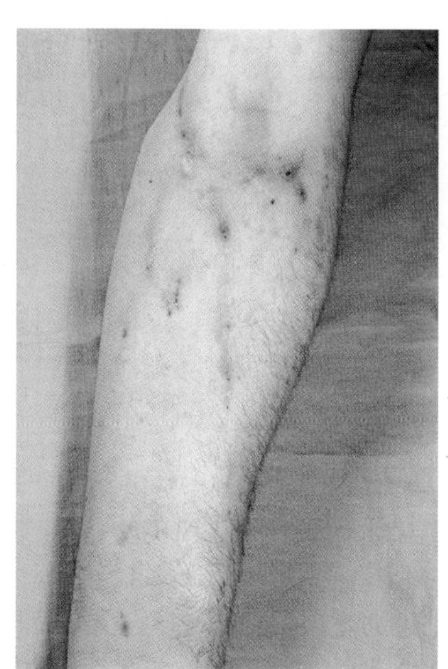

그림 10-3. **주삿바늘 자국**
©St Mary's Hospital Medical School/Science Source.

헤로인은 쓴맛이 나는 흰색 또는 회백색 분말이다. 일반적으로 설탕, 중도 또는 전분과 같은 다양한 물질과 혼용된다. 최근에는 펜타닐과 다양한 강력한 펜타닐 유사제가 헤로인 및 하이드로코돈 정제에서도 불순물로 발견되었다. 이러한 약물의 진정 효과는 과다 복용 시 호흡부전의 위험을 증가시킨다.

아편유사제는 경구, 코안(코골이), 피 내(피부 안), 정맥 내(일반적으로 사용) 또는 흡입(흡연)으로 투여될 수 있다. 스피드볼은 헤로인과 코카인을 함께 정맥 내 보루스로 투여하는 것이다. 주사 자국은 정맥 내로 약물을 투여하는 사람에게서 볼 수 있지만(그림 10-3), 명백한 주사 부위가 없다고 해서 헤로인이나 아편유사제 과다 복용 가능성을 배제할 수는 없다.

현장 안전을 항상 고려하고 오늘날 아편유사제 유행에서 펜타닐과 강력한 펜타닐 유사체는 실험실 및 약물 발작에서 흔히 볼 수 있는 것은 아니다. 적절한 개인보호장비는 아편유사제 독성환자를 처치할 때 자신을 보호할 수 있다. 펜타닐은 약물 패치와 같이 적절한 경우에 피부로 흡수될 수 있지만, 단순히 피부에 펜타닐을 접촉하는 것만으로 심각한 아편유사제 중독증후군을 일으키지 않는다.

병태생리학

아편제제와 아편유사제는 뇌의 아편제제 수용체에 작용하여 중추신경계의 억제를 유발한다. 그 작용 효과는 아편유사제에 따라 작용하거나 길항제로 나타날 수 있다.

증상과 징후

아편유사제 과다 복용의 증상과 징후는 다음과 같다.

- 이상행복감 또는 과민성
- 발한
- 동공수축
- 복부 경련
- 구역 및 구토
- 중추신경계 억제
- 호흡 억제
- 저혈압
- 서맥 또는 빈맥
- 폐부종

이 증상과 징후는 일반적으로 지지요법으로 처치할 수 있다. 중추신경계 억제, 축소된 동공 및 호흡 억제는 소위 아편유사제 중독으로 나타나는 전형적인 3가지 징후이다. 중증 중독은 호흡 정지, 발작 및 혼수상태를 일으킬 수 있다. 아편제제 중독은 이상행복감, 축소된 동공 및 저혈압을 근거로 다른 중독의 원인과 구별된다.

감별진단

가능한 진단 범위를 좁히기 위해서는 철저한 신체검사와 환자 병력 청취가 필요하다. 특히 아편제제의 종류, 제형(속효성 또는 지속형), 복용량, 복용 시간, 다른 약물과 함께 복용했는지 여부를 확인하는 것이 중요하다. 검사 결과는 이러한 정보에 의해 결정된다. 약물 선별은 단순한 중독에서는 특별히 유용하지는 않지만 보다 복잡한 중독에서 약물을 확인하는 데 도움이 될 수 있다. 중증 중독증후군에서는 약물 대사 검사, 정맥혈 가스 분석, CBC 및 크레아틴키나아제 수치에 의해 결정된다. 영상학적 검사는 환자가 법 집행을 피하고자 약물 포장을 삼킨 것으로 의심되는 경우 유용하다.

처치

아편제제 및 아편유사제의 과다 복용의 처치는 지지요법과 해독제인 날록손(Narcan)의 투여를 고려할 수 있다. 날록손은 아편제제와 구조적으로 유사하지만, 대항적 특성만 있다. 이것은 아편제제 수용체에 아편유사제 분자를 대체하여 효과적인 아편제제 효과를 억제한다. 이 과정은 동공수축, 호흡 억제, 의식상태 변화 및 심지어 혼수상태를 역전시킨다. 날록손은 거의 모든 아편유사제 및 아편유사제의 과다복용에 유용하다. 날록손에 대한 반응은 아편유사제 또는 유사한 중독을 나타낸다. 환자는 갑자기 고농도의 약물에 취해서 유니폼을 입은 사람들과 마주하게 되면 흥분하거나 폭력적으로 변한다. 발작은 가능한 부작용이므로 호흡억제가 있는 환자의 경우 날록손을 투여한다. 날록손은 병원 전 환경에서 환자의 상태를 바꿀 수 있는 가장 일반적인 약물이지만, 날트렉손 및 날메펜과 같은 다른 약물도 사용할 수 있다.

빠른 암기법

여러 관찰 연구에서 날록손에 의한 아편제제 유발 중독의 역전과 이후 환자가 시작한 거절 또는 환자가 현장을 떠나는 것을 검토했다. 문제는 환자가 길항제를 투여 받았지만, 이론적으로 아편제제의 작용 기간은 길항제의 효과보다 길 수 있다는 점이다. 샌디에이고, 샌안토니오 및 샌프란시스코의 EMS 기관(다양한 시간에 따라 다름)은 이러한 프로토콜을 체계적으로 검토하고 정보를 검시관 보고서와 비교했으며 이 관행과 관련된 사망자를 발견하지 못했다. 이것은 전국적으로 더디게 채택되었다. 최근에 발표된 추가 정보는 퇴원 전 1시간 동안 응급실에서 환자를 관찰하는 것의 안전성을 조사한다.

병원 전 단계

기도, 호흡 및 순환 유지를 포함한 지지적 처치가 가장 중요하다. 아편제제의 중추신경 효과 때문에 기도 관리가 특히 중요하다. 중추신경계 및 호흡억제가 분명하면 조기에 날록손을 투여하지만, 투여할 때는 주의한다. 환자의 의식 수준이 회복하면서 전투적으로 변할 수 있다.

병원 내 단계

병원 내 환경에서는 아편제제 길항제 처치가 끝난 후 예상치 못한 중추신경계 억제를 예방하기 위해 지지적 처치와 모니터링이 필수적이다. 날록손은 45~90분 동안 작용하는 반면, 아편유사제는 3~6시간 동안 작용한다. 특히 중증 중독의 경우 심장 모니터링이 중요하다. 날록손을 추가로 투여해야 하는 환자를 적절하게 모니터링하면서 지속해서 날록손을 투여하여 처치할 수 있다. 일반적으로 시간당 호흡 상태를 개선하는 데 필요한 용량의 2/3가 필요하다.

부프레노르핀과 혼합 약물은 현재 아편유사제 의존성에 대한 초기 처치를 지원하기 위해 응급실에서 사용하고 있다. 처치 효과를 높이기 위해 의사와 상담이 필요하다. 몇몇 EMS 기관은 포괄적인 처치 계획의 일환으로 현장에서 이 처치를 시작하고 있다. 이는 일반적으로 추가적인 지원과 후속 관리가 조정된다. 모바일 통합 건강프로그램도 이 처치 방법을 통합할 수 있는 능력을 모색하고 있다.

약물 남용

의학적인 용도로 합법적으로 처방된 많은 약물(예: 아편제제, 벤조다이아제핀)은 약물의 목적과 달리 또는 의도적 남용/오용의 대상이 되지만, 다음 장에서는 합법적인 의학적 용도가 거의 또는 전혀 없는 약물에 대해 논의한다. 분류를 위해 주로 남용 약물로 간주할 수 있으며 에탄올이 이 장에 포함되어 있다. 물론 많은 사람이 알코올음료를 책임감 있게 즐기지만, 알코올도 널리 남용되는 것은 부인할 수 없는 사실이다. 독성 알코올인 에틸렌글리콜, 이소프로필알코올 및 메탄올은 가정 및 작업에서 독소에 대한 장의 뒷부분에서 논의하도록 한다.

메스암페타민

메스암페타민 제조시설은 EMS 제공자에게 특히 위험하다. 메스암페타민 제조에 사용되는 화학물질은 휘발성이 매우 높으며 메스암페타민 생산의 부산물로 포스핀과 같은 독성 가스가 생성될 수 있다. 이러한 화학물질에 노출되면 점막 자극, 두통, 화상 및 사망을 유발할 수 있다. 더 큰 우려는 사제폭발물(IEDs)의 폭발 위험이다. 불법 메스암페타민 제조업자는 도둑과 경찰의 진입을 막기 위해 제조시설에 사제폭발물 부비트랩을 설치하는 경우가 많다. 경찰의 지원 없이 이러한 시설에 절대 들어가지 않는다. 실수로 메스암페타민 제조시설에 들어간 경우 들어간 경로와 동일한 경로를 이용하여 즉시 건물 밖으로 나온다. 건물 밖으로 나오는 동안 환자를 발견하면 가능한 한 빨리 환자를 안전한 곳으로 이동시켜야 한다.

코카인

코카인은 남아메리카가 원산지인 코카 식물에서 추출한 것이다. 코카인은 강한한 중추신경계 자극제로서 강력한 교감신경 자극을 유발하여 카테콜라민 분비를 증가시킨다. 평균 성인의 치사량은 약 1,200mg로 추정된다. 대부분 사망자는 심장 부정맥이 발생하며 이는 민감한 사람에게 훨씬 적은 용량으로 발생할 수 있다. 코카인은 아래와 같은 두 가지 형태가 오늘날 일반적으로 사용된다.

1. 분말 형태의 코카인으로 순수한 형태의 코카인인 순백색의 결정질 물질. 일반적으로 코를 통해 흡입되거나 코로 흡입한다.
2. 정제 코카인은 단단한 흰색 또는 회백색 덩어리, 결정체 형태를 취한다. 이 형태의 약물은 분말 형태보다 효과가 훨씬 강력하다. 코카인 덩어리는 금속 또는 유리관에 가열하여 연기를 흡입한다.

병태생리학

코카인은 신체에 다양한 영향을 미친다. 나트륨통로를 가역적으로 억제하여 신경 전달을 차단함으로써 국소 마취제 역할을 한다. 심근에서는 탈분극 속도와 활동 전위의 진폭을 감소시킨다. 코카인은 또한 신경절전 교감신경 말단에서 노르에피네프린과 도파민의 재흡수를 억제하여 중추 및 말초 아드레날린자극(뇌의 쾌감 중추 활성화)을 유발한다. 코카인은 또한 카테콜아민의 재흡수를 방지하여 연접후막에 축적되도록 한다. 이것은 세포 내 칼슘 수치를 증가시키고 신경전달물질의 활동 전위를 유지해 혈관 수축, 고혈압, 빈맥 및 심근 산소 소비량을 증가시킨다. 종합해보면 이러한 효과는 심장에 스트레스를 주며 때로는 심실세동과 심근경색을 유발한다.

증상과 징후

코카인 사용자들이 도취감과 활력을 느끼게 한다. 코카인은 중추신경계 자극제이기 때문에 코카인에 중독된 사람은 종종 의식이 깨어있으며 말이 많은 것처럼 보인다. 아편제제와 달리 코카인은 교감신경계를 자극하여 동공이 확장되지만 느린 반응, 빈맥, 혈관 수축 및 고혈압을 유발한다. 혈관수축과 운동 증가는 생명을 위협하는 고열을 유발할 수 있다. 도파민 재흡수가 제한적이기 때문에 발작이 발생할 수 있고 뇌졸중의 위험이 많이 증가한다. 여러 가지 이유로 심장 자극과 고혈압이 주요 원인이고 코카인을 사용하는 사람들에게 돌연사는 드문 일이 아니며 이것은 더운 날과 밤에 일반적으로 발생한다.

감별진단

의심되는 코카인 과다 복용의 감별진단은 사용한 약물, 투여 방법 및 투여한 약물의 양과 지속 시간을 포함하여 철저한 환자의 병력 청취를 시작한다. 환자의 병력에 특이 사항이 없고 경미한 증상이 있는 경우 일반적으로 혈액 검사가 필요하지 않다. 그러나 환자의 병력을 확인할 수 없거나 임상적으로 유의한 독성이 나타나는 경우 CBC, 포도당, 칼슘, 혈장 요소 질소, 크레아티닌, 전해질 및 트로포닌의 측정, 임신 테스트, 소변 검사, 독성 스크리닝 검사 등이 필요하다. 크레아틴키나제 검사는 환자의 증상 및 징후의 원인으로 횡문근융해증을 배제하는 데 도움이 될 수 있다. 혈청 코카인 수치는 신뢰할 수 없으며 약물의 반감기가 짧으므로(30~45분) 임상적으로 유용하지 않다. 반면에 정성적 소변 검사는 코카인 대사산물을 확인하고 사용 후 평균 3~4일 동안 위양성 또는 위음성 검사 결과가 거의 없이 양성을 유지한다. 가슴 통증이 있는 환자는 표준 심장 진단 프로토콜을 따라야 한다.

영상의학적 검사는 머리 손상과 호흡기 문제 배제하는 데 유용할 수 있으며 약물 남용의 징후(예: 비경구 남용으로 인한 육아종 변화)를 나타내거나 환자가 약물 패킷을 삼켰는지를 확인할 수 있다.

처치

코카인 중독의 주요 치료법은 기도, 호흡 및 순환 보조를 포함한 지지적 처치이다. 산소 투여, 정맥 라인 확보, 심장 모니터링 및 맥박산소측정을 일반적으로 시행한다.

에피네프린은 심혈관계 효과가 코카인과 유사하기 때문에 가능하면 코카인 중독환자에게 사용하지 않는다. 바소프레신이 종종 더 나은 대안이다. 일부 보고에서 또한 이러한 환자들에게 비선택적 베타 차단제를 피해야 한다는 것을 보여준다.

병원 전 단계

코카인 사용자는 특히 다량을 복용한 후 불규칙하거나 폭력적인 행동을 보일 수 있기 때문에 당신의 안전이 가장 중요하다. 필요한 경우 경찰의 도움을 조기에 요청하고 환자의 신체 언어와 행동을 주의 깊게 모니터링한다.

혈당을 측정하여 저혈당을 배제하고 부정맥이 있는 환자는 적극적인 심장 관리가 필요하다. 관상동맥 수축으로 인한 심장 허혈을 찾기 위해 12 리드 심전도로 심장 모니터링을 시작한다. 환자를 진정시키고 중추신경계 자극을 줄이며 발작을 처치하기 위해 필요한 경우 벤조다이아제핀을 사용한다. 벤조디아핀은 코카인 복용에 대한 주된 처치이다. 병원 전 처치를 시행하는 동안 환자의 체온을 낮추는 것이 지시될 수 있다.

병원 내 단계

고열증은 적극적으로 처치한다. 저혈당, 심장 증상 및 외상은 표준 프로토콜에 따라 처치한다. 코카인의 효과는 일반적으로 일시적이기 때문에 환자는 보통 2~6시간 동안 별문제 없이 관찰한 후 퇴원할 수 있다.

에탄올

에탄올은 맥주, 와인 및 증류주에서 합법적으로 사용되는 것으로 입증된 바와 같이 저용량에서 특히 독성 화학물질이 아니지만, 만성적인 남용은 간경화 및 다양한 유형의 암을 비롯한 심각한 이환율을 유발한다. 에탄올은 널리 이용할 수 있고 식품으로 분류되기 때문에 다른 어떤 종류의 알코올보다 독성학적 응급 상황이 더 많이 발생한다. 대부분의 경우 의도적인 알코올성 음료가 관여되어 있기 때문에 의도적인 것으로 분류한다. 에탄올은 산업용 용매에도 사용된다.

분말 에탄올을 흡입하는 것은 위험하다. 분말 에탄올을 드라이아이스 위에 붓고 증기를 흡입하면 에탄올이 직접 폐로 들어간다. 에탄올을 흡입하면 에탄올을 마시는 것보다 치명적인 중독으로 이어질 가능성이 더 높다. 사람이 에탄올을 과도하게 마시면 일반적으로 구토가 발생하여 중독을 예방할 수 있다.

병태생리학

에탄올은 주로 소장과 위에서 위장관을 통해 혈류로 쉽게 흡수된다. 복용한 알코올의 대부분은 1시간 이내에 흡수된다. 에탄올은 혈액뇌장벽(BBB)을 쉽게 통과한다. 이 특성은 중심 GABAa 작용 및 NMDA 수용체 대항작용을 통해 중추신경계에 대한 에탄올의 중독 효과가 나타난다.

증상과 징후

에탄올 중독의 증상과 징후는 혈중알코올농도에 따라 다르며 이상행복감, 음주, 혼동, 졸음, 중추신경 억제, 운동 실조(낙상 관련 손상), 혼미, 호흡 억제, 체온저하, 저혈압, 혼수 및 심혈관 허탈(표 10-10)을 포함할 수 있다.

극심한 중독은 의식 수준 저하, 중증 호흡곤란 또는 사망을 초래할 수 있다. 기존 조건은 종종 에탄올의 영향으로 악화한다. 혈관 확장은 저혈압 및 체온저하를 유발할 수 있다. 후자는 환자와 주변 환경 조건에 따라 심각할 수 있다. 혈관 확장은 또한 기저질환이 있는 사람의 심박출량을 감소시켜 위험할 수 있다.

표 10-10. 혈중 알코올 농도와 관련된 에탄올의 영향

농도(%)	영향
0.02	뚜렷한 효과는 거의 없고 약간의 기분 강화
0.05	감정적 억제력 상실, 따뜻한 느낌, 피부홍조, 경미한 판단력 장애
0.10	약간 어눌한 말투, 미세한 운동 조절 기능 상실, 불안정한 감정, 부적절한 웃음
0.12	협응과 균형의 어려움, 지적 및 판단력의 뚜렷한 손상
0.20	언어 자극에 대한 반응, 매우 불분명한 발음, 비틀거리는 걸음걸이, 복시, 똑바로 서 있기 어려움, 기억 소실
0.30	통증 자극에 깨어남, 깊은 코골이 호흡
0.40	무반응, 실금, 저혈압, 불규칙한 호흡
0.50	무호흡, 저혈압 또는 구토물 흡인으로 인해 사망할 수 있음

Aehlert B: *Paramedic practice today: above and beyond*, St. Louis, MO, 2009, Mosby.

감별진단

에탄올 중독이 의심되는 환자의 실험실 검사는 다음이 포함되어야 한다.

- 저혈당을 배제하기 위한 혈당 수치 검사
- 혈청 에탄올 수치 검사
- 혈청 전해질(예: 칼슘, 마그네슘)
- 알코올 중독이 의심되는 경우 삼투압 차이를 계산하기 위한 혈청 삼투압 검사
- 음이온 차이를 계산하기 위한 전해질 수치
- 임신 반응 검사
- 아세트아미노펜, 살리실산염, 메탄올과 같이 함께 복용하는 약물의 독성 수준에 대한 검사
- 병력이나 신체검사에서 시사하는 심각한 의식상태 변화 또는 외상 가능성이 있는 환자의 영상 검사

처치

먹은 알코올의 종류와 양, 복용 시간을 결정하기 위해서는 철저한 환자 병력을 확보한다. 처치는 주로 지지적이며 기도, 호흡 및 순환을 유지하고 정맥 라인을 확보한다. 심장 모니터링은 환자가 기존의 심장 관련 병력이 있는 경우 특히 중요하다. 혈중 포도당 검사를 수행하여 저혈당을 배제한다. 환자가 반응이 없거나 호흡 억제를 나타내는 경우 잠재적인 아편유사제의 독성을 평가하기 위해 날록손의 시험 용량을 고려한다. 에탄올을 처리하는 데 필요한 보조 인자인 티아민은 과음 후 투여할 수 있으며 심각한 에탄올 독성에서는 혈액 투석을 고려할 수 있다.

병원 전 단계

에탄올의 중추신경계 억제 효과 때문에 기도유지가 취약하다. 결과적으로 환자가 심하게 술에 취해 기도를 유지할 수 없는 경우 기도 관리가 필요할 수 있다. 흡인은 에탄올에 중독된 환자에서 심각한 위험이다.

병원 내 단계

응급실에서는 환자의 체온을 모니터링한다. 기관내삽관은 드물지만, 심하게 취한 환자에게 필요할 수 있다. 활성탄은 에탄올에 효과가 없으며 의식상태의 변화와 흡인의 위험 때문에 금기이다.

환각제

환각제는 시각장애(환각)를 유발하고 사용자의 현실 인식을 변화시킨다. 여기에는 L-엘에스디(LSD), 페요테선인장(peyote), 메스칼린(mescaline) 및 환각 버섯과 같은 물질이 포함된다. 환각제는 다음 네 가지 주요 종류로 구분할 수 있다.

1. 인돌 알칼로이드(예: LSD, 리세르그산 아마이드[LSA], 실로신 및 실로시빈)
2. 피페리딘(예: 펜사이클리딘[PCP] 및 케타민)
3. 페닐에틸아민(예: 메스칼린, 메틸렌디옥시메탐페타민[MDMA], 메틸렌디옥시암페타민[MDA] 및 메톡시-메틸렌디옥시암페타민[MMDA])
4. 대마초제제(예: 대마초 또는 테트라하이드로카나비놀[THC])

합성 대마초제제 또는 "향신료"는 대마초와 유사한 증상을 나타내는 "안전한" 법적 대안으로 판매되는 다양한 허브 혼합물을 의미한다. 합성 대마초제제에 대한 지속적인 사용은 이 약물이 위험하다는 것을 보여준다. K2, 가짜 대마, 유카탄 파이

어, 스컹크, 월석 등을 포함한 많은 이름으로 판매되고 있으며 "사람 복용 금지"라는 라벨이 붙어 있다. 이 제품은 건조되고 잘게 썬 식물 재료와 향성신정 효과를 나타내는 화학적 첨가물을 함유하고 있다. 여기에는 대마초가 포함되어 있지 않지만 심한 동요, 전투력 및 환각에서 졸음 및 혼수상태에 이르기까지 다양한 임상 결과를 초래하는 실험적인 화학 물질이 포함되어 있다. 운동 활동은 과도한 것에서 좀비와 같은 것까지 다양하다. 화학 첨가물은 법적 제한을 피하고자 자주 변경된다.

이러한 약물에서 발견되는 합성 대마초제제 화합물은 대마초의 주요 향정신성 성분인 THC와 동일한 대마초제제 1과 2 수용체(신체 전체 특히 뇌에서 발견됨)에 대한 완전한 작용제로 작용한다. 그러나 향신료에서 발견된 일부 화합물은 이러한 수용체에 더 강하게 결합하여 훨씬 더 강력하고 예측할 수 없는 효과를 나타낼 수 있다. 향신료로 판매되는 많은 제품의 화학 성분이 알려지지 않기 때문에 약물(제품)에는 사용자가 예상하는 것보다 극적으로 다른 효과를 유발하는 물질이 포함되어 있을 수 있다. 더 낮은 용량은 경미한 증상을 유발할 수 있지만 약간 더 많은 제품만 심각한 증상을 유발할 수 있다.

처치를 위해 응급실로 이송한 합성 대마초제제 남용자는 빠른 심박수, 구토, 초조, 혼동, 환각 등의 증상을 보였다. 이러한 약물은 또한 혈압을 높이고 심장으로의 혈액 공급 감소(심근 허혈)를 유발할 수 있으며 몇몇 경우에는 심장마비와 관련이 있다. 일반 사용자는 금단 및 중독 증상을 경험할 수 있다.

병태생리학

환각제 약물의 병태생리학은 완전하게 밝혀지지 않았지만, 약물의 주요 효과는 중추신경계에 집중되어 있다. 일반적으로 환각제는 뇌의 세로토닌과 노르에피네프린 농도를 변화시키는 것으로 알려져 있다. 인돌아민 유도체는 세로토닌 수용체에 작용하는 것으로 생각된다. 피페리딘 유도체는 세로토닌, 도파민 및 노르에피네프린 재흡수를 차단하는 것으로 생각된다. 페닐에틸아민 유도체는 세로토닌과 노르에피네프린 재흡수를 차단하고 시냅스 전 분비를 증가시킨다.

대마초제제의 경우 델타(9)-THC의 성분은 대마초제제 수용체에서 주요 약리학적 효과를 나타낸다. 이 화학물질은 수분 이내에 최대 혈장 농도를 유발하고 2~3시간 이내에 향정신성 효과를 일으킨다.

증상과 징후

환각제를 복용한 환자는 위험하고 때로는 기이한 행동을 보일 수 있다. 이들은 공격성, 망상 또는 편집증적 사고 및 시각적 환상(환각)과 같은 행동 장애를 포함할 수 있는 의식상태 변화가 있을 수 있다. 약물의 중추신경계에 미치는 영향은 원인 물질, 용량 및 중독 이후 지나간 시간에 따라 흥분 또는 억제 작용으로 나타날 수 있다. 다른 영향으로 고혈압과 빈맥이 나타날 가능성이 이다. 환각제 중독은 행동 이상 및 환각에 근거하여 다른 가능한 원인과 구별된다.

감별진단

일반 기본 검사는 환각제 중독에 특히 도움이 되지 않는다. 다른 병인과 구별하기 위해 선택적 검사가 필요하다. 동시 복용을 배제하거나 의심스러운 진단을 확인하기 위해 포괄적인 약물 검사를 시행할 수 있다. 영상의학적 검사는 환자 증상의 다른 가능한 원인을 평가하는 데에만 유용하다.

처치

환각제를 사용하는 사람은 환각제 사용과 관련된 외상성 손상을 처치하거나 약물에 의한 불쾌감 또는 고통스러운 향성신성 효과를 완화하기 위해 의학적 처치를 받을 수 있다. 환각제는 일반적으로 최소한 급성 부작용을 가지고 있다. 일부 환자는 폭력적이고 신체적 또는 화학적 구속 및 경찰 지원이 필요할 수 있다. LSD는 피부 흡수성이며 교차 오염을 피하고자 모든 노력을 기울여야 한다. 일차 처치는 환자를 진정시키고 그 약물의 효과가 일시적이라는 확신을 주는 것이다.

병원 전 단계

정확한 병인을 파악하고 궁극적으로 환각제를 확인하는 데 도움이 되는 환자 병력을 확보한다. 흥분성 섬망이 존재하는지 확인하고 존재한다면 적극적으로 처치한다.

병원 내 단계

철저한 환자 평가가 끝난 후 LSD에 중독된 환자는 격리되어 안정을 유지한다. 그들은 벤조다이아제핀으로 진정이 필요할 수 있다. 중증 정신병적 에피소드에서는 할로페리돌을 사용할 수 있다. LSD 중독은 약 8~12시간 지속하지만, 약물의 정신병적 효과는 며칠 동안 지속할 수 있다.

펜사이클리딘(PCP)

가장 흔한 환각제는 펜사이클리딘(PCP)으로 원래 전신 마취제로 개발되었다가 나중에 수의사가 동물 신경안정제로 사용하였다. 이 약물의 남용 가능성이 발견되면서 더 안전한 약물로 대체되었다. 펜사이클리딘은 중추신경계 자극 및 억제 특성이 있으며 백색 결정 분말, 액체 또는 정제로 제공된다.

병태생리학

펜시이클리딘은 환각 작용을 하는 해리 마취제이다. 이것은 중추신경계에 자극과 억제 효과를 모두 가지고 있다. 교감신경작용제 효과는 아마도 도파민과 노르에피네프린 재흡수 억제 때문일 것이다. 이 약물은 니코틴 및 아편유사제 수용체에서 작용하고 콜린성제제 및 항콜린제 효과를 나타내며 NDMA 수용체에서 글루탐산염 길항제이고 도파민 경로에 영향을 미친다. 분명히 펜사이클리딘은 연구자들이 여전히 이해하려고 시도하고 있는 매우 복잡한 상호 작용을 만든다. 펜사이클리딘은 간에서 대사되며 반감기는 약 15~20시간이다.

증상과 징후

저용량(10mg 이하)에서 펜사이클리딘은 이상행복감, 방향 감각 상실 및 혼동, 갑작스러운 기분 변화(예: 분노)를 포함한 복합적인 정신작용 효과가 나타난다. 펜사이클리딘 사용 징후는 홍조, 발한, 과다 침 분비, 구토 등이 있을 수 있다. 동공 반응은 일반적으로 유지한다. 얼굴 찡그림, 회전안진 또는 비자발적 안구 운동은 저용량 펜사이클리딘 사용을 확인할 수 있는 증상이다.

펜사이클리딘을 사용하는 사람은 통증에 덜 민감하기 때문에 과잉 반응을 일으킬 때 초인적인 힘을 가진 것처럼 보일 수 있다. 실제로 저용량에서 사망률은 펜사이클리딘의 진통 및 중추신경계 억제 효과와 관련된 자기 파괴적 행동과 관련이 있다. 환각 상태의 환자는 현장에 있는 처치 제공자를 포함하여 자신과 다른 사람들에게 위협이 된다는 것을 기억한다.

고용량의 펜사이클리딘(> 10mg)은 혼수상태를 포함하여 극심한 중추신경계 억제를 유발할 수 있다. 호흡 억제, 고혈압, 빈맥이 흔하고 고혈압은 심장 질환, 뇌병증, 뇌내출혈 및 발작을 일으킬 수 있다. 고용량 과다 복용은 호흡 정지, 심장 마비 및 간질 지속 상태의 처치가 필요할 수 있다. 이러한 환자는 신속하게 병원으로 이송한다.

펜사이클리딘으로 인한 정신병의 급성 발병은 저용량에서도 발생할 수 있다. 이 상태는 노출 후 며칠 또는 몇 주 동안 지속할 수 있는 진정한 정신과적 응급 상황이다. 행동은 무반응(긴장 상태)에서 폭력적이고 분노에 이르기까지 다양하다. 이러한 환자는 매우 위험할 수 있으므로 적절한 의료기관으로 환자를 이송할 때 경찰이 동행해야 한다.

감별진단

환자의 병력은 펜사이클리딘 중독의 진단을 내리는 데 매우 중요하다. 실험실 검사에는 소변 독성 검사, 대사 검사, 혈당 측정, CBC 및 동맥혈 가스 분석이 포함되어야 한다. 백혈구 수의 증가와 혈청 요소 질소 및 크레아티닌 수치가 증가는 펜사이클리딘 중독환자에서 흔히 볼 수 있다. 횡문근융해증은 혈청 크레아틴키나아제와 소변 중 근색소 수치를 모니터하여 평가할 수 있다. 처치 제공자는 덱스트로메토르판, 디펜히드라멘, 이부프로펜, 메타돈, 트라마돌 및 벤라팩신이 펜사이클리딘에 대한 정성적 소변 약물 검사에서 양성 결과를 나타내는 원인이라는 것을 알고 있어야 한다.

처치

일차 처치는 환자를 진정시키고 약물의 효과가 일시적이라는 확신을 주는 것이다. 환자의 증상 및 징후의 원인을 파악하고 복용한 환각제를 확인하기 위해 철저한 환자 병력을 확보한다. 병력에는 복용한 약물의 종류와 양 및 복용한 시간이 포함되어야 한다. 심한 중독환자의 경우 기관내삽관이 필요할 수 있다.

병원 전 단계

처치는 기도, 호흡 및 순환 유지와 정맥 라인 확보를 포함하여 지지적 요법이다. 초조 및 흥분한 상태인 경우 벤조다이아제핀의 용량을 증가하여 처치한다. 흥분된 섬망은 적극적으로 처치한다.

병원 내 단계

심장 모니터링은 기존의 심장질환이 있는 펜사이클리딘 과다복용이 의식되는 환자에게 적용한다. 환자를 진정시키고 갑작스러운 움직임, 밝은 조명 및 소음을 피해야 한다. 환자가 변덕스럽거나 폭력적이면 물리적 또는 화학적 구속이 필요할 수 있다. 벤조다이아제핀은 이러한 상황에서 유용하게 사용할 수 있는 약물이다. 할로페리돌과 같은 항정신병제는 펜사이클리딘 중독환자에게 심장 부정맥이나 발작의 위험을 증가시킬 수 있음으로 투여해서는 안 된다. 아편제제 사용과 저혈당은 배제되어야 한다.

가정과 직장에서 발생하는 독소

다음 섹션에서는 가정과 직장에서 독소에 노출되는 일반적인 원인에 관해 설명한다. 일산화탄소와 같은 일부 독소는 흡입되고 부동액과 같은 다른 독소는 삼킨다. 살충제 및 부식제와 같은 독소는 피부를 통해 흡수되거나 피부 자극 및 화상을 유발한다. 언급된 많은 독물 중 많은 것들은 중요한 산업적 용도로 사용되고 있으며 대규모 인명 피해(예: 열차 탈선 시)를 유발할 수도 있다. 그러나 일상적으로 병원 전 처치 제공자는 환자의 집이나 직장에서 이러한 독소를 접한 가능성이 가장 크다.

에틸렌글리콜

독성 알코올 중 하나인 에틸렌글리콜은 자동차 부동액, 유리 세척액 및 제빙기에서 볼 수 있다. 이 물질에서 발견되는 요소의 과열 및 동결을 방지하는 데 사용된다. 단맛이 나기 때문에 어린이와 애완동물이 우발적으로 대량 복용할 가능성이 크다. 그러나 에틸렌글리콜 중독의 70%는 성인에서 발생하며 대부분의 노출은 우발적이다. 종종 환자는 정상적으로 알코올을 얻을 수 없는 알코올 중독자이다. 독성은 알코올이 대사산물로 전환되면서 발생한다. 미국 독극물 통제 센터의 국립 독극물 데이터 시스템 협의회의 2017년 연례 보고서에 따르면 6,942명이 에틸렌글리콜에 노출되었고 2,641명이 의료 시설에서 치료를 받아야 했다.

에틸렌글리콜은 피부를 통해 쉽게 흡수되지 않고 흡입 중 증기압이 낮아 흡입 시 에어로졸화 되기 어려워 경구 복용이 주요 노출 경로이다.

병태생리학

에틸렌글리콜은 간에서 알코올 탈수소 효소에 의해 글리콜산과 옥살산으로 대사된다. 이 두 대사산물은 에틸렌글리콜 복용과 관련된 대부분의 심각한 독성, 산증 및 신장 손상을 유발한다. 분리된 옥살산은 체내에 칼슘과 결합하여 칼슘 옥살산염을 형성하고 이는 침전되어 결정을 형성한다. 이 과정에는 두 가지 해로운 영향이 있다. 첫째, 저칼슘혈증을 유발하여 심장 부정맥의 위험을 증가시킨다. 둘째, 결정이 침착된 부위에 중증 관절통, 말초 신경 기능 장애 및 심근병증을 유발할 수 있다.

이러한 옥살산 결정은 간과 신장에 해로운 영향을 미칠 수 있지만, 손상을 야기하기에 충분한 양의 독성 대사산물이 축적될 때까지 손상은 일반적으로 나타나지 않는다. 글라이콜산은 신장 독성에 영향을 주지만, 그 기전은 아직 밝혀지지 않았다. 글라이콜산은 산증의 주요 원인이다. 에틸렌글리콜 독성의 역치는 1~2mL/kg로 보고되었다.

증상과 징후

에틸렌글리콜 중독은 일반적으로 다음과 같이 세 단계로 발생한다.

- 1단계(복용 후 1~12시간). 불분명한 발음, 운동 실조, 졸림, 구역 및 구토, 경련, 환각, 혼미 및 혼수상태와 같은 중독의 징후를 포함하여 중추신경계 효과가 특징
- 2단계(복용 후 12~36시간). 이차적인 빠른 호흡, 대사산증, 청색증, 폐부종 또는 심장마비를 포함할 수 있는 심폐 효과가 특징
- 3단계(복용 후 24~72시간). 신장계통에 영향을 미치며 옆구리 통증, 소변감소, 결정뇨, 단백뇨, 무뇨증, 혈뇨 또는 요독증을 포함

모든 환자가 모든 단계를 거치는 것은 아니다. 환자의 생리학적 상태, 기존 상태 및 복용량에 따라 일부 환자는 생명을 위협하는 증상이 조기에 나타날 수도 있다. 생명을 위협하는 증상과 징후에는 중독, 두통, 중추신경계 억제, 호흡곤란, 대사산증, 저칼슘혈증, 심혈관 붕괴, 고칼륨혈증 유무와 관계없이 신부전, 발작 및 혼수가 포함된다.

감별진단

에틸렌글리콜 복용 환자는 증상과 징후를 유발할 수 있는 독성 대사산물이 충분히 축적될 때까지 처음에는 신체검사에서 이상소견이 없을 수도 있다. 혈중 오스몰농도는 삼투질 차이를 계산하는 데 사용할 수 있다. 혈청 내 에틸렌글리콜의 존재를 검출하기 위해 정성적 비색 검사를 시행할 수 있다. 이상적으로는 정량적 검사가 가능할 수 있지만, 검사를 수행하는 데 필요한 장비는 대부분의 비전문적 병원에서 사용할 수 없다. 또한, 소변 검사와 혈청 칼슘 농도 및 정맥혈 가스 검사(VBGs)를 실시한다. 소변 검사를 통해 칼슘 옥살산염 결정체의 유무를 확인할 수 있다.

처치

지지요법, 해독제 투여 및 혈액 투석은 에틸렌글리콜 중독 처치의 핵심이다. 지지요법은 기도 관리에 초점을 두어야 한다. 에탄올이나 포메피졸(Antizol)을 해독제로 투여할 수 있다. 둘 다 알코올 탈수소 효소의 경쟁적 억제제이다. 에틸렌글리콜의 신진대사를 촉진하기 위해 피리독신(비타민 B_1)과 티아민(비타민 B_1) 투여로 구성된 보조인자 처치를 제공할 수 있다. 그러나 혈액 투석은 모 화합물과 독성 대사산물을 제거하고 산증을 교정하기 위한 에틸렌글리콜 중독의 결정적인 처치 방법이다.

병원 전 단계

기본적인 처치 외에도 특히 복용 시간과 관련하여 상세한 환자 병력을 청취하고 필요한 경우 수분 보충 및 해독제 처치를 위해 정맥 라인을 확보한다. 대사산증에는 탄산수소소듐을 투여하고 발작시 다이아제팜(Valium)을 필요한 경우 사용하도록 한다. 혈액 투석을 시행하기 위해 환자를 신속하게 병원으로 이송한다.

병원 내 단계

에틸렌글리콜 중독에 대한 해독제는 예전부터 정맥 내로 에탄올 투여하는 것이지만 경구로 투여할 수 있다. 해독제 포메피졸(Antizol)은 에탄올보다 효과적이고 복용하기 쉽고 안전하며 사용할 수 있는 경우 선호하는 처치 방법이다. 에탄올과 포메피졸은 알코올 탈수소 효소의 경쟁적 억제제이며 독성으로 인해 발생하는 대사산물의 생성을 억제한다. 에틸렌글리콜 자체는 무해하게 신장으로 배설된다. 체내에서 에틸렌글리콜의 반감기는 일반적으로 5시간이지만, 포메피졸 또는 에탄올로 처치하면 반감기는 17시간으로 체외 배출 시간이 연장된다.

티아민과 피리독신은 에틸렌글리콜 중독의 해독을 위한 보조인자이다. 보조인자 요법은 글리옥실산을 무독성 아미노산인 글리신으로 전환하여 에틸렌글리콜 독성과 관련된 이환율을 감소시키는 것으로 보고되었다.

저칼슘혈증은 중증 중독에서 나타날 수 있으며 독성 대사산물인 옥살산이 체내에서 유리 칼슘과 결합할 때 불용성 칼슘옥살산이 형성되기 때문에 처치가 필요하다. 대사산증이 발생한 경우 탄산수소소듐 투여가 필요하다.

혈액에서 독성 대사산물을 제거하여 결정적인 처치를 제공하는 혈액 투석은 신부전, 혈청 검사 및 중증 산증이 나타날 수 있다.

아이소프로필 알코올

아이소프로필 알코올은 독성 알코올 중 하나이지만 메탄올이나 에틸렌글리콜보다 독성이 훨씬 적다. 아이소프로필 알코올(이소프로판올 또는 소독용 알코올)은 일반적인 가정용 및 산업용 용해제이며 많은 독성 노출에 관여한다. 구강 세정제, 스킨로션 및 손 소독제와 같은 품목에서 발견되는 일반적인 가정용품이다. 매년 수천 건의 아이소프로필 알코올 노출이 보고되지만, 사망자는 거의 없다. 아이소프로필 알코올은 종종 에탄올의 대안으로 남용되고 있다. 고용량에서는 출혈성 위염, 구토 및 저혈압을 유발할 수 있다.

병태생리학

이소프로판올은 위에서 빠르게 흡수되어 독성이 없는 아세톤(산이 아닌)으로 대사된다. 아이소프로필 알코올 독성은 에탄올 독성과 유사하다. 따라서 에틸알코올보다 중추신경계 억제는 2배 정도로 알려져 있다. 혈관 확장으로 인한 저혈압은 일반적으로 수액 및 혈압상승제 투여에 반응한다.

증상과 징후

일반적인 복용 경로는 경구이다. 아이소프로필 알코올은 혈액과 소변에서 측정되는 케톤인 아세톤으로 대사된다. 증상과 징후에는 혼동, 졸음증, 중추신경계 억제, 호흡 억제, 케톤 혈증, 경미한 체온저하, 저혈압 및 혼수가 포함된다. 아세톤 생산의 결과로 당뇨병 환자와 유사한 과일 냄새를 입에서 느낄 수 있다. 환자는 산증 없는 케톤증이 나타난다.

감별진단

독성의 병인을 결정하기 위해서는 철저한 신체검사와 환자 병력이 필요하다. 실험실 검사는 결과에 따라 결정되지만, 중증 중독의 경우 이소프로판올이 산증을 유발할 것으로 예상되지 않기 때문에 주로 다른 독성 알코올을 배제하기 위해 정맥혈 가스 분석 검사(VBG)와 혈청 전해질 및 탄산수소염 및 에탄올 수준을 정밀 검사에 포함할 수 있다. 그러나 아세톤은 혈청 크레아티닌 검사를 방해하여 아세톤이 제거되면 해결되는 부정확한 상승을 초래할 수 있다.

처치

대체 병인을 배제하기 위해 혈청 포도당 검사를 시행한다. 환자가 호흡 억제를 보이고 아편유사제가 의심되는 경우 날록손 투여를 고려한다. 아이소프로필 알코올의 대사산물 독성이 낮기 때문에 포메피졸 요법은 필요하지 않다. 실제로 이러한 처치는 아이소프로필 알코올 독성과 관련된 생명을 위협하는 주요 합병증인 중추신경계 억제 및 저혈압을 악화시킬 수 있다.

병원 전 단계

현장에서의 처치는 주로 보조적이다. 기도, 호흡 및 순환을 유지하고 정맥 라인을 확보한다.

병원 내 단계

병원 내 처치는 병원 전 처치와 비슷하고 지지적 처치가 가장 중요하다. 수액 소생술과 흡인 방지가 처치의 핵심이다. 출혈성 위염의 경우 양성자(수소) 펌프 억제제 또는 H_2 차단제를 투여할 수 있다.

메탄올

일반적인 가정용 용해제인 메탄올(메틸알코올 또는 목재 알코올)은 유리 세척액, 페인트, 가솔린 처리 및 캔에 든 고체 알코올 연료제 같은 스터노(sterno)와 구성요소이다. 메탄올은 용매 및 시약으로 산업에서 광범위하게 사용된다. 중독은 대개 경구 복용으로 발생하고 단 한 입만 먹어도 독성이 강할 수 있다. 대부분의 중독이 우발적이거나 자살 충동적인 것으로 보이지만, 메탄올은 에탄올 대체물로 의도적으로 복용되었다. 메탄올은 피부를 통해서도 흡수되지만 잘 흡수되지는 않는다. 또한 휘발성이 높기 때문에 쉽게 흡입된다.

병태생리학

메탄올은 간에서 대사되지 않는다면 신장에서 쉽게 배설되는 독소 전구체이다. 간에서 알코올 분해 효소에 의해 중간대사산물인 포름알데히드로 전환된다. 포름알데히드는 알데하이드 탈수소 효소에 의해 포름산으로 전환되며 포름산은 대사산증 및 실명을 비롯한 대부분의 심각한 독성을 유발한다. 포름산은 전자 전달계를 억제하여 ATP 합성을 억제하여 젖산과 관련된 대사산증 및 신경계 및 심혈관 독성을 유발한다. 메탄올은 눈에 있는 효소에 의해 포름산으로 대사되어 망막 손상을 유발한다. 독성증상의 시작은 일반적으로 독성 대사산물이 축적될 때까지 12~24시간 지연된다.

증상과 징후

메탄올은 처음에 만취를 유발하지만, 분자량이 적기 때문에 다른 알코올보다 덜 취한다. 초기 증상과 징후는 불투명한 말투, 운동 실조, 졸음, 구역 및 구토를 포함하여 에탄올 중독과 유사하다. 더 중증 독성 증상과 징후로는 진정, 운동 실조, 두통, 현기증, 오심 및 구토, 복통, 호흡곤란, 발작 및 혼수가 포함된다. 흐릿한 시야와 같은 시력 이상은 메탄올 중독의 초기 특징이다. 증상의 초기 발병은 투여량 및 투여 경로에 따라 30분 이내에 발생하거나 최대 30시간까지 지연될 수 있다. 초기 증상이 지나간 두 번째 증상은 노출 후 10~30시간 후에 발생할 수 있다. 완전한 시력 상실 및 실명과 같은 증상, 산증 및 호흡부전이 발생할 수 있으며 특히 에탄올을 함께 복용할 때 발생할 수 있다. 긴 무증상 단계가 반드시 나중의 독성을 배제하는 것은 아니다. 사망률은 심각한 산증 및 뇌부종과 관련이 있다.

시각장애는 시력 검사의 필요성을 의미한다. 동공은 거의 반응이 없고 확장될 수 있다. 시신경유두에 염증이 발생할 수 있으며 시신경유두가 탈색되어 며칠 동안 실명이 발생할 수 있다.

감별진단

독성의 원인을 결정하려면 철저한 신체검사와 환자 병력이 필요하고 확인을 위해 기본 검사가 필요하다. 중증 메탄올 중독에서는 혈청 알코올 농도, 전해질, 정맥혈 가스 분석 검사, 젖산 및 탄산수소염 농도를 분석한다. 혈청 메탄올 농도는 일부 검사실에서 직접 측정하거나 삼투질 차이를 추정할 수 있다.

처치

다른 약물 중독과 마찬가지로 대체 원인을 배제하기 위해 혈액 포도당 검사를 시행한다. 환자가 동시에 아편제제 복용으로 인한 호흡 억제를 나타내는 경우 날록손 투여를 고려한다.

병원 전 단계

처치는 환자의 기도, 호흡 및 순환을 유지하는 것으로 구성되고 기도 관리가 특히 중요하다. 활성탄은 메탄올을 잘 흡착하지 않으므로 사용해서는 안 된다. 가능한 경우 문서에서 성분을 확인하고 제품 사진을 포함하여 문제가 되는 물질을 확인하면 소생술 및 처치를 수립하는 데 도움이 될 수 있다.

병원 내 단계

병원 내 치료는 지지요법, 해독제 투여 및 혈액 투석으로 구성된다. 지지요법은 기도유지에 집중한다. 정맥으로 에탄올 또는 포메피졸(Antizol) 투여는 독성 대사산물의 추가적 생성을 최소화하기 위해 사용한다. 에탄올과 포메피졸은 모두 알코올 탈수소 효소의 경쟁적인 억제제이다. 포름산 제거를 촉진하기 위해 테트라하이드로폴레이트로 구성된 보조 치료 요법을 시행한다. 1시간 이내로 복용한 경우 위세척이 도움이 되지만 심각한 위험이 있을 수 있다. 혈액 투석은 환자가 시각 증상을 호소하거나 심한 대사성 산증이 있거나 혈청 메탄올 농도가 높은 수준일 경우 사용할 수 있다. 엽산은 메탄올의 독성 대사산물을 해독하는 보조인자이며 엽산 요법은 이환율을 감소시키는 것으로 보고되었다.

일산화탄소

미국에서 일산화탄소 중독으로 인한 이환율과 사망률의 주요 원인이다. 2017년에 약 12,846명이 미국 독극물 센터에 일산화탄소로 중독으로 보고했다. 일산화탄소는 유기 연료의 불완전한 연소에 의해 생성되는 무색, 무취의 가스이다. 일산화탄소가 흔히 발생할 수 있는 곳은 가정용 굴뚝, 난방기, 발전기, 가스스토브, 자동차 및 주택 화재로 인한 연기가 포함된다. 모든 가솔린 또는 프로판으로 구동되는 엔진은 일산화탄소를 생성할 수 있다. 또한 페인트 제거제, 기름때 제거제 및 산업용 용매로 사용되는 화학물질인 염화메틸렌은 간에서 일산화탄소로 대사된다. 따라서 염화메틸렌을 복용하거나 심각한 흡입에 노출되면 일산화탄소 독성이 지연되어 나타날 수 있다.

병태생리학

일산화탄소는 다양한 방식으로 독성을 유발한다. 가장 분명한 것은 혈색소의 기능에 미치는 영향이다. 일산화탄소는 헴의 산소 결합 부위에 산소보다 더 큰 친화성을 갖는다. 또한, 일산화탄소는 혈색소에서 산소 방출을 억제한다. 이 결합은 혈액 내 용존 산소의 정상적인 분압에도 불구하고 조직으로의 산소 전달을 감소시킨다. 미토콘드리아 시토크롬 산화효소는 또한 일산화탄소와 결합하여 세포 활성을 감소시키고 산화적 인산화에 의한 에너지 생산을 손상시킨다. 일산화탄소 독성의 영향은 사이안화물의 영향과 유사하다. 일산화탄소에 의한 심근 미오글로빈 결합은 심근세포의 산소 방출을 감소시켜 심장 독성에 관여한다. 마지막으로 일산화탄소 독성은 자유 라디칼을 생성하여 염증 매개, 지연성 지질 과산화 및 세포 사멸(프로그램된 세포 사멸)에 의한 일련의 조직 손상을 유발한다.

증상과 징후

일산화탄소 독성의 증상은 가스 농도와 노출 기간에 따라 경미한 것에서 치명적인 것까지 다양하다. 환자는 종종 피로, 두통, 근육통, 구역 및 구토가 있다. 중증 독성으로 인해 흉통, 호흡곤란, 실신, 운동 실조, 발작 및 혼수를 유발할 수 있다. 고농도에서 일산화탄소는 녹다운제로 간주하며 이는 급속한 독성 및 의식 상실을 유발한다. 일차적인 세포 독성 외에도 일산화탄소의 복합 독성 영향으로 심근허혈, 수축력 감소, 혈관 확장 및 저혈압을 유발할 수 있다. 기저 심혈관 질환이 있는 환자는 이러한 부작용의 위험이 증가하므로 상세한 과거력을 얻는 것이 중요하다.

일산화탄소 독성환자의 활력 징후는 정상일 수 있다. 그러나 환자는 빈맥, 빠른 호흡 또는 저혈압을 호소할 수 있다. 맥박산소측정은 일산화탄소혈색소와 산소혈색소를 구별할 수 없기 때문에 일반적으로 정상이다(2장 참조). 혈압과 말초 관류는 모세관재충혈 평가로 측정할 수 있다. 체리 빛의 피부는 혈색소와 결합한 산소를 세포로 공급하지 못해 산소화된 정맥혈로 인해 나타날 수 있다. 그러나 이러한 발견은 드물고 일반적으로 늦게 나타나는 징후이고 창백한 피부가 더 일반적으로 나타난다. 폐 검사에서 심부전 또는 원발성 폐 독성으로 인한 폐부종이 나타날 수 있다. 복부 검사는 구역 및 구토를 제외하고는 일반적으로 눈에 띄지 않는다.

신경학적 검사에서 보행과 균형의 경미한 이상은 심각한 노출을 나타내지만, 의식상태의 변화와 발작은 중증 독성과 일치한다. 환자는 일산화탄소로 인한 뇌졸중이 발생하여 국소 신경학적 결손이 있을 수 있다. 일산화탄소 중독환자의 경우 연쇄적 세포 독성 및 지연 손상은 신경학적 후유증을 지연시킨다. 국소 조직의 저산소증으로 인한 국소적 손상과 달리, 이러한 후유증은 종종 기억력, 성격 및 행동 변화를 수반한다. 급성 중독으로부터 회복된 후 몇 주 동안 증상이 나타나지 않을 수 있다. 의식을 잃었거나 저혈압이 있었던 환자는 이러한 지연된 부작용이 나타날 수 있는 위험이 있지만, 부작용의 발생 또는 심각성을 예측하는 것은 불가능하다.

감별진단

경미한 일산화탄소 독성은 증상이 비특이적이거나 인플루엔자와 유사하기 때문에 제대로 인지되지 않을 수 있다. 의도하지 않은 일산화탄소 노출은 난로를 사용하고 바이러스성 질병의 발병률이 증가하는 추운 날씨에 발생하는 경향이 있다는 사실로 인해 진단이 더욱 복잡해질 수 있다. 일산화탄소는 무색, 무취이므로 일산화탄소의 존재를 감지하지 못하는 경우가 많다.

일산화탄소 중독의 진단은 현장에서 정확한 정보를 수집하는 데 크게 의존한다. 분명히 자동차나 다른 엔진을 작동시킨 사실이 있을 것이다. 환자는 차고와 같은 밀폐된 공간에서 히터, 발전기 또는 기타 기기에서 모터가 작동했을 수 있다. 결함이 있는 난로로 인해 가정에서 일산화탄소 중독은 한 번에 여러 명의 가족이 증상을 유발할 수 있다. 또 다른 단서는 환자가 노출원을 벗어났을 때 증상이 해결되고 재진입시 증상이 다시 나타날 수 있다. 동물은 종종 일산화탄소에 노출된 경우 사람보다 더 빨리 심하게 일산화탄소 중독의 영향을 받는다. 환자는 애완동물이 이상하게 행동했다고 이야기할 수 있다. 대부분 소방부서는 현재 일산화탄소 측정 장비를 갖추고 있어 현장에서 위험한 가스 농도를 측정하여 진단 및 처치에 사용할 수 있다. 비침습적 산소측정 장치를 사용하여 환자의 일산화탄소 수준을 현장에서 측정할 수 있는 기술이 EMS 제공자에게 보급되고 있다.

신체검사 외에도 일산화탄소 중독환자를 평가하기 위해 추가 검사 및 방사선 검사를 사용한다. 환자의 일산화탄소혈색소는 산소측정기로 측정할 수 있으며 정맥 또는 동맥혈 샘플로 확인할 수 있다. 상승한 일산화탄소혈색소 수치는 진단에 도움이 되지만, 다양한 이유로 특정 수준이 반드시 독성이나 결과를 예측하지는 않는다. 평가 전에 고유량 산소를 장기간 제공한 중증 일산화탄소 중독 환자는 일산화탄소혈색소 수치가 정상일 수 있지만, 경미한 증상이 있는 환자는 수치가 상당히 높게 나타날 수 있다. 실제로 습관적으로 담배를 피우는 환자는 10% 정도까지 수치가 높게 나타날 수 있다. 비흡연자의 정상적인 일산화탄소혈색소 수치는 0~5%이다. 시동을 건 자동차 배기구 옆에 서 있는 것도 혈중 일산화탄소 수치를 높일 수 있다. 현장에서 확인된 수준에 의존하면 일산화탄소에 노출된 환자를 잘못 처치하기 쉽다. 임상 증상 및 징후가 더 신뢰할 수 있다.

직접적으로 일산화탄소에 노출된 환자의 경우 일산화탄소혈색소는 일산화탄소 공급원에서 환자를 이동시킨 후에는 증가하지 않기 때문에 한 번만 측정한다. 그러나 염화메틸렌에 노출된 것으로 의심되는 환자는 체내에서 염화메틸렌을 대사함에 따라 일산화탄소혈색소 수치가 상승하기 때문에 독성이 정점에 이르렀는지 확인하기 위해 장기간 관찰 및 반복 검사가 필요하다.

일산화탄소 노출이 의심되는 환자에 대한 추가 평가에는 산-염기 상태 평가가 포함된다. 대사산증은 산소 전달 장애 및 무산소호흡의 결과로 혈청 젖산이 상승할 수 있다. 심전도는 심근허혈을 평가하기 위해 시행한다. 중독이 확인된 환자에서 심장 효소 검사를 연속적으로 시행한다. 조영제를 사용하지 않고 CT 또는 자기공명영상(MRI)으로 뇌 영상을 확인할 수 있다. 특히 CT의 초기 변화는 좋지 않은 신경학적 결과를 의미한다. MRI는 일산화탄소 중독 후 대뇌 변화에 CT보다 민감하고 허혈 및 경색 부위를 확인하는 데 유용하다.

처치

병원 전 단계

환자와 처치 제공자 모두에게 가장 중요한 처치는 일산화탄소가 발생한 장소에서 즉시 이동하는 것이다. 가스가 충분히 농축되면 짧은 노출이라도 중독될 수 있다. 환자를 안전한 장소로 이동시킨 후 환자에게 비재호흡마스크를 이용해 고유량 산소를 공급한다. 흡입산소농도(FiO_2)의 산소분압을 증가시키면 혈색소와 결합한 일산화탄소의 반감기가 감소하여 호흡이 가능해진다. 실내 공기에서 혈색소에 대한 일산화탄소의 평균 반감기는 약 6시간이지만, 100% 흡입산소농도에서 반감기는 1~2시간으로 감소한다.

표준 기도유지를 시행하고 기관내삽관이 필요한 경우 환자의 흡입산소농도를 100%로 유지한다. 많은 연구가 시행되지 않지만, 지속기도양압(CPAP)을 시행하는 것도 도움이 될 수 있다. 산소를 투여 후 평소와 같이 심장 부정맥을 처치한다. 저혈압은 종종 정맥 라인으로 생리식염수를 볼루스로 투여하면 호전되지만, 혈압상승제를 투여할 수도 있다. 저혈압이 발생하지 않으면, 지지적 요법과 증상에 대한 처치를 제공하면 된다. 가능한 경우 심각한 일산화탄소 중독(의식 소실, 신경 학적 결손, 심근허혈)이 나타나는 경우 환자를 신속하게 의료기관으로 이송한다.

일산화탄소에 노출된 후 고압 산소 처치를 받는 환자에게 이점이 있는지는 불분명하다. 일반적으로 해당 지역의 의료 기관에서 고압 챔버의 가용성과 용량은 혼동을 일으킬 수 있다. 이러한 혼란을 방지하기 위해 일산화탄소에 노출된 환자의 이송과 관련하여 미리 계획을 세우는 것이 가장 좋다. 병원 전 관점

빠른 암기법

편집자 메모: 우리는 일산화탄소 노출과 고압산소 요법의 처치가 논란의 여지가 있음을 알고 있다. 환자를 일산화탄소가 노출된 환경에서 신속하게 이동하고 고유량의 산소를 제공한 후 최상의 처치에 대한 보편적인 합의는 없다. 응급의료시스템의 지역화는 해당 지역의 이러한 환자의 처치를 가장 잘 조정하고 표준화할 수 있다.

은 이떠한 병원에서도 일신화탄소에 노출된 환자에 대힌 초기 평가 및 안정화를 제공할 수 있다. 그다음에 응급의학 전문의가 환자평가와 처치에 고압산소 처치 및 이송이 필요한지 아닌지를 결정할 수 있다. 응급 고압산소 처치가 유용한지 밝혀진 연구는 매우 적다.

소방서 또는 지역의 위험 물질 사고 대응자에게 특히 여러 명이 거주하거나 주거시설이 있는 구조물 확인, 격리, 대피 및 환기를 시행하도록 알린다.

병원 내 단계

응급실에서 고유량 산소 공급 또는 지속기도양압(CPAP)/이상기도양압(BiPAP)의 시행은 혈색소로부터 일산화탄소의 해리를 촉진하기 위해 계속 시행한다. 기도, 호흡 및 순환을 지속해서 보조한다.

병원 전 처치 제공자에게 고압산소요법에 대한 이해를 개선하기 위해 다음과 같은 정보를 제공한다. 고압산소요법의 활용은 여전히 논란의 있는지는 이 처치와 관련하여 진정한 이점이 있는지는 불분명하다. 고압산소요법으로 신경 인지기능이 개선되는지는 알려지지 않았다. 고압 산소 챔버는 각가 수용할 수 있는 환자의 수와 관련하여 단일 챔버 또는 다중 챔버라고 한다. 일인용 챔버는 대략 관 정도의 크기이며 한 번에 한 사람만 수용할 수 있다. 다인용 챔버는 여러 명의 환자나 처치 제공자를 동시에 처치할 수 있는 작은 방이다. 산소는 증가하는 압력으로 실내로 펌핑된다. 가압 산소를 사용되기 때문에 환자가 가연성 물체를 소지하고 있는지 확인한다. 고압 산소는 일산화탄소의 반감기를 약 25분으로 감소시킨다. 일산화탄소에 노출된 환자에 대한 이점은 아직 불분명하다.

고압 산소의 필요성을 결정하기 위한 구체적인 기준은 제대로 정의되지 않았고 권장 사항은 출처에 따라 다르다. 정신상태 변화, 혼수, 발작, 국소 신경학적 결손 및 저혈압, 실신을 포함한 심각하고 지속적인 증상은 고압 산소 요법에 대한 증상으로 받아들여진다. 독성이 경미한 환자의 경우 증상이 해결될 때까지 고유량 산소를 투여한다.

압력손상에 의한 가장 흔한 합병증은 부비동 통증과 고막 자극 또는 파열이다. 고압 산소 요법을 받는 환자는 자신의 고막을 감압시킬 수 없으므로 종종 일시적으로 양쪽 고막절개를 받는다.

일산화탄소 노출을 처치할 때 임신부는 특별한 환자 집단이다. 태아 혈색소는 모체 혈색소보다 더 큰 일산화탄소와 친화력으로 일산화탄소와 결합하여 태아에서 고농도의 일산화탄소 혈색소를 생성할 수 있으며 이는 임신부의 산소 전달 감소로 인해 악화한다. 산모의 일산화탄소혈색소 수치가 반드시 태아의 수치를 반영하는 것은 아니다. 임신부의 일산화탄소 노출로 인해 중증 태아 독성, 장기간의 신경학적 결손 및 태아 사망이 보고되었다. 이러한 부작용은 임신부가 심각한 증상을 나타낼 때 가장 자주 발생하는 것으로 보인다. 경미한 일산화탄소 중독이 있는 임신부에게서 태어난 아이들은 비교적 건강하다.

고압 산소 요법은 이론적으로 태아에게 위협이 되지만 그 위험성은 입증되지는 않았다. 일산화탄소에 중독된 임신부는 심각한 증상이 나타나면 고압 산소 요법을 받아야 한다. 일반 일산화탄소 중독환자와 마찬가지로 처치를 시작해야 하는 특정 일산화탄소혈색소 수준은 알려지지 않지만 약 20%로 제안되었다.

부식제

부식제는 금속을 부식시키고 접촉 시 조직을 파괴하는 화학물질이다. 미 교통부(DOT) 및 미 환경 보호국(EPA)과 같은 여러 미국의 기관에서는 부식제에 대한 정확한 조건을 정의한다. 용액의 부식성, 즉 접촉하는 물질을 산화시키고 화학적으로 분해하는 능력은 적어도 부분적으로는 pH에 의해 결정된다. 표준 pH 측정은 산성 0에서 시작하여 알칼리성은 14이다. 중성 또는 정상 pH는 7.0이고 산과 알칼리는 모두 부식제이다. 산성은 pH가 낮고 미 교통부에서는 pH가 2 미만인 용액을 강산으로 정의한다. 염기는 pH가 높고 미 교통부에서는 pH가 12.5를 초과하는 용액을 강염기로 정의한다. 물론 이러한 pH 문턱값은 대략적인 값이다. pH가 4인 용액은 강산의 엄격한 정의를 충족하지 않지만, 눈에 들어갔을 때 즉시 세척하지 않으면 매우 손상이 심하다.

산과 염기는 호환되지 않는다. 이것은 농축된 산과 염기 용액이 서로 접촉할 때 격렬하게 반응한다는 것을 의미한다. 일반

표 10-11. 선택한 산과 염기

산	알칼리(염기)
축전지	배수구 클리너
배수구 클리너	냉각제
염산	비료
플루오르화수소산(불화수소산)	무수암모니아
황산	잿물
질산	수산화나트륨
인산	표백제
아세트산	하이포아염소산나트륨
구연산	석회
포름산	산화칼슘(생석회)
트리클로로아세트산	탄산나트륨
페놀	수소화리튬

적으로 열이 발생하지만, 반응으로 인해 유독 가스가 발생할 수도 있다. 예를 들어 가정용 표백제(하이포아염소산염)를 암모니아계 세제와 혼합하면 클로라민 가스가 생성된다. 산과 염기의 예는 표 10-11에 나와 있다.

산은 우리 주변에서 흔히 볼 수 있다. 집에서 막힌 배수구를 뚫고, 수영장 물을 소독하는 데 사용하며 금속을 닦고 화장실 변기나 타일, 자동차 휠을 청소하는 데 사용한다. 산은 우리가 먹는 음식에서도 발견된다. 예를 들어, 식초는 약 5~10% 아세트산으로 구성되어 있으며 많은 청량음료에는 인산이 포함되어 있다.

산업 분야에서는 산이 화학 시약, 촉매제, 산업용 세정제 및 중화제로 사용된다. 황산은 연간 생산량과 사용량을 기준으로 국내총생산을 결정하는 국가가 있을 정도로 많이 사용한다.

부식제 및 염기라고도 하는 알칼리 용액은 산과 같이 흔히 볼 수 있다. 가정 및 산업 현장에서 산성 용액과 동일한 기능을 한다. 이들은 변기 세정제, 배수구 클리너, 가정용 표백제 및 암모니아 기반 세정액에 사용된다. 산업 분야에서는 시약, 중화제 및 세척액으로 사용된다.

암모니아는 널리 사용되는 부식성 및 가연성 화학물질이다. 농업에서 비료, 산업 현장에서는 냉각제(액화 가스 형태)와 화학 약품으로 사용된다. 이러한 합법적인 용도 외에도 암모니아는 메스암페타민 생산의 주요 성분이다. 암모니아의 불법 소지 및 사용으로 인해 매년 부상자가 증가하고 있다. 메스암페타민을 제조하는 동안 발생한 가연성 가스가 점화되어 화학 화상으로 여러 명이 사망했다. 의심스러운 상황에서 암모니아 손상에 대처할 때는 주의가 필요하다. 이러한 도움 요청의 예로 시골 지역에서 한밤중의 화학 물질 관련 부상 또는 주로 주거 지역의 화학 관련 손상이 포함될 수 있다. 처치 제공자는 현장에 진입하기 전에 경찰이 현장의 안전을 확보하고 다른 화학 물질로 인한 위험 요소를 제거할 수 있도록 도움을 요청한다.

병태생리학

다양한 산과 염기 노출로 인해 나타나는 병태생리학은 다양하다. 첫째, 산성 화상과 알칼리 화상은 다르다. 산은 단백질을 변성시켜 괴사를 일으키는 경향이 있으며 응고괴사라고 하는 과정을 통해 산의 침투를 제한하는 가피를 형성한다. 반면에 염기는 액화괴사를 일으키는 경향이 있다(그림 10-4). 불화수소산은 알칼리와 같이 액화괴사를 일으키는 경향이 있으므로 예외이다. 액화괴사는 세포막이 파괴되고 용해되어 본질적으로 비누화를 형성하는 관통성 손상이다. 결과적으로 부식제 노출의 특징은 피부를 만지면 매끄럽거나 끈적끈적한 느낌이다. 비누화라고 하는 이 과정은 오염을 제거하기가 더 어려운 깊은 화상을 초래한다. 이러한 유형의 노출에서 통증이 종종 늦게 나타난다.

둘째, 화상의 중증도는 pH, 표면적, 접촉 시간, 농도 및 부식제의 물리적 형태(고체, 액체 또는 기체)와 같은 여러 변수에 따라 달라진다. 잿물과 같은 알칼리성 고체 알갱이를 복용하면 식도와 위에서 장기간 접촉하기 때문에 심한 화상을 입을 수 있다. 전층화상 또는 식도 둘레 화상은 화상이 치유될 때 형성되는 협착으로 인해 복잡해질 수 있다.

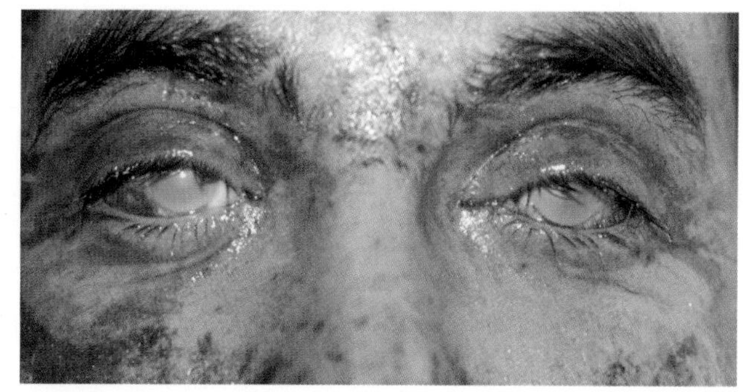

그림 10-4. 불산 노출로 인한 액화 괴사.

증상과 징후

불화수소산 또는 불화수소는 부식성이 약산(물에 완전히 녹지 않음)임에도 불구하고 부식성이 높고 급성 전신 중독을 유발하기 때문에 위험하다. 불화수소산으로 의한 화상은 대부분 산보다 훨씬 더 깊숙이 침투한다. 불소 이온은 가장 전기 음성도가 높은 이온이므로 체내에서 칼슘과 마그네슘을 결합하고 격리한다. 불화수소산 화상 환자의 피부 아래에 백색 또는 황백색의 불화칼슘 침전물이 형성될 수 있다. 중증 노출은 전신 저칼슘혈증과 저마그네슘혈증을 유발할 수 있나. 불화수소산에 의해 유도된 세포막의 파괴는 또한 세포 내 칼륨이 방출됨에 따라 고칼륨혈증을 유발한다. 고칼륨혈증 및 저칼슘혈증으로 인한 심장부정맥은 부식성 손상에 직접적으로 기인하지 않는 대부분의 사망 원인이다.

감별진단

부식제 노출 후에는 실험실 정밀검사가 필요할 수 있다. 정밀검사의 범위는 부식제의 유형, 부식제의 강도, 화상의 표면적 및 노출 경로에 따라 다르다. 국소 화상은 일반적으로 노출의 제한적인 영향 제한된 영향으로 실험실 정밀검사는 필요하지 않다. 그러나 중증 화상의 경우에는 혈색소/적혈구용적률, 혈당수치, 전해질 검사, 크레아티닌, 혈장 요소 질소 및 크레아틴키나아제, 응고 관련 분석, 소변 검사를 포함한 전체혈구계산(CBC) 검사가 필요하다. 불화수소산으로 인한 화상은 독성의 정도를 확인하고 전신적 영향을 확인하기 위해 칼슘, 마그네슘 및 칼륨 수치가 필요하고 노출 정도에 따라 부가적으로 중증도 노출의 경우 광범위한 실험실 검사를 시행한다. 페놀 노출에는 전체혈구계산, 전해질 검사, 크레아틴, 간 기능 검사 및 소변 검사를 한다.

또한, 환자에게 호흡기 증상이 나타나는 경우 맥박산소측정 및 동맥혈가스 검사를 시행한다. 부식제를 복용한 경우 눈에 보이는 입안 화상이 없는 경우에도 심각한 식도 손상이 발생할 수 있으므로 처음 24시간 이내에 가능한 한 빨리 내시경 검사(특히 식도 및 위내시경 검사)를 시행한다. 마지막으로 호흡기 증상이 있는 환자는 흉부 방사선 촬영, 복막염 증상이 있는 환자는 복부 방사선 촬영을 시행한다.

처치

병원 전 단계

산은 접촉 부위에 화학 화상을 일으킨다. 산이 피부, 눈 또는 위장관과 접촉하는 시간이 길수록 화상이 더 심해진다. 외부 오염원 제거는 산을 제거하는 것이 효과적이다. 산은 물에 반응한다고 간주하지만, 가장 효과적인 오염제거는 비누와 다량의 물로 세척하는 것이다. 이 오염제거 방법은 비교적 적은 양의 산이 다량의 물에 의해 씻겨 나가기 때문에 안전하다. 화학반응 때문에 생성된 열은 차가운 물에 흡수된다. 몇 분 이상 환자의 오염을 제거할 때 저체온을 유발하지 않도록 주의한다.

환기가 잘되고 적절한 공간이 있는 곳에서 오염제거 절차를 수행한다. 세척하는 시간은 부식제 종류, 농도 및 영향을 받은 체표면적에 따라 다르다. 눈의 오염을 제거하는 경우 화학 물질의 잠재적 손상에 따라 두 가지 일반적인 접근 방법이 있다. 1) 눈을 물 또는 생리식염수로 15분간 세척하거나 2) 모건 렌즈나 수액 세트를 사용하여 세척액으로 30~60분간 세척한다. 각막의 초기 pH는 리트머스 종이를 사용하여 측정한다. 눈 세척은 pH가 중성이 될 때까지 계속 시행한다. 오염원 제거한 후 시력을 측정한다. pH를 측정할 수 없는 경우 눈 세척을 지속해서 시행한다.

적어도 5분 동안 물로 피부를 씻어 낸다. 세척은 세척된 오염된 물을 버릴 수 있는 용기가 있다면 이송 중에도 지속으로 시행할 수 있다. 리트머스 종이(pH 종이)로 오염된 부위를 검사하는 것이 오염제거가 완료되었는지 확인하는 가장 좋은 방법이다.

위장관 손상이나 흡인의 위험이 있으므로 부식제를 복용한 것으로 추정되는 경우 위장의 오염제거를 시도해서는 안 된다. 독극물 센터나 의료 지도의사는 부식제를 소량 복용한 환자에게 우유나 물을 마시도록 하여 산을 희석하도록 조언할 수 있다.

오염제거가 신속하게 완료되지 않으면 산의 접촉 부위에 심한 통증을 유발한다. 이 부위는 괴사 궤양이 되며 노출의 특성에 따라 가피가 형성하거나 형성되지 않을 수 있다. 눈 노출은 즉각적이고 심한 통증을 유발한다. 각막 상피 세포의 얇은 층이 빠르게 파괴되고 산은 각막의 단백질을 변성시키기 시작하여 영구적인 시력 손상을 유발할 수 있다. 산 섭취로 인한 위장관 손상에는 입안, 식도 및 위 화상이 포함될 수 있다. 이 손상의 중증도는 접촉 시간에 달려 있기 때문에 위는 일반적으로 위장관계에서 가장 심하게 영향을 받는 부분이다. 손상은 국소적인 화상에서 위 또는 식도의 궤양 또는 천공에 이르기까지 다양하고 심한 복통을 유발한다. 산은 혈관계로 흡수되어 산증을 유발할 수 있다.

불화수소산으로 인한 화상은 특별한 고려가 필요하다. 불소이온은 칼슘이나 마그네슘과 결합할 수 있으므로 불화수소산 화상의 경우 글루콘산칼슘 또는 염화칼슘 및 마그네슘을 투여하여 심장에 미치는 영향을 예방한다. 불화수소산은 피부 화상에 대한 해독제는 물로 철저하게 오염을 제거한 후 국소 글루콘산칼슘 젤을 바른다. 불소 화상은 관통성 특성 때문에 초기 오염제거 및 처치를 완료한 후에도 지속해서 화상 부위에 글루콘산칼슘을 반복적이고 지속해서 발라야 한다. 깊은 화상은 글루콘산칼슘 피부밑 주사가 필요할 수 있다. 건조하고 멸균된 드레싱으로 화상 부위와 상처를 덮어준다.

눈이 불화수소산에 노출된 경우 생리식염수로 눈을 세척한다. 불화수소산으로 인한 경미한 화상이나 화상이 의심 환자도 적절한 의료기관으로 이송하여 평가를 받아야 한다. 국소 화상 처치의 일차적 목표는 통증 조절이다. 전신 질환의 평가는 화상 표면적, 산의 농도 및 실험실 검사의 결과에 따라 결정되고 진통제를 투여할 수 있다.

알칼리성(염기) 화상의 경우 응급실로 이송하는 동안 화상 부위의 지속적인 세척이 필요하다. 알칼리 노출은 더 길고 깊게 화상을 입혀 더 많은 조직 손상을 일으킨다. 배수구 클리너, 잿물, 암모니아 및 가정용 표백제와 같은 일반적인 알칼리 물질은 부식제이다.

병원 내 단계

부식제에 노출된 환자의 경우 먼저 철저하게 오염제거를 시행한다(자세한 내용은 유해 물질 섹션 참조). 또한, 많은 부식제가 휘발성이기 때문에 기도를 유지할 수도 있다. 환자가 먹었거나 얼굴에 화상을 입은 경우 기관내삽관이 필요할 수 있다. 신체의 표면적에 넓게 영향을 주는 부식제로 인한 화상은 열화상 후 수액 소생술과 유사한 수액 요법이 필요하다. 대부분의 피부 손상과 마찬가지로 감염은 장기적인 회복을 복잡하게 할 수 있다.

리튬, 칼륨, 나트륨 및 마그네슘의 원소 형태는 물과 반응하여 알칼리를 형성하기 때문에 물로 세척하지 않는다. 대신, 미네랄 오일(광유)로 해당 부위를 코팅하고 핀셋으로 부식제를 제거한다.

메트혈색소증을 유발하는 아질산염 및 설파제

혈색소의 철을 산화시킬 수 있는 아질산염 및 질산염과 같은 화합물은 메트혈색소증을 유발한다. 이러한 유형의 중독은 다양한 화학물질에 기인할 수 있으며 그중 일부는 표 10-12에 나열되어 있다. 니트로프루사이드 및 벤조카인 스프레이와 같은 특정 약물의 남용은 메트혈색소증을 유발할 수 있다. 농촌 지역에서는 곡식 저장고에 곡물을 채운 후 발효와 같은 생물학적 과정이 아질산염을 생성할 수 있다. 최대 독성은 저장 후 약 일주일 후에 발생한다. 질산암모늄과 같은 비료로 인해 농업용 지하수 오염은 중서부 주에서 "파란 아기 증후군(blue baby syndrome)"으로 알려진 유아에서 메트혈색소증 청색증을 유발할 수 있다.

병태생리학

메트혈색소증의 병태생리학은 1960년대 초 켄터키주 애팔래치아산맥에서 메디슨 카웨인 박사가 처음 사용한 해독제인 메틸렌 블루에서 추론할 수 있다. 산소 및 기타 산화제는 자연적으로 소량의 혈색소를 지속해서 메트혈색소로 전환한다. NADH 메트혈색소 환원 효소는 이러한 지속적인 위협을 분산시키며 활성 효소가 있는 사람들은 경증의 메트혈색소증에도 걸리지 않는다. "켄터키 블루(Kentucky blue)"라고 알려진 사람은 NADH 메트혈색소 환원 효소에 돌연변이가 있다. 영향을 받은 사람들은 청색증을 보이는 청색 피부색을 가지고 있다(그림 10-

표 10-12. 메트혈색소증을 유발하는 화학물질

아닐린 염료	아질산염 (아질산부틸 및 아질산이소부틸)
아민화합물	나이트로아닐린
아르신	니트로벤젠
염소산염	니트로푸란
클로로벤젠	니트로페놀
크롬산염	니트로소벤젠
연소 생성물	아산화질소
디메칠톨루이딘	레조르시놀
레조르시놀	질산은
질산	트리니트로톨루엔
산화 질소	

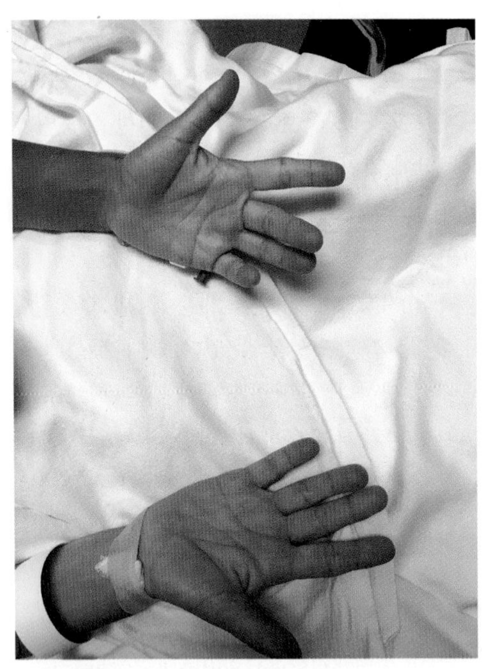

그림 10-5. 메트혈색소증

Danielle Biggs, MD and David C Castillo, DO,Warm & Blue: A Case of Methemoglobinemia, JETem, Retrieved from https://jetem.org/methemoglobinemia/

5). 이 착색은 산소 결핍 청색증에 의한 것이 아니라 짙은 청갈색인 메트혈색소에 의한 것이다. 카웨인은 이러한 환자들에게 메틸렌 블루를 경험적으로 투여했으며 메트혈색소를 혈색소로 전환하는 전자 공여자(환원제) 역할을 함으로써 창백한 청색을 제거할 것이라고 정확하게 추측한 것이다.

증상과 징후

질산염 및 아질산염 중독으로 인한 메트혈색소증 환자는 불안, 혼동 및 무감각을 포함하여 의식 수준이 변화되었다. 메트혈색소 생성으로 인한 쥐색 청색증이 나타난다. 구역, 구토, 현기증, 두통이 흔하다. 중증의 증상과 징후로는 대뇌허혈, 저혈압 및 호흡곤란 등이 있을 수 있으며 이는 심혈관 허탈 및 질식을 초래할 수 있다.

감별진단

메트혈색소증의 인지는 환자가 경미한 호소증상만 있을 수 있기 때문에 어려울 수 있다. 맥박산소측정은 메트혈색소가 산소 혈색소의 측정을 방해하기 때문에(파장이 너무 가까움) 메트혈색소증에 부정확하다. 일반적으로 맥박산소측정은 추가 산소 공급에 반응하지 않는 80 초반의 높은 수치를 나타낸다. 일산화탄소 중독에 대한 이전의 논의에서 언급했듯이 메트혈색소에 민감한 맥박산소측정기를 사용할 수 있다. 철저한 병력과 신체 평가는 정확한 병인을 발견하는 데 중요하다. 심각한 노출에서 혈청 메트혈색소증과 동맥혈 가스 농도를 분석한다.

메트혈색소증은 현장에서 혈액 검사를 통해 신속하게 진단할 수 있다. 4인치 × 4인치 거즈 패드에 혈액 한 방울을 떨어뜨린다. 이 혈액이 초콜릿 갈색이고 대기 중의 산소에 노출되어도 몇 분 안에 붉게 변하지 않는다면, 일산화탄소 혈색소는 산화될 때 적혈구가 빨갛게 변하지만, 메트혈색소는 그렇지 않기 때문에 메트혈색소증을 신뢰하여 진단할 수 있다.

처치

앞서 언급했듯이 질산염 및 아질산염 중독에 대한 해독제는 메틸렌 블루로 두 번째 효소인 NADPH 메트혈색소 환원 효소의 작용을 촉진하여 메트혈색소에서 혈색소로 환원시킨다. 역설적으로 고농도에서는 메틸렌 블루가 산화제로 작용한다. 인체에서 메틸렌 블루는 먼저 생체 활성 형태인 류코메틸렌 블루로 전환되어야 한다. 고용량을 투여하면 인체가 대사 과정을 할 수 없다.

병원 전 단계

기도, 호흡 및 순환 유지를 포함한 지지적 처치와 보조 산소를 투여한다. 환자를 문제가 되는 환경에서 이동시키고 완전히 오염원이 제거되었는지 확인한다. 교차 오염을 방지하기 위해서는 오염제거도 중요하다.

병원 내 단계

처치는 증상의 중증도에 따라 선택되며 외부 오염제거는 지속적인 중독을 방지하고 의료진과 응급실 환경의 교차 오염을 피하기 위해 매우 중요하다.

경미한 노출은 저절로 해결되지만, 중증 노출은 지지적인 처치와 해독제를 이용한 처치를 시행한다. 보조 산소 투여는 남아 있는 혈색소가 산소와 완전히 포화하도록 하는 데 중요하다. 메틸렌 블루가 금기인 환자는 고압 산소 요법 또는 교환 수혈의 이점을 얻을 수 있다.

콜린에스테라아제 억제제

표 10-13에 제시된 콜린에스테라아제 억제제(유기인산염과 카르밤산염)는 널리 사용되는 살충제 종류이다. 이것은 액체 형태의 곤충 스프레이, 장미 가루 제제는 고체, 그리고 더 넓은

표 10-13. 유기인산염 및 카르밤산염

유기인산염	카르밤산염
Acephate	sevin
Azinphos-methyl	Aldicarb
Chlopyrifos	Carbaryl
Demeton	Carbofuran
Diazinon	Methomyl
Dichlorvos	Propoxur
Ethyl 4-nitrophenyl phenylphsphonothionate	
Ethion	
Malathion	
Parathion	
Ronnel	
Tetraethyl pyrophosphate	

지역에 적용할 수 있는 미스트 제제에서 발견된다. 이러한 약물이 내포하는 위험은 살충제의 화학 구조와 살충제가 용해되는 매개체에 따라 크게 다르다. 이러한 살충제 대부분은 지용성으로 매개체 역할을 하는 탄화수소 용매로 둘러싸여 있다. 이 두 가지 특성으로 인해 대부분 피부 흡수력이 높아진다. 그러나 대부분의 유기인산염 살충제는 흡입에 의한 독성이 아니라 복용 또는 접촉에 의한 독성을 갖도록 설계되어 기구에 대한 위험을 감소시킨다. 또한, 가정용 제제는 일반적으로 더 많이 희석되어 여기에 포함된 화학 물질은 종종 덜 강력하다. 상업적 용도로 사용되는 살충제는 고농축이며 치명적일 수 있다.

유기인산염은 제2차 세계 대전 이전에 독일에서 신경작용제로 처음 개발되었고 처음에는 화학 무기의 작용제로 설계되었으며 나중에 농업용 농약으로 사용되었다. 신경작용제는 인간에게 최적화된 독성을 나타내지만, 살충제는 말벌이나 진딧물과 같은 표적 해충에 대한 독성에 최적화되었다. 일부 버섯은 효소 억제보다는 직접적인 수용체 자극을 통해 유사한 효과를 나타낸다.

병태생리학

유기인산염과 카르밤산염은 신경 전달 물질인 아세틸콜린의 분해를 방해하여 부교감신경계와 교감신경계를 과도하게 자극한다. 신경 자극은 전기 화학적 채널을 통해 뉴런을 따라 이동하고 뉴런 사이의 접합부인 시냅스에서 멈춘다. 이때 화학적 신경 전달 물질인 아세틸콜린이 뉴런에서 방출되어야 신호가 접합부를 가로질러 이동한다. 표적에서 아세틸콜린은 콜린성 수용체에 결합한다. 아세틸콜린은 근육, 교감신경계 및 부교감신경계뿐만 아니라 주로 부교감신경계에서 발견되는 무스카린 수용체에 결합한다. 전기화학적 자극은 다음 뉴런에서 계속되거나 근육에서 수축이 시작된다.

일단 신호가 전달되면 신경 전달 물질을 제거한다. 중요한 대사 과정을 수행하는 단백질로 이루어진 효소는 세포의 일꾼이다. 아세틸콜린에스테분해효소는 자극 전도 후 아세틸콜린을 아세트산염과 콜린으로 분해하는 효소이다. 유기인산염은 일반적으로는 카복실 에스테르 가수분해 효소와 특이하게 아세틸콜린에스테분해효소를 억제한다.

그러나 유기인산염과 카르밤산염은 약간 다른 방식으로 아세틸콜린에스테분해효소를 억제한다. 유기인산염 및 신경작용제는 유기인산염 계열에 포함하지만, 카르밤산염은 포함되지 않는다. 살충제의 인산염 부분은 아세틸콜린에스테분해효소와 결합한다. 다양한 과정을 거쳐 이 두 분자는 효소를 영구적으로 비활성화하고 이 과정을 노화라고 하며 이는 효소를 영구적으로 비활성화시킨다. 이 결합 시간이 짧을수록 해독제인 프랄리독심을 더 빨리 투여한다.

증상과 징후

유기인산염과 카르밤산염 중독의 증상과 징후는 동일하다. 가장 심각한 문제는 폐, 땀샘, 위장관계, 비뇨생식관 등 모든 기관에서 과도한 체액 생산이다. "젖은" 환자는 빠른 암기법인 SLUDGE BBM을 사용하여 증상을 요약할 수 있다. 이 빠른 암기법에서 M은 동공수축(miosis)을 의미하며 이는 살충제 및 신경작용제의 독성에서 가장 일반적으로 확인할 수 있는 신체 발견으로 감별 진단을 좁힐 수 있는 강력한 단서 중 하나이다. 다른 증상으로는 초기에 비특이적 감기 증상, 발한 및 근섬유다발수축(단일수축)이 있다. 중증 중독은 중증 폐부종, 발작, 혼수, 마비 및 호흡 부전을 유발할 수 있다. DUMBBELS 암기법은 이러한 약물에 의해 유발되는 무스카린 증상 및 징후를 설명하는 데 사용되며 니코틴 효과는 암기법 MTWtHF에서 연상할 수 있다. 이 두 개의 암기법의 세부 정보는 빠른 암기법에도 있다.

감별진단

유기인산염과 카르밤산염 중독은 주로 증상과 징후로 확인할 수 있다. 콜린에스터 분해효소 분석은 진단에 도움이 될 수 있지만, 악성 빈혈 및 항말라리아 약물 사용과 같은 기저질환이 결과를 왜곡하는 경우 중독의 심각성을 상상 반영하는 것은 아니다. 두 가지 유형의 콜린에스터 분해효소 분석의 두 가지 유형은 적혈구(RBC)와 혈장이다. 적혈구 콜린에스터 분해효소 분석은 불활성화를 보다 정확하게 반영하지만, 결과는 혈장 콜린에스터 분해효소 활성보다 오래 걸린다. 결과의 지연과 해석의 한계로 인해 실험실에서 독성을 확인하기 전에 처치를 시작한다.

처치

유기인산염 중독환자를 처치할 때 환자로부터 교차 오염을 피하고자 각별한 주의를 기울여야 한다(표 10-14). 환자의 의복은 제거하고 분리한다(즉시 오염 현장에서 이동시킨다). 환자를 처치하는 동안 글러브, 가운, 보호안경을 포함한 개인보호장비를 착용한다. 또한, 일부 유기인산염과 카르밤산염은 휘발성이므로 호흡기 보호가 필요할 수 있다. 구토물도 상당한 양의 독을 포함할 수 있으므로 조심스럽게 분리하고 처리한다.

기도, 호흡 및 순환 유지를 포함한 지지적 처치가 가장 중요하다. 이러한 약물의 콜린성 작용에 따른 기관지 분비물 과다와 근육 마비로 기도 확보가 최우선이고 심장 모니터링도 필요하다. 일반적으로 환자가 이미 구토를 하더라고 노출 후 1시간 미만이 지난 경우 위세척 및 활성탄을 투여할 수 있다.

표 10-14. 살충제(유기인산염 및 카르밤산염) 중독 처치

- 적절한 오염제거는 환자의 노출로 인해 보호자에게 발생할 수 있는 오염을 제거하기 위해 필수적이다.
- 기도를 개방하고 의식이 없거나 중증 폐부종, 심한 호흡곤란이 있는 환자의 기도를 유지하기 위해 입기관내삽관 또는 코기관내삽관을 고려한다.
- 환자에게 필요한 경우 환기를 시행하고 백벨브마스크로 양압환기를 시행하는 것이 도움이 될 수 있다.
- 폐부종을 관찰하고 필요에 따라 처치한다.
- 심장 리듬을 모니터링하고 필요한 경우 부정맥을 처치한다.
- 정맥 라인을 시작하고 30mL/hr로 식염수를 투여한다. 저혈량증의 징후가 있는 저혈압의 경우 조심스럽게 수액을 투여한다. 프로토콜에 따라 환자가 정상적인 체액량으로 저혈압이 나타나는 경우 혈압상승제 투여를 고려한다. 체액량 과부하 징후가 있는지 확인하고 주의한다.
- 아트로핀 투여 전에 저산소증을 교정하고 프로토콜에 따라 아트로핀을 투여한다.
- 동공 확대를 아트로핀 투여 종료 시점으로 결정하는 데 사용해서는 안 되고 폐의 분비물이 나오지 않는 시점을 아트로핀 투여 종료 시점으로 한다.
- 프로토콜에 따라 프랄리독심 클로라이드를 투여한다.
- 발작이 발생한 경우 프로토콜에 따라 적당량의 다이아제팜(Valium), 로라제팜(Ativan) 또는 미다졸람(Versed)을 투여하고 저산소증을 처치한다.
- 석시닐콜린, 기타 콜린성제제 및 아미노필린 투여는 금기이다.
- 눈에 오염이 발생한 경우 즉시 물로 세척하고 이송 중에도 지속해서 생리식염수를 이용해 세척한다.

Currance PL, Clements B, Bronstein AC: *Emergency care for hazardous materials exposure*, ed 3, St. Louis, MO, 2005, Mosby.

병원 전 단계

병원 전 처치는 지지요법과 해독제를 투여하는 것이다. 유기인산염 중독의 해독제는 아트로핀과 프랄리독심(2-PAM)이다. 아트로핀은 폐의 분비물과 관련한 증상을 처치하는 반면, 2-PAM은 아세틸콜린에스터 분해효소를 재활성화한다. 아트로핀은 증상에 따라 5분마다 1~5mg을 투여할 수 있다. 이 용량은 심장 질환에 사용되는 용량보다 훨씬 높다는 것에 유의한다. 콜린에스터 분해효소 해독제로서 아트로핀은 무스카린성 아세틸콜린 수용체에 결합하여 유기인산염 또는 카르밤산염에 의한 부교감신경 작용을 억제한다. 아트로핀 투여의 최종 목적은 분비물의 건조와 호흡 기능 개선이고 최대 용량은 없다.

가장 효과적 방법은 노화가 진행되기 전에 2-PAM을 투여하는 것이다. 대조적으로 카르밤산염(예: 살충제 세빈)은 유기인산염을 함유하지 않지만, 여전히 아세틸콜린에스터 분해효소에 결합할 수 있다. 카르밤산염은 유기인산염이 없기 때문에 해독제로 2-PAM이 필요하지 않다. 환자의 SLUDGE 증상을 없애기 위해 아트로핀만 투여한다(빠른 암기법 참조). 그러나 중독 원인이 되는 물질을 알 수 없고 증상이 콜린에스터 분해효소 억제와 일치하는 경우 유기인산염 제제의 처치가 지연될 수 있는 잠재적 위험이 있음으로 프랄리독심을 투여하는 것이 적절하다. 일반적인 처치에 고유량 산소 투여와 정맥 내 수액 소생술이 포함된다.

병원 내 단계

경련이 발생하면 정맥 내로 0.1~0.2mg/kg의 벤조다이아제

빠른 암기법

적절한 양의 아트로핀은 의도적인 사건은 말할 것도 없고 단일 살충제 노출에 대해 신속하게 투여하기 어려울 수 있다. 일반적인 병원은 중독된 한 명의 환자에게 모든 아트로핀 투여할 수도 있다. 국가에서 전략적으로 비축한 의약품을 사용하여 임상적 효과를 얻는 것은 빠르지 않을 수 있다. 아트로핀의 분말 흡입, 분무 및 혀 밑 투여와 같은 대체 투여 방법은 폐 및 기타 전신 효과의 개선이 나타날 수 있다.

다수 사상자가 발생하면 쉽게 구할 수 있는 아트로핀 분말 제제를 사용하여 이익을 얻을 수 있다. 최소한의 교육으로 이 제제는 유기인산염 노출시 신속하게 재구성하여 투여할 수 있어 여러 명의 환자를 처치하는 가장 효과적인 방법일 수 있다.

구조자가 개인보호장비를 착용하고 있는 경우 골내 투여가 정맥내 투여보다 투여하기 쉬울 수 있다.

글리코피롤레이트와 디펜히드라민은 이러한 환자에게 도움이 될 수 있는 대체 항콜린성 제제이다. 그러나 이러한 약물은 혈액뇌장벽(BBB)을 통과하지 않음으로 중추신경계에 미치는 영향을 완화하지 못할 수 있다.

핀을 투여한다. 초기에 2-PAM 2g을 투여한 후 성인의 경우 8mg/kg/hr로 지속해서 투여한다. 환자가 복용 후 1시간 이내에 응급실에 도착한 경우 진행 중인 흡수 및 독성의 잠재적 심각성으로 인해 위 내용물을 조심스럽게 처리하면서 위세척을 고려할 수 있다. 그러나 활성탄은 흡인의 가능성 때문에 유기인산염 중독 처치에 사용하지 않는다.

석유 증류 물질

탄화수소는 석유에서 추출한 가연성 또는 인화성 액체의 광범위한 분류이다. 이러한 액체는 수용성이 아니며 일반적으로 물위에 떠 있다. 탄화수소는 가정에서 소량으로 발견되며 산업현장에서는 대량으로 발견된다. 집에 있는 대부분의 사람은 차고나 창고에 소량의 휘발유, 석유 스피릿, 페인트 시너 및 다른 용제를 가지고 있다. 산업 현장에서는 다량의 탄화수소가 연료(디젤 연료 포함), 용제 및 화학 공정(특히 플라스틱 산업 분야)의 시약으로 사용된다. 다른 석유 증류 물질의 예로는 톨루엔, 자일렌(크실렌), 벤젠 및 헥산 등이 있다.

본드 흡입(Huffing)은 환자가 의도적으로 다양한 할로겐화 또는 방향족 탄화수소를 흡입하여 도취적인 기분을 내는 화학적 남용의 한 형태이다. 중증 중추신경 억제 및 호흡 저하와 같은 효과가 빠르게 나타날 수 있다.

빠른 암기법

유기인산염과 카르밤산염 독성의 증상과 징후를 위한 암기법

SLUDGE BBM
S 침 분비(Salivation)
L 눈물흘림(Lacrimation)
U 배뇨(Urination)
D 배변(Defecation)
G 위장 장애(Gastrointestinal distress)
E 구토(Emesis)
B 서맥(Bradycardia)
B 기관지수축/기관지루(Bronchoconstriction/bronchorrhea)
M 동공수축(Miosis)

DUMBBELS
D 설사(Diarrhea)
U 배뇨(Urination)
M 동공수축(Miosis)
B 서맥(Bradycardia)
B 기관지수축/기관지루(Bronchoconstriction/bronchorrhea)
E 구토(Emesis)
L 눈물흘림(Lacrimation)
S 침분비(Salivation)

MTWtHF
M 근육약화 및 마비(Muscle weakness and paralysis)
T 빈맥(Tachycardia)
W 쇠약(Weakness)
tH 고혈압(Hypertension)
F 근섬유다발수축(Fasciculations)

병태생리학

탄화수소는 일반적으로 중추신경에 영향을 미친다. 탄화수소는 피부를 통해 쉽게 흡수되며 중추신경 뉴런의 세포막 특성(예: 유동성)을 변화시키는 것으로 생각된다. 일부 탄화수소가 암을 유발하는 반면, 다른 것들은 독소 전구물질이며, 그 대사산물은 유해하다. 일부 탄화수소는 암을 유발하는 반면 다른 탄화수소는 프로톡신이며 대사산물은 유해하다. 증기압의 척도인 물질의 휘발성은 호흡기계에 대한 위협의 정도를 나타낸다. 증기압이 높을수록 공기 중의 화학 물질의 농도가 더 커지고 휘발성이 더 높아진다. 더 높은 변동성은 또한 휘발성이 더 크다는 것을 의미한다.

탄화수소의 점도는 섭취 중 흡인 가능성에 영향을 미친다. 점도가 낮은 탄화수소는 점도가 높은 탄화수소보다 흡인될 가능성이 더 크다. 예를 들어, 가솔린은 엔진 오일보다 폐 손상을 일으킬 가능성이 더 크다. 페놀과 같은 일부 탄화수소 유도체는 마취 특성이 있다. 따라서 페놀 화상은 더 오랫동안 눈에 띄지 않을 수 있으며 이로 인해 전신적인 영향을 미치는 중증 화상이 발생할 수 있다.

특정 노출과 관련된 위험 수준을 결정하는 데 현장 평가가 중요하다. 많은 탄화수소의는 피해자에게 접근하기 위해서는 특수한 개인보호장비(PPE)가 필요하다. 국립산업안전보건연구소(NIOSH) 지침은 특정 탄화수소가 병원 전 처치 제공자와 환자 모두에게 미치는 위험 정도를 결정하는 데 사용할 수 있다.

증상과 징후

석유 증류 물질 독성의 증상과 징후는 탄화수소의 특별한 성질, 유입 경로 및 섭취한 화학물질의 양에 따라 크게 다르다. 흡입은 일반적으로 일시적인 행복감을 유발한다. 피부 노출은 피부 자극과 탈지성 피부염을 유발할 수 있다. 탄화수소 섭취 또는 흡입과 관련된 가장 흔한 독성은 기침 및 쌕쌕거림과 같은 경미한 증상에서 급성호흡곤란증후군에 이르는 급성폐손상이다. 일부 탄화수소는 섭취 시 심각한 점막 부식성 손상을 일으킨다. 많은 스프레이 페인트, 특히 금속성 색상에서 발견되는 톨루엔을 함유한 탄화수소의 만성 흡입 남용은 증상이 있는 근육약화를 유발할 수 있는 산증 및 중증 저칼륨혈증과 관련이 있다. 마지막으로 공기 청소기에서 발견되는 1,1-디플루오로에탄(DFE)과 같은 할로겐화탄화수소는 카테콜아민, 심장 부정맥 및 돌연사 증후군이라고 하는 사망에 대한 심근 민감성과 관련이 있다.

감별진단

석유 증류 물질 중독 시 정밀검사를 시행한다. 만성 벤젠 노출은 백혈병이나 재생 불량성 빈혈로 이어지기 때문에 전체혈구계산(CBC) 검사를 시행한다. 혈당 검사, 혈청 요소 질소, 크레아티닌 및 전해질 검사를 포함한 기본 대사 검사를 한다. 간 기능 검사 및 혈청 크레아틴키나아제 검사(횡문근융해증을 확인하기 위해)도 시행한다. 석유 증류 물질 흡인으로 인해 지속적인 증상이 나타나는 경우 흉부 방사선 검사가 필요할 수 있다.

처치

병원 전 단계

철저한 환자 병력과 완벽한 외부 오염제거가 중요하다. 섭취한 특정 탄화수소의 종류와 양을 정확히 파악하기 위해 환자를 관찰하는 것이 중요하다. 일반적으로 독성의 가장 두드러진 영향은 중추신경계에 있다. 흡입한 할로겐화탄화수소의 결과로 알려진 심실부정맥의 드문 경우에서 초기 처치는 표준 ACLS가 아닌 정맥 내로 베타 차단제를 투여하는 것이다. 카테콜라민에 대한 심근의 민감성 때문에 에피네프린을 추가로 투여하면 근본적인 원인이 악화할 수 있다. 그러나 부정맥의 원인이 확실하지 않은 경우 표준 ACLS 프로토콜을 적용한다. 활성탄은 구토와 흡인의 위험이 높기 때문에 탄화수소 섭취시 사용하지 않는다.

병원 내 단계

탄화수소의 종류, 섭취량 및 섭취한 시간을 확인하기 위해 환자 병력을 청취한다. 또한 질문할 때 함께 복용한 약물의 여부와 흡인 가능성에 초점을 맞추어야 한다. 처치는 주로 기도, 호흡 및 순환 보조, 보충 산소 제공, 정맥 라인 확보를 포함하여 지지적 처치를 시행한다. 기도는 흡인에 취약하다. 위세척은 장뇌, 할로겐화탄화수소, 방향족 탄화수소 및 중금속 함유 탄화수소 또는 살충제가 포함된 탄화수소를 섭취한 후 조기에 발견된 환자에게 시행할 수 있다. 신체검사에서 외상성 손상을 배제하기 위해 뇌 신경을 포함한 철저한 신경학적 검사를 시행한다.

환경 독소: 독물주입에 의한 중독 (유독 동물독소중독)

환경 독성학은 화학물질이 환경에 미치는 영향을 연구한다. 동물의 독, 미생물 및 식물 독소와 같은 다양한 환경 독소는 인간에게 악영향을 줄 수 있다. 천연 독소에 의한 많은 심혈관 및 신경학적 영향은 이전 장에서 설명한 것처럼 다른 독성 중독을 처치 방법과 유사한 방식으로 처치한다. 그러나 몇 가지 특별한 독성 기전과 임상 증상은 직접적인 처치가 필요하다.

미국에서는 검은과부거미, 갈색은둔거미 또는 전갈에 물린 중독 환자를 처치할 수 있다. 이러한 절지동물에 의한 중독은 고통스러울 수 있지만, 사망하는 경우는 드물다. 처치의 핵심은 아편유사제 및 항불안제를 사용한 지지적 처치와 증상 관리이다. 표 10-15는 각 유형의 절지동물에 대한 독성, 작용 기전 및 권장 처치 방법을 요약한 것이다.

매년 미국에서는 수천 건의 뱀에 물리는 사고가 발생하고 그 중 치명적인 것은 거의 없다. 독사는 미국과 알래스카 전역에서 발견된다(그림 10-6). 독사의 두 가지 분류체계는 다음과 같다.

1. 크로탈리과(살무사과), 방울뱀(동서양의 다이아몬드방울뱀, 피그미 방울뱀, 꼬마 방울뱀), 늪살무사(massasauga varietie), 아메리카 살무사
2. 코브라과(산호뱀)

뱀독의 독성과 작용 방식은 분류체계에 따라 다르다.

많은 해양생물은 물거나 쏘는 방식으로 독을 전달하여 독물 주입 부위에 심한 통증을 유발한다(그림 10-7). 해양생물 중 해파리, 불산호, 말미잘과 같은 이 생물 중 일부는 가시세포라고 하는 쏘는 세포로 독소를 주입한다. 성게와 가오리와 같은 다른 생물은 독을 조직 깊숙이 주입하는 가시가 있어 외상뿐만 아니라 중독을 유발한다.

검은과부거미

검은과부거미는 미국의 모든 지역에서 서식한다. 일반적으로 나무를 쌓아 놓은 곳, 덤불, 헛간 또는 차고와 야외에서 발견되며 장작이나 크리스마스트리와 같은 야외에 보관된 물건과 함께 집안으로 들어 올 수 있다.

표 10-15. 절지동물 독성

절지동물	독소	독성 기전	임상 양상	처치
검은과부거미	α-라트로톡신	다중 혈관 활성 및 근활성 신경전달물질 방출로 시냅스 전 칼슘통로 개방	구역, 구토, 물린 부위 발한, 빈맥, 고혈압, 근육 경련	• 다이아제팜, 펜타닐 • 중증 독성의 경우 해독제 사용 고려
갈색은둔거미	• 스핑고미엘린분해효소-D • 히알루로니다아제	• 스핑고미엘린분해효소-D: 국소 조직 파괴, 혈관 내 응고 • 히알루론산 분해효소: 조직 투과 촉진	• 국소 반응: 조직 괴사와 궤양 형성 • 전신 반응: 발열, 구토, 횡문근융해, 파종 혈관 내 응고, 용혈	• 국소 상처 처치, 파상풍 예방접종, 진통제 • 전신 독성에 대한 지지적 요법
Centruroides exilicauda (Bark 전갈)	신경독소 I-IV	반복적인 탈분극 및 신경전달물질 방출로 나트륨통로 개방	국소감각 이상, 빈맥, 고혈압, 침 분비, 발한, 근섬유다발수축, 눈간대경련, 떠도는 운 움직임	• 파상풍 예방, 상처 처치, 항불안제, 진통제 • 중증 독성은 가능한 경우 해독제 사용

그림 10-6. A. 늪살무사. B. 아메리카 살무사는 나뭇잎 속에 있을 때 거의 눈에 띄지 않는 특이점이 있다. (A, Courtesy Michael Cardwell and Carl Barden, Venom Laboratory. B, Courtesy Sherman Minton, MD.)

그림 10-7. A. 상자해파리(입방해파리), B. 작은 부레관 해파리, C. 푸른 반점 가오리(꽁지가오리), D. 성체 쏠베감펭(A. courtesy John Williamson, MD. B. courtesy Larry Madin, Woods Hole Oceanographic Institution. C. and D. photos by Paul Auerbach, MD.)

확인

암컷 검은과부거미는 둥근 모양의 반짝이는 검은 복부 쪽의 붉은 빨간색 모래시계 모양으로 확인할 수 있다(그림 10-8). 거미는 보통 길이가 2.5cm 이하이다. 이 암컷 거미의 독은 강력한 신경독이고 수컷 검은과부거미는 갈색이며 암컷의 절반 크기이고 독이 없다.

증상과 징후

검은과부거미 중독의 증상과 징후에는 근육경련, 압통이 없는 복부 경직, 즉각적인 심한 국소적인 통증, 발적 및 물린 부위의 구진 형성과 같은 부기가 있다. 환자는 물린 것을 벌에 쏘인 듯한 느낌으로 설명할 수 있다. 물린 부위에서 1mm 간격으로 두 개의 작은 송곳니 자국을 확인할 수 있다. 독물주입으로 인한 전신 효과는 구역 및 구토, 물린 부위 땀남, 의식 저하, 발작 및 마비가 나타난다.

처치

병원 전 처치는 주로 지지적 요법이다. 근육 경련이 발생한 경우 다이아제팜(발륨) 또는 글루콘산칼슘과 같은 근육 이완제로 처치한다. 고혈압 위기를 예방하기 위해 적극적으로 고혈압을 모니터링하고 처치한다. 검은과부거미 독물에 해독제를 사용할 수 있으므로 거미의 종류를 확인하고 신속하게 의료기관으로 환자를 이송한다. 해독제는 응급실에서 투여할 수 있다.

그림 10-8. 복부 아래쪽에 붉은 모래시계의 모양이 있는 암컷 검은과부거미

갈색은둔거미

갈색은둔거미는 상대적으로 따뜻한 기후의 집안을 포함하여 어둡고 건조한 곳에서 서식한다. 미국에서 이 거미는 하와이와 남부, 중서부 및 남서부에서 발견된다. 대부분 독물에 의한 중독은 중남부 지역에서 발생한다.

확인

갈색은둔거미는 황갈색을 띠며 등 쪽에 독특한 바이올린 모양의 표지가 있다(바이올린 거미라고도 함, 그림 10-9). 거미 몸의 길이는 3/4인치 정도이고 또 다른 특징은 일반적으로 눈이 여덟 개가 아닌 여섯 개의 눈을 가지고 있으며 눈은 세 쌍이 반원형으로 배열되어 있다.

증상과 징후

갈색은둔거미의 전신 증상으로는 불쾌감, 오한, 발열, 구역 및 구토, 관절 통증 등이 있다. 생명을 위협하는 증상에는 파종혈관내응고 및 용혈 빈혈과 같은 출혈 장애가 포함될 수 있다.

갈색은둔거미의 독은 다양한 세포 독성 특성이 있는 적어도 11개 펩타이드로 구성된 치명적인 혼합물이다. 괴사 독은 물린 부위에 전형적인 황소 눈 모양의 병변을 일으킨다. 환자가 잠들어있는 동안 밤에 많이 물린다. 물린 부위는 통증이 없으며 처음에는 작은 물집(구진)으로 시작하며 때로는 흰색 무리로 둘러싸인다. 다음 24시간 동안 국소적인 통증, 발적 및 부종이

그림 10-9. 갈색은둔거미. 거미의 등에 있는 어두운 바이올린 모양을 확인

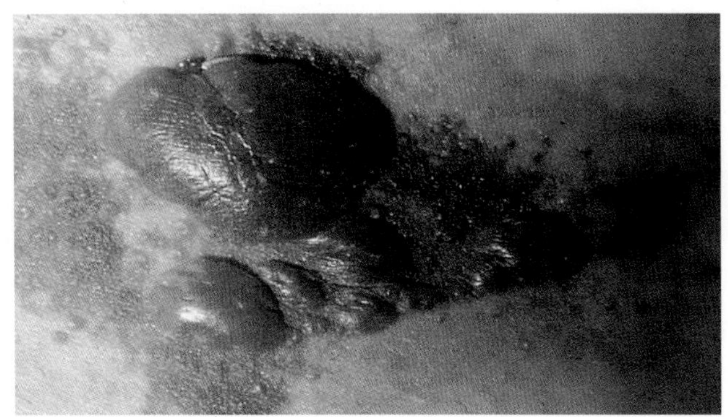

그림 10-10. 갈색은둔거미에 물림. 경색, 출혈 및 물집이 생긴 심각한 반응
Habif TP: *Clinical dermatology: a color guide to diagnosis and therapy*, ed 5, St. Louis, 2009, Mosby.

발생한다(그림 10-10). 다음 며칠 또는 몇 주 동안 조직 괴사가 물린 부위에서 발생하고 발적과 부기가 퍼지기 시작한다. 괴사로 인한 상처는 치유 속도가 느리고 물린지 몇 달 후에 나타날 수 있다.

처치

병원 전 단계에서의 처치는 기도 관리와 통증 조절에 중점을 두어야 한다. 승인된 해독제가 없기 때문에 처치는 지지요법을 시행한다. 상처를 깨끗이 하고 드레싱을 시행하며 상처 부위에 냉찜질하고 의학적 평가를 위해 환자를 이송한다.

펜타닐은 다른 아편유사제와 관련된 히스타민 분비를 유도하지 않기 때문에 독물주입 처치에 선택되는 아편유사제이다. 갈색은둔거미 독물주입에 대한 특정 해독제에 대한 많은 연구가 진행되었지만, 심각한 잠재적인 부작용과 효과 부족으로 인해 사용을 권장하지 않는다.

전갈

2017년에는 12,669건 전갈에 물렸다는 보고가 있었으며 사망자는 없었다. 미국에서는 600종 이상의 전갈이 발견되지만, 남서부 사막에서 발견되는 바크(bark) 전갈이나 조각(sculptured) 전갈만이 인간에게 위험하다. 전갈은 야행성이며 낮에는 물체와 건물 아래에 숨어 있으며 특히 밤에 건물 안으로 들어갈 수 있다.

확인

전갈은 황갈색이고 줄무늬가 있으며 길이는 약 2.5~7.6cm이다(그림 10-11). 전갈은 꼬리 끝에 있는 침의 아랫부분에 둥근 주머니에 저장된 독을 주입한다. 일반적으로 소량의 독을 주입

그림 10-11. 애리조나 바크 전갈(Centruroides exilicauda)

한다. 조각 전갈은 4월부터 8월까지 활동하며 겨울에는 동면한다.

증상과 징후

전신적 영향은 일반적으로 어린이(20kg 미만) 또는 쇠약한 어른에게서만 나타난다. 증상으로는 불분명한 발음, 불안, 침 분비, 복부 경련, 구역 및 구토, 회전 안진, 근섬유다발 수축(경련) 및 발작이 포함될 수 있다. 증상은 일반적으로 전갈에 쏘인 후 5시간 이내에 최고조에 달한다. 쏘인 부위에 발적 및 부기가 있는 경우 바크 전갈의 독은 국소 염증을 유발하지 않기 때문에 쏘였을 가능성이 없다. 바크 전갈의 독은 신경독으로 초기에 작열감이나 따끔거리는 느낌을 주고 그다음에 무감각해진다. 독소는 전압 의존성 이온 통로, 특히 신경 자극 전달에 관여하는 나트륨 통로에 영향을 미치는 단백질과 폴리펩타이드의 혼합물이다. 독물주입의 이차 효과는 교감 신경을 통한 중추신경계 자극이다.

처치

기도, 호흡 및 순환을 유지하고 환자를 진정시켜 처치를 시작한다. 호흡 억제에 대한 지지적 요법을 제공한다. 상처 부위를 깨끗하게 하고 냉찜질을 시행하며 이송 시간이 길어질 것으로 예상되는 경우 림프액 순환을 제한하기 위해 쏘인 부위에 차가운 압박을 한다. 이송 시간이 길어질 것으로 예상되는 경우 림프액 흐름을 제한하기 위해 물린 부위 위쪽에 수축 밴드를 적용할 수 있지만, 올바르게 적용하기 어렵다. 밴드의 너비는 최소 5cm이어야 하며 손목시계의 줄보다 조이지 말아야 한다. 조이는 압력은 발목 염좌 때 사용하는 탄력 붕대의 압력과 비슷

해야 한다. 그러나 이 방법은 논란의 여지가 있으며 절대로 적용해서는 안 되는 지혈대 적용과 혼동해서는 안 된다.

호흡기 증상을 악화시킬 수 있으므로 진통제를 투여하지 말고 의료기관으로 신속하게 이송한다. 항뱀독소제는 풍토병이 발생하는 지역에서 전갈에 쏘였을 때 사용할 수 있다.

남부 플란넬 나방(Megalopyge opercularis) – 아프스(Asp) 또는 고름(Puss) 애벌레

메갈로피게 오퍼큘라리스(Megalopyge opercularis) 또는 "아프스", 또는 "고양이" 애벌레는 남부 플란넬 나방의 애벌레로 북아메리카에서 가장 독성이 강한 애벌레이다. 텍사스에서 가장 흔하게 발견되지만, 뉴저지에서 플로리다까지도 발견될 수 있다. 매년 6~7월에 가장 흔하게 볼 수 있고 다시 9~10월에 최고로 많이 볼 수 있다. 길이는 2cm 정도이고 눈물방울 모양의 털이 많은 애벌레(그림 10-12)는 쐐기풀 같은 털을 가지고 있어 이 털을 이용해 피부에 독을 주입하여 빠르게 강한 박동, 작열통, 홍반을 일으킨다. 출혈성 소포는 최대 5일까지 지속할 수 있으며 보고된 전신 증상으로는 구역, 구토 및 무감각 등이 있다. 눈과 안구 노출은 나무에서 애벌레가 어린이에게 떨어질 때 가끔 여러 번 노출되는 문제와 관련하여 가장 중요한 가장 심각한 문제이다. 처치는 피부에서 침이나 털을 접착테이프로 제거, 독을 제거하기 위해 비누와 물로 세척, 가려움증을 완화하기 위해 경구용 항히스타민제를 사용하거나 염증이 심한 경우 진통제 또는 코르티코스테로이드를 사용한다.

그림 10-12. 고양이 애벌레

살무사

미국에서 거의 모든 뱀의 이름은 살무사(Crotalidae family)과 독사에 기인한다. 살무사는 메인주와 하와이를 제외한 미국의 모든 주에 서식한다. 2017년 미국 독극물센터에 살무사에 물려 4,071건이 보고되었고 2명이 사망하였다.

확인

살무사는 콧구멍과 눈 사이의 삼각형 머리 양쪽에 있는 위턱뼈에 홈을 형상하는 독특한 피트(pit)에서 이름을 따왔다. 이 뱀은 수직 타원형의 눈동자와 긴 힌지 송곳니를 가지고 있다.

증상과 징후

살무사에 물렸을 때 나타나는 증상과 징후에는 물린 부위에 독특한 송곳니 자국, 구획증후군(특이한 결과)이 발생하기 전에 발적, 통증 및 부기, 삼출물이 수반된다. 전신 효과는 다음과 같은 것을 포함할 수 있다.

- 갈증
- 발한
- 오한
- 쇠약
- 어지럼
- 빈맥
- 입안에서 금속 맛
- 구역 및 구토
- 설사
- 저혈압
- 응고 장애
- 호흡곤란
- 머리 주위의 무감각 및 저림(일부 종에서)

응고 이상에도 불구하고 독 주입의 가능성이 있지만, 심각한 출혈 합병증이 보고되는 경우는 거의 없다. 일차적인 이환율은 국소 조직 손상과 관련이 있다. 감각 이상 및 쇠약과 같은 신경독성은 주로 미국의 모하비방울뱀(Crotalus scutulatus)과 같은 일부 살무사 종과 관련이 있다. 살무사 물림은 손상과 심각한 이환율과 관련이 있지만, 사망은 거의 보고되지 않았다. 살무사의 독은 여러 펩타이드와 효소로 구성되어 있으며 이들의 응집 효과는 주로 조직 및 근육 손상을 유발할 뿐만 아니라 혈소판 및 피브리노겐을 포함한 응고 인자의 소모와 고갈을 초래한다. 중증 독물주입의 경우 파종성혈관내응고(DIC)가 발생하지만, 응고병증, 혈소판감소 및 저섬유소원혈증은 파종성혈관내응고(DIC)에서 나타나는 미세혈관병증 응고 및 관련 조직 손상 없이 대부분 환자에게서 발생한다. 혈관 내 독물주입은 혈관 내 응고병증, 저혈압 및 사망으로 이어질 수 있다. 살무사 독에 대한 알레르기성 반응도 보고되었다. 물린 부위의 약 25%는 마른 상처이며 이것은 물린 상처에 독이 매우 적거나 독이 없나는 것을 의미한다.

처치

처치는 기도, 호흡 및 순환 보조를 시행하고 반지나 조이는 장신구를 제거, 국소 조직 손상의 정도를 개선하기 위해 영향을 받은 팔다리를 들어 올린다.

부목으로 팔다리를 고정하되 물린 부위를 흡인, 절개하거나 냉찜질을 적용하지 않는다. 물린 부위를 단단하게 조이려고 시도하지 않는다. 살무사의 독물주입과 관련된 일차적인 이환율은 국소 조직 손상과 구획증후군의 가능성이지만, 전신 독성은 상대적으로 미미하다. 따라서 병원 전 처치의 목표는 말단 부위에서 독의 울혈과 관련된 추가 조직 손상을 방지하기 위해 손상을 받은 말단 부위를 확장하고 들어 올리는 것이다.

살무사에 물렸을 때 항뱀독소제를 사용할 수 있으므로 적절한 의료기관으로 신속하게 이송하는 것이 중요하다.

뱀에 물린 상처에 키트를 사용하거나 독을 빨아내려고 시도하는 것은 도움이 되지 않으며 추가 조직 손상을 일으킬 수 있으므로 시행하지 않는다. 통증 조절이 필요한 경우 펜타닐을 투여한다.

환자가 의료기관에 입원하면 국소적이거나 광범위한 독성의 증거가 명백한 경우 분명하다면 중독 전문의와 상의하여 항뱀독소제를 투여할 수 있다. 드물기는 하지만 환자가 항뱀독소제에 알레르기 반응이 있을 수 있으므로 환자를 면밀히 관찰한다.

조직 손상과 팔다리 기능 장애가 회복되는 데 몇 주 또는 몇 개월이 걸릴 수 있으며 물리 치료가 필요할 수 있다. 드문 경우지만 구획증후군이나 다른 합병증을 처치하기 위해 외과적 처치와 근막절개가 필요할 수도 있다.

독사에게 물렸을 때 어떤 유형의 의료기관과 전문의 면허 유형에 따라 환자를 이송할 의료기관을 결정한다. 지역 지침에 따라 이송할 의료기관을 결정할 수도 있다. 독사에 물린 경우 일반적으로 외과적 질환이 아니고 관찰과 응고 장애 예방 또는 처치로 관리한다. 응고 장애에 대해 잘 알고 있는 의사면 충분하다. 때에 따라 구획증후군이 발생할 수 있으므로 적절한 의료 지도가 필요하다. 환자를 이송할 의료기관에 사전에 연락하여 사용할 수 있는 항뱀독소제가 있거나 신속하게 확보할 수 있는지 확인하는 것이 좋다. 독사에 물린 환자를 반드시 외상센터에서 처치할 필요는 없다.

코브라과

미국에서 코브라과 산호뱀이 남동부(동부 변종)와 남서부(애리조나 변종)에서 발견된다. 2017년 미국 독극물센터에 80건의 산호뱀에 물린 사고가 보고되었으며 사망자는 없었다.

확인

산호뱀은 살무사보다 작고, 둥근 동공, 좁은 머리, 작은 고정 송곳니가 있고 머리에 홈(pit)이 없다(**그림 10-13**). 산호뱀은 검은색, 옅은 노란색 또는 흰색, 짙은 주황색 또는 빨간색의 독특하게 번갈아 나타나는 수평 띠로 확인할 수 있다. 일부 독이 없는 뱀(큰뱀)이 이런 색상 패턴과 비슷하지만, 불완전한 모양이다. 옛 속담에 "노란색에 빨간색의 뱀은 사람을 죽일 수 있고 검은색에 빨간색의 뱀은 독이 없다"라는 말로 산호뱀과 비슷하게 생긴 뱀을 구별하는 데 도움이 될 수 있다. 그러나 이 말은 미국에 서식하는 산호뱀만 적용된다.

증상과 징후

산호뱀은 성질이 온순하고 짧고 고정된 이빨과 크기가 작기 때

그림 10-13. 택사스 산호뱀과 동부 산호뱀은 강력한 신경독을 가지고 있지만, 물리는 경우가 드물다.

문에 물리는 경우가 드물다. 그러나 중증 독액주입은 호흡기 및 골격근 마비를 일으킬 수 있다. 증상과 징후는 물린 부위에 송곳니 자국과 부기, 발적 및 국소 마비가 나타난다. 12~24시간 지연되어 나타날 수 있는 전신 효과는 다음과 같다.

- 쇠약
- 졸음
- 불분명한 말투와 침 분비
- 운동 실조
- 혀와 후두 마비
- 눈꺼풀 처짐
- 동공 확장
- 복통
- 구역 및 구토
- 발작
- 호흡곤란
- 저혈압

산호뱀의 독에는 가수분해 독소와 아세틸콜린 수용체 부위를 차단하는 신경독이 혼합되어 있다. 이는 살무사 독보다 더 심각한 신경학적인 영향을 미치고 마비와 호흡 부전을 유발할 수 있지만 물린 경우 약 40%만이 독액이 주입된다.

처치

병원 전 단계

산호뱀에 물렸을 때 초기 처치는 살무사에 물렸을 때 초기 처치와 다르다. 산호뱀에 물린 경우 물린 이후의 주요 관심사는 국소적인 팔다리 손상보다 전신적인 신경독성이므로 림프 배액을 방지하기 위해 압박 고정이 권장된다. 그러나 팔다리 허혈의 위험이 있으므로 지혈대를 사용하지 않는다. 물이나 생리식염수로 상처를 세척하고 물린 부위를 심장보다 아래로 유지하고 환자를 진정된 상태로 유지한다. 팔다리를 물린 경우 부목으로 고정하고 체액 보충을 위해 정맥 내로 결정질 용액을 투여한다. 상처를 절개하거나 냉찜질을 적용하지 않는다. 미국 식품의약청이 인정한 항뱀독소제는 현재 생산되지 않는다. 기한이 지난 소량의 항뱀독소제가 있으며 매년 그 효과를 테스트한다. 동부 산호뱀이 서식하는 지역(텍사스, 플로리다)에서는 산호뱀의 항뱀독소제를 사용할 수 있으므로 적절한 의료기관으로 신속하게 이송하는 것이 중요하다. 만일 산호뱀에 물린 환자를 평가하고 처치하기 위해 병원으로 이송하지 않는 경우 독액주입 후 12~24시간 동안 무증상일 수 있으므로 고위험 환자 거부로 간주한다.

병원 내 단계

쉽게 구할 수 있는 항뱀독소제가 없기 때문에 일반적으로 지지적 처치가 도움이 된다. 지연된 신경학적 독성 징후가 나타나는지 12시간 동안 환자를 관찰한다. 호흡 곤란이 발생하면 즉시 항뱀독소제를 사용한다.

해파리

많은 해파리 쏘임은 경미한 국소 피부 자극과 통증을 유발하지만, 키로넥스 플렉케리(상자해파리)와 같은 일부 종은 중증 증상과 전신 독성을 유발한다. 해파리는 피부와 접촉시 독을 방출하고 침착시키는 가시세포가 있는 긴 촉수를 가지고 있다. 중증 통증으로 무능력해진 환자가 해안까지 헤엄쳐 갈 수 없게 되어 익사로 인한 사망이 보고되었다.

증상과 징후

해파리의 독은 다름과 같은 증상과 징후를 일으킬 수 있다.

- 심한 국소 통증
- 촉수 접촉 부위를 따라 붓기와 피부 변색
- 구역 및 구토
- 호흡곤란
- 드물게 심장 부정맥 및 사망을 초래하는 심혈관 독성

처치

해파리에 쏘였을 때 처치를 위한 주요 권장 사항은 아편유사제와 항히스타민제를 투여하고 쏘인 부위에 바닷물을 바르고 쏘인 부위를 따뜻한 물(43~45℃)에 담근다. 장갑을 끼거나 핀셋, 직선형 도구(예: 신용카드) 또는 칼로 긁어서 조심스럽게 가시세포를 제거한다.

연구자들은 물, 식초, 소변 또는 에탄올로 해당 부위를 세척하고 스팅이지(StingEze)와 같은 시판하고 있는 제품을 사용하는 것을 포함하여 가시세포를 제거하는 다양한 방법을 연구했다. 민물은 바닷물과 비교하여 부피삼투질농도의 차이로 인해 피부에 박힌 가시세포를 자극할 수 있기 때문에 사용하지 않는다. 식초는 일부 종에서는 유익하지만 다른 종에서 증상을 악

화시킬 수 있고 최적의 처치는 지역에 따라 다르다. 미국에서는 작은 부레관 헤파리(Physalia physalis)가 가장 큰 걱정거리이며 식초가 아닌 바닷물을 사용한다. 상자해파리(Chironex fleckeri)와 이루칸지 입방 해파리(Carukia barnesi)가 서식하고 있는 인도 태평양 지역에서 식초를 사용한다. 항독제는 불확실한 이점이 있고 상자해파리에 쏘인 경우에만 사용할 수 있으며 호주와 뉴질랜드에서만, 사용할 수 있다.

가시 바다 동물

많은 종의 물고기와 극피동물에는 독이 있는 가시가 있다. 가시 바다 동물의 독은 중증도는 다르지만 유사한 증상을 나타내고 독액주입 처치는 표준 처치를 따른다.

가오리 꼬리는 독을 전달할 뿐만 아니라 심각한 외상을 입힐 수 있는 외피 내에 톱니 모양의 가시가 있다. 꼬리는 반사적으로 등 쪽으로 휘둘러 조직 깊숙이 침투하여 때때로 다이버에게 치명적인 흉곽내 및 복강 내 손상을 입힐 수 있다.

성게와 다른 극피동물은 다양한 길이의 가시를 가지고 있어 밟았을 때 일반적으로 사람에게 독액을 주입한다. 전갈목의 물고기에도 독이 있는 가시가 있다. 전갈목에는 쏨뱅이, 쏠배감펭이나 가장 심각한 독성이 있는 왕퉁쏠치(스톤 피시)가 포함된다.

증상과 징후

가시가 있는 해양 동물의 독성은 심각한 국소 자극을 유발하고 통증이 근위부로 방사될 수 있다. 과 근위부로 퍼지는 통증을 유발한다. 전신 증상으로는 구역, 구토, 심혈관계 불안정 등이 나타날 수 있고 찔려 독액이 주입되면 때때로 치명적이다.

처치

가시 바다 생물의 모든 독은 열에 불안정하다. 즉 열에 의해 중화된다. 뜨거운 물에 장시간 담그면 독성이 완화된다. 담그는 물의 온도와 지속 시간은 환자가 견딜 수 있는 정도에 따라 다르다. 가오리에 찔린 경우, 외상으로 인한 손상을 치료하려면 외과적 치료가 필요할 수 있다. 모든 물고기와 가오리의 가시와 침은 부서지기 쉬우며, 노출되거나 제거 시도를 하는 동안 종종 끊어진다. 단순 방사선 촬영을 하여 모든 파편이 완전히 제거되었는지 확인하는 것이 좋다. 가시에 의한 열상을 치료한다. 파상풍 예방접종을 하고 정상 피부 상재균을 보호하고 일부 해양 박테리아(예: 장염비브리오)를 치료하기 위해 항생제를 고려한다. 항독소 요법은 독성의 잠재성 때문에 쏨뱅이 등 특정 종에서만 권장된다.

무는 바다 생물

바다뱀, 청자고둥, 푸른 고리 문어는 모두 물거나 쏘면 독을 전달할 수 있다. 바다뱀은 근독성과 신경독성을 일으키는 몇 가지 독소를 포함하고 있으며 중증의 횡문근융해 및 마비가 발생할 수 있다.

처치

지지적 요법과 해독제 투여는 해양생물에 의한 독액주입 시 권장되는 일차적인 처치 방법이다. 독은 주로 신경독성이므로 산호뱀에 물렸을 때와 마찬가지로 압박 고정이 권장될 수 있다. 다음은 구체적인 권장 사항이다.

- 푸른 고리 문어 독은 중증 중독에서 감각 이상, 마비 및 호흡 저하를 일으키는 말초신경계 나트륨 통로 차단제인 테트로도톡신으로 구성되어 있다. 처치는 지지적 요법을 시행한다.
- 청자고둥에 물린 경우 심한 국소 통증과 근력 약화, 혼수 및 심혈관 허탈의 전신 후유증을 유발할 수 있다. 처치는 지지적 요법을 시행한다.
- 특정 어류의 섭취는 전신 독성을 유발할 수 있고 표 10-16은 해양 식품에 의해 발생할 수 있는 독성을 요약한 것이다.

식물 독성

대부분의 식물과 버섯은 독성이 없거나 약간의 독성이 있지만, 일부 식물을 섭취하면 다양한 기전을 통해 위장관, 심혈관 및 신경계 독성을 유발할 수 있다. 매년 수천 건의 식물이나 버섯에 의한 중독이 발생하지만, 사망으로 이어지는 것은 드물다.

대부분의 식물 중독은 우발적이며 어린이가 섭취하는 가정용 식물이나 관상용 식물이 포함된다. 식물 중독의 분류는 위장관 자극제, 피부염 유도제 및 옥살산염 함유 식물 섭취이다. 관련된 특정 독소는 사이안화물생성당화물, 심장당화물 및 솔라닌을 포함한다.

북미 지역의 다양한 독성 식물과 버섯에 익숙해지거나 이들이 유발하는 증상과 징후에 대해 모두 아는 것은 불가능하지만, 독성 식물이나 버섯을 섭취한 것으로 의심되는 환자에게

표 10-16. 해양 음식으로 인한 중독의 기전

독소	원인	기전	설명	임상증상	처치
브레베톡신	패류	신경근 소듐통로 개방	신경독성 패류중독	위장 장애, 감각이상, 뜨겁고 차가운 반복	지지적 처치
시구아톡신	암초 어류 (예: 방어류, 바라쿠다, 그루퍼, 돔)	신경근 소듐통로 개방	독성이 있는 다른 물고기를 먹이로 먹은 물고기 섭취로 인한 해산물 중독 (와편모충)	감각이상, 뜨겁고 차가운 반복, 서맥, 저혈압	• 지지적 처치 • 지속되는 신경 장애에는 삼환계 항우울제 투여
삭시톡신	패류	신경근 소듐통로 차단	마비성 패류 중독	무감각, 감각이상, 근육 약화, 마비, 호흡 부전	지지적 처치
테트로도톡신	복어	신경근 소듐통로 차단	신경세포의 활동전위를 차단하는 신경독	위장 장애, 감각이상, 상행마비, 호흡 부전	지지적 처치
도모산	홍합	글루탐산염 및 케인산 유사체	기억상실, 조개중독	위장 장애, 기억 소실, 혼수, 발작	지지적 처치
히스티딘	참치, 고등어, 가다랑어	부적절한 냉각으로 인한 히스타민 생성	스콤브로이드물고기 중독	상체 홍반, 가려움, 기관지연축, 혈관부종	항히스타민제

접근하는 방법을 나는 것은 도움이 된다. 식물의 자극성 화학물질은 접촉 부위에 발적 또는 자극을 유발할 수 있으므로 환자의 입인두에 발적, 자극, 부기 또는 물집이 있는지 검사하는 것으로 시작한다. 과도한 침 분비, 눈물 흘림, 발한이 나타날 수 있다. 독성이 복부에 미치는 영향으로 구역과 구토, 경련, 설사가 발생할 수 있다. 심한 중독은 환자의 의식 수준 저하 또는 혼수를 유발할 수 있다.

독성이 있는 식물이나 버섯을 섭취한 경우 환자 병력을 청취하고 나중에 확인 또는 실험실 분석을 위해 섭취한 물질의 샘플을 확보하는 것이 중요하다. 독극물 통제 센터 및 야생 의학센터를 통해 특정 종을 확인하고 독성 수준을 측정하는 데 도움을 받을 수 있다.

식물 섭취의 처치는 주로 지지적 요법을 시행한다. 위장관 독성은 필요에 따라 수액 소생술, 항구토제 및 전해질 보충으로 처치할 수 있다. 심혈관 및 신경계 독성은 신경전달물질, 수용체 및 이온 통로의 활성을 변화시킴으로써 발생한다. 임상 증상 및 처치는 독소의 특정 활성에 따라 달라지며 아래에 자세히 요약되어 있다.

심장당화물 식물에는 디곡신(디지톡신 또는 디기탈리스라고도 하며 Digitek 및 Lanoxin으로 판매됨)과 유사한 자연 발생 독소를 함유하고 있다. 디기탈리스는 여우장갑 식물에서 추출한 심장당화물 심장 약물이다. 은방울꽃과 같은 심장당화물을 함유한 식물은 관상용 꽃으로 인기가 높으며 때로는 어린이가 우발적으로 섭취하는 경우가 있다. 이 식물은 디곡신과 같은 특성이 있어 심근 수축력을 증가시키고 방실결절(AV)의 전도율을 감소시킨다. 이 식물 섭취 후 독성은 급성 디곡신 섭취 후 독성과 유사하다.

식물에 의해 유발된 심장당화물 독성의 발생률은 낮으며 심장당화물 식물이 원인으로 발생한 중독은 1%에 불과하다. 식물의 심장당화물 독성으로 인한 사망은 드물고 이는 처방된 디기탈리스의 독성과 관련된 사망률보다 훨씬 낮다.

확인

다음은 디곡신 유사 당화물 독소를 포함하는 일반적인 식물의 예이다(그림 10-14).

- 여우장갑(디기탈리스)
- 은방울꽃
- 협죽도
- 해총
- 노랑 서양 협죽도(노랑 페루 협죽도)

그림 10-14. A. 디기탈리스(여우장갑). B. 은방울꽃. C. 협죽도는 흰색 또는 분홍색 꽃과 길고 좁은 씨방이 있다. D. 우르기네아 종(백합과 무릇속의 총칭[해총] 또는 약용 구근)은 넓은 잎과 붉은 구근(일부 품종은 흰색 구근)이 있다. E. 노랑 서양 협죽도(노랑 페루 협죽도)는 노란 꽃, 단단한 갈색 씨앗을 둘러싼 녹색 살고 구성된 "행운의 견과류"로 알려진 매끄러운 씨방이 있다.

증상과 징후

심장당화물을 함유한 식물의 급성 중독은 몇 시간 이내에 종종 복통, 구역 및 구토와 같은 비특이성 위장관 증상을 유발한다. 또한, 고칼륨혈증 및 의식상태의 변화 및 약화와 같은 신경 증상을 유발할 수 있다. 만성 중독은 마찬가지로 위장관 증상을 나타내지만, 체중 감소, 설사, 식욕 부진, 저칼륨혈증 및 저마그네슘혈증을 유발할 수도 있다.

급성 및 만성 중독 모두에서 환자는 대개 두근거림, 가벼운 두통, 경미한 현기증, 호흡곤란 및 가슴 압박과 같은 다양한 심장 증상을 보고한다. 빠르게 진행되는 심방부정맥을 제외한 거의 모든 유형의 부정맥이 발생할 수 있으며 이는 생명을 위협하는 심실빈맥으로 빠르게 발전할 수 있다.

감별진단

심장당화물 중독의 진단은 현장 확인과 환자로부터 정확한 정보를 수집하는 데 달려 있다. 신체검사 중 부정맥을 확인하면 주변 환경에 심장당화물이 함유한 식물이 있을 수 있다는 것을 의심한다. 중독이 우발적인지 아니면 의도적인지, 다른 사람들도 노출되었는지를 확인한다. 중독은 자살 시도를 의미할 수도 있고 이것은 환자의 병력을 신뢰할 수 없게 만들 수도 있다.

신체검사에서 환자는 약하고 불규칙적 맥박을 수반하는 서맥 또는 빈맥이 나타나는 것을 발견할 수 있다. 피부는 일반적으로 창백하고 차갑고 축축(발한)하다. 폐음은 일반적으로 정상이고 구토물에서 식물 물질을 확인할 수 있다. 신경학적 검사에서 의식상태 변화를 확인할 수 있다.

처치

심장당화물을 함유한 식물로 인한 중독을 처치하는 일반적인 단계는 지지적 처치를 제공하고 추가 독소 흡수 최소화하며 해독제를 사용하여 흡수된 독소를 중화하고 모든 합병증 처치가 포함된다.

병원 전 환경에서 심장당화물 중독의 처치는 주로 지지적 처치와 추가 평가 및 검사를 위해 병원으로 신속하게 이송하는 것이다. 서맥 환자에게는 아트로핀을 투여한다. 기도를 유지할 수 있는 의식이 있는 환자에게 활성탄으로 위의 오염제거를 시작하는 것을 고려한다.

기도, 호흡 및 순환을 보조를 위한 전문심폐소생술 절차를 따르도록 한다. 최근에 독성 물질을 섭취한 경우 활성탄을 사용하여 추가 흡수를 방지할 수 있다. 심장당화물 독성은 디곡신 특이 항체(Fab) 조각(항원 결합 조각)으로 처치할 수 있다.

그림 10-15. 광대버섯

버섯 중독

버섯 중독은 우발적이거나 의도적일 수 있다. 간혹 아이들이 알 수 없는 버섯을 먹기도 하고 성인은 식용 버섯 채취 시 실수로 독버섯을 채취할 수 있다. 환각 버섯은 우발적 또는 의도적으로 섭취할 수 있다. 가장 자주 영향을 받는 연령대는 6~19세 사이의 어린이와 청년인 것으로 보인다. 광대버섯속의 각종 버섯과 황토버섯속을 포함하는 버섯의 고리형 펩타이드 그룹에는 강력한 간 독소가 포함되어 있으며 대부분의 치명적인 중독을 차지한다(**그림 10-15**). 환자를 응급실에서 평가할 수 있을 때까지 일반적인 지지적 처치를 제공하는 것이 가장 좋은 방법이다.

위험 물질

처치 제공자가 위험 물질에 노출되면 모든 지역 사회에 위협된다. 위험 물질은 예를 들어, 다양한 화학물질을 생산하는 지역 정제소, 제조소 및 산업 공장에서 발견된다. 이 위험한 물질은 고속도로와 철도를 이용하거나 공항을 통해 전국으로 운송된다. 또한 위험 물질은 지역의 불법 시설에서 제조될 수 있다.

위험한 현장이나 위험한 상황에 접근하거나 환자가 위험 물질에 노출되었을 가능성이 있는 상황에서는 이러한 위협에 대해 주의한다. 지속적인 교육을 통해 해당 지역의 위험에 대한 정보를 얻고 지역 프로토콜 및 국가 관리 지침을 따른다. AMLS 평가는 생명을 위협하는 노출 및 관련 진단을 즉시 식별하고 관리할 수 있도록 효율적이고 철저한 환자의 병력을 획

득할 수 있는 체계적인 접근법을 제공한다.

위험 물질은 건강, 안전 또는 환경에 부당한 위협을 가하는 물질이다. 부식성 물질, 방사성 물질 및 인화성 물질이 포함된다. 위험 물질은 흡입, 섭취 또는 피부를 통해 흡수될 수 있다. 노출된 환자의 주요 증상은 수많은 유형의 위험 물질, 노출 경로 및 독성 수준에 따라 다양하다. 기저질환이 있거나 면역 억제 또는 나이가 너무 많거나 너무 어린 환자는 모두 관류 문제로 인해 위험성이 높다. 많은 환자가 노출과 관련된 내과적 응급 상황 외에도 외상성 손상을 입어 현장에서 평기와 처치에 어려움을 겪는다.

생명을 위협하는 상황을 즉시 확인하고 처치할 수 있는 효율적인 일차 조사는 당신의 안전을 확보하는 것뿐만 아니라 환자의 이환율 및 사망 가능성을 줄이기 위해 필수적이다. AMLS 평가 과정을 통해 응급, 중증 및 생명을 위협하지 않는 상황을 신속하게 결정하고 결정적인 처치를 한다.

감독 기관 통보

위험 물질 및 대량살상무기를 확인하는 즉시 지방 및 국가 기관에 알리는 것이 중요하다. 이러한 기관 중 최고의 사용 가능성이 인지될 때 접수시설 그리고, 위험물을 다루는 지역, 주 및 국가 기관에 알리는 것이 중요하다. 이들 기관 중에는 산업안전보건청(OSHA) 및 환경보호청(EPA)이 있다. 이러한 기관은 직원 교육 및 지역, 주와 연방 비상 계획을 수립하고 위임한다. 위험 폐기물 처리 및 비상 대응 표준(HAZWOPER)으로 알려진 산업안전보건청 규정은 위험 물질 제조, 저장 및 처리하거나 정화에 대한 최초 대응자인 정부 및 비정부 직원을 위한 안전 프로토콜 또는 절차의 개발 및 준수에 대한 지침을 제공한다. 구조대원, 소방관, EMT 및 Paramedic과 같은 최초 대응 인력인 경우 미국소방안전협회(NFPA)의 현장 관리와 관련된 안전한 역량에 대한 표준을 제시한다.

사고 인식

일반적으로 내과적 응급 상황이 있는 환자는 다양한 조건에 대해 미묘하거나 설명할 수 없는 임상 증상을 보이는 경우가 많다. 위험 물질 사고의 발생은 동일하게 확인하기 어려울 수 있다. 병원 전 처치자의 경우 환자 수와 환자에게 나타내는 징후 및 증상의 유사성에 관한 출동 정보는 적절한 안전 조치 및 추가 자원 요청이 필요하다는 것을 나타낼 수 있다.

현장에서 낮은 구름, 연기, 비정상적인 안개 패턴 또는 공기 밀도는 위험 물질 사고가 발생했을 수 있다고 인지한다. 피부나 눈에 심각한 자극, 호흡곤란 및 익숙하지 않은 냄새는 모두 특별한 예방 조치를 해야 한다는 것을 의미한다. 환자와 접촉하기 전에 안전하지 않은 현장을 발견하면 쌍안경으로 그 지역을 관찰하여 위험의 증거를 찾는다. 이 방법을 사용하면 오염을 피하고 자원을 효율적으로 배치할 수 있다.

지역이나 환자가 위험 물질에 노출되었을 수 있다는 것을 인지하면 즉시 개인보호장비를 착용하고 관련 기관에 알려야 한다. 환사 수와 가용 자원에 따라 이송 목적지가 변경될 수 있다. 목적지 결정에 관한 전략은 위험 물질에 노출된 환자를 평가하거나 사전에 지정된 시설을 포함한다. 또한, 위험 물질 관련 대량사상자 사고에서는 발생한 모든 환자를 하나의 시설로 이송하는 것이 합리적일 수 있다. 이로 인해 한 병원의 환자 수가 증가할 수 있지만, 이는 해당 지역의 여러 시설을 오염시키거나 잠재적으로 오염시키는 것을 방지할 수 있다. 사고 현장 지휘, 의료 시설 및 미리 결정된 정책은 적절한 조치를 결정하는데 도움이 될 수 있다.

확인 및 라벨링

위험 물질의 존재는 존재하는 위험 물질의 유형, 노출이 발생한 경우 예상되는 의학적 손상 유형과 정도, 노출의 증상과 징후를 명시하는 플래카드, 선적 서류, 라벨 또는 그림 문자로 확인된다. 모든 처치 제공자는 위험 물질 라벨을 해석할 수 있어야 하며 도움을 받거나 관련 기관에 즉시 연락할 수 있어야 한다. 위험 제품의 라벨을 인식할 수 없는 처치 제공자는 의도치 않게 오염된 지역에 들어가거나 위험 물질에 노출된 환자의 처치를 시작할 위험이 있다.

미국에서 교통부(DOT)는 운송 중에 위험 물질의 표시를 포함하여 위험 물질의 운송을 규제한다. 이 기관은 다음과 같은 내용을 명시하는 표준을 세운다.

- 다양한 종류의 위험 물질은 운송하기 위해 사용할 수 있는 컨테이너 유형
- 용기에 라벨을 부착하는 방법
- 이동할 수 있는 교통수단
- 운송 컨테이너와 함께 제공하는 서류 종류

실험실, 정제소 또는 제조소와 같은 배송 목적지에는 선적물이 도착하기 전에 안전 예방 조치를 위해 최초 대응 인력이 있

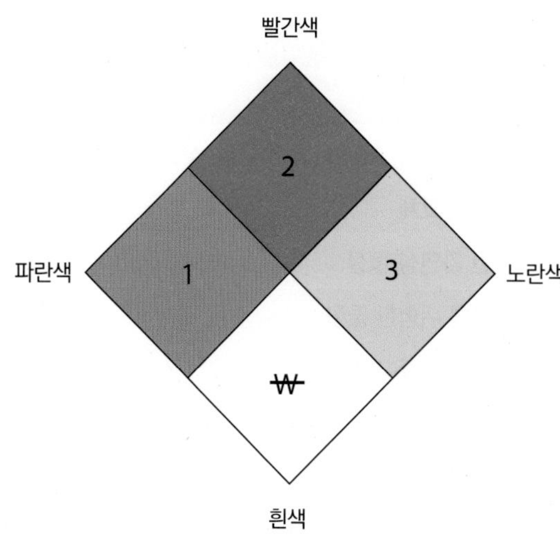

그림 10-16. 미국소방안전협회(NFPA) 플래카드는 큰 마름모 안에 네 개의 마름모로 구성되어 있다. 빨간색(인화성) 마름모는 12시 방향에 위치, 노란색(불안정성) 마름모는 3시 방생, 흰색(특수 위험) 마름모는 6시 방향, 파란색(건강, 보건) 마름모는 9시 방향에 있다. 위험의 심각도는 가장 심각한 위험을 나타내는 4에서 위험이 없음을 나타내는 0까지의 숫자 등급으로 표시된다. 특수 위험은 흰색 부분에 표시되어 있으며 물(W)과 반응하는 화학물질 및 산화제(OX)인 화학물질을 나타낸다.

어야 한다. 위험 물질 노출 사고의 위협이 존재하는 경우 모든 직원은 적절한 개인보호장비를 사용한다.

플래카드는 운송 차량에 부착된 마름모 모양의 표지판이다(그림 10-16). 플래카드는 위험 물질을 가연성, 유해성, 방사성, 기체, 폭발물, 산화성, 감염성 또는 부식성으로 식별할 수 있도록 색상으로 구분되어 있다. 각 플래카드에는 4자리 식별 번호가 있어 해당 위험 물질은 미국 교통부 비상 대응 가이드북(ERG)과 같은 인쇄물 및 온라인에서 신속하게 조회할 수 있다.

산업안전보건청은 화학 물질 제조업체가 미국에서 개발, 저장 및 사용하는 모든 화학물질에 대한 물질안전보건자료(MSDS)를 작성할 것을 요구하고 있다. 이 보건자료는 화학 물질의 안전한 취급 및 보관에 대한 지침을 제공하고 노출이 발생할 경우 취해야 할 비상조치를 제공한다. 이 보건자료는 항상 화학물질과 함께 있어야 한다.

출판된 많은 가이드와 서적은 다양한 종류의 위험 물질의 안전한 취급과 운송에 관한 자세한 지침을 제공하고 여기에는 다음과 같은 내용이 포함된다.

- 미 교통부는 북미 비상 대응 가이드북(North American Emergency Response Guidebook)을 발행한다.
- 독극물 관리 센터의 연락처는 1-800-222-1222이다. 독극물 관리 센터는 독성 물질 목록과 적절한 의학적 처치를 제공할 수 있다.
- 화학물질 제조업 협회는 위험 물질 확인에 대한 현장 조언을 제공하는 긴급화학물질운송센터(CHEMTRAC)라는 공공 서비스를 제공한다. 긴급화학물질운송센터의 전화번호는 800-424-9300이다.
- 캐나다의 교통국(CANUTEC, 1-613-996-6666)은 좋은 자원이다.
- 웹 기반 서비스에는 국립 의학 도서관(NIS)의 긴급 대응자를 위한 무선 정보시스템(WISER)이 포함된다. 긴급 대응자를 위한 무선 정보시스템 웹에서 무료로 사용할 수 있으며 정보는 컴퓨터 또는 PDA(www.webwiser.nlm.nih.gov)로 다운로드할 수 있다.

위험 물질 사고를 예상하거나 확인한 경우 이러한 자원을 활용한다. 표 10-17 및 표 10-18은 위험 물질 분류 체계를 나타낸 것이다. 표 10-19는 위험 물질 사고를 지원하는 선정된 기관이 나열되어 있다.

등급 또는 분류 번호는 플래카드 하단에 표시되거나 선적 서류의 위험 물질 설명서에 표시할 수 있다. 어떤 경우에는 선적 서류에 적힌 위험 등급 설명 이름을 등급 또는 부서 번호로 대체할 수 있다.

현장 파견

현장에 파견 시 위험 물질 사고 현장으로 출동하는 동안 다음과 같은 정보를 평가를 시작하고 자원을 파악한다.

- 기상 조건과 바람의 방향을 확인한다.
- 노출 영역보다 인구 밀도가 높은 영역의 근접성을 측정한다.
- 의료기관의 수와 위치를 결정한다.
- 위험 물질의 유형과 피해자에게 노출된 것으로 생각되는 양을 검토한다.
- 노출되었거나 노출될 위험이 있는 사람의 수를 예측한다.

오르막에 위치하고 바람을 등지고 현장으로 접근하고 현장의 안전이 확보되었는지 확인한다. 현장에 접근하기 전에 적절한 관련 기관을 배치한다.

표 10-17. 위험 물질에 대한 국제 분류 체계

등급	설명	등급	설명
Class 1	**폭발물**	**Class 4**	**인화성 고체, 자연 가연성 물질, 젖었을 때 위험한 물질**
Division 1.1	대량 폭발 위험이 있는 폭발물	Division 4.1	인화성 고체
Division 1.2	투사 위험이 있는 폭발물	Division 4.2	자연 가연성 물질
Division 1.3	주로 화재 위험이 있는 폭발물	Division 4.3	젖으면 위험한 물질
Division 1.4	폭발 위험이 없는 폭발물	**Class 5**	**산화제 및 유기과산화물**
Division 1.5	매우 둔감한 폭발물	Division 5.1	산화제
Division 1.6	극도로 둔감한 폭발물	Division 5.2	유기과산화물
Class 2	**가스**	**Class 6**	**독성물질 및 원인(감염)물질**
Division 2.1	인화성 가스	Division 6.1	독성물질
Division 2.2	불연성 가스	Division 6.2	원인(감염)물질
Division 2.3	독성 가스	**Class 7**	**방사능물질**
Division 2.4	부식성 가스(캐나디안)	**Class 8**	**부식제**
Class 3	**인화성 액체**	**Class 9**	**기타 위험 물질**
Division 3.1	인화점 -18℃ 미만의		
Division 3.2	인화점 -18℃ 이상 23℃ 미만		
Division 3.3	인화점 23℃ 이상 61℃ 미만		

Data from U.S. Department of Transportation, National Highway Traffic Safety Administration: EMT-Paramedic national standard curriculum, Washington DC, 1997, The Department.

표 10-18. 위험 물질의 등급

등급/분류	메모
Class 1: 폭발물	폭발성이 있는 경우 플래카드와 라벨은 주황색이며 상단에는 파편, 아래쪽에는 분류 번호(1.1~1.6)가 적힌 폭발하는 모습을 보여주는 기호가 있다. 폭발물이라는 단어 또는 네 자리 식별 번호가 중앙에 표기되어 있다.
Division 1.1: 대량 폭발 위험	
Division 1.2: 파편으로 인한 대량 폭발 위험	
Division 1.3: 경미한 폭발 또는 발사체 위험이 있는 화재 위험	
Division 1.4: 심각한 위험을 나타내지 않는 폭발성 물질	
Division 1.5: 매우 둔감한 폭발물	
Division 1.6: 극도로 둔감한 폭발물	
Class 2: 가스	압축 또는 액화 가스의 플래카드 및 라벨은 빨간색(인화성), 녹색(불연성) 또는 흰색(독성)이다. 상단에 화재 기호, 가스통 기호 또는 머리뼈 이미지가 그려져 있고 하단에 분류 번호(2.1~2.3)가 표기되어 있다. 인화성 가스, 불연성 가스, 독성 가스 또는 네 자리 식별번호가 중앙에 표기되어 있다.
Division 2.1: 인화성 가스	
Division 2.2: 불연성 가스	
Division 2.3: 독성 가스	

등급/분류	메모
Class 3: 인화성 또는 가연성 액체	인화성 또는 가연성 액체의 플래카드 및 라벨은 빨간색으로 상단에는 화염 기호가 있고 하단에 분류 번호(3.1~3.3)가 있다. 중앙에 인화성 액체 또는 가연성 액체라는 표시와 네 자리 식별번호가 중앙에 표기되어 있다.
Division 3.1: 플래시가 있는 액체는 중앙에 네 자리 식별 번호가 기록되어 있고 인화점 -18℃ 미만인 액체	
Division 3.2: 인화점이 -18℃ 이상 23℃ 미만인 액체	
Division 3.3: 인화점이 23℃ 이상 61℃ 미만인 액체	
가연성 액체	
Class 4: 인화성 고체	인화성 고체의 플래카드 및 라벨은 빨간색과 흰색 줄무늬(인화성 고체), 흰색 위에 빨간색(자연 가연성 또는 자연 발화성 고체 및 액체) 또는 파란색(젖으면 위험한 물질)이다. 플래카드 상단에 불꽃 모양이 그려져 있고 하단에는 분류 번호(4.1~4.3)가 있다. 중앙에 인화성 고체, 자연 발화성 또는 물에 젖으면 위험하다는 문구 또는 네 자리 식별번호가 표기되어 있다.
Division 4.1: 인화성 고체	
Division 4.2: 자연 가연성 또는 자연 발화성 고체 및 액체	
Division 4.3: 젖으면 위험한 물질	
Class 5: 산화 물질	산화 물질 플래카드 및 라벨은 노란색이며 상단부에 ○ 모양과 불꽃 표시가 있고 하단에는 분류 번호(5.1~5.2)가 있다. 중앙에 산화제 또는 유기 과산화물 문구 또는 네 자리 식별번호가 표기되어 있다.
Division 5.1: 산화 물질	
Division 5.2: 유기과산화물	
Class 6: 독성 및 감염 물질	독성 액체, 독성 고체 물질 및 감염 물질의 플래카드 및 라벨은 흰색이다. 해골 모양 또는 의생물학 기호 또는 상단에 X가 있는 곡물 스톡(재료에 따라 다름) 표시가 있고 하단에 분류 번호(6.1~6.2)가 있다. 이 기호 중앙에 독성 물질, 감염 물질, 식품이나 네 자리 식별번호가 표기되어 있다.
Division 6.1 : 독성 물질	
Division 6.2 : 감염 물질	
Class 7: 방사성 물질	방사성 물질 플래카드 및 라벨은 흰색 바탕에 노란색이며 상단에 방사성 프로펠러 기호 있고 하단에는 숫자 7이 기록되어 있다. 라벨을 통해 포장 내 방사성핵종과 선량을 식별한다. 중앙에 로마자 숫자 Ⅰ, Ⅱ 또는 Ⅲ을 사용하여 위험 수준과 저장 용기 유형 및 특정 정보를 기록하는 공간이 있다. Ⅰ, Ⅱ 또는 Ⅲ번호는 포장 외부에서 확인할 수 있는 방사선의 선량을 나타낸다. 라벨 중앙에 방사성 물질이라는 문구 또는 네 자리 식별번호가 표기되어 있다.
Class 8: 부식성 물질	부식성 물질 플래카드 및 라벨은 검은색 바탕에 흰색이며 사람의 엄지손가락에 액체를 흘리는 시험관을 나타내는 기호가 있고 상단에는 강철 조각이 있으며 하단에는 숫자 8이 있다. 중앙에 부식성 물질이라는 문구 또는 네 자리 식별번호가 표기되어 있다.
Class 9: 기타 위험 물질	기타 위험 물질의 플래카드 및 라벨은 검은색 바탕에 흰색 줄무늬가 있고 하단에 숫자 9가 있다. 중앙에 네 자리 식별번호가 표기되어 있다.

준비 지역

사고지휘체계는 사고를 통제하고 오염제거와 환자 분류 및 처치를 위해 적절하고 안전한 준비지역으로 처치 제공자를 배치한다. 이러한 지역은 추가 오염을 방지하고 환자 접근에 대한 체계적인 접근 방식을 유지하기 위해 명확하게 표지하고 잘 제한되어야 한다. 안전 지역은 다음과 같이 구별한다.

- 오염(적색)지역: 이곳은 위험 물질이 있는 곳이고 오염이 발생한 곳이다. 이 지역에 대한 접근은 구조대원과 환자를 추가 노출로부터 보호하기 위해 제한한다. 숙련된 인원이 특정 보호 장비를 입고 접근한다.
- 전방 통제(황색)지역: 이곳은 보통 오염지역을 둘러싼 지역이다. 적절하게 보호 장비를 착용한 처치 제공자는 이 지역에 접근하여 응급 상황이나 생명을 위협하는 상태를 신속하

표 10-19. 위험 물질 사고 지원 기관

연방정부 기관	지역 기관
질병통제예방센터(CDC)	비상 관리 기관
교통부(DOT)	소방 서비스(위험 물질 단위)
환경보호청(EPA)	법 집행 기관
미 연방항공국(FAA)	독극물통제센터
국가대응센터(NRC)	공공시설
미군(육군, 해군, 공군, 해병대)	하수 및 처리 시설
미국 해안 경비대	상업적 기관
미국 에너지부	미국 석유협회
	미국 철도협회 및 위험 물질 협회
지자체 및 주 정부 기관	화학물질 제조협회
주방위군	셰브런(Chevron 제품에 대한 지원 제공)
주 비상 관리 기관	HELP(선적을 위한 유니언카바이드 회사의 비상대응시스템)
주 환경보호청	지역 산업체
주 보건국부	현지 계약자
주 경찰	현지 운송업체 및 운송업체
	철도 산업

주: 이 목록은 대표 기관만 예시되었으며 모든 정부 기관을 포함하고 있지 않다.
From Sanders MJ: Mosby's paramedic textbook, ed 3, St. Louis, MO, 2005, Mosby.

게 평가하고 관리할 수 있다. 이 지역에서 오염제거를 시행한다.

- 안전(녹색)지역: 이곳은 질병이나 손상의 일반적인 분류, 안정화 및 처치를 위한 지원 지역이다. 환자와 오염되지 않은 대원이 이 지역에 접근할 수 있다. 그러나 처치 제공자는 안전지역에 있는 동안 보호복을 착용하고 나갈 때는 지정된 장소에서 적절하게 보호복을 벗어 폐기한다.

위험 물질 사고는 구조대원과 처치 제공자에게 감정적으로나 육체적으로 어려울 수 있다. 준비 지역에 들어가기 전에 건강 상태를 확인하고 활력 징후를 평가한다. 많은 환자와 자원이 관련된 사고에서 구조대원은 종종 무거운 조이는 보호복을 입고 장시간 동안 현장이나 이송 차량에 머물러 있다. 구조대원은 탈수, 더위 또는 추위에 노출, 피로하고 지쳐 탈진에 빠질 수 있다. 모든 의료 인력은 사고 발생 후 또는 각 교대 후에 의학적 평가와 수분을 보충한다.

오염제거

위험 물질 사고 관리의 최종 안전 구성요소는 오염제거 과정이다. 단계적 오염제거 지역은 현장 및 모든 의료기관의 사고 지휘 요원에게 명확하게 확인한다. 환자와 구조대원 및 장비에 대한 오염제거를 시행한다.

오염제거는 건식이거나 습식일 수 있다. 건식 오염제거 과정은 최소한의 노출에 적절하고 이 과정에서는 모든 의복을 주의해서 체계적으로 제거하고 폐기한다. 습식 오염제거 과정의 경우 따뜻한 물(32℃~35℃)과 순한 비누를 사용하여 노출된 장비와 의복을 세척한다. 의복과 개인용품을 제거하고 지정된 라벨이 붙은 봉투나 비닐봉지에 넣는다. 오염제거에 사용한 오염된 물이 하수도로 들어가지 않도록 세척에 사용한 물을 모은다. 작은 물놀이 풀 또는 상업적으로 구매한 용기를 사용하여 오염제거에 사용한 물을 보관한다.

일차 오염제거 과정에서 위험 물질이 완전히 제거되었는지 확인한다. 오염물질이 장비나 환자 이송 차량, 의류에 남아 있는 경우 의료기관에서 이차 오염제거를 시행한다. 사고 후 오염된 의복을 적절하게 폐기하고 구조 및 이송 차량의 오염을 철저하게 제거한다. 잠재적으로 위험한 노출을 확인하기 위해 독성 및 오염 정도 측정은 다음과 같이 설명할 수 있다.

- 치사용량 50%(LD_{50}): 2주 이내에 노출된 동물 개체군의 50%를 죽이는 경구 또는 피부 노출량
- 치사 농도 50%(LC_{50}): 노출된 동물 개체군의 50%가 죽일 수 있는 물질의 공기 농도이고 일반적으로 LCt50으로 표시한다. 노출된 동물 개체군에서 50%의 치사율을 초래하는 노출 시간의 길이와 농도를 나타낸다.
- 한계값(임계값): 물질의 공기 중 농도는 거의 모든 작업자가 부작용 없이 매일 반복적으로 노출되는 것으로 여겨지는 조건을 나타낸다.
- 허용 노출 한계: 산업안전보건청(OSHA)에서 설정한 작업장 내 물질의 허용 가능한 공기 농도를 말하고 이 값은 법적으로 시행할 수 있다.
- 생명이나 건강에 즉각적으로 위험한 농도(IDHLs): 손상이나 비가역적 건강 상태에 영향을 미치지 않고 30분 이내에 탈출할 수 있는 물질의 최대 환경 내 공기 농도를 나타낸다.

개인보호장비(PPE)

산업안전보건청과 환경보호청(EPA)은 노출된 피부를 보호하는 능력에 따라 보호복을 분류한다. 위험 물질 노출 현장에 출동하는 기관은 다음과 같이 보호 능력에 따라 보호복을 결정한다.

- Level A는 피부 및 호흡기 보호 능력이 가장 높다. 완전하게 밀폐되고 밀폐된 외부 의복과 독립식 호흡 장치(SCBA)가 필요하고 착용자를 환경으로부터 완전히 차단한다. 미국 산업안전보건연구원(NIOSH) 인증 양압 호흡기를 착용한다. 이 수준의 보호는 오염된 지역에 진입하는 최초 구조원이 착용한다.
- Level B는 최고 수준의 호흡 보호를 제공하고 SCBA와 보호복으로 구성되어 있다. 이 수준은 일반적으로 오염을 제거하는 대원이 착용한다.
- Level C는 보호복은 공기 정화 호흡기와 보호복으로 구성된다.
- Level D는 오염 정도가 낮은 노출에 착용한다. 이 수준에서는 적절한 표준 작업 장치, 글러브, 보호안경 또는 얼굴가리개(보호마스크)가 필요하다.

개인보호장비를 착용하는 적절한 순서는 표 10-20에 요약되어 있으며 개인보호장비를 제거하는 순서는 표 10-21에 요약되어 있다.

노출의 중증도 및 증상

몇 가지 요인이 위험 물질 노출의 중증도를 결정한다. 위험 물질의 유형, 화학 성분, 유입 경로 및 개인의 일반적인 건강 상태는 나타나는 증상 및 징후의 중증도에 영향을 미친다. 일부 증상은 즉시 나타나지만, 다른 증상은 지연되어 나타날 수 있으므로 정확한 환자 병력을 청취하기가 어렵다. 위험 물질 노출 시 나타나는 일반적인 증상은 다음과 같다.

- 호흡곤란 및 흉부압박감
- 구역 및 구토
- 설사
- 과도한 침 분비 및 침 흘림
- 팔다리의 저림과 무감각
- 의식 변화
- 피부색 변화

표 10-20. 개인보호장비 착용 순서

가운
- 목에서 무릎, 팔에서 손목 끝까지 몸통을 완전히 가리고 등을 감싼다.
- 목과 허리 뒤쪽에 묶는다.

마스크 또는 호흡기
- 머리와 목의 중간에 머리끈과 고무 밴드로 고정한다.
- 콧등에 유연한 밴드를 맞춘다.
- 얼굴과 턱 아래에 맞춘다.
- 마스크나 호흡기 착용 상태를 확인한다.

보호안경 또는 얼굴가리개
- 얼굴과 눈 위에 위치시키고 적절하게 조절한다.

글러브
- 가운의 손목을 덮을 수 있도록 글러브를 착용한다.

안전한 작업 절차
- 자신을 보호하고 오염 확산을 방지하기 위해 안전한 작업 과정을 적용한다.
- 손으로 얼굴을 만지지 않도록 한다.
- 손이 닿는 표면을 최소화한다.
- 찢어지거나 심하게 오염된 경우 글러브를 교체한다.
- 손 위생을 유지한다.

참고: 사용하는 개인보호장비(PPE) 유형은 필요한 예방조치(예: 표준 예방조치 및 접촉, 비말 또는 공기 감염 격리)에 따라 달라진다.

표 10-21. 개인보호장비 제거 순서

글러브

- 글러브 바깥쪽이 오염된 경우
  - 글러브를 낀 반대쪽의 손으로 글러브의 바깥쪽을 잡고 벗긴다.
  - 글러브를 낀 손으로 벗긴 글러브를 잡는다.
  - 글러브를 벗은 손의 손가락을 손목에 남아 있는 글러브 안쪽으로 밀어 넣는다.
  - 첫 번째 벗은 글러브 위에 나머지 글러브를 벗는다.
  - 벗은 글러브를 폐기물 용기에 버린다.

보호안경

- 보호안경이나 얼굴가리개의 외부가 오염된 경우
  - 제거하려면 머리 밴드나 귀걸이를 사용해서 제거한다.
  - 지정된 재처리 용기 또는 폐기물 용기에 버린다.

가운

- 가운 앞부분과 소매가 오염된 경우
  - 묶은 가운을 푼다.
  - 가운 내부만 잡고 목과 어깨에서 당겨서 벗는다.
  - 가운을 뒤집어 놓는다.
  - 접거나 말아서 버린다.

마스크 또는 호흡기

- 마스크/호흡기 전면이 오염된 경우(만지지 않음)
  - 아래쪽을 잡은 다음 머리끈이나 고무 밴드를 잡고 제거한다.
  - 폐기물 용기에 버린다.

개인보호장비를 제거한 후 손을 씻거나 알코올 성분의 손 소독제를 사용하여 손을 소독한다.

참고: 호흡기를 제외하고 출입구나 대기실에서 개인보호장비를 제거한다. 병실을 나와 문을 닫은 후 호흡기를 제거한다(미국 질병통제예방센터 자료).

위험 물질 노출 유형

구강 및 흡입

산업안전보건청(OSHA)는 환경보호청(EPA) 및 미국 산업안전보건연구원(NIOSH)와 함께 각 유형의 위험 물질에 대해 위험한 것으로 간주하는 노출 수준을 확인했다. 이 수준은 치사용량 50%(LD_{50}) 및 치사 농도 50%(LC_{50})로 알려진 측정 기준을 사용하여 표현한다. LD_{50}은 2주 안에 노출된 동물 개체군의 50%를 죽을 수 있는 경구 또는 피부 노출량 수준이다. LC_{50}은 노출된 동물 개체군의 50%가 죽을 수 있는 물질의 공기 농도이다. LD_{50}은 섭취하거나 피부를 통해 흡수될 때 위험한 위험 물질에 적용되는 반면, LC_{50}은 흡입시 독성이 있는 위험 물질에 적용된다.

수용성이 낮은 물질에 노출되면 폐 조직이 심각하게 손상되어 돌이킬 수 없는 폐부종 및 장기간의 만성 폐 질환을 유발할 수 있다. 암모니아와 같이 수용성이 높은 물질에 노출되면 폐에 도달하기 전에 점막에 흡수되기 때문에 상기도에서 양성 증상만을 유발한다. 환자는 눈 자극, 피부 화상, 호흡곤란 및 가래를 동반하지 않은 기침을 호소한다.

일차평가에서 증가한 호흡 노력을 확인하고 처치한다. 환자 호흡시 쌕쌕거림이 들리는 경우 알부테롤(프로벤틸)과 같은 기관지 확장제를 투여한다. 저혈압을 처치하기 위해 수액과 혈압 상승제를 투여한다. 폐부종이 발생할 가능성이 있으므로 수액 투여 시 면밀하게 모니터링하여 수액 과다 투여를 방지한다. 오염제거 프로토콜을 완료하면 일반적인 지지적 처치를 시작한다.

섭취

위험 물질의 섭취는 일반적이지 않지만, 오염제거가 철저하지 않으면 발생할 수 있다. 위험 물질이 여전히 존재하고 당신이나 환자가 커피 한 잔을 마실 때와 같이 입 가까이에 손을 대면 오염이 발생할 수 있다.

주입

약물 투여를 위한 정맥 내(IV) 확보는 근육 내(IM) 및 피부밑(SQ) 경로보다 흡수 속도가 가장 빠르다. 그러나 오염된 피부 조직을 관통하면 독성 물질이 신체에 흡수되어 기관을 손상할 수 있다. 주사되는 많은 물질은 간에서 대사되며 손상의 원인이 될 수 있다. 이러한 노출 경로에 대한 환자 또는 제공자의 위험을 확인하는 것은 오염을 예방하는 데 필수적이다.

대량살상무기

생물학적, 화학적 또는 방사성 물질과 관련된 테러 행위는 군인과 민간인 모두를 위협한다. 이러한 유형의 재난에 대한 대응은 의료제공자와 구조대원에게 심각한 안전 위험을 초래한다. 의료제공자는 지진, 눈사태 및 홍수와 같은 자연 재난 및 대량 수송 차량이 관련된 충돌 사고에 대응하지만, 다음 섹션의 초점은 일반적인 범주 A 무기에 대한 인식을 높이는 것이다. 테러 공격에 의한 생물학적, 화학적 또는 방사성 오염으로 인해 영향을 받는 지역의 범죄 현장으로 지정되어야 한다. 또한 국토 안보부는 모든 의심이 되는 테러 공격에 대해 보고를 받아야 한다. 위험 물질의 경우와 마찬가지로 대량살상무기는 생물학적, 화학적, 발화(소이탄) 또는 폭발성 물질이나 장치가 될 수 있다. 차이점은 테러범이 사용할 때 이러한 물질이 흡입, 섭취 또는 흡수될 때 파괴하거나 손상과 사망을 일으킬 수 있도록 방출된다는 것이다. 2000년 질병통제예방센터는 위험 물질의 치명적인 것을 식별하는 데 도움이 되는 생물학적 제제 분류를 수립했다(표 10-22).

표 10-22. 공중 보건 대비를 위한 치명적인 생물학적 제제

생물학적 제제	질병
분류 A	
대두창	두창
탄저균	탄저
페스트 균	흑사병(페스트)
클로스트리듐보툴리늄(보툴리눔 독소)	보툴리누스중독
야토균	야토병
필로바이러스 및 아레나바이러스 (예: 에볼라, 라사열)	바이러스 출혈열
분류 B	
콕시엘라부르네티	Q열
브루셀라균	브루셀라증
코부스럼균(비저균)	마비저
유비저균	유사비저
알파바이러스(VEE, EEE, WEE)	뇌염
리케차 프로와제키	발진티푸스
독소(예: 리신, 포도상구균 장독소 B)	독성증후군
클라미디아	앵무새병
식품안전 위협 물질(예: *살모넬라균*, *대장균* O157:H7)	
식수안전 위협 물질(예: 콜레라균, 작은와홀씨충)	
분류 C	
신종 위협 물질(예: *니파바이러스*, *한타바이러스* 등)	

동부말뇌척수염(EEE, Eastern equine encephalomyelitis), 베네수엘라 말 뇌척수염(VEE, Venezuelan equine encephalomyelitis), 서부 말 뇌척수염(WEE, western equine encephalomyelitis).
Reprinted from Rotz L, Khan A, Lillibridge SR, et al.: Public health assessment of potential biological terrorism agents. 2000. http://www.cdc.gov.

생물학적 제제

테러에 사용하는 생물학적 제제는 주의를 끌지 못한다. 극적인 폭발도 없고, 타오르는 원뿔 모양의 불도 없으며 존재를 알리는 아편도 없다. 이러한 특성 때문에 보건 당국이 질병의 패턴을 인식하기 전에 광범위한 지리적 영역에 있는 많은 사람을 감염시킬 수 있기 때문에 생물학적 제제를 더욱 위협적으로 만든다. 공중 보건 당국은 결국 특정 지역 내에서 특정 증상과 징후 또는 이와 유사한 주요호소증상의 높은 발생률을 알아차리기 시작한다. 아마도 흔하지 않은 질병 발표, 제한된 지역 내에서 다수 환자 발생 또는 비정상적인 노출 경로에 대한 보고에 의해 정보를 얻을 것이다.

사고의 경위가 어떻게 밝혀지든 간에 생물학적 노출이 발생했다는 인지는 거의 변함없이 지연된다. 의료제공자는 예상치 못한 환자 유입 또는 기타 이상한 환자 발생을 신속하게 보고하여 노출에서 오염된 환자 발생을 인식하는 데 까지 걸리는 시간을 단축하는 데 도움을 줄 수 있다. 가장 우려되는 생물학적 제제는 다음과 같다.

탄저

탄저는 그람 양성, 포자 형성 세균인 탄저균에 의해 발생하는 급성 감염병이다. 가장 흔한 침입 경로는 포자의 직접적인 피부에 직접 접촉과 포자를 흡수하여 국소적으로 붉고 가려운 궤양(피부 탄저)을 유발하는 것이다.

증상과 징후

동물과 자주 접촉하는 근로자와 농부는 이러한 노출 경로에 매우 취약하다. 2주 이내에 피부에 괴사가 일어나기 시작하고 검은색 가피가 형성된다. 탄저병 포자를 흡입할 수도 있으며 처음에는 감기와 유사한 양성 증상을 보일 수 있다. 초기 전구기에서 환자는 가래를 동반하지 않은 기침, 발열 및 구토를 호소한다. 그런 다음 이 질병은 고열, 청색증, 쇼크, 발한 및 심한

호흡곤란을 특징으로 하는 전격 단계로 진행한다.

처치

병원 전 단계

산소 공급과 지지 요법, 정맥 라인 확보 후 수액 투여, 상처에 건조한 멸균 드레싱을 적용한다. 환자를 이송할 의료기관에 노출 사실을 통보한다. 노출이 방금 발생한 경우가 아니면 긴급 오염제거는 필요하지 않다. 병변과 직접 접촉하는 경우에만 위험하다.

병원 내 단계

병원에서의 처치는 독소를 확인하고 적절한 항생제를 결정하기 위한 혈액 배양을 시행한다. 탄저 연구를 수행하는 과학자와 군인은 탄저병을 예방하기 위해 예방접종을 받을 수 있다.

보툴리누스중독

보툴리누스중독을 유발하는 세균인 클로스트리듐보툴리눔은 마비를 일으키는 신경독소를 생성한다. 노출의 유형에는 오염된 음식물 섭취와 세균에 의한 상처 오염 등이 있다(그림 10-17). 모든 형태는 의학적 응급 상황으로 간주하며 치명적일 수 있다. 생물 테러의 경우 식량원이나 상수도 공급원을 오염시켜 많은 사람이 질병에 걸릴 수 있다. 적은 양의 세균이라도 인구 밀집 지역을 황폐화할 수 있다.

증상과 징후

보툴리누스중독 환자는 일반적으로 구역, 흐려 보임, 피로, 불분명한 발음, 근육 약화 및 마비가 있다. 증상은 노출 후 몇 시간 또는 며칠 이내에 발생할 수 있다. 유사한 증상이 있는 환자가 증가하면 적절한 의료기관 및 관련 기관에 보고한다.

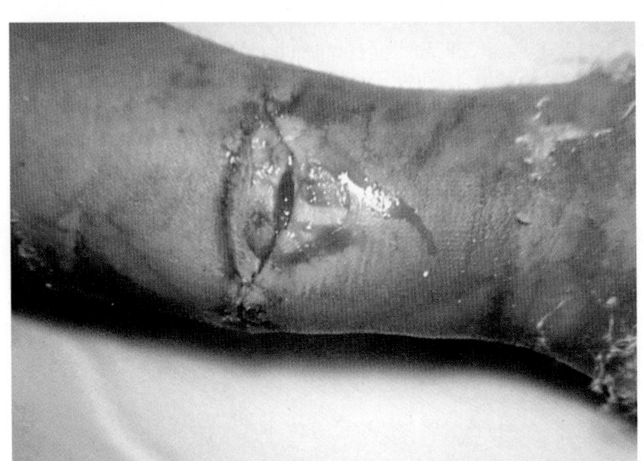

그림 10-17. 보툴리누스중독에 의한 상처
Courtesy of CDC.

처치

병원 전 단계

호흡근 마비로 인한 호흡곤란 징후를 지속해서 모니터링하면서 일상적인 의료 서비스를 제공한다. 추가 감염을 방지하기 위해 상처를 드레싱 한다.

병원 내 단계

독소 유형을 결정하기 위한 혈액 배양을 통해 가장 효과적인 항독소를 확인할 수 있다. 병원에는 즉시 사용할 수 있는 항독소가 없을 수 있으므로 질병관리청에 문의한다. 호흡 부전이 발생한 환자는 기계 환기가 필요할 수 있다.

흑사병(패스트)

페스트균은 흑사병을 일으키는 세균이다. 전파는 쥐, 마못, 다람쥐나 다람쥐와 같은 설치류에 서식하는 벼룩에 물려서 발생한다. 테러 공격에서 세균은 에어로졸화 할 수 있으며 이는 폐노출(폐렴 흑사병)로 분류한다. 평가는 호흡곤란, 가래를 동반한 기침, 피가 섞인 가래 및 흉통과 관련된 증상을 호소한다. 치료하지 않으면 이러한 증상에 이어 호흡기 및 심혈관 허탈이 발생한다.

증상과 징후

가래톳흑사병은 사람이 설치류에 감염된 벼룩에게 사람이 물렸을 때 발생한다. 이러한 형태의 흑사병에 걸린 환자는 림프샘 비대, 의식상태 변화, 초조, 무뇨증, 빈맥 및 저혈압이 발생한다. 치료되지 않는 가래톳흑사병은 패혈성 흑사병으로 알려진 세 번째 유형의 흑사병으로 진행될 수 있다. 이런 형태의 질병에 걸린 환자는 구역과 구토, 설사, 괴사성 피부 병변 및 괴저가 나타날 수 있다.

처치

환자와 접촉한 모든 사람은 증상에 대한 평가를 받아야 한다. 일반적인 지지적 처치를 시작한다. 공기 중의 비말에 감염되지 않도록 개인보호장비를 사용한다. 조기에 항생제와 항균제로 처치하는 것이 적절하다. 의료제공자는 N-95마스크를 사용하여 호흡기 예방 조치를 한다.

리신(피마자시독소)

리신은 피마자의 씨앗에서 추출된 세포독성 단백질이다. 테러리스트가 이 독소를 에어로졸, 분말 또는 작은 알갱이 형태로 추출하여 사용할 수 있다.

증상과 징후

흡입 후 8시간 이내에 심한 호흡기 손상이 발생한다. 저산소증은 노출 후 36~72시간 이내에 명백해진다. 증상은 독감과 유사하고 모호하지만, 일반적으로 구역, 구토, 기침, 쇠약, 발열 및 저혈압이 나타난다. 다행히 에어로졸화하기 어렵고 일반적으로 심각한 독성을 유발하기 위해서는 피부밑 주사가 필요하다. 섭취하면 일반적으로 위장관 호소증상이 나타나지만, 전신적인 생명을 위협하는 독성을 유발하기 위해서는 많은 양을 섭취한다. 유사한 증상을 나타내는 많은 환자가 우려와 평가를 시행할 이유가 나타날 때까지 모집단 내 증상의 경향은 표현이 모호하기 때문에 쉽게 간과될 수 있다.

처치

오염된 의복을 제거하여 가방에 넣는다. 필요한 경우 환자, 장비 및 자신의 오염을 제거한다. 흡입으로 노출된 경우 환자를 이송하는 차량은 이송 중에 환기가 잘 유지되어야 한다. 기도, 호흡 및 순환을 지속적인 평가 및 관리가 초기 처치이다. 환자의 호흡기 및 심혈관계 이상이 있는지 환자를 모니터링한다. 리신 노출에 대한 해독제가 없으므로 병원 처치는 독소 제거 및 이차 오염 방지를 목표로 한다.

바이러스성 출혈열

필로바이러스, 플라비바이러스, 아레나바이러스는 모두 바이러스성 출혈열로 분류할 수 있다. 절지동물과 다른 동물은 이 전염성이 강한 바이러스의 일반적인 숙주이다. 감염된 설치류의 소변, 대변 또는 타액과의 접촉과 벼룩이나 진드기와 같은 감염된 절지동물에 물리는 경우 전형적인 감염 경로이다.

증상과 징후

감염된 사람은 발열, 피로 및 근육통이 발생할 수 있다. 노출이 감지되지 않으면 귀, 코, 입에서 출혈 및 내부 장기 출혈과 같은 중증 증상이 나타난다. 의식상태 변화와 심혈관 및 신장계 손상이 발생할 수 있다.

처치

기도, 호흡, 순환 및 관류 상태에 대한 일반적인 지지적 처치와 지속적인 모니터링을 시행한다. 감염 관리를 위해 적절한 개인보호장비를 착용한다.

황열 진단이 없는 한 현재 백신이나 해독제는 없다. 초기 및 지속적인 처치는 주요 장기 기능의 보존에 중점을 둔다. 오염된 환자는 격리실에서 관리하고 모든 의료제공자는 공기 정화 호흡기를 착용한다.

방사선 무기

핵방사선은 원자가 분열하거나 융합할 때 방출하는 에너지와 입자로 구성된다. 이온화 방사선은 원자 또는 분자에서 전자를 제거하기에 충분한 에너지를 가진 방사선(알파, 베타, 감마 및 중성자)을 의미한다. 기본적으로 원자핵에서 나오는 모든 종류의 방사선은 이온화된다.

흡수된 이온화 방사선은 라드(rad)라는 단위로 표시한다. 1 rad는 0.01 그레이(Gy)의 흡수선량과 같다. 이온화 방사선에 노출된 환자를 평가하려면 환자가 흡수한 방사선량을 결정한다. 흡수된 방사선량이 많을수록 심각한 질병과 손상이 발생한다.

- 100rad: 노출 후 몇 시간 이내에 구역, 구토 및 복부 경련 발생
- 600rad: 탈수 및 위장염, 며칠 내 사망
- 1000+rad: 심혈관 및 신경계 합병증, 의식상태 변화, 운동실조, 부정맥, 심혈관 허탈 및 쇼크

방사선 공격 시 시행할 수 있는 관리 원칙은 표 10-23과 같다.

이온화 방사선의 유형

비이온화 방사선은 가시광선, 초단파, 전파, 초음파 및 기타 유형이 포함된다. 이온화 방사선은 알파, 베타, 감마 또는 중성자 입자로 분류할 수 있다.

알파 방사선

알파 입자(양성자와 중성자)는 일반적으로 피부를 통과하지 못한다. 실제로, 그들은 단지 몇 m밖에 이동하지 못하며 종이 한 장과 같은 간단한 장벽으로 막을 수 있다. 따라서 방사성 물질

표 10-23. 방사선 재난 시 관리 원칙

1. 안전을 위해 현장을 평가한다.
2. 방사선 손상을 고려하기 전에 모든 환자는 외상성 손상으로부터 의학적으로 안정화한다. 그런 다음 환자의 외부 방사선 노출 및 오염에 대해 평가한다.
3. 외부 방사선 근원이 큰 경우 조직 손상을 일으킬 수 있지만, 환자가 방사능으로 주변을 오염시키지는 않는다. 치명적인 외부 방사선에 노출된 환자는 의료진에게 위협이 되지 않는다.
4. 환자는 피부나 옷에 묻은 방사성 물질로 오염될 수 있다. 옷을 벗으면 표면 오염의 90% 이상을 제거할 수 있으며 나머지는 비누와 물로 씻어낼 수 있다.
5. 의료제공자는 보호복, 글러브와 마스크를 포함한 최소한의 표준 예방 조치를 준수하여 방사능 오염으로부터 자신을 보호한다.
6. 노출 후 4시간 이내에 구역, 구토 또는 피부 홍반이 발생하는 환자는 아마 높은 양의 외부 방사선에 노출되었을 것이다.
7. 상처 부위의 방사성 오염은 가능한 한 빨리 세척한다. 금속 이물질을 취급하지 않는다.
8. 요오드화칼륨(KI)은 방사성 요오드가 방출된 경우에만 효과가 있으며 요오드화칼륨은 일반적인 방사선 해독제가 아니다.
9. 시간/거리/차폐의 개념은 방사선 노출로 인한 부작용을 예방하는 데 중요하다. 영향을 받은 부위의 노출 시간을 줄이고 방사선원과의 거리를 멀리하거나 금속 또는 콘크리트 차폐시설을 사용하여 최소화한다.

Department of Homeland Security Working Group on Radiological Dispersion Device Preparedness/Medical Preparedness and Response Subgroup. 2004, https:// www.orau.gov/hsc/RadMassCasualties/content/resources / Radiologic_Medical_Countermeasures_051403.pdf.

을 흡입하거나 섭취한 경우에만, 심각한 생물학적 위험을 나타낸다.

베타 방사선

베타 입자(전자)는 알파 입자보다 작고 빠르기 때문에 더 멀리 이동할 수 있고 피부 조직안으로 약 8mm 깊이까지 침투할 수 있다. 이러한 화상은 노출 직후에는 보이지 않지만, 피부 표면에 심각한 화상을 유발할 수 있다. 의복으로 덮은 부위는 효과적으로 보호되기 때문에 노출된 피부에 화상이 발생할 위험이 높다. 표준 피부 세척 과정을 통해 대부분의 베타 입자 오염을 제거할 수 있다. 유일한 탐지 수단은 모든 병원에 있어야 하는 가이거-뮐러계수관(Geiger-Mueller counter)이라는 방사선 감지 장비이다. 노출이 계속되면 대부분의 방사성 동위원소가 베타 방사선을 방출 후 감마선을 방출하여 붕괴하기 때문에 감마선에 상당한 노출이 발생할 수 있다.

감마선

감마선은 원자핵에서 방출되는 광자이다. 이것은 빠르게 이동하여 피부, 연부조직 및 뼛속 깊숙이 침투하는 전자파이다. 감마선은 외부 조사와 관련된 거의 모든 사고와 관련이 있다. X-선은 산업 또는 의료 장비의 부적절한 사용으로 인해 발생하는 방사선 사고에 때때로 관련되는 비교적 저에너지 광자이다. 감마선은 베타 붕괴 후 방사성 동위원소에서 방출되며 급성 방사선 증후군의 주요 원인이다. 이 증후군의 단계는 표 10-24에 요약되어 있고 지연 효과는 무더기 증상으로 나타난다(표 10-25).

중성자

네 번째 분류인 중성자는 표면을 쉽게 침투하여 신체 계통에 심각한 손상을 줄 수 있다. 중성자는 독특하다. 방출 후 정지되거나 "포획"되면, 이전에 안정적이었던 원자가 방사성이 된다. 이것이 방사성 낙진의 근원이다. 수소폭탄의 폭발은 즉각적으로 엄청난 양의 토양을 기화시켜 강렬한 중성자 폭격으로 고방사성 물질로 변환시킨다. 우리가 핵폭탄과 연관 짓는 이른바 버섯구름이라고 하는 이 구름은 불덩어리와 함께 상승하고 높은 고도에서 강한 바람에 의해 퍼지게 된다. 방사성 입자는 결국 낙진으로 내려온다. 원자로는 에너지를 생성하기 위해 제어되고 지속적인 중성자 연쇄 반응을 일으켜 이와 동일한 강력한 형태의 방사선을 이용한다.

일부 감마선 노출은 중성자 노출에서도 발생한다. 중성자 조사에 의해 생성된 방사성 물질의 정량화는 중성자 노출 및 때로는 감마선의 선량을 추정하는 데 도움이 된다. 생성된 방사능은 주로 나트륨-24이며 이것은 가이거-뮐러계수관 또는 혈액 샘플에서 검출할 수 있다. 중성자 노출이 의심되는 경우 모든 대변과 소변을 냉장 보관한다. 또한 모든 의류, 특히 중성자 유도 분석을 위한 벨트 버클과 같은 금속 부품이 들어 있는 품목은 보관하도록 한다.

방사성 피폭

테러리스트가 사용하는 방사성 물질은 쉽게 접근할 수 있으며 연구소, 병원, 방사선 사진 촬영 시설 및 산업 단지에서 쉽게 찾을 수 있다. 폭발물과 결합한 방사성 장치는 테러 무기로 사용할 수 있다.

테러리스트는 인구 밀도가 높은 지역에 소위 오염된 폭탄

표 10-24. 급성 방사선 증후군 단계						
	방사선의 선량범위에 따른 외부 방사선 또는 내부 흡수에 의한 전신 방사선 영향(1 Rad = cGy, 100 Rad = 1Gy)					
특징	0~100	100~200	200~600	600~800	800~3,000	> 3,000
전구기						
구역, 구토	없음	5~50%	50~100%	75~100%	90~100%	100%
발병 시간		3~6시간	2~4시간	1~2시간	<1시간	몇 분
지속시간		<24시간	<24시간	<48시간	48시간	해당 없음
림프구 수	영향을 받지 않음	최소한으로 감소	<24시간에 1000	<24시간에 500	몇 시간 이내 감소	몇 시간 내에 감소
중추신경계(CNS) 기능	손상 없음	손상 없음	일상적인 작업 수행 6~20시간 동안 인지 장애	단순하고 일상적인 작업 수행 >24시간 동안 인지장애	급속한 무능화 몇 시간의 명확한 간격을 가질 수 있음	
잠복기						
증상 없음	>2주	7~5일	0~7일	0~2일	없음	없음
명백한 질환 증상						
증상/징후	없음	중등도 백혈구 감소	중증 백혈구 감소, 자반, 출혈, 폐렴 300rad 후 탈모		설사, 발열, 전해질 장애	경련, 운동 실조, 떨림, 졸음
발병 시간		>2주	2일~4주			1~3일
임계기간		없음	4~6주: 효과적인 의학적 처치의 가장 큰 가능성		2~14일	1~46시간
기관계	없음		조혈, 호흡기(점막) 시스템		위장 관 점막기관	중추신경계
입원기간	0%	<5% 45~60일	90% 60~90일	100% 100일 이상	100% 몇 주에서 몇 개월	100% 며칠에서 몇 주
사망률	없음	최소	적극적인 처치로 낮음	높음	매우 높음: 심각한 신경학적 증상은 치사선량을 나타냄	

Armed Forces Radiobiology Institute: Medical management of radiological casualties, 2003, Bethesda, MD.

표 10-25. 방사선 노출의 지연 효과*의 증상군			
1	2	3	4
두통 피로 쇠약	식욕부진 구역 구토 설사	부분 및 전체 깊은 피부 손상 털제거(제모) 궤양형성	림프구감소 중성구감소 혈소판감소 자반 기회감염

* 효과는 노출 후 며칠에서 몇 주까지 나타날 수 있다.

(dirty bomb)과 같은 폭발 장치를 의도적으로 폭발시킬 수 있다. 인간, 동물, 건물 및 환경오염은 코발트-60 및 라듐-226과 같은 방사성 물질이 방출될 때 발생한다. 초기 폭발은 외상성 손상을 입힐 것이다. 방사선 피폭은 조기에 인식하지 못하면 장기간 노출되어 응급으로 의학적 문제가 발생할 수 있다. 방사성 입자의 흡입은 호흡곤란을 유발할 수 있으며 섭취하면 위장 장애를 유발할 수 있다.

실제 대량살상무기(플루토늄과 우라늄)를 만드는데 필요한 구성요소는 오염된 폭탄의 구성 요소보다 훨씬 구하기 어렵다.

방사능 장치의 초기 폭발로 인한 손상 및 질병의 정도는 노출 시간, 폭발 또는 폭발로부터의 거리 및 개인보호장비와 관련이 있다. 노출된 사람은 몸이나 의복에 묻은 가스, 액체 또는 먼지 입자가 다른 사람에게 옮겨지면 다른 사람을 오염시킬 수 있다. 최초 의료제공자는 시간, 거리 및 차폐에 관한 정확한 정보를 확인하는 것이 필수적이다. 표 10-26은 이온화 방사선과 관련된 테러 공격을 처리하기 위한 중요한 추가 정보를 제공한다.

처치

병원 전 단계

초기 처치는 현장 안전을 확보하고 적절한 개인보호장비를 착용하는 데 중점을 둔다(표 10-23 참조). 방사성 물질과의 직접적인 접촉을 피하도록 한다. 폭발성 물질과 결합한 액체 또는 가스에 노출된 환자만 오염을 제거한다. 오염이 의심되거나 확실하지 않은 경우 환자를 담요나 시트로 감싸서 다른 사람의 오염 가능성을 최소화한다. 환자가 의료기관에 도착 시 적절한 예방 조치를 할 수 있도록 현장의 오염 사실을 환자를 이송할 의료기관에 통보한다. 폭발로 인해 갑작스럽고 심각한 손상과 질병에 따른 심리적 영향도 고려한다.

다수사상자가 발생한 상황에서 지역 의료 및 대응팀은 쉽게 압도될 수 있다. 언어적 의사소통은 오염을 최소화하고 여러 환자를 효과적으로 평가하고 관리하기 위한 팀 노력의 중요한 부분이다.

병원 내 단계

일단 오염제거 및 적절한 다수사상자 피해 프로토콜이 실행되면 초기 환자 처치를 시행할 수 있다. 탄산수소소듐, 글루콘산 칼슘 또는 염화암모늄 투여를 고려한다. 킬레이트 제제와 요오드화칼륨을 투여한다.

표 10-26. 이온화 방사선을 이용한 테러: 일반 지침

진단

다음 사항에 주의한다.

1. 급성 방사선 증후군은 상당한 노출 또는 치명적인 사건 발생 후 예측할 수 있는 패턴을 따른다(표 10-24 참조).
2. 개인은 지역사회의 오염원으로 인해 병에 걸릴 수 있으며 특정 증후군을 기반으로 훨씬 더 오랫동안 식별할 수 있다(표 10-25 참조).
3. 특히 2~3주 전에 구역과 구토의 병력이 있는 특정 우려 증후군은 다음과 같다.
   - 열 노출 없이 열 화상과 유사한 피부 손상
   - 이차 감염을 동반한 면역학적 기능 장애
   - 출혈 경향(출혈, 잇몸 출혈, 출혈점)
   - 골수 억제(중성구감소, 림프구감소, 혈소판감소)
   - 털제거(제모)

노출에 대한 이해

1. 노출은 다음과 같은 기전을 통해 알려지고 인지되거나 은밀할 수 있다.
   - 핵폭탄이나 원자력 발전소의 피해와 같이 인지된 대규모 노출
   - 지속적인 감마선을 방출하는 작은 방사선원, 집단 또는 개인의 만성 간헐적 노출(예를 들어, 의료 장비 또는 환경, 물 또는 식품 오염에서 나오는 방사선)
   - 흡수, 흡입 또는 섭취한 방사성 물질로 인한 내부 방사선(내부 오염)

Modified from Department of Veterans Affairs pocket guide produced by Employee Education System for Office of Public Health and Environmental Hazards. This information is not meant to be complete but to be a quick guide; please consult other references and expert opinion.

소이(방화) 무기

테러리스트는 인구 밀도가 높은 지역에서 공포를 조성하기 위해 소이탄과 같은 소이 위협을 사용한다. 이러한 유형의 장치는 큰 화재를 발생시킨다.

소이 장치

소이 장치의 전형적인 예는 병이나 다른 용기에 넣은 연료에 적신 헝겊으로 구성된 화염병이다. 헝겊에 불을 붙이고 용기를 인구 밀집 지역이나 건물에 던진다. 폭발로 인해 화재가 발생하여 공포와 손상을 초래한다. 모든 화재와 마찬가지로 사이안화물 중독은 불타는 플라스틱이 있는 건물에서 우려되는 의학적 응급 상황이다.

처치

적절한 개인보호장비 사용을 포함하여 현장 안전에 주의를 기울이는 것은 소이 장치로 인해 발생한 부상자를 처치하는 데 필수적이다. 현장 안전을 확보한 경우 현장에서 환자를 이송할 의료기관으로 여러 명의 환자를 이송할 것이라고 통보한다. 초기 처치는 기도, 호흡 및 순환을 안정화하고 관련 손상을 처치하는 것이다. 다수사상자 사고에 대비하기 위해 내부 프로토콜을 제정하는 것을 고려한다.

화학물질

화학적 질식제

단순 질식제(예: 이산화탄소 및 질소 가스)가 단순히 산소를 대체하여 저산소혈증을 유발하는 것과 달리 화학적 질식제(예: 일산화탄소, 사이안화물 및 황화수소)는 전자 전달계 또는 기타 세포 과정을 방해하여 증가한 산소 수준에도 반응하지 않는 저산소혈증을 유발한다. 화학 질식제에 대한 노출은 흡입, 흡수 또는 섭취를 통해 발생할 수 있다. 가장 흔한 질식제 중 하나는 사이안화물이며 군사 명칭은 AC로 지정되어 있다. 고체 형태로 발견되면 쓴 아몬드 같은 냄새가 나는 것으로 유명하며 사이안화물은 액체 또는 무색의 가스 형태를 취할 수도 있다. 금속을 처리하는 데 자주 사용하며 가스 연소의 부산물이다. 전쟁에 사용하는 또 다른 화학 질식제는 염화시안이며 군사 명칭은 CK로 지정되어 있다. 이러한 화학 물질이 혈류에 들어가면 세포가 산소를 흡수하고 아데노신삼인산(ATP)을 생성하는 능력을 감소시킨다. 초기 노출은 호흡곤란, 두통 및 빈맥을 유발하고 노출이 감지되지 않거나 장기간 노출되면 발작 및 호흡부전이 발생한다.

일산화탄소는 흡입 화학 질식제로서 혈색소와 결합하여 적혈구의 산소 운반 능력을 감소시키고 저산소증을 유발한다.

처치

호흡기 및 심혈관 상태의 평가는 처치를 결정하는 핵심이다. 일반적인 처치로는 산소 공급, 정맥 라인 확보, 부정맥에 대한 모니터링을 시행한다. 사이안화물 독성은 히드록소코발라민 또는 아질산나트륨과 티오황산나트륨과 같은 사이안화물 해독제를 투여한다. 발작이 발생하면 벤조다이아제핀을 투여한다(표 10-27). 맥박산소측정 수치는 화학 질식제에 노출된 세포로의 산소 전달을 반영하지 못한다.

표 10-27. 화학 질식제 노출의 처치

- 일산화탄소에 노출된 환자는 일반적으로 오염제거가 필요하지 않다. 사이안화물의 독성 때문에 환자의 오염을 제거한다. 액체 또는 고체 사이안화물에 노출되면 적절한 오염제거가 필수적이다.
- 기도 개방을 유지하고 의식이 없거나 중증의 폐부종이 있거나 중증 호흡곤란이 있는 환자의 기도를 유지하기 위해 입기관내삽관 또는 코기관내삽관을 고려한다.
- 필요한 경우 환기를 보조한다. 백밸브마스크를 이용한 양압환기가 도움이 될 수 있다.
- 구토를 유도하거나 구토제를 사용하지 않는다.
- 폐부종을 모니터링하고 필요에 따라 처치한다.
- 심장 리듬을 모니터링하고 필요에 따라 부정맥을 처치한다.
- 정액 라인을 확보하고 결정질 용액을 30mL/h로 투여한다. 저혈량증의 징후가 있는 저혈압의 경우 주의해서 수액을 투여한다. 환자가 정상적인 체액량으로도 저혈압인 경우 프로토콜에 따라 혈압상승제 투여를 고려한다. 수액 과다 투여의 징후가 나타나는지 관찰한다.
- 사이안화물 또는 황화수소에 노출된 증상이 있는 환자의 경우 프로토콜에 따라 사이안화물 해독제를 투여한다.
- 프로토콜에 따라 다이아제팜(Valium) 또는 로라제팜(Ativan)으로 발작을 처치한다.
- 눈에 오염 물질이 들어간 경우 즉시 물로 눈을 세척한다. 환자를 이송하는 동안 생리식염수로 오염된 눈을 지속해서 세척한다.
- 맥박산소측정 수치는 이러한 노출에서 정확하지 않을 수 있다.
- 최적의 처치를 위해서는 고압산소 요법이 필요할 수 있다.

Currance PL, Clements B, Bronstein AC: *Emergency care for hazardous materials exposure*, ed 3, St. Louis, MO, 2005, Mosby.

오염물질이 알려진 액체인 경우 즉시 오염제거 과정을 시작한다. 기도, 호흡 및 순환을 안정화하고 증상과 징후를 나타내는 것을 처치하는 것이 초기 처치 방법이다. 해당 화학물질에 노출된 각 환자에게 히드록소코발라민 또는 아질산나트륨과 티오황산나트륨을 사용한다. 히드록소코발라민 내의 코발트 부분은 사이안화물과 결합하여 시아노코발라민 또는 활성 비타민 B_{12}를 형성한다. 그런 다음 시아노코발라민은 신장을 통해 배설한다. 히드록소코발라민의 투여는 신체 배설물(소변) 및 분비물의 진한 빨간색에서 보라색 염색과 관련이 있으며 며칠 동안 화학을 포함한 일부 비색 실험실 검사를 어렵게 한다. 두 번째 선택은 아질산나트륨과 티오황산나트륨이다. 아질산나트륨은 혈색소와 결합하여 메트혈색소를 형성하고 이는 전자 전달계 내에서 사이토크롬 산화효소보다 사이안화물 이온과 더 강하게 결합하여 사이안메트혈색소를 생성한다. 그런 다음 티오황산염은 사이안메트혈색소의 사이안화물과 결합하여 싸이오사이안산염을 생성하며 이는 신장에서 쉽게 배설된다.

응급실에서 환자를 관찰하고 지속적인 처치를 한다. 중증 대사산증이 발생할 것이다.

신경작용제

화학전에서 가장 독성이 강한 물질은 신경작용제이다. 이러한 물질은 아세틸콜린에스터분해효소 분비를 억제하고 콜린성 반응을 자극하며 부교감신경계를 과도하게 자극하여 중추신경계 및 말초신경계의 신경 전달을 방해한다. 최소한의 노출은 장기간의 치명적인 결과를 가져오지는 않지만, 많은 양과 장기간의 노출은 높은 사망률 및 이환율과 관련이 있다. 신경작용제는 유기인산염과 유사하지만, 훨씬 더 강력하고 파괴적이다. 신경작용제는 G 및 V 작용제로 분류할 수 있다.

G 작용제에는 타분(GA), 사린(GB), 소만(GD) 및 사이클로헥실 메틸포스포노플오리데이트(GF)가 포함된다. 영국에서 개발된 VX는 가장 일반적인 V 작용제이다. G 작용제는 휘발성이 매우 강하고 제한된 작용을 하는 무색의 액체이다. 에어로졸화되거나 따뜻한 환경이나 밀폐된 건물에서 방출되면 휘발성이 더 높아진다. V 액체는 일반적으로 휘발성이 아니며 더 오래 작용한다.

- 사린(GB). 액체 상태에서 사린은 무색, 무취, 무미이다. 사린은 상수도를 오염시키면 식수 또는 목욕에 사용하는 물에서 독성 수준에 도달할 수 있다. 사린은 또한 가스로 전환되어 공기 중으로 방출되어 넓은 지역을 오염시킬 수 있다. 사린에 노출된 사람들은 두통, 침 분비 증가, 복부 경련 및 쌕쌕거림을 동반한 호흡곤란을 호소한다. 증상은 노출 후 몇 분에서 몇 시간 후에 시작된다.
- 소만(GD). 소만은 투명하고 무색이며 무미의 액체이지만 멘톨이 함유되어 스치면 진해정과 유사한 캄포(녹나무) 냄새가 난다. 사린보다 휘발성이 강한 이 액체는 노출 후 몇 시간이 아니라 몇 초 또는 몇 분 내에 증상을 유발한다. 증상과 징후는 사린 노출과 관련된 것과 유사하다.
- 타분(GA). 타분은 또한 투명하고 무색이며 무미의 액체로 약한 과일 냄새가 난다. 기화되어 흡입될 수 있으며 섭취나 흡수를 통해 노출이 일어날 수 있다. 액체는 물과 쉽게 섞이기 때문에 섭취할 수 있어 위장관 불쾌감을 유발할 수 있다. 흡수는 피부와 눈에 자극을 유발할 수 있다. 액체가 의복에 남아 있다면 만지는 사람에게 이차 오염을 일으킬 수 있다. 사람이 증기에 노출된 경우 몇 시간 이내에 증상이 시작된다. 환자는 의식상태 변화, 발작, 눈물이 있는 눈, 기침 및 과도한 발한을 보이고 부정맥이 가끔 발생한다.
- VX. V 작용제인 VX는 무취의 약간 호박색 액체이다. 이 액체는 섭취했을 때보다 흡입하거나 피부를 통해 흡수될 때 더 독성이 있다. 물과 쉽게 섞여 섭취 시 복부 불편감을 유발한다. 증상과 징후는 노출 후 몇 초 또는 몇 시간 이내에 나타나기 시작하며 다른 신경작용제에 의해 유발되는 것과 유사하다. 중독된 사람은 근육 경련과 동공수축이 있을 수 있다. 인지하지 못하고 처치하지 않으면, 경련은 뇌전증 지속상태로 진행할 수 있으며 멈추기가 어려울 수 있다.

처치

초기 대응은 현장 안전한 확보하는 것이다. 신경작용제 증기는 공기보다 무거우므로 차량을 오르막이나 바람이 부는 방향으로 주차한다. 이차 오염 방지가 필수적이며 적절한 개인보호장비가 필요하다. 화학물질은 노출 후 30~40분 동안 의류에 남아 있을 수 있으므로 오염제거가 필요할 수 있다. 환기가 잘 되는 곳으로 환자를 옮기는 것이 중요하다. 빠른 암기법 박스에 있는 SLUDGE BBM 약자를 사용하여 현재 증상을 확인한다. 기도, 호흡 및 순환에 대한 지지적 처치가 초기 처치이다. 혈압 변화에 대한 지속적인 모니터링을 시행하고 미국심장협회 ACLS 프로토콜에 따라 부정맥을 관리한다.

아트로핀과 프랄리독심이 포함된 Mark 1 해독제 키트(그림 10-18)로 알려진 신경작용제 자가주사 해독제 키트를 사용한다. 듀오도트(DuoDote) 키트로 알려진 최신 키트는 두 가지 약물을 하나의 자동 주입기에 연결되어 있다. 이러한 해독제가 독성을 역전시키는지에 대한 자세한 설명은 이전에 제시하였다. 발작이 발생하면 다이아제팜(Valium) 또는 로라제팜(Ativan)을 근육 내로 투여한다.

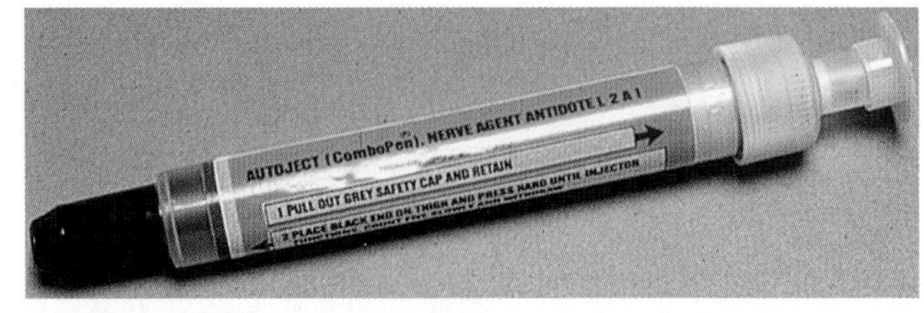

그림 10-18. Mark I 해독제 키트

From Miller R, Eriksson L, Fleisher L, et al: *Miller's anesthesia*, ed 7, New York, 2009, Churchill Livingstone.

폐 작용제

폐 작용제로 알려진 독성 가스는 최초 반응자와 병원 전 처치 제공자의 안전에 심각한 위협이 된다. 염소, 포스겐 및 무수암모니아를 포함하는 이러한 가스는 쉽게 얻을 수 있으며 흡입을 통해 환자를 빠르게 오염시킬 수 있다.

- 염소. 염소는 약간의 냄새가 나는 황녹색 가스로 후추와 파인애플을 섞은 것 같은 냄새가 난다. 이것은 일반적으로 플라스틱 및 용매 제조 공장에서 흔히 사용한다. 압력을 가하면 염소가 쉽게 기체로 기화된다. 염소는 흡입하거나 피부를 통해 흡수될 수 있고 물이 오염된 경우 섭취할 수 있다. 증상과 징후로는 눈과 목의 자극, 피부 노출로 인한 화상, 흡입으로 인한 호흡곤란 등이 나타난다. 폐부종과 같은 중증 호흡기 합병증은 노출 후 20~24시간 이내에 분명해질 수 있다.
- 포스겐(CG). 포스겐은 갓 말린 건초의 막연한 냄새가 나는 기체 형태로 회백색 구름처럼 보인다. 이 작용제는 일반적으로 살충제, 의약품 및 염료에서 흔히 볼 수 있다. 포스겐 가스의 잠재적인 원천은 납으로 땜질하는 냉각 파이프에서 볼 수 있는 프레온의 가열이다. 냉각되면 액체로 변하고 공기 중으로 방출되면 빠르게 기화한다. 예를 들어 포스겐은 염소보다 점막에 훨씬 덜 자극적이기 때문에 노출의 초기 증상은 미미할 수 있다. 그러나 지연성 폐 손상 및 부종이 24시간 이상 지나서 발생할 수 있으며 치명적일 수 있다. 이 작용제는 심각한 심혈관 손상 및 저혈압을 일으킬 수 있다. 노출을 확인하고 처치하지 않으면 며칠 안에 사망할 수 있다. 신체 운동은 폐 손상을 악화시키고 증가시키므로 환자의 움직임이 적어진다.
- 무수암모니아. 무수암모니아는 비료를 사용하는 농업 환경에서 흔히 볼 수 있는 무색의 가스이다. 산업현장에서는 육류 및 가금류와 같은 식품을 냉각시키고 냉동하는 데 이 가스를 사용한다. 무수암모니아는 휘발성 물질로 고농도로 존재할 때 흰 구름을 형성한다. 증상은 노출 후 몇 시간 이내에 발생하고 환자는 갑작스러운 질식으로 사망할 수 있다.

처치

불행히도 해독제는 존재하지 않는다. 오염된 의복은 제거하고 프로토콜에 따라 적절하게 밀봉한다. 오염제거는 교육을 받은 대원이 신속하게 시행한다.

종합 정리

독성 물질에 노출된 환자, 위험 물질 또는 대량살상무기와 관련된 상황에 대한 최초 대응자일 경우 초기 현장 평가 및 환자 평가는 매우 어려울 수 있다. 안전 문제를 일으킬 수 있는 상황과 환자에 대한 인식을 높일 수 있다면 AMLS 교육 및 술기를 통해 체계적인 의료 계획을 수립할 수 있다. 먼저 자신과 환자에 대한 독성 노출의 위협 정도를 알아야 하며 그런 다음 환자의 내과적 응급 상황을 처치하는 것 외에도 적절한 안전 예방 조치를 시행할 수 있어야 한다.

이러한 상황에서 처치를 제공할 수 있는 의료기관, 정부 기관을 알고 있어야 한다. 상호 지원이 필요한 경우 해당 기관에 즉시 연락한다. 항상 그렇듯이 AMLS 평가 과정은 환자의 증상과 징후를 평가하기 위한 적절한 접근 방법을 제공하며 진단을 결정하고 효과적인 처치를 시행할 수 있게 한다. 특히 독물학적 응급 상황에서 환자의 과거 병력은 환자를 안정시키고 결과를 개선할 수 있는 처치에 중요한 단서를 제공할 수 있다.

시나리오 해결책

- 감별진단에는 교감신경작용제 중독(코카인, 암페타민, 에페드린, 펜시클리딘), 뇌졸중, 자율신경 반사항진 또는 알코올 금단 증상을 포함할 수 있다.
- 감별진단의 범위를 좁히기 위해 과거 병력 및 현 병력에 대한 철저한 병력 청취를 시행한다. 그의 룸메이트에게 알코올이나 기타 약물 사용 여부에 대해 질문한다. 활력징후 평가, 뇌졸중 척도, 동공 평가, 심장 및 호흡 평가, 심전도 모니터링 및 12 리드 심전도 측정, 동맥혈 산소포화도, 호기말이산화탄소분압 및 혈당 측정을 포함한 신체검사를 수행한다. 자율신경 반사항진이 의심되는 경우 문제의 원인이 될 수 있는 가득 찬 방광과 같은 원인을 찾는다.
- 환자는 과도한 교감신경 반응을 나타내는 징후가 있다. 필요한 경우 산소를 공급하고 정맥 라인을 확보하며 지속해서 심전도를 모니터링한다. 추가 처치는 나머지 평가 결과에 따라 달라질 수 있다. 교감신경계작용제 과다복용이나 알코올 금단 증상이 의심되는 경우 벤조다이아제핀과 정맥 내로 수액을 투여한다. 환자에게 뇌졸중의 징후가 나타나는 경우 가장 가까운 적절한 의료기관으로 이송한다. 환자의 검사가 자율신경 반사항진을 가리키는 경우 문제의 원인이 즉시 해결되지 않으면 이송한다.

요약

- 오염의 가능성이 있는 현장에 들어가기 전에 현장 안전을 확인하고 위험할 수 있는 공기 중 독성 물질을 고려한다.
- 사용할 수 있는 약물/독성물질, 섭취 시간 및 복용량을 포함하여 철저하게 병력을 청취한다. 목격자와 동료에게 추가 정보를 요청한다.
- 혼수상태 환자에게는 기도 관리와 포도당, 티아민 및 필요한 경우 소량의 날록손 투여를 포함하여 지지적 처치를 제공한다.
- 정확한 중심체온을 측정하고 필요한 경우 체온 정상화를 시행한다.
- 의식상태, 소변 배출량, 혈압, 모세 혈관 재충혈 시간 및 산-염기 상태를 모니터링하여 관류 상태를 평가한다. 시간이 허락한다면 침습적 모니터링을 시작한다.
- 독성 장애의 적절한 진단과 처치를 돕기 위해 환자 접촉 후 초기에 독극물 통제센터에 연락한다.
- 위험 물질이나 생물학적, 화학적 또는 방사선학적 물질에 의해 오염된 환경에 대한 현장 평가는 의료진과 환자의 안전을 유지하는 핵심 구성 요소이다.
- 사고지휘자는 현장 통제와 안전을 유지하기 위해 오염지역, 전방통제지역, 안전지역을 설정한다.
- 불안정한 현장과 노출된 환자를 처치하기 위해 적절한 개인보호장비를 확인하는 것은 당신과 환자의 안전을 보장하고 독성 물질 또는 위험 물질의 확산을 방지하는 데 중요하다.
- 오염지역에 들어가기 전에 반드시 보호복을 착용하며 오염된 환자는 의료기관으로 이송하기 전과 후에 오염제거를 시행한다.
- 모든 의료인과 환자의 안전을 유지하고 이차 오염을 방지하가 위해서는 구조자, 환자와 장비의 오염을 제거하기 위한 다양한 과정을 이해하는 것이 필수적이다.
- 처치 제공자가 가능한 위험 물질 확인을 위해 관련 자료를 활용할 때 노출 가능성이 줄어든다. 이 참고 자료는 또한 관련 징후와 증상을 명시하고 노출이 발생할 경우 적절한 처치 방법을 설명한다.
- 재난 대응 준비는 독성물질, 위험 물질 또는 화학, 생물학 또는 방사선 무기에 노출될 가능성이 있는 환자 및 현장에서 응급 평가 및 처치에 필수적이다.
- 대량살상무기는 생물학적, 핵, 소이, 화학 및 방사성 물질을 포함한다.
- 화학적, 생물학적 및 방사성 물질의 주요 특성 확인/주요호소 증상과 안전 및 관리 전략을 확인하는 것은 개인의 이환율과 사망률을 감소시키고 노출 가능성을 줄인다.
- 철저한 평가를 수행하고 완전한 병력을 얻는 것은 오염을 빨리 확인함으로써 이차 오염을 제거하는 데 도움이 될 수 있다.
- 노출의 증상과 징후는 오염물질의 휘발성, 기간 및 노출 경로에 따라 다양하다.
- 위험 물질 및 생물 테러 사건에 대한 조기 인식은 노출을 줄이고 모든 관련의 처치 전략을 적시에 구현할 수 있다.
- 모든 의심되는 위험 물질 및 생물 테러 사건을 해당 의료기관과 정부 관련 기관에 보고하여 재난 대응 프로토콜을 구현할 수 있도록 한다.

주요 용어

생물학적 제제(biologic agents) 질병을 유발하는 병원체나 독소로 인간에게 질병이나 손상을 입히는 무기로 사용할 수 있다.

안전(녹색) 지역(cold (green) zone) 질병이나 손상의 일반적인 분류, 안정화 및 처치를 위한 지원 지역이다. 환자와 오염되지 않은 인력은 이 지역으로 출입할 수 있지만, 의료인은 이 지역에 있는 동안 보호복을 착용하고 나갈 때 미리 정해진 장소에서 적절하게 폐기한다.

오염(contamination) 오염물질에 더러워지고, 얼룩이 지고, 만지거나 다른 방법으로 노출되어 의도하거나 적합한 보호 장벽을 사용할 수 없게 되어 잠재적으로 안전하지 않은 물체를 만드는 상태를 말한다. 예를 들어 이전에 깨끗하거나 살균된 환경에 감염 또는 독성물질이 유입되는 경우를 말한다.

섬망(delirium) 혼란, 방향감각 상실, 안절부절, 의식 저하, 지리멸렬(앞뒤가 맞지 않음), 두려움, 불안, 흥분 및 종종 환상을 특징으로 하는 급성 정신 장애이다.

오염된 폭탄(dirty bomb) 방사성 물질을 분산시키는 데 사용되는 재래식 폭발 장치이다.

비상 오염제거(emergency decontamination) 위험 물질에 노출되어 잠재적으로 오염된 사람의 오염을 제거하는 과정을 말한다. 오염물질을 신속하게 제거를 이차적으로 고려하여 노출을 줄이고 생명을 구하기 위해 오염을 신속하게 제거하는 데 중점을 둔다.

전격(fulminant) 위험한 환경을 만드는 갑작스러운 강렬한 발생을 말한다.

위장관 오염제거(gastrointestinal decontamination) 환자의 위장관에서 독소의 흡수를 제한하거나 신속하게 제거하려는 모든 시도를 말한다. 예를 들어 활성탄 투여, 위세척 및 전체 장세척 등이 있다. 이러한 방법은 독물학에서 작은 역할을 하지만, 일상적으로 사용하는 것은 권장되지 않으며 독극물관리센터 또는 독물학자와 논의한다.

오염(적색) 지역(hot (red) zone) 위험 물질이 있는 장소 및 오염이 발생한 지역을 말한다. 이 지역에 대한 접근은 구조대원과 환자의 추가 노출로부터 보호하기 위해 출입이 제한된다. 숙련된 인원이 특정 보호 장비를 착용하고 접근할 수 있다.

본드 흡입(huffing) 일반적으로 의식상태를 변화시키기 위해 천이나 가방에 흡입제를 넣어 물질을 흡입하는 행위

중독(intoxication) 약물이나 그 밖의 독성물질에 중독된 상태, 과도한 알코올 섭취로 술에 취한 상태

치사 농도 50%(LC_{50}, lethal concentration, 50%) 노출된 동물 개체군의 50%가 죽을 수 있는 물질의 공기 중 농도이고 이것은 그 집단의 밀집도와 노출 시간을 나타낸다.

치사용량 50% (LD_{50}, lethal dose, 50%) 2주 안에 노출된 동물 개체군의 50%가 죽을 수 있는 경구 또는 피부 노출 용량.

메트혈색소혈증(methemoglobinemia) 혈액에 메트혈색소가 존재하여 혈색소가 조직으로 산소를 운반하고 운반하는 능력을 방해한다. 혈색소는 질소산화물 및 설파제에 의해 메트혈색소로 전환된다.

미국 소방안전협회(National Fire Protection Association (NFPA)) 화재 방지 및 예방을 촉진하고 화재로 인한 생명 및 재산 손실에 대한 안전장치를 구축하는 국내 및 국제 자발적 회원 조직이다. NFPA는 국가의 자발적인 합의 표준안을 작성하고 발표한다.

북미 비상 대응 가이드북(North American Emergency Response Guidebook) 최초 대응자를 위한 위험 물질 비상사태에 대한 빠른 정보를 제공하는 미국 정부 인쇄국에서 발행한 책이다.

산업안전보건청(OSHA, Occupational Safety and Health Administration) 근로자의 안전을 규제하는 미국 연방 정부 기관

패커(packers) 포장된 마약류를 밀수 목적으로 다량 섭취하는 사람. 조심스럽게 포장된 마약은 스터퍼에 의해 섭취되는 것보다 파열될 가능성이 작지만, 다량의 약물이 존재하기 때문에 파열될 경우 독성이 심각할 수 있다.

플래카드(placard) 위험 물질 용기에 부착되어 위험 물질을 식별하는 마름모 모양의 표지판

전구증상(prodromal) 질병의 발병을 나타내는 초기 증상

정신병(psychosis) 환자가 지각과 인지능력의 정확성을 잘못 평가하고 외부 현실에 대해 잘못된 언급을 하는 현실 검사에서 심한 장애를 나타내는 주요 정신 장애를 말한다. 종종 퇴행적인 행동, 부적절한 기분과 감정, 충동 조절 감소가 특징적이다. 증상으로는 환각과 망상이 있다.

폐 작용제(pulmonary agents) 증기 또는 가스를 흡입한 사람을 죽이기 위한 무기로 사용되는 산업용 화학물질은 폐에 손상을 주어 질식을 유발한다. 질식 작용제라고도 한다.

방사성 물질(radioactive) 원자핵의 붕괴로 인해 방사선을 방출한다.

위험 폐기물 처리 및 비상대응 표준(HAZWOPER, Standard on Hazardous Waste Operations and Emergency Response) (CFR 1910.120) 산업안전보건청(OSHA) 및 환경보호국(EPA) 규정은 위험 물질의 저장 및 폐기와 관련된 비상사태에 대응하는 직원의 안전을 도모하기 위한 것이다.

스터퍼(stuffers) 법 집행을 피하고 마약 몰수를 피하고자 포장이 불량한 작은 패킷의 마약을 급히 먹는 사람을 말한다. 복용량은 패커보다 훨씬 적지만, 유통을 위한 포장이 환자의 위나 장에서 손상될 가능성이 높기 때문에 독성의 가능성이 훨씬 더 크다.

중독증후군(toxidrome) 주어진 독에 대한 노출과 관련된 특정 증후군과 유사한 증상

전방 통제(황색)지역(warm(yellow) zone) 오염된 오염지역 주변 지역. 적절한 개인보호장비를 착용한 처치 제공자는 응급 상황 또는 생명을 위협하는 상태를 신속하게 평가하고 처치하기 위해 이 지역에서 업무를 수행한다. 이 지역에서 오염제거를 시행한다.

참고 문헌

Acetadote [package insert]. Nashville, TN: Cumberland Pharmaceuticals, Inc., March 2004.

AFP: 'Crocodile Hunter' Steve Irwin stabbed hundreds of times by stingray, cameraman reveals. *The Telegraph*. March 10, 2014. https://www.telegraph.co.uk/news/worldnews/australiaandthepacific/australia/10687502/Crocodile-Hunter-Steve-Irwin-stabbed-hundreds-of-times-by-stingray-cameraman-reveals.html

American Academy of Clinical Toxicology & European Association of Poisons Centres and Clinical Toxicologists: Position Paper: Single-Dose Activated Charcoal. *Clin Toxicol.* 43(2):61–87, 2005.

Auerbach P: *Wilderness medicine*, ed 7. Philadelphia, PA, 2017, Elsevier.

Bailey B: Glucagon in beta-blocker and calcium channel blocker overdoses: A systematic review, *J Toxicol Clin Toxicol.* 41:595–602, 2003.

National Institute on Drug Abuse: *Benzodiazepines and opioids*. https://www.drugabuse.gov/drugs-abuse/opioids/benzodiazepines-opioids, updated March 2018.

Benson BE, Hoppu K, Troutman WG, et al: Position paper update: Gastric lavage for gastrointestinal decontamination, *Clin Toxicol.* 51(3):140–146, 2013.

Bar-Oz B, Levichek Z, Koren G. Medications That Can Be Fatal For a Toddler with One Tablet or Teaspoonful: A 2004 Update. *Pediatr Drugs*. 6(2):123–126, 2004.

Bilici R: Synthetic cannabinoids. *North Clin Istanbul.* 1(2): 121–126, 2014. PMID: 28058316.

Brent J, Burkhart K, Dargan P, et al.: *Critical care toxicology: Diagnosis and management of the critically poisoned patient*. New York, NY: Springer, 2017.

Budisavljevic MN, Stewart L, Sahn SA, et al.: Hyponatremia associated with 3,4-methylenedioxy-methyamphetamine ("ecstasy") abuse, *Am J Med Sci.* 326:89–93, 2003.

Bush DM, Woodwell, D. *Update: Drug-Related Emergency Department Visits Involving Synthetic Cannabinoids.* The CBHSQ Report: October 16, 2014. Substance Abuse and Mental Health Services Administration, Center for Behavioral Health Statistics and Quality. Rockville, MD. This report was previously published as: *The DAWN Report: Update: Drug-Related Emergency Department Visits Involving Synthetic Cannabinoids.* (October 16, 2014). Substance Abuse and Mental Health Services Administration, Center for Behavioral Health Statistics and Quality. Rockville, MD.

Caravati EM: Hallucinogenic drugs. In *Medical toxicology*, ed 3. Philadelphia, PA, 2004, Lippincott, pp. 1103–1111.

Cater RE: The use of sodium and potassium to reduce toxicity and toxic side effects from lithium, *Med Hypotheses.* 20:359–383, 1986.

Centers for Disease Control and Prevention: *2018 Annual Surveillance Report of Drug-Related Risks and Outcomes — United States.* Surveillance Special Report. Centers for Disease Control and Prevention, U.S. Department of Health and Human Services. Published August 31, 2018. https://www.cdc.gov/drugoverdose/pdf/pubs/2018-cdc-drug-surveillance-report.pdf

Centers for Disease Control and Prevention: *Bioterrorism Agents. Diseases (by Category): Emergency Preparedness & Response*. https://emergency.cdc.gov/agent/agentlist-category.asp

Centers for Disease Control and Prevention. *Web-based Injury Statistics Query and Reporting System (WISQARS)*. 2014. http://www.cdc.gov/injury/wisqars/fatal.html

Centers for Disease Control and Prevention: *Information for health professionals: Botulism*. https://www.cdc.gov/botulism/health-professional.html, updated October 4, 2018.

Chance BC, Erecinska M, Wagner M: Mitochondrial responses to carbon monoxide, *Ann NY Acad Sci.* 174:193–203, 1970.

Chandler DB, Norton RL, Kauffman J: Lead poisoning associated with intravenous methamphetamine use—Oregon, 1988, *MMWR Morb Mortal Wkly Rep.* 38:830–831, 1989.

Chyka PA, Seger D: Position statement: Single-dose activated charcoal, *J Toxicol Clin Toxicol.* 35:721–741, 1997.

Coupey SM: Barbiturates, *Pediatr Rev.* 18:260–264, 1997.

Crane, EH: *Highlights of the 2011 Drug Abuse Warning Network (DAWN) Findings on Drug-Related Emergency Department Visits.* The CBHSQ Report: February 22, 2013. Center for Behavioral Health Statistics and Quality, Substance Abuse and Mental Health Services Administration, Rockville, MD. Substance Abuse and Mental Health Services Administration, Center for Behavioral Health Statistics and Quality. (June 19, 2014). *The DAWN Report: Emergency Department Visits Involving Methamphetamine: 2007 to 2011.* Rockville, MD.

Currance PL, Clements B, Bronstein AC: Emergency care for hazardous materials exposure, ed 3. St. Louis, MO, 2005, Mosby.

Eddleston M, Ariaratnam CA, Meyer WP, et al.: Multiple-dose activated charcoal in acute self-poisoning: A randomised controlled trial, *Lancet.* 371:579–587, 2008.

Eddleston M, Eyer P, Worek F, Juszczak E, Alder N, et al.: Pralidoxime in acute organophosphorus insecticide poisoning—a randomised controlled trial. *PLoS Med.* 6(6):e1000104, 2009.

Emerson TS, Cisek JE: Methcathinone ("cat"): A Russian designer amphetamine infiltrates the rural Midwest, *Ann Emerg Med.* 22:1897–1903, 1993.

Forrester MB: *Megalopyge opercularis* Caterpillar Stings Reported to Texas Poison Centers. *Wilderness Environ Med.* 29(2):215–220, 2018.

Frierson J, Bailly D, Shultz T, et al.: Refractory cardiogenic shock and complete heart block after unsuspected verapamil—SR and atenolol overdose, *Clin Cardiol.* 14:933–935, 1991.

Garnier R, Guerault E, Muzard D, et al.: Acute zolpidem poisoning—analysis of 344 cases, *J Toxicol Clin Toxicol.* 32: 391–404, 1994.

Graham SR, Day RO, Lee R, et al.: Overdose with chloral hydrate: A pharmacological and therapeutic review, *Med J Aust.* 149:686–688, 1988.

Gummin DD, Mowry JB, Spyker DA, et al.: 2017 Annual Report of the American Association of Poison Control Centers' National Poison Data System (NPDS): 35th Annual Report. *Clin Toxicol (Phila),* 1–203, 2018. PubMed PMID: 30576252.

Hariman RJ, Mangiardi LM, McAllister RG, et al.: Reversal of the cardiovascular effects of verapamil by calcium and sodium: Differences between electrophysiologic and hemodynamic responses, *Circulation.* 59:797–804, 1979.

Heard KJ: Acetylcysteine for acetaminophen poisoning. *N Engl J Med.* 359(3):285–292, 2008.

Hedegaard H, Miniño AM, Warner M: *Drug overdose deaths in the United States, 1999–2017.* NCHS Data Brief, no 329. Hyattsville, MD, 2018, National Center for Health Statistics.

Hendren WC, Schreiber RS, Garretson LK: Extracorporeal bypass for the treatment of verapamil poisoning, *Ann Emerg Med.* 18:984–987, 1989.

Hesse B, Pedersen JT: Hypoglycaemia after propranolol in children, *Acta Med Scand.* 193:551–552, 1973.

Hoegholm A, Clementson P: Hypertonic sodium chloride in severe antidepressant overdosage, *J Toxicol Clin Toxicol.* 29:297–298, 1991.

Horowitz AL, Kaplan R, Sarpel G: Carbon monoxide toxicity: MR imaging in the brain, *Radiology.* 162:787–788, 1987.

Kattimani S, Bharadwaj B: Clinical management of alcohol withdrawal: A systematic review. *Ind Psychiatry J.* 22(2): 100–108, 2013.

Kerns W II, Schroeder D, Williams C, et al.: Insulin improves survival in a canine model of acute beta-blocker toxicity, *Ann Emerg Med.* 29:748–757, 1997.

Kitchens CS, Van Mierop LHS: Envenomation by the eastern coral snake *(Micrurus fulvius fulvius), J Am Med Assoc.* 258: 1615–1618, 1987.

Kline JA, Tomaszewski CA, Schroeder JD, et al.: Insulin is a superior antidote for cardiovascular toxicity induced by verapamil in the anesthetized canine, *J Pharm Exp Ther.* 267:744–750, 1993.

Koren, G. & Nachmani, A: Drugs that Can Kill a Toddler with One Tablet or Teaspoonful: A 2018 Updated List. *Clin Drug Investig.* 39:217, 2019. https://doi.org/10.1007/s40261-018-0726-1

Kunkel DB, Curry SC, Vance MV, et al.: Reptile envenomations, *J Toxicol Clin Toxicol.* 21:503–526, 1983–1984.

Lange RA, Cigarroa RG, Yancy CW, et al.: Potentiation of cocaine- induced coronary vasoconstriction by beta-adrenergic blockade, *Ann Intern Med.* 112:897–903, 1990.

Lee WM: Acetaminophen (APAP) hepatotoxicity—Isn't it time for APAP to go away? *J Hepatol.* 67:1324–1331, 2017. https://www.journal-of-hepatology.eu/article/S0168-8278(17)32148-7/pdf

Leonard LG, Scheulen JJ, Munster AM: Chemical burns: Effect of prompt first aid, *J Trauma.* 22:420–423, 1982.

Long H, Nelson LS, Hoffman RS: A rapid qualitative test for suspected ethylene glycol poisoning, *Acad Emerg Med.* 15:688–690, 2008.

Love JN, Sachdeva DK, Curtis LA, et al.: A potential role for glucagon in the treatment of drug-induced symptomatic bradycardia, *Chest.* 114:323–326, 1998.

McCarron MM, Schulze BW, Thompson GA, et al.: Acute phencyclidine intoxication: Clinical patterns, complications, and treatment, *Ann Emerg Med.* 10:290–297, 1981.

Mehta AN, Emmett JB, Emmett M: GOLD MARK: An anion gap mnemonic for the 21st century. *Lancet,* 2008;372(9642):892.

Miura T, Mitomo M, Kawai R, et al.: CT of the brain in acute carbon monoxide intoxication: Characteristic features and prognosis, *AJNR Am J Neuroradiol.* 6:739–742, 1985.

National Institute on Drug Abuse; National Institutes of Health; U.S. Department of Health and Human Services. *Monitoring the Future: 2018 Survey Results: Teen Drug Use.* https://www.drugabuse.gov/related-topics/trends-statistics/infographics/monitoring-future-2018-survey-results

Moss MJ, Warrick BJ, Nelson LS, et al.: ACMT and AACT Position Statement: Preventing occupational fentanyl and fentanyl analog exposure to emergency responders. *Clin Toxicol (Phila).*56(4):297–300, 2018.

NAEMT: *PHTLS: Prehospital Trauma Life Support,* ed 9. Burlington, MA, 2019, Public Safety Group.

National Institute on Drug Abuse: *"Flakka" (alpha PVP).* http://www.drugabuse.gov/emerging-trends/flakka-alpha-pvp, updated May 2015.

National Institute on Drug Abuse: *K2/Spice ("Synthetic Marijuana").* http://www.drugabuse.gov/publications/drugfacts/k2spice-synthetic-marijuana, updated February 2018.

Nelson L Howland, MA, Lewin NA, et al.: *Goldfrank's toxicologic emergencies,* ed 11. New York, NY, 2019, McGraw-Hill Education.

Olson KR, Anderson IB, Benowitz NL, et al.: *Poisoning & drug overdose,* ed 7. New York, NY, 2017, McGraw Hill Education.

Ostapowicz G, Fontana RJ, Schiodt FV, et al.: Results of a prospective study of acute liver failure at 17 tertiary care centers in the United States, *Ann Intern Med.* 137:947–954, 2002.

Pena BM, Krauss B: Adverse events of procedural sedation and analgesia in a pediatric emergency department, *Ann Emerg Med.* 34:483–491, 1999.

Pentel PR, Benowitz NL: Tricyclic antidepressant poisoning—management of arrhythmias, *Med Toxicol.* 1:101–121, 1986.

Prescott LF: Paracetamol overdosage: Pharmacological considerations and clinical management, *Drugs.* 25:290–314, 1983.

Raphael JC, Elkharrat D, Jars-Guincestre MC, et al.: Trial of normobaric and hyperbaric oxygen for acute carbon monoxide intoxication, *Lancet.* 1989:414–419, 1989.

Roth BA, Vinson DR, Kim S: Carisoprodol-induced myoclonic encephalopathy, *J Toxicol Clin Toxicol.* 36:609–612, 1998.

Rotz LD, Khan AS, Lillibridge SR, Ostroff SM, Hughes JM. Public health assessment of potential biological terrorism agents. *Emerg Infect Dis.* 2002;8(2):225–230.

Seger DL: Flumazenil—treatment or toxin? *J Toxicol Clin Toxicol.* 42:209–216, 2004.

St. Onge M, Anseeuw K, Cantrell FL, et al.: Experts consensus recommendations for the management of calcium channel blocker poisoning in adults. *Crit Care Med.* 45(3) e306–315, 2017.

St. Onge M, Dubé PA, Gosselin S, et al.: Treatment for calcium channel blocker poisoning: A systematic review. *Clin Toxicol.* 52(9):926–944, 2014.

Tracy DK, Wood DM, Baumeister D: Novel psychoactive substances: Types, mechanisms of action, and effects. *BMJ.* 356:i6848, 2017.

Van Hoesen KB, Camporesi EM, Moon RE, et al.: Should hyperbaric oxygen be used to treat the pregnant patient for acute carbon monoxide poisoning? A case report and literature review, *J Am Med Assoc.* 261:1039–1043, 1989.

Wason S, Lacouture PG, Lovejoy FH: Single high-dose pyridoxine treatment for isoniazid overdose, *J Am Med Assoc.* 246: 1102–1104, 1981.

Weaver LK, Hopkins RO, Chan KJ, et al.: Hyperbaric oxygen for acute carbon monoxide poisoning, *N Engl J Med.* 347: 1057–1067, 2002.

Wiley CC, Wiley JF II: Pediatric benzodiazepine ingestion resulting in hospitalization, *J Toxicol Clin Toxicol.* 36:227–231, 1998.

Woodward C, Pourmand A, Mazer-Amirshahi M: High dose insulin therapy, an evidence based approach to beta blocker/calcium channel blocker toxicity *DARU J Pharm Sci.* 22:36, 2014.

Yildiz S, Aktas S, Cimsit M, et al.: Seizure incidence in 80,000 patient treatments with hyperbaric oxygen, *Aviat Space Environ Med.* 75:992–994, 2004.

CHAPTER 11

약리학

약리학은 성분과 살아있는 유기체 사이의 상호작용을 연구하는 학문이다. 약학의 어원인 pharmikeia는 그리스어보다 먼저 약이나 마시는 약으로 번역한다. 이 용어는 나중에 1600년대 후반에 현대 용어로 "약(pharmaco)" 또는 약리학으로 수정되었다. 17세기경 영국에서 제임스 1세는 독립적인 약사 협회를 창설하여 약국을 설립했다. 약사 협회는 특별히 훈련한 개인이 약을 처방하고 조언을 제공하여 현대 약사를 위한 길을 열었다. 19세기에 유기 합성 화학은 프리드리히 뵐러(Friedrich Wohler)라는 과학자에 의해 만들어졌으며 약리학 실습의 토대를 마련했다.

이 모든 것이 병원 전 의학의 세계에서 무엇을 의미하는가? 간단히 말해서 약물의 이해와 사용은 약리학을 개선하고 과학 연구를 발전시켰으며 의학에서 신약을 개발하기 위해 역사를 통해 설명되어 왔으며 이 모든 것이 환자의 건강에 긍정적인 영향을 미치기 위한 노력이다. 이 장에서 우리는 처치 제공자가 성공적으로 약물의 성공적인 이해와 관리 및 투여를 위해 알아야 할 몇 가지 기본 용어와 원칙에 관해 설명할 것이다. 이장의 큰 틀은 약물, 복용량 및 부작용에 대한 전통적인 부록 목록이 아니라 처치 제공자에게 약물이 무엇인지, 약물이 인체와 어떻게 상호 작용하는지에 대한 주요 개념을 비판적으로 처리할 수 있는 이점을 제공하는 것을 목표로 하고 있다. 인체에 언제 어떻게 적절하게 투여하는지와 이를 어떻게 안전하고 현실적인 접근 방법을 제시한다. 이 장을 학습한 후 처치 제공자는 아래에 설명한 일반적인 개념에 대해 환자의 질병에 따른 약물 처치를 나열할 수 있어야 한다.

학습 목표

이장의 학습을 마치면 다음을 수행할 수 있다.

- 안전한 약물 사용의 이점을 설명할 수 있다.
- 투약 오류의 영향을 확인할 수 있다.
- 안전한 문화를 설명할 수 있다.
- 약동학 및 약력학을 정의할 수 있다.
- 규제 약물, 임신, 노인병 및 체중 기반 투여와 관련된 고려사항을 논할 수 있다.
- 의약품이 부족한 상황에서 우선순위를 구별할 수 있다.

이론

약리학

전통적으로 약리학에 대한 소개는 핵심 용어의 구체적인 정의를 나열하고 약리학 과정의 각 구성 요소를 자세히 분석한다. 대신, 우리는 먼저 약물 투여를 포괄하는 이론적 틀에 대해 논의할 것이다. 이것은 임상 의사 결정, 비용 편익 분석 및 전문적인 책임이라는 세 가지 주요 이념으로 요약될 수 있다. 약물처치는 올바른 상황이나 환경에 맞으면 유익할 수 있지만, 잘못된 상황에서 투여하면 해로울 수 있다. 어느 쪽이든 약물은 지속적인 효과를 나타낼 수 있으며 대부분의 경우 적절한 양을 투여하는 것이 가장 좋다는 점을 고려하는 것이 중요하다. 'Primum non nocere'는 "먼저 해를 끼치지 말라"는 라틴어 표현이다. 의료 전문가의 전문적인 책임은 선행에 기반을 두고 환경, 현재 질병의 병력 및 사용할 수 있는 약물에 대한 기본적인 이해를 하는 것이다.

이 정보를 사용하면 임상 추론, 판단 및 전반적인 임상 의사 결정에 도움이 된다. 이것은 결국 비용 편익 분석에 관한 것이다. 임상 제공자가 적절한 약물을 투여하기 위해서는 잠재적인 예후를 포함하여 긍정적인 것과 부정적인 것을 평가한다. 여기에서 적응증, 금기 사항, 부작용, 관련된 예방 조치, 부작용 및 특별한 고려 사항과 같은 사항을 고려한다. 약리학적 이론과 관련하여 제공자는 투여하는 약물의 안전성과 적절성을 보장하기 위해 이러한 사항에 대한 실무 지식을 갖추는 것이 중요하다.

안전 문화

수년간 모든 수준의 의료 의료계는 투약 오류를 방지하기 위해 규칙을 채택하거나 활용하려고 노력해 왔다. 이 규칙은 정확한 환자, 정확한 약물, 정확한 용량, 정확한 경로 및 정확한 시간을 나타내는 5가지 원칙으로 빠르게 변형되었다. 실제로 정확한 원인, 정확한 약물 제형 및 정확한 라인 부착의 세 가지를 더 포함하도록 확장되었다. 불행히도 5가지 원칙은 의료제공자가 직면한 문제를 완화하지 않으며 일탈의 정상화로 인해 실력이 부족한 전문 의료인에게 영향을 미칠 수 있다. 일탈의 정상화란 부적절한 관행이나 기준이 점차 용인되고 수용되면서 비참한 결과가 없는 반복적인 일탈 행동으로 이어져 절차적 규범이 될 때 발생한다. 즉 5가지 원칙은 인적 요소나 시스템 결함이 아닌 개인의 실천에 중점을 둔다. 주디 스메처 안전한 의약품 처방 협회(ISPM) 주디 스메처(Judy Smetzer) 부회장에 따르면 "원칙"은 의약품의 안전한 처방을 시행하는 것을 목표로써 이를 달성하는 방법에 대한 실질적인 지침을 제공하지 않아 오류로부터 부적절하게 방지하지 못한다. 약물과 관련된 오류를 가능한 한 예방하기 위해 처치 제공자가 실수할 수 있는 인간의 불완전성과 시스템 운영상의 결함을 평가하여 이러한 오류에 대한 일반적인 함정과 경로를 발견하는 것이 더 건설적일 수 있다. 그 어떤 처치 제공자가 의도적으로 투약 실수를 하지 않지만 이러한 오류가 발생하는 것은 보편적인 문제이다. 오류에 대해 처치 제공자만을 전적으로 비난하면 수정할 수 있는 잠재적인 시스템 문제를 간과할 수 있다.

약물을 투여하는 것은 단순해 보일 수 있지만, 실제로는 상당히 복잡한 과정이다. 유익하고 잠재적으로 위험한 약물 투여의 전반적인 안전을 평가하는 것은 임상의의 전문적인 책임이다. 절차 자체는 약물에 따라 10~20단계까지 다양하다. 이것이 아주 어렵지 않다면 처치 제공자는 편견, 주변의 방해, 빠르게 해결할 방법을 포함할 수 있는 기본적인 인간의 본성을 알고 있어야 하며 이 모든 것이 치명적인 오류로 이어질 수 있다. 병원 또는 병원 전 환경에서 이와 같은 인간의 본능이 또 다른 문제를 야기할 수 있으며 안전한 투약을 더 어렵게 할 수 있다. 이러한 문제는 열악한 조명, 의사소통 불량, 열악한 환경, 인력 부족, 장시간 근무, 끊임없이 변화하는 집중력, 경보/경고 피로를 유발하는 환경, 빈번한 주의 산만 및 모호한 약품 라벨 등을 포함한다. 일탈의 정상화와 결합하면 재앙이 발생할 수 있다. 다시 말해 "잘못을 범하는 것은 인간이다"와 "해가 없으면 문제없다"는 처방이 중복되는 경우 잘못된 전문 관

> **빠른 암기법**
>
> 5가지 원칙
> - 정확한 환자
> - 정확한 약물
> - 정확한 용량
> - 정확한 경로
> - 정확한 시간
>
> 추가 세 가지 원칙
> - 정확한 원인
> - 정확한 약물 제형
> - 정확한 라인 부착

행을 만들어 지속적인 오류의 판단이 될 수 있다.

합동 위원회 통계에 따르면 미국에는 연간 150만 건 이상의 투약 오류가 있으며 그중 400,000건은 병원에서 발생하여 30억 달러 이상의 추가 의료비용이 발생한다. 또한, 질병통제예방센터는 약물 오류를 모든 의약품에서 가장 흔한 실수임을 확인한다. 일반적으로 처치 제공자가 투약 오류를 정의하도록 요청받는다면 의심할 여지 없이 대부분의 응답은 5가지 원칙 중 하나와 실패에 관한 것이다. 미국 식품의약처(FDA)는 약물 오류를 "처치 제공자, 환자 또는 소비자가 약물을 관리하는 동안 부적절한 약물 사용이나 환자에게 해를 입히거나 수 있는 예방 가능한 모든 사건"으로 정의한다. 이것을 설명하는 또 다른 방법은 약물의 오용으로 인해 발생할 수 있는 예방 가능한 피해라고 할 수 있다. 강조할 두 단어는 ~수도 있다는 것과 ~할 수 있다. 완료된 약물 투여 자체가 약물 오류로 간주하는 위해를 초래할 필요는 없다는 것을 기억하는 것이 중요하다. 사소한 신호는 확인하는 것만큼이나 중요하다.

처치 제공자가 약물 투여의 안전성을 어떻게 향상할 수 있는가? 미국 간호 협회에 따르면 조직 리더, 이사 및 의료 직원의 집단적이고 지속적인 헌신이 반대 목표보다 안전을 강조하는 안전 문화를 받아들여야 한다. 어떤 의미에서는 환자의 안전을 보장하기 위해 우리가 모두 함께하는 태도이다. 그런 다음 리더십은 정의로운 문화 시스템을 구축하기 위해 노력한다. 이것은 올바른 일을 하려는 최선의 의도에도 불구하고 인간이 필연적으로 실수를 범할 것이라고 가정하는 직장 안전에 대한 접근 방식이다. 정확하고 정직한 보고를 촉진하는 강력한 품질 개선 프로그램과 결합한 이러한 이념은 오류를 제한할 수 있으며 근본 원인을 확인하는 데 집중한다. 임상의는 오류를 보고할 때 안심할 수 있어야 하며 이는 결과적으로 발생한 오류 또는 문제가 될 뻔했던 상황을 보고하는 개인의 책임을 증가시킬 것이다. 전반적으로 이것은 보고의 의무를 더 강화해 개인 및 시스템 오류가 훨씬 더 빨리 발견하고 개선할 수 있도록 한다.

안전 문화의 토대를 마련하기 위한 또 다른 측면은 자발적인 보고이다. 자발적인 보고는 시스템 개선에 매우 중요하며 징계를 위한 절차로 사용되어서는 안 되며 오히려 권장되어야 한다. 불행하게도 실수를 저지르는 처치 제공자는 잠재적인 의료과실 소송, 해고, 당혹감 및 제도적 지원 부족을 두려워하며 이는 모두 비난과 처벌 문화에 기여한다. 이는 투약 오류에 대한 부적절한 정의와 결합하여 개인이 오류를 공개하기보다는 숨기거나 누락시키는 행위를 저지르게 할 수 있다. 안심할 수 있는 자발적인 보고 환경의 개발을 통해 조직의 리더는 약물의 지속적인 안전한 관리를 위한 건설적인 정보를 수집하기가 더 쉬워진다.

오류가 확인되거나 보고되면 항상 그 직후에 나오는 질문은 "환자가 도덕적, 윤리적 및 법적 알 권리가 있는가?"이다. 이것은 처치 제공자가 근무하고 있는 직장에 따라 다르기 때문에 대답하기 굉장히 어렵다. 비난하지 않고 정직하며 개방적인 의사소통을 강조하는 오류 공개 정책의 작성 또는 시행은 비공개 개별응답의 감소 또는 열린 공개 문화를 촉진하여 이익을 얻는 경향이 있다.

안전 문화의 또 다른 요소는 약물을 투여할 수 있는 의료진의 능력을 중심으로 이루어진다. 만약 5가지 원칙이 원하는 결과를 얻지 못한다면 더 좋은 방법이 있는가? 대답은 '그렇다'이다. 약어를 사용하면 개인이 학습하는 데 도움이 되기 때문에 한 가지 가능성은 SAD라는 약어를 사용하는 것이다. 왜냐하면 이후에 실수가 발생하면 그렇게 느끼기 때문이다.

첫째, 천천히(slow down) 하며 오류가 발생할 수 있게 서두르지 않는다. 천천히 함으로써 임상의는 근육 기억보다는 비판적인 사고를 할 수 있고 자동적인 사고방식을 피할 수 있다. 이것은 처치 제공자가 잠재적인 오류를 미리 발견하고 높은 상황 인식을 유지하도록 한다. 다음은 방해를 피하는 것(avoid distractions)이며 이는 방해가 되거나 업무 수행 시 초점을 분산시키는 모든 것을 포함하는 산만함을 피하는 것이다. 여러 연구에 따르면 특히 작업 초기에 주의가 산만하면 실수가 많이 늘어날 수 있다. 마지막으로 독립적인 이중 확인 시스템(double-check system)을 구축한다. 병원과 병원 전 처치 제공자에게는 역효과를 낼 수 있지만, 첫 번째 요소인 천천히 하는 것을 돕는 데 도움이 된다. 여기에는 두 명의 처치 제공자가 약물 투여 용량, 약물 투여 경로, 약물의 적절성에 이르기까지 투여 과정의 각 구성 요소를 개별적으로 확인한다. 이것을 독

빠른 암기법

SAD

- **천천히**(Slow down); 오류가 발생할 수 있게 서두르지 않는다. 천천히 함으로써 임상의는 근육 기억보다는 비판적인 사고를 할 수 있고 자동적인 사고를 피한다.
- **방해를 피하는 것**(Avoid distractions), 방해되거나 업무 수행 시 초점을 분산시키는 모든 것을 포함하는 산만함을 피한다.
- **이중 확인 시스템**(Double-check system) 구축

립적으로 수행하는 것이 중요하다는 것은 두 사람이 같은 실수를 저지를 가능성이 작고 편견을 피하는 것이다. 연구에 따르면 제대로 수행할 경우 이중 확인을 통해 오류를 최대 99%까지 줄일 수 있다. 모든 이중 점검 시스템의 핵심은 일관성을 유지하고 표준화된 자원을 활용하며 과정이 일상적으로 되지 않도록 하는 것이다. 물류가 독립적인 이중 확인을 방지하는 경우 빠른 참조 가이드와 같은 다른 자원을 사용하는 것이 도움이 된다.

안전 문화를 조성하는 데 도움이 되는 마지막 요소는 적절한 교육으로 지정된 역할을 강조하는 것이다. 사전에 설정된 오류를 포함하여 현실적인 시뮬레이션에 대한 전문적인 접근 방법을 취하면 처치 제공자 교육을 개선하고 시스템을 점검하여 잠재적으로 초기에 발생하는 오류를 발견하는 데 도움이 될 수 있다. 항공 산업에서 도입된 수정된 환자 처치 시뮬레이션은 비행 시뮬레이션의 방법에서 채택되었으며 약물 부작용을 포함한 의료에서 발생할 수 있는 오류를 줄이기 위한 노력으로 승무원 자원 관리(CRM)로 이어졌다. 승무원 자원 관리는 순환형 의사소통, 정의된 역할 및 조직화한 의사 결정에 중점을 두고 이를 수행한다. 인적 요소를 통합하고 할당된 역할을 강조하는 잘 운영되고 설계된 시뮬레이션을 통해 투약 오류를 줄일 수 있다. 승무원 자원 관리 및 시뮬레이션이 정기적인 실습 및 교육의 일부일 때 환자의 안전이 보장된다.

결국 안전은 환자 처치에 관련된 모든 개인의 궁극적인 책임이다. 투약 오류에 대한 명확하고 간결한 정의, 정의로운 문화의 실천을 강조하는 안전 문화의 발전, 자기 보고를 장려하고 표준화된 독립적인 이중 확인 시스템의 시행은 잠재적인 투약 오류를 예방할 수 있다.

기초 지식

우리가 환자를 처치하는 이유와 방법에 대한 이론을 이해하는 것뿐만 아니라 약물이 인체와 상호 작용하는 방식에 대한 근본적인 이해를 하는 것도 중요하다. 인간-약물 상호 작용에 대한 기본적인 이해를 위해서는 동등하게 중요한 두 가지 개념인 약동학 및 약력학을 이해한다.

약동학

약동학은 신체가 약물에 대해 반응하는 것이라고 할 수 있다. 환자에게 맞는 약물과 용량을 맞추기 위해 이해하는 중요한 개념이다. 약동학의 원리에는 약물의 흡수, 분포, 대사 및 체외 배출이 포함된다. 이것은 매우 광범위하고 미묘한 주제이므로 이장의 목적을 위해 처치 제공자에게 가장 중요한 요소에 초점을 맞출 것이다.

흡수 또는 신체가 특정 약물을 흡수하는 방식에는 다양한 제제(예: 즉시 또는 서방정)에 및 투여 경로(예: 경구, 설하, 흡입, 비경구, 국소, 코안 또는 직장)와 같이 처치 제공자의 재량에 따른 요소가 포함된다. 흡수의 또 다른 요인은 위장(GI)의 운동성이다. 항콜린성 약물(예: 디펜히드라민) 또는 아편유사제와 같이 위장관의 움직임을 느리게 하는 약물은 특히 과다복용한 상황이라면 다른 약물의 흡수를 지연시킬 수 있다. 환자에게 필요하고 이용할 수 있는 접근(예: 근육 내[IM] vs 정맥 내[IV])에 기초하여 약물을 전달하기 위한 적절한 제제와 경로를 선택하면 제공자가 적시에 원하는 반응을 끌어내는 데 도움이 된다.

약품의 분배에는 여러 가지 구성 요소가 있다. 작용 부위에 대한 환자의 관류 때문에 영향을 받을 수 있다. 약물이 작용하는 곳으로 운반할 수 있는가? 또한, 체성분의 영향을 받을 수 있다(예를 들면 지방 조직이 많은 환자는 지방 조직에 지방친화성 약물이 축적될 수 있음). 약물의 pH와 비교한 신체 및 조직 pH, 세포막의 투과성으로 인해 약물이 의도한 수용체에 쉽게 접근하거나 장애물을 만들 수 있다. 흡수 및 분포 특성에 대한 지식은 제공자가 투여 후 약물의 작용 시작을 예측하는 데 도움이 될 것이다.

대사는 약물을 신체에 영향을 줄 수 있는 비활성 성분 또는 활성 대사산물로 분해한다. 약물 대사와 관여하는 많은 효소는 간에 위치하며 간 질환이나 간으로의 관류가 불량한 상황에서 영향을 받을 수 있다. 그러나 신진대사는 환자의 유전학 또는 기타 약물에 의해 영향을 받을 수도 있으며 이는 대사를 억제하거나 유도 및 가속할 수 있다. 약물 상호 작용과 한 약물이 다른 약물의 활동에 어떻게 영향을 미칠 수 있는지 아는 것은 제공자에게 중요한 고려 사항이다.

약물은 주로 신장을 통해 배출된다. 신장은 수용성 약물, 대사산물 또는 간에서 분해되는 기타 분산성 부산물을 배설하기 때문에 이 과정은 급성 또는 만성 신장 질환의 영향을 받을 수 있다. 약물은 대변을 통해 체외로 배출될 수 있으며 더 적은 범위에서는 폐, 땀 또는 눈물을 통한 배출되는 것과 같은 대체 경로를 통해서 제거될 수 있다. 약물과 대사 및 제거에 영향을 미치는 환자별 요인에 대해 아는 것은 약물의 작용 지속 시간과 투여 전에 용량을 조정하는지를 예측하는 데 도움이 될 수 있다. 이러한 약동학 원리를 적용하면 제공자가 약물의 특성과 제공자 및 환자의 상황에 고유한 요인을 기반으로 가장 최적의 약물, 경로 및 용량을 선택할 수 있다.

약력학

약력학은 약물이 신체에 어떤 영향을 미치는지에 관한 것이다. 이것은 약물이 신체에서 결합하고 변화시키는 수용체, 효소 또는 기타 단백질의 위치와 내용을 기반으로 한다. 약물의 작용 기전과 활동 부위에 대한 철저한 이해는 공급자가 약물의 처치 반응과 부작용을 모두 이해하는 데 도움이 된다. 약물의 약력학은 유전자 또는 특정 장애 및 상태(예: 갑상선 기능 저하증, 노인 환자, 산증)를 포함한 다양한 요인에 의해 조절할 수 있다. 예를 들어, 에피네프린과 같은 혈압상승제는 심정지가 장기간 지속하는 동안 심한 산증이 발생했을 때 수용체와 결합을 감소(따라서 효능 감소)할 수 있다. 다시 말하지만, 약물 상호작용을 염두에 두는 것이 중요하다. 환자가 이미 약물을 복용했는지와 방법을 알면 투여할 약물에 대한 결합 부위 또는 신체의 반응이 변경할 수 있으므로 과다 진정과 같은 복합 처치 효과를 피하거나 부작용을 확인하는 데 도움이 된다. 약동학과 함께 처치 제공자는 약물의 약력학을 통합하여 특정 약물 및 용량에 대한 환자의 반응을 예측할 수 있다.

특별한 고려 사항

약물 분류 및 투여와 관련하여 논의할 가치가 있는 더 많은 고려 사항이 있다. 규제 약물이 어떻게 분류 및 관리되는지, 임신 및 노인을 포함한 특정 환자 집단에서 약물을 수정하는 방법 및 경우, 최선의 방법을 결정하는 방법 체중 기반 대 표준화된 투여를 사용하여 약물을 투여하고 잠재적인 약물 부족을 평가하고 관리하는 방법 등이 있다.

규제 약물 표

규제 약물 법은 1970년에 미연방에서 통제하는 최초의 약물 목록을 만들었고 그 이후로 약물이 남용 가능성이 있거나 의존 위험이 있는 물질이 생성됨에 따라 수정 및 업데이트되었다. 규제 약물은 사용자에 대한 남용 또는 의존 가능성의 정도가 다양한 약물의 배열이다. 그들은 또한 현재 허용되는 의학적 용도가 있는지에 따라 분류된다. 규제 약물의 제조, 유통 및 분배는 미국 마약 단속국에서 규제하고 시행한다. 약물은 Ⅰ~Ⅴ단계로 분류되며 숫자가 높을수록 사용자의 의존성을 유발할 위험이 낮다(표 11-1). 카테고리 Ⅰ은 현재 미국에서 의학적으로 승인되지 않은 물질로 구성되어 있다는 점에서 독특하다.

병원 전 및 응급 상황에 있는 제공자는 자신이 사용할 수 있는 통제된 약물에 대해 규칙 및 규정뿐만 아니라 투여, 처방, 조제, 문서화, 보관 및 폐기 방법에 대해 정확하게 이해한다. 의료 전문가는 환자와 동료 모두에 의한 규제 약물의 전환에

표 11-1. 의약품 분류: 미국 마약 단속국(DEA) 표

단계	정의	해당 약물
I	남용 가능성 높음, 현재 의료용으로 사용하지 않음	엑스터시, 헤로인, 리세르그산 디에틸아미드(LSD), 마리화나
II	심각한 심리적 또는 신체적 의존성을 포함하여 남용 가능성 높음	암페타민(예: 메타암페타민, 덱스트로암페타민, 메틸페니데이트), 코카인, 펜타닐, 하이드로모르핀, 메타돈, 모르핀, 옥시코돈
III	신체적, 심리적 의존 가능성이 작거나 중간	코데인(회당 < 90mg), 케타민, 테스토스테론
IV	남용이나 의존 가능성이 작음	알프라졸람, 디아제팜, 로라제팜, 트라마돌, 졸피뎀
V	남용 또는 의존 가능성이 가장 작음	아트로핀/디페노실레이트, 100mL 당 < 200mg의 코데인이 포함된 치침 약물(예: 로비투신 기침감기약), 프레가발린

Modified from United States Drug Enforcement Agency.
Drug Scheduling. Retrieved November 26, 2018, from https://www.dea.gov/drug-scheduling

대해 경계한다. 특히 EMS 제공자는 전환을 모니터링하는 데 불리하다. 기존 규제 약물법은 EMS 팀이 이러한 약물을 어떻게 처리, 문서화와 모니터링하는지에 대한 지침을 구체적으로 제공하지 않았다.

많은 처치 제공자들은 투약과 폐기를 설명하기 위해 기본적인 문서에 의존한다. 병원 전 및 응급 상황과 같은 스트레스가 많은 환경에서 처치 제공자가 자가 처치 또는 이익을 위해 전용할 위험이 있으며 이는 관련법(연방법)을 위반할 뿐만 아니라 법적 책임을 져야 할 수 있으며 환자의 안전과 팀원 및 자신의 건강까지 위험에 빠트릴 수 있다. 병원 전 및 병원 환경에서 규제 약물 관리에 관한 모범 사례를 소개하는 다양한 간행물과 자료가 있다. 사용하는 모든 약물의, 배포 및 보관을 정기적으로 평가하고 유지하는 것은 궁극적으로 각 기관의 책임이다.

임신

2015년 미국 FDA는 임신 및 수유 표시 규정을 통해 임신 중 약물 사용에 대한 신약 표시 법안을 통과시켰다. 이 법안은 엄격한 문자 범주 시스템보다는 임신 중 약물의 위험과 지원 데이터에 대한 서술적 요약을 제시한다. 2015년 6월 이후 승인된 의약품은 이 새로운 시스템을 사용하며 2001년 6월 30일 이후 승인된 의약품은 업데이트된 라벨을 부착한다. FDA는 이전 문자 시스템(A, B, C, D 및 X)이 위험 대 이익 증거를 정확하게 전달하지 않았으며 종종 제공자가 혼동하거나 잘못 해석했다고 결정했다. 참고로 이전의 표시는 잘 통제된 동물 및 인간 연구에서 태아 위험의 증거가 없다는 것을 나타내는 A부터 가능한 이익보다 기형을 유발할 위험의 명백한 증거가 있는 X까지 다양했다. 예를 들어, 이전 라벨링의 카테고리 C는 임신 중 사용에 대한 정보가 없거나 동물 연구에서 부작용이 보고되었지만, 인간에 대한 정보는 없음을 나타낸다. 이것은 때때로 제공자들이 특정 질병이 있는 환자에게 도움이 될 수 있었음에도 질병에 대한 차선의 관리가 태아 발달이나 산모에 해가 되는 경우 이 범주의 약물을 피하도록 했다. 표 11-2는 현재 의약품 라벨의 임신 하위 섹션에 포함된 정보를 보여준다.

이 새로운 라벨링 시스템은 제공자가 현재 이용할 수 있는 연구 및 보고서를 통해 정보에 입각한 결정을 내릴 수 있도록 돕기 위한 것이다. 임신은 복잡한 상태이며 처치 제공자는 태아 발달에 잠재적으로 불리한 결과를 초래할 위험에 대비하여 환자에게 도움을 주기 위해 사용 가능한 약물 정보와 함께 치료되지 않은 질병 또는 상태의 진행으로 인한 합병증을 평가한다.

많은 약물은 일회성 또는 단기간의 투여로 인한 부작용은 제한적이다. 기형 발생이 확인된 약물 이외에 응급 상황에서 대부분 약물은 태아에 대한 잠재적인 위해보다 임신한 환자의 상태를 개선하는 데 더 많은 이점이 있다. 예를 들어, 발작 중인 임신한 환자는 벤조디아제핀을 투여하면 발작을 멈추고 산모와 태아에게 적절한 산소 공급을 회복하는 데 도움이 될 수 있지만, 조산과 저체중아 출산의 위험이 발생할 수 있으며 일반적으로 지속적인 노출 시 신생아 금단 증상이 발생할 수 있다. 처치 제공자는 발작의 지속과 벤조디아제핀 투여와 관련하여 태아에 해로운 영향을 미칠 수 있는 잠재적 위험과 함께 발작을 종료시키는 이점을 신속하게 평가한다. 표 11-3은 약물 노출과 관련된 태아의 위험에 대해 빠르고 포괄적인 요약 자료를 제공한다. 많은 정보에 쉽게 접근할 수 있도록 모바일 장치에 다운로드할 수 있는 응용프로그램으로 제공된다.

표 11-2. 임신부를 위한 약물 분류

임신부 노출 등록	현재 약물을 복용하고 있는 임신부의 등록이 가능한 경우 등록을 위한 연락처 정보가 포함된다. 등록 정보는 특정 약물에 대한 부작용을 추적하며 이는 자발적인 과정이다.
위험 요약	임신 중 약물 복용 시 태아 발달에 나타나는 부작용의 위험을 설명하는 이용 가능한 인간과 동물에 관한 연구 자료의 요약본을 포함한다. 또한, 위험 관련 정보가 없으면 약물 노출이 발생하지 않은 미국에서 나타나는 선천적 기형아 비율도 명시되어 있다.
임상적 고려사항	정보를 이용할 수 있고 질병 대 약물 유익성-위험 분석, 임신 중 용량 조정, 산모 및 태아/신생아의 보고된 부작용, 분만에 미치는 영향을 포함한 경우이다. 또한, 특정 투여량의 효과, 임신 단계 중 사용 시기, 노출 기간(예: 1회 투여량 대 장기간 사용)을 포함할 수 있다.
정보	이용할 수 있는 인간과 동물 관련 정보 요약

표 11-3. 태아에 영향을 미치는 약물의 위험

자료(공급원)[a]	이용 방법	비용/이용 시간	특징
영아 위험 센터	전화: 1-806-352-2519 www.infantrisk.com 적용: 전문가: 영아 위험 센터 건강 관리 모바일 소비자: 엄마 약	콜센터: 무료 월~금, 08~17시(중부 표준시)	텍사스 공대 보건과학센터 이사는 임신 및 수유 분야의 선도적인 전문가 약물과 모유 간행물에 있는 정보를 기반으로 함 약물과 약물 노출에 대한 정확한 최신 정보
엄마와 아기	전화: 1-866-626-6847 문자: 1-855-999-3525	무료, 주에 따라 다르지만 일반적으로 월~금 08~17시	기형학 정보 전문가 조직 국가운영 콜센터로 연락하면 해당 지역 콜센터로 연결됨 약물 및 기타 노출에 대한 증거 기반 정보 제공
REPROTOX	www.reprotox.org 적용: 재검토	유료 구독, 개인, 단체 또는 기관 교육생 무료	비영리 단체 독성학, 유전학 및 생식 전문가 문헌 및 동물/인간 연구에 대한 간략한 개요 5,000건 이상의 약물 및 노출 포함
락트메드 (LactMed)	http://toxnet.nlm.nih.gov /newtoxnet/l actmed.htm 적용: 락트메드	무료	동료 검토를 통해 국립 의학 도서관에서 관리 수유 관련 약물 및 대체 약물에 중점
렉시 약물[b] (Lexi-Drugsb)	https://www .wolterskluwercdi.com /lexicomp-online/ 적용: 사전	개인, 단체 또는 기관의 유료 구독	임신 위험 인자 및 임신 고려 사항에 대한 약물 데이터베이스 내 짧은 요약
약품 라벨	약품 상자, 용기에 제공 약품 데이터베이스 https://dailymed. nlm.nih.gov/dailymed	무료	FDA 라벨이 붙은 임신 요약 또는 임신 범주

[a]Modified from Table 1 of Temming LA, Cahill AG, Riley LE: Clinical opinion: Clinical management of medications in pregnancy and lactation. *Am J Obstet Gynecol.* 214(6):698-702, 2016.
[b]Up-to-date (another clinical reference) and Lexicomp have merged. Lexi-drugs can now be accessed through Up-to-date by typing in the drug name either online or in their mobile application.

노인의 고려 사항

일반적으로 65세 이상으로 분류되는 노인 환자는 대부분 증가한 동반 질병의 증가와 한 번에 여러 약물을 복용하는 경우의 증가로 인해 약물 관련 부작용 및 약물 상호작용(DDI)이 발생할 위험이 더 높다. 또한, 이 환자 집단은 신장 기능이 감소하는 경향이 있어 신장에서 배출되는 약물의 용량을 바로잡지 않으면 약물 축적의 위험이 있다. 이러한 취약한 인구는 기능 저하 및 병원에 재입원할 위험이 더 높으며 응급실 입원 후 사망할 위험이 더 높다. 노인 환자는 투약 오류나 부작용이 발생할 경우 이를 감당할 수 있는 임계값이 더 낮다.

이를 방지하는 데 도움이 되도록 처치 제공자는 환자 처치 시 필요한 잠재적인 약물 관련 부작용과 처치 제공자가 휴대하고 있는 처치 약물이 노인 환자에게 맞게 바로잡거나 투여하지 않을 수도 있음을 인식한다. 예를 들어, 노인 환자는 여러 종류의 약물 복용, 과다복용(특히 향정신성 약물 또는 규제 약물 사용) 또는 약물 투여 중단으로 인해 유발되는 섬망의 위험이 있다. 섬망 유발 가능성으로 인해 사용 및 저용량 처방 여부를 비판적으로 평가하는 약물 종류에는 벤조디아제핀, 마약, 항정신병제, 항콜린제(예: 디펜히드라민), 근이완제 및 기타 정신 작용제 약물 처치가 포함된다. 특히 낙상 위험이 높은 노인 환자의 경우 예를 들어 항응고제(낙상 시 출혈의 위험이 있음)와 고혈압 치료에 사용되는 약물(환자가 저혈압이 되면 악상 위험이 높음)이 해당한다. 노인 인구에서 피해야 할 약물에 대한 자료에는 비어스 기준(Beers criteria)과 STOPP 기준이 있다.

불행히도 병원 전 및 응급 상황에서는 비어스 기준과 STOPP가 모두 신속하게 사용하기에는 너무 포괄적이기 때문에 빠르고 쉬운 자료가 없다. 약물 관련 부작용이나 오류를 예방하거나 확인하는 데 초점을 맞추는 것은 여전히 노인 인구에서 평가할 중요한 부분이다. 병원 전 응급 상황에서 처치 제공자는 노인 환자가 현재 복용하고 있는 약물 목록(가정용 약물 목록)을 쉽게 이용할 수 있는 경우 신속하게 이를 이용할 수 있다. 환자의 현재 상태 또는 문제에 영향을 미칠 수 있는 약물 상호작용 및 약물 목록을 비판적으로 평가한다. 섬망 또는 혈류역학적 불안정에 대한 환자의 위험을 증가시킬 수 있는 약물의 필요성 여부를 비판적으로 평가하고 모든 약물의 가장 낮은 유효 용량을 사용한다.

체중 기반 및 표준화된 투여

소아청소년과 환경에서 일반적으로 사용되지만, 체중 기반 투여량은 성인 환자에게 자주 적용하지 않는다. 성인 환자에서 체중 기반 또는 표준화된 용량을 투여하는 것이 가장 좋은 방법인지 아닌지에는 여러 가지 요인이 작용한다. 약물 혈장 농도에 영향을 미치는 요인의 예로는 용량, 제형, 형태, 경로, 빈도, 투여 시간, 약물-약물 및 식품-약물 상호작용, 유전학, 성별, 나이, 체중, 임신, 동반 질환 및 현재의 생리학적 상태가 포함된다. 가장 두드러진 요인 중 하나는 정확한 체중을 추정하는 것이다. 한 기관에서 시행한 연구에 따르면 EMS 직원과 응급실 직원은 환자의 실제 체중을 대략 20~90% 내에서 추정할 수 있다. 그러나 이것은 양쪽에 20%의 편차가 있기 때문에 넓은 편차로 이어질 수 있다. 체중 추정치가 환자의 실제 체중의 10% 이내로 좁혀졌을 때 응급 관련 인력은 대략 절반 정도만 정확했다. 정확하지 않은 체중 추정 또는 기록은 약물 투약 오류에 기여할 수 있으며 잠재적으로 환자에게 해를 끼칠 수 있다. 또한, 실제 체중이나 표준 체중에 따라 약물을 투여하는지 아는 것도 또 다른 요소이다. 표준 체중(IBW)은 다음과 같이 계산한다.

이상적인 체중(kg) = 50(남) 또는 45.5(여) +
2.3kg × 152cm를 초과하는 키
(인치 단위)

한 연구에 따르면 병적으로 비만한 환자에서 실제 체중을 사용하면 마비 지속 기간이 상당히 길어지기 때문에 표준 체중을 이용해서 로쿠로늄 투여량을 계산하여 투여하는 것을 선호할 수 있다. 포장된 용량 또는 최대 용량을 활용하면 비만 및 병적 비만 환자에게 과다 투여하는 것을 예방할 수 있다.

약물의 표준화된 투여는 치료 범위가 넓거나 부작용의 위험이 낮은 약물을 사용할 때 선호할 수 있다. 지방 조직에 축적되지 않거나 최소한으로 축적되는 수용성 약물, 신체 체질에 의해 영향을 받지 않는 약물 또는 정확한 용량을 수동으로 계산하는 것이 어려울 수 있다. 특정 약물에 대해 체중을 기준으로 약물을 투여하는 것을 선호하는 경우 수동 계산에 비해 체중을 기준으로 미리 계산한 투약 차트를 사용하는 것이 더 효율적이다.

보시다시피 응급 상황에서 일반적인 약물의 투여량을 체중을 기준으로 정확하게 계산하는 것은 매우 어렵다. 전반적으로 전문 약사가 없는 환경에서는 표준화된 투여량을 사용하는 것을 선호할 수 있고 잠재적으로 더 안전할 수 있다.

약물 호환성

비경구 용액을 동일한 주사기, 동일한 주입 백 또는 투여를 위한 Y-부위 접합부에서 여러 약물을 같이 투여하는 비호환성 위험 때문에 일반적으로 권장되지 않는다. 그러나 제한된 정맥 내 접근이나 환자에게 가능한 한 빨리 여러 약물을 투여하는 경우와 같이 특정 상황에서는 여러 약물을 혼합해야 할 수 있다. 이것은 환자의 최선의 이익을 위해 그리고 처치 제공자가 혼합할 약물의 호환성에 대해 정확히 알고 있는 경우에만 수행되어야 한다. 두 가지 약물 또는 약물을 희석제에 혼합할 경우 화학적 반응을 포함하여 침전, 분리 또는 기체 형성을 유발할 수 있는 부적합성의 위험이 있다. 이것은 정맥 내 카테터 폐색을 일으켜 새로운 정맥 라인을 확보하거나 장기 손상 또는 사망을 유발하는 색전을 형성할 수 있다. 이를 방지하기 위한 한 가지 추가 검사는 혼탁, 부유물 또는 색상 변화를 육안으로 검사하는 것이다. 이 중 하나라도 발생하면 이는 투여를 중단해야 하는 위험 신호이다. 예를 들어, 빈번하게 함께 사용하는 탄산수소소듐과 염화칼슘을 같이 사용하면 침전물이 생길 수 있기 때문에 함께 투여해서는 안 된다. 정맥 라인으로 하나의 약물을 투여한 후 생리식염수와 같은 희석제를 정맥 라인으로 투여한 다음 다른 약물을 성공적으로 투여할 수 있다. 처치 제공자가 시각적으로 확인할 수 없는 다른 화학 반응도 발생할 수 있으며 투여한 약물의 농도를 감소시켜 환자 처치 효과를 감소시킬 수 있다. 처치 제공자는 환자가 받는 약물의 농도가 낮아지기 때문에 불필요하게 처치를 확대할 수 있다. 예를 들면 에피네프린과 탄산수소소듐이 여기에 해당한다. 탄산수소소듐에 의해 생성된 기본 환경은 에피네프린 용액을 분해하여 활동을 감소시켜 환자에 대한 에피네프린의 효과를 감소시킬 수 있다. 명심해야 할 마지막 항목은 약물이 희석되면 영향을 받는다는 것이다. 소수의 약물 용액은 용액에 머물 수 있는 방식으로 제조되지만, 물이나 생리식염수에 의해 방해받을 수 있다. 예를 들어 디아제팜 투여는 물에 잘 녹지 않으며 생리식염수로 과도하게 희석하면 침전물이 생성될 수 있다. 침전을 피하고자 희석하지 않고 투여하는 약물과 또는 희석하는 약물에 대한 지식을 가지고 있는 것이 환자의 안전을 위해 중요하다.

병원 전 및 응급실 환경에서 때로는 혼란스러운 상황으로 인해 약물 호환성을 신속하게 확인하는 것이 어려울 수 있다. 사용할 수 있는 수많은 호환성 차트와 표가 있지만, 이것은 압도적인 상황과 스트레스가 많은 상황에서 정확하게 활용하기 어려울 수 있다. 대신 자료를 활용하여 문제의 특정 호환성을 분석하는 것이 용이성, 정확성 및 광범위하게 이용할 수 있어 선호된다. 여러 약물 또는 다양한 희석제가 포함된 단일 약물을 한 번에 분석할 수 있다. 스마트폰용 웹 또는 다운로드할 수 있는 애플리케이션의 예는 다음과 같다.

- Trissel's IV Compatibility Module for your Lexicomp Mobile App (also available as a web-based source) 임상 약물 정보 모바일 웹용 Trissel's 정맥 내 호환성 모듈(웹 기반 자료로 사용 가능)
- Trissel's IV Compatibility for your IBM Micromedex IV Compatibility 모바일앱(웹 버전 제공)
- American System of Health-System Pharmacist's Interactive Handbook on Injectable Drugs 모바일앱(유료 핸드북 구매 가능)

요약하면 일반적으로 약물 혼합은 피해야 한다. 환자에게 최상의 처치를 제공하기 위해 혼합해서 투여가 필요한 경우 처치 제공자는 먼저 자신이 가지고 있는 능력을 활용하여 약물 용액 및 희석제와 물리적 또는 화학적 비호환성이 있는지 확인한다. 투여 전 육안으로 확인하는 것은 처치 제공자가 물리적 부적합을 확인하는 데 도움이 될 수 있지만, 호환성을 보장하지는 않는다. 비 호환성 위험을 줄이기 위한 모범 사례에는 약물 투여의 대체 경로(예: 코안 또는 근육 내 투여) 사용, 다른 정맥 내 투여, 약물과 약물 투여 사이에 호환 가능한 수액으로 정맥 라인으로 투여, 주사 부위 반응 모니터링을 포함하여 처치 효과를 확인한다.

의약품 부족 관리

특정 약물에 대해 배우고 지속적인 가용성에 의존하는 것이 이상적이다. 그러나 미국은 약물 사용이 빠르게 증가하고 있어 약품 부족을 겪고 있으며 이로 인해 환자와 처치 제공자 모두에게 점점 더 많은 어려움을 야기하고 있다. 진통제, 심장병 약물, 알레르기 치료제, 호흡기 약물, 정맥 내로 투여할 수 있는 수액 및 전해질을 포함하지만 이에 국한되지 않는 다양한 약물의 부족이 일상화되었다.

수십 년 동안 사용되어 온 약물이 갑자기 사용할 수 없으며 특히 처치 제공자가 대체 처치 방법이나 대체 요법에 익숙하지 않은 경우 환자 처치에 상당한 영향을 미칠 수 있다. 약품 부족은 원자재 확보의 어려움, 제조 문제, 사업 결정, 규제 문제 및 수요와 공급의 기타 여러 혼란을 비롯한 많은 요인으로 인해 발생한다. 예를 들어, 허리케인과 홍수와 같은 자연 재난으로 인해 제조 시설이 파손되어 의약품 이용에 큰 영향을 미쳤다. 장기적인 부족은 의약품을 생산하는 시설이 한 곳밖에 없을 때 특히 심각하다. 2017년 허리케인 마리아는 푸에르토리코의 의약품 제조 산업 시설을 파괴해 미국에서 광범위한 지역에서 오랫동안 의약품 부족을 초래했다. 약품 부족으로 인해 안전하고 효과적인 대체 처치 방법으로 대체하거나 처치 과정의 중단 또는 지연시키거나, 투약 오류를 유발함으로써 환자 처치에 부정적인 영향을 미칠 수 있다. 이러한 이유로 처치 제공자는 처치의 불안정한 변수로 약물에 대한 이해와 활용에 익숙해져야 하며 환자에게 일관성 있는 처치를 제공하기 위해 이러한 상황에 적응한다. 끊임없이 증가하는 약물 부족의 영향을 완화하기 위해서는 특정 적응증에 대한 특정 약물에 대해 배우는 전통적인 모델에 집중하기보다는 특정 유형의 약물이 다양한 병적 상태에 사용하는 이유, 방법 및 투약 시기에 대한 이해에 교육적인 중점을 두는 것이 가장 중요하다.

임상 처치를 위한 일련의 우발 상황 설정 및 제도화

2012년에 국립 아카데미 의학 연구소(IOM)는 위기관리 표준이라는 체제를 만들었다. 다른 많은 문제 중에서 이 체제는 약물 부족을 해결하기 위한 여러 전략을 제시한다.

- **준비**: 응급 환자 처치 및 대응을 위한 계획 및 교육, 잠재적인 자원 부족과 가능한 대응 전략을 예상한다.
- **대체**: 기능적으로 동등한 장비와 소모품을 사용한다.
- **보존**: 공급량을 유지하기 위해 일부 처치 및 중재의 사용에 제한을 둔다.
- **재사용**: 적절한 세척, 소독 또는 멸균을 통해 장비를 재사용한다.
- **재배치**: 유리한 결과를 얻을 가능성이 가장 높거나 가장 큰 이익을 받을 가능성이 있거나, 최소한의 자원 투자가 필요한 환자를 우선순위로 처치한다.

EMS 및 응급 전문가는 약품 부족에 직면할 경우 대체 전략 계획을 준비한다. 이 계획은 다양한 옵션을 명확하게 설명하고 우선순위를 지정하여 실행할 조건을 설정하고 기타 운영상의 고려 사항을 설명함으로써 신뢰할 수 있는 의사 결정 지원 도구의 역할을 한다. 이 체제가 실제 응용 프로그램으로 변환되는 방법에 대한 한 가지 예는 표 11-4에 나와 있는 캘리포니아에서 개발된 가이드를 참고할 수 있다. 이것은 약물 부족에 대한 구조화된 접근을 쉽게 하려고 고안되었다. 이 도구는 체계적이고 정보에 입각한 의사 결정과 약물 부족에 대처하며 중재를 시작할 때 조치를 쉽게 하는 한 가지 방법을 보여준다. 이 도구는 의학 연구소의 위기관리 기준 체제에 다양한 결정 사항을 연결하기 위해 마지막 열에 "방법"을 추가하여 수정되었다.

앞서 언급한 바와 같이 약물 부족의 부담을 완화하는 데 도움이 되는 몇 가지 잠재적인 방법이 있다. 유효기간 연장, 복합 약물 사용, 공유 자원, 의학적 필요성이 있는 일부 환자에게 우선 사용, 유용성이 의심되는 의료 중재 중단, 투여 농도 및 투여 경로 조정, 약물 대체 및 약물 절약은 모두 조직적인 행동 계획의 선택이다. 이러한 각 경로에는 고유한 이점과 잠재적인 단점 및 해결할 과제가 있다.

표 11-4. 약품 부족 대처 전략

약물 부족 완화 알고리즘 (환자 안전 우선) 결정 시점	비고	우발 사항	방법
1	표준 운영 절차대로	없음, 현재 정책 및 절차로 계속	계획하고 준비
2a	약물 변경이 필요하지 않음	유통 기한이 지난 약물 활용	적용
2b	약물 변경이 필요하지 않음	혼합된 약물 활용	적용
2c	약물 변경이 필요하지 않음	효과가 의심스러운 경우 중재를 위한 약물 사용 중단	유지
3	새로운 용량 계산과 교육이 필요	같은 약물을 다른 농도로 사용	대체
4	새로운 용량 계산과 교육이 필요	다른 경로를 통해 제공된 동일한 약물 사용(경구 대 정맥 내)	대체
5	새로운 용량 계산과 교육이 필요	같은 계열의 다른 약물 사용(미다졸람 대 발륨)	대체
6	새로운 용량 계산과 교육이 필요	다른 계열의 다른 약물 사용(피너건 혹은 조프란)	대체
7	약물 변경이 필요하지 않음	약물 없이 처치 유지(실패 완화)	위기관리로 전환

유효기간 연장

적절한 조건과 임상 상황이 지시하는 경우 특히 처치 제공자가 유효기간이 만료된 약물을 사용하지 않으면 사용할 수 있는 약물이 없는 상황에 직면한 경우 약물의 효과와 환자 상태의 심각성을 고려하여 유효기간이 지난 약물을 사용하는 것이 약물 부족을 완화하기 위해 잠재적으로 실행할 수 있는 선택 중 하나가 될 것이라는 강한 의견이 있다. 유효 기간이 지난 후에도 안정성과 효능에 관련하여 많은 종류의 약물에 대해 유리한 데이터가 존재한다. 이 방법은 투여의 일관성을 제공할 수 있고 약물을 쉽게 구할 수 있다는 확신을 제공함으로써 투여 지연을 피할 수 있으며 제한된 자원의 불필요한 낭비를 줄이는 데 도움이 된다. 예전부터 FDA는 약물 부족을 초래하는 요소를 통제할 수 없었으며 약물 부족 관리를 지원할 권한도 제한적이었다. 그러나 약물 부족 관리에 대한 FDA의 역할은 최근 몇 년 동안 변화되었다. FDA 안전 및 혁신법(FDASIA)은 2012년 의회에서 통과되었으며 FDA가 점점 더 세계적인 약물 공급망으로 인해 제기되는 문제를 해결할 수 있는 새로운 권한을 갖게 되었다. FDA 안전 및 혁신법 이전에는 잠재적인 약물 부족이나 공급 중단에 대해 FDA에 의무적으로 통지하는 것이 제한적이었다. FDA 안전 및 혁신법은 의무적인 조기 통보의 범위를 확장하여 약물 부족을 관리하는 FDA의 능력을 크게 향상했다. 최근 FDA는 많은 중요 약물의 유통기간을 연장하기 위해 의약품 제조업체와 긴밀히 협력하고 있다. 제조업체가 제공하고 FDA에서 검토한 안정성 데이터를 기반으로 특정 약물에 대해 유효기간이 연장되어 새로 연장된 날짜까지 약물을 사용할 수 있다. 데이터를 사용할 수 있게 되면 사용할 수 있는 약물을 계속 확대할 수 있다.

그러나 유효기간 동안 대체 제품을 사용할 수 있게 되면 FDA는 해당 약물을 가능한 한 빨리 대체하고 적절하게 폐기할 것으로 기대하고 있다. 일부 주와 약국 위원회는 유효기간 연장을 금지하고 있으며 일부는 이를 중범죄로 간주한다. 그러므로 처치 제공자는 관할 지역의 정책 및 절차를 숙지한다.

공유 자원

가능하면 약물 공유 시스템을 만들기 위해 의료 기관 간의 협력적 합의가 수립되어야 한다. 대규모 의료 시스템은 종종 약물 재고를 현장에서 서로 이동하여 약물 부족을 해결할 수 있으며 운영상 약물을 소규모 기관으로 이전할 여유가 있다. 가능한 한 대체 요법에 관한 정보도 의료 기관 간에 공유되어야 한다. 약물과 물자 관리의 책임을 추적하는 데 추가 어려움을 포함하여 공유 자원에는 몇 가지 단점이 있다.

복합 약물 사용

복합 약물의 사용은 약물이 부족한 상황에서 잠재적인 이점이 있으며 약품 이용률을 높이는 또 다른 수단이다. 혼합하면 상업적으로 접근할 수 없는 제품을 즉시 사용할 수 있다. 혼합하여 사용하는 것은 특정 환자 집단의 개별적인 의학적 필요와 관련이 있으므로 특히 유용하다. 약물을 혼합하는 것에 대한 규정은 대량으로 생산하는 약물에 대한 규정과 다르므로 일반적으로 약물 접근성에 대한 장벽과 시간 제약이 적다. 혼합한 약물의 잠재적인 단점은 혼합하는 과정에서 잘못 혼합한 약물 또는 사람의 실수로 인한 이차적인 제품의 안전성 및 효능, 더 큰 비용, 더 짧은 유효기간, 잠재적인 낭비 및 정부의 관리 감독이 부족할 수 있다. 약물 부족을 완화하는 데 도움이 되는 503b로 분류된 약국의 활용도를 조사한다.

보존

생명을 위협하는 상황이나 처치 대안이 제한적이거나 사용할 수 없는 특정 의학적 적응증에 대해 선호하는 처치 방법을 보존하기 위해 희소한 자원을 신중하게 관리할 수 있는 약물 사용의 대안 방법의 보존이다. 보전은 단계별 이용(의학적 필요성이 있는 환자를 먼저 선택), 약효를 평가하여 약물 투여 농도를 조절하고 투여 경로 변경을 통해 수행할 수 있다. 이 접근 방식과 관련된 잠재적인 관심 영역에는 인식된 처치 불평등, 잠재적 처치 방법 및 처치 결정을 지원하기 위한 건전한 운영 체제를 만들 필요성이 포함된다.

대체

대체는 같은 종류 내 대체 약물 또는 다른 약물 중에서 대체할 수 있는 약물을 확인하는 행위이다. 이 방법은 선호하는 약물을 쉽게 구할 수 없거나 우선순위가 높은 상황을 위해 예약된 경우 처치를 위한 대체 경로를 제공한다. 이 접근 방식의 이점은 잠재적으로 시기적절한 처치가 가능하고 부족 시 일차 선택 약물의 부적절한 비축을 줄일 수 있다는 것이다. 같은 계열의 약물 대체는 부작용 분석과 처치 제공자 교육 요구 사상의 차이를 최소화하기 때문에 다른 등급의 약물보다 선호된다. 심각하게 고려하는 단점은 처치 제공자가 해당 약물을 투여해본 적이 거의 없거나 익숙함과 전문적인 능력이 부족할 수 있으므로 의학적 오류 및 환자 안전 문제의 가능성이 증가할 수 있다는 것이다. 대체 약물은 일부 적응증(허가 외 목적 사용) 또는 특수 환자 집단에 대해 FDA 승인을 받지 않았을 수도 있다. 약물 대체는 약물 부족을 완화하기 위해 일반적으로 사용하는 방식이다. 따라서 이러한 필요성을 예상하여 실행할 수 있는 운영 및 임상 교육을 하는 것이 필수적이다.

절약

절약이란 여러 환자에게 약물의 다회용 바이알을 사용하는 것을 말한다. 일회용 바이알로 제공되는 약물이 부족할 경우 여러 환자에게 다회용 바이알을 사용하는 것을 고려할 수 있다. 다른 선택 사항과 마찬가지로 이것은 더욱 강력한 약물 선택 목록을 제공하고 약물 낭비를 줄일 것이다. 이와 관련된 몇 가지 문제는 제품 오염 및 투약 오류 가능성, 약물 추적 및 대체 문제, 개봉 후 바이알의 적절한 보관 및 사용에 대한 지침과 기록이 필요성이다.

결론

약리학은 복잡한 주제이며 그 자체로 하위 전문 분야이다. 약리학에 대한 기본적인 이해는 모든 처치 제공자에게 필수적이며 의료에서 중심적인 역할을 한다. 약리학에 대한 지식은 약물 목록, 적응증 및 복용량을 암기하는 것 이상을 포함한다. 이것은 또한 왜, 언제, 어떻게 약물이 투여되는지에 대한 이론을 포함한다. 약물 약력학 및 약동학, 특수 환자 집단에 대한 고려사항, 투여 방법, 약물 호환성 및 상호 작용에 대한 우려, 증가하는 약물 부족에 적응하고 안전하게 극복하는 방법까지도 포함한다. 처치를 결정하는 경우 이러한 모든 요소를 고려한다. 약물 투여는 복잡한 작업이며 역사적으로 오류가 많았다. 사람의 오류를 책임지는 시스템과 문화를 조성하고 오류의 공개를 촉진하며 성공적으로 환자를 처치하기 위한 시스템 개선 및 처치 제공자의 모범적인 결정을 구축하는 것이 최우선이다.

강화 학습

사례 연구는 교과서 자료를 실제 상황에 적용하는 좋은 방법이다. 다음 사례 연구를 읽으면서 자신을 처치 제공자라고 상상하고 현장에 몰입하며 환자 처치에 대한 최상의 약리학적 접근 방법을 확인하는 동시에 약물 투여와 관련된 잠재적인 함정과 위험을 인식하는 것을 목표로 사례를 탐색한다.

사례 연구: 통증 관리

병원 전: 복부 통증으로 인한 현장 출동

단독 주택에 도착하자마자 거실에서 배를 움켜쥐고 있는 36세 여성을 발견한다. 그녀는 이전에 임신당뇨병의 병력이 있었고 현재 셋째를 임신했으며 38주 차고 오늘 아침에 시속 50km로 달리던 차량이 자신의 소형 승용차 후방을 충돌했다고 했다. 주요호소증상은 구역과 통증 점수가 9점인 중증의 비방사성 하복부 통증이었다. 그녀는 통증이 이전 수축과 다르다고 날카롭고 일정하다고 설명한다. 그녀는 질 출혈, 기타 분비물 및 다른 병력이나 호소증상은 없다.

신체검사 결과

임신한 여성은 명료하고 약간의 불안감이 있으며 어려움 없이 모든 질문에 답할 수 있을 만큼 기도는 확보되어 있다. 피부는 창백하고 발한은 없으며 그녀는 도움이나 비틀거리지 않고 걸을 수 있고 제한 없이 팔다리를 완전하게 움직일 수 있다. 심박수는 분당 90회이고 복부 검사시 너비는 약 7cm, 길이 30cm 정도로 배꼽 바로 아래에 가딩 및 연한 파란색 타박상이 있다. 뚜렷한 수축, 경직 또는 기타 외상은 없고 장음은 활동적으로 들리며 태아 심박수는 분당 160이고 질 출혈은 없다.

활력징후

- 혈압(BP): 136/88mmHg
- 심박수(HR): 95회/분
- 산소포화도(Pulse Ox): 92%
- 호흡수(RR): 얕은 18회/분
- 폐음(LS): 정상
- 글래스고혼수척도(GCS): 15점(E:4, V:5, M:6)
- 호기말이산화탄소(ETCO$_2$): 32mmHg
- 체온(Temp): 36°C
- 심전도(ECG): 그림 11-1

토론

환자의 복통 원인을 파악하는 것은 어렵다. 이 상황에 외상과 임신을 추가하면 감별 범위가 더욱 광범위해진다. 병력 및 신체검사는 가능한 병인을 좁히는 데 도움이 될 수 있지만, 정확

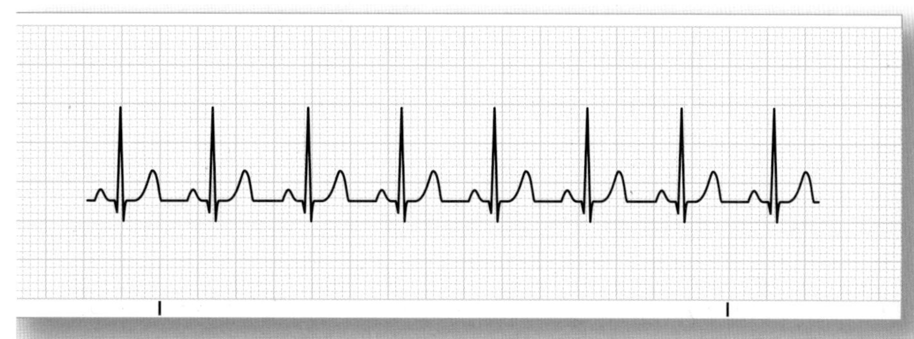

그림 11-1. 환자의 심전도 리듬
Courtesy of Tomas B. Garcia, MD.

한 병리를 확인하기 위해서는 시간이 걸릴 수 있는 특정 진단 검사가 종종 필요하다. 통증 자체는 활력징후로 간주하지만, 환자의 편안함을 개선하기 위해 처치할 것이다. 일반적으로 통증은 쉽게 무시되거나 우선순위가 낮아져 특히 외상이 있는 경우 처치가 제대로 이루어지지 않을 수 있다. 실제로 한 연구에 따르면 외상 환자는 내과 환자보다 초기에 더 많은 통증을 경험한다. 이것은 또한 임신뿐만 아니라 복부 통증의 영역으로 확장될 수 있다. 의료 전문가로서 병력이 무엇이든 관계없이 통증을 인식하고 해결하는 것이 중요하다. 통증 관리에 가장 적합한 약물을 선택할 때 환자의 현재 병력과 설명을 나침반으로 활용하고 이러한 요소를 통증 관리를 피하기 위한 핑계로 사용하지 않도록 한다.

약물 고려사항

급성 통증을 관리하기 위한 다양한 종류의 약물이 있다. 각 약물에는 약동학 및 약력학의 고유한 변형이 있고 각 약물은 또한 독특한 부작용이 있다. 약물 가용성, 약물 종류, 작용 기전, 약동학, 약력학, 혈류역학적 안정성, 투여 경로를 포함하여 특정 상황에 맞는 진통제를 선택할 때 고려할 몇 가지 요소가 있다. 다음은 통증 관리를 위한 일반적인 처치 방법이다.

- **아세트아미노펜(APAP)**: 이 약물은 비마약성 진통제 중 하나이며 완전히 연구되지는 않았지만, 중추신경계(CNS)를 통한 통증 인식 억제를 통해 통증 완화를 제공할 수 있다. 정맥 내로 투여할 수 있는 유형이 다른 경로에 비해 상당한 이점을 제공하는 것으로 확인되지 않았고 더 비싸지만, 경구, 직장 및 정맥 내로 15분 주입으로 사용할 수 있다. 경구 투여는 1시간 이내에 효과가 나타나기 시작하는 반면, 정맥 내 투여는 10분 이내에 효과를 나타내기 시작하여 1시간 이내에 최고 통증 완화 효과를 나타낸다. 고용량(건강한 환자의 경우 >4g, 간 질환/간경변증의 경우 >2~3g/일)은 독성 대사산물을 생성할 수 있으므로 환자에게 제공되는 아세트아미노펜의 총투여량에 주의를 기울여야 한다. 아세트아미노펜은 임신 중에도 사용해도 안전하며 환자의 혈류역학에 영향을 미치지 않는다.
- **비스테로이드항염증제(NSAIDs)**: 항염증 특성을 보인 또 다른 비마약성 진통제이다. 비스테로이드항염증제는 발열과 통증 및 염증을 유발하는 프로스타글란딘의 생성을 감소시켜 이점을 제공하고 또한, 프로스타글란딘은 산의 영향으로부터 위장을 보호하고 혈소판의 응고 기능을 지원하기 때문에 유익하다. 따라서 비스테로이드항염증제의 부작용 중 일부로는 혈소판 기능 장애, 위장관 궤양 및 출혈이 있다. 비스테로이드항염증제는 경구 투여(예: 이부프로펜, 나프록센) 및 정맥 내, 근육 내(예: 케토롤락) 투여가 가능하다. 경구로 투여한 비스테로이드항염증제는 일반적으로 1시간 이내에 통증을 완화 시켜주지만 정맥 내, 근육 내로 투여하

빠른 암기법

케토롤락(Ketorolac)
케토롤락은 통상적으로 현재 필요한 것보다 많은 양으로 투여되어 왔다. 케토롤락 10mg을 정맥 내/근육 내로 투여하는 것은 본질적으로 이부프로펜 800mg 또는 60mg을 근육 내, 30mg을 정맥 내로 케토롤락(이전 권장 용량)과 동일한 진통 효과를 나타낸다. 더 낮은 투여량은 부작용을 최소화한다.

는 경우 일반적으로 30분 이내에 통증 완화를 제공하기 시작한다. 비스테로이드항염증제는 신부전을 유발할 수 있으므로 신장병이 있거나 신기능이 저하된 환자(예: 노인 환자)에게 주의해서 투여하거나 저용량으로 사용한다. 비스테로이드항염증제는 일반적으로 임신 초기에 유산의 위험이 증가하고 임신 후기에 동맥관이 조기에 폐쇄되기 때문에 임신 중에는 투여를 피해야 한다. 환자의 혈류역학에는 영향을 미치지 않는다.

- **아편유사제(Opioid)**: 이 종류의 약물은 중추신경계 내의 다양한 수용체에 작용하여 환자의 통증 역치를 높이고 신경 통증 경로를 억제하여 통증에 대한 인식을 감소시킨다. 이것들은 모두 통제되는 약물이며 환자에게 중독을 일으키거나 이전 중독 경향을 다시 활성화할 위험이 있다. 가장 큰 부작용 중 하나는 아편유사제 내성 환자에게서 발생하는 호흡억제이다. 특히 노인 환자에게 과다 투여 및 호흡 억제를 피하고자 투여 시 주의한다. 일회 투여량은 임신 중 선천적 기형의 위험이 높지 않은 것으로 알려있으며 유익성이 위험성보다 클 경우 투여를 고려한다. 일부 아편유사제(예: 모르핀)는 신기능 장애가 있는 환자에게 대사산물이 축적되어 효과의 연장으로 인한 호흡 억제의 위험이 증가한다. 합성(예: 펜타닐 및 트라마돌), 반합성(예: 옥시코돈, 하이드로코돈 및 히드로모르핀) 및 천연(예: 모르핀 및 코데인) 아편유사제가 있다. 천연 아편유사제는 혈압을 낮추는 정도가 훨씬 작은 합성 아편유사제에 비해 히스타민(알레르기 반응을 겪는 환자와 유사한 혈관 확장 유발)을 더 많이 방출하므로 저혈압을 유발할 위험이 가장 크다. 아편유사제는 경구(즉시 및 서방형 제제 모두), 코안(IN), 근육 내, 골내(IO) 및 정맥 내를 포함한 다양한 경로를 통해 사용할 수 있을 뿐만 아니라 패치, 캔디, 필름제, 설하 스프레이 및 정제 및 피부밑으로도 투여할 수 있다. 정맥 내 투여는 일반적으로 즉시 효과가 나타나고 코안 및 근육 내 투여는 일반적으로 10분 이내 효과가 나타나기 시작하며 경구 투여는 약 30분 이내에 효과가 나타난다. 그러나 개별 아편유사제 간에 효과가 나타나는 시간 및 지속 시간에 약간의 차이가 있다. 펜타닐은 5분 이내에 효과가 나타나지만, 투여 효과가 3~4시간 지속하는 히드로모르핀(달라우디드)과 비교하면 투여 효과 지속 시간이 가장 짧다(30분에서 1시간). 통증 완화가 필요한 기간과 혈류역학적 효과를 특별히 고려하여 환자에게 최상의 방법을 선택하려면 이러한 개별 약물의 차이를 아는 것이 중요하다.
- **케타민(Ketamine)**: 최근 다양한 내과적 상태에 적용할 수 있어 주목을 받고 있으며 진통제 특성 외에도 아편유사제에 대한 감수성(통각 과민)을 감소시키고 아편유사제 내성을 감소시키고 해리 효과를 야기할 수 있는 다양한 기전(주로 흥분성 신경전달물질인 글루타메이트 억제)을 갖는 독특한 약제이다. 이것은 통제되는 물질이지만 아편유사제에 비해 호흡 억제의 위험이 낮지만, 고농도나 농축된 용량으로 정맥 내로 너무 빨리(볼루스) 투여하면 짧은 무호흡 기간을 초래할 수 있다. 케타민의 해리 특성은 사고로 인한 외상 후 스트레스를 돕는 것을 포함하여 통증 조절에 이점이 있다. 또한, 고용량, 빠른 투여 및 더 잦은 투여 간격으로 발생할 수 있는 해리의 잠재적인 바람직하지 않은 영향도 있다. 또한, 케타민은 잠재적으로 일시적인 출현 반응 또는 출현 정신병을 유발하여 청각 및 시각적 환각, 동요, 방향 감각 상실 및 불규칙한 행동을 유발할 수 있다. 이것은 벤조디아제핀 투여로 완화할 수 있다. 신장 또는 간 손상에 필요한 용량 조절은 필요하지 않으나 중추신경계 영향으로 인해 노인 환자에게 가장 낮은 유효용량으로 사용해야 한다. 케타민은 용량에 따라 자궁 수축을 증가시킬 위험이 있지만, 케타민은 출산 중 마취 및 보조 진통제로 활용되었다. 따라서 임신 중에는 1회 투여의 위험 대 이점을 사례별로 고려한다. 케타민은 코안, 근육 내 및 정맥 내로 투여할 수 있다. 일반적으로 정맥 내는 즉시 작용을 시작하는 반면 코안과 근육 내는 효과가 나타나기 시작하는 데 최대 10분이 걸릴 수 있다. 그러나 코안 및 근육 내 경로는 정맥 내보다 흡수가 지연되어 효과 지속 시간이 길고(최대 1시간) 무호흡 위험이 낮다. 또한, 일반적으로 고용량에서 발생하는 회복 기간이 있으며 진통 및 해리 효과가 사라진 후에도 환자가 혼란스러운 상태로 계속된다. 내인성 카테콜아민(신체에서 자연적으로 발생하는 에피네프린, 노르에피네프린, 도파민 등)의 방출을 유발할 수 있기 때문에 혈압과 맥박을 증가시키는 유일한 진통제이다. 외상 후 단계 초기에 케타민 투여에 관한 예비 군사 데이터는 외상 후 스트레스 장애의 증상이 감소를 보였다.

또한, 병원 전 응급 상황에서 급성 통증 처치를 위한 대리인으로 표 11-5에는 수술 후 50%의 통증 완화를 얻기 위해 처치하는 데 필요한 것을 비교한 코크란(Cochrane) 리뷰 모음이

표 11-5. 수술 후 통증 완화 연구에 대한 코크란 재검도

연구	집단	중재	결과	논평
Chang A, et al. JAMA 2017	무작위통제실험(RCT); 중등도에서 중증으로 급성 팔다리 통증이 있는 응급실 환자(n=416)	1회 투여량: 이부프로펜 400mg + 1,000mg APAP vs 옥시코돈 5mg + 325mg APAP vs 하이드로코돈 5mg + 300mg APAP vs 코데인 30mg + 300mg APAP	1차 결과: NSR 통증척도가 11점으로 약물 투여 후 2시간에 통증 감소에 있어 그 그룹 간에 통계적으로 유의한 차이가 없음 NRS 통증척도 평균 8.7에서 각각 4.3, 4.4, 3.5 및 3.9의 평균 감소	환자 5명 중 1명은 통증을 조절하기 위해 추가 약물 투여가 필요 했으며 2시간 후에 통증을 조절하는 것으로 제한된다. 비마약은 긴장, 염좌또는 팔다리 골절에서 똑같이 효과적일 수 있다.
Bronsky ES, et al. Prehospital Emergency Care 2019	후향적 코호트 연구, 병원 전 NRS 7~10점의 중증 통증 (n=대등한79 쌍)	저용량 케타민 정맥 내(평균 0.3mg/kg) vs 펜타닐 정맥 내	1차 결과: 처치 후 기준선에서 통증 점수의 변, 케타민 투여 후 평균적으로 더 많이 감소(−5.5 vs −2.5, $p < 0.001$) 더 많은 환자에서 50% 통증 감소(67% vs 19%, $p < 0.001$) 펜타닐 투여한 환자에서만 부작용 발생(호흡 억제 2회, 혈류역학 불안정 2회)	후향적 소규모 연주의 관찰적 특성으로 인해 제한됨 두 그룹 모두에서 유의한 통증 감소가 있었지만 저용량 케타민 투여시 훨씬 더 큰 반응을 보임 아편유사제 투여와 비교한 케타민이 상대적으로 심혈관계, 호흡계에 안전함
Masoumi B, et al. Adv Biomed Res 2017	무작위통제실험(RCT); 긴 뼈 골절로 응급실 내원한 환자(n=88)	케토롤락 10mg 정맥 내 투여 후 필요시 5~20분마다 정맥 내 5mg 투여 vs 모르핀 5mg 정맥 내 투여 후 필요시 5~20분마다 2.5mg 정맥 내 투여	1차 결과: 투여 1시간 후 통증 감소는 각각 평균 1.41와 1.61로 통증 감소하였으며 평균 기준선 7.59와 7.93과 큰 차이가 없음 환자의 31.8%가 케토롤락을 추가 투여 받음 vs 모르핀의 경우 환자의 18.2%가 추가 투여를 받았지만, 통계적으로 유의하지 않음	모르핀 투여 시 구역질이 더 많이 발생 케토롤락과 아편유사제 투여 사이에 유사한 통증 완화 효과가 있고 부작용이 더 적음

부작용(AE, Adverse effects), 아세트아미노펜(APAP, acetaminophen), 응급실(ED, emergency department), 등록된 환자 수(n, number of patients enrolled in each study), 숫자평가척도(NRS, Numerical Rating Scale), 필요시(PRN, as needed), 무작위통제실험(RCT, randomized controlled trial)

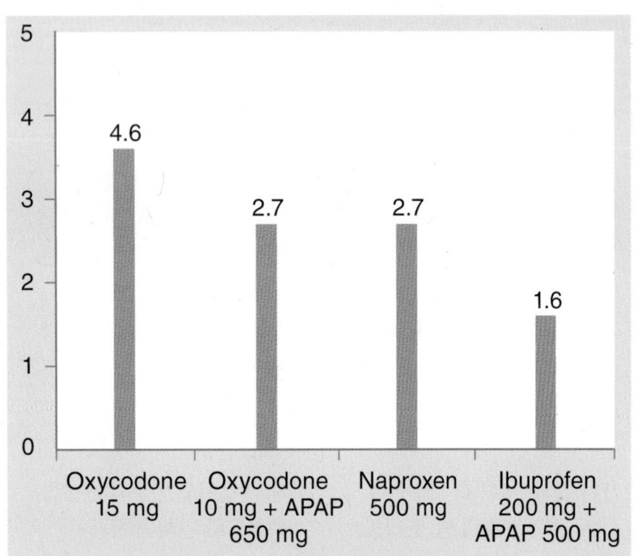

그림 11-2. 한 사람이 50% 통증 완화를 위해 처치해야 하는 사람 수(NNT)

Adapted from National Safety Council, Evidence for the Efficacy of Pain Medications. Retrieved from https://www.nsc.org/Portals/0/Documents/RxDrugOverdoseDocuments/Evidence-Efficacy-Pain-Medications.pdf

포함되어 있다. 표와 같이 비아편유사제 사용은 아편유사제 사용과 비교했을 때 호의적으로 사용했으며 조합하여 사용할 때 효과가 훨씬 더 좋아졌다(그림 11-2).

기타 고려사항

강력한 통증 관리 지침을 개발하면 임상의가 일부 환자가 나타낼 수 있는 복잡성을 이해하고 통증 관리 순응도를 향상할 수 있다. 처치 제공자로서 진통제 투여 시 명심해야 할 몇 가지 개념이 있다. 첫째는 다양한 약물의 만성적 사용으로 인한 환자의 마약 내성 가능성이다. 이것은 일반적인 통증 관리에 사용되는 약물의 효능을 바꿀 수도 있고 대체 비마약성 약물이 필요할 수 있다. 두 번째는 환자와 제공자 모두 중독의 가능성이다. 강력한 추적 방식, 정의된 정책 및 중독 위험 평가 교육을 통해 전환을 막을 수 있다. 마지막으로 환자의 통증과 병력에 대한 처치 제공자의 인식에 따라 진통제 투여 여부를 판단할 때 인간의 편향적 요소이다. 이것은 제공자의 동정과 피로의 지속적인 갈등과 관련이 있으며 명확하게 정의된 해결책은 없다. 의사, 간호사 또는 병원 전 처치 제공자를 위한 의료 프로그램에서 통증 관리에 대한 공식적인 교육이 부족하면 통증에 대한 오해와 전반적인 처치의 우선순위가 높아질 수 있다. 현재의 관행 유형의 개선은 정기적이고 강력하며 과학적으로 지원되는 교육의 실행을 통해 가능하다.

질문

- 이 환자는 임신 중이고 이로 인해 진통제 사용에 대한 조절이 필요한가?
- 함께 일하는 동료가 처치 후 환자의 통증이 병인을 가리고 의료진이 확인하기 더 어렵게 만들 것을 우려하여 환자의 통증 처치를 원하지 않는다면 어떻게 하겠는가?
- 환자가 저혈압이라면 어떻게 하겠는가? 저혈압 환자에게서 피해야 할 특정 약물이 있는가? 환자가 저혈압인 이유를 확인한다. 상대적 저혈압은 정상적인 임신 상태인가? 아니면 내부출혈로 인해 이차적으로 발생한 저혈압인가를 어떻게 확인할 수 있는가?
- 동료가 아편제제 대신 생리식염수를 환자에게 투여하고 아편제제를 주머니에 넣은 것을 목격했다면 어떻게 하겠는가?

사례연구 요약

통증은 쉽게 관리할 수 있고 인간의 편견은 통증과 관련하여 존재하며 적절하게 처치할 시기와 방법을 결정하는 데 영향을 미칠 수 있다. 적절한 평가 및 인식 부족, 문화적 편견, 급성 통증은 진정한 응급상황이며 처치를 받을 자격이 있다는 것을 이해하지 못하는 등 과소평가하는 오류를 피한다. 이것은 현재의 아편제제 위기로 인해 복잡해지며 위기를 인식하고 부적절한 남용과 적절한 아편제제 사용 사이의 적절한 균형을 찾아야 한다.

사례연구: 급성중증과민반응 (아나필락시스)

병원 전: 알레르기 반응으로 인한 출동

당신은 건설 현장에서 25세 남성이 벌에 쏘여 알레르기가 발생했다는 도움 요청을 받고 현장으로 출동했다. 현장에 도착했을 때 환자의 동료가 남성은 벌에 쏘여 매우 불안해하고 숨이 가쁘며 얼굴에 홍조를 띠었다고 말한다. 환자의 동료는 환자를 트럭에 태우고 가장 가까운 응급실로 데려갈 준비를 하고 있었지만, 환자는 의식이 소실되고 호흡하는 것을 더 힘들어해 119에 도움을 요청했다고 했다. 현재 환자는 말을 할 수 없으며 동료들로부터 추가 병력을 얻기가 어렵다.

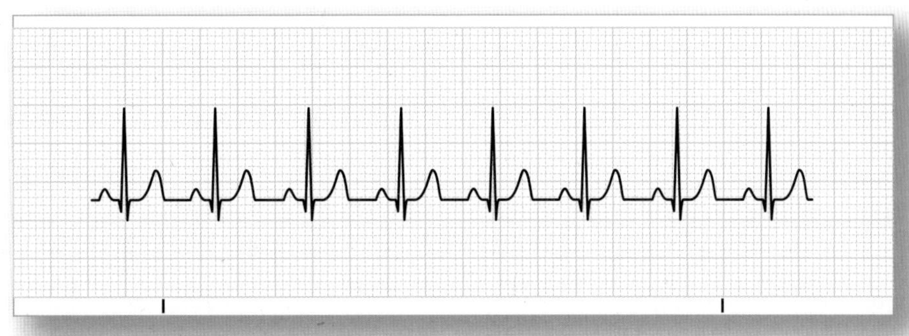

그림 11-3. 환자의 심전도

Courtesy of Tomas B. Garcia, MD.

신체검사 결과

환자는 의식은 없지만, 자극에 반응하는 약 80kg의 남성이고 기도 평가 시 흡인으로 쉽게 분비물을 제거할 수 있는 분비물이 보이며 협착음과 쌕쌕거림이 들린다. 신체검사 결과 입술이 부은 것은 볼 수 있었고 오른쪽 뺨에 두드러기와 벌에 쏘인 것처럼 보이는 융기된 부분이 있었다. 동공은 5mm이고 옆으로 천천히 움직이고 반응을 보인다. 원위부 맥박은 약하고 팔다리의 움직임이 거의 없으나 피부에 점점 두드러기가 퍼지는 것을 볼 수 있다.

활력징후

- 혈압(BP): 88/55mmHg
- 심박수(HR): 118회/분
- 산소포화도(Pulse Ox): 89%
- 호흡수(RR): 힘든 20회/분
- 폐음(LS): 협착음 및 쌕쌕거림
- 글래스고혼수척도(GCS): 4점(E:1, V:2, M:1)
- 호기말이산화탄소($ETCO_2$): 28mmHg
- 체온(Temp): 36°C
- 심전도(ECG): 그림 11-3

토론

급성중증과민반응은 특정 형태의 항원에 대한 잠재적으로 치명적인 알레르기 반응이며 처치 제공자가 직면하는 가장 위험한 응급 상황 중 하나이다. 단 몇 분 만에 호흡 부전이나 심혈관 부전, 심지어 사망에까지 이를 수 있다. 급성중증과민반응 발생률은 약 2%이며 전체 사망률은 1% 미만이다. 낮은 사망률에는 몇 가지 이유가 있을 수 있는데, 여기에는 일반적인 음식과 독 알레르기에 대한 교육과 인식, 신속한 현장 처치, 에피네프린에 대한 접근성 향상 등이 포함된다. 사망은 빠르게 발생할 수 있고 증상을 예측할 수 없기 때문에 처치 제공자는 정확하고 신속하게 평가한다. 이것이 생명을 구할 수 있는 약물의 투여에 도움이 되고 증상의 진행을 막을 것이다.

약물 고려사항

전반적으로 급성중증과민반응의 약리학적 처치는 지난 수십 년 동안 크게 변하지 않았다. EASII 약자는 처치 방법에서 제공자에게 도움이 되며 이는 에피네프린(E), 항히스타민제(A), 스테로이드(S), 흡입 베타-2 작용제(I) 및 등장액(I)을 포함한다.

- **에피네프린(Epinephrine)**: 이것은 가장 잘 연구된 약물이며 급성중증과민반응 환자의 사망을 예방하는 데 중요한 역할을 하는 것으로 나타났다. 사실 중증 증상의 진행을 막기 위해 전신 반응은 에피네프린으로 즉시 처치하는 것이 가장 좋다. 알파 및 베타 아드레날린 수용체의 활성화를 통해 작동하며 이는 혈관수축을 유발하고 혈관 투과성을 감소시키며 심장 수축의 힘을 증가시켜 환자의 혈류학적 안정성을 향상함으로써 급성중증과민반응의 주요 병리를 완화 시킨다. 또한, 기관지 확장을 통해 이로운 호흡을 하는 효과가 있다. 에피네프린은 즉시 작용하며 심정지가 아닌 환자의 경우 넓적다리 바깥쪽으로 근육 내 투여하는 것이 좋다. 초기 투여량에 대한 반응이 불충분하면 5~10분마다 반복 투여할 수 있다. 피부밑 투여는 약물의 효과를 지연시킬 수 있는 불규칙한 흡수로 인해 권장되지 않는다. 소생술이 필요한 환자 또는 근육 내 에피네프린 투여가 부적합한 환자는

희석된 농도(근육 내 투여와 비교했을 때)로 볼루스나 정맥 내로 에피네프린을 투여할 수 있다. 그러나 더 강력한 효과로 인해 정맥 내로 투여하는 경우 부정맥이 발생할 위험이 더 높고 심장의 산소 소비를 증가시켜 잠재적으로 가슴 통증 및 심근경색을 유발할 수 있다. 고품질의 관찰 연구에서 에피네프린의 즉각적인 투여가 병원에 입원하는 것을 줄이는 것으로 밝혀졌으며 심장 부작용의 위험이 더 높기 때문에 정맥 내 투여보다 근육 내 투여가 10배 더 안전한 것으로 밝혀졌다.

- **항히스타민(Antihistamines)**: 디펜히드라민과 같은 H_1 차단제는 가려움증과 두드러기를 완화하는 데 효과적이지만, 기도 폐쇄나 저혈압을 역전시키는 데 활용해서는 안 된다. 불행히도 이 약물은 천천히 최대 작용 시간에 도달하고 즉각적인 이점을 거의 제공하지 않으며 잠재적인 급성중증과민반응 환자에서 일차 치료제로 에피네프린을 대체해서는 안 된다. 파모틴(이나 라니티딘)과 같은 H_2 차단제는 추가 히스타민 길항제를 투여할 수 있으며 두드러기 완화에 도움이 될 수 있지만, 작용 속도가 느리고 중요한 이점을 뒷받침할 증거가 거의 없다. 두 종류의 히스타민 차단제 모두 큰 부작용이 없으므로 대부분의 경우 잠재적인 이익이 위험보다 훨씬 크다. 급성중증과민반응의 경우 둘 다 정맥 내로 투여하는 것이 바람직하지만, 경미한 알레르기 반응의 경우 경구로 투여할 수도 있다.
- **스테로이드(Steroids)**: 메틸프레드니솔론과 같은 글루코코르티코이드를 일반적으로 투여하며 급성중증과민반응 처치에서 이 약물의 역할을 확인하기 위해 지속해서 연구되고 있다. 또한, 급성중증과민반응에 대한 염증 및 면역 반응을 감소시키는 작용 시간이 더 느리지만, 장기간 또는 2단계 급성중증과민반응을 완화하는 데 효과적일 수 있다. 일반적으로 급성중증과민반응에서 환자의 호흡 곤란으로 인해 급성중증과민반응 또는 중증 알레르기 반응에서도 스테로이드를 정맥 내로 투여하는 것이 바람직하다.
- **흡입식 베타2 작용제(Inhaled beta-2 agonists)**: 알부테롤과 같은 약물은 세기관지를 확장하는 베타-2 작용을 통해 급성중증과민반응 환자의 기관지 경련을 안전하고 효과적으로 호전시키는 것으로 나타났다. 이 약은 분무 용액 또는 에어로졸 스프레이로 투여할 수 있으며 급성중증과민반응 급성 처치에 투여하는 우선순위가 낮은 약물 중 하나이다.
- **등장액 투여(Isotonic fluid administration)**: 제3의 공간은 급성중증과민반응 환자에서 빠르게 발생할 수 있으므로 처치 초기에 다량의 등장액으로 소생술을 시작한다.
- 다른 고려 사항으로는 에피네프린 투여에 불응성인 베타 차단제를 일상적으로 먹는 환자를 위한 글루카곤 투여이다. 글루카곤은 환자의 심장 증상과 혈류역학을 개선할 수 있지만, 호흡계에는 영향을 미치지 않는다. 흡입식 이프라트로피움은 기관지 경련과 분비 과다를 완화하는 데 도움이 된다고 생각할 수 있지만, 일상적인 사용을 뒷받침하는 증거는 거의 없다. 어떤 처치에도 전혀 반응하지 않는 환자의 경우 임상의는 도파민, 노르에피네프린 또는 바소프레신을 포함한 일종의 혈압상승제 투여를 고려할 수도 있다.

기타 고려사항

급성중증과민반응이 의심되는 환자는 호흡 및 순환의 급격한 감소에 항상 주의한다. 지속적인 모니터링과 적극적인 약리학적 처치는 호흡기 및 순환기 붕괴를 방지하는 데 필요하다.

질문

- 환자가 저혈압이라면 어떻게 처치하겠는가?
- 환자가 최초 처치에 반응하지 않으면 무엇을 고려해야 하는가? 초기 에피네프린을 투여하는 가장 적절한 경로는 무엇인가?
- 언제 에피네프린을 정맥 내로 투여를 고려해야 하는가?
- 에피네프린 정맥 내 투여 후 어떤 부정맥을 대비해야 하는가?

사례연구 요약

급성중증과민반응은 다중 시스템 질병 과정이며 증상은 다양하고 예측할 수 없다. 때로는 급성중증과민반응 증상으로 저혈압만 나타날 수도 있으며 이로 인해 어려운 상황을 발생시켜 생명을 구할 수 있는 처치를 지연시킨다. 임상의는 이러한 유형의 환자를 다룰 때 항상 높은 의심 지수를 가지고 처치 지연을 피하고 잠재적으로 좋지 않은 예후를 예방해야 한다.

사례 연구: 패혈증

병원 전: 일반적인 질병으로 출동

남편의 도움 요청을 받고 62세 여성 환자가 있는 가정집에 도착했다. 당신은 침대에 누워 이불을 덮고 떨며 기침을 하는 환

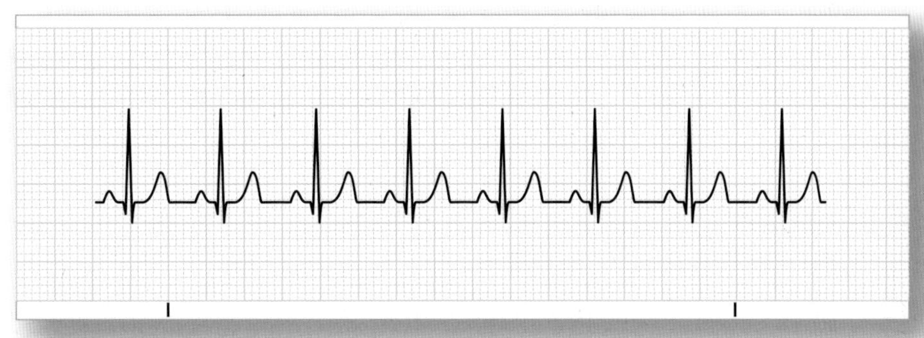

그림 11-4. 환자의 심전도.
Courtesy of Tomas B. Garcia, MD.

자를 발견했다. 환자는 처음에 48시간 동안 인두통, 황록색 가래를 동반한 기침, "독감 유사" 증상과 이차적으로 떨림과 통증을 호소했다. 환자는 또한 구역과 구토를 호소하지만, 복통은 없다고 한다. 환자는 최근에 바이러스성 상기도 호흡기 감염 증상을 보인 손주들과 함께 있었으며 올해 독감 예방 접종을 받았지만 폐렴 백신은 맞지 않았다.

신체검사 결과

약 65kg의 건장한 성인 여성으로 의식은 있지만, 시간과 장소에 혼란스러워한다. 신체검사에서 입인두 뒤쪽에 홍반이 나타나고 점막이 건조하다. 그녀는 호흡이 얕고 빠르며 4~5단어로 된 문장을 말할 수 있고 빈맥이지만 리듬은 규칙적이고 심음에서 잡음은 들리지 않는다. 원위부 맥박은 약하지만 촉지되고 복부는 부드럽고 단단함이나 압통은 없다. 팔다리에 부종이나 피부에 발진은 없다.

활력징후

- 혈압(BP): 100/58(72)mmHg
- 심박수(HR): 121회/분
- 산소포화도(Pulse Ox): 82%
- 호흡수(RR): 최소한 수축
- 폐음(LS): 왼쪽 아래 부위에서 감소
- 글래스고혼수척도(GCS): 14점(E:4, V:4, M:6)
- 호기말이산화탄소(ETCO$_2$): 25mmHg
- 체온(Temp): 39°C
- 심전도(ECG): **그림 11-4**

토론

패혈증은 병원균을 이겨내기 위한 면역반응으로 인해 모든 연령대의 환자에게 영향을 미치는 중증의 의학적 상태이다. 또한, 갑자기 발전하고 빠르게 진행할 수 있으므로 처치 제공자가 생명을 구하는 처치를 환자에게 시행할 시간이 거의 없다. 패혈증은 중환자실 입원의 10%를 차지하고 사망률은 거의 30%이다. 원인은 이 환자의 증상에 대한 가장 가능성이 높은 원인인 폐렴에서부터 요로감염, 세균혈증 또는 단순 욕창에 이르기까지 다양하다.

약물 고려사항

패혈증 치료의 기본은 항생제 조기 처치뿐만 아니라 정맥 내로 수액 소생술을 시작하는 것이다. 환자가 패혈 쇼크 상태인 경우 정맥 내로 수액 투여만으로 저혈압이 해결되지 않으면 혈압상승제 투여를 고려할 수 있다. 패혈증 환자에게는 적극적인 정맥 내 수액 투여가 권장되며 일반적인 패혈증 환자에게는 30cc/kg 수액을 볼루스로 투여한다.

패혈증으로 진행하는 세균 감염의 병인은 일반적으로 호흡기, 위장, 비뇨생식기 또는 외피계통 내에 있을 수 있다. 적절한 항생제의 선택은 일반적으로 특정 장기 내에서 발견되는 일반적인 균(확인할 수 있는 경우)에 맞게 조절하거나 감염 원인이 아직 알려지지 않은 경우 광범위한 범위에서 시작된다.

투여할 수 있는 가장 적절한 항생제를 선택하는 것은 여러 요인을 고려하여 결정한다. 처음에 병원 전 현장과 응급실에서 최초 처치 제공자는 정보가 제한되어 있으며 가능한 한 가장 적은 이차적 피해가 발생할 할 수 있는 세균과 병원균의 적용 범위를 고려하여 경험적 처치 방법을 선택한다. 항생제는 알레르기 반응을 일으킬 가능성과 같은 부작용이 있을 수 있

표 11-6. 항생제 투여를 위한 의사결정

감염원	일반적인 세균	항생제 선택	기타 고려사항
폐렴	지역사회성 폐렴(CAP): 그람양성균: 폐렴사슬알균 그람 음성균: 헤모필루스 인플루엔자 비정형 박테리아: 폐렴마이코플라즈마, 클라미디아균 폐렴, 레지오넬라증 호흡기 바이러스 병원 감염성 폐렴(HAP)** 지역사회성 폐렴(CAP)균 그람 양성균: *MRSA* 그람 음성균: 슈도모나스 환자가 병원 감염성 폐렴균에 대한 위험 요소가 있는가?	3세대 세팔로스포린(예: 세프트리악손)과 같은 베타-락탐 항생제 마크로라이드(예: 아지트로마이신) 독시사이클린 호흡기 플루오로퀴놀론(예: 레보플록사신) 병원 감염성 폐렴(HAP): 반코마이신 피페라실린/ 타로박탐 세페핌 메로페넴 항슈도몬 활성이 있는 호흡기 플루오로퀴놀론(예: 레보플록사신)	이 환자는 항생제 알레르기가 있는가? 마크로라이드는 QTc 연장*과 관련이 있으므로 심각한 심장 병력이 있는 환자에게 주의해서 사용한다. 가능한 경우 환자의 심전도를 측정하고 QTc 연장(> 500 ms)이나 심장 병력이 있는가? 많은 지역에 폐렴사슬알균에 대한 마크로아이드 투여 금지가 증가하고 있다. 당신이 근무하는 지역에서 금지된 약물은 어떤 것이 있는가? 플루오로퀴놀론은 다른 항생제에 비해 더 높은 다중약물 내성(MDR)균 감염 위험, 정신과적 반응 및 중추신경계 효과, 말초 신경병증, 힘줄 파열 및 QT 연장을 포함하여 이에 국한되지 않는 심각하고 잠재적으로 비가역적인 부작용이 증가하고 있다. 특히 노인 인구에서 처방하기 전에 주의가 필요하다. 부작용에 대한 위험부담이 적어 처치에 사용할 수 있는 대체 항생제가 있는가?

* QT 연장은 지연된 심실 재분극의 척도이고 과도한 QT 연장은 심근을 조기탈분극에 취약하게 할 수 있으며 이는 차례로 TdP와 같은 재진입성 빈맥을 유발할 수 있다.
** 병원 감염성 폐렴의 위험 인자의 예로는 90일 이내에 정맥 내로 항생제 투여가 있다.

고 신체의 정상적인 세균 균주를 파괴할 수도 있다. 또한, 항생제의 과다 사용은 약물 내성균으로 이어질 수 있으며 이는 이러한 균으로 인한 그 후의 감염을 복잡하게 만든다. 이러한 감염에는 클로스트리디움 디피실리, 메티실린 내성 황색 포도알균(MRSA), 녹농균 및 기타 다중약물 내성(MDR)균이 포함된다. 다른 요인들은 면역 체계가 억제된 상태(예: 화학 요법, 스테로이드, AIDS/HIV과 같은 면역 억제 약물), 최근 항생제 처치(일반적으로 90일 이내 정맥 내로 항생제 투여한 경우 위험이 더 높음), 다중약물 내성균 감염 이력 및 최근 입원(일반적으로 지난 90일 이내에 48시간 초과 입원) 등이 포함한다. 특정 병원체 및 민감도에 대한 보다 확실한 진단 및 배양 결과가 나오면 항생제 처치는 범위를 좁히고 특정 균을 표적으로 삼으며 광범위한 치료로 인한 부수적 손상의 위험을 줄이는 데 도움이 될 수 있다. 처치 제공자가 가장 적절하고 가장 손상이 적은 항생제를 선택하는 데 도움을 주기 위해서는 가장 가능성이 높은 감염원(예: 폐렴, UTI, 복강 내), 감염을 일으키는 잠재적인 세균 및 해당 세균을 처치할 수 있는 항생제 선택을 고려하는 것이 가장 좋다. 이러한 세균을 처치한 다음 해당 항생제 중 원치 않는 부작용이나 알레르기 반응을 일으킬 가능성이 가장 작은 항생제를 고려하고 특정 환자에 대한 잠재적인 부작용을 최소화한다.

이 특정 사례 시나리오에 필요한 비판적 사고의 예는 표 11-6에 강조 표시되어 있다. 이것은 모든 것을 포함하는 것이 아니라 증거 기반 의사 결정 과정에 활용하기 위한 템플릿이다.

추천하는 모바일 어플리케이션 자료

- 항생제 처치에 대한 샌포드 가이드(http://www.sanforduide.com)는 감염 또는 균의 가능성이 있는 원인에 따라 항생제 선택을 신속하게 결정할 매우 중요한 포괄적인 자료이다.
- The 존스 홉킨스 항생제 가이드(http://www.hopkinsguides.com)는 사용하기 쉬워 또 다른 참고가 되는 최신 스마트폰 응용프로그램이다.
- 응급의학과 레지던트 협회 항생제 가이드(http://www.emra.org)는 응급실 처치 제공자를 대상으로 간소화되었으며 사용자가 적절한 항생제를 신속하게 선택할 수 있도록 도와준다.

많은 기관은 또한 처치 제공자가 신속하게 적절한 처치를 제공할 수 있도록 지역사회 세균의 내성 및 환자 위험을 기반으로 적절한 항생제를 선택할 수 있도록 처치 제공자에게 안내하는 경로 또는 임상 도구를 보유하고 있다.

기타 고려사항

패혈 쇼크 처치의 우선순위는 순환량의 회복과 조직 관류의 개선이라는 것을 기억한다. 환자의 체격에 따라 2~4L의 결정질 용액(30mL/kg)으로 일차 처치를 시행한다. 적절한 수액 소생술에도 불구하고 저혈압, 관류저하가 지속하면 혈압상승제 투여를 고려할 수 있다.

심부전 및 신장 질환이 있는 환자는 체액 과부하의 가능성이 우려되므로 폐음, 호기말이산화탄소, 맥박 산소측정 및 전반적인 호흡 상태를 지속해서 모니터링한다.

질문

- 환자가 수액 투여 후 거품소리가 발생하고 저산소 상태가 되면 어떻게 해야 하는가?
- 환자에게 저혈압이 생기는 경우 어떻게 해야 하는가?
- 환자가 항생제 투여 후 거품소리가 들리고 호흡곤란을 호소하면 어떻게 해야 하는가?

사례연구 요약

패혈증은 경고 없이 빠르게 패혈 쇼크로 진행할 수 있다. 임상의는 특히 증상은 동반 질환이 있는 사람의 경우 쉽게 가려지거나 미묘할 수 있어서 높은 의심 지수를 가져야 하며 적극적으로 처치할 준비가 되어 있어야 한다.

사례 연구: 진정

병원 전: 일반 질환으로 인한 출동 시

당신은 23시에 시내 클럽에서 싸운다는 신고를 받고 현장으로 출동했다. 당신은 술과 마약의 명백한 징후가 있는 곳에서 파티를 하고 있는 많은 인원의 젊은 성인들을 발견한다. 당신은 4명의 사람이 20대 남자를 방으로 몰아넣고 그를 진정시키려고 현장으로 안내되었다. 목격자들은 환자가 합성 마리화나를 포함한 약물과 술을 마셨다고 이야기했다. 환자는 극도로 폭력적이고 정신이 혼미한 것으로 보이고 환자의 동료들이 그를 진정시키려다 신체적 손상을 입혔다.

신체검사 결과

당신은 건강한 젊은 성인 남성이 알몸으로 3층 침실 창문에서 뛰어내릴 것이라고 아무도 다가오지 말라고 소리를 지르며 서 있는 것을 발견한다. 그는 땀이 나고 홍조를 띠며 극도로 초조해 있었다. 환자의 동공은 자세히 관찰했을 때 양쪽 동공의 크기가 같고 정상적이었다. 환자의 빠른 호흡을 보이지만, 뚜렷한 호흡곤란은 없고 눈에 보이는 외상의 증거는 없으며 그 어떤 지시도 따르지 않는다. 당신은 환자의 활력징후를 측정하기 위해 가까이 접근하거나 접촉할 수 없었으며 설득을 할 수 없다.

활력징후

- 혈압(BP): 확인 불가
- 심박수(HR): 확인 불가
- 산소포화도(Pulse Ox): 확인 불가
- 호흡수(RR): 확인 불가
- 폐음(LS): 확인 불가
- 글래스고혼수척도(GCS): 14점(E:4, V:4, M:6)
- 호기말이산화탄소($ETCO_2$): 확인 불가
- 체온(Temp): 확인 불가
- 심전도(ECG): 초조함과 공격성으로 인해 측정할 수 없음

토론

병원 전 환경에서 섬망을 보이며 폭력적인 환자를 진정시키기 위해 EMS 처치 제공자가 약물을 투여하는 경우가 가끔 있다. 안전은 진정을 시키거나 진정제를 사용하는 것이 주요 방법이다. 정신 장애 및 약물 남용으로 인해 폭력적인 환자는 종종 언어로 진정시키는 기술에 반응하는 능력을 상실한다. 결과적으로 환자는 자신과 주변 사람들에게 심각한 건강 및 안전상 위험을 초래한다. 통제되지 않은 동요로 악화하는 중증의 대사 이상으로 사망할 수 있다.

가능하다면, 폭력적인 환자 상황에 대한 단계적 처치는 언어적 진정 및 단계적 완화 기술의 구현으로 시작된다. 이 방법으로 원하는 결과를 얻지 못하면 물리적 억제 및 진정이 필요할 수 있다. 목표는 환자를 보호하는 동시에 처치 제공자에 대한 폭력의 위험을 줄이는 것이다. 폭력적인 환자를 안전하게 처치하기 위해서는 경찰과의 협력이 중요하다. EMS와 경찰과의 협력은 의도적이며 구류된 상태에서 사망의 위험을 줄이기 위한 국가적 노력의 결과이다. 진정제를 사용한 진정 작용뿐만 아니

라 물리적 억제 및 구속의 적절한 사용은 환자와 환자를 처치하기 위해 현장으로 출동한 처치 제공자 모두의 안전을 위한 중요한 도구이다.

섬망을 일으키거나 초조한 환자가 신체적 구속에 맞서 계속 몸부림치도록 두는 것은 의학적으로 위험하며 손상이나 사망의 위험을 증가시킨다. 이 상태에 있는 거의 모든 사람은 추가 평가를 위해 EMS에 의한 모니터링 및 응급실로 이송이 필요하다. 그들은 자신의 상태를 진단하고 처지를 통해 안정될 때까지 분명히 내과 환자이다.

약물 고려사항

다양한 약물을 현재 이 상황에서 진정시키기 위해 적절한 처치 방법으로 간주한다. 벤조디아제핀, 항정신병 약물, 항히스타민제 및 케타민은 현장에서 진정에 널리 사용되는 인정된 약물이다. 각 유형의 약물은 처치 제공자가 특정 상황에서 사용하는 약물 또는 약물 조합을 결정할 때 고려하는 고유한 특성이 있다.

벤조디아제핀(예: 로라제팜, 디아제팜, 미다졸람)

알 수 없는 섭취 및 병력이 있는 환자에서 가장 안전한 선택 중 하나는 대체 진정제로 심장에 부작용이 없는 벤조디아제핀이다. 이 종류의 약물은 중추신경계의 감마-아미노 부티르산(GABA) 수용체에 결합하여 신경 흥분성을 감소시켜 진정 작용을 유발한다. 이 감마-아미노 부티르산 결합의 몇 가지 이점은 알코올 금단 증상의 처치 및 위험에 처한 환자의 발작 처치(특히 발작 역치를 낮추는 물질의 섭취)를 포함된다. 벤조디아제핀 투여시 주목할만한 부작용은 호흡 억제이다. 그러나 이것은 일반적으로 고용량을 투여했거나 환자가 이미 섭취한 다른 호흡 억제 약물과 혼합되어 나타날 수 있다. 환자에게 약물을 빠르게 투여한 경우 저혈압이 나타날 수 있다. 이러한 약물은 정맥 내뿐만 아니라 근육 내로 투여할 수 있고 미다졸람은 코안으로 투여할 수 있기 때문에 폭력적인 환자에게 도움이 된다. 즉각적인 진정이 필요하지 않은 보다 협조적인 환자의 경우 모든 약물을 투여할 수 있다. 정맥 내 약물 투여는 일반적으로 몇 분 이내에 가장 빠르게 효과가 나타나고 코안으로 투여한 경우 5분 이내로 효과가 나타난다. 약물을 근육 내로 투여한 경우 일반적으로는 5~10분 이내에 효과가 나타나지만, 최대 15~20분이 걸리는 경우도 있다. 원하는 진정 수준에 도달할 때까지 투여 용량을 신속하게 증가시키거나 반복 투여할 수 있다.

항정신병 약물 (예: 할로페리돌, 지프라시돈, 올란자핀)

이 약물 계열은 뇌의 다양한 신경 전달 물질에 작용하며 작용기전은 완전히 알려지지 않았다. 이 약물은 다른 어떤 방법보다 투쟁적인 환자의 근본적인 정신 장애를 더 효과적으로 치료하는 데 도움이 될 수 있다.

또한, 1세대 항정신병 약물(예: 할로페리돌)은 특히 항콜린성/항히스타민 효과가 있다. 이러한 약물은 QTc를 연장할 수 있으므로 심부정맥을 유발하는 것으로 알려진 심장 질환 환자 또는 병용해서 복용한 환자에게 주의해서 사용하며 지프라시돈은 이 효과가 가장 강력하다. 모든 약물은 고용량으로 투여한 경우 QTc 연장의 위험을 증가시키고 이후에 비틀림 심실빈맥(torsades de pointes)으로 진행할 위험을 증가시킨다. 이러한 위험 때문에 지프라시돈은 근육 내로만 투여할 수 있다. 다른 약물은 정맥 내 또는 근육 내로 투여할 수 있고 협조적인 환자에게는 경구 투여로 사용할 수 있다. 이러한 약물은 이미 복용한 약물의 항콜린성 효과를 강화할 수 있으며 추체외로 부작용을 유발할 수 있다. 할로페리돌은 정맥 내 투여 시 즉시 효과가 나타나지만, 초기 투여 용량으로 효과가 없는 경우 5분 이내에 반복해서 투여할 수 있다. 지프라시돈과 올란자핀은 근육 내로 투여한 경우 최대 효과가 나타나기까지 최대 15분이 걸릴 수 있지만, 반복 투여하기 전에 15분 이상 기다리는 것이 좋다. 처치 제공자로서 이러한 각 약물의 최대 유효 용량과 그 이상 투여했을 때 부작용이 나타날 수 있는 임계값을 아는 것이 중요하다. 올란자핀은 경구용해정 제형이라는 장점이 있어 협조적인 환자에게 효과적이다. 알코올 섭취는 이러한 약물의 진정 효과를 강화하여 호흡 부전으로 진행할 수 있다. 비침습적인 호기말이산화탄소분압을 이용해서 이러한 환자를 모니터링한다.

항히스타민제(예: 디펜히드라민)

항히스타민제는 히스타민 수용체를 차단하고 이 결합을 통해 항콜린 작용과 진정 작용을 한다. 다른 항콜린제를 병용해서 투여한 환자는 부작용을 증가시킬 수 있음으로 주의한다. 드물지만, 디펜히드라민을 고용량으로 투여한 경우 QT 연장을 유발할 수 있다. 이 약물은 단독으로 사용하기보다 투쟁적이거나 정신병 환자의 신속한 진정을 위해 로라제팜 및 할로페리돌과 함께 가장 자주 사용된다. 빠른 진정이 필요한 경우 디펜히드라민을 정맥 내 또는 근육 내로 투여할 수 있다.

케타민

자세한 내용은 이전 통증 처치 관련 시나리오를 참조한다. 케타민은 호흡 억제 효과(특히 근육 내 투여)의 위험이 낮고 효과가 빠르게 나타나기 때문에 병원 전 및 응급 상황에서 사용하기에 유리한 약물이다. 환자와 처치 제공자의 안전이 위태로울 때 필요한 경우 급성 초조 환자에게 고용량 투여 시 빠른 해리 효과를 제공한다. 연구에 따르면 급성 초조/흥분한 섬망으로 케타민이 필요한 환자는 거의 반복 투여가 필요했다. 혈류역학에 영향을 줄 수 있지만, 케타민은 항정신병 약물보다 심부정맥이 발생할 위험이 낮다. 각성기 반응의 가능성으로 인해 이러한 정신병 증상을 악화시킬 수 있기 때문에 조현병의 병력이 있는 환자에게는 사용을 피하는 것이 좋다. 약물 투여 시 진통 효과와 진정 효과에 대한 투여 용량 차이에 유의한다.

기타 고려사항

케타민은 정신과 및 약물 관련 영향으로 인한 폭력 환자에서 유리하고 안전한 특성으로 인해 많은 EMS 시스템에서 최근 인기를 얻었으며 흥분한 섬망과 같은 극도의 초조한 상황에서 선택할 수 있는 약물이다.

연장된 QT 증후군과 같은 심장 이온 통로 병증은 특정 행동 조절 약물로 인해 발생할 수 있다. 치명적인 부정맥은 신체적 억제나 약물 처치 중 움직임에 의해 유발할 수 있다. 처치 제공자는 호흡 억제에서 심장 돌연사에 이르기까지 환자의 급격한 상태 변화에 대비한다. 행동 응급 상황 동안에는 진단되지 않은 환자를 처치하고 있으며 병력 청취가 제한적일 수 있다. 행동적 초조의 원인은 정신 질환이나 중독뿐만 아니라 폐쇄 머리 손상, 저산소증, 감염, 뇌졸중 및 발작 장애 후 단계를 포함할 수 있다는 것을 기억한다. 처치 제공자는 다른 원인을 찾고 철저하게 신체 검진을 시행한다.

질문

- 환자가 행동 조절 약물 투여 후 심정지 상태에 빠지면 어떻게 해야 하는가?
- 케타민 투여 후 과다 침 분비가 나타나면 어떻게 해야 하는가?
- 환자를 억제하려다가 실수로 사용한 바늘로 찔린 경우 어떻게 해야 하는가?

사례연구 요약

섬망 및 잠재적으로 폭력적인 환자의 행동을 적절하게 진정시키면 처치를 시행하기 위한 잠재적인 원인을 확인하는 데 도움이 되는 안전하고 효과적인 내과적 평가를 시행할 수 있다. 행동을 진정시키기 위해 사용하는 약물 선택의 목표는 처치를 위해 사용하는 것이지 보복이나 처벌을 위해 사용해서는 안 된다. 임상의가 진정제를 투여하는 것은 이 약물이 환자에게 가장 큰 이익이 되기 때문이다.

주요 용어

흡수(absorption) 신체가 특정 약물을 흡수하는 방법

안전 문화(culture of safety) 조직의 리더, 책임자 및 처치 제공자의 집단적이고 지속적인 헌신이 반대되는 목표보다 안전을 강조한다는 중심적인 믿음

분포(distribution) 혈액에서 측정된 약물의 농도와 관련된 체내 약물의 양으로 혈장과 신체의 나머지 부분 사이의 약물 분포로 정의된다.

제거(elimination) 약물이 몸에서 배설되는 과정으로 사람의 경우 이것은 일반적으로 신장이나 간을 통해 이루어진다. 이러한 기관에 대한 생리학적 영향은 신체에서 약물이 제거되는 속도 또는 양에 영향을 미칠 수 있다.

이상적인 체중(ideal body weight) 약물 투여에 사용되는 측정값이다. IBW(kg) = 50(남) 또는 45.5(여) + 2.3kg × 152cm를 초과하는 키(인치 단위)

적응증(indications) 약물을 투여하는 원인이나 이유를 가리키는 징후나 상황

대사(metabolism) 약물을 비활성 성분이나 활성 대사산물로 분해하여 신체에 영향을 미치는 과정이다.

대사물(metabolite) 신체에서 사용되어 생리학적 과정에 영향을 미치는 약물의 한 형태

일탈의 정상화(normalization deviance) 일탈의 정상화는 부적절한 관행이나 표준이 점차 용인되고 수용되어 재앙적인 결과 없이 반복되는 일탈 행동으로 이어져 절차적 규범이 될 때 발생한다.

약력학(pharmacodynamics) 약물이 신체에 미치는 영향으로 이것은 약물이 신체에서 결합하고 수정하는 수용체, 효소 또는 기타 단백질의 위치와 내용을 기반으로 한다.

약동학(pharmacokinetics) 물질과 살아있는 균 사이의 상호작용에 대한 연구

수용체(receptor) 생물학적 시스템에 통합할 수 있는 신호를 수신하거나 변화하는 화학구조. 수용체는 일반적인 화학적 또는 전기적 신호를 전달, 증폭 또는 통합한다.

부작용(side effect) 약물의 원하는 처치 효과 외에 발생하는 문제 또는 상태

참고 문헌

Acetaminophen. *Lexi-drugs*. Riverwoods, IL, 2018, Wolters Kluwer Clinical Drug Information, Inc.

Albrecht E: Undertreatment of acute pain (oligoanalgesia) and medical practice variation in prehospital analgesia of adult trauma patients: A 10 yr retrospective study. *Br J Anaesth*. 110(1):96–106, 2013.

Alvarez-Perea A, Tanno LK, Baeza ML: How to manage anaphylaxis in primary care. *Clin Transl Allergy*. 7:45, 2017.

American Geriatrics Society 2015 Beers Criteria Update Expert Panel: American Geriatrics Society 2015 Updated Beers Criteria for Potentially Inappropriate Medication Use in Older Adults. *J Am Geriatr Soc*. 63(11):2227–2246, 2015.

AMN Healthcare, Inc: Safe Medication Administration: How Many Rights Are There? *Rn.com*. https://www.rn.com/nursing-news/safe-medication-administration/

Azithromycin. *Lexi-drugs*. Riverwoods, IL, 2018, Wolters Kluwer Clinical Drug Information, Inc.

Axelband, J, Malka A, Jacoby J, Reed J: Can emergency personnel accurately estimate adult patient weights? *Ann Emerg Med*. 44(4):S81, 2004.

Bakkelund KE, Sundland E, Moen S, et al.: Undertreatment of pain in the prehospital setting: A comparison between trauma patients and patients with chest pain. *Eur J Emerg Med*. 20(6):428–430, 2013.

Banja J: The normalization of deviance in healthcare delivery. *Bus Horiz*. 53(2):139, 2010.

Bentley J, Heard K, Collins G, Chung C: Mixing medicines: how to ensure patient safety. *Pharmaceut J*. 294(7859), 2015. https://www.pharmaceutical-journal.com/learning/learning-article/mixing-medicines-how-to-ensure-patient-safety/20068289.article?firstPass=false

Bonhomme L, Benhamou D, Comoy E, Preaux N: Stability of epinephrine in alkalinized solutions. *Ann Emerg Med*. 19(11):1242–1244, 1990.

British Columbia Institute of Technology (BCIT): 6.2 *Safe Medication Administration – Clinical Procedures for Safer Patient Care*. https://opentextbc.ca/clinicalskills/chapter/6-1-safe-medication-adminstration/

Bronsky ES, Koola C, Orlando A, et al.: Intravenous low-dose ketamine provides greater pain control compared to fentanyl in a civilian prehospital trauma system: A propensity matched analysis. *Prehospital Emerg Care*. 23(1)1–8, 2019.

Burdette SD, Trotman R, Cmar J: Mobile infectious disease references: From the bedside to the beach. *CID*. 55(1):114–125, 2012.

Campbell RL: Anaphylaxis: Emergency treatment. Uptodate.com. https://www.uptodate.com/contents/anaphylaxis-emergency-treatment, December 7, 2018.

Centers for Disease Control and Prevention (CDC). *Opioid Data Analysis and Resources*. Atlanta, GA, 2018, The Centers. https://www.cdc.gov/drugoverdose/data/analysis.html

Centers for Medicare & Medicaid Services (CMS) and Department of Health & Human Services. Partners in integrity: what is a prescriber's role in preventing the diversion of prescription drugs? January 2014. https://www.cms.gov/medicare-medicaid-coordination/fraud-prevention/medicaid-integrity-education/provider-education-toolkits/downloads/prescriber-role- drugdiversion.pdf

Chang AK, Bijur PE, Esses D, et al.: Effect of a single dose of oral opioid and nonopioid analgesics on acute extremity pain in the emergency department. *JAMA*. 318(17):1661–1667, 2017.

Colling KP, Banton KL, Beilman GJ. Vasopressors in sepsis. *Surg Infect (Larchmt)*. 19(2):202–207, 2018. Epub 2018 Jan 16.

Cronshaw HL, Daniels R, Bleetman A, et al.: Impact of surviving sepsis campaign on the recognition and management of severe sepsis in the emergency department: Are we failing? *Emerg Med J*. 28(8):670–675, 2011.

Derry C, Derry, S: Single dose oral naproxen and naproxen sodium for acute postoperative pain in adults. *Cochrane Database Syst Rev*. 11, 2009.

Derry C, Derry S, Moore R. Single dose oral ibuprofen plus paracetamol (acetaminophen) for acute postoperative pain (Review). *Cochrane Database Syst Rev*. 6, 2013.

Diazepam. *Lexi-drugs*. Riverwoods, IL, 2018, Wolters Kluwer Clinical Drug Information, Inc.

Diphenhydramine. Lexi-drugs. Riverwoods, IL, 2018, Wolters Kluwer Clinical Drug Information, Inc.

Duffull SB, Wright DFB, Marra CA, et al.: A philosophical framework for pharmacy in the 21st century guided by ethical principles. *Res Social Administr Pharmacy*. 14(3):309–316, 2018.

Eagles EMS Medical Directors Consortium, June 2018. *Sedation of Prehospital Patients*. Position statement.

Farinde A: Overview of pharmacodynamics. *Merck Manual* [database online]. https://www.merckmanuals.com/professional/clinical-pharmacology/pharmacodynamics/overview-of-pharmacodynamics

Fentanyl. *Lexi-drugs*. Riverwoods, IL, 2018, Wolters Kluwer Clinical Drug Information, Inc.

Fox E, Birt A, James K, et al.: ASHP guidelines on managing drug product shortages in hospitals and health systems. *Am J Health Syst Pharm*. 66:1399–1406, 2009.

Gaskell H, Derry S, Moore R, et al.: Single dose oral oxycodone and oxycodone plus paracetamol (acetaminophen) for acute postoperative pain in adults. *Cochrane Database Syst Rev*. 3, 2009.

Gleason W, Richmond N: Best practices for controlled substance monitoring. *J Emerg Med Serv*. 2017. https://www.jems.com/articles/print/volume-42/issue-11/features/best-practices-for-controlled-substance-monitoring.html

Guthrie K: The violent and agitated patient. *Life in the Fast Lane* https://lifeinthefastlane.com/behavioural-emergencies/, April 2010.

Haloperidol. *Lexi-drugs*. Riverwoods, IL, 2018, Wolters Kluwer Clinical Drug Information, Inc.

Hughes RG, Blegen MA: Medication administration safety. In: Hughes RG, editor. *Patient safety and quality: an evidence-based handbook for nurses*. Rockville, MD, 2008, Agency for Healthcare Research and Quality. https://www.ncbi.nlm.nih.gov/books/NBK2656/

Hydromorphone. *Lexi-drugs*. Riverwoods, IL, 2018, Wolters Kluwer Clinical Drug Information, Inc.

Ibuprofen. *Lexi-drugs*. Riverwoods, IL, 2018, Wolters Kluwer Clinical Drug Information, Inc.

Institute for Safe Medication Practices: *Independent double checks: undervalued and misused: selective use of this strategy can play an important role in medication safety*. https://www.ismp.org/resources/independent-double-checks-undervalued-and-misused-selective-use-strategy-can-play

Institute for Safe Medication Practices: *Side tracks on the safety express. interruptions lead to errors and unfinished... wait, what was I doing?* https://www.ismp.org/resources/side-tracks-safety-express-interruptions-lead-errors-and-unfinished-wait-what-was-i-doing, November 2018.

Institute of Medicine: *Crisis Standards of Care: A Systems Framework for Catastrophic Disaster Response*. Washington, DC, 2012, National Academies Press.

Kalil AC, Metersky ML, Klompas M, et al.: Management of Adults with Hospital-acquired and Ventilator-associated Pneumonia: 2016 Clinical Practice Guidelines by the Infectious Diseases Society of America and the American Thoracic Society. *CID*. 63(5):e61–111, 2016.

Kapusta D: Drug excretion. *xPharm: The comprehensive pharmacology reference*. 2007, Amsterdam, Netherlands: Elsevier Inc, pp. 1–2.

Ketamine. *Lexi-drugs*. Riverwoods, IL, 2018, Wolters Kluwer Clinical Drug Information, Inc.

Ketorolac. *Lexi-drugs*. Riverwoods, IL, 2018, Wolters Kluwer Clinical Drug Information, Inc.

Kim M, Mitchell SH, Gatewood M, et al.: Older adults and high-risk medication administration in the emergency department. *Drug Health Patient Saf*. 8;9:105–112, 2017.

Le J. Pharmacokinetics. *Merck Manual* [database online]. https://www.merckmanuals.com/professional/clinical-pharmacology/pharmacokinetics/overview-of-pharmacokinetics, 2017.

Levofloxacin. *Lexi-drugs*. Riverwoods, IL, 2018, Wolters Kluwer Clinical Drug Information, Inc.

Leykin Y, Pellis T, Lucca M, et al.: The pharmacodynamics effects of rocuronium when dosed according to real body weight or ideal body weight in morbidly obese patients. *Anesth Analg*. 99:1086–1089, 2004.

Lieberman P, Nicklas RA, Randolph C, et al.: Anaphylaxis—a practice parameter update 2015. *Ann Allergy Asthma Immunol*. 115:341–384, 2015.

Linder LM, Ross Ca, Weant KA: Ketamine for the acute management of excited delirium and agitation in the prehospital setting. *Pharmacotherapy*. 38(1):139–151, 2018.

Lorazepam. *Lexi-drugs*. Riverwoods, IL, 2018, Wolters Kluwer Clinical Drug Information, Inc.

Mandell LA, Wunderink RG, Anzueto A, et al.: Infectious Diseases Society of America/American Thoracic Society Consensus Guidelines on the Management of Community-Acquired Pneumonia in Adults. *CID*. 44:S27–72, 2007.

Masoumi B, Farzaneh B, Ahmadi O, et al.: Effect of intravenous morphine and ketorolac on pain control in long bone fractures. *Adv Biomed Res*. 6:91, 2017.

McCabe JJ, Kennelly SP: Acute care of older patients in the emergency department: Strategies to improve patient outcomes. *Open Access Emerg Med*. 4;7:45–54, 2015.

Midazolam. *Lexi-drugs*. Riverwoods, IL, 2018, Wolters Kluwer Clinical Drug Information, Inc.

Minnesota Department of Health, Office of Emergency Preparedness, Minnesota Healthcare System Preparedness Program: Patient Care—Strategies for Scarce Resource Situations. www.health.state.mn.us/oep/healthcare/standards.pdf, revised March 2012.

Morphine. *Lexi-drugs*. Riverwoods, IL, 2018, Wolters Kluwer Clinical Drug Information, Inc.

Motov SM, Khan AN: Problems and barriers of pain management in the emergency department: Are we ever going to get better? *J Pain Res*. 2:5–11, 2008.

Murney P. To mix or not to mix—compatibilities of parenteral drug solutions. *Aust Prescr* 31:98–191, 2008. https://www.nps.org.au/australian-prescriber/articles/to-mix-or-not-to-mix-compatibilities-of-parenteral-drug-solutions

Naproxen. *Lexi-drugs*. Riverwoods, IL, 2018, Wolters Kluwer Clinical Drug Information, Inc.

National Institutes of Health (NIH) and U.S. National Library of Medicine (NLM): DailyMed. https://dailymed.nlm.nih.gov/dailymed/about-dailymed.cfm, last updated November 26, 2018.

Olanzapine. *Lexi-drugs*. Riverwoods, IL, 2018, Wolters Kluwer Clinical Drug Information, Inc.

O'Mahony D, O'Sullivan D, Byrne S, et al. STOPP/START criteria for potentially inappropriate prescribing in older people: version 2. *Age Ageing*. 44(2):213–218, 2015.

Overgaard CB, Dzavik V: Inotropes and Vasopressors: review of physiology and clinical use in cardiovascular disease. *Circulation*. 118:1047–1056, 2008. https://www.ahajournals.org/doi/pdf/10.1161/CIRCULATIONAHA.107.728840

Pan S, Zhu L, Chen M, et al.: Weight-based dosing in medication use: What should we know? *Patient Prefer Adher.* 10: 549–560, 2016.

Reber LL, Hernandez JD, Galli SJ: The pathophysiology of anaphylaxis. *J Allergy Clin Immunol*. 140(2):335–348, 2017.

Ring J, Beyer K, Biedermann T, et al.: Guideline for acute therapy and management of anaphylaxis. *Allergo J Int*. 23(3):96–112, 2014.

Sarfati L, Ranchone F, Vantard N, et al.: Human-simulation-based learning to prevent medication error: A systematic review. *J Eval Clin Pract*. (1):11–20, 2019. Epub 2018 Jan 31.

Scaggs TR, Glass DM, Hutchcraft MG, et al.: Prehospital ketamine is a safe and effective treatment for excited delirium in a community hospital based EMS system. *Prehosp Disaster Med*. 31(5):563–569, 2016.

Scheindlin S: *A brief history of pharmacology*. Modern Drug Discovery. January 2001. http://pubs.acs.org/subscribe/archive/mdd/v04/i05/html/05timeline.html

Schmidt GA: *Evaluation and management of suspected sepsis and septic shock in adults.* https://www.uptodate.com/contents/evaluation-and-management-of-suspected-sepsis-and-septic-shock-in-adults, December 7, 2018.

Sherman R: *Normalization of deviance: a nursing leadership challenge*. https://www.emergingrnleader.com/normalization-deviance-nursing-leadership-challenge/, March 13, 2014

Stark R: *Drug diversion legal brief for EMS leaders*. November 10, 2016. https://www.ems1.com/opioids/articles/142756048
-Drug-diversion-legal-brief-for-EMS-leaders/

Teater D, National Safety Council: *Evidence for the efficacy of pain medications*. https://www.nsc.org/Portals/0/Documents/RxDrugOverdoseDocuments/Evidence-Efficacy-Pain-Medications.pdf

Temming LA. Cahill AG, Riley LE: Clinical management of medications in pregnancy and lactation. *Am J Obstet Gynecol*. 214(6):698–702, 2016.

Thompson C: Senator proposes drug shortage law. *Am J Health Syst Pharm*. 68:461, 2011.

Trissel's 2 Clinical Pharmaceutics Database. In: Lexicomp. Riverwoods, IL, 2018, Wolters Kluwer Clinical Drug Information, Inc. https://www.wolterskluwercdi.com/lexicomp-online/user-guide/tools-iv-compatibility/

Trissel's 2T IV Compatibility Tool. In: IBM Micromedex IV Compatibility. Greenwood Village, CO, 2017, Truven Health Analytics. http://www.micromedexsolutions.com/micromedex2/4.149.0/WebHelp/Tools/MOBILE/Windows8_a pps.htm

Turner PJ, Jerschow E, Umasunthar T, et al.: Fatal anaphylaxis: Mortality rate and risk factors. *J Allergy Clin Immunol Pract*. 5(5):1169–1178, 2017.

Umhoefer S, Finnefrock M: 6 steps for hospitals to take to prevent prescription drug abuse, diversion. *Hospitals & Health Networks*. May 31, 2016. https://www.hhnmag.com/articles/7199-steps-for-hospitals-to-prevent-drug-abuse

United States Drug Enforcement Administration: *Drug scheduling*. https://www.dea.gov/drug-scheduling.

U.S. Department of Health & Human Services: *FDA pregnancy categories*. https://chemm.nlm.nih.gov/pregnancycategories.htm, last updated September 29, 2017.

United States Food and Drug Administration (FDA), Risk Communication Advisory Committee Meeting: *FDA Briefing Document: Communicating information about risks in pregnancy in product labeling for patients and providers to make informed decisions about the use of drugs during pregnancy*. March 5–6, 2018. https://www.fda.gov/downloads/AdvisoryCommittees/CommitteesMeetingMaterials/RiskCommunicationAdvisoryCommittee/UCM597309.pdf

United States Food and Drug Administration (FDA): *Content and format of labeling for human prescription drug and biological products, requirements for pregnancy and lactation labeling*, Final Rule (79 FR 72063, December 4, 2014).

United States Food and Drug Administration (FDA): *Transcript: Managing Drug Shortages*. September 4, 2015. https://www.fda.gov/Drugs/ResourcesForYou/HealthProfessionals/ucm400246.htm

Vanden Hoek, TL, Morrison LJ, Shuster M, et al.: Part 12: Cardiac arrest in special situations: 2010 American Heart Association Guidelines for Cardiopulmonary Resuscitation and Emergency Cardiovascular Care. *Circulation*. 122(suppl):S829–S861, 2010.

Ventola CL: The drug shortage crisis in the United States: causes, impact, and management strategies. *P T*. 36(11):740–757, 2011.

Walchok JG, Pirrallo RG, Furmanek D, et al.: Paramedic-initiated CMS sepsis core measure bundle prior to hospital arrival: A stepwise approach, *Prehosp Emerg Care*. 21(3):291–300, 2017.

Weant KA, Bailey AM, Baker SN: Strategies for reducing medication errors in the emergency department. *Open Access Emerg Med*. 6:45–55, 2014.

Weaver SJ, Lubomksi LH, Wilson RF, et al. Promoting a culture of safety as a patient safety strategy: a systematic review. *Ann Intern Med*. 158(5 Pt 2):369–374, 2013.

Wilson MP, Pepper D, Currier GW, et al.: The psychopharmacology of agitation: Consensus Statement of the American Association for Emergency Psychiatry Project BETA Psychopharmacology Workgroup. *West J Emerg Med*. 13(1):26–34, 2012.

Wolf ZR, Hughes RG: Error reporting and disclosure. In: Hughes RG, editor. *Patient safety and quality: an evidence-based handbook for nurses*. Rockville, MD, 2008, Agency for Healthcare Research and Quality. https://www.ncbi.nlm.nih.gov/books/NBK2652/

Yu JE, Lin RY: The epidemiology of anaphylaxis. *Clin Rev Allergy Immunol*. 54(3):366–374, 2018.

Zebroski R: *A brief history of pharmacy*. 2003. https://www.stlcop.edu/practice/about/index.html

Ziprasidone. *Lexi-drugs*. Riverwoods, IL, 2018, Wolters Kluwer Clinical Drug Information, Inc

© Ralf Hiemisch/Getty Images

CHAPTER 12

패혈증

이 장에서는 패혈증을 유발하는 일반적인 병원체, 패혈증에 특히 취약한 집단, 패혈증 경보 기준, 전문적인 처치 방법 및 병원 내 동료와 패혈증 처치를 효과적으로 조정하는 방법과 함께 패혈증의 병태생리학에 관해 논의한다. 처치 제공자는 자신의 지식을 환자 평가에 적용하고 패혈증이 있는지를 결정하며 패혈증과 패혈 쇼크를 구별하여 환자에게 가장 적합한 처치 계획을 선택하기 위해 임상적 추론을 적용한다.

학습 목표

이장의 학습을 마치면 다음을 수행할 수 있다.

- 패혈증과 패혈 쇼크의 해부학, 생리학 및 병태생리학을 설명할 수 있다.
- 패혈증이 의심되는 환자로부터 철저한 병력 청취를 얻는 방법을 설명할 수 있다.
- AMLS 평가 과정을 사용하여 패혈증 또는 패혈 쇼크가 의심되는 환자에 대한 종합적인 평가를 수행할 수 있다.
- 첫인상을 형성하고 환자의 병력, 증상과 징후를 기반으로 가능한 감별 진단 목록 생성한다.
- 적절한 진단 검사를 선택하고 그 결과를 진단에 적용할 수 있다.
- 패혈증 및 패혈 쇼크의 전반적인 처치를 위해 승인된 증거 기반 처치 지침을 따른다.
- 환자에 대한 지속적인 평가를 제공하고 처치에 대한 환자의 반응을 기반으로 임상적 인상과 처치 전략을 수정한다.
- 특수 환자 집단에서 패혈증 및 패혈 쇼크의 확인, 평가 및 처치의 차이점 설명할 수 있다.

시나리오

당신은 넘어진 81세 여성의 도움 요청을 받고 현장으로 출동했다. 환자의 첫인상은 고통스러워하며 침실 바닥에 똑바로 앉아있는 환자를 발견했다. 보호자는 환자가 방으로 들어와 급하게 화장실을 사용한다며 도움 없이 걷다가 발을 헛디뎌 넘어졌다고 이야기한다. 보호자는 환자가 최근 들어 더 무기력해졌고 말이 되지 않는다고 설명한다. 환자는 검사에 협조적이지 않으며 "느낌이 좋지 않다"고 불 평만 할 뿐 구체적인 정보나 사건의 발생 전후를 말할 수는 없다. 보호자로부터 얻은 병력에 따르면 환자가 심방세동, 울혈심부전, 고혈압, 고지혈증의 병력이 있다는 것을 알게 되었으며 각각의 상태에 적합한 약물을 처방 받았다는 것을 알게 된다. 초기 활력징후는 혈압 74/44mmHg, 맥박수 149회/분, 호흡은 분당 24회이었다. 진단 검사에서 호기말이산화탄소분압 23mmHg, 혈당 234mg/dL, 체온 38.3℃ 및 젖산 6.4mmol/L을 나타낸다.

- 어떤 감별 진단을 고려하고 있는가?
- 감별 진단의 범위를 좁히려면 어떤 추가 정보가 필요한가?
- 환자 처치를 계속할 때 초기 처치의 우선순위는 무엇인가?

패혈증: 복합증후군

생명을 위협하는 장기 기능 장애인 패혈증은 감염에 대한 압도적인 숙주 반응으로 인한 것이다. 이 부적절한 숙주 반응은 주로 면역체계와 관련된 내부 요인에 의해 많이 증가할 수 있다. 패혈증은 심혈관, 신경, 자율신경, 호르몬, 생물 에너지, 대사 및 응고 반응의 주요 기능 장애와 함께 염증 촉진 및 항염 반응의 조기 활성화를 포함하는 복합증후군이다.

패혈증은 특히 병원에서 사망의 주요 원인 중 하나이다. 조기에 인식하며 발현 증세가 미묘할 수 있지만, 처치 제공자는 처치에 대해 환자의 긍정적인 반응을 얻을 가능성이 더 높다. 패혈증의 임상 양상은 급성 질환, 장기간의 동반 질환, 약물 처치 및 처치에 따라 변할 수 있기 때문에 특히 어렵다.

면역체계: 선천 면역반응과 적응 면역반응 면역체계

면역 체계는 감염과 싸우고 패혈증 및 패혈 쇼크를 예방하는 신체의 방법이다. 그것은 선천 면역반응과 적응 면역반응으로 구성된다. 선천 면역반응은 감염에 대한 신체의 첫 번째 방어선이다. 이것은 감염에 대한 내재적 장벽과 자연 살해 세포, 단핵구, 비만 세포 및 다형핵 백혈구(PMN/과립구)와 같은 선천 면역 세포 및 보체 단백질로 구성된다. 적응 면역반응은 발달하는 데 며칠이 걸리며 병원체와 두 종류의 림프구(T 세포 및 B 세포) 간의 상호 작용 및 병원체에 대한 항체 생성을 포함한다.

미생물이 인체의 일반적으로 멸균된 환경에 침투할 때 병원체(세균, 바이러스, 기생충 또는 곰팡이), 신체가 이전에 침입한 병원균을 만났는지 아닌지, 환자의 일반적인 건강 상태와 나이 및 침입구에 따라 약간 다를 수 있는 일련의 사건이 발생한다.

타고난 면역반응은 우리가 태어날 때 가지고 있는 초기 방어 시스템이고 이 반응은 즉각적이며 기억력이 없다. 우리 세포의 수용체는 병원체의 일반적인 패턴을 인식하고 이 첫 번째 반응을 시작할 수 있다. 이후 면역반응 보다 구체적인 단계는 적응 면역반응이다. 적응 면역은 후천적으로 획득되며 침입한 병원체에 특이적인 T 세포와 B 세포가 발달하는 데 3~5일이 걸릴 수 있습니다. 적응 면역반응은 이전 노출로부터 기억을 구축할 수 있으며 문제가 되는 물질에 다시 노출될 때 강력하고 신속한 반응을 일으킬 수 있다.

빠른 암기법

다음 정보는 다소 심층적일 수 있으며 면역반응의 세포 수준에 도달한다. 이 자료의 많은 부분이 초기 교육 프로그램에서 다뤄지지 않았을 수 있지만, 복잡한 면역반응과 우리 몸이 병원체에 어떻게 반응하는지 이해하는 수단을 제공한다. 제공된 정보가 우리 몸의 생리학과 병태생리학이 질병 및 질병에 대한 반응과 얼마나 복잡한 관계가 있는지 알 기회가 되기를 바란다.

선천 면역반응

감염에 대한 자연적 장벽

인체에는 감염에 대한 많은 자연 장벽을 가지고 있다. 모든 인간은 예를 들어 음식의 소화를 돕는 미생물(주로 박테리아와 바이러스)이 우리 안에 공존한다. 우리는 세균, 기생충, 곰팡이 또는 바이러스와 같은 병원성 미생물이 우리 몸의 내부 환경에 침투하는 것을 방지하는 여러 가지 방법을 가지고 있다. 패혈증은 모든 미생물에서 발생할 수 있지만, 가장 일반적인 원인은 세균이다.

감염에 대한 장벽은 피부 표면을 구성하는 여러 층의 상피 세포, 피부 표면의 산성 환경을 유지하기 위해 체액을 분비하는 피부밑 샘, 미생물을 포획하기 위해 점액을 생성하는 점막을 포함할 수 있다. 침, 점액, 눈물 및 소변의 생성은 입, 코, 방광과 같이 공격받기 쉬운 환경을 윤활하고 지속해서 세척하는 데 도움이 된다.

호흡기를 따라 존재하는 섬모는 지속해서 이물질을 밖으로 이동시키고 있다. 자연스러운 재채기와 기침 반사는 또한 신체의 기도를 보호한다. 침과 점액에는 세균을 죽일 수 있는 용균 효소와 같은 추가 효소가 포함되어 있다. 폐 세포 표면의 표면활성 물질은 옵소닌으로 작용하여 침입하는 미생물을 덮고 해당 포식 세포 활성을 증가시킨다.

또한, 식물의 고유 개체군이 신체 일부에 존재할 수 있으며 침입종에 의한 집락 형성을 방지할 수 있다. 예를 들어, 유산균은 질의 일반적인 세균이며 이 환경의 낮은 pH를 선호한다. 이것의 존재는 다른 세균이 질에 침범하여 서식하는 것을 방지할 수 있다.

선천 면역세포

타고난 면역 체계의 핵심 구성 요소는 순환하는 보체 단백질에 의해 활성화되는 타고난 면역세포이다(그림 12-1). 보체 단백질은 선천 면역반응과 적응 면역반응 모두에서 역할을 한다. 그들은 방어 기전의 활성화를 시작하기 위해 병원체에 대한 이전의 노출을 필요로하지 않는다.

- 자연살해세포는 형질 전환(감염 또는 돌연변이에 의한)된 숙주세포의 파괴에 핵심적인 역할을 하며 바이러스에 감염된 세포나 돌연 변이된 암세포의 파괴에 중요하다. 이 세포는 우리 몸에서 이물질로 간주하는 세포를 공격하는 것을 돕는 일종의 림프구(백혈구)이다.
- 비만 세포는 점막 표면에 다수가 존재한다. 이 세포는 활성화시 다량의 히스타민을 방출하여 혈관 확장과 염증을 유발하여 조직의 투과성을 증가시켜 추가 포식 세포가 조직의 감염된 부위에 침투할 수 있도록 한다. 또한, 알레르기 반응에 큰 역할을 한다.
- 단핵구는 대식세포 또는 가시돌기 세포로 더 분화하는 세포이다. 이 세포는 침입하는 미생물을 삼킬 수 있고 활성화시 종양 괴사 인자(TNF-알파) 및 인터류킨-6(IL-6)과 같은 다수의 사이토카인 및 케모카인을 분비하여 외래 침입자에 대한 숙주 반응을 가속할 수 있다. 가시돌기 세포는 조직이나 혈액에서의 위치에 따라 달리 작용할 수 있으며 IL-12 또는 인터페론 알파와 같은 사이토카인의 추가 방출을 유발할 수 있다.
- 다형핵 과립구는 호산구, 호염기구 또는 중성구로 분화할 수 있습니다.
- 호산구: 기생충 감염 및 알레르기 반응에서 역할을 하고 히스타민 및 기타 면역 조절 화학 물질을 방출한다.
- 호염기구: 기생충 감염 및 알레르기 반응에서 역할을 하고 히스타민과 헤파린을 방출한다.
- 중성구: 순환하는 모든 백혈구의 약 50%를 구성하며 일반적으로 세균, 곰팡이 또는 바이러스 감염으로 인한 외래 미생물과 가장 먼저 접하게 된다. 이것은 문제를 일으키는 물질을 둘러싸고 포식 작용하며 유기체를 파괴하기 위해 효소를 방출할 수 있다.

적응 또는 후천성 면역반응

후천성 면역반응(적응성 면역반응이라고도 함)은 발생하는 데 며칠에서 몇 달이 걸린다. 림프구라고 하는 두 가지 유형의 과립구 즉 세포 매개 T 세포와 체액 매개 B 세포가 이 반응에서 중요한 역할을 한다. T 세포는 가슴샘에서 성숙하는 반면 B 세포는 골수에서 성숙한다. 세포 독성 T 세포는 세포사멸을 일으켜 감염된 세포를 직접 죽인다. 이것은 감염에 대한 반응을 조절하는 데 도움이 되는 특정 사이토카인과 케모카인의 방출을 유발한다. 세포가 세포 사멸과는 다른 유형의 세포 괴사에 의한 감염으로 사망하면 케모카인과 사이토카인의 다른 연쇄반응이 일어나 면역반응이 가속화된다.

도움 T 세포는 다른 면역 세포(T 및 B 세포)를 활성화하고 더 빨리 성숙하거나 더 효과적으로 성장하도록 도와준다. 형질 세포라고도 하는 성숙한 B 세포는 외부 세포에 직접 부착하는 항체를 분비하여 세포독성 T 세포에 의한 신속한 식별 및 파괴를 돕는다. 형질 세포는 실제로 초기 감염(IgM) 또는 후기 감염

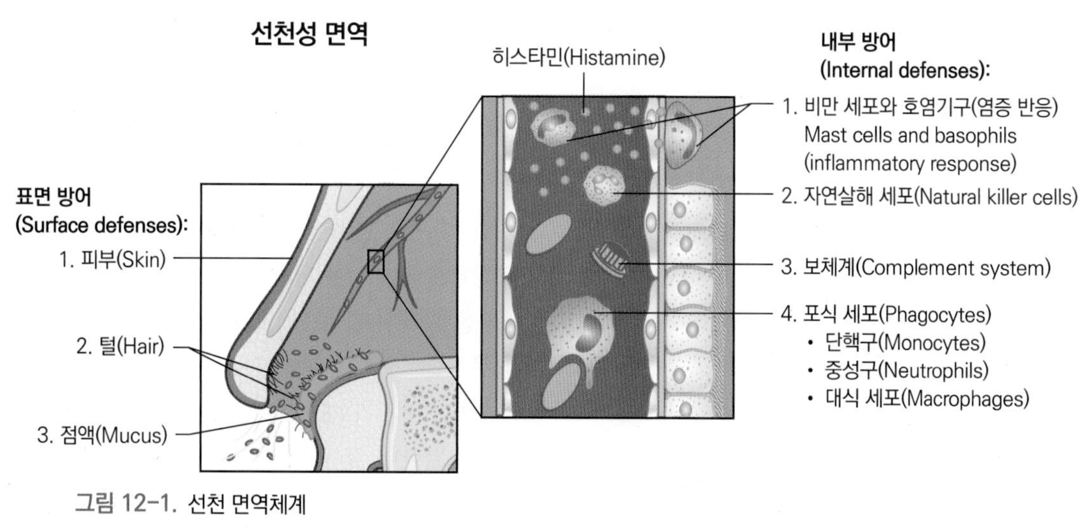

그림 12-1. 선천 면역체계

(IgG)을 나타내는 항체를 분비하도록 변화하거나 재감염되어야 하는 효과적인 첫 번째 공격으로 점액, 침 및 눈물에 농축되는 IgA를 분비하도록 분화할 수 있다. 또한, 형질 세포는 비만 세포 및 호염기구에 결합하여 기생충 감염 및 알레르기 반응에 작용하는 IgE를 분비할 수 있다.

가슴샘에서 성숙한 T 세포는 감염 부위로 이동하여 침입하는 병원체를 박멸하는 데 도움을 줄 수 있다. 활성화된 킬러 T 세포는 감염 부위로 이동하여 바이러스에 감염된 신체 세포를 찾아 이 세포를 표적으로 삼아 죽게 할 수 있다. 도움 T 세포는 대식세포를 활성화하여 병원체를 표적으로 삼거나 B 세포가 문제가 되는 병원체에 대한 항체를 생성하도록 도울 수 있다(그림 12-2).

선천성 및 적응 면역반응과 응고 연쇄반응에서 사이토카인의 역할

사이토카인은 특정 세포계에서 방출되는 화학 물질로 신체의 초기 면역반응을 더욱 활성화하거나 강화(느려지게)한다. 사이토카인은 선천성 면역반응에서 방출되며 적응 면역반응을 일으킬 수 있다. 이것은 또한 신체가 면역반응을 비활성화하거나 늦추는 데 도움을 주어 균형을 이룰 수 있다.

예를 들어, 선천 면역반응에서 IL-8은 감염 부위에 포식 세포(예: 중성구)를 강력하게 끌어당긴다. IL-12는 자연 살해 세포를 활성화한다. 인터페론 알파와 베타는 또한 자연 살해 세포를 활성화하고 바이러스 공격에 저항하는 세포의 능력을 증가시킨다.

적응 면역반응에서 인터페론 알파와 베타는 특정 세포에 대한 항원 제시를 증가시켜 병원체에 특이적인 항체를 가진 킬러 T 세포, 도움 T 세포 및 B 세포의 생산을 증가시킬 수 있는 중요한 역할을 한다. 적응 면역반응에 중요한 추가 사이토카인은 인터페론 감마, IL-2, IL-4, IL-5 및 IL-6에 포함된다. 유형 1도움 T 세포는 일반적으로 IL-1 및 TNF-알파와 같은 전염증성 사이토카인을 분비한다. 유형 2도움 T 세포는 일반적으로 염증(IL-10 및 IL-4)을 늦추거나 역전시키기 위해 사이토카인을 분비한다.

이러한 사이토카인 중 일부(예: TNF, IL-1 및 IL-6)는 응고 연쇄반응의 활성화 및 기능 장애를 일으켜 응고 및 출혈을 유발할 수도 있다. 이 장애는 파종성 혈관 내 응고로 알려져 있다.

어떤 경우에는 일련의 사건으로 인해 모세혈관 투과성이 증가한다. 저혈압으로 이어지는 혈관 확장 및 IL-6와 같은 특정

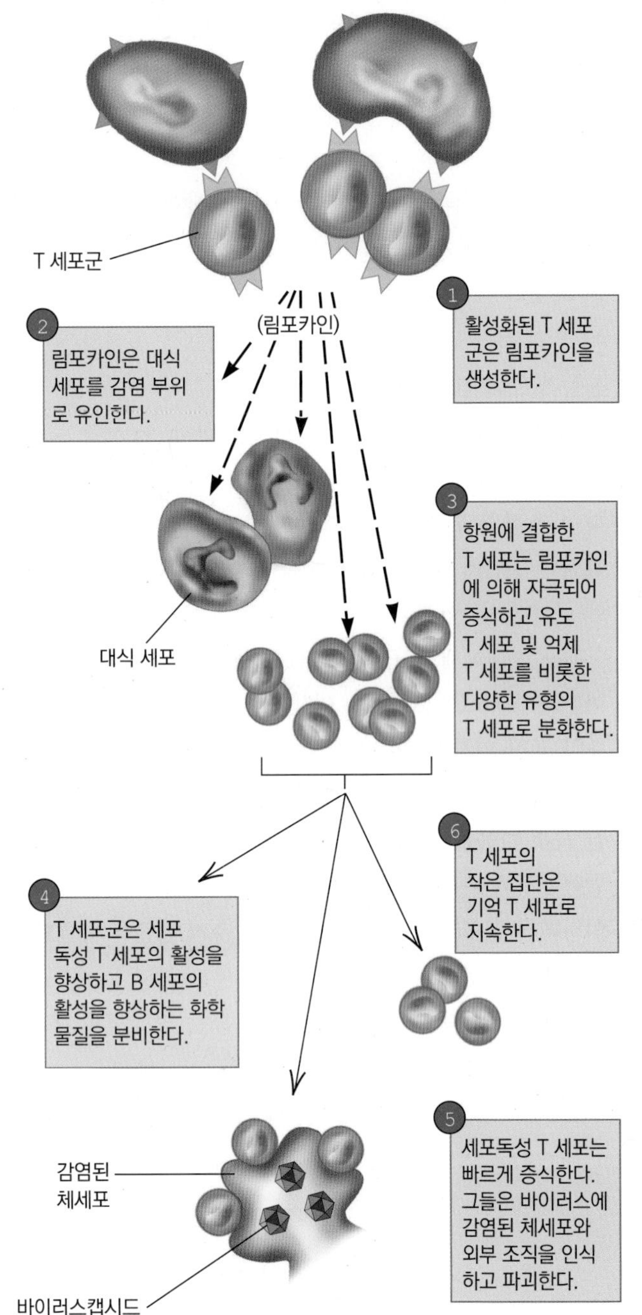

그림 12-2. 세포에서 중재된 면역 반응

사이토카인의 방출에 의한 응고 연쇄반응의 활성화가 과다염증 상태로 진행되어 혈전을 유발하고 관류 불량으로 인한 세포 사멸을 유발한다. 추가 세포 사멸은 병원체와 숙주 세포 모두를 무차별적으로 손상할 수 있는 더 많은 사이토카인의 방출을 유발하며 주기가 계속되어 패혈증, 장기 기능장애 및 패혈 쇼크를 유발한다. 조직 저산소증은 또한 산화질소의 생성과 특정 사이토카인의 활성화를 통한 응고 연쇄반응 유도를 통해 염증

및 사이토카인의 방출을 독립적으로 활성화할 수 있다.

선천 및 후천 면역 반응에서 보체 단백질의 역할

간은 혈류 내에서 순환하는 보체 단백질을 생성한다. 약 30개의 비활성 보체 단백질이 있다. 이러한 단백질 중 일부는 미생물의 이종 단백질의 존재 때문에 활성화된다. 이것은 미생물이나 항원에 결합하여 포식 세포(자연살해세포, 단핵구 및 PMN)가 이물질로 인식할 수 있도록 코팅할 수 있다. 이것을 옵소닌화라고 한다. 다른 것들은 미토콘드리아나 세포질과 같은 파괴된 세포로부터 생성물을 만났을 때 활성화될 수 있다. 이것은 보체 활성화를 증가시키고 포식 세포가 모이는 화학적 신호를 증가시키는 일련의 연쇄 반응을 일으킨다.

적응 면역반응의 일부로 보체 연쇄반응은 침입하는 미생물의 세포벽에 보체 부착을 유도하여 인지질 이중층을 파괴하고 외부 세포의 죽음을 유발한다. 증가한 화학 신호는 포식 세포 중성구, 단핵구 및 살해 세포가 감염 부위로 들어갈 수 있게 한다. 그런 다음 침입하는 미생물을 공격하고 포위한다.

두 가지 보체 경로가 있다. 대체 경로는 선천 면역반응하는 동안 중요한 역할을 한다. 고전적인 경로는 적응성 반응의 일부이며 침입하는 병원체의 세포벽이나 감염된 숙주의 세포벽을 뚫어 파괴를 유도하는 여러 보체 단백질의 상호 작용을 포함한다.

패혈증의 역사

패혈증의 개념은 히포크라테스에 의해 처음 설명되었다. 이것은 썩게 만든다는 그리스어 sipsi에서 파생되었다. 혈액 부패는 또한 기원전 초기에 발열과 관련이 있었다. 1800년대에 와서야 산부인과 의사 이그나스 젬멜바이스(Ignaz Semmelweis)가 열악한 손 위생과 발열 사이의 연관성을 밝혀냈다. 루이 파스퇴르(Louis Pasteur)는 부패와 관련된 단일 유기체를 현미경으로 관찰하여 세균 이론을 최초로 개발했다. 그는 이것들을 세균이라고 명명했다. 파스퇴르는 또한 높은 열이 세균을 죽일 수 있다는 것을 발견하여 이는 살균 개념으로 이어졌다. 발열과 부패 사이의 연관성은 잘 알려져 있었지만 1928년 페니실린, 1935년 설파와 같은 현대 항생제가 개발되고 나서야 패혈증으로 인한 생존 가능성이 나타났다. 패혈증은 1989년 러시 의과대학의 중환자 전문의 로저 본(Dr. Roger Bone) 박사가 "패혈증은 미생물과 그 독소가 혈류로 침입하여 이 침입에 대한 생물체의 반응과 함께 혈류로 침입하는 것으로 정의된다"라고 말할 때까지 느슨하게 정의된 용어로 남아 있다.

Bone 박사는 감염, 췌장염, 화상 또는 외상에 직면했을 때 신체가 때때로 반응하는 것으로 나타났으며 심박수 증가, 체온 상승 또는 감소, 호흡수 증가 또는 산소 요구량 증가, 백혈구 수 증가 또는 감소시켜 환자의 사망 위험을 높인다. 그는 이것을 전신염증반응증후군(SIRS)이라고 불렀다.

1992년에 전신염증반응증후군 기준을 통합하여 패혈증의 정의에 관한 최초의 주요 합의 회의가 개최되었다. 감염 상황에서 전신염증반응증후군 기준 중 2개 이상이 보이면 환자는 패혈증으로 간주한다.

전신염증반응증후군 기준은 다음과 같다.

- 체온 >38°C 또는 <36°C
- 심박수 >90회/분
- 호흡수 >20 호흡수(또는 동맥의 CO_2 <32, 또는 기계적 환기가 필요한 경우)
- 백혈구 수치 >12 또는 <4 또는 >10% 미성숙한 띠

패혈증의 선별검사 및 예후 도구

International Sepsis Definitions Conference는 1992년 이후 여러 차례 개최되어 추가 연구를 기반으로 패혈증에 대한 견해를 통합하고 확장했다. 우리는 특정 인구가 감염으로 인한 사망 위험이 더 높다는 것을 수십 년 동안 알고 있었다. 1988년 Sorensen과 동료들은 친부모가 패혈증으로 사망한 경우 입양 아동이 감염으로 사망할 위험이 5.81배 증가한다는 것을 보여주었다. 그 이후로 우리는 침입하는 미생물을 인식하고 특정 세포계를 생성하거나 패혈증으로 인한 사망 위험을 증가시키는 사이토카인을 제조하는 신체의 능력과 유전적 연관성을 발견하였다.

2001년 회의는 위험 요소를 설명하기 위해 PIRO의 개념을 개발했다.

- P(predisposition): 소인(기존 동반 질환)
- I(insult/infection): 발작/감염(일부 유기체는 다른 유기체보다 더 치명적임)
- R(response): 감염성 공격에 대한 반응(SIRS 포함)
- O(organ): 장기 기능 장애 및 응고 시스템 장애

패혈증 및 패혈 쇼크에 대한 제3차 국제 합의 정의(Sepsis-3)에서 Singer와 동료들은 "패혈증은 감염에 대한 조절되지 않은 숙주 반응으로 인한 생명을 위협하는 장기 기능 장애로 정의되어야 한다"고 권고했다. 그들은 패혈증에서 중증 패혈증, 패혈 쇼크로 이어지는 연속체에 대한 이전의 믿음을 반박하고 중증 패혈증이라는 용어는 제거했다. 패혈증 환자에서 SIRS의 민감도와 특이성이 낮았으므로 Sep-3 지표는 대신 예후 지표에 중점을 두었다. 그들은 환자가 간, 신장, 심혈관 및 호흡 기능과 같은 특정 장기 시스템에 변화가 있으면 사망 위험이 증가한다는 것을 보여주었다. 순차적 장기 부전 평가 점수(SOFA)라고도 하는 패혈증 관련 장기 부전 평가 점수는 일반적으로 패혈증 환자의 집중 처치에 통합된다(그림 12-3).

이 점수는 병원 전 환경 및 응급실에서 초기 진단처럼 빠르게 진행되는 응급 환경과 같이 ICU 외부에서 사용하기 위해 추가로 수정되었다. 이러한 환경에서는 수정된 qSOFA(또는 quickSOFA)가 사용된다. qSOFA 기준은 호흡수 > 22회/분, 수축기 혈압 < 90mmHg 및 의식상태 변화가 포함된다.

추가 연구에서 패혈증 환자의 조기 평가에 이 점수를 통합하여 처치를 신속하게 확대하고 예후를 개선하는 이점이 입증되었다. Serafim과 동료는 패혈증 의심 환자를 선별하고 사망률을 예측할 때 qSOFA와 SIRS를 비교한 연구에 대한 메타 분석을 했다. 그들이 발견한 것은 SIRS가 패혈증 검사에서 우월했지만 qSOFA가 사망률을 예측하는 데 우월했다는 것이다. 수정된 조기경보점수(MEWS) 및 국가조기경보점수(NEWS)와 같은 추가 선별 도구를 테스트하고 qSOFA 및 SIRS와 비교했다. Churpek과 동료는 qSOFA 및 SIRS의 한계와 유럽(MEWS) 및 영국(NEWS)에서 일반적으로 사용되는 조기 경보 점수의 이점을 보여주는 도시의 3차 센터에 입원한 30,000명 이상의 환자에 대한 후향적 관찰 분석을 수행했다. 이러한 각각의 선별 및 채점 시스템에서 기억할 핵심 구성 요소는 활력징후와 정신활동이 통합되어 있다는 것이다. 국가조기경보점수는 영국에서 사용하는 필수 선별검사 도구로 체온, 호흡수, 맥박, 산소 농도, 수축기혈압, 정신 활동 등 6개 항목 체크다. 수성된 조기경보점수에는 체온, 심박수, 혈압, 호흡수, 의식상태 및 소변량이 포함된다.

	SIRS	qSOFA	MEWS	NEWS
체온	X		X	X
심박수	X		X	X
혈압		X	X	X
호흡수	X	X	X	X
산소포화도				X
보조 산소 사용				X
의식상태		X	X	X
백혈구 수	X			
소변배출량			X	

그림 12-3. 순차(패혈증 관련) 장기부전평가(SOFA) 점수는 처치 제공자가 패혈증 환자를 선별하는 데 도움이 되는 다양한 임상 결정 요인을 계산하는 데 도움이 된다.

Modified from Churpek et al, Quick Sepsis-related Organ Failure Assessment, Systemic Inflammatory Response Syndrome, and Early Warning Scores for Detecting Clinical Deterioration in Infected Patients outside the Intensive Care Unit, AJRCCM 2017 Apr 1; 195 (7). https://www.ncbi.nlm.nih.gov/pubmed/27649072

AMLS 평가 과정 ▶▶▶▶▶

▼ 초기 관찰

패혈증에 대한 AMLS 평가 과정은 패혈증 또는 패혈 쇼크가 있는 환자를 인식, 평가, 확인 및 처치하는 데 도움이 된다. 조직적이고 체계적인 평가는 패혈증을 조기에 발견하는 데 중요하다. 이때 증상과 징후는 미묘할 수 있지만 처치할 기회가 더 많다. 쇼크가 명확하게 인식될 때쯤에는 장기 기능 장애가 이미 발생했거나 처치의 효과가 심각하게 제한될 수 있다.

현장 안전 고려 사항

패혈증 자체는 일반적으로 고유한 현장 안전 문제를 나타내지 않지만, 환자에게 집중된 초점은 평가에 중요한 정보뿐만 아니라 안전 문제를 나타내는 중요한 환경과 관련된 단서 및 신호를 놓칠 수 있다. 탄저, 결핵, 에볼라, 수막알균 및 중동호흡기증후군(MERS)과 같은 일부 병원체(미국에서는 모두 드물지만)는 전염성이 높을 수 있으므로 호흡기 및 비말 예방 조치를 유지하는 것이 항상 권장된다. 환자가 가래를 동반한 기침을 하고 있지만, 호흡 곤란의 징후를 보이지 않는 경우 환자에게 마스크를 착용하면 최초 대응자에게 감염이 전파되는 것을 방지할 수 있다. 보편적인 예방 조치는 항상 따라야 한다.

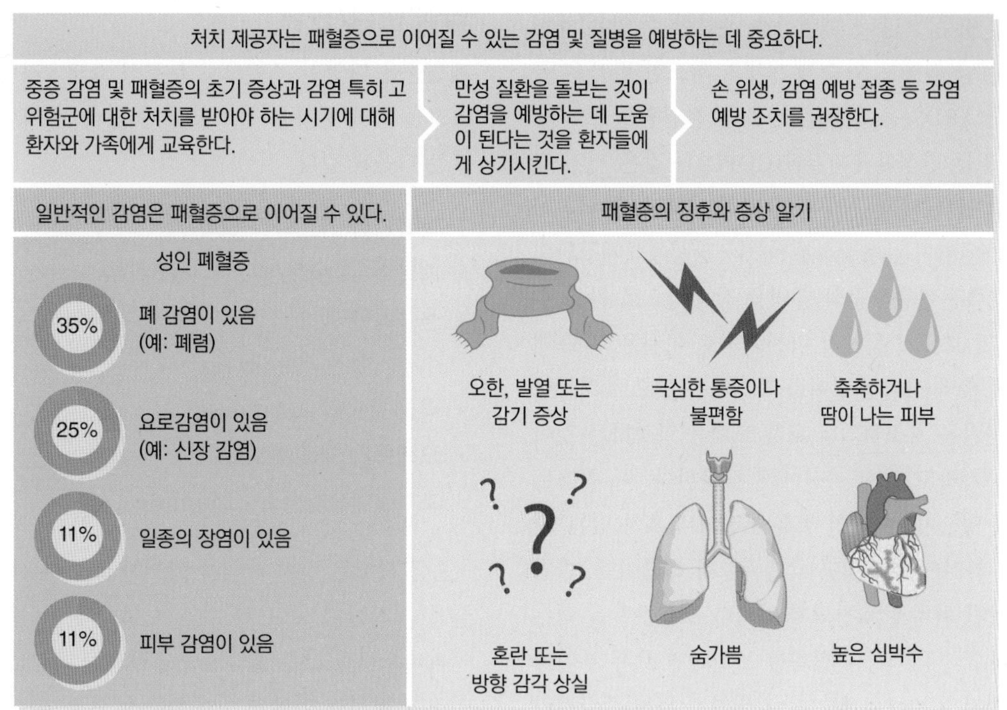

그림 12-4. 패혈증 검사 도구의 임상 구성 요소 비교

Reproduced from CDC Sepsis Infographic, Centers for Disease Control and Prevention, Retrieved from https://www.cdc.gov/vitalsigns/sepsis/infographic.html

환자의 기본적인 설명/주요호소증상

패혈증은 종종 다른 질병으로 가장할 수 있으므로 자세한 병력과 신체검사 필수적이다. 예를 들어, 의식상태가 변화된 환자는 처음에는 뇌혈관 문제로 보일 수 있지만, 요로 감염은 실제로 혼동을 일으킬 수 있다. 패혈증과 관련된 몇 가지 기본적인 설명과 주요호소증상은 다음과 같다(그림 12-4).

- 폐렴
- 요로 감염
- 연조직염(피부 감염)
- 복강 내 감염 : 충수염, 곁주머니염, 담낭염, 장중첩증, 골반염증질환(PID)
- 수막염
- 최근 감염에 대한 외래 처치 실패

일차 조사

당신이 마주치는 모든 환자와 마찬가지로 일차 조사부터 시작하여 즉각적인 생명의 위협을 확인한다. 환자는 기도를 유지하고 있는가? 호흡과 순환은 어떠한가? 의식 수준의 변화와 같은 장애의 징후가 있는가? 환자를 노출해 피부 감염, 최근 수술 또는 유치 장치의 징후가 있는지 확인한다. 환자의 주변 환경을 확인한다. 구토로 덮여 있는가 아니면 촉지 시 차가운가? 넘어진 후 오랫동안 땅에 누워 있었는가? 과도한 더위나 추위에 노출되었는가? 환자가 있는 환경이 기본적인 설명에 어떤 역할을 했는가?

의식 수준

패혈증 및 패혈 쇼크가 있는 많은 환자는 의식 수준이 변한다. 글래스고우혼수척도(GCS)와 같은 표준화된 평가 도구를 사용하면 처치 제공자가 악화 또는 개선의 중요한 지표인 시간 경과에 따른 의식 수준의 변화를 확인하는 데 도움이 될 수 있다. 예를 들어, 환자가 정상적인 상태로 스스로 음식을 먹고 옷을 입을 수 있었지만, 오늘은 그렇게 할 수 없는 경우와 같이 환자의 기본 의식상태와 변화에 대해 가족, 친구 또는 보호자에게 어떻게 변했는지 물어보는 것이 매우 중요하다.

기도와 호흡

호흡수와 호흡 노력은 감염이 호흡계통과 관련이 있는지에 관계없이 신체가 감염과 싸우기 시작함에 따라 증가한 신진대사 요구의 첫 징후인 경우가 많다. 패혈증을 유발할 수 있는 폐렴과 같은 호흡기 감염 외에도 염증 매개체의 과도한 반응은 급성호흡곤란증후군(ARDS)을 유발할 수 있다. 감염원은 또한 울혈심부전(CHF) 또는 만성폐쇄폐질환(COPD)과 같은 기저 질환을 악화시킬 수 있다. 패혈증의 확인 및 처치뿐만 아니라 기저 질환의 효율적인 처치는 울혈심부전이나 만성폐쇄폐질환의 악화 또는 급성호흡곤란증후군의 발병을 잠재적으로 막을 수 있다. 모든 기도 및 호흡기 문제와 마찬가지로 이것은 기도 개방의 손상 또는 호흡의 적절성 결여를 확인하는 것으로 시작한다. 환자가 호흡곤란을 호소하거나 호흡 노력을 향상하는 것이 관찰되면 일시 중지하고 당신 자신에게 질문한다. 이 환자는 호흡 곤란을 겪고 있는가? 아니면 호흡 부전의 징후가 있는가? 간단한 소생술로 환자가 호전되면 호흡곤란이 해답이다. 반면에 환자가 기본적인 처치로 호전되지 않거나 호흡곤란을 겪는 환자가 피로의 징후나 의식상태 변화를 보인다면 호흡 부전이 임박한 것이다. 환자의 기도와 환기를 지원하기 위해 즉각적인 소생술을 시행한다. 다음은 임박한 호흡 부전의 지표 중 일부를 나열한 것이다.

- 호흡수 >24회/분 또는 <6회/분
- 산소포화도 <94%
- 호기말이산화탄소($ETCO_2$) <25mmHg
- 입술의 청색증을 포함한 피부색의 변화
- 기관 당김감
- 코 벌렁임
- 갈비사이 수축 또는 갈비밑 수축
- 비정상 폐음
- 입안 분비물을 제거할 수 없음
- 냄새 맡는 자세 또는 삼각 자세로 신체 위치 변화

첫째, 환자가 기도를 보호하고 있는지 확인한다. 환자가 기도를 보호할 수 없는 우려가 있다면, 기도 개방을 유지하기 위해 즉시 조치한다. 즉각적인 조치에는 코인두기도기 또는 입인두기도기 삽입, 성문 외 기도기와 같은 전문 기도유지 보조 장치 또는 기관내삽관이 포함될 수 있다. 기도가 확보되면 산소포화도를 94% 이상으로 개선하는 데 중점을 둔다. 추가 산소 공급, 지속적인 기도양압 또는 백벨브마스크 환기를 시행할 수 있다.

혈액 순환/관류

패혈증은 다양한 조합으로 분포성 쇼크, 저혈량 쇼크 및 폐쇄 쇼크를 통해 관류를 감소시킬 수 있다. 증가한 관류 불량의 징후는 다음과 같다.

- 약하거나 가느다란 맥박
- 맥박수 >120회/분 또는 <60회/분
- 불규칙한 맥박
- 수축기혈압 <90mmHg
- 평균 동맥압 <65mmHg
- 모세혈관 재충혈 >2초
- 호기말이산화탄소 <25mmHg

순환 장애는 정맥 라인을 확보하고 즉시 적극적인 수액 소생술을 시작한다. 환자가 수액 소생술에 반응하지 않으면 노르에피네프린과 같은 혈압상승제 투여를 고려할 수 있다. 환자가 이러한 처치에 어떻게 반응하는지 재평가한다. 환자가 상태가 나아졌는지 평가한다. 환자의 활력징후가 개선되었는가? 환자의 의식상태가 더 명료해 보이는가? 의식이 명료한가? 협조적인가? 환자가 기준을 충족한다고 결정하는 즉시 패혈증 경보를 선언하여 가능한 한 환자를 이송할 의료기관에 사전 통보한다.

▼ 첫인상

초기 단계에서 패혈증은 처치하기 쉬운 쉽지만 진단하기가 어렵다. 패혈증이 진단하기 쉬운 정도까지 진행되면 처치하기가 훨씬 더 어려워진다. 패혈증에 대한 해부학, 생리학 및 병태생리학에 대한 지식은 패혈증을 진단할 수 있는 첫 번째 단계이다. 패혈증이 의심되는 경우에는 쇼크의 명백한 징후가 없더라도 환자가 아프고 우선순위가 높다고 생각한다.

기본적인 설명

패혈증이나 패혈 쇼크가 있는 환자의 초기 증상은 종종 감염에 초점을 맞춘다. 어떤 경우에는 증상이 쇼크의 증상과 징후에 중점을 둔다. 또는 환자가 설명할 수 없는 의식상태 변화, 기타 모호한 증상과 징후를 나타낸다. 일차 조사 및 관련 중재가 완료되면 패혈증 및 패혈 쇼크를 감별 진단에서 배제하기 위해 감염, 쇼크 또는 비특이적 불편을 호소하는 환자를 평가한다. 2009년 연구에 따르면 EMS 처치 제공자가 처치를 시행하는 심장마비 환자 10명 중 4명이 심각한 패혈증으로 입원했다.

▼ 상세 평가

병력 청취

잠재적으로 패혈증 또는 패혈 쇼크가 진단된 환자에 대한 병력 청취는 감염 또는 쇼크의 존재나 위험에 초점을 맞추어야 한다. 처치 우선순위가 높은 환자 또는 급속한 악화 위험이 있는 환자를 관리할 때 가능한 가장 효과적인 방법으로 환자의 병력에서 주요 정보를 수집하는 것이 가장 중요하다.

OPQRST와 SAMPLER

현재 질병의 병력에 대한 설명으로 시작하여 과거 병력으로 이동한다. OPQRST 및 SAMPLER 형식을 사용하여 감별 진단의 핵심이 될 정보를 효율적으로 얻고 정량화한다. 환자에게 유사한 증상을 호소했던 병력이 있는 경우 오늘의 증상을 이전에 경험한 것과 비교하도록 요청한다. 지난번과 동일한가 아니면 다른가? 다르다면 어떻게 다른가? 유사하게 패혈증 또는 패혈 쇼크의 잠재적인 감별 진단으로 증상 발현의 전후 순서를 알아내는 것이 중요하다. 증상은 언제 발현했는가? 증상이나 징후가 언제 어떻게 변화되었는가? 비록 사건의 시간대가 이 시점에 도달하기까지 시간이 좀 걸릴 수 있지만, 환자는 이제 빠른 악화에 가까워지고 있을 수 있다는 것을 기억한다.

이 체계적인 접근 방식은 환자의 우선순위 문제를 구별하는 데 중요한 정보를 제공할 뿐만 아니라 당신이 제공하는 우선순위에 따른 처치뿐만 아니라 나머지 세부 평가를 지시하는 데 도움이 될 것이다. 표 12-1은 패혈증의 감별 진단에 기여할 수 있는 환자 병력의 몇 가지 주요 소견을 요약한 것이다.

이차평가

활력징후

패혈증이 의심되는 환자의 기본 활력징후에는 맥박, 호흡, 혈압, 평균동맥압(MAP), 산소포화도, 체온, 호기말이산화탄소분압($ETCO_2$) 측정, 글래스고혼수척도(GCS) 점수, 소변배출량, 혈당 및 혈중 젖산 수치가 포함된다. qSOFA와 같은 단순 패혈증 기준은 기본 활력징후, 수축기혈압, 글래스고혼수척도 및 호흡수를 사용하지만 평균동맥압, 호기말이산화탄소분압 및 가능한 경우 혈액 젖산과 같은 기타 활력징후의 측정 및 추세는 환자 처치의 우선순위를 정하고 집중하는 능력뿐만 아니라 감별 진단의 정확성을 향상하는 데 도움이 될 수 있다.

일차 조사는 생명의 위협을 신속하게 식별하고 해결하는 데

표 12-1. 패혈증의 병력 청취

일반적인 주요호소증상

- 독감 유사 증상
- 발열
- 구역/구토/설사
- 고름/분비물
- 요로감염
- 호흡기 감염

일반적인 감염 부위

- 호흡기 감염(패혈증 사례의 약 35%)
- 복부
- 요로
- 개방상처

나이 요인

- 1세 미만
- 65세 이상

위험 요인

- 면역저하(면역요법, 화학요법, 항거부제, 항염증제 또는 스테로이드를 투여 받는 환자, 사람면역결핍바이러스 감염)
- 당뇨병
- 만성 간 질환
- 암
- 만성폐질환
- 뇌졸증(예: 삼킴 장애, 궤양 위험이 있는 반신불완전마비)
- 개방상처
- 최근 입원, 수술 또는 처치 과정
- 정맥 내 약물 남용

과거 병력

- 현재 또는 최근 감염
- 후천면역결핍증후군(AIDS)
- 암
- 당뇨병
- 낫적혈구병
- 낭성섬유증
- 간 또는 비장 기능 장애
- 심장 기능 저하
- 호흡 기능 저하
- 최근 외상 또는 수술
- 임신 또는 최근 출산
- 화상, 외상 또는 정맥 내 약물 남용을 포함한 피부 손상
- 유치 도관 배치
- 현재 예방 접종 부족

중점을 두었지만, 이차 평가에서는 환자의 상태와 우선순위 요구사항, 환자의 반응에 대한 명확한 그림을 제공하기 위해 환자의 중요한 기능에 대한 보다 심층적인 측정과 분석이 필요할 것이다. 초기 패혈증의 증상은 매우 비특이적일 수 있으므로 패혈증에 대한 높은 수준의 의심을 유지한다. 특히 위중한 환자에 대한 빈번한 재평가는 악화, 안정화 또는 개선과 같은 환자 활력징후의 경향에 대한 주요 정보를 제공할 것이다. 이는 우선순위 중재의 신속한 적용으로 이어지는 신속한 임상 의사결정에 도움이 될 뿐만 아니라 원치 않는 영향을 최소화하면서 최대의 이익을 제공하기 위해 중재를 축소하거나 중단해야 하는 시기를 결정하는 데 도움이 된다.

신체검사

일차 조사를 완료하는 과정을 통해 이미 환자의 신체 상태에 대한 평가를 수행했을 것이다. 이것이 상세한 평가의 일부 신체검사와 동일하지 않다는 것을 기억하는 것이 중요하다. 상세한 신체검사는 감염과 쇼크의 존재와 중증도를 나타내는 다양한 주요 임상 소견을 드러낼 수 있다.

신경 검사

패혈증이나 패혈 쇼크가 의심되는 환자의 경우 의식 수준과 인지 기능을 평가하는 것이 중요하다. 의식상태는 중추신경계의 적절한 관류 및 산소 공급의 좋은 대략적인 지표이다. 패혈증 환자에게서 대사 뇌병증은 종종 불안과 초조를 동반하는 경증 내지 중증 혼돈의 소견에 추가로 기여할 수 있다고 생각된다. 이는 패혈증 환자, 특히 노인에게서 흔히 볼 수 있는 신경학적 소견이다.

상세한 신경학적 평가는 감별 진단을 좁히는 데 특히 도움이 될 수 있다. 신경학적 결손의 발병이 갑자기 발생했는가? 신경학적 결함이 신체의 특정 부분에 집중되어 있는가? 이와 같은 결과는 임상의가 뇌졸중에 대해 더 많이 생각하게 할 수 있지만, 패혈증의 가능성을 완전히 무시하지는 않는다.

의식상태의 평가는 환자 검사의 중요한 부분이다. 사람, 장소 및 시간에 대한 환자의 지남력을 평가한다. 말의 명확성, 언어적 일관성, 응답 시간을 평가한다. 빈번한 재평가는 환자 상태의 악화, 안정화 또는 개선을 결정하는 데 중요하다.

머리와 목 검사

머리와 목의 감염 징후에는 중증 두통이 포함된다. 뻣뻣한 목, 귀통증, 목 쓰림, 부비동 통증, 특히 분비물, 턱밑, 목 앞쪽 또는 목뒤쪽 림프절 병증으로 알려진 목의 림프절이 부어오른다.

가슴 검사

흉부 감염은 경증에서 중증의 가래를 동반하지 않은 기침과 가래를 동반한 기침, 가슴막염 통증, 호흡곤란, 기관지 호흡음, 국소적인 거품소리, 기관지내 수포음 또는 폐 경화의 증거로서 호흡음 감소(폐 조직의 영역이 액체로 채워지는 경우 일반적으로 흉부 엑스레이에서 분명함)를 나타낼 수도 있다.

심장 감염은 특히 유치 도관이 있거나 정맥 내로 약물을 투여하는 병력이 있는 환자에서 둔탁한 심장 소리 또는 잡음과 함께 나타날 수 있다. 심장막염으로 알려진 심장 내막에 염증이 있는 환자의 경우 환자는 똑바로 앉아서 앞으로 몸을 기울이면 통증이 완화된다고 이야기할 수 있다. 심내막염의 경우 감염된 심장 판막이 전신에 패혈 색전을 일으키면 손톱에 손톱밑선상출혈, 뇌졸중, 폐색전증, 허혈성 장 또는 피부 발진으로 나타날 수 있다. 심근염의 경우와 같이 심장 근육 자체가 감염되면 환자는 심인성 쇼크의 징후가 나타날 수 있다(폐 검사에서 거품소리, 저혈압, 목정맥 확장 증가).

복부 검사

복부 감염은 복통, 촉진 시 압통, 특히 압통점, 보호, 팽만, 구토, 변비 또는 설사가 나타날 수 있다.

골반 및 비뇨생식기 검사

비뇨생식기의 감염에는 골반 또는 특히 빈도 및 긴급을 동반한 골반 또는 옆구리 통증, 질, 음경, 요도 또는 항문 분비물, 어둡거나 변색된 소변 및 배뇨 시 통증 특히 빈도와 절박감이 수반된다.

연부조직과 팔다리 검사

피부, 연부조직 및 뼈의 감염은 일반적으로 국소 통증, 부종, 발적, 반점, 궤양, 수포 형성 및 화농성 물질 또는 기타 체액의 배출과 함께 나타난다.

진단

패혈증은 초기에 매우 미묘한 증상과 징후를 나타낼 수 있으므로 패혈 쇼크로 진행됨에 따라 환자를 자주 재평가하고 환자를 평가하고 재평가할 때 추가 진단 도구를 사용하는 것이 중요하다. 병원 전 환경에서 패혈증을 확인하는 특정 진단 기준은 명확하게 제시되지 않았지만, 교육을 받고 패혈증에 대해 잘 알고 있는 처치 제공자가 진단 장비의 적절한 사용을 통해 감별진단 및 임상적 결정을 향상할 수 있음을 보여주는 중요한 증거가 있다.

전체 활력징후로 시작하는 것이 항상 중요하다. 심박수가 90회/분을 초과하거나 60회/분 미만, 호흡수가 20회/분을 초과하거나 6회/분 미만, 체온이 38°C 초과하거나 36°C 미만, 수축기 혈압이 90mmHg 미만이거나 환자의 기준선보다 40mmHg 미만 또는 평균동맥압이 65mmHg 미만인 경우 성인 환자에서 패혈증을 우려한다.

체온

패혈증이나 패혈 쇼크를 상상할 때 거의 필연적으로 생각하는 것 중 하나는 분명히 열이 나는 환자이다. 이것은 패혈증에 대한 가장 중요한 이야기 중 하나이며 진단 장비의 올바른 사용 및 그 해석과 그것이 제공할 수 있는 정보의 중요성을 강조한다.

많은 패혈증 환자가 열이 나는 것은 사실이지만 열이 나지 않는다고 해서 패혈증을 배제할 수는 없다. 사실, 몇몇 연구에서는 정반대의 결과를 보여주었다. 저체온(< 35℃)인 패혈증 환자는 경증에서 중등도의 발열(37℃~39.5℃)이 있는 환자보다 사망률이 더 높다. 실제로 열이 가장 높은(> 39.5℃) 환자는 모든 그룹에서 사망률이 가장 낮은 것으로 나타났다. 이것이 특히 고열이 패혈증에 대한 특히 효과적인 생리학적 반응을 제공하거나 나타낼 수 있기 때문인지 또는 고열이 있는 환자가 잠재적인 패혈증으로 더 쉽게 구별되는지, 아마도 다른 이유 때문인지는 알 수 없다. 분명한 것은 초기 및 지속해서 환자의 체온을 측정하는 것이 환자에게 처치를 지시하고 결과를 예측하는 데 중요한 부속 장치가 될 수 있다는 것이다.

현재 병원 전 환경에서는 입안, 직장, 고막 및 관자동맥 부위에서 체온을 감지할 수 있는 유형의 체온계를 사용하고 있다. 사용하는 체온계와 관계없이 임상 사용 판독값을 얻을 수 있는지 확인한다. 다음 사항에 특히 주의하면서 특정 장치의 관리, 유지보수 및 작동에 대한 제조업체의 지침을 따른다.

- 체온계가 신뢰할 수 없는 판독값을 생성하도록 할 수 있는 충격, 진동 및 극한의 온도에서 영향을 최소화하려면 체온계를 차량에 보관한다.
- 일부 체온계는 임상적으로 신뢰할 수 있는 판독값을 생성하기 위해 정기적인 보정이 필요하다.
- 일부 체온계는 더운 환경이나 추운 환경의 조건에서 사용할 수 없다.
- 센서가 체온을 측정하는 데 필요한 정확한 위치에 위치시키고 유지한다. 예를 들어, 구강 체온계의 경우 이것은 단순히 혀 아래에 위치시키는 것이 아니라 혀밑 주머니에 위치시킨다.

맥박산소측정기

패혈증 또는 패혈 쇼크가 의심되는 환자의 평가에 적용할 수 있는 가장 일반적이고 유용한 비침습적 진단 장치 중 하나는 맥박산소측정기이다. 맥박산소측정기의 작동 및 기능은 패혈증이 의심되는 환자의 경우 처치 중인 다른 환자의 경우와 다르지 않지만, 측정한 판독값에 오류가 발생하지 않도록 하는 것이 특히 중요하다. 실행 가능한 판독값을 제공하려면 혈량측정기(맥박산소측정기의 파형)에 적절한 파형이 나타내는지 확인한다. 프로브가 제대로 연결되지 않았거나 환자의 관류가 불량한 경우(특히 프로브가 부착된 부위의 관류가 좋지 않은 경우 맥박산소측정기의 판독값이 부정확할 수 있음을 명심한다. 현저한 저혈압, 저혈량 또는 저체온, 움직이거나 밝은 빛 아래 있는 경우, 혈관작용 약물을 복용하거나 또는 낫적혈구빈혈, 부정맥 및 산소포화도가 70% 미만의 경우에 특히 그러하다.

비침습적 혈압 거프

혈압이 중요한 활력징후이지만, 반복되는 혈압 측정 추세의 진단적 가치는 패혈증이 의심되는 환자에게 비침습적 혈압측정(NIBP)을 유용한 진단 보조 수단으로 만들 수 있다. 또한 비침습적 혈압측정 모니터 장치는 종종 단일 심장주기의 환자의 평균동맥압을 자동으로 계산한다. 이 압력은 이완기 혈압 2배를 (주기의 이완기 부분이 수축기 부분보다 2배 길기 때문에) 3으로 나눈 값(심장 주기의 이완기 두 부분과 수축기 한 부분의 평균을 얻기 위해)으로 계산된다.

$$\text{평균동맥압(MAP)} = \frac{[\text{수축기혈압} + (\text{이완기혈압} \times 2)]}{3}$$

평균동맥압은 단순한 혈압보다 환자의 순환 상태를 더 완벽하게 임상의가 제공할 수 있다. 또한 하나의 숫자만 사용하기 때문에 환자의 순환기 상태에 대한 긍정적 또는 부정적 경향을 쉽게 관찰할 수 있다. 평균동맥압의 정상 범위는 70~110mmHg이다. 패혈증 환자의 목표 평균동맥압은 > 65mmHg이다. 이 목표는 수액 소생술을 시행하는 데 사용할 수 있다.

혈액 배양

병원 전 환경에서 얻은 혈액 배양은 EMS 처치 제공자에게 즉각적인 진단 정보를 제공하지 않지만, 패혈증 환자의 결과를 개선하는 것으로 밝혀진 항생제의 조기 투여 및 효과적인 투여에 중요할 수 있다. 현재까지의 연구에서는 병원 전 처치 제공자가 병원 전 항생제 투여를 용이하게 하기 위해 양질의 혈액 배양을 얻을 수 있다는 능력을 보여주었지만, 이것이 환자 결과에 큰 영향을 미치지는 않는 것으로 나타났다. 물류 고려사항에는 보급품을 보관하고 직원을 교육하는 방법이 포함된다. 또한 여러 병원이나 병원 시스템을 활용하는 경우 다양한 유형의 혈액 배양 수집 시스템을 어떻게 확보하고 배포해야 하는가? 지역적 해결책이 가능할 수 있지만 여러 병원 시스템이 하나의 시스템에 동의해야 하는 복잡성을 고려할 때 대부분의 병원 전 환경에서는 불가능해 보인다. 대부분의 병원 시스템은 항생제를 사용하기 전에 혈액 배양을 얻을 것이 포함된 핵심 조치를 충족하고 보고하는 것에 대해 우려하고 있다. 불행히도 이러한 핵심 조치는 입원 전 처치 단계를 고려하지 않으므로 우선순위의 불일치가 확인된다.

젖산 분석기

젖산은 무산소 대사의 결과로 형성된 화합물이다. 혈액 젖산은 젖산의 해리로 인한 음이온이다. 젖산의 생성은 아직 완전히 이해되지는 않았지만, 쇼크로 인한 무산소 대사의 기능으로 발생하고 더 중요한 것은 베타-2 아드레날린 수용체의 자극에 반응하여 세포 연료로 신체에서 생성되는 것으로 생각된다. 이 자극은 해당 과정을 상향 조절하여 세포의 미토콘드리아에서 사용할 수 있는 것보다 더 많은 파이루브산염 생성한다.

젖산염의 한 형태인 L-젖산염은 민감하지만, 패혈증의 존재에 대해 특이적이지 않다. 젖산은 또한 조직의 관류저하와 생리학적 스트레스의 존재와 수준을 나타내는 중요한 지표가 될 수 있다. 다른 진단 방법을 사용할 때와 마찬가지로 혈중 젖산 측정은 패턴 인식을 쉽게 하고 효과적인 임상적 결정을 내리기 위해 환자 평가의 다른 부분과 함께 이루어져야 한다. 4.0mmol/L 이상의 수치는 27%의 사망률과 관련이 있으며 젖산 수치가 2.5~4.0mmol/L인 환자의 사망률은 7%이고 젖산 수치가 2.5mmol/L 미만인 환자의 사망률은 5% 미만이다.

패혈 쇼크는 평균동맥압을 >65mmHg로 유지하기 위해 혈압상승제가 필요하고 혈중 젖산이 2mmol/L(>18mg/dL)를 초과하는 감염에 대해 조절되지 않은 반응으로 인한 장기 부전 환자에서 발생할 수 있다. 젖산은 패혈증 및 패혈 쇼크의 초기 확인 및 평가에 유용할 뿐만 아니라 지속적인 소생술을 위한 지침으로도 사용할 수 있다.

초기 수치가 2mmol/L을 초과하는 경우 패혈증이 나타난 후 6시간 이내에 젖산 수치를 측정하는 것은 현재 패혈증 환자 처치를 위한 미국 보험청(CMS) 지침의 일부이다. 이는 젖산 역치를 4mmol/L에서 2mmol/L로 낮춘 2013년 생존 패혈증 캠페인(Surviving Sepsis Campaign) 권장 사항의 수정된 버전이다. Levy와 동료들은 생존 패혈증 캠페인과 함께 최근 권장 지침을 Sep 1이라는 1시간 내용으로 수정했다. 응급실(또는 기타 의료 시설)에 내원한 후 1시간 이내에 환자는 종합적인 혈액 검사, 혈구 수치, 혈액 배양 및 젖산염을 확인하고 정맥 내로 수액 투여와 광범위한 항생제 투여를 시작한다. 관류저하 상태는 젖산 수치 상승으로 이어질 수 있음을 명심한다. 따라서 패혈증을 강력하게 고려해야 하지만, 관류저하의 다른 원인도 조사한다.

호기말이산화탄소 측정기

호기말이산화탄소 모니터링은 환자의 환기 상태를 평가하는 방법일 뿐만 아니라 환자의 신진대사 및 순환 상태에 대한 유용한 정보도 제공할 수 있다. 인체는 pH 7.4에서 이상적으로 기능한다. 신장과 폐는 협력하여 산성 또는 알칼리성 상태를 예방한다. 패혈증에서 환자는 과도한 대사 상태를 가지고 있어 관류가 불량하고 대사산증이 있는 부위에 젖산이 축적된다. 대사산증을 보상하는 신체의 방법은 환기를 증가시켜 이산화탄소를 배출하는 것이다.

호기말이산화탄소는 젖산염의 존재와 밀접한 상관관계가 있으며 4mmol/L의 혈청 젖산염과 밀접한 상관관계가 있는 호기말이산화탄소 <25mmHg 측정치와 역관계를 보인다. 호기말이산화탄소는 패혈증 또는 패혈 쇼크가 확인된 환자뿐만 아니라 획일적인 쇼크 환자의 확인 및 평가를 위한 신속하고 비침습적인 진단 도구이다.

실험실 연구

혈액 배양 외에 실험실 분석을 위한 추가 채혈이 필요할 수 있다. 마찬가지로 일부 환자는 병력의 일부로 최근 혈액량을 가지고 있을 수 있다. 이는 병원 전 환경에서 처치의 우선순위가 아닐 수 있지만, 진행 중인 환자 평가에는 중요한 가치가 있을 수 있다. 젖산염의 현장 현지검사(POCT) 외에도 혈당 현장 모니터링은 패혈증 환자에게 유용할 수 있다.

초음파검사

병원 전 현장 초음파검사(P-POCUS)는 응급실 진단 기술의 자연스러운 확장으로 최근 몇 년 동안 그 사용이 급속히 확대되었다. 병원 전 현장 초음파검사는 심장, 아래대정맥, 모리슨의 복부, 대동맥, 기흉을 포함한 잠재적인 쇼크 및 저혈압 원인을 신속하게 조사하기 위해 위상 배열 프로브와 직선 모양의 프로브를 사용하는 RUSH(Rapid Ultrasound for Shock and Hypotension) 프로토콜을 사용하여 저혈압이나 원인 불명의 쇼크가 있는 환자를 구별하는 데 도움이 되는 중요한 진단 도구가 될 수 있다. 패혈증 및 패혈 쇼크에만 해당하는 RUSH 검사는 과역동순환(hyperdynamic) 상태의 심장(벽이 90% 이상 움직이거나 수축기 말에 만짐)과 같은 분포 쇼크의 식별자를 찾고 있으며 이는 초기 패혈증 가능성을 나타내거나 수축력이 약한 상태의 심장 패혈증 가능성을 나타낸다. 병원 전 현장 초음파검사는 또한 처치 제공자가 패혈증과 공존하는 다른 쇼크 원인을 확인하는 데도 도움이 될 수 있다.

▼ 감별 진단 개선

패혈 쇼크는 단순히 감염이 있는 상태에서 급성 순환 부전이 발생하는 것이 아니다. 패혈 쇼크는 심한 순환기, 세포 및 대사 이상이 발생하여 패혈증 단독보다 사망할 위험이 더 높은 패혈증의 하위 부류이다. 패혈 쇼크는 패혈증보다 더 집중적인 평가와 조정된 처치가 필요한 심각한 질병이다.

패혈 쇼크는 저혈량증이 없는 경우 평균동맥압을 65mmHg 초과로 유지하고 혈청 젖산 수치를 2mmol/L(>18mg/dL) 이상으로 유지하기 위해 혈압상승제 투여가 필요한 것으로 임상적으로 정의된다. 이 조합은 40% 이상의 병원 사망률과 관련이 있다. 패혈증 대 패혈 쇼크의 감별 진단 기준은 표 12-2에 요약되어 있다.

표 12-2. 패혈증과 패혈 쇼크의 감별 진단

패혈증	패혈 쇼크
의심되거나 문서화된 감염	패혈증
≥ 2 SOFA 포인트의 급격한 증가	적절한 수액 소생술에도 불구하고 젖산염 >2mmol/L(18mg/dL)
	평균동맥압 >65mmHg로 유지하기 위해 혈압상승제를 투여

▼ 지속적인 관리

패혈증을 조기에 확인하는 것 외에도 증상이 미묘하지만, 처치의 기회가 더 큰 경우 처치를 공격적으로 시행해야 하지만 과잉 소생술을 피하고자 빈번한 재평가를 통해 관리하는 처치에 대한 어려움이 있다. 패혈증 및 패혈 쇼크의 다양한 증상은 소생에 대한 다양한 접근 방식이 필요하다. 이 장에서 설명된 모든 처치 방법이 모든 환자에게 적절한 것은 아니며 적극적인 처치가 필요한 처치 방법이라도 득보다 실이 더 많이 발생하지 않도록 주의 깊게 적용한다.

지속적인 처치는 필요에 따라 기도, 호흡 및 순환/관류 문제를 평가하고 해결하는 동일한 기본적이고 체계적인 접근 방식을 따를 수 있다. 포도당 및 전해질 장애, 체온 조절, 항생제 투여를 포함한 이차적인 문제도 고려할 수 있다. 마지막으로 가장 중요한 것은 일종의 패혈증 경보를 사용하는 것뿐만 아니라 병원 처치가 환자 처치 진행을 유지할 수 있도록 효과적인 인계 과정을 통해 응급실 동료와 지속적인 관리를 효과적으로 조정하는 것이다.

기도 관리

아래에 언급된 몇 가지 예외를 제외하고 패혈증 환자에 대한 기본 및 전문적인 기도 관리는 일반적으로 다른 모든 환자와 동일한 방식으로 접근한다. 환자의 기도 관리에 대한 현재 및 가까운 미래의 기도유지 상태를 평가하고 기도 개방을 유지하기 위해 적절한 처치를 제공한다. 흡인 및 입인두기도기, 코인두기도기, 성문외기도기 또는 기관내삽관과 같은 일반적인 처치가 적절할 수 있다.

특히 빠른연속기관삽관, 지연연속기관삽관 또는 약물 촉진 삽관을 고려할 때 저혈압을 유발할 수 있는 약물에 주의한다. 소아 환자의 경우 케타민은 심혈관 안정성을 유지하고 면역체계에 중립적인 영향을 미치기 때문에 선호되는 유도제가 될 수 있다. 에토미데이트는 신체의 정상적인 스트레스 반응을 차단할 수 있다.

호흡 관리

패혈증 동안 발생하는 다기관 기능 장애는 다양한 경로를 통해 부적절한 산소 공급 및 환기를 유발할 수 있다. 환자가 저산소증(산소포화도 <94%)인 경우 보조 산소 공급이 적절하다. 환기 지원이 필요한 경우 백밸브마스크 장치 또는 이동식 자동인공호흡기를 사용하여 보조 환기를 시행할 수 있다. 환기 보조는 환기 및 산소 공급을 증가시킬 뿐만 아니라 환자의 호흡 노력과 산소 요구량을 감소시키는 데 특히 효과적일 수 있다.

양압 환기는 가슴속 압력을 증가시켜 심장 전부하를 감소시키고 잠재적으로 저혈압 및 쇼크를 악화시킬 수 있다. 이것은 이러한 환자들에게 처치를 제공하는 것의 어려움을 강조한다. 패혈증 특히 패혈 쇼크를 앓고 있는 환자는 처음에 존재하는 것보다 훨씬 쉽게 영향을 받을 수 있다. 환자 상태의 한 측면을 개선하기 위한 처치는 환자 상태의 다른 측면에 의도하지 않은 부정적인 영향을 미칠 수 있다. 이것이 모든 처치를 시작한 후 환자를 재평가하고 고려하는 것이 중요한 이유이다.

수액 소생술

정맥 내 또는 골내(IO)로 혈관을 신속하게 확보하는 것은 패혈증 환자의 수액 소생술 및 약물 투여에 중요하다. 저혈압이거나 또는 젖산염이 2mmol/L를 초과하는 환자의 경우 권장되는 소생술은 다음 중 어느 하나가 발생할 때까지 30mL/kg의 결정질용액을 신속하게 투여하는 것이다.

- 평균동맥압 >65mmHg
- 거품소리(수포음) 발현 또는 악화
- 산소공급 감소(특히 환기 곤란 증가와 함께)
- 소아 환자의 간 비대
- 젖산염 <2mmol/L

빠른 수액 투여가 환자의 예후를 개선하는 것으로 나타났지만, 수액 과부하의 위험에는 폐부종, 폐 손상, 심부전, 복부구획증후군 및 뇌부종이 포함되므로 빈번한 재평가가 중요하다.

혈압상승제 투여

혈압승압제는 초기 수액 소생술 후 저혈압이 지속하는 환자에게 투여한다. 혈압상승제에는 노르에피네프린 또는 평균동맥압을 65mmHg 이상으로 유지하는 것을 목표로 투여하는 노르에피네프린, 에피네프린 및 바소프레신의 조합이 포함된다. 노르에피네프린은 패혈 쇼크 환자에게 선택되는 혈압상승제이고 도파민 투여는 피해야 한다.

포도당 및 전해질 장애

기도, 호흡 및 순환 장애 처치의 우선순위보다 훨씬 낮은 수준에서 환자는 전해질 장애에 대해 평가되거나 고혈당 또는 저혈당에 대한 혈당 현장검사를 통해 평가할 수 있다. 포도당 10% 25g을 투여하여 저혈당을 교정하는 것이 적절할 수 있다.

해열제 및 목표 체온 관리

환자를 진정시키고 체온을 조절하기 위해 해열제를 투여하는 것이 유혹적일 수 있지만, 현재 연구에 따르면 패혈증 또는 패혈 쇼크가 있는 환자에게 해열제를 투여해도 결과가 크게 달라지지 않는다. 초기에 가능성이 있는 동물 연구에도 불구하고 경증 저체온증으로 알려진 목표 체온 관리는 패혈증 환자의 결과에 유의한 영향을 미치지 않는 것으로 보인다.

항생제 투여

연구에 따르면 항생제의 조기 투여는 패혈증 환자의 결과를 개선하는 것으로 나타났다. 처치의 표준은 패혈증을 인식 후 1시간 이내에 모든 가능한 병원균을 포괄하는 광범위한 항생제 투여를 시작하는 것이다. 따라서 일부 지역에서는 구급대원이 위독한 패혈증 환자를 효과적으로 확인할 수 있도록 교육을 받았다. 젖산염 검사, 혈액 배양을 통해 진단을 내리고 현장에서 광범위 항생제를 투여할 수 있다. 광범위 항생제를 투여하기 전에 현장에서 혈액 배양을 실시하는 것이 최선의 방법으로 간주할 수 있지만, 혈액 배양을 하면 상당한 지연이 발생할 경우 혈액 배양 없이 항생제 투여를 진행하는 것이 임상적으로 적절하다는 점에 유의하는 것이 중요하다. 연구는 환자 결과에 미치는 이러한 시간에 민감한 처치의 영향을 확인하기 위해 계속 노력하고 있다. 병원 전 환경에서 세프트리아악손을 투여한 최근의 무작위 대조 연구에서는 이점이 입증되지 않았다. 추가 연구는 이 문제를 명확히 하는 데 계속 도움이 될 것이다. 항생제 투여가 지연되면 시간당 사망률이 1% 증가하는 것으로 나타났으므로 병원 전 환경에서 경험적 항생제 투여를 고려하는 것이 타당해 보인다. 분명히 항생제가 널리 보급되기 전에 더 많은 연구가 필요하다.

패혈증 경보 알리기

전 세계적으로 병원 전 패혈증 경고를 유발하는 다양한 기준이 존재한다. 이러한 시스템에서 사용되는 기준의 차이점은 일반적으로 패혈증 환자를 감지하는 민감도와 특이성을 개선하기 위해 EMS 제공자의 현재 장비와 능력을 사용하려는 시도를 반영한다. 이러한 방식으로 환자는 가장 적절한 병원 전 처치를 받고 병원 전 처치 제공자는 환자를 이송할 의료기관의 응급실 의료진과 효과적으로 협력한다.

패혈증 경보 프로토콜을 효과적으로 사용하면 응급실에서 처치 시간을 단축하고 환자 사망률을 개선할 수 있다. 또한, 병원 전과 병원 처치 제공자 간의 효과적인 조정을 통해 응급실의 임상의는 EMS가 중단한 평가 및 처치를 선택하여 중요한 환자 처치의 탄력을 유지하고 이어 시행할 수 있다.

특별한 환자

노인, 임산부 및 젊은 환자를 패혈증의 위험에 처하게 하는 일반적인 원인은 면역체계가 덜 효과적이어서 감염될 가능성이 높고 이러한 감염이 중증으로 이어질 가능성이 더 커진다. 또한, 이 특별한 집단 간에는 다른 이유가 있지만, 모두 패혈증이 발병할 경우 쇼크의 급속한 진행에 기여하는 동반 요인이 있을 가능성이 있다.

노인 환자

65세 이상의 사람은 미국 인구의 약 12%를 차지하지만, 병원에서 패혈증 환자의 65%를 차지한다. 이것은 다양한 요인의 결과일 수 있다. 나이가 들수록 면역체계가 약해져서 감염이 더 자주 발생하고 중증 상태일 수 있다. 이것은 건강한 피부 상태를 유지하는 성인보다 감염 기회를 더 많이 줄 수 있는 피부 찢어짐 및 궤양과 같은 노인 환자에게 흔한 다른 위험 요인과 복합적인 작용을 할 수 있다. 또한, 빈번하고 장기간의 입원 및 회복 기간은 감염 및 패혈증 발병의 우려와 중증도 증가에 기여할 수 있다.

노인 감염의 가장 흔한 원인은 폐렴과 요로 감염이다. 노인 환자나 보호자의 주요호소증상은 감염 자체로 인한 불편함에 초점을 맞출 수 있지만, 임상의는 활력징후, 의식상태, 진단검사 결과 등의 미묘한 변화가 단순히 노화의 징후로 판단하거나 오인되지 않도록 체계적인 AMLS 평가 과정을 따라야 한다. 노인 환자의 패혈증에 대한 확인 및 처치 시작을 지연시킬 수 있는 모호한 임상 양상을 분류하기 위해 높은 의심 지수를 유지한다. 이 환자는 상태가 패혈 쇼크로 진행될 경우 장기간 보상할 심혈관 예비력이 없을 수 있다.

노인 환자에게 특정한 패혈증 위험 인자는 다음과 같다.

- 80세 이상
- 비만
- 기능 저하 상태
- 카테터와 같은 유치 장치의 배치
- 암 병력
- 당뇨병 병력
- 내분비 결핍
- 전문 요양 시설에 거주
- 최근 입원
- 면역체계를 손상하는 모든 상태, 요법 또는 처치

병원 전 환경에서 확인된 패혈증이 있는 노인 환자의 처치는 젊은 성인 환자와 거의 동일하지만, 이러한 환자의 결과를 개선하는 열쇠는 패혈증을 조기에 확인하고 효과적인 처치를 신속하게 시행하는 것이 중요하다. 이는 패혈증에서 패혈 쇼크로 악화하는 양상이 다양한 다른 기존 상태에 의해 가려질 수 있으며 이러한 노인 환자는 장기간 쇼크에서 생존할 수 있는 기능적 예비 능력이 낮다.

산부인과 환자

감염은 미국에서 산모 사망률의 12.7%를 차지한다. 이 그룹의 약 6%는 패혈증을 앓고 있다. 임신한 환자는 태아에 대한 거부 반응을 예방하기 위해 면역체계가 약해져 있다. 또한, 이러한 환자는 증가한 호흡수와 증가한 혈액량으로 인해 혈압이 낮기 때문에 표준 패혈증 확인 기준 사용이 덜 유용하다. 미국 이외의 지역에서 산부인과 관련 패혈증 기준이 개발되었지만, 현재까지 표준 패혈증 점수를 사용하는 것보다 우수한 것으로 입증된 것은 없다. 산모 조기 경보 유발 도구는 패혈증이 있는 임신한 환자의 사망률을 감소시키는 것으로 나타났다. 그러나 수반되는 기준의 측정은 병원 전 환경에서 사용하기에는 적합하지 않다.

소아 환자

전 세계적으로 매년 6백만 명의 어린이가 패혈증으로 사망하며 이는 어린이의 이환율 및 사망률의 주요 원인이 된다. 패혈증에 대한 환자의 취약성 증가와 함께 소아 환자의 낮은 빈도는 모든 임상의가 직면할 수 있는 가장 큰 도전 과제 중 일부가 될 수 있다. 소아 환자에서 패혈증에 대한 초기 설명은 종종 비특이적이며 3세 미만의 소아에서 특히 그렇다. 이 문제를 더하면 패혈증이 진행됨에 따른 활력징후의 변화는 미묘할 수 있으며 추세를 매우 면밀히 모니터링하지 않는 한 감지되지 않을 수 있다. 소아 활력징후 차트, 테이프, 휠 및 소프트웨어 앱과 같은 환자 처치에 필요한 참조 자료는 허용할 수 있는 활력징후 및 진단 검사 범위에서 벗어난 편차를 신속하게 확인하는 데 도움이 될 수 있다. 처음에 미묘한 변화를 종합하여 패혈증 및 장기 기능 장애의 임상 양상을 형성하지 않으면 환자가 잠재적으로 비가역적인 심혈관 붕괴로 빠르게 진행될 수 있다.

소아 환자의 패혈증에 대한 일반적인 감염원으로는 대장균 감염 및 호흡기 세포융합 바이러스 감염이다. 소아 관련 위험에는 다음이 포함된다.

- 생후 90일 미만
- 면역 요법
- 화학 요법
- 정기적인 스테로이드 사용
- 알려진 B세포 또는 T세포 결핍
- 후천면역결핍증후군(AIDS)
- 면역체계를 손상하는 모든 상태, 요법 또는 처치

신생아 소아청소년과 환자에게 특정한 위험 요소는 다음과 같다.

- 산모의 양수가 터진 시간 > 분만 24시간
- 조산
- 저 체중 신생아
- 출생 당시 처치를 받지 않은 다음 TORCH 감염이 있는 산모
- 톡소플라스마증(T)
- 매독, 수두 대상포진(O)
- 풍진(R)
- 거대세포바이러스(C)
- 포진(H)

출생 후 첫 72시간 이내에 선천성 감염(일반적으로 분만 전 또는 분만 과정 중에 감염)으로 발생하는 패혈증은 조기 발병 신생아 패혈증으로 간주한다. 출생 후 72시간 이상 및 생후 28일까지 발생하는 패혈증은 일반적으로 병원(병원에서 감염) 또는 지역사회 획득 감염으로 발생하며 후기 발병 신생아 패혈증으로 간주한다.

어린이가 걸리는 모든 감염이 패혈증으로 이어지는 것은 아니지만 패혈증이 발생하면 염증, 면역 및 응고 반응이 혼합되어 분포 쇼크, 저혈량 쇼크 및 폐쇄 쇼크 경로의 복잡하고 치명적인 조합을 유발할 수 있다. 소아 환자의 패혈증은 환자가 돌이킬 수 없는 정도는 아니더라도 극도로 어려운 쇼크 단계에 이를 때까지 인식하지 못하는 경우가 많다. 조기 인식은 단일 식별 임상 마커 또는 혈액 검사보다 체계적인 평가와 임상 판단에 의존한다.

소아 환자를 위한 수액 소생술은 5~10분에 걸쳐 결정질 용액 20mL/kg을 투여한다. 총 수액 투여는 200mL/kg까지 투여할 수 있지만, 특히 어린이의 경우 수액 과부하의 위험을 확인하기 위해서 각 수액 투여 사이에 재평가를 시행한다.

성인과 마찬가지로 수액 투여가 효과적인 순환 기압을 유지하기에 불충분한 경우 혈압상승제를 투여한다. 과역동(온열) 쇼크의 경우 권장되는 혈압상승제는 노르에피네프린 0.1~2mcg/kg/분으로 정맥 내/골내로 효과가 있을 때까지 투여한다. 나중의 저역동(hypodynamic, [저온]) 쇼크 단계의 경우 에피네프린 0.1~1mcg/kg/분으로 정맥 내/골내로 투여하여 효과를 적절하게 유지할 수 있다.

고혈당은 패혈증 소아 환자에서 더 흔한 소견이지만 EMS 제공자는 저혈당(신생아 <45mg/dL, 영아 및 소아 <60mg/dL) 여부를 확인하고 필요한 경우 영아 및 소아의 경우 D10% 용액을 정맥 내/골내로 투여하고 신생아의 경우 D5% 용액을 투여하여 교정한다.

종합 정리

패혈증은 방심할 수 없는 병리학으로 패혈 쇼크의 진행을 악화시키고 가속할 수 있는 동일한 동반 질환 뒤에 숨어 있는 경우가 많다. AMLS 평가 과정을 효율적으로 사용하면 병원 전 임상의가 패혈증을 조기에 정확하게 확인하여 효과적인 병원 전 처치를 시작하고 응급실 동료와 협력할 수 있다.

시나리오 해결책

- 감별 진단에는 많은 가능한 기원의 패혈증, 위장 출혈, 응고병증 및 뇌졸중이 포함될 수 있다.
- 감별 진단 범위를 좁히려면 환자의 현재 상태로 이어지는 모든 사건을 포함하여 환자의 상태에 대한 자세한 기록을 작성한다. 자세한 신체검사를 수행한다. 자세한 병력과 자세한 신체검사 사이에 환자가 감염 징후가 있는지 확인할 수 있어야 한다. 이 환자는 급히 화장실에 가야 했다. 이를 추가로 평가하면 요로성패혈증 또는 위장관 기반 패혈증의 가능성에 대한 중요한 정보를 얻을 수 있다. 상세한 신체검사는 상처 또는 피부 기반 패혈증의 징후를 나타낼 수 있지만, 폐렴 징후를 확인하는 데 도움이 될 수도 있다. 자세한 병력 청취는 이 환자의 낙상을 목격했고 환자가 머리를 부딪치지 않았으며 환자가 혈장용해제를 복용하지 않다는 정보를 얻을 수 있다. 이 환자에게 적절한 뇌졸중 평가가 가장 중요하다.
- 환자는 SIRS의 명백한 증거가 있을 뿐만 아니라 병력 청취에 기초하여 위장 감염이 의심되는 명백한 증거가 있다. 또한, 환자는 혈류역학적으로 불안정하여 즉각적인 안정화가 필요하다. 즉시 정맥 라인을 확보하고 수액 소생술을 시작한다. 가능한 경우 초기 경험적 항균 요법을 고려하는 것이 중요하다. 이러한 상황에서 환자의 혈류역학적 상태가 적극적인 수액 소생술에 신속하게 반응하지 않으면 혈관수축제(노르에피네프린 등)의 조기 투여가 무엇보다 중요하다. 환자의 상태에 따라 삽관이 신속하게 필요할 수 있으므로 의식상태와 기도유지 상태를 주의 깊게 모니터링하는 것이 중요하다. 가장 중요한 것은 이 환자의 상태가 생명을 위협하는 상태인지 자주 재평가하고 그에 따라 처치 계획을 변경할 수 있다.

요약

- 패혈증은 감염에 대해 조절되지 않은 숙주 반응으로 인해 생명을 위협하는 장기 기능 장애이다.
- 패혈증은 조기에 인식하며 그 증상은 미묘할 수 있지만, 처치 제공자는 처치에 대한 환자의 긍정적인 반응을 더 많이 볼 수 있다.
- SOFA, qSOFA, MEWS 및 NEWS를 포함한 패혈증에 대한 다양한 평가 및 예후 도구가 개발되었다.
- 패혈증 및 패혈 쇼크가 있는 많은 환자는 의식 수준이 변화된다.
- 패혈증은 종종 다른 질병으로 가장할 수 있으므로 자세한 병력과 신체검사가 매우 중요하다.
- 패혈증은 다양한 조합으로 분포 쇼크, 저혈량 쇼크 및 폐쇄 쇼크를 통해 관류를 감소시킬 수 있다.
- 초기 단계에서 패혈증은 처치하기 쉽지만 그만큼 진단하기에는 어렵다.
- 패혈증이나 패혈 쇼크가 의심되는 환자의 경우 의식 수준과 인지 기능을 평가하는 것이 중요하다.
- 머리와 목의 감염 징후에는 중증 두통, 뻣뻣한 목, 귀통증, 인후통, 부비동 통증 및 턱밑, 목 앞쪽 또는 목뒤쪽 림프절병증으로 알려진 목 림프절의 분비물 및 부기가 있다.
- 패혈증은 초기에 매우 미묘한 징후와 증상을 나타낼 수 있고 패혈 쇼크로 진행할 수 있기 때문에 환자를 자주 재평가하고 추가 진단 도구를 사용하는 것이 중요하다.
- 패혈 쇼크는 심한 순환기, 세포 및 대사 이상이 발생하여 패혈증 단독보다 사망 위험이 더 높은 패혈증의 하위 집합이다.
- 노르에피네프린은 패혈 쇼크 환자에게 사용할 수 있는 혈압상승제이다.
- 병원 기반 처치 표준은 패혈증을 인식한 후 1시간 이내에 가장 가능성이 높은 병원균을 포함하는 광범위 항생제 투여를 시작하는 것이다.
- 패혈증 경보 프로토콜을 효과적으로 사용하면 응급실에서의 처치 시간을 단축하고 환자의 사망률을 감소시킬 수 있다.
- 노인, 임산부 및 젊은 환자를 패혈증의 위험에 빠뜨리는 공통적인 요소는 저하된 면역체계이며 이는 감염될 가능성을 높이고 중증의 감염이 발생할 가능성이 더 높다.

주요 용어

적응 면역반응(adaptive immune response) 감염에 대한 신체의 이차 반응으로 기억력이 있다. 이는 T 세포(도움세포 및 살해세포)와 B 세포 및 이들의 항체 및 보체 연쇄반응의 고전적인 경로를 사용하여 감염에 대한 반응을 가속화하거나 느리게 한다.

항체(antibodies) 특성 항원에 반응하여 형질 세포/B 세포에 의해 생성되는 단백질. 면역글로불린으로도 알려져 있으며 적응 면역반응의 핵심 구성 요소이다.

항원(antigen) 면역반응과 그에 대한 항체 생성을 유발하는 독소 또는 이물질.

세포자멸사(apoptosis) 프로그램된 세포 사멸. 사이토카인은 감염되거나 손상된 숙주 세포가 죽도록 신호를 보내 추가 숙주 세포로의 감염이 더는 증가하는 것을 방지한다.

B 세포(B cells) 골수에서 성숙하고 적응 면역반응에서 중요한 역할을 하는 림프구 부류. 형질 세포라고도 하는 이 세포는 신체의 면역반응에 역할을 하는 항체(IgA, IgE, IgG 및 IgM)를 생성한다.

호염기(basophils) 히스타민과 헤파린을 방출하는 분비 과립을 포함하는 세포. 이것은 타고난 면역반응에서 중요한 역할을 한다.

케모카인(chemokines) 다른 세포의 끌어당김을 유발하는 세포에 의해 방출되는 사이토카인 또는 신호 전달 단백질의 하위분류로 화학주성(chemotaxis)이라고도 한다.

응고 연쇄반응(coagulation cascade) 조직 손상에 노출된 후 응고 형성과 조절을 유발한다. 이는 외부 및 내부 경로 그리고 혈소판 또는 세포 손상에 의해 유발될 수 있다.

보체(complement) 간에서 생성되는 비활성 단백질로 선천 면역반응 및 적응 면역반응에서 중요한 역할을 한다.

보체 연쇄반응(complement cascade) 보체는 선천 면역반응에서 병원균에 노출되어 간접적으로 활성화되어 침입하는 미생물의 옵소닌화를 유발하여 염증 및 포식 작용을 일으키는 추가 신호를 해당 부위에 보낸다. 또한, 침입하는 병원균에 대한 특정 항체에 노출되어 직접 유발될 수도 있다. 이것은 적응 면역반응에서 고전적인 보체 연쇄반응 하에서 막 공격 복합체의 형성을 유도한다.

사이토카인(cytokines) 주변 세포에 의한 추가 반응을 시작하는 세포에서 방출되는 신호 단백질 부류.

가시돌기 세포(dendritic cells) 선천 면역반응과 적응 면역반응 사이의 메신저 역할을 한다. 이것은 세포 표면을 따라 항원으로 알려진 침입하는 미생물의 조각을 제시한다.

호산구(eosinophils) 히스타민과 사이토카인을 방출하는 분비 과립을 포함하는 세포로 기생충 감염 및 알레르기 반응에 중요한 역할을 한다.

과립구(granulocytes) 세포질에 분비 과립이 있는 백혈구의 일종으로 중성구, 호염구 또는 호산구

면역체계(immune system) 비장, 가슴샘, 골수, 림프계, T 세포 및 B 세포를 포함한다. 침입하는 병원균으로부터 신체를 보호한다.

선천 면역반응(innate immune response) 외부 미생물에 대한 신체의 초기 반응. 이것은 기억이 없고 비특이적이다. 이는 대체 보체 경로, 자연 살해 세포, 과립구, 단핵구 및 비만 세포를 통합한다.

대식세포(macrophages) 침입하는 병원균이나 감염된 숙주 세포를 삼킬 수 있는 단핵구 유형.

단핵구(monocytes) 대식세포 또는 가시돌기 세포로 분화할 수 있는 백혈구의 일종으로 선천 면역반응에 중요한 역할을 한다.

괴사(necrosis) 세균 독소 또는 손상과 같은 세포 외부 요인으로 인해 조절되지 않은 세포 사멸.

중성구(necrosis) 분비 과립을 함유하고 50% 초과의 과립구를 포함하는 세포로 이것은 침입하는 병원균을 감싸고 효소와 사이토카인을 방출해 침입하는 미생물을 파괴하고 숙주 면역 반응을 경고함으로써 선천적인 면역반응에 핵심적인 역할을 한다.

옵소닌화(opsonization) 포식 작용을 위해 외부 미생물이나 항원을 표시하거나 죽은 세포를 재활용하도록 표시하는 행위이다. 폐의 계면활성제는 침입하는 미생물을 덮을 수 있으며 선천적 면역반응의 일부로 포식 작용을 하도록 표시할 수 있다. 보체 단백질은 또한 선천 면역반응의 일부로 침입하는 미생물 또는 항원을 덮거나 표시할 수 있다. 항체는 적응 면역반응의 일부로 침입하는 미생물을 식별하고 표시할 수 있다.

포식 세포(phagocytes) 외래 세포 또는 감염된 숙주 세포를 집어삼킬 수 있는 세포로 대식세포와 중성구를 포함한다.

패혈증(sepsis) 감염에 대한 신체의 잠재적으로 생명을 위협할 수 있는 반응.

T 세포(T cells) 가슴샘에서 성숙하고 적응 면역반응을 증가시키는 데 중요한 역할을 하는 림프구 부류로 세포독성에는 도움세포와 살해세포 두 가지 유형이 있다.

참고 문헌

Alam N, Oskam E, Stassen PM, et al.: Prehospital antibiotics in the ambulance for sepsis: A multicenter, open label, randomised trial. *Lancet Respir Med*. 6(1):40–50, 2018.

Beglinger B, Rohacek M, Ackermann S, et al.: Physician's first clinical impression of emergency department patients with nonspecific complaints is associated with morbidity and mortality. *Medicine*. 94(7):e374, 2015.

Beloncle F, Radermacher P, Guerin C, et al.: Mean arterial pressure target in patients with septic shock. *Minerva Anestesiologica*. 82(7):777–784, 2016.

Boland LL, Hokanson JS, Fernstrom KM, et al.: Prehospital lactate measurement by emergency medical services in patients meeting sepsis criteria. *Western Journal of Emerg Med*. 17:648–655, 2016.

Bonanno FG: Clinical pathology of the shock syndromes. *J Emerg Trauma Shock*. 4(2):233–243, 2011.

Bone RC, Balk RA, Cerra FB, et al.: Definitions for sepsis and organ failure and guidelines for the use of innovative therapies in sepsis. The ACCP/SCCM Consensus Conference Committee. American College of Chest Physicians/Society of Critical Care Medicine. *Chest*. 101(6):1644–1655, 1992.

Bone RC, Fisher CJ Jr, Clemmer TP, et al.: Sepsis syndrome: A valid clinical entity. Methylprednisolone Severe Sepsis Study Group. *Crit Care Med*. 17(5):389–393, 1989.

Brierley JJ, Carcillo JAJ, Choong KK, et al.: Clinical practice parameters for hemodynamic support of pediatric and neonatal septic shock: 2007 update from the American College of Critical Care Medicine. *Crit Care Med*. 37(2):666–688.

Brierley J, Peters M. Distinct hemodynamic patterns of septic shock at presentation to pediatric intensive care. *Pediatrics*. 122:752–759, 2008.

Centers for Medicare and Medicaid Services: *ICD-10 overview*. May 17, 2018. https://www.cms.gov/Medicare/Coding/ICD10/index.html

Chapman SJ, Hill AVS: Human genetic susceptibility to infectious disease. *Nat Rev Genet*. 13(3):175–188, 2012.

Churpek MM, Snyder A, Han X, et al.: Quick sepsis-related organ failure assessment, systemic inflammatory response syndrome, and early warning scores for detecting clinical deterioration in infected patients outside the intensive care unit. *Am J Respir Crit Care Med*. 195(7):906–911, 2017.

Dannemiller EM: Impact of time to antibiotics on survival in patients with severe sepsis or septic shock in whom early goal-directed therapy was initiated in the emergency department. *J Emerg Med*. 39:393, 2010.

Dantes RB, Epstein L: Combatting sepsis: A public health perspective. *Clin Infect Dis*. 67(8):1300–1302, 2018.

Drewry AM, Ablordeppey EA, Murray ET, et al.: Antipyretic therapy in critically ill septic patients: A systematic review and meta-analysis. *Crit Care Med*. 45(5):806–813, 2017.

El Sayed MJ, Zaghrini E: Prehospital emergency ultrasound: A review of current clinical applications, challenges, and future implications. *Emerg Med Int*. 2013:531674, 2013.

Gallagher EJ, Rodriguez K, Touger M: Agreement between peripheral venous and arterial lactate levels. *Ann Emerg Med*. 29(4):479–483, 1997.

Gao Y, Zhu J, Yin C, et al.: Effects of target temperature management on the outcome of septic patients with fever. *Biomed Res Int*. 2017:3906032, 2017.

Ghane MR, Gharib M, Ebrahimi A, et al.: Accuracy of early rapid ultrasound in shock (RUSH) examination performed by emergency physician for diagnosis of shock etiology in critically ill patients. *J Emerg Trauma Shock*. 8(1):5–10, 2015.

Halim, K, Freeman-Garrick J, Agcaoili C et al.: Prehospital identification of sepsis patients and alerting of receiving hospitals: Impact on early goal-directed therapy. *Crit Care*. 15:P26, 2011.

Haseer Koya H, Paul M. Shock. In *StatPearls*. Treasure Island, FL, 2018, StatPearls Publishing.

Hunter CL, Silvestri S, Ralls G, et al.: A prehospital screening tool utilizing end-tidal carbon dioxide predicts sepsis and severe sepsis. *Am J Emerg Med*. 34(5):813–819., 2016

Hunter CL, Silvestri S, Ralls G, et al.: Comparing quick sequential organ failure assessment scores to end-tidal carbon dioxide as mortality predictors in prehospital patients with suspected sepsis. *Western J Emerg Med*. 19(3):446–451, 2018.

Hunter CL, Silvestri S, Dean M, et al.: End-tidal carbon dioxide is associated with mortality and lactate in patients with suspected sepsis. *Am J Emerg Med*. 31:64–71, 2013.

Itenov TS, Johansen ME, Bestle M, et al.: Induced hypothermia in patients with septic shock and respiratory failure (CASS): A randomised, controlled, open-label trial. *Lancet Respir Med*. 6(3):183–192, 2018.

Kim W-Y, Hong S-B: Sepsis and acute respiratory distress syndrome: Recent update. *Tubercul Respir Dis*. 79(2):53–57, 2016.

Kushimoto S, Gando S, Saitoh D, et al.: The impact of body temperature abnormalities on the disease severity and outcome in patients with severe sepsis: An analysis from a multicenter, prospective survey of severe sepsis. *Crit Care*. 17(6):R271, 2013.

Leone M, Asfar P, Radermacher P, et al.: Optimizing mean arterial pressure in septic shock: A critical reappraisal of the literature. *Criti Care*. 19(1):101, 2015.

Levy MM, Fink MP, Marshall JC, et al.: 2001 SCCM/ESICM/ACCP/ATS/SIS International Sepsis Definitions Conference. *Crit Care Med*. 31(4):1250–1256, 2003.

Lewis AJ, Griepentrog JE, Zhang X, et al.: Prompt administration of antibiotics and fluids in the treatment of sepsis: A murine trial. *Crit Care Med*. 46(5):426–434, 2018.

Lindberg DM: Should we treat fever in patients with sepsis? *NEJM J Watch*. March 2, 2017. https://www.jwatch.org/na43588/2017/03/02/should-we-treat-fever-patients-with-sepsis

McGillicuddy DC, Tang A, Cataldo L, et al.: Evaluation of end-tidal carbon dioxide role in predicting elevated SOFA scores and lactic acidosis. *Intern Emerg Med*. 4(1):41–44, 2009.

Middleton PM: Practical use of the Glasgow Coma Scale; a comprehensive narrative review of GCS methodology. *Australasian Emerg Nurs J*. 15(3):170–183, 2012.

Nasa P, Juneja D, Singh O: Severe sepsis and septic shock in the elderly: An overview. *World J Crit Care Med*. 1(1):23–30, 2012.

Reinhart K, Daniels R, Kissoon N, et al.: Recognizing sepsis as a global health priority—A WHO resolution. *New Eng J Med*. 377(5):414–417, 2017.

Reith FC, Synnot A, van den Brande R, et al.: Factors influencing the reliability of the Glasgow Coma Scale: A systematic review. *Neurosurgery*. 80(6):829–839, 2017.

Rhodes A, Evans LE, Alhazzani W, et al.: Surviving Sepsis Campaign: International Guidelines for Management of Sepsis and Septic Shock 2016. *Crit Care Med*. 45(3):486, 2017.

Santhanam S. *Pediatric sepsis differential diagnoses*. https://emedicine.medscape.com/article/972559-differential, updated December 14, 2018.

Serafim R, Gomes JA, Sallu, J, et al.: A Comparison of the Quick-SOFA and systemic inflammatory response syndrome criteria for the diagnosis of sepsis and prediction of mortality: A systematic review and meta-analysis. *Chest*. 153(3):646–655, 2018.

Seymour CW, Rosengart R: Septic shock. *JAMA*. 314(7):708–717, 2015.

Singer M, Deutschman CS, Seymour CW, et al.: The Third International Consensus Definitions for Sepsis and Septic Shock (Sepsis-3). *JAMA*. 315(8):801–810, 2016.

Sørensen TI, Nielsen GG, Andersen PK, et al.: Genetic and environmental influences on premature death in adult adoptees. *N Engl J Med*. 318(12):727–732, 1988.

Stegmann BJ, Carey JC. TORCH Infections. Toxoplasmosis, other (syphilis, varicella-zoster, parvovirus b19), rubella, cytomegalovirus (CMV), and herpes infections. *Curr Women Health Rep*. 2:253–258, 2002.

Vergnano S, Sharland M, Kazembe P, et al.: Neonatal sepsis: An international perspective. *Arch Dis Childhood Fetal Neonat Ed*. 90:F220–F224, 2005.

Walchock JG, Pirrallo RG, Furmanek D, et al.: Paramedic-initiated CMS sepsis core measure bundle prior to hospital arrival: A stepwise approach. *Prehospital Emerg Care*. 21(3):291–300, 2016.

Wiryana M, Sinardja IK, GedeBudiarta I, et al.: Correlation of end tidal CO_2 ($ETCO_2$) level with hyperlactatemia in patient with hemodynamic disturbance. *J Anesth Clin Res*. 8(07), 2017.

World Health Organization. *Pulse oximetry training manual*. 2011. https://www.who.int/patientsafety/safesurgery/pulse_oximetry/who_ps_pulse_oxymetry_training_manual_en.pdf

World Health Organization Global Health Observatory. *Causes of child mortality. 2013*. Geneva, Switzerland, 2014, The Organization.

Yamamoto S, Yamazaki S, Shimizu T, et al.: Body temperature at the emergency department as a predictor of mortality in patients with bacterial infection. *Medicine*. 95(21):e3628, 2016

Index

[한글]